D0935164

ALBERT BÉGUIN · TRAUMWELT UND ROMANTIK

ALBERT BÉGUIN

TRAUMWELT UND ROMANTIK

Versuch über die romantische Seele
in Deutschland und in der Dichtung Frankreichs

Herausgegeben und mit einem Nachwort versehen
von Peter Grotzer

FRANCKE VERLAG BERN
UND MÜNCHEN

Aus dem Französischen übertragen von Jürg Peter Walser

Übersetzung und Redaktion dieses Werkes wurden in großzügiger Weise gefördert von der Stiftung *Pro Helvetia*.

Das Originalwerk erschien unter dem Titel *L'âme romantique et le rêve. Essai sur le romantisme allemand et la poésie française* erstmals im Jahre 1937 in den Editions des Cahiers du Sud, Marseille; danach in einer vom Autor gekürzten und durchgesehenen Fassung im Verlag Corti, Paris 1939, seither in mehreren unveränderten Auflagen im selben Verlag.

J'ai retiré mes pieds de la terre, à toutes mains mes mains,
à tous objets extérieur mes sens, à mes sens mon âme ...
Il n'y a plus un homme, il n'y a plus qu'un mouvement,
il n'y a plus qu'une origine. Je souffre naissance. Je suis
forclos. Fermant les yeux, rien ne m'est plus extérieur,
c'est moi qui suis extérieur.

CLAUDEL: *Art poétique*

EINLEITUNG

Ce moment que tout m'échappe, que d'immenses
lézardes se font jour dans le palais du monde, je lui
sacrifierais toute ma vie, s'il voulait seulement durer
à ce prix dérisoire. Alors l'esprit se déprend un peu
de la mécanique humaine, alors je ne suis plus la
bicyclette des mes sens, la meule à aiguiser les souvenirs et les rencontres. ARAGON

I

Jede Epoche des menschlichen Denkens setzt den Traum in eine charakteristische
Beziehung zum Wachen, ja die Art dieser Beziehung könnte als hinreichendes
Epochenmerkmal dienen. Es wird uns zweifellos immer wieder neu zu denken
geben, daß wir nebeneinanderher zwei Leben leben, die sich wohl durchdringen
und vermischen, aber nie in völlige Übereinstimmung bringen lassen. Die Frage:
Bin *ich* es, der da träumt? stellt sich früher oder später einem jeden von uns
mehr oder weniger klar, mehr oder weniger beständig und vor allem mehr oder
weniger dringlich. Eine vielschichtige Frage! Sie rührt an das Warum und
Wozu unseres Daseins, an die Wahl, die wir aus unseren inneren Möglichkeiten
zu treffen haben, an das Erkenntnisproblem genau so wie an das der Dichtung.
Sie ist eine jener drei oder vier Fragen, auf die wir nicht einfach eine Antwort
geben können, die lediglich das abstrakte Denken befriedigt, die Wirklichkeit
unserer Existenz und ihre ursprüngliche Angst hingegen außer acht läßt – entspringen doch diese Fragen nicht unserer eigenmächtigen Reflexion, sondern es
ist eine unergründliche Wirklichkeit, die sie uns entgegenwirft, eine Wirklichkeit,
die weit über uns hinausreicht und von der wir so stark abhängig sind, daß
wir einen Dialog nicht ausschlagen können, ohne eine Schmälerung des Lebens
auf uns zu ziehen.

Bin *ich* es, der da träumt in der Nacht? Oder hat mich irgendwer, irgend
etwas zum Schauplatz seiner bald so erbärmlichen, bald rätselhaft weisen Theaterstücke ausersehen? Ungerufen ziehen vor meinem Auge die wunderlichsten
Bilder vorüber, in zufälliger Folge, dennoch allesamt durchwirkt vom selben
geheimnisvollen, ungreifbaren Einschlag. Künden sie von meinem eigenen oder
von einem anderen, meinem Zugriff entzogenen Geschick? Oder narrt mich da
nächtens einfach ein wirres Gaukelspiel von aufgewirbelten Gedankenfetzen?

Solche Fragen kommen auch dann nicht zur Ruhe, wenn eigene Beobachtung
oder psychologische Belehrung mir den genauen Erweis erbringen, wie solche
Traumbilder auf mein bewußtes Erleben bezogen seien. Ich weiß dann lediglich

Bescheid über das letzte Wegstück vor ihrer Ankunft; ihr Ursprung bleibt weiterhin ungewiß. Kein Zweifel, ihre eigenartige Sprache bewegt mich; sie klingt an etwas Entscheidendes an, dem ich mich selbst zuinnerst verbunden fühle. Und doch vermöchte mich keine psychologische Deutung wirklich aufzuklären über das Wesen dieser Sprache oder über diese unbestreitbaren Anklänge.

Die Schlafträume wie die noch rätselhafteren Wachträume, beide schlummern sie dicht unter der Oberfläche meines Bewußtseins; der leiseste Anstoß ruft sie herauf. Aber auch im Verborgenen begleiten sie mich immer und immer, und von ihrer Wirkung erhalte ich dann und wann Kunde. Wie aus dem verborgenen Samen eine Blume, ein Baum, so steigt zuweilen längst Vergessenes, scheinbar Belangloses unversehens in meiner Erinnerung auf, freilich verwandelt nun, umgeben von einer traumhaften Aura. Die Empfindung einer bestimmten Farbe etwa rührt in mir plötzlich an irgendeine verborgene Luke, sie öffnet sich – und schon überkommt mich eine Anwandlung, ja trifft mich gar eine Gewißheit. Manchmal fügt es sich, daß ich in der aufblühenden Erscheinung eine ferne Erinnerung wiederfinde; dann schreibe ich das Zauberbild gerne der Wirkung meines Gedächtnisses zu. Oft aber suche ich in meiner Anwandlung vergeblich nach einem Anklang aus meiner eigenen Vergangenheit. Es scheint, was mich da bewegt, reiche weiter zurück als mein individuelles Dasein, reiche hinab bis in die Reihen der Ahnen. Das Wort eines Dichters, eine Arabeske auf einem Basrelief weckt in mir ein Bild auf, das sich zu um so deutlicherer Gestalt verdichtet, je mehr verschwisterte Formen sich einfinden, ja endlich werde ich des Ursprungs der Bilderfolge in einem Motiv eines uralten Mythos gewahr – ich kannte ihn nicht, und doch erkenne ich ihn jetzt wieder. Zwischen Mythen verschiedenster Herkunft, Märchen, dichterischen Eingebungen und Träumen, die sich in mir fortspinnen, entdecke ich eine tiefe Verwandtschaft. Kollektive und individuelle Einbildungskraft – jene frei schaffend, diese an Augenblicke der Erleuchtung gebunden – beziehen sich anscheinend auf dieselbe Welt. Und eben ihre Bilder vermögen in mir Träume aufzuwecken und an die Oberfläche zu rufen, so daß ich nun durch sie die Dinge meiner Umwelt schaue. Oder vielleicht besser: Die Dinge verharren nun, da sie bei ihrem wahren Namen gerufen worden, nicht länger draußen, mir gegenüber; sie beleben sich und treten mit mir in einen neuen Bund ein.

Traum, Poesie, Mythos werden mir zur Mahnung, weder mich genügsam auf ein Selbstbewußtsein einzuschränken, das meinem sittlichen und gesellschaftlichen Verhalten Rechnung trägt, noch die geläufige Scheidung von Subjekt und Objekt unbesehen hinzunehmen und einer ‹normalen› Wahrnehmung ein exaktes Abbild einer ‹Wirklichkeit› zuzutrauen.

Jede Einsicht in das Wesen des Traumes hängt davon ab, wo wir die Grenze zwischen Ich und Nicht-Ich abstecken. In welchem Bereich unseres Erlebens vermögen wir uns selbst wiederzuerkennen? Es ist ebensowohl möglich, das Ich auf den Kreis bewußter Wirksamkeit einzuschränken, wie ihm darüber hinaus die Befähigung zu Traum und Ahnung und zu schöpferischer Einbildung zuzubilligen. Von der einen Warte aus wird man diesen geheimnisvollen Fähigkeiten mißtrauen, von der andern wird man sie jedoch als taugliche Erkenntnismittel gelten lassen, vielleicht als die würdigsten bevorzugen, ja mehr noch: Man mag in ihnen gar mit Ehrfurcht jenen Bereich erblicken, wo wir die Herrschaft über uns selbst einem ‹Anderen› anvertrauen und ganz zur Stätte seines Ereignisses werden. Jene Bilder, die in uns eine geheime Saat zum Leben erwecken, jene Rhythmen, die eine verborgene Saite in uns anrühren, zeugen sie lediglich von einer bedauerlichen Ermattung der Kräfte – oder sind sie nicht gerade die Frucht höchster Sammlung, innigster Hingabe an unser bestes Teil? Ob verführerische Sirene, ob herrlicher Fürsprecher: Ihr Ruf ist Anlaß, die Abgründe des Unbewußten zu erforschen, oder aber wir folgen ihm willig und betreten ehrfürchtig das Heiligtum großer Offenbarungen.

II

> Dichtungen sind nicht Wahrheit, wie wir sie von der Geschichte [...] fordern, sie wären nicht das, *was wir suchen, was uns sucht*, wenn sie der Erde in Wirklichkeit ganz gehören könnten. ACHIM VON ARNIM

Lange vor der Arbeit an diesem Buche war mir aufgegangen, daß wesentliche Bestrebungen der deutschen Romantik auf solche Fragen ausgerichtet waren. Meiner eindringlicheren Beschäftigung mit jener Epoche gingen eine Reihe von zufälligen Begegnungen voraus, die mir heute als Stufen eines inneren Wachstums erscheinen, wie es eben zuzeiten durch solch scheinbare Zufälle angeregt, belebt und gefördert werden mag. Um Entwurf und Anlage dieses Buches ins rechte Licht zu rücken, sollen hier die Zufälle und Studien erwähnt werden, auf die es zurückgeht.

Von Büchern, die ich einst als Kind gelesen hatte, war in mir nicht viel mehr als eine eigentümliche elfische Stimmung zurückgeblieben. Die Erinnerung daran nährte sich dann an deutschen Märchen, später an Gedichten von Heine und Eichendorff, an ihren Epigonen, bald auch an E. T. A. Hoffmann, und so zum Sagenhaften verdichtet, senkte sie sich in jenen dunkeln Born, aus dem sich das Schlinggewächs des Traumes erhebt. Dann und wann fand sich einiges davon in meinen Träumen wieder; ich ließ es unbeachtet. Auf welchen Umwegen die vergessenen Schätze aus frühester Zeit ihre goldene Leuchtkraft wieder erlangen, bleibt immer ein Geheimnis. Im reiferen Alter dann erschloß sich mir die Poesie in der Gestalt des eben aufgehenden Surrealismus. Ich entdeckte für mich Rimbaud. Die fran-

zösischen Dichter der Nachkriegszeit wagten sich auf Wege hinaus, die einst ein
Novalis, ein Achim von Arnim schon ausgekundschaftet hatten. Wieder glaubte
da eine heranwachsende Generation im poetischen Schaffen, in den Beständen des
Unbewußten, in gewollter oder ungewollter Ekstase, in absonderlichen, vom ver-
schwiegenen Sein diktierten Reden eine höhere Wirklichkeit entdecken zu können,
Bruchstücke des einzig rechtmäßigen Wissens. Von neuem wollte man die
Schöpfungen der Einbildungskraft als allein zulänglichen, allein angemessenen
Ausdruck des Menschlichen verstanden wissen. Wieder verschoben oder verloren
sich die Grenzen zwischen dem Ich und dem Nicht-Ich. Man begann für sein
Tun anderen Beistand anzurufen als den des zergliedernden Verstandes. Und ein
ähnliches Gefühl der Enttäuschung, eine verwandte Sehnsucht nach dem Irrationalen trieben die Geister auf die Suche nach einem neuen Lebenssinn. Wie im
Deutschland von 1800 wähnte man sich am Vorabend einer neuen großen
Epoche. Manchmal, wenn ich etwas von Rimbaud oder seinen Schülern las,
wenn ich Nerval auf seinen Spuren durchs Niemandsland folgte oder wenn
mich Alain-Fournier in seine Träume einweihte, manchmal überkam es mich
plötzlich, und leise klang wieder das Lied auf von jenen Wäldern, in denen
die Loreley umging. Dann wieder brachten mich ebenso zufällig ganz bestimmte
Hinweise in Bewegung. Da hatte ich etwa in *Le Rouge et le Noir*, vielleicht auch
bei Balzac diesen seltsamen doppelten Vornamen ‹ Jean Paul › aufgelesen. In irgendeinem Winkel meines Gedächtnisses blieb er haften und erweckte – zusammen
mit denjenigen des Konfuzius und des Lao-tse – in mir langhin die Vorstellung
von einem nordischen oder orientalischen Magus. Nach ihm zu fragen, hinderte
mich die Scheu vor diesem namenlos-heiligen Wesen, dessen Beistand ich erst
auf der höchsten Stufe menschlicher Weisheit erwarten zu dürfen glaubte.
Unzählige derartige Zufälle waren es, die mich, zusammen mit den immer
wieder aufsteigenden Erinnerungen und Ahnungen, endlich dazu bewogen, auf
die Suche zu gehen nach der deutschen Romantik.

Was ich während meiner Studien zu finden hoffte, war nicht lediglich ein
persönliches Erlebnis, sondern *unser* Erlebnis, eine uns Menschen gemeinsame
Erfahrung, sofern es denn zutrifft, daß Erlebnis und Erfahrung unserer Lieblings-
dichter in uns selbst eingehen zu Schutz und Beistand in tiefer Lebensangst.
Stets habe ich dies gehofft und mein Forschen darauf ausgerichtet.

So will denn dieses Buch nicht Ziele und Leistungen einer ‹romantischen Schule›
auf ein klar durchschaubares, handliches System reduzieren; ein solches Vorhaben
erschiene mir unverständlich. Sich einzig und allein der Erforschung einer
historischen Wirklichkeit zu verschreiben, ohne sich noch ein weiteres Ziel zu
setzen, bleibt immer ein befremdliches und wohl auch hoffnungsloses Unterfangen. Objektivität ist ein legitimes Erfordernis in den deskriptiven Wissenschaften; in den Geisteswissenschaften zeitigt sie keine Früchte. Wer hier vorgibt,

seine Forschung von einem ‹interesselosen› Standort aus betreiben zu wollen, begeht einen unverzeihlichen Verrat an sich selbst wie am ‹Objekt›. Ein künstlerisches oder philosophisches Werk, so es uns tatsächlich angeht, nimmt jenen geheimsten Grund unser selbst in Beschlag, wo wir – losgelöst aus der Individuation, nur noch unserer wirklichen Person zugekehrt – ausschließlich auf das Eine bedacht sind: uns zu öffnen, empfänglich zu werden für jene Botschaften und Zeichen, die uns künden vom Staunen und von der Betroffenheit angesichts des Menschlichen in seiner ganzen Befremdlichkeit, mit all seinen Gefährdungen, mit seiner ganzen Angst, seiner Schönheit und seinen enttäuschenden Begrenzungen. Erst in solch meditativer Hingabe an das Wesentliche gewinnen wir eine echte geistige Tätigkeit zurück, und wenn wir uns derart der Vergangenheit zuwenden und sie zu neuem Leben zu erwecken versuchen, so geschieht es nicht einfach aus Neugierde oder um unsere historischen Kenntnisse zu erweitern, sondern gleichsam als schritte man zur Quelle zurück, als lauschte man in der Erinnerung nach einer Melodie aus früher Kindheit. Keineswegs erscheint uns dann das Vergangene als unvollkommene Vorstufe innerhalb einer Entwicklung zu künftiger Reife, vielmehr entdecken wir darin das unersetzlich-kostbare Zeugnis eines goldenen Zeitalters. Welch magische Kraft eignet doch auch den wiedergefundenen Zeugen unserer persönlichen Vergangenheit, einer einst vertrauten Landschaft, einem brüderlich ergebenen Ding, verblichenen Schriftzügen! – mit ihrem Beistand beschwören wir herauf, was aus unserem verborgenen Innern sich erheben möchte zu herrlichstem Gesang. Man forscht nicht nach vergessenen Augenblicken, um sich fürs Künftige vorzusehen; man stöbert nicht frühere Bildnisse auf, um aus seinem gegenwärtigen Antlitz etwa noch verbliebene kindliche Züge auszustreichen und also eine reifere Miene aufzusetzen. Nicht selbstgefällige Eitelkeit drängt uns zur Hingabe an die eigene Vergangenheit; was wir derart leidenschaftlich und um jeden Preis im Vergangenen zu erspüren suchen, ist unser urcigenster, unwandelbarer Rhythmus. Wohl vermag ihn ein Freund kraft seiner Liebe aus unserem Gang, aus Gebärde und Rede, aus unserer leibhaftigen Gegenwart zu erraten; aber unsere Selbstwahrnehmung erhält aus der Gegenwart nur fragmentarische Kunde. Es fällt uns ebenso schwer, unser eigenes unverwechselbares Wesen zu erkennen – gerade weil es unsere Eigenliebe geflissentlich verbirgt –, wie es schwerhält, unser wahres Antlitz, unsere wahre Gestalt aus dem toten Abbild des Spiegels oder der Photographie herauszulesen. Nur wenn wir der Zeitlichkeit und Vergänglichkeit entrinnen in der Kontemplation der Zeit, wenn wir mit wachem Ohr die eine aus vielen Melodien heraushören: die unseres Schicksals, dann nur glückt uns der Einklang mit unserem eigenen Gesetz.

Die Erforschung ihrer Geschichte ist der Menschheit notwendig auferlegt, eben als jene Suche nach der eigenen Melodie, der sich auch der Einzelne hingibt. Im Bereich der Geschichte, insbesondere der Geistesgeschichte, darf denn also kein Forscher von sich selbst absehen. Das soll nun freilich nicht heißen, es sei ihm erlaubt, mit den Tatsachen nach eigenem Gutdünken umzuspringen. Aber Tatsachentreue allein reicht noch nicht hin; sie ist lediglich Vorbedingung zu einer Forschung, welche sich einer persönlichen Fragestellung unausweichlich verpflichtet fühlt.

Dies sind in Kürze die Gedanken, die mich während der Arbeit an diesem Buche geleitet haben. Ich ging von der zeitgenössischen französischen Dichtung aus und suchte nach Ähnlichkeiten und Übereinstimmungen mit einer fremden Literatur vergangener Tage, zu deren Entdeckung mich glückliche Umstände geführt hatten. Keineswegs war mir um den Nachweis irgendwelcher Einflüsse zu tun. Die Frage bleibt von geringer Bedeutung, ob sich die mythische Gedankenwelt eines Nerval oder André Breton durch diese oder jene deutsche Lektüre habe inspirieren lassen. Es geht ja da nicht um virtuose Formkunst – diese freilich greift immer gerne auf einen Bestand vorgeprägter Formen zurück –, sondern die romantische wie die hier anvisierte moderne Poesie erschließen eine neue Erkenntnis und künden von einem geistigen Abenteuer der Dichter. Von ‹ Einflüssen › kann hier höchstens insofern die Rede sein, als sich ein dichterisches Vorhaben durch verwandte Bestrebungen in seiner Entfaltung bekräftigt oder gefördert fühlt; ist es nur selbst kräftig genug, so wird sein unverwechselbares Gepräge davon nicht berührt.

Die großen geistigen Familien stiften verwandtschaftliche Bezüge, die weit über alle bloße Übernahme von Ideen oder Themen hinausgehen. Und gerade die Verwandtschaft zwischen der deutschen Romantik und unserer gegenwärtigen Dichtung erschien mir immer deutlicher als durch ähnliche Veranlagung denn durch tatsächliche Berührung begründet. Alle diese Dichter, wie verschiedenartig auch immer, verwiesen mich auf den Traum und seine Offenbarungen. Wer aber waren sie? Und verstanden sie unter dem Traum auch wirklich das gleiche?

Wo sollte ich sie fassen, diese Zaubermacht der deutschen Romantik, die mich mit so vielen verführerischen Stimmen umwarb? Galt es, ihre Geistesart zu ergründen, genau anzugeben, worin sie uns Heutige anspreche, so mußte ich denn aus der Befangenheit der ersten Begegnung hinaustreten in den Abstand des Beobachters, der Unterscheidungen trifft, Grenzen bestimmt, aber auch nach den allen Romantikern gemeinsamen Gesichtszügen forscht. Lange Zeit fiel ich von Mißgeschick in Mißgeschick. Zunächst suchte ich Hilfe bei der deutschen Literaturwissenschaft. Sie hatte seit einigen Jahren in zahlreichen Untersuchungen um eine Formel für die Romantik gerungen und dabei tiefe Einsichten und scharfsinnige Analysen erbracht. Und doch stieß keine dieser Bemühungen zu einer wirklichen Gesamtschau vor, die ohne Vorbehalt den romantischen Geist zu umfassen vermocht hätte.

So hielt ich mich denn von jeglicher Klassifikation fern und überließ mich in der Auswahl derer, die ich als Romantiker anerkennen wollte, allein meiner Intuition. Was mich früher schon zu einigen von ihnen hingezogen hatte, nämlich ihre Empfänglichkeit für Träume, galt mir auch jetzt als Kriterium. Auch heute noch vermöchte ich weder in zwei Sätzen noch auf fünfhundert Seiten das Wesen der Romantik zu umschreiben. Ich glaube mich aber ihrem Geheimnis genähert zu haben, indem ich nach ihren eigenen Antworten suchte auf jene Fragen, die uns Heutige erneut beunruhigen, und indem ich mich der von den Romantikern selbst gewiesenen Forschungsmethoden bediente.

Die meisten von ihnen schienen mir nach großen Synthesen zu streben, freilich ohne daß sie dabei den Sinn für persönliche Originalität und das je Eigene des geistigen Abenteuers einbüßten. In ihren Werken zeigten sie sich aller architektonischen Gestalt und berechenbaren Fügung abhold; an klar ausgezeichneten Linien lag ihnen wenig. Die angestrebte Synthese blieb jedoch nicht nur ein theoretisches Vorhaben, sondern sie verwirklichte sich in der gleichsam musikalischen Komposition ihrer Werke; Echo, Anklang, Wiederholung, Verflechtung der Themen: das waren Mittel, solche Einheit heraufzubeschwören. Dennoch aber, so schien mir, blieb diese Einheit stets offen und ließ spüren, daß menschliches Erkennen notwendig unabgeschlossen sei, daß es immer die Möglichkeit eines Darüberhinaus, eines Fortschritts gebe. Es wurde mir klar, daß meine Romantiker diese Öffnung ins Unbekannte für die Grundbedingung aller Erkenntnis hielten, für das Fenster, welches Ausblick ins Unendliche gewähre, und daß sie ihrer Ansicht nach jedem Dichter auferlegt sei, der nicht bloß einen Gegenstand für den ästhetischen Sinn schaffen wolle, sondern das uns umgebende Geheimnis in Bruchstücken zu erfassen strebe. Und ich bemerkte, daß sie sich in der Wahl ihrer dichterischen Motive nicht etwa von vorgängigen Entscheidungen leiten ließen, sondern von ganz spontanen persönlichen Gefühlskriterien.

In solch romantischem Sinn und Geist unternahm ich meine Forschungen. Mit meinen auserwählten Dichtern und Philosophen war ich des Glaubens, man vermöge nur das zu erkennen, was man insgeheim schon in sich selbst trage, und nur romantisch lasse sich von der Romantik sprechen. Daß im übrigen so viele Untersuchungen deshalb gescheitert waren, weil sie Goethes Zeitgenossen aus Goethes Sicht beurteilt hatten, war mir eine deutliche Mahnung, keine andere Methode gelten zu lassen als die der Sympathie.

Der Leser wird bemerken, daß die im ersten Teil dieses Werkes vorgestellten Denker erst nach den romantischen Schriftstellern und Dichtern wirksam waren, welche dann im vierten Buch zur Sprache kommen werden. Dieses der Chronologie zuwiderlaufende Verfahren schien erlaubt, weil es mir nicht um den Nachweis von Einflüssen zu tun war; es empfahl sich hier deshalb, weil die späteren

Naturphilosophen die ursprüngliche Intuition der Dichter in die Sprache des diskursiven Denkens übersetzten und gewisse Folgerungen zogen, die uns deren Tragweite leichter erkennen lassen. Ich widmete diesen ersten Teil ganz der Darlegung jener allgemeinen Ideen, die uns von einer einheitlichen romantischen Epoche zu sprechen erlauben, während individuelle Besonderheiten der einzelnen Denker weitgehend vernachlässigt wurden, da sie weniger ins Gewicht fallen als bei den Dichtern. Immerhin ist jeder der beiden großen Werkteile einigermaßen chronologisch angelegt. Denn freilich bleibt selbst der tiefste Gehalt von Gedanken und Werken nicht unberührt von der geschichtlichen Entwicklung. Nur dürfen wir nicht dem Irrtum verfallen, als sei mit dem Nachweis von ‹Quellen› und Einflüssen auch schon das Leben des Geistes erklärt. Es gibt innerhalb der geschichtlichen Abfolge geistige Beziehungen selbst zwischen Dichtern und Denkern, die voneinander nicht das geringste wußten. Sogar ein Rimbaud, den die dichterischen Erleuchtungen so unerwartet und unvermittelt heimzusuchen pflegten, anerkannte die geheime Wirkungskraft der Tradition: «Neue, mit übermenschlicher Kraft gerüstete Arbeiter werden kommen; sie werden beginnen, wo der andre zusammenbrach» (Lettre du Voyant).

Dennoch: wer, um eine poetische Erfahrung zu begreifen, der Einheit der menschlichen Person Gewalt antut, begeht immer ein Sakrileg. Und im Abenteuer des Dichters geht es schließlich um etwas ganz anderes als um Theorien: um die Suche nach einem Sinn des Daseins mit all ihrer tiefen Angst und Hoffnung. Was immer ein Romantiker über den Traum, über das Verhältnis von Unbewußtem und schöpferischer Einbildungskraft, über das menschliche Schicksal oder die Möglichkeiten der Erkenntnis ausgesagt hat, bleibt so lange unverständlich, als man es aus der Erlebnisganzheit herauslöst. Jeder Romantiker hat vom Traum anderes erwartet: das nämlich, was für ihn aus einer ganz persönlichen Sehnsucht oder Bedrängnis heraus lebensnotwendig war. Dichtung und persönliches Schicksal sind hier unauflöslich verschlungen. Wenn eine Geistesrichtung all diesen Dichtern gemeinsam war, so gerade die, welche sie alle Trennung und Geschiedenheit überwinden ließ: der deutsche Tiefsinn nämlich, dem unser scharfes Scheidungsvermögen und unser Instinkt für klar gestaffelte Ebenen fremd sind; er erlebte in der Romantik seinen Triumph und seine leidenschaftlichste Verherrlichung. Ohne sich schon auf gefährliche Definitionen einzulassen, darf man festhalten, daß in jeder Gebärde, in jeder Leidenschaft eines Romantikers sein ganzes Dasein mitschwingt; ja selbst die Mächte des Universums, die Abgründe des Kosmos und das funkelnde Firmament sind ihm Ursprung oder Ziel alles Geschehens, all seines Tuns und Denkens. Wollte man nun ein bestimmtes Verständnis des Traumlebens aus der Totalität einer solchen Romantikerpersönlichkeit herauslösen und gesondert betrachten, so beraubte man es gerade seines romantischen Charakters und verpflanzte es in eine fremde, abstrakte Ebene. Die Unterweisung, die ich von den Romantikern zu empfangen erhoffte, wäre von vornherein verfälscht worden, hätte ich nicht behutsam auf alle individuellen Abschattungen und Färbungen geachtet.

III

Il ne faut pas offenser la pudeur des divinités du songe. **NERVAL**

Es gibt verschiedene Wege, die Beziehungen zwischen uns selbst und unseren Träumen zu erforschen. Welchen man wählen will, hängt zunächst ab von der Bedeutung, die man dem Begriff ‹Traum› zulegt, dann auch von der Absicht der Forschung.

Die Romantiker hätten von ihrem eigenen Vorhaben aus alle diese Wege gebilligt; jede beharrliche, einseitige Fragestellung jedoch hätten sie, ihrer Abneigung gegen alle Sonderung getreu, durch mannigfaltige Erinnerungen und Bedenken, Anspielungen und Erweiterungen aufgelöst in eine tausendfach verzweigte Forschung nach allen Seiten.

Es sei hier rundheraus eingestanden, daß dieses romantische Prinzip der Vervielfältigung je länger, je mehr meine eigenen Studien ergriff, zumal ich von Anfang an jedem Willen zu entschiedener Begrenzung entsagt hatte. In der glücklichen Befangenheit meiner Sympathie war ich jedem Lockruf der Sirenen zu folgen geneigt. Und in der Tat, von Dichter zu Dichter gewahrte ich eine stets größere Vielfalt von Bedeutungen, welche der Traum innerhalb eines Werks oder eines poetischen Abenteuers gewinnen kann – eine reichere Ernte hätte ich mir nicht wünschen können! Alle diese Romantiker berufen sich auf den Traum; aber bald meinen sie den Nachttraum, dem eine besondere ästhetische oder metaphysische Tragweite zukommt, bald taucht der Zuflucht suchende Geist, der scharfen Begrifflichkeit müde, in den auch im Wachen unablässig fließenden Bilderstrom ein. Dann wieder lebt im Traum die Erinnerung der Vorzeit auf, aus welcher dichterische wie mythische Einbildungskraft gleichermaßen schöpfen. Manchmal ist der Traum der verwunschene Ort von Geistererscheinungen, manchmal der herrliche Vorhof zum Paradies. Bald empfangen wir im Traum die erhabene Botschaft der Gottheit selbst, bald dringen unsere irdischen Wurzeln in den mütterlichen Schoß der Natur hinab. Immer inspiriert sich der Rhythmus des künstlerischen Schaffens am Rhythmus des Traumlebens, und dieser mag seinen Gang nach dem ewigen Wandel der Gestirne oder nach den reinen Schwingungen unserer Seele vor dem Sündenfall richten. Allerorten bezieht die Poesie ihre Substanz aus dem Traum.

Bei ein und demselben Dichter können die verschiedenartigsten, für den Verstand scheinbar unvereinbaren Überzeugungen und Erfahrungen nebeneinander stehen. Dennoch wäre es verfehlt, sie auseinanderzureißen; für sich allein betrachtet, erschienen sie leicht als flüchtige Einfälle einer fruchtlosen Spielerei, als Phantasmagorien. Nur wenn wir sie zurückversetzen in den Kontext eines Werkes, in den irrationalen Zusammenhang einer einzigen leidenschaftlichen Suche, ergreift uns ihre Wahrhaftigkeit und erkennen wir, worum es sich handelt: um ernsthafte Bekenntnisse.

Es bleibt nun noch zu begründen, weshalb ich mich in meiner Forschung nicht der bündigen Methode einer strengen Wissenschaft verschrieben habe, die heute in hohem Ansehen steht und mein Unternehmen mit einem zünftigeren Rüstzeug ausgestattet hätte: ich meine die psychoanalytische. Zwar will ich meine Inkompetenz in diesen Dingen nicht verhehlen – einiges ließe sich da freilich erlernen –, aber ich möchte hier dennoch zwei wesentliche Einwände vorbringen; der eine bezieht sich insbesondere auf die Erforschung der Romantik, der andere ist allgemeiner Art.

Die psychoanalytische Auffassung vom Traum, ja vom Seelenleben überhaupt scheint mir dem Wesen der Romantik entgegengesetzt zu sein – und also auch dieser jüngeren und jüngsten Dichtung, die mit der romantischen Bewegung zusammenhängt. Es wird davon später noch die Rede sein, so daß hier der Hinweis auf einen oder zwei Gesichtspunkte genügen mag; ein Werturteil über die Psychoanalyse ist damit nicht gefällt. Ich halte dafür, daß die metaphysische Grundlage dieser Lehre (zumindest in der orthodoxen Freudschen Schule) dem 18. Jahrhundert näher steht als der Romantik. Nach ihrer Voraussetzung besteht zwischen Bewußtsein und Unbewußtsein ein beständiger Austausch gewisser Inhalte. Beide Bereiche fügen sich so zum Kreise, aber dieser Kreis ist geschlossen und rein auf das Individuum begrenzt (auch wenn, wie in der zweiten Epoche des Freudianismus, das Weiterleben von Ahnenvorstellungen anerkannt wird). Die Romantiker hingegen nehmen an, unser Dämmerleben wahre eine unaufhörliche Verbindung zu einer ganz anderen Wirklichkeit, welche weiter reicht als unser individuelles Dasein und ihm sowohl zeitlich als auch dem Range nach vorausgeht. – Entsprechend verhält es sich mit der erklärten Absicht der Psychoanalyse, dem Neurotiker wieder ein gesundes, angemessenes Verhalten in der Gesellschaft zu ermöglichen. Gegen eine solche Gesundheit bleibt die Romantik gleichgültig; vielmehr sucht sie in der Bilderwelt, und wäre diese auch noch so morbid, den Zugang zu verborgenen Bereichen des Seelenlebens – nicht aus Neugierde, auch nicht um sie zu reinigen und damit für das tägliche Leben fruchtbarer zu machen, sondern weil sie dort die Spur zu entdecken hofft, welche uns, mitten in Raum und Zeit, über uns selbst hinausführt und von der aus unser gegenwärtiges Dasein lediglich als Punkt auf der unendlichen Schicksalslinie erscheint. Für ein solches geistiges Abenteuer, ob mystisch oder romantisch, geht der Psychoanalyse jedes echte Verständnis ab; nichts anderes vermöchte sie darin zu sehen als einen klaren Fall von Psychose.

Und hier knüpft mein zweiter Einwand an, der über den Gegenstand der

Romantik hinaus ins Grundsätzliche reicht. Wo immer die psychoanalytische Methode auf ein Kunstwerk angewendet wird, sinkt dieses zum bloßen Dokument ab, zum Beleg von Symptomen, dem nur insofern Bedeutung zukommt, als auf die seelische Verfassung des Künstlers, auf seine Neurose rückgeschlossen werden kann. Solange dieses Verfahren der Erweiterung einer wissenschaftlichen Erfahrung und damit mittelbar der Vervollkommnung einer therapeutischen Praxis dient, mag es berechtigt sein. Mitnichten ist damit aber auch schon das Kunstwerk erklärt. Was am Kunstwerk relevant ist im Hinblick auf die Psychologie des Künstlers, bleibt, so wertvoll es anderweit sein mag, vollkommen außerhalb der Qualität und Bedeutsamkeit des Kunstwerks. Der Psychoanalytiker scheut sich nicht, von einem ‹Versagen› Baudelaires zu sprechen; aber jedes beliebige Gedicht aus *Fleurs du Mal* spricht gegen einen solchen Befund. Für den Wissenschafter, der zu seinem ‹Schlüssel› greift, werden die dichterischen Bilder zu übersetzbaren Zeichen; die Analyse ‹reduziert› sie auf ihren ‹wirklichen› Gehalt. Der Dichter und sein Leser aber nehmen die Bilder so, wie sie sich selbst geben: als Hinweise auf etwas, das mit keinem anderen Mittel ausgesprochen werden könnte. Wohl mögen sich psychologisch erfaßbare Vorgänge, welche zu einem bestimmten Krankheitsbild führen, in der Entfaltung einer dichterischen Vision wiederfinden lassen. Aber der Psychoanalytiker, in der Meinung, seinen Dichter von der Dichtung heilen und ihm ein Versagen ersparen zu müssen, übersieht ganz einfach, daß der Dichter, was immer er auch mit dem Neurotiker gemein haben mag, für sein Geschäft nutzbar machen kann, ja daß er schließlich den Strang, welcher das dichterische Bild in ihm zurückhält, durchzuschneiden vermag; von diesem Augenblick an ist es ganz anderer Qualität. Taub gegen alle Poesie und ein linkischer Flickschneider, wer den Strang wieder zusammenknüpft! Ja, ich bin nicht ganz sicher, ob der Psychoanalytiker sich nicht eines ähnlichen Irrtums schuldig macht, wenn er mit Hilfe seines Glossariums konstanter Symbole auch die Träume in seine Fachsprache übersetzt. Diese ganze moderne Wissenschaft mißachtet so sehr die *Qualität* unserer inneren Erlebnisse, sie vergißt so vollständig, worauf wir denn eigentlich hingeordnet sind – oder vielleicht übersieht sie, daß uns unsere wirkliche Zuordnung verborgen ist –, daß man sich fragen muß, ob gewisse medizinische Erfolge so schwerwiegende Vergehen wider den menschlichen Geist wettzumachen vermögen.

Nach dieser weitläufigen Erörterung meines Unternehmens möchte ich nur noch wünschen, mein Buch erfülle wenigstens die eine bescheidene Erwartung, die einzige, die ich ihm nun, nachdem es mir gegenüber seine Aufgabe erfüllt hat, noch mit auf den Weg geben kann: daß der Leser durch die verwirrende Vielfalt der Töne hindurch die unverwechselbare Melodie der Romantik wahrnehme; daß er die verstörten Gesichter, denen wir auf unserem gemeinsamen Gang

durch diesen Zaubergarten begegnen werden, zum mindesten ein wenig lieb-
gewinne und daß dem einen oder andern die herrlichen Texte, die reichlich
zu zitieren ich mir nicht versagen konnte, so wie mir als ergreifendes Zeugnis
erscheinen mögen für etwas, was zuweilen Poesie genannt, von unserer Zeit jedoch mit tausend dämonischen Mitteln übertönt wird.

Genf, im Dezember 1936

ERSTER TEIL

TRAUM UND NATUR

Καὶ γάρ τ'ὄναρ ἐκ Διός ἐστιν

HOMER

VOM TAG ZUR NACHT

Wenn es auch stimmt, daß die Romantiker das Wissen vom Traum von Grund auf erneuert und ihm eine besondere Bedeutung zugemessen haben, so hieße es doch die Dinge in einer falschen Perspektive sehen, wollte man ihnen auch das Verdienst zusprechen, sich als erste mit dem Traum beschäftigt und ihn psychologischer Erforschung zugänglich gemacht zu haben.

Wenn sich jene Dichter und Denker, die man der Systematik zuliebe trotz aller Verschiedenheit als Romantiker zu bezeichnen pflegt, tatsächlich in vielem von den Philosophen des 18. Jahrhunderts unterscheiden, so sind sie denn doch auf manchen Gebieten deren Schüler und Nachfolger. Das gilt gerade auch für die Erforschung des Traumlebens. Gewiß, schickte sich um 1750 ein Psychologe zu solcher Forschung an, so waren allerdings – und das ist zu betonen – seine metaphysischen Voraussetzungen denjenigen eines philosophierenden Arztes um 1820 völlig entgegengesetzt. Der Romantiker hob aus dem reichen und widersprüchlichen Erbe des 18. Jahrhunderts vor allem die irrationalistischen Aussagen und die mystischen Traditionen heraus. Zu seinen Lehrmeistern erkor er sich solche, die vor ihm auf die Kosmologie der Renaissance, auf die großen Mythen der Neuplatoniker oder auf die vorsokratische Naturphilosophie zurückgegriffen hatten: Hemsterhuis, Hamann, Herder, Saint-Martin. Und gewiß ist es auch, daß, was er aus der Aufklärung übernahm, bei ihm oft einen ganz anderen Sinn bekam. Aber es ist doch ebensowenig zu leugnen, daß er als einstiger Schüler der Sensualisten in Verfahrensweise, in Absicht und Interesse vieles von ihrer Lehre und ihren Entdeckungen beibehalten hat.

Was die Psychologen des 18. Jahrhunderts über den Traum dachten und lehrten, war manchmal eher kindlich, oft oberflächlich und unbeholfen, ging wohl dann und wann tiefer, sticht jedoch im ganzen grell ab gegen die Erfahrung der Romantiker – und doch ebnete es diesen den Weg. Zwischen Vätern und Söhnen mag sich der Konflikt noch so sehr zuspitzen; an entscheidenden Wendepunkten der Geistesgeschichte kann die Auflehnung des jungen Geschlechts in Wirkung und wilder Gewalt einem alles zerstörenden Erdbeben gleichkommen; ja die neue Ära wird selbst davor nicht zurückschrecken, gepuderte Perücke, Degen und Tracht der Väter in die Rumpelkammer zu werfen – und doch, verbärge der Revolutionär seine Familienähnlichkeit auch noch so geschickt im neuen Gewand: seine Abstammung, seine Kinderstube und seine einstigen Gebärden kann er nie völlig verleugnen.

Im Schrifttum fast aller rationalistischen Denker des 18. Jahrhunderts nehmen Darstellungen des nächtlichen Seelenlebens immer wieder überraschend viel

Raum ein. Von 1750 an häufen sich die Abhandlungen über den Traum, teils in Buchform, teils in Zeitschriften, welche dem Gegenstand regelmäßig oder dann und wann eine eigene Rubrik widmen. Fast jede «Seelenkunde» enthält ein Kapitel über Träume. In zeitgenössischen Memoiren unterhalten sich die Leute von Welt über ihre prophetischen Träume. Nicht nur pietistische, sondern auch aufgeklärteste Kreise sind eingenommen von Nachrichten über Träume, in denen sich Todesfälle oder Schicksalsschläge angekündigt haben sollen; ja auch die kaltblütigsten Skeptiker zeigen sich dem Somnambulismus zugetan, wie auch allem, was nur irgendeinen magischen oder okkulten Einschlag hat.

Für viele dieser Rationalisten und Sensualisten, die sich so leidenschaftlich gegen alles Dunkle verschworen hatten, müssen die Träume einen verwirrenden und irgendwie paradoxen Anreiz besessen haben. Sie waren innerhalb des gesamten Seelenlebens der bevorzugte Ort alles Geheimnisvollen; dem Aberglauben, der Wahrsagerei, zweifelhaften metaphysischen oder, noch schlimmer: mystischen Spekulationen waren hier Tür und Tor geöffnet. Nichts konnte deshalb die zünftigen Philosophen mehr verlocken, als gerade das angeblich geheimnisvolle Traumleben auf natürliche Weise zu erklären, das heißt auf jene Mechanik zurückzuführen, die nach ihrer Auffassung allem Beseelten, Lebendigen innewohnt. In diesem kühnen Unterfangen sollte der aufgeklärte Geist seine Feuerprobe bestehen und die Krone erringen. In derselben Zuversicht haben sich areligiöse Geister dem Studium der Religionsgeschichte zugewandt, und wer nicht mehr an Wunder zu glauben vermochte, schrieb sein «Leben Jesu».

Hinter diesem argwöhnischen Wissensdrang mochte wohl bei manchem Psychologen des 18. Jahrhunderts auch ein albernes Bedürfnis nach Kompensation gestanden haben; wir erinnern uns dabei jenes Engländers im Possenspiel, welcher – obwohl jeglicher Spekulation spinnefeind, geharnischter Realist und Praktiker – denn doch zuzeiten dem eitelsten Aberglauben verfällt. Man erkühnte sich, die «Finsternis vergangener Jahrhunderte» zu verscheuchen, Überbleibsel alten Märchenglaubens aufzustöbern und anzuprangern; aber man empfand auch ein uneingestandenes Vergnügen, wenn der Lichtstrahl der Aufklärung, drang er nur recht tief in verdämmernde, neblige Gefilde ein, die absonderlichsten Schattenspiele hervorzauberte.

Und schließlich läßt sich vom Standpunkt der damaligen Intellektualisten aus noch anders begründen, weshalb diese leidenschaftlichen und starken Träumer dem Traumleben so großes Interesse entgegenbrachten. Im Vernunftkatalog der gesamten Erfahrungskunde, in jenem gigantischen Unternehmen also, das schließlich zur Erkenntnis der höchsten und letzten aller Gewißheiten hätte führen sollen, fanden auch die wunderlichsten Grillen und Ausgeburten des Weltgeistes ihren genau bestimmten Platz, denn man traute dem Abnormen dieselbe Aussagekraft zu wie dem ‹Normalen›. Damals hat man begonnen, die Kranken

um Auskunft über die Gesundheit zu befragen (wie weit sind wir seither auf
diesem Wege gegangen!), und eben zu jener Zeit erwachte auch das Vertrauen
in einen unbegrenzten Fortschritt der Wissenschaft. Man sah zuversichtlich
dem Tag entgegen, da sich der reiche Schatz der Erfahrungen addieren lassen
würde, und die Summe sollte endlich mit Notwendigkeit dem göttlichen Wissen
gleichkommen. Diese vermessene Idee überlebte dann im großen romantischen
Wunschtraum von einer progressiven Universalwissenschaft, freilich geläutert
und verwandelt nun, wieder angesiedelt an Quellen und auf Gründen der Innerlichkeit, welche von den Rationalisten mißachtet worden waren. Gewiß waren
die Romantiker nicht mehr der Meinung, eine simple Addition säuberlich ver-
zeichneter Erfahrungsdaten führe zum höchsten Wissen; aber auch sie nährten
die Hoffnung auf eine absolute Erkenntnis, die allerdings mehr und Besseres zu
sein versprach als ein bloßes ‹Wissen›: nämlich eine unbegrenzte ‹Macht› ein
magisches Werkzeug zur Beschwörung, Eroberung, ja Erlösung der Natur. Nicht
nur der Intellekt, sondern der Mensch in seinem ganzen Bestand, mit samt allen
dunkeln Bereichen des Seelenlebens, ja mit Begabungen, von deren Dasein er
nur durch Poesie und andere Zauberkünste Kunde erhielt: Der ganze Mensch
sollte teilhaben an einer solch absoluten Erkenntnis. Und einem derartigen
prometheischen Bestreben, dem dicht neben den herrlichsten Abenteuern die
Gefahr höchster Verworrenheit wartete, konnten der kritische Geist der Väter
und deren getreuliche Berufung auf ausgewiesenes Erfahrungswissen nur förderlich sein.

Die verschiedenen psychologischen Schulen des 18. Jahrhunderts, allesamt in
der Tradition des cartesischen Mechanismus stehend, zeigten sich mehr oder
weniger der physiologischen Erklärungsweise zugeneigt. Sie gingen von der Annahme eines in sich geschlossenen Seelenbereiches aus, wo sich psychische Kräfte
und Tätigkeiten begegnen, kreuzen und verschwistern. Durchwegs huldigten sie
einer entschieden antimetaphysischen Auffassung vom Seelenleben, wie sie
übrigens auch in der gesamten experimentalwissenschaftlichen Psychologie des
19. und 20. Jahrhunderts wieder zu beobachten ist. Ob nun die Sensualisten auf
materiellem oder die Intellektualisten auf rationalem Ursprung der seelischen
Lebenserscheinungen beharrten: alle setzten sie die ‹Seele› gleich dem Bewußtsein, und niemals würden sie darin jenes Lebensprinzip anerkannt haben, das
seit den Neuplatonikern über die Renaissance bis zum modernen Irrationalismus
als die allbeseelende Kraft des Mikrokosmos und Makrokosmos aufgefaßt worden ist. Physiologie und Psychologie sind gleichwertig und entsprechen sich;
beide sind im Vorgehen deskriptiv. Solch räumliche Auffassung des Individuums
ist allem entgegengesetzt, was nach irrationalem oder religiösem Sprachgebrauch
den Namen ‹Seelenkunde› verdient. Was endlich die Deutung des Traumlebens
anbelangt, so unterschieden sich die Psychologen der Aufklärung lediglich

insofern voneinander, als das Pendel bald mehr auf die Seite des physischen, dann wieder mehr auf die Seite des psychischen Ursprungs der ‹Phänomene› ausschlug.

Die Versuche physiologischer Erklärung datieren nicht erst aus dem 18. Jahrhundert; bereits Aristoteles[1] führte die Träume auf Empfindungsreste in den Sinnesorganen zurück. Aber das 18. Jahrhundert mit seiner sensualistischen Theorie der Reizbarkeit (als des Prinzips alles organischen Lebens) mußte stärker als jede andere Epoche auf physiologischen Ursachen beharren. Fast jeder zeitgenössische Forscher führt den Schlaf auf Erschöpfung der ‹Nervensäfte›, ‹Nervengeister› oder ‹Lebensgeister› zurück[2], die für die Muskelbewegung wie für das Empfinden verantwortlich sind. Das Traumleben, als Zustand zwischen Schlaf und Wachen, wird von den ersten Regungen dieser ‹Geister› verursacht, dann nämlich, wenn sie noch nicht so weit wiederhergestellt sind, als daß sie den Körper in den Vollbesitz seiner Kräfte, die Seele in den bewußten Gebrauch ihrer Fähigkeiten zu versetzen vermöchten. Haben wir tagsüber die Nervensäfte nicht völlig verbraucht, so träumen wir; sind sie aufgezehrt worden, so ist der Schlaf tief und traumlos. – Wir werden später bemerken, daß mit dem Aufkommen der romantischen Auffassung vom Seelenleben diese Verhältnisse sich umkehren und daß dann die Psychologen lehren, die Träume träten um so reiner auf, je tiefer der Schlaf sei.

Wenn sich auch die Gelehrten des 18. Jahrhunderts über die physiologischen Ursachen der Träume einig waren, so suchten sie doch auch nach einer psychologischen Erklärung. Die beiden Betrachtungsweisen waren für sie keineswegs unvereinbar; man suchte einfach in einer andern Schublade nach den Gesetzmäßigkeiten eines ebenso streng determinierten Systems. Entsprechend der zeitlichen Abfolge von Ursache und Wirkung erhob sich nun die nächste Frage: Was geschieht, wenn der Traum durch eine Empfindung ausgelöst worden ist? So wie es keinen Wesensunterschied zwischen Physischem und Psychischem gibt, so gehorchen Traum und Wachen ein und derselben lückenlos wirksamen Mechanik. Es galt also lediglich, deren einigermaßen gestörte Tätigkeit im Traum zu erklären. Das Wie interessierte diese Gelehrten ohnehin mehr als das Warum, und sie gaben sich zufrieden, wenn sie die Gesetzlichkeit der Phänomene aufgedeckt hatten. Im Falle des Traumlebens pflegten sie zuallererst auf das ‹Assoziationsgesetz› hinzuweisen, das seit Christian Wolff bis zum Ende des Jahrhunderts unbestritten war:

Wenn unsere Sinnen uns etwas vorstellen, das etwas gemein hat mit einer Empfindung, welche wir zu einer anderen Zeit gehabt: so kommt uns dasselbe auch wieder vor; das ist, wenn ein Teil der gegenwärtigen ganzen Empfindung ein Teil von einer vergangenen ist: so kommt die ganze vergangene wieder hervor[3].

[1] Zur Traumdeutung des Aristoteles vgl. Binswanger [4, 23].
[2] J. A. Unzer (1727–1799): [92, 50]. J. G. Krüger (1715–1759): [96, 180–196]. L. H. von Jakob (1759–1827): [106, § 498].
[3] Chr. Wolff (1679–1774): zit. n. Dessoir [88, 72].

Schon Wolff hatte dieses Gesetz für die Erklärung des Traumlebens wie der Tätigkeit des Dichters angewandt. Samuel Formey, Pastor und Professor in Berlin, Johann August Unzer und der Abbé Jérôme Richard schlossen sich seiner Auffassung an. Sowohl im Traum wie im Wachen «brechen die Gedanken nicht zufällig hervor, sondern sie folgen notwendig den Spuren jener bestimmbaren Umstände, die ihre Bildung verursacht haben»[4], das heißt gemäß einer Assoziationsreihe, die auf den ursprünglichen Sinneseindruck zurückgeht.

Zunächst sind also die meisten dieser Psychologen eifrig darauf bedacht, die Einheit des Seelenlebens zu retten, und deshalb bestehen sie auf der Gleichartigkeit von Bewußtsein und Traumleben. Erst gegen Ende des Jahrhunderts modifiziert man diese Theorie zugunsten einer deutlichen Scheidung beider Daseinsweisen. Anton Josef Dorsch, Moses Mendelssohn und Heinrich Nudow[5] sprechen von der *objektiven* Ideenordnung im Wachzustand und von einer völlig *subjektiven* Ideenordnung im Traum. Im Traum werden die realen Beziehungen der Dinge aufgehoben; die Gesetze der Simultaneität und Analogie treten in Kraft. Aber auch in diesem neuen Gewand bleibt die Assoziationstheorie dem Erkenntnisrealismus verpflichtet: Im höheren Zustand des wachen Bewußtseins empfängt und *kopiert* die Vernunft die äußeren Eindrücke; in den verworrenen Zuständen des Traums, der Betrunkenheit usw. überläßt sie sich jedoch ganz ihrem eigenen Gesetz und verliert die Fähigkeit, die Wirklichkeit getreu zu reproduzieren. Diese Scheidung findet sich schon bei Heraklit: «Die Wachenden haben eine einzige und gemeinsame Welt, doch im Schlummer wendet sich jeder von dieser ab in seine eigene» (B 89 Diels). Wir erinnern uns hier auch der Freudschen Unterscheidung von ‹Lustprinzip› und ‹Realitätsprinzip›. Das Kind lebt in einer geschlossenen, völlig subjektiven und einzig vom Luststreben beherrschten Wunschwelt; langsam und notgedrungen erringt es Erfahrung und Erkenntnis von der objektiven Welt der Realität. In den Träumen des erwachsenen Menschen nun tauchen Überreste einer früheren Entwicklungsphase auf; hier waltet einzig das Lustprinzip.

Wir rühren hier an eine Wesensverwandtschaft zwischen der Freudschen Psychologie und dem ‹Realismus› der Aufklärung. Beiden Theorien gemäß sind das menschliche Denken, das Urteilsvermögen und das wache Bewußtsein dazu bestimmt, ein welthaft Gegebenes in seiner objektiven Wirklichkeit und in seinem Verweisungszusammenhang zu reproduzieren, während das Traumleben als eine eingeschränkte, minderwertige Aktivität des Geistes verstanden wird, da dieser sich in solchem Zustande – zur Auseinandersetzung mit der ‹realen› Welt unfähig – seiner eigenen Willkür überläßt. Gewiß hat Freud ein unendlich feineres Gefühl für das Innenleben besessen, für individuelle Eigentüm-

---

[4] Richard: [101, 82 u. 64], zit. n. Saussure [89, 22].
[5] Dorsch (1758–1819): [105, 60]. Mendelssohn: zit. n. Dessoir [88, 493]. Nudow (1752–?): [107, 113].

lichkeiten, für das je eigene Drama der seelischen Entwicklung eines Menschen; er war zunächst Arzt, danach erst Theoretiker, und so beugte er sich behutsam über jeden besonderen Fall, bevor er zur Abstraktion von Gesetzen schritt. Unbestreitbar aber stimmte sein metaphysischer Ausgangspunkt mit demjenigen der Gelehrten des 18. Jahrhunderts überein, während die Romantiker, wie wir sehen werden, auf der Grundlage einer idealistischen Metaphysik oder durch unmittelbare Erfahrung zu völlig entgegengesetzten Überzeugungen gelangten. Da galt es, gerade im Traum oder in ähnlichen ‹subjektiven› Zuständen hinabzusteigen in die Schatzkammer der Innerlichkeit, wo uns eine wesentlichere Selbsterfahrung beschieden sein würde als im Bewußtsein. Da war nicht ein Objekt einem Subjekt gegenübergestellt und zu getreulicher Nachzeichnung vorgesetzt, sondern beide waren in innigster Durchdringung gedacht. Und wenn denn eine gültige Erfahrung zu erlangen war, so einzig die vom Abstieg in die Tiefen unserer Innerlichkeit, vom Einklang zwischen unserem auch noch so vereinzelten Rhythmus und dem allbeseelenden Rhythmus des Universums; wahre Erkenntnis ist demnach Erkenntnis per analogiam, Erkenntnis einer höheren Wirklichkeit, welche uns nicht einfach von der Außenwelt vorgegeben wird.

Die Psychologen des 18. Jahrhunderts beharrten auf der Annahme, das Assoziationsgesetz sei allgemeingültig, und zwar im Traumleben so gut wie im Wachen. Versuchten sie von dieser Annahme aus den Unterschied zwischen beiden Zuständen zu bestimmen, so war folgerichtig danach zu fragen, wodurch in Augenblicken des geschwächten Bewußtseins der Assoziationsablauf gestört werde. Die Meinungen gingen wohl im einzelnen auseinander, aber grundsätzlich blieb man der Auffassung von einem Kräftehaushalt des Seelenlebens treu und führte alle Unregelmäßigkeiten auf ein Erschlaffen des einen, ein Vorherrschen eines andern Vermögens zurück. Da die Seele nicht als unteilbare Ganzheit, sondern als Kräftefeld verstanden wurde, kam die Erklärung des Traumlebens als eines Sonderfalles der Seelenmechanik der Lösung einer physikalischen Aufgabe gleich.

Nehmen wir an, Ordnungslosigkeit und ‹Subjektivität› des Traumlebens ließen sich zum Teil zurückführen auf den Ausfall dieses oder jenes Vermögens – etwa auf die Verschließung der äußeren Sinne, die Erschlaffung des Willens oder der Vernunft –, so bleibt immerhin noch auszumachen, wer an Stelle jener höheren Machthaber den verwaisten Thron für Augenblicke usurpiere. Da ist zu vermerken, daß gegen Ende des aufgeklärten Jahrhunderts die psychologische Verurteilung des Traums als eines unvollkommenen, verworrenen Zustands des Bewußtseins allmählich einer zwar immer noch mechanistischen, aber weniger streng rationalistisch ausgerichteten Konzeption weicht. Und gleichzeitig beginnt man einem durchaus günstig beurteilten Vermögen die Herrschaft über das Traumreich zuzuschreiben: der *Einbildungskraft*.

Es war Ludwig Heinrich (von) Jakob, der die theoretische Beschäftigung mit

dem Traum wieder belebte. Er war ein Gegner der strengen Assoziations-
psychologie und berief sich, obwohl ebensowenig Metaphysiker wie seine
Vorgänger, auf den von Hemsterhuis entdeckten *inneren Sinn*. Jakob war der
Auffassung, der Traum gehe zugleich auf die dem Schlaf eigentümliche Aus-
schaltung der äußeren Sinnesorgane wie auf die außerordentlich kräftige Tätigkeit
des inneren Sinnes und der Phantasie zurück.

Der Zustand, wo [die Bewegung des Nervengeistes] zureicht, die Phantasie zu beschäftigen
und in Tätigkeit zu setzen, aber nicht die Sinne, ist der Traum. [...] Der Verstand hat nicht
seine gehörige Stärke, und bloß die Phantasie führt dem Bewußtsein Vorstellungen von Gegenständen und Verbindungen herbei. Der Verstand verknüpft diese Vorstellungen nach Gesetzen; jedoch ist seine Wirksamkeit nur schwach. Daher er die Einbildungen mit realen Gegenständen verwechselt. [...] Das Dichtungsvermögen spielt mit diesen rege gemachten Vorstellungen, verknüpft sie, trennt sie, fügt sie zusammen, schafft neue Bilder usw. *Der Traum ist
nichts als ein unwillkürliches Dichten.* [106, 290f.*]

Die völlig neuartige Auffassung, die sich im letzten Satz kundtut, finden wir
sieben Jahre später fast Wort für Wort wieder in Jean Pauls Abhandlung «Über
den Traum» (1798), ja gerade diese Zusammenrückung von Traum und
poetischem Schaffen wird eines der durchgehenden Themen der Romantik sein.
Aber die Akzente sind denn doch ganz anders gesetzt. Von seiner persönlichen
Erfahrung ausgehend, stellt Jean Paul den Träumer tatsächlich an die Seite des
Dichters; er glaubt an die schöpferische Allmacht der Einbildungskraft, die
einzig und allein fähig ist, unser eingeborenes Verlangen nach Teilhabe am
Unendlichen zu befriedigen. Für Jakob hingegen ist das Dichtungsvermögen eine
Zusammensetzung aus Einbildungskraft und Verstand. «Es werden teils Begriffe,
teils Erscheinungen erdichtet» [183]. Und da gibt es auch recht unromantische
Äußerungen, wie etwa diese: «Wer seine Dichtungen leicht mit wirklichen
Dingen verwechselt, ist ein Träumer, und seine Urteilskraft ist gegen sein
Dichtungsvermögen zu schwach» [185].

Neue Möglichkeiten erschloß der Psychologie ein anderer Hallenser Philosophieprofessor: Johann Gebhard Ehrenreich Maaß (1766–1823). Sein *Versuch über
die Leidenschaften* (1805–1807) enthält ein bemerkenswertes Kapitel über den
«Einfluß der Leidenschaften auf die Träume», das auch Freud nicht entgangen ist.

Auch Maaß geht, wie das ganze 18. Jahrhundert, vom Grundsatz der konti-
nuierlichen Seelentätigkeit aus; hingegen besteht er auf der Tatsache, daß

eine Leidenschaft auch eine Tätigkeit der geistigen, namentlich der begehrenden Kraft ist.
Wenn nun gleich der Schlaf sehr oft so tief sein mag, daß wir uns der sich regenden Leidenschaft und der damit vergesellschafteten Vorstellungen nicht bewußt werden, so kann es doch
auch ebensooft geschehen, daß ein Traum daraus entspringt. [...] Wenn also das sinnliche
Begehrungsvermögen (welches der Sitz der Leidenschaften ist), das Herz genannt wird, so
kann man sagen, daß *manche Träume aus dem Herzen entspringen;* und die Erfahrung bestätigt unsere Behauptung dadurch, daß wir am häufigsten von den Dingen träumen, auf
welche unsre wärmsten Leidenschaften gerichtet sind. [109, I, 167f.*]

Maaß zitiert bereits das Horazwort «... somnos timor aut cupido / sordidus aufert». (Hor. carm. II, 16) – später die Lieblingsdevise der Psychoanalytiker – und widmet anderseits auch ein Kapitel seiner Untersuchung dem «Einfluß der Einbildungskraft auf die Leidenschaften». Dabei stellt er fest, die Träume seien der bevorzugte Ort solcher Einwirkung, denn «die Bilder der Phantasie haben im Traume gewöhnlicher Weise einen hohen Grad von Klarheit und Lebhaftigkeit, indem sie nicht, wie im wachenden Zustande, durch klare, äußere Empfindungen geschwächt und verdunkelt werden» [301]. Ja, die von solch lebhaften nächtlichen Vorstellungen wieder wachgerufenen oder neu erregten Leidenschaften vermögen sehr wohl bis in den wachen Zustand fortzudauern. «Es kann phantastische Leidenschaften geben, die auf bloße Bilder der Phantasie gegründet sind» [303].

Im Hinblick auf eine Geschichte der Traumtheorie beanspruchen die paar einschlägigen Kapitel bei Maaß die Aufmerksamkeit nicht nur wegen der zwei, drei Punkte, an denen sich die Freudsche Lehre anzukündigen scheint. Da fällt einerseits ins Gewicht, daß Maaß, wie kein Psychologe vor ihm, Bezüge und gegenseitige Beeinflussung zwischen Tag- und Nachtleben der Seele herausarbeitet. Und zwar handelt es sich für ihn nicht um zwei verschiedene Welten, zwischen denen kurzerhand ein Rangunterschied zu bestimmen wäre. Sondern der Bereich des bewußten Verhaltens bleibt im Verlauf des individuellen Lebens nicht ohne Spiegelung im Bereich der nächtlichen Passivität; und umgekehrt treiben die den Leidenschaften unterworfenen Inhalte der Träume ihre Ausläufer bis in die bewußte Persönlichkeit hinein. Anderseits kommt Maaß das große Verdienst zu, sich von einer Psychologie abgewendet zu haben, welcher ausschließlich an der Gewinnung großer abstrakter Gesetze gelegen war, auf die sich unsere gesamte seelische Tätigkeit hätte zurückführen lassen sollen. Maaß hat den wirklichen, einzelnen Menschen im Blick, dessen Besonderheit sich in kein zuvor entworfenes Schema zwingen läßt. Und dieser Mensch scheint ihm nicht nur durch die ‹höheren› intellektuellen Vermögen, sondern ebensosehr durch die ‹dunkeln› Kräfte der Leidenschaften und der Einbildungskraft bestimmt zu sein. Gewiß ist die romantische Auferweckung der Seele noch fern; aber die lebendigere Erfahrung der psychischen Wirklichkeit deutet auf das Ende der rationalistischen Ära hin.

Zu eben der Zeit hat höchstens noch Maine de Biran ähnlich unvoreingenommen die Rolle der Leidenschaften bei der Geburt und Entwicklung der Träume, aber auch das Echo der Träume im bewußten Dasein beobachtet: «Nicht immer schenkt man jenem Einfluß genügend Aufmerksamkeit, den die Träume und die sie auslösenden Gemütszustände auf die dem Aufwachen folgenden Empfindungen und Gedankengänge üben können» [111, 168].

Die hier entworfene Physiognomie des 18. Jahrhunderts ist unvollständig und einseitig. Weder haben wir in unserem Überblick dem tiefen Strom der Geheim-wissenschaften Rechnung getragen, welcher die Entfaltung der modernen Wissenschaften vorbereitet hat, noch war von jener Woge der Poesie und Empfindsamkeit die Rede, welche etwa im Pietismus, im Sturm und Drang oder bei einzelnen Außenseitern diesem intellektuellen Jahrhundert seine vielfältigen Tönungen und sein Ungestüm verliehen haben. Es kam uns für den Augenblick darauf an, die Psychologen für sich gesondert zu betrachten und zu zeigen, welches Menschenbild bis über das Jahr 1800 hinaus als dasjenige des ‹auf-geklärten› Jahrhunderts galt. Bei der Darstellung von Lichtenberg und Moritz werden wir zudem erneut auf einige der hier nur flüchtig gestreiften Probleme stoßen, dann aber bereits angesichts der ersten tastenden Versuche in roman-tischem Geist. Im Falle von Moritz wird sich erweisen, daß die Psychologie populärwissenschaftlicher Schriftsteller oft jene der Fakultäten oder philoso-phischer Sekten überflügelte. Und schließlich werden wir Vorromantik und Irrationalismus des 18. Jahrhunderts noch einmal ins Gedächtnis zurückrufen, wenn von deren erhabensten Vertretern: Hamann, Herder und Saint-Martin, die Rede sein wird. Dann sind wir so weit gerüstet, daß wir den Abstieg aus dem lichten Jahrhundert in die Nacht der Romantik wagen können.

ERSTES KAPITEL

DAS BRENNENDE RAUCHKERZCHEN

> Lichtenbergs Schriften können wir uns als der wunderbarsten Wünschelrute bedienen: wo er einen Spaß macht, liegt ein Problem verborgen. GOETHE

Zwischen dem Rationalismus und dem neuen Zeitalter steht ein eigenartiger Schriftsteller, Physiker von Rang, früher Bewunderer Jean Pauls und einer der ersten deutschen Leser der Schriften Jakob Böhmes, ein ruheloser Eigenbrötler, sein Leben lang auf der Jagd nach kuriosen Wörtern, satirischen Bemerkungen und ausgefallenen Vergleichen; bei seinen Zeitgenossen berüchtigt wegen seiner Menschenscheu, von ausländischen Naturforschern hoch geachtet, unbekannt den Schriftstellern und ohne Verbindung mit ihnen; ein Mann schließlich, dessen zu Lebzeiten veröffentlichte Schriften ihm höchstens eine flüchtige Bemerkung in einer Wissenschaftsgeschichte eintragen würden, wogegen seine zahlreichen nachgelassenen Hefte mit Aphorismen und Notizen seit dem Beginn des 19. Jahrhunderts unerwartet zu hohem Ruhm gelangt sind.

Georg Christoph Lichtenberg, Professor zu Göttingen, führte das beschwerliche Leben eines Originals. Äußerlich klein, mißgestaltet, bucklig, litt er unter seiner eigenen Häßlichkeit. Ausgestattet mit einer gebieterischen Sinnlichkeit, lebte er zusammen mit einer außerehelichen Gefährtin, die ihm aber anscheinend die Gesellschaft nicht zu ersetzen vermochte, von der er eben dieses Konkubinats wegen ausgeschlossen war. Er war im rationalistischen Geist der Zeit erzogen worden, und er wagte es deshalb nie, einer ihm innewohnenden Neigung zum Mystischen völlig nachzugeben. Ja selbst in seinen Sudelbüchern, die in buntem Wechsel Kalauer, Bekenntnisse, Meditationen und wissenschaftliche Angaben zu privatem Gebrauch aufnahmen, selbst hier hinterlegte er Äußerungen über die eigentümlichsten Züge seiner wahren Persönlichkeit nur mit den größten Skrupeln und indem er sie mit scheuer Zurückhaltung, mit Scherzen und skeptischen Anmerkungen tarnte.

Wäre er kühner oder weniger empfindlich gewesen, er hätte über die ihm widrig gesinnte Umgebung hinweggesehen und, wie ein Restif de la Bretonne oder ein Saint-Martin, ein Hemsterhuis oder ein Hamann, ‹Philosoph› des 18. Jahrhunderts auch er, sich der geheimen Kette jener Eingeweihten angeschlossen, über welche die mystisch-irrationalistische Tradition schließlich die aufkeimende Romantik erreichte. Schwächlich und überempfindlich, wie er nun aber einmal war, konnte er unter seiner Andersartigkeit lediglich leiden, ja glaubte er sich seiner echtesten Anwandlungen einigermaßen schämen zu müssen: seiner ‹abergläubischen› Gedanken etwa von der Metempsychose, vom Triumph des Gefühls, vom zaghaft entworfenen Idealismus à la Novalis («Ursprünglich ist die Welt, wie ich will.» [358, II, 554]), sich schämen zu müssen seines Durstes nach einem empfindsamen Leben und der Anziehung, welche der Tod auf ihn ausübte. Eine Stelle in seinen Heften drückt diesen Zustand seiner Seele trefflich aus:

Mir kommt es immer vor, als wenn der Begriff *sein* etwas von unserem Denken Erborgtes wäre, und wenn es keine empfindenden und denkenden Geschöpfe mehr gibt, so *ist* auch nichts mehr. So einfältig dieses klingt, und so sehr ich verlacht werden würde, wenn ich so etwas öffentlich sagte, so halte ich doch *so etwas mutmaßen zu können* für einen der größten Vorzüge, eigentlich für eine der sonderbarsten Einrichtungen des menschlichen Geistes. Dieses hängt wieder mit meiner Seelenwanderung zusammen. Ich denke, oder eigentlich, ich empfinde hierbei sehr viel, das ich nicht auszudrücken im Stande bin, weil es *nicht gewöhnlich menschlich* ist, und daher unsere Sprache nicht dafür gemacht ist. Gott gebe, daß es mich nicht einmal verrückt macht. So viel merke ich, wenn ich darüber schreiben wollte, so würde mich die Welt für einen Narren halten, und deswegen schweige ich. Es ist auch nicht zum Sprechen, so wenig als die Flecken auf meinem Tisch zum Abspielen auf der Geige. [118, II, 13 f.]

Man kann in dieser schamhaften Verschweigung der eigenen Lieblingsgedanken lediglich das eindeutige Symptom einer Neurose erblicken; Psychiater ohne ausreichende Kenntnis des Nachlasses sind so verfahren. Blättert man jedoch aufmerksam in seinen Tagebüchern, so stößt man immer wieder, bald zwischen Wortspielen, bald zwischen wissenschaftlichen Erörterungen, auf meist nur halbwegs festgehaltene Gedankengänge, tiefsinnige Grübeleien oder Träumereien, die wenig später auch bei den Romantikern erscheinen werden; die Vermutung drängt sich auf, jene hätten, was dieser unterdrücken zu müssen glaubte, endlich ohne Furcht auszusprechen gewagt, ja es sei solches zum Quell ihres persönlichen Daseins, ihrer geistigen Suche und ihrer Werke geworden. Möglich wurde dies deshalb, weil sie allesamt Dichter waren, wenn auch von unterschiedlicher Begabung, Menschen also, die sich ihre Sprache, den ihnen angemessenen Ausdruck zu schaffen vermochten, die recht eigentlich das Wort erfanden, dessen Mangel ein Lichtenberg beklagt hatte. Oder besser: Die Romantiker haben mit dieser Tat die gesamte geistige Atmosphäre so weit verwandelt, daß nicht nur die von Lichtenberg schüchtern hingemurmelten ‹Ketzereien› ihnen nun keineswegs mehr lächerlich erschienen, sondern er selbst, wäre er nach ihnen gekommen, sich ohne Scheu ausgesprochen hätte. Kann es denn mit einer Erklärung sein Bewenden haben, die in Lichtenberg einen typischen pathologischen Fall sieht, wo doch dieser Mann vielmehr an seiner Unzeitgemäßheit krankte, an seiner verfrühten Erscheinung auf einem Planeten, auf dem nur die Stärksten aller Starken in völliger Einsamkeit des Geistes zu überleben vermögen? Um so mehr, als wir bei Lichtenberg ein stets ungestilltes Verlangen nach einer Gemeinschaft von gleichfühlenden Geistern beobachten, einen bereits durchaus romantischen Zug, den er wiederum nur verdeckt und ironisch, dennoch auf rührende Weise eingesteht: «Der Mensch liebt die Gesell-

schaft, und sollte es auch nur die von einem brennenden Rauchkerzchen sein»
[119, I, 169]. Erschütterndes Bekenntnis eines unverschuldet Einsamen, Worte,
welche die langen Abende wachrufen, an denen seine Gedanken dem Tode
nachgingen, nicht aus blasser Schwächlichkeit, sondern aus einer stillen Sehnsucht
heraus, die freilich weder die Größe noch die Willentlichkeit der Todes-
sehnsucht in Novalis' Tagebuch aufweist und dennoch an romantische Poesie
erinnert. Die Selbstmordgedanken, die ihn von Jugend auf begleiten, haben
durchaus nichts Krankhaftes. In einem der frühen Hefte (vor 1770) schreibt er
einmal ausführlich davon, und was er dabei über das Unbewußte sagt, läßt uns
die Kluft ermessen, die ihn vom rationalistischen Zeitgeist trennt:

Ich muß gestehen, daß die innere Überzeugung von der Billigkeit einer Sache oft ihren letzten
Grund in etwas Dunklem hat, dessen Aufklärung äußerst schwer ist, oder wenigstens scheint,
weil eben der Widerspruch, den wir zwischen dem klar ausgedrückten Satz und unserm undeutlichen Gefühl bemerken, uns glauben macht wir haben den rechten noch nicht gefunden.
[...] Herr Ljungberg weiß es, daß es eine von meinen Lieblings-Vorstellungen ist mir den Tod
zu gedenken, und daß mich dieser Gedanke zuweilen so einnehmen kann, daß ich mehr zu
fühlen als zu denken scheine und halbe Stunden mir wie Minuten vorübergehn. Es ist dieses
keine dickblütige Selbst-Kreuzigung, welcher ich wider meinen Willen nachhinge, sondern
eine geistige Wollust für mich, die ich wider meinen Willen sparsam genieße, weil ich zuweilen fürchte, jene melancholische nachteulenmäßige Betrachtungsliebe möchte daraus entstehen. [122, A 126]

Dieser wollüstige Gedanke an den Tod kehrt in den Tagebüchern immer wieder.
Ihm die befreiende Weite des Dichterischen oder den Ton einer echten Kon-
fession zu verleihen, dazu fehlt Lichtenberg offensichtlich die Ausdruckskraft; es
ist ein Mangel an Beherztheit, der ihn in seinen Meditationen behindert, und
diese bleiben denn auch isoliert, ohne verbindende Töne weit voneinander ent-
legen; seine Lieblingsvorstellung reicht nicht hin, alle seine Gedanken zu färben,
unablässig zu tragen und ihm die nächtlichen Schätze seiner Seele aufzuschließen.
Auf gleiche Weise denkt er sich auch das Nichts als «eine Wohltat, welche
die Glückseligkeit aller Paradiese aufwiegt». Er liebt die Idee, dieses Nichts sei
eben der Zustand, in dem er sich vor seiner Geburt befunden habe:

Ich kann den Gedanken nicht loswerden, daß ich *gestorben* war, ehe ich geboren wurde, und
durch den Tod wieder in jenen Zustand zurückkehre. [...] Sterben und wieder lebendig werden mit Erinnerung seiner vorigen Existenz, nennen wir ohnmächtig gewesen sein; wieder
erwachen mit andern Organen, die erst wieder gebildet werden müssen, heißt geboren werden. [118, II, 16]

Aber seine Schüchternheit, die ihn immer wieder aus den Kühnheiten seines
Meditierens zurückholt, nötigt ihn sogleich zu einer Korrektur:

Es ist ein Glück in mancher Rücksicht, daß diese Vorstellung nicht zur Deutlichkeit gebracht
werden kann. Wenn auch der Mensch jenes Geheimnis der Natur erraten kann, so wäre es
doch sehr gegen ihr Interesse, wenn er es beweisen könnte.

Er schaudert zurück und preist die dem Menschen beschiedene Unwissenheit über die letzten Gründe seines Daseins. Er gehört nicht zu jenen kraftvollen Naturen, die, nachdem sie der Angst ins Auge geblickt, sich dem Leben um so entschlossener zuwenden; er kehrt wieder dahin zurück, und sein Denken hat ihn wohl nie näher ans eigene Wesen herangeführt als in diesen wenigen gegen 1790 geschriebenen Zeilen:

Wenn nur der Scheidepunkt erst überschritten wäre. Mein Gott wie verlangt mich nach dem Augenblick wenn die Zeit für mich aufhören wird Zeit zu sein, in dem Schoß des mütterlichen Alles und Nichts, worin ich damals schlief, [...] als Epicur, Cäsar, Lukrez lebten und schrieben und Spinoza den größten Gedanken dachte der noch in eines Menschen Kopf gekommen ist. [122, J 292]

Das Heimweh nach dem Nichts und dem All, das Vorgefühl jener letzten Befreiung und höchsten Glückseligkeit – wenn erst einmal die Zeitlichkeit überwunden sein wird –, das sind Seelenregungen, denen wir bei Lichtenbergs Nachfolgern oft begegnen und deren mannigfaltiges Echo wir auch in seinen Träumen wieder finden werden. Aber auch sein Humor, sein satirischer Witz erscheinen erst über diesem dunkeln Grund in ihrem wahren Gepräge; die so eigenartige Ironie Lichtenbergs ist ganz anderer Art als etwa der Humor eines Sterne oder die Schärfe eines französischen Moralisten. Erst wenn man dahinter den leisen Ruf nach dem Tod, den stillen Wunsch mithört, vom Nichts wieder aufgesogen zu werden, erst dann wird man den echten Tonfall von Lichtenbergs Äußerungen über menschliches Gebaren, ja auch der wunderlichsten unter seinen Aphorismen erfassen können:

Der Mann hatte so viel Verstand, daß er fast zu nichts mehr in der Welt zu gebrauchen war. [122, D 451]
Wenn auch das Gehen auf 2 Beinen dem Menschen nicht natürlich ist, so ist es doch gewiß eine Erfindung, die ihm Ehre macht. [J 226].
Er hatte seinen beiden Pantoffeln Namen gegeben. [L 477]
Ich möchte was darum geben, genau zu wissen, für wen eigentlich die Taten getan worden sind, von denen man öffentlich sagt, sie wären für das Vaterland getan worden. [118, II, 246]

Spürt man hinter dem folgenden lakonischen Eintrag – er scheint eine weitläufige Träumerei in Gesellschaft des brennenden Kerzchens beendet zu haben – nicht so etwas wie die makabre Ironie eines alten Totentanzes: «Galgen mit einem Blitzableiter» [122, L 550]?

Sehr wohl begreiflich, daß Lichtenberg, trotz großer Zurückhaltung, von den frühesten Veröffentlichungen Jean Pauls begeistert war; fand er da nicht sich selbst wieder, und zwar nicht so, wie er war, sondern so, wie er zu sein träumte? Gibt er nicht eine gültige Definition der Romantik, wenn er die Jean-Paulsche Verbindung von Witz, Phantasie und Empfindung mit der «großen Konjunktion dort oben am Planeten Himmel» vergleicht und fortfährt:

Einen allmächtigern Gleichnis-Schöpfer kenne ich gar nicht. Es ist, als wenn in seinem Kopf sich jeder Gegenstand in dem Reiche der Natur oder der Körper-Welt sogleich mit der schönsten Seele aus dem Reich der Sitten, der Philosophie oder der Gnade vermählte und nun mit ihr in Liebe verbunden wieder hervorträte. [121, III, 204, Juli 1798]

Seine Bewunderung für eine Kunst des Symbols und der Metapher, seine mystischen Bestrebungen, unermüdliche Selbstbeobachtung und ein ausgeprägter Sinn für psychologische Erfahrung: all dies mußte Lichtenberg selbstverständlich zur Beschäftigung mit dem Traum führen. Und zwar stand sein Interesse nicht unter dem Einfluß irgendwelcher Lektüre, sondern es waren gewisse Erscheinungen seines eigenen Traumlebens, welche ihm zu denken gaben; die einen befriedigten seinen Hang zum Studium seines eigenen Charakters, die andern kamen seiner Vorliebe für empfindsame Träumereien und verstohlene, geheimnisvolle Ausblicke entgegen, soweit sich seine Schüchternheit darauf einließ. Beides bewog ihn immer von neuem, eine bessere Erforschung des Traumlebens zu fordern.

Wenn die Leute ihre Träume aufrichtig erzählen wollten, so «ließe sich der Charakter eher daraus erraten, als aus dem Gesicht» [122, E 494]. «Es gehörte aber dazu nicht etwa einer, sondern eine ziemliche Menge [von Träumen]» [A 33]. Lichtenberg ist auch davon überzeugt, daß Träume uns manchmal gewisse Züge unseres Wesens enthüllen, welche sonst vom «Zwang der oft erkünstelten Überlegung» entstellt und verdeckt werden; dieser Gedanke verdiene «sehr beherzigt zu werden» [J 72].

Seine psychologische Forschung dient aber auch einem andern Zweck: Es ist wertvoller, Kenntnisse von sich selbst zu erwerben als von andern, denn Selbsterkenntnis hat moralische Folgen. Was für Lehren und Erfahrungen lassen sich doch in dieser Hinsicht aus unseren Träumen ziehen! Lichtenberg weiß sehr wohl, daß unser bewußtes Leben nicht hinreicht, unsere Humanität ganz auszuschöpfen; in jedem von uns schlummern tausend Möglichkeiten, ohne daß sie eine günstige Gelegenheit zur Entfaltung brächte. Wäre unserer Erfahrung einzig der Bereich des Wachens zugänglich, so bliebe uns ein großer Teil unserer inneren Schätze für immer vorenthalten; es sind glücklicherweise die Träume, die unsere Kenntnis davon unermeßlich bereichern.

Träume führen uns oft in Umstände, und Begebenheiten hinein, in die wir wachend nicht leicht hätten können verwickelt werden, oder lassen uns Unbequemlichkeiten fühlen welche wir vielleicht als klein in der Ferne verachtet hätten, und eben dadurch mit der Zeit in dieselben verwickelt worden wären. Ein Traum ändert daher oft unsern Entschluß, sichert unsern moralischen Fond besser als alle Lehren, die durch einen Umweg ins Herz gehen. [A 125]

Ohne Zweifel hatten schon die Psychologen des 18. Jahrhunderts den autodiagnostischen Wert der Träume erkannt; aber noch hätte niemand so unumwunden behauptet, die Traumerfahrungen seien unmittelbarer als die andern, führten geraderen Weges zum Kern unserer Persönlichkeit.

Lichtenberg anerkennt nicht nur die moralische Nützlichkeit der Träume, er wagt auch denjenigen Schritt, vor dem die Psychologen des 18. Jahrhunderts zurückgeschreckt waren: er macht sich Gedanken über das Wesen des Traums. Gegen 1777 empfiehlt er erneut in einem Fragment das Studium der Träume und überläßt sich dann seinem Sinn für metaphysische Lichtblicke, was uns übrigens nicht erstaunen sollte, weil es ihm nicht um Wissenschaftlichkeit zu tun ist, sondern um die Befriedigung des vitalen Bedürfnisses, sich selbst zu erklären, was in ihm vorgeht.

Wir leben und empfinden so gut im Traum als im Wachen und sind jenes so gut als dieses, es gehört mit unter die Vorzüge des Menschen, daß er träumt *und es weiß*. Man hat schwerlich noch den rechten Gebrauch davon gemacht. Der Traum ist ein Leben, das, mit unserm übrigen zusammengesetzt, das wird, was wir menschliches Leben nennen. Die Träume verlieren sich in unser Wachen allmählig herein, man kann nicht sagen, wo das Wachen eines Menschen anfängt. [F 743]

Immer wieder kommt er darauf zurück: Es wäre eine des größten Psychologen würdige Aufgabe, eine *Traumdeutung* zu verfassen, eine Abhandlung «Von der Natur der Seele aus Träumen» [F 607]; auch ein populäres Traumbuch lasse sich denken, in welchem die neuesten Entdeckungen knapp und leicht faßlich dargestellt würden. Aber wie so viele in seinen Notizen angedeutete Vorhaben, deren Ausführung er schließlich kommenden Generationen überlassen mußte, blieb auch dieses bloß auf der Wunschliste. Immerhin hat er zeit seines Lebens Bemerkungen in seine Hefte eingetragen, die sehr wohl in einem solchen Traumbuch hätten Platz finden können. Da versucht er sich Klarheit zu verschaffen über den Unterschied zwischen Traum und Wachen, die für ihn zwei Aspekte ein und derselben umfassenden Wirklichkeit sind. Warum, so fragt er sich, geschieht es im Wachen nicht öfter, daß wir unsere eigenen Gedanken für die eines andern halten, wie das im Traum üblich ist? Besteht wohl nicht der Zustand des Wachens hauptsächlich darin, «daß man das *in uns* und *außer uns* scharf und konventionsmäßig unterscheidet» [118, II, 112]? Die Möglichkeit eines Dialogs mit einer von uns selbst erschaffenen Person läßt Lichtenberg keine Ruhe, und es fallen ihm dabei weitreichende Gedankenverbindungen ein:

Wenn ich im Traum mit jemanden disputiere und der mich widerlegt und belehrt, so bin ich es der sich selbst belehrt, *also nachdenkt*. Dieses Nachdenken wird also unter der Form von Gespräch angeschaut. Können wir [uns] also wundern, wenn die frühen Völker das was sie bei der Schlange denken (wie Eva) ausdrücken durch: *die Schlange sprach zu mir*. Der Herr sprach zu mir. Mein Geist sprach zu mir. Da wir eigentlich nicht genau wissen *wo* wir denken, so können wir den Gedanken hin versetzen, wo wir wollen. So wie man sprechen kann, daß man glaubt es komme von einem Dritten, so kann [man] auch denken, daß es läßt, als würde es uns gesagt: Genius Sokratis pp. Wie erstaunend vieles ließe sich nicht durch die Träume noch entwickeln. [122, J 171]

Sehen wir von Moritz ab, so gibt es in der gesamten Psychologie des 18. Jahrhunderts keine einzige Bemerkung von derselben Tiefe wie in diesen paar flüchtig hingeworfenen Zeilen. Lichtenberg weiß nicht nur (wie er einmal andernorts notiert), daß, träumen wir von einer Gesellschaft von Leuten, wir jeden in seinem Charakter reden lassen [118, II, 108] – an sich noch keine tiefschürfende Beobachtung; er weiß nicht nur, daß sowohl in der poetischen Erfindung wie im Traum ein Gedanke sich im anschaulichen Bild oder durch eine andere Person anbieten kann; er entdeckt vor allem eine tiefe Entsprechung zwischen dieser schöpferischen Wirksamkeit des Traums und der Geburt des Mythos bei den «frühen Völkern». Er entwickelt zwar den Gedanken nicht weiter; dennoch bemerkt man die Linie wohl, welche von Lichtenberg zu C. G. Jung führt, eher als zu Freud: Kollektives und persönliches Unbewußtes stimmen weitgehend überein; ihre Schöpfungen sind nicht hinfällige Phantasiegebilde oder lediglich Symptome irgendeiner Verwirrung; die Mythen verdienen ernst genommen zu werden. Diese Verdoppelung und Verdreifachung unseres Ichs* in den Träumen, die befremdlichen Gespräche über einen Verstorbenen mit eben diesem Verstorbenen selbst, solche Erscheinungen beunruhigen Lichtenberg und bewegen ihn zur Annahme, wir hätten vielleicht auch als Wachende solche Visionen, würde uns nicht die Vernunft immer wieder bei jedem Schritt belehren [122, F 1159].

Immer wieder bei Lichtenberg taucht die Verlockung zur Mystik auf: Wie gerne würde er glauben, daß Traum und Wachen in ihren wesentlichen Gegebenheiten ineinander übergehen und sich vermischen, daß aber unsere wahren Einsichten und Vermögen im Wachen von der Vernunft irgendwie irregeführt oder unterdrückt werden! Wenn die Vernunft sich nicht einmischte – ist eigentlich Lichtenberg sich selbst gegenüber aufrichtig dort, wo er sich beglückt zeigt von ihrer Herrschaft? – wenn sie sich nicht einmischte, so vermöchten wir jederzeit die Partner unserer dialogischen Gedankengänge selbst zu erschaffen, wir würden mit Toten sprechen können, wir fühlten uns freier. Indessen spielt diese Vernunft sehr wohl auch bei Lichtenberg ihre Rolle und fordert von ihm immer wieder die klare Absage an seine verstohlenen Hoffnungen:

– Daß man solch närrisches Zeug träumt, wundert mich nicht, allein, daß man glaubt, man wäre es selbst, der so was täte und dächte, das wundert mich. [F 784]
– Ich mögte wissen ob die Tiere dummer träumen, als sie im Wachen sind, ist dieses, so haben sie einen Grad von Vernunft. [F 752]

So fertigt er seine romantische Neigung rasch ab, und der Rationalist findet sich wieder in einer Unzahl von Bemerkungen über Einzelheiten des Traumlebens, vor allem über den Einfluß äußerer Empfindungen.

Wenn Lichtenberg so genaue Beobachtungen und neuartige Gedanken über das Traumleben festgehalten hat, darf als erwiesen gelten, daß ihn die Intensität seiner eigenen Träume zu solchem Studium bewogen hat und daß er alle seine Kenntnisse aus erster Hand besaß. Gleiches könnte man von den wenigsten

* Verdoppelung/Verdreifachung: [118, II, 111 f.; 122, F 607; F 1159; F 1180]

seiner Zeitgenossen sagen; einzig Karl Philipp Moritz und Jean Paul forschten
ebenso angestrengt in sich hinein; leider hat keiner der drei die von Lichtenberg geforderte Traumdeutung ausgeführt. Weder die *Symbolik* Schuberts noch
die Systeme der Naturphilosophen sollten dafür einen Ersatz bieten.

Dem folgenden Eintrag in Lichtenbergs Sudelheft ist vorauszuschicken, daß
er frühestens aus dem Jahre 1777 stammen kann:

Ich weiß aus unleugbarer Erfahrung daß Träume zu Selbst-Erkenntnis führen. Alle Empfindung, die von der Vernunft nicht gedeutet wird, ist stärker. [...] Daß es mir alle Nacht von
meiner Mutter träumt und daß ich meine Mutter in allem finde ist ein Zeichen [...]. [F 684]

Lichtenbergs Mutter war bereits im Jahre 1764 gestorben. Trotz seiner Versicherung berichtet er aber nur von einem einzigen Traum, in dem sie eine
Rolle spielt, und er hat ihn mit einem seltsamen Kommentar bedacht:

Am 4ten Julii 1775 erwachte ich (in Wrest) allein nicht zur vollkommenen Klarheit aus einem
Traum von meiner Mutter. Mir träumte sie wäre bei mir in dem Garten von Wrest und hätte
mir versprochen mit mir über den Kanal in der fliegenden Brücke zu fahren. Sie trug mir aber
vorher etwas zu tun auf, dieses verwickelte mich in Schwierigkeiten und ich sah meine Mutter
nicht wieder, hier endigt sich der Traum. Du lebst nicht mehr, sagte ich in dem leichten
Schlummer zu mir selbst, und über dich ist das: Nun laßt uns den Leib begraben gesungen
worden, und in dem Augenblick fing ich in der Melodie (aber alles in Gedanken) eine Strophe,
allein aus einem andern Lied (Wo bis du denn o Bräutigam? aus dem Lied: Du unbegreiflich
höchstes Gut pp) an zu singen, welches eine unbeschreibliche Würkung auf mich hatte,
melancholisch allein auf eine Art, die ich dem lebhaftesten Vergnügen vorziehe. [120, RA 15]

Wollte man der Auffassung eines Psychoanalytikers folgen [12, 191], so
beruhte dieser Traum auf einer Identifikation der Mutter mit der Erde: Die
Rückkehr in den Erdenschoß käme dem Verlangen nach Rückkehr in den
Mutterschoß gleich. Bedarf es aber solcher Umwege, um zu verstehen, warum,
da doch seine Gedanken Tag für Tag dem Tod und der eigenen Vergangenheit
anhingen, Lichtenberg seine Kindheit heraufbeschwört, den Zufluchtsort all derer,
die wie er unter Menschenscheu leiden – oder den Tod, die Hoffnung aller
Ruhelosen von seiner Gemütsart? Das Heimweh nach jener Frühzeit, als wir uns
in der ersten zärtlichen Liebe geborgen fühlten, kann sehr wohl andauern, ohne
daß die ersehnte Atmosphäre notwendig ein früheres physiologisches Entwick-
lungsstadium zu symbolisieren brauchte und eine allgemeinverbindliche Deutung
erforderte. Übrigens: Warum den schönen Weg nicht noch weiter gehen?
Falls unsre Zellen in sich das Gedächtnis an ihre früheren Zustände aufbewahren,
was durchaus möglich ist, müßten sie sich dann nicht noch viel älterer Zustände erinnern ...? Und erscheinen schließlich die Anhänger solcher Inter-
pretationsweisen nicht ein wenig zu sehr überzeugt davon, sie wüßten Bescheid
über unseren wirklichen Ursprung und unsere eigentliche Herkunft? Jedenfalls
ist die Annahme genau so berechtigt – ja für manchen ist sie sehr viel be-
friedigender –, unsre Erinnerungen und Sehnsüchte sprächen dafür, daß in

uns etwas von einem Sein weiterbesteht, das aller Inkarnation, allem Physiologischen, das unserer geheimnisvollen Geburt zum Individuum vorausgeht.

Wie dem auch sei, Lichtenberg kommt in seinen Träumen oft auf die Landschaft seiner Jugendzeit zurück, auf seine Geburtsstadt, auf die geliebten Rheinlande, zumal er sich in Göttingen fremd fühlte. Er gibt sich aber seinem verborgenen Heimweh nur in einsamen Stunden hin und schweigt sich fast völlig darüber aus. Nur in einem seiner drei Bände füllenden Briefe kommt er auf den Hochwasser führenden Rhein zu sprechen und gesteht dem Adressaten: «Es vergeht kein Tag, daß ich nicht an die Lage meines lieben Vaterlandes denke. Ich sehe öfters im Traum von dem Graupnerschen Speicher nach Mainz, Hochheim und Oppenheim hin» [121, III, 68/2. 2. 1793]. Ein Hefteintrag von Ende 1798 erhellt die Bedeutung dieses Speichers, in dem der Knabe einst «die Welt kennenlernte und die menschliche Komödie illustrierte», wie Rimbaud in jenem Speicher, in den er mit zwölf Jahren eingeschlossen worden war (*Illuminations*, Vies III). Das frühe Abenteuer, dessen er sich wieder entsinnt, ist ganz vom Glück jener Jahre gezeichnet, als der Knabe noch nichts wußte von der schmerzlichen Kontrolle der Vernunft.

Heautobiographie. Nicht zu vergessen, daß ich einmal die Frage, was ist das Nordlicht? auf den Graupnerschen Boden mit einer Adresse an einen Engel hinlegte und ganz schüchtern am andern Morgen nach dem Zettel hinschlich. O wäre da ein Schelm gewesen, der den Zettel beantwortet hätte! [122, L 683]

Gegen Ende seines Lebens häufen sich die Träume, in denen er die Straßen seiner Vaterstadt wiedersieht; bald erscheinen sie ihm unverändert, bald verwandelt, bald im Weichbild einer irgendwie vertrauten und doch auch wieder fremden Stadt. Aber nicht allein Örtlichkeiten von einst, auch jugendliche Empfindungen leben wieder auf, und Lichtenberg fühlt sich in jene weihevollen Stunden zurückversetzt, als er einst an die Engel schrieb.

Es war in der Nacht [...] vom 15. auf den 16. Oktober [1779], als mir träumte, ich sehe eine feurige Wolke unter den Plejaden herfliegen; zugleich läutete die große Glocke zu Darmstadt, und ich fiel auf die Knie und sprach die Worte: heilig, heilig usw. aus. Meine Empfindungen waren dabei unaussprechlich groß, und ich hätte mich derselben kaum mehr fähig geglaubt. [118, II, 4]

Er liebte es an den Träumen, daß die Gefühle und Bilder wieder ihre ursprüngliche Lebendigkeit und Eindringlichkeit zurückgewinnen und daß man empfundener Freuden so gewiß ist. «Ich stelle mir vor ich hätte das große Los gewonnen, in dem Augenblick habe ich es» [122, D 134]. Verflossene Jahre wieder durchleben, die Wohltat des Sterbens im voraus fühlen – so viele Ausbrüche aus den Schranken der Gegenwart, so viele kostbare Augenblicke, wo all unser Hoffen wunderbar in Erfüllung geht, all unser Sehnen zurück in die persönliche Vergangenheit und nach vorn in eine Zukunft, wo sich das Ich auflösen wird.

Wie später Jean Paul, Novalis oder Hervey de Saint-Denys sann schon Lichtenberg nach Mitteln und Wegen, auf die Träume Einfluß zu nehmen, damit sie gefälliger und wohltuender ausfielen: «Unsere Träume können wir sanfter machen, wenn wir des Abends kein Fleisch essen» [l.c.]. Denn wohl bekannt war auch ihm das Grauen, das uns gewisse Träume einzujagen vermögen, dann nämlich, wenn uns überdeutliche Gesichte gefangennehmen oder wenn verborgene Abgründe der Seele schonungslos ausgeleuchtet werden. Zweifellos unter dem Eindruck eines wiederholten Traumes stellt er ein paarmal fest, er erliege im Traum oft einer so lebhaften Empfindung von Mitleid, daß das Vergnügen nahe an Schmerz grenze [F 923/878/1083]. Es ist dieser Traum, der ihn zu besonderer Wachsamkeit veranlaßt gegenüber einem möglichen Verfall der Verstandeskräfte und der dadurch an eine der empfindlichsten Stellen seines moralischen Empfindens rührt; zweimal hat er sich über die Einzelheiten dieser Traumszene ausgelassen:

Vergangene Nacht träumte mir, ich sollte lebendig verbrannt werden, und zwar wurde ich in den frisch gebauten Ofen hineingeführt, der wie ein Zimmer eingerichtet war. Ich wußte nicht deutlich warum, ich war ziemlich ruhig. Was ich deutlich dabei dachte, war, was ich freilich bei andern Gelegenheiten öfters gedacht habe, nämlich daß ich doch eigentlich nur etwa eine Minute verbrannt werden könnte; also um 8^h wäre ich *noch nicht* verbrannt und um 8^h 1 wäre ich verbrannt. [...] Ich sah mich nach den Zuschauern um, fand aber nur ein paar und erwachte ruhig. Meiner Herzhaftigkeit schreibe ich diese Ruhe nicht zu; sondern es war sonst etwas. [120, H. IV, S. 302, Anm. zu J 908]

Das zweitemal – einige Monate später – fügt er eine interessante Erwägung hinzu:

[...] Ich war sehr ruhig dabei, welches mich beim Erwachen nicht freute. So etwas kann Erschlaffung sein. Ich räsonierte ganz ruhig über die Zeit, die es dauern würde. [...] Das war fast alles, was ich *dachte* und *bloß dachte*. [...] Ich fürchte fast, es wird bei mir alles zu Gedanken und das Gefühl verliert sich. [122, J 931]

Nicht alle seine Träume sind ebenso unschuldig; aber Lichtenberg würdigt gerade jene keiner weiteren Betrachtung, die ihr Glück wohl bei heutigen Psychoanalytikern machen würden, er selbst jedoch als Ausgeburten einer unkontrollierten Phantasie zu verwerfen scheint: «Im Traum sind wir Narren, der Scepter fehlt, es hat mir oft geträumt, ich äße gekochtes Menschenfleisch» [F 607]. Betrifft das nicht eben die Abende, von denen er bekennt, er hätte sich vor dem Einschlafen ein Vergnügen daraus gemacht, auf Mittel zur Ermordung eines mißliebigen Menschen zu sinnen oder in Gedanken Feuer an ein Haus zu legen, ohne dabei ertappt zu werden? Ein anderer Einsamer hat ebensolche Kurzweil gekannt: Kierkegaard nämlich, auch er ein von Angst Gepeinigter, ein Meister der Selbstbeobachtung, der einmal seinem Sekretär gestand, «daß er eine ungeheure Lust habe, einen wirklichen Diebstahl zu begehen und dann mit seinem bösen Gewissen und der Furcht vor Entdeckung zu leben» [124, 38].

Ist nicht dieser bloß in der Vorstellung empfundene Geschmack an der verbotenen Frucht, diese Sehnsucht nach Verschuldung, ist nicht vielleicht diese Lust, sich als Träger einer verborgenen Sünde zu wissen, eine der Abarten von außergewöhnlich lebhaft durchlittener metaphysischer Angst? Handelt es sich tatsächlich um eine simple Verdrängung von Wünschen, die einer strengen Moral zuwiderlaufen, oder soll man darin bei solchen Träumern und Umgetriebenen nicht vielmehr Handlungsentwürfe erkennen, welche die Angst der Kreatur auf ihre eigene Person hin sammeln und verdichten? Irgendwie spüren sie, daß selbst diese Angst kostbar ist und daß Menschenwürde nicht darin besteht, sie zu unterdrücken, sondern darin, sie zu durchleben und zu läutern, und sie glauben deshalb gerne, ein allein ihnen zubestimmtes Geschick habe sie in den Besitz dieses schrecklichen ‹Privilegs› gebracht.

In seinem letzten Lebensjahr hat Lichtenberg noch zwei bedeutende Träume festgehalten. Im ersten von Ende September 1798 erzählt er jemandem im Beisein eines Dritten, dem die Umstände auch bekannt sind, vom seltsamen Begräbnis einer jungen Frau aus Göttingen, die vor Jahresfrist während der Niederkunft mit ihrem Kind verstorben ist. Man legte damals das totgeborene Kind in denselben Sarg an ihre Seite. Aber Lichtenberg vergißt in seinem Traumbericht die Erwähnung des kleinen Leichnams, und so ist es am Dritten, diesen Hauptumstand nachzutragen. Sein Versäumnis sowohl wie die Beschämung durch den besser Bewanderten geben Lichtenberg nach seinem Aufwachen Anlaß zu interessanten Überlegungen:

Hieraus läßt sich nun allerlei schließen. Ich erwähne nur Eines, und mit Fleiß grade das, was am stärksten wider mich selbst zeugt, zugleich aber auch für die Aufrichtigkeit, womit ich diesen sonderbaren Traum erzähle. – Es ist mir öfters begegnet, daß [ich] wenn ich etwas habe drucken lassen, erst ganz am Ende, wenn sich nichts mehr ändern ließ, bemerkt habe, daß ich alles hätte besser sagen können, ja, daß ich Haupt-Umstände vergessen hatte. Dieses ärgerte mich oft sehr. – Ich glaube, daß hierin die Erklärung liegt. Es wurde hier ein mir nicht ungewöhnlicher Vorfall dramatisiert. – Überhaupt aber ist es mir nichts Ungewöhnliches, daß ich im Traum von einem Dritten belehrt werde, das ist aber weiter nichts als dramatisiertes Besinnen. [122, L587]

Diese Auslegung beeindruckt wegen ihrer Schlichtheit: Lichtenberg setzt Traum und gewohnte Erfahrung ins Verhältnis von Text und Übersetzung; nur die Sprache scheidet sie. Die Deutung überzeugt mich mehr als jene des Psychoanalytikers [12, 192], der auch hierin wieder die Sehnsucht nach dem Mutterschoß und in der Drittperson, ohne erfindlichen Grund, den ‹Vater› des Ödipuskomplexes erkennen will! Lichtenberg, so scheint mir, beweist dadurch große Klugheit, daß er seine Träume vor allem als außergewöhnlich deutlichen Ausdruck bestimmter Charakterzüge und bestimmter Etappen seines geistigen Abenteuers versteht.

Im Februar 1799, zwei Wochen vor seinem Tode, berichtet er zum letztenmal von einem Traum, der in seiner beklommenen Grillenhaftigkeit Lichten-

bergs Haltung gegenüber dem Leben in vollem Umfang spiegelt: seine Geringschätzung des Daseins, seine Schwäche für absurde und komische Widersprüche
in unserem Tun, seine Neigung, alles Ausgefallene ernst zu nehmen:

Ich speiste auf einer Reise in einem Wirtshause, eigentlich auf einer Straße in einer Bude,
worin zugleich gewürfelt wurde. Gegen mir über saß ein junger gut angekleideter, etwas
windig aussehender Mann, der ohne auf die umher Sitzenden und Stehenden zu achten seine
Suppe aß, aber immer den 2ten oder dritten Löffel voll in die Höhe warf, wieder mit dem
Löffel fing und dann ruhig verschluckte. Was mir diesen Traum besonders merkwürdig
macht, ist, daß ich dabei meine *gewöhnliche* Bemerkung machte, daß solche Dinge nicht
könnten erfunden werden, man müsse sie sehen. (Nämlich kein Romanschreiber würde darauf
verfallen) und dennoch hatte ich dieses doch in dem Augenblick erfunden. Bei dem Würfel-
Spiel saß eine lange, hagere Frau und strickte. Ich fragte, was man da gewinnen könnte: sie
sagte: *Nichts,* und als ich fragte, ob man was verlieren könne, sagte sie: *Nein!* Dieses hielt ich
für ein wichtiges Spiel. [122, L 707]

Tiefer ist Lichtenberg nicht eingedrungen in die romantische Nacht; sie lockte
ihn wohl, er aber verharrte neugierig und scheu an ihrer Schwelle. Er hat bereits erkannt, welch großen Gewinn eine gründlichere Seelenkunde aus den
Träumen ziehen könnte. Als erster hat er daran gedacht, träumerische und
mythische Erfindung miteinander in Beziehung zu setzen; über die poetische
Qualität der Träume ist er aber offenbar immer hinweggegangen. Zuweilen
wagte er es sogar anzunehmen, Traum und Wachheit gäben zwei gleich wahre
oder aber gleich täuschende Anschauungen von ein und derselben Wirklichkeit;
für den Traum hat er sich jedoch nicht entschieden. Nie wurde er ihm zu einem
Mittel der Wesensschau, und seine mystischen Einfälle sind Einfälle geblieben.
Mystiker ohne innere Entwicklung, Träumer ohne schöpferische Kraft, läßt er
in uns das Bild des Einsamen zurück: umgeben von Forschergerät, von Büchern,
und neben sich das brennende Rauchkerzchen. Andere werden kommen, das
Kerzchen zu löschen – sie werden hinaustreten unter das Sternenzelt und die
Nacht anbeten. Vor keinen Dämmerungen im Innern werden sie zurückschau-
dern; auf dem ‹geheimnisvollen Weg› da hinunter fühlen sie sich sicherer als
am hohen Tag.

ZWEITES KAPITEL

DAS IRDISCHE LABYRINTH

So irrte er ohne Stütze und ohne Führer in den Tiefen
der Metaphysik umher.   MORITZ

I

Als Jean Paul im Jahre 1792 seinen ersten großen lyrischen Roman *Die unsichtbare Loge* vollendet hatte, sandte er, der noch Unbekannte, das Manuskript einem
Manne, der ihm durch seine Veröffentlichungen bekannt geworden war und
von dem er Anerkennung erwarten zu dürfen glaubte. Die Hoffnung erfüllte
sich: Karl Philipp Moritz nahm den Erstling mit überschwenglichem Lobe auf.
Zu einer persönlichen Begegnung sollte es nie kommen. Drei Jahre später inspirierte sich Jean Paul an seinem frühen Bewunderer, als er die entrückteste aller
Gestalten seines *Hesperus* schuf; die Szene, in welcher der indische Magier Ema-
nuel-Dahore seinen Tod voraussagt und dann in einem herrlichen Traum das
Leben verläßt, wurde in Franken in eben der Nacht niedergeschrieben, als in
Berlin Emanuels Urbild aus dem Leben schied.

In Jean Pauls *Vorschule der Ästhetik* erscheint Moritz zusammen mit Novalis
den «weiblichen Genies» zugezählt, deren Gesang im Verklingen immer zarter,
reiner, geistiger wird und die als «Stumme des Himmels» vergeblich um den
Ausdruck ihrer Empfindungen ringen.

Moritz erlag mit sechsunddreißig Jahren der Schwindsucht. Körperliche
Leiden waren ihm so wenig erspart geblieben wie materielle Entbehrungen
und seelische Niederlagen. Mehr als fünfzehn Bände ganz verschiedenartigen
Inhalts, niedergeschrieben in nicht viel mehr als einem Jahrzehnt, zeugen von
der andauernden Ruhelosigkeit des Verfassers. Die inneren Spannungen und
Gegensätze des Zeitalters – deren Aussöhnung einem Goethe gelang – geraten
in keinem andern Menschen, in keinem andern Werk so hart aneinander wie bei
Moritz. Er stammt aus quietistischen und pietistischen Kreisen, zollt in einem
Jugenddrama dem Sturm und Drang seinen Tribut, ist einen Augenblick lang
eingenommen für den Berliner Rationalismus und nähert sich dann in seinen
ästhetischen Schriften dem Weimarer Klassizismus, während seine gleichzeitig
entstandenen Dichtungen uns bereits anmuten wie die ersten Ergießungen jenes
Geistes romantischer Entrückung, Träumerei und Ironie, als dessen große Ver-
künder Jean Paul und Novalis gelten. Von der einförmigen Welt der kleinen
Handwerker, in die er hineingeboren worden, von den Schulen, in denen er
unter der Zuchtrute der Aufklärung zu leiden hatte, von den Theaterkulissen

und theologischen Hörsälen, in die er sich verirrt, hinterließ er uns in seinem autobiographischen Roman *Anton Reiser* ein Gemälde, das uns die seltsamen Kontraste innerhalb der damaligen deutschen Gesellschaft deutlich vor Augen führt: Verherrlichung des Wissens und Achtung vor dem Latein verbinden sich aufs wunderlichste mit der Formlosigkeit der aufsteigenden Bürgerklasse; kirchenfeindliche Intellektuelle stehen Seite an Seite mit sektiererischen Schwarmgeistern und mit Kleinhandwerkern noch durchaus mittelalterlicher Prägung.

Die schmerzlichsten Widersprüche findet er jedoch in seinem Innern; zwischen banger Unruhe und Begierde nach Befriedung, Todesfurcht und Lebensüberdruß, zwischen Geborgenheit in gegenwärtigem Glück und Flucht in wonnevolle Erinnerungen oder in eine glänzende Zukunft, zwischen skeptizistischen Anwandlungen und mystischer Hingabe wird er dauernd hin- und hergeworfen.

Karl Philipp, Sohn eines hannoverschen Oboisten, verlebte eine sehr schwere Jugendzeit. Der Ärmlichkeit und tiefen ehelichen Zwietracht der Eltern, der unsinnig übersteigerten Askese seines Vaters und der bänglichen Frömmigkeit seiner Mutter antwortete im Knaben schon bald jenes Fluchtverlangen, jenes Ungenügen dem Leben gegenüber, wovon die späteren Schriften ein so beredtes Zeugnis geben.

Sehr früh schon erwacht im Knaben eine große Theaterleidenschaft. Mit neunzehn Jahren verläßt er Hannover und folgt zu Fuß den Spuren einer Schauspielertruppe, in welche er aufgenommen zu werden hofft. Man weist ihn ab; er fällt in tiefe Verzweiflung und verkommt zum Landstreicher, fängt sich aber wieder auf und wählt eine neue Rolle: Er entsagt der Theaterlaufbahn und schreibt sich an der theologischen Fakultät der kleinen Universitätsstadt Erfurt ein. Hier sinkt ihm der Mut schon bald wieder, und so tritt er eine lange Irrfahrt durch Deutschland an, erwägt, sich in die mährische Brüderschaft zu Barby aufnehmen zu lassen, beginnt in Wittenberg erneut theologische Studien, unterrichtet dann am Philanthropinum zu Dessau, wo er sich aber bald mit dem herrischen Basedow überwirft.

Von 1780 an lehrte er am Berliner Gymnasium zum Grauen Kloster, einer Hochburg des Rationalismus. Inzwischen hatte sich ihm auch einer seiner Jugendträume erfüllt: ein hervorragender Prediger zu werden. Er genoß großen Zulauf und muß auf die sonderbarste Weise gepredigt haben. Seine Rede ging zu Herzen, aber – so berichtet ein Zeuge – man durfte, wollte man nicht unwillkürlich in Gelächter ausbrechen, den Redner nicht ins Auge fassen. Nur zu gut spiegelte sich in den fuchtelnden Gebärden, in der hohen, schmächtigen, schlottrigen Gestalt, in dem Grimassengesicht mit trompetenförmiger Nase und wulstigen Lippen die Störung des inneren Gleichgewichts.

Eine lange Fußreise durch England und wiederum Wanderungen durch ganz Deutschland wechselten mit journalistischer und Übersetzertätigkeit. In der preußischen Kapitale fügte er sich der unumschränkten Herrschaft der Aufklärung; dieses Verhalten war ihm so ungemäß wie nur möglich und hat schwerlich zur Befriedung seiner inneren Konflikte beigetragen.

Es ist ziemlich unklar, weshalb eigentlich Moritz im Jahre 1786 Berlin plötzlich verlassen und auf sicheres Auskommen sowohl wie auf die verheißungsvoll begonnene literarische Laufbahn verzichtet hat. Es muß ihn wohl erneut seine Reiselust aus jeglicher Sicherheit hinausgetrieben haben; auf diese Weise pflegte er bis zu seinem Tode einer immer wieder hochkommenden inneren Angst zu entrinnen. Diesmal brach er nach Italien auf. Er hatte sich zwei Verlegern gegenüber zur Heraugabe einer Reisebeschreibung verpflichtet, kam aber mit der Arbeit nicht rechtzeitig zu Rande und geriet in der Folge in eine materielle Bedrängnis, die derjenigen eines Balzac oder eines Dostojewski nicht nachstand.

Es war sein Glück, daß er in Italien Goethe begegnete. Dieser schätzte seinen Geist hoch ein und bekundete große Teilnahme am Schicksal dieses jungen Mannes, der von Qualen zerrüttet war, welche er selbst durchlebt und überwunden hatte. Goethes Einfluß war überaus heilsam, und als Moritz nach zweimonatigem Aufenthalt in Weimar im Jahre 1789 nach Berlin zurückkehrte, verwendete sich sein neuer Freund für seine Ernennung zum Professor an der dortigen Akademie der bildenden Künste. Seinen Vorlesungen war rasch Erfolg beschieden; Tieck und Wackenroder zählten zu seinen Hörern. Bedrängt von Verlegern, verfiel er einem rastlosen Schriftstellertum und mehr und mehr auch wieder seinem hypochondrischen Wesen. Er zog sich in ein abgelegenes Gartenhaus zurück und geriet in den Ruf eines «Malade imaginaire». Seinem Arzt, dem berühmten Markus Herz (der nach dem Hinschied seines Patienten dessen Krankheitsgeschichte veröffentlichte) schenkte er kein Gehör; vielmehr trieb er sich zwischen zwei Lungenentzündungen in Berlin umher und lud sich ein Übermaß an Arbeit auf. Als seine Kräfte verzehrt waren, packte ihn eine schreckliche Todesfurcht; Herz berichtet, er habe bald geweint, bald in Vers und Prosa das böse Schicksal beschworen, das ihn zum Tod durch die Schwindsucht verdammt. Aber bei der geringsten Verbesserung seines Zustandes wies er jede ärztliche Fürsorge zurück. 1792 heiratete er die Schwester des Verlegers Matzdorff, welchen er zur Herausgabe von Jean Pauls *Unsichtbarer Loge* bewogen hatte. In den wenigen Monaten, die ihm noch zugemessen waren, trennte er sich wieder von seiner jungen Frau, verzieh ihr jedoch bald einen Treubruch und vereinte sich aufs neue mit ihr. Er starb im Juni 1793.

Die Begeisterung für die Psychologie veranlaßte Moritz im Jahre 1783 zur Begründung des *Magazins zur Erfahrungsseelenkunde*. Zu Beginn dieses Unternehmens, das er während des folgenden Jahrzehnts leitete, stand er im Banne der damaligen Berliner Philosophie. Aber schon in der Broschüre, in welcher er sein Programm ankündigte, ließ er sein ganz persönliches Gefallen an psychologischer Forschung durchblicken. Man spürt, wie er seiner wahren Natur Ruhe gebieten will, wenn er da folgenden Vorsatz faßt:

Vor jedem Hang, sich in eine idealische Welt hinüber zu träumen, muß er [der Menschenbeobachter] sich äußerst hüten; er muß in keine idealische, sondern in seine eigne wirkliche Welt immer tiefer einzudringen suchen. [132, 20]

Schon in der ersten Lieferung seiner Zeitschrift zeichnet er die «Grundlinien zu einem ungefähren Entwurf in Rücksicht auf die Seelenkrankheitskunde» [147, I, 1, 31 ff.]. Gesundheit der Seele beruht nach ihm auf einem Gleichgewicht der tätigen und der vorstellenden Kräfte. Um dieses Gleichgewicht einzuhalten, ist ein bestimmter Verdrängungsvorgang vonnöten.

Von den Ideen, welche täglich und augenblicklich in die Seele strömen, müssen notwendig immer eine gewisse Anzahl bald wieder verdunkelt werden. [...] Es scheint, als wenn die Ideen, welche wir im Traume erhalten, ordentlicherweise wieder verdunkelt werden müssen. Mir ist wenigstens die Erinnerung von Träumen höchst unangenehm, weil sie den ganzen Tag über einige Unordnung in meinen übrigen Ideen erweckt. [35]

Das moderne psychotherapeutische Bestreben, Verdrängungen rückgängig zu machen und Trauminhalte ans Licht zu ziehen, entspricht also keineswegs der Forderung, die Moritz an den Seelenarzt stellt: «Er muß schädliche Ideen zu verdunkeln und andre wieder gehörig zu erhellen wissen» [37]. Die Entschiedenheit, mit der er diese Überzeugung äußert, entspringt der aus seinen Romanen bekannten Befürchtung, das Traumleben, gäbe man sich ihm ganz und gar hin, hätte den Wahnsinn und den völligen Verlust der Individualität zur Folge. Zur Zeit seiner rationalistischen Anwandlungen schreckt er davor zurück, aus der Begrenztheit des Ichs, die er sein Leben lang als unerträgliches Gefängnis empfunden hat, auszubrechen und den Sprung in die Nacht zu wagen.

Zur Bekräftigung seiner These verweist er auf ein frühes persönliches Erlebnis, welches die Angst vor dem Wahnsinn deutlich genug bezeugt. Als Zwölfjähriger glaubte er ein paar Tage lang, eine benachbarte junge Frau sei verstorben. Als er ihr dann wider Erwarten auf der Straße begegnete, entsann er sich plötzlich des vorherigen Traumes, in dem er von ihrem Tod erfahren und sie im Sterbekleid im Sarge liegen gesehen hatte. «Die Ideen vom Traume hatten sich nicht gehörig verdunkelt und sich daher mit den Ideen von der Wirklichkeit vermischt. [...] Dauert ein solcher Zustand lange und anhaltend fort, so kann er in Wahnwitz ausarten.» [55]

Indessen wird Moritz nicht müde, ein aufmerksames Studium der Träume zu fordern, wie es zur gleichen Zeit und in ähnlichem Sinne Lichtenberg in seinen Tagebüchern betrieben hat. Er regt an, zur

nähern Kenntnis dessen, was in uns denkt, auch auf seine Träume aufmerksam zu sein, [...] um durch den Unterschied zwischen Traum und Wahrheit die Wahrheit selbst auf bessere Stützen zu stellen, um dem Gange der Phantasie und dem Gange des wohlgeordneten Denkens bis in seine verborgensten Schlupfwinkel nachzuspähen. [...] Denn jeder Traum, den wir haben, er scheine so unbedeutend wie er wolle, ist im Grunde eine merkwürdige Erscheinung und gehört mit zu den Wundern, wovon wir täglich umgeben sind, ohne daß wir unsere Gedanken darauf richten. [IV, 1, 22f.]

Wird nicht sogar in dieser so typisch rationalistischen Sprachgebärde ein Anflug von Beklemmung spürbar, wenn von der «merkwürdigen» Welt und von «Schlupfwinkeln» im Schlaf die Rede ist?

Vordringlich beschäftigen Moritz und seine Beiträger die weissagenden Träume. Sie erscheinen unter den im *Magazin* veröffentlichten Träumen am weitaus häufigsten, sind aber leider sehr banal. In seinen Erläuterungen hiezu erweist sich Moritz vor allem als kritischer Geist, indem er den Nachweis zu erbringen versucht, daß solch träumerische Ahnungen fast immer den Schleier des Geheimnisses verlieren, sobald ihre «ganz natürlichen» Ursachen entdeckt werden. Er beruft sich auf den Zufall und auf übereinstimmende Umstände, welche unter tausend unverwirklichten Traumgesichten sehr wohl einmal eines als besonders verheißungskräftig erscheinen lassen können. Gewisse andere Bemerkungen sind jedoch weniger belastet von rationalistischen Vorurteilen. Einem Mitarbeiter, dem sich im Traum das bevorstehende Ableben eines Freundes angekündigt hatte, gibt er zu bedenken:

Man würde vielleicht finden, daß traurige Ahnungen, die man sich in den Kopf gesetzt hat, weit öfter Ursachen als Vorbedeutungen des Todes sind. [20]

Erneut aber spielt seine uneingestandene Beunruhigung mit, wenn er fortfährt:

Indes kann es nicht fehlen, daß ein Traum, der zufälligerweise auf die Art eintrifft, eine ganz besondere Wirkung auf die Seele tun muß. Die Grenzlinien zwischen Wahrheit und Traum scheinen wegzufallen; man glaubt, man träume noch wachend. [21]

II

> Dieser Hügel war sein Altar, und die ganze Natur sein Tempel.

Ein Abgrund trennt den Moritz des *Magazins* vom Verfasser der Romane; im *Anton Reiser* und *Andreas Hartknopf* werden Traum und Leben in ganz anderer Tiefe erfaßt als in den theoretischen Schriften, obwohl diese zur selben Zeit entstanden sind. Freilich lassen schon gewisse Äußerungen im *Magazin* den Leser ahnen, daß der Tag des «mystischen» Erwachens sich nähere, etwa wenn Moritz gelegentlich einer «Revision» seiner Zeitschrift ein Fragment über Kindheitserinnerungen erläutert und dabei das folgende schmerzliche Bekenntnis ablegt, das durch Fettdruck hervorgehoben ist:

Der Verfasser ist sich bewußt, daß die unangenehmen Eindrücke von seiner Kindheit an das Übergewicht gehabt haben; nur bleibt es ihm noch immer zweifelhaft, ob dies Übergewicht durch die größere Menge der unangenehmen Eindrücke oder durch eine besondere melancholische Stimmung des Gemüts bewirkt wurde, die vielleicht schon von seiner Geburt an in sein Dasein verwebt war. Er hat oft in einsamen Stunden über diesen unwiderstehlichen Hang seiner Seele zur Traurigkeit nachgedacht, der ihn oft schon wieder traurig machte, indem er im Begriff war, den Grund dieser Traurigkeit aufzufinden. Er glaubte einst zu bemerken, daß diese Traurigkeit bloß in einer gewissen Trägheit der Seele gegründet sei; daß es manchmal wirklich bequemer sei, traurig als vergnügt zu sein; daß die unangenehmen Eindrücke leichter sind als die angenehmen, weil sie die Seele nicht so erfüllen und ihrer Tätigkeit nicht so viel Stoff geben als die reichern und vollern angenehmern Eindrücke; woher nun aber gerade bei ihm wieder diese Trägheit, die einen solchen unerklärlichen Abscheu vor dem Reichen und Vollen der angenehmen Eindrücke verursacht, welcher mit dem Ekel vor den Speisen so viel Ähnliches hat? – Hier sah er Dunkelheit und Nacht vor sich. [147, IV, 3, 16]

Während im *Magazin* solche ergreifende Äußerungen selten sind, bestimmen sie den Grundton in den Romanen. Der *Anton Reiser* ist die Schilderung von des Verfassers eigener Jugendzeit bis zum kurzen Theologiestudium und zur Abreise aus Erfurt. Moritz ging von der Absicht aus, der Öffentlichkeit ein psychologisches Dokument vorzulegen; unter der Hand wurde der Roman aber zum Eingeständnis einer metaphysischen Angst und zur erschütternden Geschichte einer zerquälten Seele. Da ihm die wirkliche Welt feindlich gesinnt zu sein schien, nahm Moritz schon früh die Gewohnheit an, in träumerischer Hingabe an Natureindrücke und in der unwirklichen Welt seiner Lektüre Zuflucht zu suchen. Elysium und Hölle zugleich, gewährte ihm dieses Phantasiereich den Hauptteil all seiner Freuden und Leiden.

Die erste Vorstellung über seinen kindischen Gesichtskreis hinaus bekam er ohngefähr im fünften Jahre, als seine Mutter noch mit ihm in dem Dorfe wohnte und eines Abends mit einer alten Nachbarin, ihm und seinen Stiefbrüdern allein in der Stube saß.

Das Gespräch fiel auf Antons kleine Schwester, die vor kurzem in ihrem zweiten Jahre gestorben war, und worüber seine Mutter beinahe ein Jahr lang untröstlich blieb.

Wo wohl jetzt Julchen sein mag? sagte sie nach einer langen Pause, und schwieg wieder. Anton blickte nach dem Fenster hin, wo durch die düstre Nacht kein Lichtstrahl schimmerte, und fühlte zum ersten Male die wunderbare *Einschränkung,* die seine damalige Existenz von der gegenwärtigen beinahe so verschieden machte wie das Dasein vom Nichtsein.

Wo mag jetzt wohl Julchen sein? dachte er seiner Mutter nach, und Nähe und Ferne, Enge und Weite, Gegenwart und Zukunft blitzte durch seine Seele. Seine Empfindung dabei malt kein Federzug; tausendmal ist sie wieder in seiner Seele, aber nie mit der ersten Stärke erwacht.

Wie groß ist die *Seligkeit der Einschränkung,* die wir doch aus allen Kräften zu fliehen suchen! Sie ist wie ein kleines glückliches Eiland in einem stürmischen Meere: Wohl dem, der in ihrem Schoße sicher schlummern kann, ihn weckt keine Gefahr, ihm drohen keine Stürme. Aber wehe dem, der, von unglücklicher Neugier getrieben, sich über dies dämmernde Gebirge hinauswagt, das wohltätig seinen Horizont umschränkt.

Er wird auf einer wilden, stürmischen See von Unruh und Zweifel hin- und hergetrieben, sucht unbekannte Gegenden in grauer Ferne, und sein kleines Eiland, auf dem er so sicher wohnte, hat alle seine Reize für ihn verloren. [136, I, 48 f.*]

Sehnsucht nach dem Unendlichen und Verlangen nach eingezogenem Dasein,

Flucht aus dem Kerker der Begrenztheit und taumelndes Zurückfinden hinter die Schranken – diese Doppelbewegung entdeckt Moritz schon früh in sich selbst, in ihr prägt sich der verborgene eigentliche Rhythmus seines Innenlebens aus; in ihr liegen Reichtum und Tragik seines Wesens beschlossen. Seine ganze Entwicklung ist darauf angelegt, daß er sich dieser Spannung bewußt werde, dieser Grundspannung, die sich immerfort gleich bleibt und bis zum Ende seiner stürmischen Lebensfahrt den Wechsel von Hoch und Tief bestimmt. Die Symbole, in denen sie Ausdruck gewinnt, mögen sich ändern; das Bild von der unendlichen Weite und der engen Zelle wird sich bereichern um die Empfindung von Aufstieg und Sturz, um die Entgegensetzung von Licht und Finsternis. Was zuerst empfunden war, erscheint später eher reflektiert; das unmittelbar Durchlebte wandelt sich zum metaphysisch Bedachten. Aber die Grundkonstante fehlt weder in der vielschichtigen Psychologie Anton Reisers noch in den Herzensergießungen des Andreas Hartknopf, ja selbst in Moritzens Ästhetik klingt sie an. Wenn es denn ein Romantiker ist, an den wir uns bei Moritz erinnert fühlen, so ist dies – eher noch als Jean Paul – ein Maurice de Guérin, dessen Wesen sich im selben Grundrhythmus zeigt: im Wechsel von Ausweitung und Rückkehr in sich selbst, von mystischer Gemeinschaft und ohnmächtigem Willen zur Tat. «Kaum ein anderes Ereignis des Innenlebens ist für mich so fürchterlich wie diese plötzliche Verengung des Daseins nach einer äußersten Ausdehnung», schreibt er unter dem 26. August 1834 in seinem *Cahier vert*, wobei aller Nachdruck auf dem Leid liegt, das ihm beim Zurücksinken hinter die eigenen Grenzen widerfährt. Dasselbe Drama wird sich dann in Amiel vollziehen, von dem man übrigens wie von Guérin sagen könnte, er habe «alle Geisteskräfte darauf verwendet, seinen eigenen Geist zu verhöhnen»[1], oder, wie es Moritz von sich selbst bekennt, «er habe großes Vergnügen daran gefunden, sich selbst zu quälen» [131 (1780), 131]. Es erweist sich hier deutlich, daß derart veranlagte Menschen, wohl erfüllt vom innigsten mystischen Verlangen, aber ohne die Kraft oder die Gnade, den mystischen Weg zu Ende zu gehen, der Folter grausamster Selbstbeobachtung nicht entrinnen können. Ekstasen sind ihnen selten beschieden, Rückschläge aber oft, und es gibt bei ihnen keinen andern Fortschritt als den im Bewußtwerden dieses inneren Schicksals, welches sie wohl dann und wann preisen, öfter aber als schwer lastenden Fluch empfinden. Nirgends bei Moritz zeigt sich eine geistige Eroberung, nirgends Stufe und Überstieg – immer nur eine Abfolge von seelischen Zuständen, von Stimmungen, und immer wieder sind es dieselben Bilder und Symbole, mit denen er, vergeblich allerdings, den inneren Dämon zu beschwören sucht.

Das andauernde Mißverhältnis zwischen Selbstbewußtsein und Weltgefühl meldet sich in seiner Jugendzeit häufig als Todesverlangen; auf diese Weise nach

---

[1] Barbey d'Aurevilly: «Lettre à Trébutien», 30. Dezember 1844.

Seinserweiterung zu trachten hat Moritz mit vielen seiner Schicksalsgenossen gemein. Er habe, so erzählt er im *Anton Reiser,* mit besonderem Vergnügen Fliegen totgeschlagen und

selbst der Gedanke an seine eigne Zerstörung war ihm nicht nur angenehm, sondern verursachte ihm sogar eine Art von wollüstiger Empfindung, wenn er oft des Abends, ehe er einschlief, sich die Auflösung und das Auseinanderfallen seines Körpers lebhaft dachte. [136, I, 38]

Es bleibt hier bei der wollüstigen Empfindung der Vernichtung; noch nichts ist da zu bemerken von jener Todesschau, die rückwärts dem Leben Wert verleiht und in die sich später Andreas Hartknopf versenken wird wie die großen Helden Jean Pauls. Moritz ist nicht bis zu der metaphysischen Warte gelangt, von wo aus die Besinnung auf den Tod das irdische Dasein rechtfertigt, verwandelt und in seiner Herrlichkeit offenbart. Die Lust am Zerfall – auch einem Lichtenberg nicht unbekannt – ließe sich weiterhin nachweisen bei den romantischen Naturphilosophen, etwa bei Ritter oder Schubert, ja sie erscheint schon in einem Brief des jungen Novalis an Schiller, niedergeschrieben unter dem Eindruck des scheidenden Herbstes:

Die fruchtbare Reife beginnt in Verwesung überzugehen, und mir ist der Anblick der langsam hinsterbenden Natur beinah reicher und größer als ihr Aufblühn und Lebendigwerden im Frühling. [...] Schon das Losreißen von so viel schönen, lieben Gegenständen macht die Empfindungen zusammengesetzter und interessanter. [357, 27]

Aber bei Novalis verwandelt sich schließlich diese unmittelbare Empfindung dank einer außergewöhnlichen mystischen Anstrengung in die freudige Annahme des Todes. Nicht so bei Moritz: Da stellt sich die Verlockung des Todes gerade in Augenblicken völliger Ermattung ein, wo «kein leiser Wunsch mehr die gänzliche Abspannung aller seiner Seelenkräfte hemmt», und hier erwacht (die Synonyme sind aufschlußreich) der «süße Gedanke von Auflösung, von gänzlichem Vergessen seiner selbst, von Aufhören aller Erinnerung und alles Bewußtseins» [136, IV, 68]. In den schrecklichsten Tagen seines Lebens findet er Unterschlupf vor den Mauern eines Kartäuserklosters; dessen melancholisches Glockengeläute ruft in ihm zwei verschwisterte Bilder wach: das Bild klösterlicher Einsamkeit und das Bild des Grabes, des Todes – beide hier nicht im Sinne der Auflösung des Seins, sondern seiner Beschränkung auf einen Raum heilsamer Geborgenheit.

Die Lust am körperlichen Zerfall ist träumerischer, sinnlich-plastischer Ausdruck einer tief verborgenen Sehnsucht. Das Ich, symbolisiert im Körper, wird empfunden als enges Gefängnis; es widersetzt sich dem Verlangen nach Ausweitung, nach Auflösung im All. Sich aufzulösen, aufzugehen im Größeren, Umfassenden ist der Wunsch derer, die mit der äußeren Welt nicht in Beziehung zu treten vermögen. Da ihr erster Ruf an die Mitmenschen unerwidert verklungen ist, fühlen sie sich, verwundet, wie sie sind, in die Vereinzelung des

Ichs zurückgeworfen; dessen Enge wird ihnen schmerzlich bewußt, und so trachten sie dem Gefängnis zu entkommen, indem sie sich in ein jeglichen fremden Zugriffen entrücktes Asyl absetzen oder aber indem sie sich selbst in den weiten Raum ausstreuen, sich selbst ‹verlieren› in einem unendlichen Vergessen. Beiden Vorstellungen, jener des Grabes sowohl wie jener der Auflösung des Körpers in seine Elemente, liegt, wiewohl sie gegensätzliche Weisen der Einschränkung und der Ausweitung sind, ein und derselbe verborgene Wunsch zugrunde.

Wiederum demselben Wunsch entspringt, was Anton Reiser als die «Leiden der Einbildungskraft» erfährt. Um der feindlich gesinnten Welt zu entrinnen, verlegt sich der Knabe darauf, ihre Wirklichkeit zu leugnen und sich an deren Stelle eine eingebildete Welt zu schaffen.

Weil nämlich seine Träume größtenteils sehr lebhaft waren und beinahe an die Wirklichkeit zu grenzen schienen, so fiel es ihm ein, daß er auch wohl am hellen Tage träume und die Leute um ihn her, nebst allem, was er sah, Geschöpfe seiner Einbildungskraft sein könnten.

Dies war ihm ein schrecklicher Gedanke, und er fürchtete sich vor sich selber, sooft er ihm einfiel, auch suchte er sich dann wirklich durch Zerstreuung von diesen Gedanken loszumachen. [I, 53 f.]

Dieser ihm eingeborenen Versuchung des Geistes – später von ihm als «Egoismus» bezeichnet – wird er sich andauernd zu erwehren haben. Immer wieder reizt es ihn, die gesamte Außenwelt als pure Schöpfung des Ichs zu betrachten. Wir rühren hier an jenes Grundgefühl, in dem er den Romantikern und dem deutschen Idealismus verwandt ist; zugleich wird aber auch sein Abstand sichtbar: in der Unfähigkeit, sich dieses Gefühls zu versichern, es in die Mitte seiner Weltschau zu rücken und, was ursprünglich eine Not oder eine Krankheit des Selbstbewußtseins war, schließlich zum Werkzeug einer metaphysischen Eroberung zu verwandeln. Seiner Leiden Herr zu werden, wie es einem Novalis gelang und wie es ein Nerval verzweifelt erstrebte – diese Willenstat, dieser Überstieg blieb Moritz versagt. Nicht weniger aber auch die Ruhe vor Anfechtungen, in der etwa ein Tieck sanft zu Alter kam.

Was sich nur immer seiner lebhaften Einbildungskraft darbieten mochte: Aus allem und jedem wirkte sie ihm die Träume seiner Nächte und die Schrecknisse seiner Tage. Je deutlicher sich der heranwachsende Anton seiner selbst im Verhältnis zur äußeren Welt bewußt wird, desto stärker überkommt ihn das Gefühl von deren Unwirklichkeit. Den Dreizehnjährigen führt einmal ein Spaziergang vor das Braunschweiger Tor hinaus auf die Brücke, über welche er vor anderthalb Jahren zusammen mit seinem Vater die Stadt betreten hatte. Da ist ihm, als ob er aus einem Traum erwacht sei und sich nun wieder auf demselben Fleck befände, wo der Traum damals angehoben hatte. Eine überaus lebhafte Empfindung der Wirklichkeit befällt ihn, so mächtig wirkt die Vorstellung des *Orts* [...]. Die einzelnen Straßen und Häuser, die Anton täglich wieder sah, waren das Bleibende in seinen Vorstellungen, [...] wodurch er das Wachen vom Träumen unterschied. [140*]

Dem Kinde, so fährt er weiter, falle diese Scheidung besonders schwer. Es sei auch nicht verwunderlich, wenn

die Veränderung des Orts oft so vieles beiträgt, uns dasjenige, was wir uns nicht gern als wirklich denken, wie einen Traum vergessen zu machen. [...]

Wenn Anton in Braunschweig auf der Straße ging, so war es ihm besonders des Abends im Anfange der Dämmerung manchmal plötzlich wie im Traume. – Auch pflegte sich dies bei ihm zu ereignen, wenn er in irgend eine Straße ging, die ihm eine entfernte Ähnlichkeit mit einer Straße in Hannover zu haben schien. – Dann däuchte ihm einige Augenblicke sein Zustand in Hannover wieder gegenwärtig; die Szenen seines Lebens verwirrten sich untereinander. [142f.]

Vom «Alltäglichen, Zerstückten» wendet er seine Aufmerksamkeit ab; mit einem einzigen Blick umfaßt er das Kontinuum der vergangenen anderthalb Jahre, jetzt, wo er sich unversehens an jenen Ort zurückversetzt sieht, wo einst das Leben drinnen in der Stadt wie eine «dämmernde Zukunft» vor ihm gelegen hatte. Und nun ereignet es sich, daß beide Visionen, die einstige und die jetzige, ineinander verschmelzen: «Alles was dazwischen lag, mußte sich nun in seiner Einbildungskraft zusammendrängen, wie Schatten ineinandergehen, einem Traume ähnlich werden» [144].

Was hier Anton Reiser widerfährt – die aus der spontanen Erinnerung geborene *Empfindung der Wirklichkeit* im Gegensatz zur abstrakten Erinnerungsschau, blaß wie ein Traumgesicht –, das läßt uns bereits an die schönsten Augenblicke in Prousts Werk denken. Moritz äußert auch andernorts manches über Erinnerung und Einbildungskraft, was in der Richtung von Prousts geistiger Erfahrung liegt. Hebt nicht auch dessen Weg an in jener Urangst, in jener Beklemmung, die der Einsamkeit und Haltlosigkeit des Ichs entspringt? Nichts antwortet dem Ruf, dem Verlangen nach Bindung, Verläßlichkeit, ‹Wirklichkeit›, es sei denn, daß in solch seltenen Augenblicken voll Geheimnis und Verheißung eine plötzliche Erinnerung uns die Gewißheit einzugeben scheint: Hier ereignet sich Gegenwart. Immer, wenn Anton Reiser einen bestimmten Firnisgeruch empfindet, leben seit seiner Kindheit damit verbundene unangenehme Bilder, lebt «unwillkürlich» sein «damaliger Seelenzustand» in ihm auf [93]. Und genau wie Proust kennt auch er die Magie von Eigennamen:

Überhaupt pflegte Anton in seiner Kindheit durch den Klang der eignen Namen von Personen oder Städten zu sonderbaren Bildern und Vorstellungen von den dadurch bezeichneten Gegenständen veranlaßt zu werden. Die Höhe oder Tiefe der Vokale in einem solchen Namen trug zur Bestimmung des Bildes das meiste bei.

So klang der Name *Hannover* beständig prächtig in seinem Ohre, und ehe er es sahe, war es ihm ein Ort mit hohen Häusern und Türmen, und von einem hellen und lichten Ansehen. *Braunschweig* schien ihm länglicht, von dunklerm Ansehen und größer zu sein, und *Paris* stellte er sich, nach eben einem solchen dunklen Gefühle bei den Namen, vorzüglich voll heller, weißer Häuser vor. [80]

Für solche Sprachmagie gibt Moritz ein weiteres, überaus rührendes Beispiel, das zudem ins Traumleben hineinreicht. Anton fand großes Gefallen an einem Ausspruch, der in den Predigten seines Braunschweiger Pastors oft wiederkehrte: «Die Höhen der Vernunft.» Damit verband er nämlich zwei Bilder: dasjenige des erhöhten Chors der Brüdernkirche, wo sich jeweils die Schüler zum Gesang versammelten – für den armen Lehrburschen ein unerreichbares Paradies –, und das andere, ferner, geheimnisvoller noch und also um so reizender: das Bild des Neustädter Turms in seiner Vaterstadt Hannover, von dessen Galerie herunter die Stadtmusikanten die Turmmusik bliesen. Auch gab es da droben ein Zifferblatt, angeblich so groß wie ein Wagenrad, wiewohl es ihm von unten ganz klein erschien; und durch die Schallöcher gewahrte er jeweils in höchster Erregung die Glocken und deren geheimnisvolles Tretwerk – es war ihm, als blicke er «in das innerste Eingeweide des Turms», als enthülle sich ihm das Wunder des erzenen Schalles, den er aus der Ferne so oft mit Rührung vernommen. Als er dann die Vaterstadt verlassen mußte, ohne den Turm je bestiegen zu haben, folgte ihm dessen Bild nach Braunschweig

und schwebte ihm dort oft in nächtlichen Träumen auf hohen Treppen in tausend labyrinthischen Krümmungen vor, wo er den Turm hinaufstieg, auf der Galerie stand und mit unaussprechlichem Vergnügen das Zifferblatt am Turme betastete und dann inwendig nicht nur die große Glocke, sondern noch unzählige andere kleinere nebst mehr wunderbaren Dingen dicht vor Augen sah, bis er etwa mit dem Kopfe an den unübersehbaren Rand der großen Glocke stieß und erwachte. [152]

Sooft nun der Pastor von den «Höhen der Vernunft» sprach, erwachte in ihm aufs neue die Sehnsucht, all diese Herrlichkeiten aus der Nähe beschauen zu können, und «der Ausdruck preßte ihm Tränen der Wehmut aus den Augen». Es hielte leicht, den so glaubwürdigen Traum aus heutiger Sicht zu deuten: Glocken, Schallöcher, das Zifferblatt, welches zu berühren glühendster Wunsch ist, das sind Symbole, vor denen die moderne Psychologie freilich nicht haltmacht. Gewisse Minderwertigkeitskomplexe, an denen Moritz oft litt und die er auch in seinem Roman mit seltenem psychologischem Scharfblick aufgespürt hat, sind hier ohne Zweifel mit im Spiel. Dennoch beeindruckt uns anderes stärker: einmal das Verlangen nach *Höhe,* das in so deutlichem Zusammenhang steht mit dem Hochgefühl, zu dem er sich, ureigenem Rhythmus gehorchend, immer wieder aufschwingt; dann die augenblickliche Verknüpfung unverstandener Worte mit fernen Kindheitseindrücken. Unmöglich, sich nicht Prousts zu erinnern, seiner denkwürdigen Erlebnisse mit Glockentürmen, Bäumen, mit «Madeleine» und Teelöffel.

Späterhin wird er sich der Bedeutung dieses kindlichen Erlebnisses deutlicher bewußt; er knüpft daran, auch hierin Proust verwandt, Meditationen über Erinnerung und Kontinuität des Ichs. Als er sich nach dem Scheitern seiner Theaterpläne in Erfurt befindet, ist es wiederum das Glockengeläute, welches ihn in einen höheren Zustand versetzt.

Wenn er dann die Glocken von Erfurt läuten hörte, so wurden allmählich alle seine Erinnerungen an das Vergangene rege – der gegenwärtige Moment beschränkte sein Dasein nicht – sondern faßte alles das wieder mit, was schon entschwunden war.
    Und dies waren die glücklichsten Momente seines Lebens, wo sein eigenes Dasein erst anfing, ihn zu interessieren, weil er es in einem gewissen Zusammenhange, und nicht einzeln und zerstückt betrachtete. Das Einzelne, Abgerissene und Zerstückte in seinem Dasein war es immer, was ihm Verdruß und Ekel erweckte. Und dies entstand so oft, als unter dem Druck der Umstände seine Gedanken sich nicht über den gegenwärtigen Moment erheben konnten. Dann war alles so unbedeutend, so leer und trocken und nicht der Mühe des Denkens wert. [IV, 113ff.]

In der Folge entfernt sich diese Betrachtung offensichtlich vom Proustschen Problem und gilt einmal mehr dem Wechsel von Einschränkung und Ausdehnung; Moritz wird aber sehr bald wieder die verwirrende Frage nach der Existenz des Ichs aufgreifen.

Dieser Zustand ließ ihn immer die Ankunft der Nacht, einen tiefen Schlummer, ein gänzliches Vergessen seiner selbst wünschen – ihm kroch die Zeit mit Schneckenschritten fort – und er konnte sich nie erklären, warum er in diesem Augenblick lebte. [...]
    Dies Immerwiederkehrende in den sinnlichen Eindrücken scheint es vorzüglich zu sein, was die Menschen im Zaum hält und sie auf einen kleinen Fleck beschränkt. [...] Es scheint eine Art von Frevel, aus dieser Umgebung hinauszutreten, die gleichsam zu einem zweiten Körper von uns geworden ist, in welchen der erstere sich gefügt hat.

In der Hoffnung, mit sich selbst ins reine zu kommen, versucht es denn eines Tages der junge Anton Reiser damit, sich von der Seele zu schreiben, was ihn bedrängt. Und im ersten Anlauf schon gelingt ihm eine Entdeckung, die ihn nahe an Prousts Lösung heranführt: an die «wiedergefundene Zeit» und schließlich an das dank der Erinnerung gewonnene deutliche Bewußtsein eigener Unteilbarkeit. Am Anfang seiner Aufsatzentwürfe kommen Anton immer wieder dieselben Worte in die Feder: *«Was ist mein Dasein, was mein Leben?»* [III, 52] Er ringt um eine Antwort auf diese Frage, die auch ihn so gebieterisch bedrängt hat:

Es war ihm nach einigem Nachdenken, als ob er sich selbst entschwunden wäre – und sich erst in der Reihe seiner Erinnerungen an das Vergangene wieder suchen müßte. – Er fühlte, daß sich das Dasein nur an der Kette dieser ununterbrochenen Erinnerungen festhielt. [53]

Doch hier bricht er kurz ab, einmal mehr unfähig, den erlösenden Gedanken zu ergreifen und in der Erinnerung jene mächtige Zauberin anzuerkennen, welche die Zeit und die Zerstückung aufzuheben, die Einheit des Individuums herzustellen und die Angst zu bannen befähigt ist. Er geht daran vorbei, und sein Leben nimmt weiter den unheilvollen Gang ...

Was ist mein Dasein, was mein Leben? Solches zu fragen, sah sich Moritz veranlaßt, ohne daß er wirklich erkannt hätte, aus welchen verborgenen Tiefen
denn diese Frage unablässig und in mancherlei Gestalt an ihn erging. Sie zeugt
von einer ursprünglichen Angst und verbietet den Gedanken, es handle sich bei
ihm um den ganz gewöhnlichen Fall eines zwischen Depressionen und Exalta-
tionen hin- und hergeworfenen Neurotikers.

Der metaphysische Schauder überkommt ihn in sehr konkreter Weise. Er macht
zuweilen die erschütternde Erfahrung, daß das Denken plötzlich seine eigenen
Grenzen wahrnimmt und ahnt, daß es abzudanken hat, sobald es einen bestimmten Punkt erreicht; denn da ist außerhalb, jenseits seiner Reichweite noch *etwas
ganz anderes: die Existenz*. Überaus eindringlich und genau berichtet uns Moritz von den Vorstößen seiner Meditationen, von ihrem plötzlichen Abbruch und
dem Schwindelgefühl, das ihn dabei jählings befällt.

Wenn er sich eine Weile im Nachdenken verloren hatte, war es ihm oft, als ob er plötzlich
an etwas stieße, das ihn hemmte, und wie eine bretterne Wand oder eine undurchdringliche
Decke auf einmal seine weitere Aussicht schloß – es war ihm dann, als habe er nichts gedacht –
als Worte –
Er stieß hier an die undurchdringliche Scheidewand, welche das menschliche Denken von
dem Denken höherer Wesen verschieden macht, an das notwendige Bedürfnis der Sprache,
ohne welche die menschliche Denkkraft keinen eignen Schwung nehmen kann – und welche
gleichsam nur ein künstlicher Behelf ist, wodurch etwas dem eigentlichen reinen Denken,
wozu wir dereinst vielleicht gelangen werden, Ähnliches hervorgebracht wird. – [...]
Manchmal quälte er sich Stunden lang, zu versuchen, ob es möglich sei, ohne Worte zu
denken – Und dann stieß ihm der Begriff vom Dasein als die Grenze alles menschlichen
Denkens auf – da wurde ihm alles dunkel und öde – da blickte er zuweilen auf die kurze
Dauer seiner Existenz, und der Gedanke oder vielmehr Ungedanke vom Nichtsein erschütterte
seine Seele – es war ihm unerklärlich, daß er jetzt wirklich sei und doch einmal nicht gewesen
sein sollte – so irrte er ohne Stütze und ohne Führer in den Tiefen der Metaphysik umher.
[27ff.]

Ich meine, es sei von solch jäher Entdeckung der Angst, die alles Denken herausfordert und in Frage stellt, selten mit so großer Ausdruckskraft gesprochen
worden wie hier. In diesen Zeilen erreicht Moritz wahre Größe. Der ihm eigene
Sinn für psychologische Tiefenbereiche findet hier – ein seltenes Ereignis bei
ihm! – eine Entsprechung in der Erkenntnis metaphysischer Abgründe.

Aber er bleibt außerstande, je eine Antwort auf die ihn bedrängende Frage
zu finden: offensichtlich deshalb, weil es eine solche nur geben könnte in einem
Vollzug, sei es im Vertrauen auf eine Wirklichkeit, die ihr Licht gleichermaßen
über alles Seiende ergießt, oder sei es dadurch, daß menschliche Bescheidenheit, Verzicht leistend auf des Rätsels Lösung, sich darein schickt, in dieser
Welt zu leben, ohne sie auch noch erklären zu wollen.

Moritz fühlt sich hingezogen zum ‹magischen› und romantischen Gedanken
einer Zukunft, in welcher dem Menschen höhere Vermögen zuteil werden,
aber auch zu jenem mystischen Pessimismus, dem das Dasein des Individuums

als Fluch erscheint. Die Okkultisten (und bald einmal auch die romantischen Denker) nehmen an, die ursprüngliche Einheit sei durch den Sündenfall aufgelöst worden. Und an dieser Idee klammert sich auch Moritz fest, wenn er, ein Opfer des überspannten Pietismus seiner Jugendzeit, zur Überzeugung gelangt, das Schicksal habe ihm große und kleine Demütigungen nur dazu auferlegt, um ihn «büßen zu lassen, was er auf keine andere Weise als durch sein Dasein verschuldet» [IV, 153]. Aber seine Phantasie überredet ihn denn doch wieder zu tröstlicheren Gedanken, und auch diese haben eine gewisse Ähnlichkeit mit jener Theorie der verlorenen und verheißenen Einheit. Da ergeht er sich etwa in der träumerischen Vorstellung, nach der Auflösung der Körper flögen ungezählte menschliche Geister in der Luft umher und vereinigten sich schließlich zu einer «ungeheuren unförmlichen Seelenmasse» [III, 44] – Wunschbild eines Menschen, der selbst unter der Vereinzelung leidet und dem die undurchdringliche körperliche Scheidewand zwischen den Seelen zur Qual geworden ist.

Wer, ohne ihrer Herr werden zu können, von solchen Ängsten gequält wird und wie Moritz überdies noch den Launen einer unsteten, leicht zu entmutigenden Natur ausgeliefert ist, der sucht nach Mitteln, sich einer von Drohungen starrenden Außenwelt zu erwehren. Sowohl die Menschen wie die eigenen Schwächen und Sorgen lassen sich leicht vergessen im *Spiel*. Begegnet man dem Leben nämlich mit dem ganzen Ernst eigener Fragen und Erwartungen, so gibt es sich nicht anders als schrecklich; besser also, man treibt sein Spiel mit ihm. Ja, es genügt nicht, wenn wir uns vor den Menschen eine Rolle zulegen: spielen wir so gut, daß wir selber der Täuschung erliegen! Zeigen wir dem Leben, daß wir es zu entlarven fähig sind, daß wir uns seiner als eines Spielzeugs zu bedienen und uns dadurch der Herrschaft unseres Geistes zu versichern wissen! Solche Virtuosität werden die Romantiker bald einmal als *Ironie* bezeichnen und mit der Poesie verbinden. Moritz jedoch kennt weder diesen Begriff noch die Kunst, in der sich die Romantiker Meisterschaft erworben haben: zum Zuschauer seiner selbst und wiederum zum Zuschauer eben dieses Zuschauers zu werden. Aber die Zuflucht zum Rollenspiel, die Verwandlung des Daseins in ein Traumtheater ist ein echt Moritzscher Einfall.

Wie ihm einmal während einer seiner Irrfahrten sein Schicksal nicht «romanhaft» genug erscheint, dichtet er sich eine zugkräftige Vergangenheit an, indem er «die Rollen durchspielt, welche man ihm auf dem Theater verweigert hatte». Ja er geht gar so weit, einem ihn beherbergenden Prediger sein angebliches Abenteuer Punkt für Punkt zu beichten,

denn da er einmal bloß in der Ideenwelt lebte, so war ihm ja alles das wirklich, was sich einmal fest in seine Einbildungskraft eingeprägt hatte; ganz aus allen Verhältnissen mit der wirklichen Welt hinausgedrängt, drohte die Scheidewand zwischen Traum und Wahrheit bei ihm den Einsturz. [IV, 84–87]

Was Nerval dereinst das «Hereinwachsen des Traums ins wirkliche Leben»
nennen wird [*Aurélia* I, 3], ist bei Moritz in solchen Augenblicken bereits zur
Vollendung gediehen; der das Leben überlegen ironisieren wollte, fällt seinem
Spiel am Ende selbst zum Opfer. Aber Moritz erfindet alsbald ein neues Theater-
stück: Er wird Kandidat der Theologie. Tatsächlich hatte ihm die Prediger-
laufbahn schon von klein auf wie ein verlockendes Spiel vorgeschwebt. Und
schon früh hatte ihn die Zwiesprache mit Gott darüber hinweggetröstet, daß
er mit der Umwelt nicht in Verbindung treten konnte:

> Er erinnerte sich mit Wehmut des Zustandes, worin er sich als ein Knabe befunden hatte, da
> er mit Gott Unterredung hielt und immer voll hoher Erwartung war, was nun für große
> Dinge in ihm vorgehen würden. – In diesen Erinnerungen lag eine unbeschreibliche Süßig-
> keit, denn der Roman, den die frömmelnde Phantasie der gläubigen Seelen mit dem höchsten
> Wesen spielt, von dem sie sich bald verlassen und bald wieder angenommen glauben, bald
> eine Sehnsucht und einen Hunger nach ihm empfinden und bald wieder in einem Zustande der
> Trockenheit und Leere des Herzens sind, hat wirklich etwas Erhabenes und Großes. [II, 93 f.]

Eine Komödie? Vielleicht; aber sie spielt sich ganz im Innern ab und entspringt
der Tragödie der Individuation. Befreiend und lindernd muß sie auf einen
Menschen wie Moritz wirken, der seine Träume so ernst nimmt und ihnen gar
zuweilen die Lenkung seiner Geschicke überläßt. Übrigens haben jene kindlichen
Unterredungen mit Gott etwas Spielerisches, wie immer, wenn Kinder mit den
Geschöpfen ihrer Einbildung einen verwickelten, oft stürmischen Umgang
pflegen. Anton Reiser erinnert sich, daß er damals, um die Leitsätze der Madame
Guyon zu verwirklichen, mit Gott in einen traulichen Verkehr zu treten suchte.
Um dahin zu gelangen, «nahm er es sich denn nicht übel, zuweilen ein wenig
mit Gott nach seiner Art böse zu tun; denn obgleich davon nichts in der Madame
Guyon Schriften stand, so glaubte er doch, es gehöre mit zum vertraulichen
Umgange» [I, 28]. Er hielt es für angebracht, mit dem göttlichen Gesprächspartner «auf einem ziemlich vertraulichen Fuß zu stehen», und scheute sich
nicht, ihm «ohne viele Umstände» mit Vorwürfen zu begegnen. In einem seiner
Lieblingsspiele übernahm er selbst die Rolle des allmächtigen Schicksals, indem
er auf einem Tisch zwei Heere von Kirsch- und Pflaumenkernen gegeneinander
anrücken ließ und nun mit geschlossenen Augen einen eisernen Hammer auf
sie niederschmetterte, «und wen es traf, den trafs» [36f.].

> Das allergrößte Vergnügen machte es ihm, wenn er eine aus kleinen papiernen Häusern
> erbauete Stadt verbrennen und dann nachher mit feierlichem Ernst und Wehmut den zurück-
> gebliebenen Aschenhaufen betrachten konnte.

Dieses Vergnügen – demjenigen Neros ähnlich, der denselben Sinn für Thea-
tralik besaß – hat einen von Moritz selbst sehr klar erkannten Ursprung; er
spricht davon in seinem *Tagebuch eines Geistersehers* mit solchem Scharfblick,
daß die folgenden Zeilen als Motto über einer ganzen romantischen Ästhetik
stehen könnten:

Da wir nicht Schöpfer werden konnten, um Gott gleich zu sein, wurden wir Zernichter; wir schufen rückwärts, da wir nicht vorwärts schaffen konnten. Wir schufen uns eine Welt der Zerstörung, und betrachteten nun in der Geschichte, im Trauerspiel und in Gedichten unser Werk mit Wohlgefallen. [139, 68][2]

Aber das Spiel vermag Moritz nicht aus Einsamkeit und Angst zu befreien; sein psychologischer Scharfblick verwehrt ihm, auch wirklich jener Schauspieler des eigenen Lebens zu sein, der er sein möchte. So sinnt er auf andere Mittel der Entpersönlichung und der Identifikation mit seinesgleichen oder mit andern Geschöpfen. Wiederum ist es Maurice de Guérin, der uns einen Vergleichspunkt gibt, und zwar mit einer herrlichen Tagebuchseite vom 25. April 1833; obgleich von einer Moritz unzugänglichen Poesie und Geschmeidigkeit, beschwört sie eine im Wesentlichen gleichgerichtete Sehnsucht herauf:

Könnte man doch eins werden mit dem Frühling –, diesen Gedanken so weit treiben, bis einem würde, als atmete man alle Lebenskraft, alle Liebe in sich ein, welche die Natur durchwirkt –, sich fühlen als Blume, als junges Grün, als Vogel, Gesang, Frische, Spannkraft, Wollust, Heiterkeit, dies alles zugleich! Was bliebe von mir? Versenkt man sich in diesen Gedanken, unverwandt den Blick auf der Natur, so glaubt man für Augenblicke dergleichen zu spüren.

Wir denken dabei an den drolligen Einfall der kleinen Bettine, die, zur Blume verwandelt, sich von einer Freundin begießen ließ; und es ist nun auch Moritz, der sich ein ähnliches Erlebnis herbeiwünscht:

Er stand oft stundenlang und sah so ein Kalb, mit Kopf, Augen, Ohren, Mund und Nase an; und lehnte sich, wie er es bei fremden Menschen machte, so dicht wie möglich an dasselbe an, oft mit dem törichten Wahn, ob es ihm nicht vielleicht möglich würde, sich nach und nach in das Wesen eines solchen Tieres hineinzudenken. [...] Kurz, wie ihm sein würde, wenn er zum Beispiel ein Hund, der unter Menschen lebt, oder ein anderes Tier wäre – das beschäftigte von Kindheit auf schon oft seine Gedanken. [136, III, 42 f.]

Ein ähnliches derartiges Verlangen Antons, nicht minder seltsam, nimmt Züge jener düstern Vorstellungen an, die ihm von frommer Lektüre in der Jugendzeit und von der Angst vor der Hinfälligkeit des menschlichen Ichs eingegeben worden. Der Wunsch nach Verwandlung ruft ihm in Erinnerung, er habe einmal als Knabe der Hinrichtung von vier Missetätern beigewohnt, deren Stücke zu guter Letzt aufs Rad geflochten wurden. Da sei ihm der Gedanke durch den Kopf gefahren, er selbst sowohl wie die Schaulustigen seien gleichermaßen «zerstückbar».

Er vergaß sich, so wie er sich nach der Hinrichtung der Missetäter vergessen hatte, ganz als Mensch und kehrte in seinen Gesinnungen und Empfindungen als Tier wieder heim. – Als Tier wünschte er fortzuleben; als Mensch war ihm jeder Augenblick der Fortdauer seines Daseins unerträglich gewesen. [46 f.]

Nicht immer jedoch hat sein Bedürfnis nach Identifikation diesen morbiden Einschlag. Nur in Augenblicken höchster Verzweiflung wünscht er in einer

---

[2]* Das Zitat und seine Deutung verdanke ich Robert Minder [157, 140].

andern Kreatur weiterzuleben; in seinen besten Tagen hingegen möchte er aufgehen in der Natur. Sie ist es, die ihm seit je die nachhaltigsten Eindrücke
hinterlassen hat, und wie Amiel hätte er sagen können: «Un paysage est un état
de l'âme» – eine Landschaft ist ein Seelenzustand. In seinem Naturempfinden
spiegelt sich beides: tiefe Niedergeschlagenheit und überschwengliche Freude.
Die niederdeutsche Tiefebene, naßkalt, eintönig, endlos, gibt ihm manchmal
eine geradezu Werthersche Verzweiflung ein: Er fühlt sich einsam, wegge-
worfen und verächtlich, unfähig, sich selbst zu entkommen.

Es war, als ob die Last seines Daseins ihn darnieder drückte –
  Daß er einen Tag wie alle Tage mit sich aufstehen, mit sich schlafen gehen – bei jedem
Schritte sein verhaßtes Selbst mit sich fortschleppen mußte. – [...] Daß er nun unabänderlich
er selbst sein mußte, und kein anderer sein konnte; daß er in sich selbst eingeengt und ein-
gebannt war – das brachte ihn nach und nach zu einem Grade der Verzweiflung, der ihn an
das Ufer des Flusses führte. [45 f.]

Aber dieser Eindruck führt immer auch den entgegengesetzten mit sich; der
Einengung entspricht die Ausweitung. Freilich, sich selbst im Unendlichen zu
verlieren wie die Romantiker, dies ist Moritzens Sache nicht; ihm bedeutet es
höchstes Glück, wenn Ausdehnung und Einschränkung sich für Augenblicke vereinigen in der *Empfindung der Wirklichkeit*. Die besten Stellen des Romans sind
jene, wo die Natur völlig zum Symbol für Antons Seelenzustand wird, sei es,
daß er vor ihr, seiner Ängste ledig, in eine behagliche Wehmut hineinfindet,
sei es, daß ihm gerade umgekehrt ein Landstrich die Tragik seines inneren
Schicksals widerspiegelt. Mit Vorliebe erinnert er sich seines Wiesenplätzchens
draußen am Fluß, beschattet von vereinzelten hohen Eichbäumen, jenseits ein
Wald und dahinter die vier Türme der Stadt – Türme und Glocken, an die sich
schon immer, in Hameln, in Braunschweig, in Hannover, seine süßesten Träume
geheftet hatten.

Dies zusammengenommen versetzte ihn allemal in jene wunderbare Empfindung, die man
hat, sooft es einem lebhaft wird, *daß man in diesem Augenblick nun gerade an diesem Ort und an
keinem andern ist*: daß dies nun unsere wirkliche Welt ist, an die wir so oft als an eine bloß
idealische Sache denken. – Es fällt einem ein, daß man sich bei der Lektüre von Romanen
immer wunderbarere Vorstellungen von den Gegenden und Örtern gemacht hat, je weiter
man sie sich entfernt dachte. Und nun denkt man sich mit allen großen und kleinen Gegenständen, die einen jetzt umgeben, zum Beispiel in Vorstellung eines Einwohners von Peking –
dem dies alles nun ebenso fremd, so wunderbar dünken müßte – und die uns umgebende
wirkliche Welt bekommt durch diese Idee einen ungewohnten Schimmer, der sie uns ebenso
fremd und wunderbar darstellt, als ob wir in dem Augenblick tausend Meilen gereist wären,
um diesen Anblick zu haben.
  Das Gefühl der Ausdehnung und Einschränkung unsers Wesens drängt sich in einen Moment zusammen, und aus der vermischten Empfindung, welche dadurch erzeugt wird, entsteht eben die sonderbare Art von Wehmut, die sich unserer in solchen Augenblicken bemächtigt. [89 f.*]

Es gebricht Moritz vielleicht zu sehr an dichterischer Kraft, als daß er Landschaftsbilder von der Art der künftigen romantischen hervorzuzaubern vermöchte; dennoch finden sich wenige Vertreter der europäischen Vorromantik, die so wie er von einem völlig neuartigen Naturgefühl durchdrungen sind. Da wird äußere Form ganz zum Symbol einer inneren Wirklichkeit. Die Schönheit des Anblicks tritt zurück; dafür wird, was sich nur immer dem Auge darbietet, zum Ausdruck von seelischen Ereignissen. Es verlohnte sich, hier im vollen Umfang die Schilderung jener ausgedehnten nächtlichen Wanderung anzuführen, die Anton in der Zeit tiefster Entmutigung unternimmt. Mitternächtliche Kirchhofstimmung verleiht den Raum- und Farbeindrücken ein lyrisches Timbre, abgetönt auf den krassen Gegensatz von anfänglicher Beklemmung und schließlicher Befreiung bei der Rückkehr durch die Kornfelder im milden Regen einer Sommernacht.

Der Horizont war schon verdunkelt; der Himmel schien in der trüben Dämmerung allenthalben dicht aufzuliegen, das Gesicht wurde auf den kleinen Fleck Erde, den man um sich her sah, begrenzt – das Winzige und Kleine des Dorfes, des Kirchhofs und der Kirche tat auf Reisern eine sonderbare Wirkung – das Ende aller Dinge schien ihm in solch eine Spitze hinauszulaufen – der enge dumpfe Sarg war das letzte – hierhinter war nun nichts weiter – hier war die zugenagelte Bretterwand – die jedem Sterblichen den fernern Blick versagt. – Das Bild erfüllte Reisern mit Ekel – der Gedanke an dies Auslaufen in einer solchen Spitze, dies Aufhören ins Enge und noch Engere und immer Engere – wohinter nun nichts weiter mehr lag – trieb ihn mit schrecklicher Gewalt von dem winzigen Kirchhofe weg und jagte ihn vor sich her in der dunklen Nacht, als ob er dem Sarge, der ihn einzuschließen drohte, hätte entfliehen wollen. [...]
Es war eine warme Sommernacht, und der Regen und die Dunkelheit waren ihm bei dieser menschenfeindlichen nächtlichen Wanderung die angenehmsten Gesellschafter – er fühlte sich groß und frei in der ihn umgebenden Natur – nichts drückte ihn, nichts engte ihn ein – er war hier auf jedem Fleck zuhause, wo er sich niederlegen wollte, und dem Anblick keines Sterblichen ausgesetzt. – Er fand zuletzt eine ordentliche Wonne darin, durch das hohe Korn hinzugehen ohne Weg und Steg – durch nichts, nicht einmal durch ein eigentliches Ziel gebunden, nach welchem er seine Schritte hätte richten müssen. Er fühlte sich in dieser Stille der Mitternacht frei wie das Wild in der Wüste – die weite Erde war sein Bette – die ganze Natur sein Gebiet. – [228–233]

Soweit der Roman *Anton Reiser* im Druck erschienen ist, endet er mit einem der qualvollsten Rückschläge im Leben seines Helden. Dieser schickt sich an, die Weihnachtszeit draußen in einem einsamen Gartenhaus zu verschlafen. Sooft er vom süßen Schlummer ein wenig aufdämmert, empfindet er es als größte Wohltat, daß «*sein Wachen selber ein fortgesetzter Traum ist*» [IV, 188 *]. Wiederum ist es ein nächtlicher Spaziergang, der den Irrenden diesmal eine Zuflucht im Erfurter Dom finden läßt; der wunderbare Eindruck des gotischen Raumes, die wenigen Wachslichter und ihr Widerschein von den hohen Fenstern begünstigen das Aufkommen des Traumzustandes.

Er hatte aus dem Lethe getrunken und fühlte sich in das Land des Friedens sanft hinüberschlummern. [...] Wie Träume eines Fieberkranken waren freilich solche Zeitpunkte in

Reisers Leben, aber sie waren doch einmal darin und hatten ihren Grund in seinen Schicksalen von seiner Kindheit an. [167 f.]

Er erkennt darin die Wirkung eines «unablässig zurückgedrängten Selbstgefühls» und sehnt sich fortan einzig nach Augenblicken solchen Selbstverlustes; im *Tagebuch eines Geistersehers* gibt er davon eine Beschreibung, die an Amiels Bestes heranreicht:

Ich hatte keinen Gedanken mehr für das Wo – ich war nirgend und doch allenthalben. – Ich fühlte mich aus der Reihe der Dinge herausgedrängt und bedurfte des Raumes nicht mehr. [139, 116]

Die «Scheidewand zwischen Traum und Wahrheit» war nun endgültig eingestürzt, die Vermischung zuzeiten angenehm, oft aber quälend. Als Moritz im Jahre 1790 den vierten Teil des Romans veröffentlichte – den letzten, den zu schreiben ihm noch vergönnt war –, rückte er die Flucht in die Phantasiewelt ins rechte Licht; im Hinblick auf eine künftige Fortsetzung heißt es da:

Eigentlich kämpften in ihm [Anton Reiser] so wie in tausend Seelen die Wahrheit mit dem Blendwerk, der Traum mit der Wirklichkeit, und es blieb unentschieden, welches von beiden obsiegen würde, woraus sich die sonderbaren Seelenzustände, in die er geriet, zur Genüge erklären lassen.

Widerspruch von außen und von innen war bis dahin sein ganzes Leben. – Es kömmt darauf an, wie diese Widersprüche sich lösen werden! [136, IV, Vorwort]

In dieser Scheidung zweier Welten – einer wirklichen, die ihn verstörte, und einer Zuflucht gewährenden «idealischen Welt»[3] des Träumers – erblickte Moritz das Hauptproblem seiner eigenen Entwicklung. Sich selbst eine imaginäre Welt zu erschaffen, in der das Ich, erlöst von der hart bedrängenden Wirklichkeit, sich frei zu entfalten vermöchte – dies ist die erste Eingebung der romantischen Seele. Ihr folgt Anton Reiser auf die verschiedensten Weisen: von der schlichten Zuflucht zu einer Phantasiewelt oder zur Rolle eines Schauspielers, eines Predigers bis hin zur frommen Andacht und einem leidenschaftlichen Todeskult. Eine so typische Erfahrung, wie sie Jean Paul beim Hinschied seiner Freunde, Novalis beim Verlust Sophie von Kühns, Guérin im Gedenken an Maries Tod oder der dem Bilde Aureliens folgende Nerval machen wird, ist Anton Reiser von klein auf vertraut, seit er sich fragte, was wohl aus seinem Schwesterchen geworden sei. Der Wunsch, die Tote wiederzufinden und mit einer andern Welt in Beziehung zu treten, läßt ihm das diesseitige Leben verächtlich erscheinen; er fühlt zutiefst seine Grenzen und setzt alle Hoffnung in das Sein jenseits des Grabes. – Die zweite Eingebung romantischen Geistes jedoch bleibt bei Reiser aus, diejenige nämlich, wonach die Seele, einmal in jenem Glauben gefestigt, sich wieder dem diesseitigen Leben zuwendet, es in ihr neues Licht eintaucht, verwandelt, verklärt und dem Gebot gehorcht, schon *hic et nunc* das höhere Dasein zu verwirklichen. Für ihn aber bleibt der Traum eine *andere*

---

[3] «idealische Welt»: [136, IV, 172]

Welt, in die man sich hinüberrettet; noch ergießt er seinen Farbenzauber nicht über die sichtbare Wirklichkeit.

Wir besitzen aber von Moritzens dichterischer Existenz noch ein anderes Zeugnis, dem man allerdings nicht immer den gebührenden Wert beimißt: den lyrischen Roman *Andreas Hartknopf*. In diesem intimeren Buch, dessen Verfasserschaft er übrigens schamvoll verschwieg, transponiert Moritz seine Grunderfahrung in ein anderes Register: Er beschreibt sich nicht so, wie er war, sondern so, wie er hätte sein wollen. Hartknopf ist eine vollständigere Präfiguration des romantischen Typus als Reiser, dem nur erst dessen Unruhe und Ängste beschieden waren. Im Reich der Phantasie gelingt dem Verfasser, was ihm das Leben versagte: von der Welt Besitz zu ergreifen und die Wirklichkeit aus dem Traum zu erleuchten.

III

> Wir sind gleichsam in ein Labyrinth versetzt, woraus wir den Faden nicht wieder zurückfinden können, und ihn auch vielleicht nicht wieder zurück finden sollen.

Während für die Träumereien Anton Reisers das auslösende Ereignis oder die Quelle jeweils genau nachgewiesen sind, ist der *Andreas Hartknopf* darin einzigartig, daß sie hier zumeist dichterischer Evokation entspringen. Unvollendet und bruchstückhaft, erschließt uns dieser Roman den persönlichen Rhythmus seines Verfassers wesentlich besser als jener. Er hält sich ganz an die Gipfel und Abgründe des Daseins und läßt alles Alltägliche beiseite. Und andererseits besitzt Hartknopf – zumindest will ihn Moritz so verstanden wissen – all das, was für Reiser unerfüllbarer Wunsch bleibt. Er erweckt den Eindruck, als sei er einer jener unerschütterlichen Weisen, wie sie die Phantasie derer hervorbringt, die selbst schwach und wehrlos sind. Er fühlt sich «in dem großen Zusammenhang der Dinge und in sich selbst gesichert» [138, 77], er «schlummert so sicher auf dem Schoß und in dem Schoß der Erde wie das Kind im Schoß der Mutter» [78]; er «liebt die Nacht, ohne den Tag zu scheuen, und den Tag, ohne die Nacht zu scheuen. – Finsternis und Licht – Tod und Leben – Ruhe und Bewegung mußten [nach seiner Meinung] in sanfter Mischung sich [!] ineinander verschwimmen» [125]. Seine Gestalt gleicht der eines Unsterblichen. Aber von seiner erhabenen Ruhe wissen wir nur durch die Beschreibung, die uns der Erzähler von seinem Helden gibt. In Tat und Wahrheit durchleidet Hartknopf dieselben Ängste wie Reiser, nur überwindet er sie. An die Stelle von Todesfurcht und Todesverlangen schiebt sich die tröstliche Gewißheit des Sterbens: Das Todesbewußtsein verklärt gleichsam das Leben.

Der erste Teil des Romans, die 1785 veröffentlichte ‹Allegorie›, beginnt mit einer langen Wanderung, die uns an die berauschenden Irrfahrten von Jean Pauls Helden erinnert. Hartknopf nimmt seine Richtung immer gegen Osten zu, weiß aber dafür keinen andern Grund zu nennen als den geheimnisvollen Anreiz, «den ersten frühen Strahl der Sonne mit seinem Morgengebet begrüßen zu können» [15]. Dabei stößt er auf zwei närrische Weltverbesserer, einen Schuster, Leser von Böhmes Schriften, und einen Küster, der sich mit seinem Pastor überworfen hat. In dieser Gesellschaft gelangt er in seinen Geburtsort und nimmt Quartier im ‹Paradies› bei seinem Vetter, dem Gastwirt, einem Mann von hoher Weisheit. Eine Friedhofszene im Mondschein beschließt diesen Tag. Am andern Morgen erweckt der Anblick des Hochgerichts in Andreas die wehmütigsten Erinnerungen an die Kindheit. Ein Ziehbrunnen unweit der einstigen Wohnung seiner Eltern versetzt ihn in einen sonderbaren Zustand, bei dessen Beschreibung sich einmal mehr der Vergleich mit Prousts Madeleine-Erlebnis aufdrängt; Moritz dringt hier zu ungleich kühneren Gedanken vor als an den entsprechenden Stellen im *Anton Reiser*.

Es war ihm plötzlich, als ob er einen Blick hinter den undurchdringlichen Vorhang getan hätte, der irgend ein vergangenes Dasein von seinem gegenwärtigen Dasein trennte. – Er erinnerte sich an einen Zustand, der diesem ganz gleich war, und wußte doch diese Erinnerung nicht an Zeit und Ort zu knüpfen. –

Endlich fiel ihm ein, daß seine Mutter in seiner frühesten Kindheit ihm, wenn er die Frage tat, woher er gekommen sei, immer den Brunnen nicht weit vom Hause als den Urquell seines Daseins genannt habe. – Sooft er nun die Wörter *Brunn* oder *Brunnquell* hörte, entstand jene sonderbare Empfindung in seiner Seele, die man immer zu haben pflegt, wenn man sich an etwas aus den Jahren seiner allerfrühesten Kindheit erinnert.

Nach Hartknopfs Meinung hatte es auch mit diesen Erinnerungen eine ganz eigne Bewandtnis, und er hegte hierüber seine ganz besonderen Gedanken: Die allerfrüheste Kindheit war ihm gleichsam der Lethefluß, aus welchem wir Vergessenheit aller unserer vorigen Zustände trinken – Der Faden, der unser gegenwärtiges Dasein an irgend ein vergangenes knüpfte, meinte er, sei hier so dünne gesponnen, daß ihn das Auge fast nicht mehr bemerken könnte; durch eine starke Hinsicht aber entdeckte man zuletzt doch etwas davon, so wie man oft am gestirnten Himmel, indem man seine Blicke fest drauf heftet, immer da einen Stern nach dem andern entdeckt, wo man vorher nur das Blaue sahe. – Aber nun hat man einen Stern gesehen und ist fest überzeugt, daß man ihn gesehen hat, und sucht allenthalben mit den Augen, ohne ihn wieder finden zu können. – So zählte Hartknopf viele Augenblicke in seinem Leben, wo ihm über gewisse Dinge ein plötzliches Licht in seiner Seele aufging, aber es war auch ebenso schnell wieder verschwunden. [...]

Aber das Wiedersehen dieses Ziehbrunnens ging ihm über alles – er betrachtete ihn lange und fest, ob es noch derselbe sei [...], dieser heilige Brunnen, den sich seine ersten Gedanken als den Ursprung seines Daseins gedacht hatten, in dessen Bilde gleichsam alle die folgenden unzähligen Bilder seiner Seele zusammenströmten. [...] *Es gibt einige körperliche Gegenstände, bei deren Anblick wir eine dunkle Übersicht unsers ganzen Lebens und vielleicht unsers ganzen Daseins erhalten.* [53–56*]

Moritz gibt hier seine eigenen Erinnerungen als diejenigen Hartknopfs aus. Bereits 1783 berichtete er nämlich in einem im *Magazin* veröffentlichten Aufsatz

«Erinnerungen aus den frühesten Jahren der Kindheit», sooft er dieses Ziehbrunnens gedenke, sei ihm, als «blickte er wehmütig in eine weite Ferne». Schon
damals äußerte er – wenn auch weniger schwungvoll – die Überzeugung, daß
uns die Erinnerungen an allererste Kindheitseindrücke mit unbekannten Bereichen
einer früheren Existenz verbänden. Zunächst stellt er fest, diese ersten Eindrücke
verdienten es, sorgfältig bemerkt zu werden; «sie machen doch gewissermaßen
die Grundlage aller folgenden aus; *sie mischen sich oft unmerklich unter unsre
übrigen Ideen* und geben denselben eine Richtung, die sie sonst vielleicht nicht
würden genommen haben» [*]. Er begnügt sich jedoch nicht mit dem Hinweis
auf die Bedeutsamkeit solcher Frühbilder und ihr Weiterwirken unter dem
Bewußtsein des Erwachsenen. Er hat – so versichert er – seit Jahren seine
einsamen Stunden darauf verwendet, solche Erinnerungen wieder wachzurufen,
und ist dabei auf ihren Zusammenhang mit dem Traumleben gestoßen:

Freilich merke ich es deutlich, daß dieses oft nur Erinnerungen von Erinnerungen sind. Eine
ganz erloschne Idee war einst im Traume wieder erwacht, und ich erinnere mich nun des
Traumes, und mittelbar durch denselben erst jener wirklichen Vorstellungen wieder.

Nach der Erwähnung des Ziehbrunnens in seinem Geburtsort äußert er dann
dieselbe Ansicht wie im Hartknopf:

Sollten vielleicht gar die Kindheitsideen das feine unmerkliche Band sein, welches unsern
gegenwärtigen Zustand an den vergangenen knüpft, wenn anders dasjenige, was jetzt unser
Ich ausmacht, schon einmal, in andern Verhältnissen da war? [147, I, (1783), I, 65f.]

Diese Gedanken liegen ihm am Herzen; daß sie für ihn kosmische und
mystische Bedeutung haben, gibt er deutlich zu verstehen in einem postum
veröffentlichten Werk, in dem er Gedanken aus dem *Magazin* und dem *Hartknopf* wieder aufnimmt und weiter ausführt, wobei er zu erklären versucht,
warum unsere Herkunft dem Vergessen anheimgefallen sei:

[Unsre Kindheitsideen] *sind gleichsam ein zarter Faden, wodurch wir in der Kette der Wesen be-
festigt sind, um so viel wie möglich isolierte, für sich bestehende Wesen zu sein.*
Unsre Kindheit wäre dann der *Lethe*, aus welchem wir getrunken hätten, um uns nicht in
dem vorhergehenden und nachfolgenden Ganzen zu verschwimmen, sondern eine individuelle,
gehörig umgrenzte Persönlichkeit zu haben.
Wir sind gleichsam in ein *Labyrinth* versetzt, woraus wir den Faden nicht wieder zurück
finden können, und ihn auch vielleicht nicht wieder zurück finden sollen – wir knüpfen
daher den Faden der *Geschichte* an, wo der Faden unsrer eignen Rückerinnerung reißt, und
leben, wo unsre eigne Existenz uns schwindet, in der *Existenz* der Vorwelt zurück.
Noch gab es keinen Theseus, der aus diesem verwickelten Lebenslabyrinth den Ausweg
durch Rückerinnerung erfunden hätte, und wenn es einen gäbe, so würde man sehr strenge
Beweise fordern, welche wir aufzustellen schwerlich im Stande sein würden: Die Rückerinnerung würde also ihm allein zustatten kommen, oder vielmehr nicht zustatten kommen;
denn ein solcher Mensch müßte eine übernatürliche Stärke der Seele besitzen, oder die Aussicht, die sich ihm eröffnete, müßte ihn dem Wahnwitz nahe bringen, er müßte notwendig
seine *isolierte Ichheit*, seine Persönlichkeit verlieren: Er würde lebend aufhören, zu sein.
[146, 250f.]

Dieser Text ist derart wichtig, daß man ihn ungekürzt wiedergeben sollte, wie das Carl Gustav Carus 1829/30 in seinen *Vorlesungen über Psychologie* tat, wobei er gestand, für «solch treue und einfach aufgefaßte Selbstbeobachtungen [...] würde er gern eine Menge der Memoiren missen, womit neuerlich unsere Literatur überschwemmt worden ist» [263, 169].

Moritzens Gedanken über die Erinnerung sind durchwegs erfüllt von Ahnungen, die zu seiner Zeit einzig ihm beschieden waren. Er weiß, daß der Traum Hüter und Bewahrer der dem Bewußtsein entglittenen Erinnerungen ist; er setzt diese Erinnerungen in Beziehung zu einer Präexistenz, die ins All verwoben war, und er ahnt, daß, wer die Reihe der Erinnerungen bis zum Anfang zurückzugehen vermöchte, endlich aus der Vereinzelung seines Daseins gerissen würde. Als ob er Nervals Abenteuer vorausgesehen hätte, stellt er sich jenen Suchenden vor, der, bewegt vom Heimweh nach dem Ursprung, sich den Pfaden des Traums und der Erinnerung anvertraut und ins Unbekannte aufbricht. Aber er schrickt zurück vor dem Gedanken, daß dem Wahnsinn verfallen könnte, wer, dieweil er noch lebt, zu sein aufhörte und den Rückweg ins Bewußtsein nicht mehr fände. Statt solchen Selbstverlust herbeizuwünschen, da er doch dessen berauschende Wonne schon für Augenblicke erahnt hat, preist er vielmehr das Vergessen unseres kosmischen Ursprungs und erachtet das Schweigen des ‹kollektiven Unbewußten› als unerläßliche Bedingung unseres Erdenlebens. Dennoch aber kommt er zur Einsicht, jene verborgenen Erinnerungen, die uns nie bewußt werden außer etwa im Traum, nähmen unmerklich Einfluß auf unser tägliches Leben.

Noch den letzten Seiten, die er vor dem Tode niederschreibt, anvertraut er das Bekenntnis, nie habe ihm das Verlangen nach Rückkehr ins All, nach Vernichtung des abgesonderten Ichs je Ruhe gegönnt. Aber wie zögernd, wie schüchtern tut er es!

Ich habe einigemale eine Empfindung gehabt, die mich im Innersten erschreckt hat, so süß sie auch ist. Mir war es, als ich im Anschauen der großen Natur, die mich umgab, mich verloren fühlte, als ob ich Himmel und Erde an meinen Busen drücken und mit diesem schönen Ganzen mich vermählen sollte. Ich fühlte durch diese Empfindung mein innerstes Dasein erschüttert; es war mir, als ob ich wünschte, plötzlich aufgelöst, in dieses Ganze mich zu verlieren und nicht länger wie eine verwelkende, hinsterbende Blume einzeln und verlassen da zu stehen. [145, 52]

Wie von selbst ergibt sich im Roman der Übergang von solcher Erfahrung zum Gedanken, das gegenwärtige Leben sei nur ein Traum, aus dem ein künftiges Erwachen in eine andere Existenz führe. Beim Sonnenaufgang gibt sich Hartknopf droben auf dem Galgenhügel der Andacht und dem Gebet hin, bis hinter ihm plötzlich sein alter Rektor Emeritus auftaucht. Wie Emanuel in Jean Pauls *Hesperus* kommt dieser auf die Todesstunde zu sprechen und bittet Andreas um seinen Beistand am Sterbebett; ein letzter Händedruck soll ihm dereinst bedeuten,

der Alte scheide aus dem Leben. In einem Gespräch, das echte Erfahrung verbürgt, vergleicht der Rektor den Tod mit dem Erwachen:

Sieh, so lange, bis wir erst recht und vollkommen von diesem Lebensschlaf erwacht sind,
werden wir auch noch immer wünschen, den schönen Traum wieder anzuknüpfen, der durch
den Tod unterbrochen wird – aber wenn uns erst die Schlummerkörner aus den Augen ge-
wischt sind – dann werden wir ins Freie schauen – dann werden wir uns in der Wahrheits-
welt erst wieder zu orientieren suchen, so wie wir beim Erwachen aus dem Schlafe nach irgend
einem Fenster oder einer Türe fest hinblicken und uns die Gegenstände rund um uns her
merken, um uns zu überzeugen, daß wir nicht mehr träumen, sondern wachen – [...].
    Warum sollte diese Stufenfolge nicht stattfinden, mein Lieber? – mir hat oft geträumt, daß
ich aus einem Traume erwacht sei, und ich habe im Traume über meinen gehabten Traum
nachgedacht – und beim Erwachen konnt ich über beides nachdenken. – Der Traum war
wegen seiner größern Deutlichkeit eine Art von Erwachen gegen den ersten – dies anschei-
nende Erwachen aber war doch wieder nur ein Traum gegen das ordentliche Erwachen –
und dies ordentliche Erwachen, wer sagt uns, daß es gegen eine noch deutlichere Einsicht
in den Zusammenhang der Dinge uns nicht wieder wie ein Traum dereinst vorkommen
wird. – [...] Wie vieles ist uns hier noch dunkel und verwirrt – es kann unmöglich das rechte
Wachen sein. [138,66 ff.]

Auf einmal verharrt Emeritus regungslos, sein Blick wird starr, er verfällt einer
Art Ekstase – zum großen Schrecken Hartknopfs, der des Glaubens ist, nun
trete der Tod an seinen Meister heran. Dieser aber kommt wieder zu sich,
drückt seinem Jünger die Hand und spricht:

Das war eine sonderbare Empfindung – indem ich eben jetzt so lebhaft dachte, daß dies unmöglich das rechte Wachen sein könnte – so war es mir gerade, als wenn einem im Traume
einfällt, daß man träumt; man pflegt denn zu erwachen – mir däucht, ich war jetzt auf dem
Wege zu erwachen, aber weil ich dich vor mir sahe, so war mir der Traum zu süß; ich mochte
ihn doch nicht fahren lassen, und der Faden, welcher zu zerreißen drohte, ist noch einmal
wieder angeknüpft – – Ich gab dir aber doch die Hand, wenn er etwa reißen sollte – bald
wird er reißen, das fühl ich wohl, mein Lieber!

Nun hebt Hartknopf zu einem hymnischen Gesang an, der stufenweise in höhere
Sphären zu entschweben und von oben sanft lächelnd auf die Sorgen der Erden-
bewohner herabzuschauen scheint, um «dann in einem einzigen großen Gefühl
der erweiterten Ichheit allen Kummer des Lebens mit einemmal zu versenken».
Einzig die Musik reicht hin, von solchen Augenblicken zu künden, noch nicht
aber die Sprache – noch nicht, aber Moritz scheint wie Lichtenberg die
Hoffnung zu hegen, daß dereinst einer kommen werde, das rechte Wort zu
finden; wehmütig schreibt er am Schluß des Kapitels:

O es liegt ein großes Geheimnis in dem Fall dieser melodischen Töne, die, so wie sie auf- und
absteigen, die Sprache der Empfindung reden, welche Worte nicht auszudrücken vermögen –
Welch ein weitläufiges Gebiet von Ideen liegt hier außer den Grenzen der Sprache: Wo ist
der neue Kolumbus, der diesen bisher noch leeren und unbeschriebnen Raum auf der großen
Karte der menschlichen Kenntnisse durch neue Entdeckungen ausfüllt? – – [71]

Bedenken wir, daß der Schöpfer solcher Sprachmusik Jean Paul heißt und daß
eben er in Moritzens Sterbestunde jene gleiche Szene der Einweihung in den

Tod beschreiben wird, so können wir uns bei diesen prophetischen Zeilen der Rührung nicht erwehren.

Diese Versenkung ins Geheimnis des Todes läßt dem ganzen Roman eine Ruhe und Heiterkeit zuteil werden, wie sie Anton Reiser je und je verwehrt blieb. Ihn beängstigte der Todesgedanke, ja er beraubte das irdische Leben jeglichen Wertes, während er Hartknopfs ganze Aufmerksamkeit auf den gegenwärtigen Augenblick zusammendrängt. «Aus der dunkeln Mitternacht bricht das Morgenrot hervor – und *aus dem Schatten der Nacht bildet sich der schöne Tag*» [101f.*].

Hartknopf seinerseits wird nun gegen das Ende des Romans zum Lehrmeister von Moritz, der selbst ins Geschehen eintritt. Der Augenblick ist günstig, den Jünger in voller Stärke empfinden zu lassen, was der Tod sei. Hartknopf nötigt ihn, sich die Verwesung des eigenen Körpers, nun zum «Auswurf der Schöpfung» erniedrigt, in ihrer ganzen Schrecklichkeit vorzustellen; dabei faßt er seine Hand, läßt sie aber schnell wieder fahren wie die eines Toten; so erweckt er im Jüngling schwindelerregende Gedanken über die Existenz des Ichs. «Was bin ich, was habe ich?» In der nun folgenden Auseinandersetzung mit diesen «verba auxiliaria» gelangt der Jünger endlich dahin, daß er sich vom eigenen Körper löst, daß dieser, ausgeschlossen vom wahren Sein, ihm gleichgültiger Gegenstand der Betrachtung wird; und so bleibt er denn fest und unerschütterlich, als ihm Hartknopf erneut die Hand ergreift und wieder fallen läßt.

Je enger der Zirkel von außen her um mich wird, je mehr diese Denkkraft in sich selber zurückgedrängt wird, desto fester wird der innere Zusammenhang meiner Gedanken in sich selber; desto fester und unerschütterlicher das Gefühl meines Daseins. [156f.]

In einer Hinsicht liegt in der so gewonnenen Ruhe allerdings die Lösung jener inneren Probleme, mit denen Anton Reiser vergeblich gerungen hatte. Das Selbstgefühl äußert sich nicht mehr als Angst vor der Vereinzelung, nicht mehr als überschwengliche, berauschende Preisgabe, als Auflösung in einem undenkbaren All. Die Lehre vom Augenblick, in den sich alle Lebenskraft zusammendrängt, vom Tod, der das Ich begrenzt und uns dessen wahren Besitz verschafft, kommt einer spekulativen Antwort auf die Urangst gleich. Der Glauben an die Wiedergeburt, an die Palingenesie, verbürgt durch Traum und Denken, ist im ersten Teil des *Hartknopf* eine philosophische Überzeugung. Der fünf Jahre später erschienene zweite Teil mit dem Titel *Andreas Hartknopfs Predigerjahre* berechtigt uns jedoch ebensowenig wie die Zeugnisse von Moritzens Lebensende zur Annahme, die vom Helden erlangte Heiterkeit sei für den Verfasser selbst mehr als ein unerfüllter Wunsch gewesen.

In diesem zweiten Teil des Romans kehren dieselben Themen wieder, insbesondere die auf Jean Paul und die Romantik vorausweisenden: Poesie der Nacht; Gedanken über den Tod, die Gestirne; Augenblicke der Selbst-

verleugnung, des Verlusts des abgesonderten Bewußtseins; Versuchung zum
‹Egoismus›, für den das Leben nur ein unfaßbarer Traum ist. Aber der Grundton
ist, im Sinne der Okkultisten und der Böhme-Jünger, mystischer gestimmt.
Moritz hat zudem seinen Helden verjüngt; er hat die Stufe der Weisheit noch
nicht erreicht. Noch wird er von Reisers Qualen bedrängt, versucht sich ihnen
aber auf schlichtere Art zu entziehen, indem er sich in einem entlegenen Erden-
winkel festsetzt. Mit den Verfolgungen, denen er als Sonderling ausgesetzt ist,
kontrastiert das Idyll, zu dem er nun Hand bietet: Er verheiratet sich, hat ein
Kind und arbeitet in strenger Verschwiegenheit beim Dorfschmied, um nur
endlich seiner zügellosen Phantasie Einhalt gebieten zu können.

Die unendliche Erde, die dich trägt, verschmäht den Kuß deines Fußes nicht [...], dein leisester
Fußtritt bebt in ihre innersten Tiefen. Sie lockt den steigenden Vogel und den befiederten
Pfeil mit sanftem Zuge an ihre Brust zurück. [...] Dein Blick schauet himmelwärts – sie aber
heftet ihn wieder auf das Kraut und auf das Steinchen zu deinen Füßen. [142, 69 f.]

Diese resignierende Weisheit ist nicht mehr jene des Emeritus und seines
Jüngers, die «wie nicht zu schlaff und nicht zu stark gespannte Saiten in dem
großen Konzert der Schöpfung immer den rechten Ton angeben» [138, 77].
Sie ist zerbrechlicher, gerade weil sie sich zur Einschränkung bescheidet und
weil solcher Freiheitsverlust nur dazu angetan ist, Moritzens alte Ängste wieder
aufzuwecken. Ein feuriger Lobgesang auf das «Entzücken» [142, 113] zerbricht
jäh die trügerische Harmonie, in die sich der Held einzuschmiegen gedacht.
«Ausgehen aus sich selbst, übergehen in etwas, das wir nicht sind» – dieser
unerfüllbare Wunsch läßt das lockende Idyll in trübem Licht erscheinen. Mut-
losigkeit spricht aus den Worten, mit denen Hartknopf diese Verherrlichung
der Ekstase unvermittelt beschließt: «Aber die Stunde der Auflösung ist noch
nicht da. – Die Schildkröte zieht sich in ihr felsenfestes Haus zurück – der
Igel in sein Stachelnest.» Sein Leben in diesem kleinen Wirkungskreis erscheint
ihm «wie auf einer Landkarte vorgezeichnet» [116] und beginnt ihn aufs neue
zu beengen. Hartknopf «schmachtet mit sich selber im inneren Kampf» [132],
weil ihn die einst geliebte Gattin noch für denjenigen hält, der er nicht mehr
ist. Eine Zeitlang noch vermag er sich zu überwinden, vermag er sich den
Verzicht auf die Freiheit abzuringen. Dann aber ermutigt ihn eine geheime Idee
zum schmerzlichen Bruch: die Idee der *Trennung*: «Sie ist das erste große Gesetz
der Natur, die Mutter der Schmerzen und die Gebärerin der Wonne. Sie
erneuert unaufhörlich die Gestalten und erhält das Ganze in ewiger Jugend»
[133]. Diese Idee des ‹Stirb und werde!› – dereinst so bedeutsam für die
romantische Philosophie – bringt Hartknopf endlich die Freiheit. Ein symbolischer Traum, schlecht und recht in Verse gebracht, öffnet ihm den Weg in
«unbegrenzte Weiten» [137]. Er gibt seiner inneren Unruhe nach, verläßt Frau
und Kind, nimmt den Stab und wandert nach Osten, sich selbst zu suchen und
vielleicht am Ende dieses neuen Lebens Weisheit und Erfüllung zu finden.

Nicht so sehr wegen seiner Beiträge im *Magazin,* wo er der Psychologie des Traums nachgeht, als vielmehr in den lyrischen Bekenntnissen seiner Romane erscheint Moritz als bedeutendster Vorbote romantischer Traumwelt und Metaphysik. In seinen theoretischen Schriften bemüht er sich, ein Mann zeitgemäßen Denkens zu sein, ein Mann der Vernunft und der Entsagung. Dadurch unterbindet er aber die Beziehung zu seinen Ängsten und damit auch das Verlangen, auf sie eine Antwort zu finden; er verriegelt also gerade die einzige Pforte, durch die er, seinem Wesen gemäß, Einlaß ins Metaphysische finden könnte. Sobald er die unerträglichen Schranken von Raum und Zeit, die Zerstückelung des menschlichen Daseins recht lebhaft empfindet, gelangt er zu jenen wonnetrunkenen Einsichten in den Tod und ins große Ganze, zum Schönsten also, was er uns in seinem Werk gegeben hat. Ist es jedoch seine entschiedene Absicht, objektiv zu forschen und das Denken von den dunkeln Quellen abzuziehen, so erntet er recht frostige Gedanken.

In seiner intuitiven Einstellung zum Traum zeichnen sich zwei Haltungen ab, die wir später oft wiederfinden werden. Einerseits haben wir beobachtet, was der Traum für Hartknopf bedeutete: Erinnerung an ein Leben vor der Vereinzelung, vor dem Erwachen zu individuellem Bewußtsein – der Gedanke kehrt wieder bei Schubert, Carus, Schopenhauer und später, in anderer Tönung, bei C. G. Jung. Andererseits ist die Traumwelt für ihn Symbol eines unwirklichen Seins, einer «idealischen Welt», Ausdruck der absoluten Subjektivität, die Anton Reiser als «Egoismus» bezeichnet. Und hier sichten wir in seiner Not bereits diejenige eines Tieck oder Brentano, und ebenso bildet sich in seinen Augenblicken des Selbstverlustes die Jean-Paulsche Ekstase vor.

Was uns aber, diesseits all solcher Anklänge, Moritz so bedeutend erscheinen läßt, das ist die Einmaligkeit und Echtheit seines tragischen Geschickes. Jede dieser Haltungen ist eine Antwort auf sein eigenes Lebensproblem: das des Ichs, welches bald kraft der Phantasie in eine Wirklichkeit einzutauchen versucht, in der es sich frei entfalten könnte, bald die ganze Außenwelt als ein erstickendes Gefängnis empfindet.

ZWEITES BUCH

TRAUM, NATUR
UND WIEDERGEWONNENE GANZHEIT

> Ein tieferer Schlaf war die Ruhe unserer Urahnen;
> und ihre Bewegung ein taumelnder Tanz. Sieben Tage
> im Stillschweigen des Nachsinnens oder *Erstaunens*
> saßen sie; – – und taten ihren Mund auf – zu ge-
> flügelten Sprüchen.   HAMANN

Zur Schau des kosmischen Geschehens bestellt und diesem einverwoben zugleich, sieht sich der Mensch einer Frage gegenüber, auf die er antworten muß, hängt doch von der Antwort der Sinn seines Daseins ab. Ob er nun wähnt, selbst Urheber seiner Ideen zu sein, oder ob er glaubt, sie kämen ihm kraft einer Offenbarung zu – gleichviel, er entrinnt der Angst einzig durch dieses Selbstgespräch, in welchem er sich niemals andere Probleme aufzugeben vermag als solche, deren Lösung er bereits in sich trägt.

Der Mensch des 18. Jahrhunderts war überzeugt, die äußere Welt sei die wirkliche Welt und unsere Sinne vermittelten uns ihr getreues Abbild; darum verlangte ihn nach keinem andern Wissen als dem, wie unsere Erkenntnisorgane arbeiten, hegte er keine andere Absicht, als diese Organe unablässig zu schärfen, um nur immer ausgedehntere Macht über das ‹Gegebene› zu erlangen. Zwischen dem Verstand und den Sinnen, zwischen den Sinnen und dem Verstand besteht ein vollkommener Kreislauf, ein weise geregelter Mechanismus, der für unsere Fühlungnahme mit der ‹Außenwelt› sorgt. Und da dem Verstand die Rolle des Gebieters zukommt, ist auch das Universum als seinen Gesetzen gemäß zu begreifen, als meßbar, als unbeschränkt analysierbar, als aus dichten Teilen gefügt. Kühn vertrauend auf die Herrschaft des menschlichen Geistes, auf sein Vermögen, eines Tages alles und jedes erklären zu können, so daß weder in uns selbst noch hinter dem kosmischen Geschehen irgendeine Wirkkraft verborgen bleiben wird, vermag der aufgeklärte Mensch für die Bedeutung von Bildern kein Verständnis mehr aufzubringen; Mythos, Poesie, Religion sinken für ihn zu bloßen Forschungsgegenständen ab, zu Geistesprodukten, die höchstens noch als psychologische Dokumente Beachtung verdienen. Der Mythos gilt als primitiver Ausdruck eines noch stammelnden Weltverständnisses, das nur verzerrte Bruchstücke der Wirklichkeit wahrnimmt; sobald man sich selber in den eigenen Vorstellungen nicht mehr wiederzuerkennen vermag, läßt sich darin auch nicht länger irgend etwas Wirkliches, vom Ich Verschiedenes erkennen. Die Poesie wird zum bloßen Spiel, zu einer virtuosen Zerstreuung, welche einem irgendwie kindlichen Verlangen unseres Geistes entgegenkommt; im übrigen läßt sie sich schlicht und einfach in Prosa übersetzen. Und ebenso schal erscheint dem zergliedernden Blick alle überlieferte Religion; er vermag hierin nur eine unter tausend Formen der Kultur zu erkennen, und zwar eine, die für Frühstufen charakteristisch ist. Die Seele als zerlegbares Räderwerk, als Zusammensetzung ineinandergreifender Vermögen hat ihre Mitte, ihr unteilbares Sein eingebüßt. Sie erscheint nicht länger als jener bevorzugte Innenbereich, in den es hinabzusteigen gilt, will man einer andern als der von außen ‹gegebenen› Wirklichkeit gewahr werden.

Der menschliche Geist widerspiegelt sich im Universum des einzelnen sowohl wie einer ganzen Epoche. In sich eins ist es nur für den, der seiner eigenen Einheit gewiß ist; unendlich zerteilt aber erscheint es jenem Menschen, welcher keine einigende, in eine Mitte versammelnde Haltung mehr kennt, aus der heraus er dem Wort ‹Seele› seinen vollen, unersetzlichen Wert zusprechen könnte.

Aber der ‹Humanismus› des 18. Jahrhunderts – wie übrigens auch derjenige unserer Tage – bleibt letzten Endes weit hinter allem zurück, was bei den Griechen und dann bei den Italienern der Renaissance diesen Namen trug. Ἄνϑϱωπος μέτϱον πάντων – der Mensch das Maß aller Dinge: das bedeutete im 16. Jahrhundert, daß der Mensch ein ‹Mikrokosmos›, ein ‹Auszug› des ‹Makrokosmos› sei; daß er in sich vollkommen eins sei, wie das Universum in sich eins ist; daß er folglich zur Einsicht ins Wirkliche nur gelangen könne durch Erkenntnis seiner selbst sowohl wie der magischen Beziehungen zwischen ihm und dem All. Dem Sensualismus und Intellektualismus freilich schien diese Anschauung jedes gesicherten Grundes zu entbehren; sie sollte aber dereinst neu aufleben bei den Romantikern, die zugleich dem Mythos, der Poesie und der Religion wieder ihre tiefe Bedeutung zurückgaben. Die eine Haltung entspricht Zeitaltern der ‹primitiven› Seele, die andere den Epochen ‹aufgeklärter› Geister. Das Selbstgefühl des Menschen mitsamt den daraus erwachsenden Hoffnungen ist vielleicht in der einen Haltung nicht minder kühn als in der andern, aber es ist ganz anderer Art. Bei den Rationalisten stützt es sich auf die augenscheinlichsten, an der Oberfläche tätigen Vermögen. Bei den Mystikern und Dichtern jedoch nährt es sich aus der Gewißheit, daß wir tief in uns selbst die Züge einer geheimnisvollen Wirklichkeit tragen, die uns unendlich übersteigt; und ein solches Selbstgefühl kommt letztlich der tiefsten Demut gleich. Es läßt Raum für die Angst des Menschen angesichts seiner Bedingtheit, für das unablässige Staunen über unsere Geheimnishaftigkeit, für das Eingeständnis, daß alle Kreatur einem unergründlichen Schicksal unterworfen ist, und es hält sich für berufen, auf jegliches Zeichen zu achten, durch das sich uns dieses Schicksal verbürgt. Für diese Haltung liegt im Mythos eine höhere Wirklichkeit als im Katalog des sinnlich Gegebenen, liegt in der Poesie ein höherer Auftrag als im gesellschaftlichen Verhalten, ist die Gegenwart des Göttlichen gewisser als logische Schlüssigkeit und Gravitationsgesetze.

Das 18. Jahrhundert war, zumindest obenhin und in seinem ersten Abschnitt, das *Jahrhundert ohne Staunen und ohne Angst* und also auch ohne echtes Vertrauen – denn seine Selbstsicherheit verdient diesen Namen nicht –: taub gegen die Stimme des Schicksals, blind für Zeichen und Bilder. Aber hinter dieser offenkundigen Selbstsicherheit litten einzelne an einem seelischen Unbehagen, in welchem sich eine Wende ankündigte. Lichtenberg und Moritz, Hamann und Herder, der junge Goethe und Jean Paul, andernorts Rousseau, ja selbst Diderot – alle, jeder auf seiner Stufe, eher taumelnd die einen, gestaltungskräftig die andern, beginnen sie die Welt wieder als Verlängerung ihres eigenen Ichs wahrzunehmen, ihr eigenes Sein als eingetaucht in den Fluß des kosmischen Geschehens zu erleben. Sie finden kein Genüge mehr an mechanistischer Seelenkunde, noch weniger an den eitlen intellektuellen Debatten. In dem, was sie schreiben, in ihrem Denken, Tun und Fühlen messen sie je länger, je mehr nur noch dem Wert bei, was sie in ihrer Ganzheit angeht und in Beschlag nimmt. Im Gegensatz zum vorausgehenden Empirismus und zur nachfolgenden Epoche der Wissenschaften schenken sie einzig jenen Einsichten Glauben, deren Wahrheit durch eine Art von innerem Schock erhärtet wird. Die Gewißheit verschiebt sich aus dem Bereich logischer Evidenz in den der leidenschaftlich-innigen Zustimmung. Wie immer gehen titanische Empörung und mystische Demut Hand in Hand; aber das prometheische Streben der Romantik und der vergöttlichende Geniekult stehen immerhin religiöser Unterwerfung und Ehrfurcht näher als die seelische Stumpfheit der Erfahrungswissenschaften. An die Stelle einer streng psychologischen Ausrichtung tritt von neuem das Erlebnis des Innern, tief und kühn genug, eine metaphysische Ära auferstehen zu lassen. Die Romantik wird dieses Abenteuer auf sich nehmen mit all seinen Gefahren, mit all seinen Möglichkeiten des Scheiterns und auch des Gelingens.

Und sie wird einige große Mythen zu neuem Leben erwecken: den von der allumfassenden Einheit, den von der Weltseele und den von der allmächtigen Zahl. Sie wird aber auch neu schaffen: Da ist die Nacht, Hüterin und Bewahrerin der geheimen Reichtümer – das Unbewußte, Heiligtum unserer verborgenen Zwiesprache mit der höchsten Wirklichkeit – der *Traum,* worin sich alles Geschaute verklärt, worin das Bild zum Symbol, zur mystischen Sprache wird.

DRITTES KAPITEL

WIEDERGEBURT DER RENAISSANCE

Nichts als die Höllenfahrt der Selbsterkenntnis bahnt
uns den Weg zur Vergötterung.   HAMANN

Das Bestreben, die Welt und den Menschen in wesenhafter Einheit zu begreifen,
durchwirkt das gesamte romantische Schrifttum; offen zutage tritt es nun aber
bei jenen Denkern des beginnenden 19. Jahrhunderts, die wir zusammenfassend
als ‹Naturphilosophen› zu bezeichnen pflegen. Daß ihre Interessen durchaus nicht
gleichgerichtet waren, ja einander manchmal deutlich zuwiderliefen, dürfen wir
freilich nicht übersehen. Da gab es spekulative Denker und Erfahrungswissen-
schafter, Okkultisten und Magnetiseure, Alchimisten und Chemiker, Christen
und Pantheisten, und nicht selten liefen quer zu all diesen Unterschieden Gegensätze politischer Natur. Es liegt uns hier jedoch nichts am historischen Detail;
uns soll es genügen, jene vorherrschenden Bestrebungen aufzuzeigen, in welchen
sich all diese Denker zu einmütiger Verurteilung des vergangenen Jahrhunderts
und zugleich zu eindringlicher Erforschung des Traumlebens zusammenfanden.

Immerhin, dieser romantische Irrationalismus hob weder so unvermittelt an,
noch war er so neuartig, wie es zunächst scheinen mag; verschiedene Geistes-
strömungen hatten seinen Durchbruch vorbereitet. Gewisse Leitgedanken fast aller
romantischen ‹Physiker› waren schon im Neuplatonismus der italienischen und
deutschen Renaissance zu Geltung gelangt. Ebenso wie Giordano Bruno betrachteten auch Kepler, Paracelsus, Nikolaus von Kues oder Agrippa von
Nettesheim das Universum als ein beseeltes Lebewesen. Nach ihrer Auffassung
sind alle Einzelwesen Emanationen des Alls, sind wesensgleich. Alles Lebendige
ist verbunden in universeller *Sympathie*. Daraus erklärt sich auch der allen
Renaissancedenkern gemeinsame Glaube an die *Magie*. Kein Geschehen, keine
Tat bleibt in sich selbst beschlossen; deren Auswirkungen teilen sich der
gesamten Schöpfung mit; und so erreicht denn auch die magische Operation das
fernste Seiende. Ins Lehrgebäude all dieser Philosophen gehört notwendig die
Astrologie. Die Wesensverwandtschaft von Natur und Mensch erlaubt nämlich
ohne weiteres die Annahme, jegliches Schicksal sei an den Gang der Gestirne
und an ihre Konstellationen gebunden. Der Mensch steht im Mittelpunkt der
Schöpfung. Als denkendem und bewußtem Geschöpf kommt ihm innerhalb der
Kette der Lebewesen ein hohes Privileg zu: In ihm spiegelt und erkennt sich
das Universum. Und umgekehrt findet der Mensch in sich selbst die ganze
Schöpfung wieder. Erkennen heißt: in sich selbst hinabsteigen. Es ist, nach
Paracelsus, nicht das Auge, das den Menschen sehen läßt, sondern der Mensch,
der das Auge sehen macht. Erkenntnis der Wirklichkeit kann nur durch die

reine innere Schau, durch eine erlebte *Experienz* vermittelt werden. Wie alle Mystiker, so sprechen auch diese Denker vom *Ursprung* Gottes in unserer Seele oder – wenn der bedeutungsreichen Sprache Claudels hiefür ein Wort entliehen werden darf – von einer ‹co-*naissance*›, von einem gemeinsamen Ursprung Gottes und unserer Seele. Einzig von dieser unserer Mitte aus können wir die Außenwelt in Wahrheit erkennen, und zwar durch eine neue Analogie, eine neue ‹co-naissance›; denn die sichtbare Schöpfung ist durch und durch *symbolisch* gewirkt, und eine jede ihrer Erscheinungen ist nichts anderes als eine Anspielung auf das Eine, das durch sie hindurch erkannt sein will.

Das All in Gesamtschau zu erfassen – dies war das unverrückbare Ziel der Renaissancedenker. Nie verfuhren sie analytisch. Gleich wie ihre Arzneikunst sich nicht einzelner Organe, sondern des ganzen Menschen annahm, so kannten sie in ihrem Forschen keine Spezialisierung; Teilwissen bedeutete ihnen Nichtwissen. Jeder Verengung des Menschlichen abgeneigt, konnten sie sich keinen andern ‹Humanismus› denken als einen das ganze Universum umfangenden; und nicht nur durch die äußeren Sinne haben wir am Universum teil, sondern durch tausend innere Entsprechungen. So führten ihre Wege letztlich alle vor das eine große Geheimnis: jene Formel zu finden, in der sich zugleich der Rhythmus des Alls und der analoge Rhythmus seiner lebendigen Glieder fassen ließe. Daher ihre mathematischen Spekulationen: Einzig die Zahl vermag einer Wirklichkeit gerecht zu werden, deren Wesen im Rhythmus gesehen wird.

Freilich wurde dann dieses mystische Analogie- und Symboldenken von der cartesischen und nachcartesischen Philosophie besiegt und aus der höheren Meditation verbannt. Daraufhin sank es wieder in den verborgenen Strom des Aberglaubens und der Geheimlehren hinunter. Aber es scheint, daß der menschliche Geist regelmäßig in diesen untergründigen Strom eintauchen muß, um sich vom schieren Rationalismus zu erholen, zu dem er sich jeweils von seinem Bedürfnis nach Erleichterung hat verführen lassen. Es fällt auf, welch große Bedeutung gerade im Jahrhundert der Aufklärung die Geheimbünde erlangt haben. Erhabenstes Gedankengut des Neuplatonismus – in Deutschland bekannt seit Meister Eckhart (welcher dessen Herkunft nicht kannte), seit Agrippa von Nettesheim, Paracelsus und dem Holländer Van Helmont, später von Jakob Böhme übernommen und mit biblischen Deutungen beladen – vermischte sich hier schließlich mit zahllosen Anschwemmungen aus dem Orient, die in die Tradition des Okkultismus eingegangen waren. In Frankreich erhielt diese Tradition neuen Auftrieb durch die reichlich plumpen Machenschaften des Martinez de Pasqualis und durch die Theosophie Saint-Martins, des *Philosophe inconnu*, in Deutschland durch die Geheimbünde und den Magier Eckhartshausen. Mit dem Analogieprinzip kreuzten sich nun Mythen, welche den Ursprung des Bösen erklären sollten. Danach sind Natur und Geist – insbesondere der menschliche – nicht nur wesensgleich, insofern sie beide Emanationen desselben Urgrundes sind; sondern die Verderbnis des menschlichen Geistes hat auch den *Abfall der Natur* bewirkt. Nach Saint-Martin hat sich der Mensch nicht demjenigen Licht zugewandt, zu dessen höchster Verkörperung er ausersehen war, sondern einem andern [168, I, 77f.]. Die Materie aber ist aus dem Sündenfall hervorgegangen; denn Gott erschuf sie, um den Sturz in den Abgrund aufzuhalten und dem Menschen eine Welt zu geben, in der er sich wieder auffangen könnte. Noch heute liegen zuinnerst im Menschen die Trümmer seiner ursprünglichen Auserwähltheit und dumpfe Erinnerungen an das einstige Paradies verborgen. Gelingt es ihm, die Zeichen, die ihm aus dem Innern gegeben werden, zu hören und in sich selbst hinabzusteigen, um sich aufs neue der in seiner Seele schlummernden Keime zu bemächtigen, so wird er dadurch erreichen, daß er in den göttlichen Schoß zurückkehrt und daß überdies die gesamte Schöpfung ihre ursprüngliche Einheit zurückgewinnt. Da er doch selbst den Abfall verschuldet hat, fällt ihm allein das Werk der Versöhnung, der Erlösung der Natur zu. «Ihm ist auferlegt, Gott dort nachzufolgen, wo er sich nicht mehr unmittelbar zu erkennen gibt. [...] Er folgt ihm in der Ordnung der geschöpflichen Offenbarungen und Emanationen, denn dort tut sich Gott nicht anders als in seinen Abbildern und Stellvertretern kund» [170, 166]. Nur deshalb dürstet den «Homme de désir» [169, Titel] nach Harmonie und Einheit, weil er in sich selbst Reste davon gefunden hat; denn nach etwas völlig Unbekanntem erwüchse ja kein Verlangen. «Alles strebt nach der Einheit zurück, von der es ausgegangen ist» [168, I, 19f.]. Die stärkste Triebkraft dieser Rückkehr: das menschliche Wort bewahrt in sich die Analogie zum *Logos*, der die Welt erschuf. Darum ist das Wirken des Dichters geheiligt und in höchstem Sinne schöpferisch. Aber auch die Musik vermag an der erlösenden Magie teilzuhaben, ist doch ihr Gesetz: die Zahl eine Spiegelung jener Zahlen, die dem Wandel der Gestirne, der Zeitalter und der Natur gebieten.

In Deutschland waren es Lavater, Hamann, Herder und Jacobi, die in die Gedankenwelt von Saint-Martin eindrangen, bevor sich dann die folgende Generation ihrer mit Leidenschaft annahm: Baader, Kleuker, Schubert, Zacharias Werner und viele andere Schriftsteller. Wenn ihr auch die meisten von ihnen, vorab die älteren, mit einigem Mißtrauen gegenüberstanden wegen des okkulten Sprachgebarens, so halfen sie doch mit, den heraufziehenden Irrationalismus zu kräftigen, neue Mythen zu schaffen, und damit begünstigten sie die Entstehung der romantischen Philosophie.

Hamann, der «Magus in Norden», versuchte sich wohl als erster in einer psychologischen Erforschung des Menschen, die, bedingt durch seine christliche Metaphysik, über eine bloße Beschreibung von Seelenvermögen und ihres Mechanismus hinausging. Seit seinen *Sokratischen Denkwürdigkeiten* (1759) machte

er sich dahinter, den Empirismus zu widerlegen, indem er sich des Analogie-
denkens bediente.

Wie der Mensch nach der Gleichheit Gottes erschaffen worden, so scheint *der Leib eine Figur
oder Bild der Seele* zu sein. Wenn uns unser Gebein verhohlen ist, weil wir im Verborgenen
gemacht, weil wir gebildet werden unten in der Erde; wie viel mehr werden unsere Begriffe
im Verborgenen gemacht und können als Gliedmaßen unseres Verstandes betrachtet werden.
Daß ich sie Gliedmaßen des Verstandes nenne, hindert nicht, jeden Begriff als eine besondere
und ganze Geburt selbst anzusehen. [175, II, 66]

Ebenso hat Hamann als einer der ersten, noch vor dem Sturm und Drang,
dem *Geniebegriff* größte Bedeutung beigemessen. Das sokratische δαιμόνιον,
der Genius, welcher Homer oder Shakespeare beflügelte – eitel und vergeblich,
ihn aus dieser oder jener Verknüpfung von Seelenvermögen erklären zu wollen!
Genialität bleibt unbegreiflich und widersetzt sich jeder rationalen Erklärung.

Diese eigenständige, auf keinerlei Seelenvermögen reduzierbare Region, der
unsere Ideen, unsere Begriffe, ja der die Genialität entspringt, dieser ‹unterirdische› Bereich in uns ist es, den man bald einmal als das *Unbewußte* bezeichnen
wird. Ein von Hamann selbst hervorgehobener Satz in seiner Entgegnung auf
Mendelssohns Kritik an der *Nouvelle Heloïse* (1762) beseitigt jeden Zweifel
daran, daß hier der erste Entwurf dieses romantischen Mythos vorliegt:

Alle ästhetische Thaumaturgie reicht nicht zu, ein unmittelbares Gefühl zu ersetzen, und
nichts als die Höllenfahrt der Selbsterkenntnis bahnt uns den Weg zur Vergötterung. [174, II,
76/175, II, 164]

Da klingt schon, in verwandter Sprache, jener Hauptgedanke des Novalis an:
«Nach Innen geht der geheimnisvolle Weg. In uns oder nirgends ist die Ewigkeit
mit ihren Welten – die Vergangenheit und die Zukunft» [358, II, 418]. Und
zugleich mit diesem Vertrauen ins unmittelbare Gefühl, in die Offenbarungskraft
der frei waltenden Intuition bekundet sich Hamanns Hoffnung, auf dem Weg
solcher Versenkung in die verborgenen Abgründe zuletzt zu einer übermenschlichen Macht zu gelangen.

Die *Aesthetica in nuce* (1762) baut diesen Gedanken aus und zeigt – immer im
Stil plötzlicher Erleuchtungen des ‹Magiers› – dessen Auswirkungen:

Leidenschaft allein gibt Abstraktionen sowohl als Hypothesen Hände, Füße, Flügel; – Bildern
und Zeichen Geist, Leben und Zunge – – Wo sind schnellere Schlüsse? Wo wird der rollende
Donner der Beredsamkeit erzeugt, und sein Geselle – der einsilbige Blitz? [...] Kurz, die
Vollkommenheit der Entwürfe, die Stärke ihrer Ausführung; – die Empfängnis und Geburt
neuer Ideen und neuer Ausdrücke; – die Arbeit und Ruhe des Weisen, sein Trost und sein
Ekel daran, liegen im fruchtbaren Schoße der Leidenschaften vor unseren Sinnen vergraben.
[175, II, 208 f.]

Der ganze Reichtum unseres Lebens liegt also im Abgrund des Unbewußten.
Wie aber ist er zu heben? Wie ist diese innere Höllenfahrt zu bewerkstelligen? Durch Sprache und Poesie. Denn:

Sinne und Leidenschaften reden und verstehen nichts als Bilder, in Bildern besteht der ganze Schatz menschlicher Erkenntnis und Glückseligkeit. [...] Poesie ist die Muttersprache des menschlichen Geschlechts; wie der Gartenbau älter als der Acker: Malerei – als Schrift: Gesang – als Deklamation: Gleichnisse – als Schlüsse: Tausch – als Handel. [197]

In der Frühe der Menschheit, so stellt sich Hamann vor, befanden sich unsere Urahnen bald in tiefem Schlaf, bald in «taumelndem Tanz»; nachdem sie lange Zeit «im Stillschweigen des Nachsinnens oder *Erstaunens*» gesessen hatten, öffneten sie auf einmal ihren Mund zu «geflügelten Sprüchen». Am Anfang war also nicht die Tat, der Erwerb von Fertigkeiten, sondern die ganz andersartige Besitzergreifung von der Welt: die Schau. Das Erstaunen vor der Welt, von dem die ersten Geschöpfe und auch der «erste Geschichtsschreiber der Schöpfung», das heißt die biblische Mythe, ergriffen waren, die erste Erscheinung der Natur und die erste Wonne, die der Mensch daran empfand, dies alles ist ausgedrückt in dem einen Wort: Fiat Lux – Es werde Licht! «Hiermit fängt die Empfindung von der *Gegenwart der Dinge* an» [*]. So geht Hamann auf den Mythos als offenbarungskräftigsten Bericht zurück, und er selbst begegnet ihm mit der gleichen Ergriffenheit. Weil er selbst des Staunens fähig ist, vermag er in der biblischen Erzählung jene gewaltige Erschütterung nachzuerleben, welche im ersten Lichtstrahl von der jungen Geschöpflichkeit ausgegangen sein mußte: Plötzlich sind sie da, die *Dinge,* in ihrer frühesten Frische, in der Fülle ihrer Bedeutung, so wie sie uns nie wieder erscheinen werden, außer in begnadeten Augenblicken: so wie sie sich dem Dichter darbieten.

Wenn aber der Mensch dieses poetischen Schauens fähig ist, so wird er selbst durch und durch licht. Der Schöpfergott schuf sich den Menschen zum *Ebenbilde*; hierin liegt das Geheimnis menschlicher Bestimmung. Es ist im wesentlichen die Unsichtbarkeit, welche der Mensch mit seinem Schöpfer teilt: «Die verhüllte Figur des Leibes, das Antlitz des Hauptes und das Äußerste der Arme sind das sichtbare Schema, in dem wir einhergehen; doch eigentlich nichts als ein Zeigefinger [das heißt *Zeichen*] des verborgenen Menschen in uns» [198*]. Das Unbewußte, die ‹unterirdische› Wirklichkeit, das innere Mysterium wird hier unvermittelt als Gegenwart einer göttlichen Seele aufgefaßt oder als ‹Analogon› zu dem in der Natur unsichtbaren und zugleich sichtbaren Gott. Genau so wie unser Leib hat auch das sinnenfällige Universum rein symbolische Bedeutung. Von dieser den Dingen selbst und der Schöpfung insgesamt innewohnenden Symbolik besitzt Hamann ein so tiefes Wissen wie kaum noch einer, außer Claudel. Die Schöpfung ist für ihn

eine Rede an die Kreatur durch die Kreatur; denn ein Tag sagt's dem andern, und eine Nacht tut's kund der andern. Ihre Losung läuft über jedes Klima bis an der Welt Ende, und in jeder Mundart hört man ihre Stimme.

Ursprünglich offenbarte sich das Unsichtbare im Sichtbaren rein und vollkommen; jedoch «die Schuld mag liegen, woran sie will, außer oder in uns»:

Für uns ist die Natur nichts als ein durcheinandergeworfenes Gedicht, «disiecta membra poetae». Das Geschiedene zu sammeln, ist des Gelehrten, es auszulegen, des Philosophen, es aber nachzuahmen – oder noch kühner: es wieder in die schickliche Einheit zu bringen, dies ist einzig des *Dichters* Beruf. Nur ihm ist gegeben, die vollkommene, reine, die «Engelssprache» wiederzufinden, in der das sichtbare Symbol und die in ihm aufscheinende Wirklichkeit eins werden [198f.]. Der Poesie ist aufgetragen, die Ursprache aufs neue zu erschaffen, das schauende *Staunen* in eins mit der ursprünglichen *Gegenwärtigkeit der Dinge* wieder zu erwecken.

Was hier Hamann aus dem Schatz persönlicher Erfahrung schöpft, werden nachher auch die meisten Romantiker auf verwandten Pfaden finden, denn zu solchen Einsichten gelangt, wer nur immer zu staunen und sich dem Universum zu öffnen vermag. Die Vorstellung von der Natur als einer Symbolsprache gibt den Romantikern die Grundlage für ihre Ästhetik, und einige, besonders Schubert, stützen sich darauf in ihrer Traumdeutung.

Hamann selbst scheint am Traum kein Interesse gefunden zu haben; zumindest einmal jedoch veranschaulicht er seinen Abstand vom Rationalismus mit einem Hinweis auf den Schlaf. In einem Brief aus dem Jahre 1759 – aus der Zeit also, da ihn in einer Art von innerer Bekehrung plötzlich jene Grundüberzeugungen überkamen, die er in der Folge sein Leben lang entwickelte – stellt er dem Primat des Selbstbewußtseins ein theozentrisches Argument entgegen:

Den Begriffen des Klopstocks zufolge besteht das physische Wachen in demjenigen Zustande eines Menschen, da er sich selbst seiner bewußt ist; dies ist aber der wahre Seelenschlaf. Unser Geist ist nur alsdann wachend anzusehen, wenn er sich *Gottes bewußt, ihn denkt und empfindet*; und die Allgegenwart Gottes in und um sich erkennt [...]. Alles ist wahr für ihn [= einen Träumer], und doch ist alles Betrug: alles was um ihn vorgeht, derjenige der mit ihm redet, die Gefahr, die ihn umringt, das Glück, das auf sein Aufwachen wartet, ist ihm aber nicht gegenwärtig und Nichts für ihn. Er sieht, er hört, er versteht nichts, in der Theorie seiner Träume vielleicht unendlich mehr als der Wachende an seinem Bett. Der Mondsüchtige [...] führt gefährliche Unternehmungen mit mehr Sicherheit aus, als er mit offenen Augen tun könnte und tun würde. [176, I, Nr. 152]

Wahres Bewußtsein ist allein das Bewußtsein von Gott oder ein uns von Gott verliehenes Bewußtsein, das in keiner Weise zusammenfällt mit der Gewißheit unseres ‹Wachens›. Hamann vertraut einzig auf die innere Erfahrung, an der wir mit unserem ganzen Wesen, nicht nur mit den Verstandeskräften beteiligt sind.

In diesem wichtigen Punkt unterscheidet sich Hamann nun allerdings nicht nur von den Rationalisten, von seinen Zeitgenossen also, sondern ebensosehr von seinen irrationalistischen und romantischen Schülern. Wenn er sich im Gegensatz zu Friedrich II., dem «grand philosophe de Sans-Souci», den «petit philosophe de grand soucy» zu nennen pflegte, so wollte er dies so verstanden wissen, daß es eigentlich eine religiöse Beunruhigung sei, die ihm zu schaffen mache.

Und zwar nicht einfach Unruhe und persönliches Erlebnis im Sinne eines
Fideismus oder eines natürlichen Frömmigkeitsgefühls – sondern die Sorge um
die Bestimmung des Menschen, da sie nun einmal mit der Welt und ihren
Übereinkünften nicht zusammenstimmt, da sie Ärgernis erregt. Genialität und
Glauben sind einander zugeordnet; beide trachten nach Umsturz. Wie das Genie
sich in Begeisterung und Humor ausdrückt, also in einem höchst originalen,
überraschenden, revolutionären Stil, so steht der Glaube in dialektischem Widerspruch zu aller rein irdischen Zielsetzung. Ein solch paradoxes, paulinisches
Christentum weist bereits voraus auf Kierkegaard, der ein eifriger Leser von
Hamanns Schriften war. Die *Existenz* übersteigt alles Verstehen; der Glaube ist
ein Akt, eine Umwendung des ganzen Menschen, und dadurch steht er über
aller Vernunft und ist für diese ein Ärgernis. Er bekundet sich nicht in universeller Zustimmung, vielmehr in völliger Seinsverwandlung.

Dieses Christentum, das Hamann einzig und allein der Bibel entnommen zu
haben scheint, hebt ihn nun klar von der romantischen Religiosität ab. Freilich
ist man in den Kreisen um Schleiermacher keineswegs mehr der optimistischen
Überzeugung des 18. Jahrhunderts, als müßten Glaube und Vernunft notwendig
übereinstimmen; aber man verläßt sich ganz auf das unmittelbare religiöse
Gefühl und vertraut auf die Harmonie von Natur und Glauben. Wenn Hamann
selbst manchmal von einer Wesensverwandtschaft von innerem Sinn und Glauben
spricht, so heißt das bei ihm etwas anderes: Der Mensch ist Gott ähnlich
einzig in seiner verborgenen Mitte, zu der er nur durch eine völlige Umkehr
gelangen kann, und dadurch wird er zu einem ‹neuen› Menschen.

Wenn Hamann, des dramatischen und unbedingten Charakters seines Christentums wegen, sich von den Pietisten und Fideisten deutlich unterscheidet, so
teilt er hingegen mit der gesamten Epoche, deren bedeutendster Wegbereiter
er ist, dies eine: das unmittelbare Gefühl für Einheit und das beständige Verlangen danach. In seiner Psychologie, in seiner Ästhetik wie in jeder Zeile
seiner Schriften ist er ganz und gar durchdrungen von der Vorstellung der
unteilbaren, organischen Alleinheit. Mitten im Jahrhundert des endlosen
Scheidens und Zergliederns schreitet er unbeirrt weiter in seiner intuitiven,
allumfassenden Methode und geht nur von Erfahrungen aus, die das Ganze
betreffen. Sein wunderbar unbändiger Stil beruht darauf, daß er einzig und
allein die in seinem Innern aufblitzenden Erleuchtungen zur Sprache bringen
will, ohne sie erst noch in eine logische Beziehung zu zwingen. Die Natur
ist ihm eine fortwährende Rede, das Menschenwesen ein unsichtbares Ganzes,
die Poesie Wahrnehmung der einen verborgenen Wirklichkeit. Unermüdlich
hält er sich an den Grundsatz:

Alles was der Mensch zu leisten unternimmt, es werde nun durch Tat oder Wort oder sonst
hervorgebracht, muß aus sämtlichen vereinigten Kräften entspringen; alles Vereinzelte ist
verwerflich. [174, I, 13]

Goethes Bedenken gegen diese *lex continui* ist aufschlußreich und läßt uns eine der wichtigen Gelenkstellen dieser Epoche erkennen, einen der Divergenzpunkte, von dem mancherlei verschiedenartige, ursprünglich aber identische geistige Erfahrungen ausgehen.

Eine herrliche Maxime! aber schwer zu befolgen. Von Leben und Kunst mag sie freilich gelten; bei jeder Überlieferung durchs Wort hingegen, die nicht gerade poetisch ist, findet sich eine große Schwierigkeit: denn das Wort muß sich ablösen, es muß sich vereinzeln, um etwas zu sagen, zu bedeuten. Der Mensch, indem er spricht, muß für den Augenblick einseitig werden; es gibt keine Mitteilung, keine Lehre ohne Sonderung. *(Dichtung und Wahrheit,* 12. Buch)

Die ganzheitliche Schau des Alleinen war Goethe so wenig fremd wie Hamann; aber sein ausgeprägter Sinn für den Augenblick, für die Präsenz des Ewigen hic et nunc, ließ ihn von einer solch universellen Analogie abrücken; er versprach sich davon letztlich nur Verwirrung und hielt dementgegen fest an der Notwendigkeit von Begrenzung und Maß. Es scheint zwar, als denke Goethe hier nur an die Bedürfnisse der täglichen Sprache (und wie weit entfernt ist er von Hamanns mystischer Sprachauffassung!), während er zugibt, für das poetische Geschäft möge es förderlich sein, alle Trennung und Sonderung zu verwerfen. Und doch ist es ein ästhetisches Bedenken, das ihm seinen Vorbehalt eingibt: Er spricht als Künstler, als Bildner und in vollem Vertrauen auf ein ‹plastisches› Erleben. Das Kunstwerk ist ein Objekt, und als solches ist es *begrenzt.* Wohl trägt dieses Objekt, trägt seine Gestalt das Unendliche in sich, aber wir können es nur gewahren, indem wir uns ans Objekt halten und es in seiner reinlichen Abmessung lieben. Das gleiche gilt für den Augenblick, in dem sich die Ewigkeit zusammendrängt, der aber für uns ein Augenblick bleibt. Seine Grenzen werden erst die Romantiker zu sprengen trachten, die, völlig hingegeben dem strömenden Leben, unmittelbar ins Unendliche tauchen wollen und in ihm die Wollust der Auflösung suchen. Nichts scheidet sie deutlicher von Goethe, der aber dennoch mit ihnen sowohl wie mit Hamann den Begriff des organischen Ganzen gemein hat.

In anderem wieder rücken Goethe und die Romantiker in gleicher Weise von Hamann ab. So erscheint bei diesem nirgends der für alle Naturphilosophie wesentliche Begriff lebendiger Entwicklung. Hamann scheint den Menschen als einen Organismus aufzufassen, das heißt als ein Ganzes, dessen Teile unauflöslich miteinander verbunden und voneinander abhängig sind, und dieses Ganze ist seinerseits wieder unveräußerlicher Teil eines größeren Ganzen: des Universums. Aber als kontemplativer Denker, dem an religiöser Erfahrung und geistigem Wissen alles liegt, ergänzt Hamann den Begriff des Organismus noch nicht um sein notwendiges Gegenstück: den des Lebens, der unaufhörlichen Bewegung. Damit der universelle Organismus auch Leben erhalte, bedürfte es einer vertieften Kenntnis der Natur, einer den Naturwissenschaften weniger abgeneigten Philosophie und vor allem einer in sich selbst dynamischeren Geistesart, wie sie Goethe und den Romantikern eigen war. Andere Einwirkungen – von

Hemsterhuis, Jacobi – ebneten den Weg dahin, und Herder tat einen entscheidenden Schritt.

Herders Psychologie ist reich an Eingebungen, welche die Romantiker nicht überhören werden. Eingenommen für die Anliegen des Sturm und Drangs, zu dessen wichtigsten Anstiftern er gehörte, gleichzeitig aber in christlicher Orthodoxie verharrend, legt Herder alles Gewicht auf das Gefühl und die Einbildungskraft im Gegensatz zu den Verstandeskräften. Er hält nicht mehr nur das Gefühl für unfehlbar, sondern vor allem die dichterische Einbildungskraft, der er, Hamann folgend, eine überragende Rolle zuerkennt. Vom Magus in Norden borgt er sich aber auch die beiden Ideen der universellen Symbolik und des organischen Kosmos, fügt jedoch sogleich das Prinzip einer lebendigen Wirkkraft hinzu, wodurch das starre Weltbild Hamanns, Jacobis und Hemsterhuis' zutiefst umgestaltet wird. Das sinnliche Universum hat Symbolwert; es ist ein lebendig bewegter Organismus, in dem sich durchwegs eine *göttliche Kraft* am Werk erweist. Unter ihrem Walten befindet sich die gesamte Natur in einem stufenweisen Aufstieg, der unmittelbar in Erscheinung tritt in der fortschreitenden Evolution der Tiergattungen und des Menschengeschlechts.

Der stetige Fortschritt, den die Aufklärung siegesbewußt aufs Panier der Vernunft gesetzt hatte, gilt Herder als das Gesetz der Welt selbst und ihrer biologischen Entwicklung. Hier liegt «das große Geheimnis der Fortbildung, Verjüngung, Verfeinerung aller Wesen, dieser Abgrund von Haß und Liebe, Anziehung und Verwandlung» [179, 170]. Die Gottheit, diese unaufhörlich im Werden begriffene Kraft, offenbart sich uns in den zwei gleichlaufenden Evolutionen der Natur- und der Menschengeschichte. Hier wie dort ist es die eine Flamme des Geistes, die zu fortwährender Verwandlung, zu Entfaltung immer höherer Formen und Gestalten antreibt. Herders eigentliches Vermächtnis an die Philosophie seiner Zeit besteht darin, daß er in das Studium der Geschichte wie der Entstehung der Sprachen und Literaturen dieses energetische, vitalistische Verständnis eingeführt hat. Es genügt ihm nicht mehr, dem Rationalismus die Intuition des inneren Sinns entgegenzusetzen oder die Entsprechungen zwischen dem Einzelnen und dem übergreifenden organischen Ganzen. Er behauptet vielmehr, die Vernunft sei gar nicht imstande, die Natur zu erfassen, denn diese sei *lebendig*.

Das Wissen aus Analogie, bei Hamann auf der Übereinstimmung zweier gegebener, aber noch statischer Naturen beruhend, gewinnt bei Herder jene *rhythmische* Bedeutung zurück, die es einst für die Renaissancedenker gehabt hatte. Analogie besteht nicht mehr nur vom menschlichen zum göttlichen Wesen, sondern von meinem je eigenen Leben zum stillen Fortgang der Natur.

Wie seine kosmische Schau, so empfängt auch Herders Psychologie ihr Gepräge von diesem Streben nach lebendig-bewegter Einheit. «Der innere Mensch mit

all seinen dunklen Kräften, Reizen und Trieben ist nur *einer*. Alle Leidenschaften [...] hangen durch unsichtbare Bande zusammen» [178]; sie alle sind
vom einen Geist, von der einen Flamme beseelt, und wir brauchen nicht, wie
die «Philosophen» tun, vor dem Abgrund dunkler Empfindungen zurück-
zuschrecken, aus dem jene zu Unrecht eine «Seelenhölle» haben machen wollen
[179]. Wenn es auch notwendig ist, daß die Seele über ihre tiefsten Tiefen
hinwegsieht, wenn sie um ihrer Stärke und Sicherheit willen solch «glücklicher
Unwissenheit» bedarf, so ist es nicht minder wahr, daß wir gerade aus diesen
verborgenen Gründen unsere besten Leidenschaften empfangen [185]. Der große
Irrtum der Sensualisten lag in der Annahme, unser Wissen werde einzig aus
äußerer Empfindung gespeist, während doch menschliche Erkenntnis von tausend
inneren Empfindungen herrührt, deren Zufluß die *Einbildung* begründet, dieses
höchste innere Vermögen; sie wirkt nicht nur Bilder, «sondern auch Töne,
Worte, Zeichen und Gefühle, für die oft die Sprache keinen Namen hätte»
[189].

Herder hat, als genialer Ideenspender, nur durchblicken lassen, zu welcher
Fülle von Einsichten seine Psychologie der verborgenen Quellen Anlaß geben
könnte. Immer wieder riefen ihn andere Aufgaben, die theologische Erklärung
des Bösen, die Beschäftigung mit Geschichte und Poesie, und so überließ er es
andern, Goethe und den Romantikern, seine organische und dynamische Schau
des Kosmos wie auch seine Auffassung vom Unbewußten zu verdeutlichen und
zu vervollkommnen. Und doch bleibt er in dieser Hinsicht der Inspirator und
Lehrmeister für die meisten seiner Nachfolger.

Schwieriger zu bestimmen ist Goethes Beitrag zur Entwicklung der Naturphilosophie. Mit den meisten Physikern und Naturforschern seiner Zeit pflegte er
persönliche Beziehungen, und er teilte mit ihnen manche wesentlichen Gesichtspunkte. Aber selbst in seiner wissenschaftlichen Tätigkeit hielt er sich an seine
persönliche Fragestellung. Waghalsige Hypothesen und metaphorischen Über-
schwang, wofür sich die Romantiker oftmals begeisterten, lehnte er ab. Sein
Ausgangspunkt war weder eine religiöse Erleuchtung wie bei Hamann noch eine
metaphysische und dichterische Not wie bei so vielen Romantikern, sondern die
Bemühung um ein Gleichgewicht, das immer wieder von inneren Krisen gefährdet
und immer wieder von schöpferischer Selbstverwirklichung begünstigt wurde.

Auch für Goethe ist der Mensch das Maß aller Dinge, aber in wesentlich
anderem Sinne als für Saint-Martin und die Okkultisten. Ihm gilt das organische
Universum als göttlich auch ohne die Annahme eines Schöpfers; dem Maß und
Gesetz, das ihm innewohnt, untersteht auch der Mensch. Wie jeder Augenblick
sich selbst genügt und rechtfertigt, so bildet jeder Mensch eine Ganzheit, die
ihre Grenzen hat und sich selbst ihre eigene Vollendung schuldet. Er komme
zuerst mit sich selbst ins reine, bevor er sich nach allen Richtungen hin

öffnet, geheime Zeichen und Ähnlichkeiten aufzuspüren. Das organische Universum ist in sich selbst gekehrt in der vollkommenen Gestalt einer Kugel, und am Menschen ist es, an seinem Platz in diesem Organismus als ein vollkommenes Organ zu erscheinen.

So bildet sich in Goethe ein Gleichgewicht heraus derart, daß dem Sinn für das Unendliche, der ihn zu mystischer Auflösung ins Alleine zu verführen droht, auf der andern Seite ein ausgeprägter Sinn für das Besondere, Begrenzte entgegenwirkt, und dies ist der wahrhaft ästhetische Sinn. Goethe wendet auf das Universum wie auf die Stellung des Menschen im Kosmos das Gesetz der Kunst an, die wohl das Ewige ergreift, aber nur im Augenblick, die wohl des Unendlichen gewahr wird, aber nur in der klar umrissenen Gestalt.

Selbst dort, wo sich seine naturphilosophische Sprache mit derjenigen der Romantiker zu berühren scheint, versteht sie Goethe nicht genau gleich. Wie für Herder, so gilt auch für ihn, daß die eine Gestaltungskraft alle Gestalten hervortreibt; aber sie zielt auf Spezifikation, und das Charakteristische, Unterscheidende, die Stufenfolge der Gestalten ist ihm wichtiger als der gemeinsame Ursprung. Durch und durch Künstler, beugt er sich lieber über die besonderen Erscheinungen, als daß er nach ihrer gemeinsamen Bedeutung fragte. Der Mensch, so sagt er sich, ist nicht dazu da, die Rätsel der Welt zu lösen; vielmehr forsche er nach des Rätsels Anfang und bescheide sich dann in die Grenzen des ihm Erreichbaren.

Wie weit sich auch Goethe in solcher Bescheidung von aller romantischen Verwegenheit fernhielt, so besaß er doch von der *Lebendigkeit* des Universums keineswegs ein geringeres Wissen als irgendeiner seiner Zeitgenossen. Wenn er es sich versagte, durch die Dinge hindurch darnach zu fragen, was sich in ihnen versinnbildliche, wenn er die Verwirklichung wahrer Menschheit darin erkannte, daß der Mensch sich in souveräner Schau der Dinge selbst versichere, so war er nicht weniger vom Glauben durchdrungen, in jedem festgehaltenen Augenblick, in jedem angeeigneten Gegenstand rühre er ans Ewige, nicht als an eine unwandelbare Substanz, sondern als an eine lebendig bewegte Wirklichkeit:

> Nur scheinbar steht's Momente still.
> Das Ewige regt sich fort in allen:
> Denn alles muß in Nichts zerfallen,
> Wenn es im Sein beharren will.
> («Eins und Alles»)

Aber auch darin hebt sich Goethe von seinen Zeitgenossen ab, daß er im Unbewußten nichts Göttliches zu verehren bereit war. Nicht als hätte er dessen Dasein geleugnet oder dessen Reichtum verkannt – aus seiner dichterischen wie aus seiner Lebenserfahrung war ihm sehr wohl bekannt, daß jedem Menschen zuzeiten beschieden sei, wieder in jene verborgenen Wurzelgründe zu versinken, ja daß insbesondere alle Genialität im Unbewußten wirke. Aber eine bloße magische Beschwörung des Schattenreiches in der Absicht, Stück um Stück dem Dunkel zu entreißen, nahm er nie für voll. Und noch weniger war er zum Zugeständnis bereit, einem unüberprüften, vom Unbewußten diktierten Stammeln komme irgendein künstlerischer Wert zu. Es erschien ihm als eine weise Vorsehung der Natur, ihre Schatzkammern unserer Macht entzogen zu haben. Jenen gestaltlosen Eingebungen *Gestalt* zu verleihen und hinwiederum bescheiden anzuerkennen, daß der volle Sinn des Gestalthaften unergründlich bleibe, sich also auf das Erforschliche zu beschränken, dies ist nach Goethe die Bestimmung nicht nur des Dichters: des Menschen.

Während Mystiker, Dichter und Denker mit dem Entwurf solch neuer Gedanken beschäftigt waren und aus dem herrlichen Ideenreichtum dieser Epoche überall die Keime einer irrationalistischen Philosophie des Gefühls, der allerfassenden Intuition, des lebendigen Werdens hervordrängten, empfingen die Wissenschaften durch den herrschenden Empirismus einen derartigen Auftrieb, daß sie dazu berufen schienen, der vordringenden Mystik Einhalt zu gebieten. Das 18. Jahrhundert hatte eine erschöpfende Beschreibung des sinnlichen Universums unternommen und auch weitgehend verwirklicht; auf Wegen, die weitab von jeglicher Subjektivität verliefen, war es von Entdeckung zu Entdeckung um den menschlichen Fortschritt beflissen.

Die Geister sammelten sich in zwei unversöhnlichen Lagern, die einander mit Argwohn, Hohn und Feindschaft bedachten: Die Rationalisten und Sensualisten glaubten, für den Menschen sei die Stunde gekommen, seine Herrschaft über die Materie anzutreten, über eine objektive Welt, deren Wirklichkeit nicht zu bezweifeln sei. Und in ihrer Gegenwart erkühnten sich die Jünger Jean-Jacques', die in den Mystikern Belesenen, die geheimbündlerischen Okkultisten und Pietisten, die Aufwiegler der Sturm-und-Drang-Bewegung, vom Primat des Gefühls, von der symbolischen Bedeutung der Natur, von einer Wirklichkeit jenseits dieser handgreiflichen Welt zu sprechen. Sie verhießen dem Menschen eine ganz andere Macht als jene über die mechanischen Kräfte des sinnenfälligen Universums, nämlich die Macht über Wirklichkeitsbereiche, die zugleich jenseits und in unserem Inneren lägen.

Und doch kam es da allgemach zu einer seltsamen Vertauschung der Fronten: Eben gerade die sich überstürzenden Entdeckungen in den Wissenschaften erregten ein derartiges Erstaunen, daß sich die Rationalisten beinahe zur Anerkennung dessen gezwungen sahen, was sie zuvor verworfen hatten, während ihre Gegner die neuen Tatsachen für sich beanspruchten, um mit ihrer Hilfe all das verstreute Gedankengut zu bündiger Einheit zu bringen, das sie in ihrer spekulativen Begeisterung der Regellosigkeit überantwortet hatten. Ihrem ‹analogischen› Verfahren getreu übertrugen sie die naturwissenschaftlichen

Entdeckungen ohne Bedenken auf das Gebiet der Psychologie; was für die Natur galt, mußte auch für den Menschen gelten, da doch zwischen beiden nicht nur Ähnlichkeit, sondern Wesensgleichheit bestand.

Die Chemie, welche die von der Renaissance verehrte antike Alchimie besiegt hatte und zunächst einer mechanistisch-atomistischen Naturauffassung das Wort zu sprechen schien, lieferte den Vorkämpfern des Einheitsgedankens die ersten Waffen. Sie sahen in Priestleys Entdeckung des Sauerstoffs den Beweis dafür, daß ein und dasselbe Lebenselement über das organische wie das anorganische Reich gebiete. Der die Verbrennung sowohl wie das menschliche Leben ermöglichende Wirkstoff konnte als das gesuchte Bindeglied der zwei getrennten Welten gelten.

In der Physik riefen Galvanis Arbeiten über die Elektrizität und noch mehr Franz Anton Mesmers magnetische Experimente allgemeine Begeisterung hervor. Bald nahm sich der Snobismus der Entdeckungen an, magnetische Heilkuren fanden gewaltigen Zulauf, und den Philosophen der Salons und Fakultäten bot sich herrliche Gelegenheit zu Disputen, halsbrecherischen Hypothesen und geschraubten Erklärungen. Denn auch hier wiederum schien eine einzige Kraft die Materie und den Geist zu beherrschen, so daß all jene, welche das Universum durch ein und denselben, überall gleichen Prozeß erklären wollten, sich zu den höchsten Hoffnungen berechtigt fühlten.

Die Mediziner übernahmen diese physikalischen Erkenntnisse und entwickelten die absonderlichsten Heilverfahren. In ihren ‹sympathetischen› Kuren erlebte die Sprache des Paracelsus und der einstigen Magier ihre Wiederkunft. Zwischen dem Bau des menschlichen Organismus und dem des Kosmos wurden endlose Analogien aufgedeckt, und man versuchte die Anwendung der Heilmittel darauf abzustimmen.

In der Geologie entbrannte ein lebhafter Streit zwischen Neptunisten und Vulkanisten. Die einen leiteten die Erdgestalt aus maritimem Ursprung her, aus seismischem die andern. Immerhin deckten sich die beiden Auffassungen in der Annahme, der Weltentstehung liege ein einheitliches Bildungsprinzip zugrunde. Der Freiberger Geologe Abraham Gottlob Werner, der Baader, Steffens, Novalis und Schubert zu seinen Schülern zählte, lehrte sogar, daß zwischen dem innern Bau der Natur und der Grammatik des Wortes, dieser eigentlichen «Sprachmineralogie», eine tiefe, wenn auch unauffällige Verbindung, eine geheime Analogie bestehen müsse.

Ein neues Zeitalter des Denkens brach an, und wie immer eilten die Dichter der Erfahrung der Philosophen voraus. Sie schrieben seinen Mythos nieder und durchlitten – so will es das Schicksal des Dichters – das geistige Drama ihrer Zeit, das bei einem jeden von ihnen mit seinem persönlichen Drama verschmolz. Was sich zunächst nur zaghaft in Briefen und Tagebüchern, in der rührenden, unbeholfenen Bildersprache verschwiegener Glaubensbekenntnisse angekündigt hatte, griff mehr und mehr auf das Denken einiger großer Geister über; aber nur halbwegs überzeugt und mit sich uneins, verhielten sie sich vorläufig noch zögernd. Erst die folgende Generation – die der Tieck, Novalis, Schlegel – nahm die neuen Gedanken ganz ernst, ja zuweilen tragisch ernst. Indem sie ihnen die Stimme der Beschwörung oder personhafte Wirklichkeit lieh, verhalf sie ihnen zu ungeheurer Macht. Erst in einer veränderten, empfänglicheren Welt und erst nachdem diese Ideen durch die Zauberkraft der Dichter lebendig und konkret geworden waren, sich gleichsam inkarniert hatten, erst jetzt konnten sie von den Philosophen der systematischen Vollendung zugeführt werden. Aber diese gänzliche Auferstehung eines Irrationalismus, der schon im Neuplatonismus und in der Renaissance herrliche Höhepunkte erlebt hatte, vollzog sich nicht ohne mancherlei Gestammel und Überspanntheiten.

VIERTES KAPITEL

EINHEIT DES KOSMOS

> Il est une vérité au fond de nous obstinément prenante
> [...], c'est que l'homme porte en lui les racines de
> toutes les forces qui mettent le monde en œuvre, qu'il
> en constitue l'exemplaire abrégé et le document di-
> dactique. Comprendre, c'est communier, c'est joindre
> au fait ses clefs que nous avons en nous. CLAUDEL

Die Philosophiegeschichte täuscht sich für gewöhnlich in der Einschätzung der ‹Naturphilosophen›, indem sie in ihnen lediglich die populären Ausmünzer von Schellings Denken sieht. Diese Herabsetzung ist völlig ungerechtfertigt. Es verschlägt wenig, hier Prioritätsfragen zu stellen. Aber gewiß ist, daß ein Baader oder ein Novalis, ein Kielmeyer oder selbst ein Steffens in mancher Hinsicht Schelling den Weg geebnet haben, gewiß auch, daß Schellings Philosophie nicht hinreicht, einige der überraschendsten Einsichten seiner angeblichen ‹Schüler› zu erklären. Wenn es der tüchtigste, fähigste Systematiker ist, der den Namen des Meisters verdient unter all denen, die ihn umgeben und die, selbst ohne ihn zu kennen, am philosophischen Gebäude ihrer Zeit mitarbeiten, so darf freilich Schelling diesen Namen für sich beanspruchen. Aber wichtiger als eine frucht-lose Ermittlung von Einflüssen und Beziehungen ist die Einsicht, daß wir es hier mit einem breiten Strom eines originalen und überaus ertragreichen Denkens zu tun haben, und dazu haben eine ganze Reihe von sehr verschiedenartigen Denkern ihr Teil beigetragen. Keiner von ihnen war Schöpfer einer großen Philosophie, das läßt sich nicht bestreiten; auch befinden wir uns hier im Grenz-bereich zwischen Dichtung, reinem Denken und religiöser Haltung.

Der Strom dieses Denkens, das seine theoretische Ausprägung in der Natur-philosophie erhielt, trat gleichzeitig in ganz Deutschland hervor, und zwar bei Gelehrten sehr unterschiedlicher Herkunft und verschiedenen Alters. Die meisten hatten medizinische oder naturwissenschaftliche Fakultäten durchlaufen, viele die Freiberger Bergakademie, während andere lutherische Theologie studiert oder lange Zeit vertraulichen Umgang mit katholischen Mystikern gepflegt hatten.

Berlin und Halle, die Hochburgen der Aufklärung, traten den Rang an andere Zentren ab, an jene nämlich, welche Geburt und Höhepunkt der romantischen Dichtung erlebten: Jena, wohin sich die wißbegierige Jugend von Goethes Nähe und von der Gegenwart Ritters, der Schlegel und des Novalis gezogen fühlten; Schwaben, die uralte Heimat der Mystiker; Wien, wo der italienische Magne-tiseur Malfatti seine Schüler in die Zahlenspekulation einweihte, während der Norweger Steffens die neuen Ideen in Preußen verbreitete. In der Entfaltung der

Naturphilosophie spielte Bayern eine sehr wichtige Rolle. Seine Hochschullehrer und seine Ärzte – etwa der berühmte Dr. Marcus in Bamberg – gehörten zu den ersten, die den mystischen Theorien ergeben waren.

So ist es denn auch ein Münchner, der als originellster aller romantischen Denker, als Schöpfer der meisten ihrer Ideen gelten darf: Franz von Baader (1765–1841), unter dessen Einfluß Schelling ebensowohl wie die magnetisierenden Ärzte, Schlegel und Novalis wie Steffens standen. Keiner führt den Typus des ‹romantischen Physikers› besser vor Augen als er. Arzt, bevor er in Freiberg das Bergwesen studierte, Fürsprecher Saint-Martins in Deutschland (nach Matthias Claudius), Freund Lavaters und eifriger Leser der alten Mystiker, ließ sich dieser einzigartige Mann nichts von all dem entgehen, was irgend für die geistige Bewegung seiner Zeit von Belang war. Als Bergrat war er alles andere als ein Stubengelehrter, und seine Rußlandreise, die bedauerlicherweise wegen polizeilicher Intrigen abgebrochen werden mußte, schien ihm eine glanzvolle diplomatische Laufbahn zu eröffnen. Er gewann in katholischen Kreisen großen Einfluß auf die Restauration; Lamennais und Montalembert, beide seine Gäste in München, bezeugten nachdrücklich die Faszination, die er auf alle ihm Nahestehenden ausstrahlte. Sein herrliches, an antike Medaillenbildnisse erinnerndes Profil, die erhabene Würde seines lodernd-beseelten Antlitzes spiegeln eine Wesensart, die durch seine Schriften und durch die Zeugnisse seiner Zeitgenossen unendlich schwierig zu erfassen ist. Der Jüngling der *Jugendtagebücher* besitzt die ganze ehrgeizige und glühende Heftigkeit des Sturm und Drangs, und im Alter, wie er sich zum zweitenmal verheiratet mit einem jungen Mädchen, zeigt er sich wieder ganz ähnlich wie als Zwanzigjähriger: leidenschaftlich, geheimnisreich, der Eitelkeit ebensosehr abhold, wie er im Zenit des Lebens dafür empfänglich gewesen war. Sein Werk besteht aus einer Menge von kurzen, sonderbar dunklen Traktaten, die er an seine Freunde schickte; alles in ihnen ist Fragment, Aperçu, blitzartige Erleuchtung. In seinen esoterischen Schriften, die wegen ihrer bildlichen und prophetischen Sprache nicht leicht zu lesen sind, verbindet sich das Studium der Natur unaufhörlich mit den Problemen des Bösen, des goldenen Zeitalters, des Sündenfalls, die Zahlenmystik mit linguistischen Fragen.

Im ebenfalls bayrischen Würzburg lehrte – wie Schelling und Schubert – Johann Jakob Wagner (1775–1841). Er kam von der Jurisprudenz her, war einige Zeit Redaktor in Nürnberg, dann Professor der Philosophie und besaß genau jene Unstetigkeit des Geistes, jenen Hang, immer wieder die Wissenschaft zu wechseln, jenen Sinn für alle möglichen Erkenntnisebenen, wodurch sich die Naturphilosophen auszeichnen. So hinterließ er, um nur einiges zu nennen, eine *Theorie der Wärme und des Lichts,* ein *Wörterbuch der platonischen Philosophie,* eine Theodizee, eine Staatstheorie, mathematische und medizinische Abhandlungen, eine Gedichtanthologie. Seine *Ideen zu einer allgemeinen Mythologie der*

Alten Welt (1808), in denen er sich den Forschungen Creuzers, Görres' und Kannes nähert, enthalten ein breites Gemälde der Menschheitsgeschichte. Er sah in der Entwicklung der Menschheit und in derjenigen der tierischen und pflanzlichen Gattungen zwei Reihen mißlungener Versuche, in denen erst alle Möglichkeiten ausgeschöpft werden mußten, bevor die endgültige Gestalt erreicht werden konnte: der Mensch am Zielpunkt der Naturentwicklung, das Christentum auf dem Gipfel der Geschichte. Wagner träumte von einem künftigen goldenen Zeitalter, in dem eine universelle Kultur christlichen Gepräges den ganzen Erdball umspannen werde. Er stützte seine Thesen durch mathematische Spekulationen und war davon überzeugt, daß die Philosophie schließlich das mathematische Weltgesetz auffinden müsse; Kunst und Poesie jedoch verstand er als einen Kult, in welchem sich das Göttliche in tausend Formen spiegelte. Diese Gedanken, die sehr wohl ins Bild seiner Zeit passen, verdienen gerade bei ihm um so eher hervorgehoben zu werden, als er die dichterischen Bemühungen der Novalis und Tieck wie all jener verurteilte, die, in seinen Augen völlig zu Unrecht, die Musik in der Sprachkunst vorherrschen ließen. Nach einem ziemlich finsteren Leben, dem äußerer Erfolg versagt blieb und das sich darin erschöpfte, daß er eine Antwort auf all die Welträtsel zu finden hoffte, verfaßte er für sich selbst folgende Grabinschrift, die zugleich von Stolz und Demut zeugt: «Hier hat ein Auge sich geschlossen, aus dem das All sich reich und liebend sah» [180, XL, 511].

Johann Carl Passavant (1790–1857) bietet uns ein reineres, weniger zerfahrenes Bild des romantischen Universalismus. Der Abkömmling einer französischen Hugenottenfamilie, die im 16. Jahrhundert in Basel, im 17. in Frankfurt Zuflucht gesucht hatte, wuchs in pietistischem Milieu auf. Als Medizinstudent in Heidelberg stand er unter dem Einfluß des Mythologen Creuzer; dann wurde er in Wien von Malfatti in die Geheimnisse der Mathematik und des Magnetismus, in Tübingen von Kielmeyer in die Physik eingeführt. In Frankfurt praktizierte er als Arzt das magnetopathische Heilverfahren. Eine lange Italienfahrt machte ihn mit den schönen Künsten bekannt und weckte in ihm eine Neigung zum Katholizismus, die, ohne zur Konversion zu führen, den größten Einfluß auf seine geistige Entwicklung gewann. Im Jahre 1832 ließ er sich in Wien nieder; hier verwendete er sich für eine Wiedervereinigung der christlichen Konfessionen, die er als eine Rückkehr der reformierten Gemeinschaften in den Schoß eines aus seinen inneren Quellen erneuerten Katholizismus verstand. Wohl hatte er sich lebhaft für die Erscheinungen des magnetischen Hellsehens interessiert, aber für den Rest seines Lebens setzte er sich gänzlich für eine christliche Deutung der Naturphilosophie ein. «Alle Philosophie», so sagte er, «muß zur Theosophie, alle Wissenschaft zur Mystik geläutert und verklärt werden» [180, XXV, 204].

Unter den Magnetiseuren gab es noch weitere Gestalten, die – wenn auch mit unterschiedlicher persönlicher Färbung – den Typus des romantischen Gelehrten repräsentierten; zusammen mit dem Schwaben Eschenmayer (1768–1852), Professor der Medizin zu Halle und Religionshistoriker, gab der Jenenser Professor Dietrich Georg von Kieser (1779–1862) das *Archiv für tierischen Magnetismus* heraus. Er verfaßte neben psychiatrischen und anatomischen Schriften das *System des Tellurismus oder tierischen Magnetismus* (1821), in dem er den Einwirkungen der Naturerscheinungen und der großen Rhythmen des Erdlebens auf den menschlichen Körper nachging. Dieser echt romantische Arzt betrachtete die Krankheit als einen rückschreitenden Prozeß, der das menschliche Leben von einem höheren auf einen rein tierischen Zustand zurückbringt. Neben ihm machte als Magnetiseur am meisten von sich reden der Tiroler Josef Ennemoser (1787–1854), der in Bonn, später in München wirkte. Halb Gelehrter, halb Mystiker und zuweilen ein Scharlatan, verfaßte er unter anderem eine riesige *Geschichte der Magie,* in der er sich das ehrgeizige Ziel steckte, medizinische Wissenschaft, mystische Theologie und Naturphilosophie zur Einheit zusammenzuschweißen. Naturphänomene erklärt er durchwegs mit Zitaten aus Schriften von Baader und Jacobi, von Paracelsus, Campanella, Cagliostro, Swedenborg und Böhme. Auch greift er mit Vorliebe auf Embleme und sonderbare Schemata der Alchimisten zurück und stellt an den Anfang seiner Bücher komplizierte Tafeln, auf denen Dreiecke, Kreislinien, starrende Augen und strahlende Sonnen die Tätigkeiten der Seele, ihre Beziehungen zu kosmischen Zyklen und immateriellen Räumen versinnbildlichen sollen. Seine von ihm als ‹Anthropologie› ausgegebene Wissenschaft war gleichermaßen Wissenschaft vom Menschen wie – da die menschliche Kreatur ein Auszug des Universums ist – Naturwissenschaft. Mit Ennemoser grenzt romantische Universalität an Populärwissenschaft und leichtfertige Vielschreiberei.

Steffens und Oken setzen in zwei Richtungen das Werk Schellings fort, jener, indem er es in einem christlichen Sinne umzudeuten versucht, dieser, indem er ihm mehr und mehr das Gefälle gegen einen Pantheismus gibt, der bereits auf die rein materialistische Naturwissenschaft der folgenden Generationen vorausweist. Henrik Steffens (1773–1845) hat die bewundernswürdige, reiche Natur eines kontemplativen Gelehrten. Er kam der Studien wegen von Norwegen nach Jena, begeisterte sich für Schelling, später in Freiberg für Werner und machte danach seine Karriere in Deutschland. Während seiner Professur in Halle und später in Breslau – wo er zum Katholizismus konvertierte, von dem er sich aber bald wieder löste –, dann in Berlin verfaßte er zahlreiche naturwissenschaftliche, anthropologische und moralphilosophische Werke, Erzählungen, Novellen und eine breit angelegte Autobiographie, die vom romantischen Deutschland, von dessen innerer Erregung und geistiger Gärung ein überaus lebendiges Bild gibt. Seine philosophischen Märchen – ohne großen künstlerischen Wert – spiegeln die Gedankenwelt von Freiberg und Jena wider, während seine philosophischen Abhandlungen immer entschiedener den Primat der menschlichen Person in den Vordergrund rücken sowie die Pflicht, sich der eigenen Läuterung zu widmen. Er war der sanfte Moralist dieser Schule ohne Sanftmut.

Sein genaues Gegenstück ist Lorenz Okenfuß, genannt Oken (1779–1851). Von ungestümem prophetischem und aphoristischem Wesen, war er dauernd verfehdet mit Kollegen und politischen Gewalten. Die von ihm redigierte Zeitschrift *Isis,* eines jener Organe des aufkeimenden Nationalismus, die den Befreiungskrieg vorbereiteten, kostete ihn seinen medizinischen Lehrstuhl in Jena, und Goethe, der ihm wenig wohl gesinnt war, unternahm nichts, ihn vor gerichtlicher Verurteilung zu bewahren. Lange Zeit umherirrend, lehrte er in Basel und Zürich und folgte dann einem Ruf nach München, wo er sich mit Schelling und Baader zerstritt wie ehedem mit Troxler und Schubert. Seine Naturphilosophie liegt in knappen lehrhaften Aphorismen vor, in denen der Dämon des Analogismus schwindelerregende Orgien feiert:

Schon im Laufe der Weltkörper ist der höchste Akt des Tiers, die Begattung, vorgezeichnet. – Die Weltschöpfung ist selbst nichts als ein Befruchtungsakt. Das Geschlecht ist vom Anbeginn an vorbedeutet und läuft als ein heiliges, erhaltendes Band durch die ganze Natur. – Wer daher sogar in der organischen Welt das Geschlecht leugnet, begreift das Rätsel der Welt nicht. [205, § 2318]

Der sonderbarste und aufwühlendste aller romantischen ‹Physiker› jedoch ist ohne Zweifel Johann Wilhelm Ritter (1776–1810), dieser junge mystische Gelehrte und vertraute Freund des Novalis, um den sich eine eigentliche Sekte bildete. Von zutiefst unausgeglichener Natur, merkwürdigen nervösen Erscheinungen ausgeliefert und von einem inneren Dämon besessen, der ihm in einer Art Halbschlaf Narrheiten und alberne Phrasen diktierte, verkörpert er im Bereich romantischer Philosophie und Wissenschaften bis zu einem gewissen Grad dasselbe was Novalis in der Dichtung. Selbst in ihrer frühen Vollendung und postumen Verklärung gleichen sie einander. Freilich ist dieser jugendliche Physiker ein unendlich verworrener Kopf als Novalis und auch nicht fähig jener Verwandlung seiner selbst und der Welt, durch die der Dichter der *Hymnen an die Nacht,* seiner Gelehrsamkeit entrinnend, sich selbst überboten hat.

Dies also ist der Hauptharst jener Gelehrten, die – freilich *nach* den Dichtern – im Rahmen einer aus dem Geist der Mystik erneuerten Weltanschauung zu einer Apotheose des Traums ausholten; um zu verstehen, warum sie dem Traum so große Aufmerksamkeit schenkten, müssen wir vorerst – wir wollen nicht sagen: ihr System (denn es ging diesen Forschern ohne Regel und Ordnung eher um Bestrebungen und Ahnungen, eher um die Sehnsucht nach einem System als um das System selbst) –, müssen wir vorerst den Rhythmus und die Richtung ihres Denkens zu erfassen versuchen.

Die Natur wird hier nicht mehr aufgefaßt als ein in seine Bestandteile zerlegbarer Mechanismus: Sie ist ein beseelter Organismus. Es handelt sich hiebei nicht etwa um einen bloßen Vergleich mit dem tierischen Leben, sondern um eine wesentliche Einsicht, wie sie all jenen gemeinsam ist, die die Vielheit der Erscheinungen auf eine fundamentale Einheit zurückführen wollen. Betrachtet man die Natur in der Zeit, so erscheint sie als ein ewiger Kreislauf des Werdens und Vergehens, worin jedes individuelle Leben seinen Sinn einzig aus der Zuordnung zum Ganzen erhält. Im Raum umfaßt die Natur alle Erscheinungen der Sinnenwelt, deren jede das Leben des Ganzen spiegelt und wiederholt [201, 2]. Unter dem Einfluß der galvanischen Theorien versteht man das Leben als eine einzige große, in sich geschlossene Kette, gleichsam als einen kosmischen Stromkreis, für den die einzelnen Lebewesen Haltepunkte bedeuten, welche den Strom unterbrechen und gleichzeitig verstärken. Was das Einzelwesen an Leben besitzt, entzieht es dem universellen Leben, und es bedarf einer fortdauernden Tätigkeit des Aufnehmens und Abgebens – begrenzt durch Geburt und Tod –, damit der unterbrochene Kreislauf wiederhergestellt und der Strom im Fluß gehalten werde [Ritter: 210, 158–171 [1]]. Es gibt nichts eigentlich Totes in der Welt; ein Individuum geht aus dem anderen hervor; «das Sterben ist nur ein Übergang zu einem andern Leben, nicht zum Tode» [Oken: 205, §§ 90, 924].

«Nur das Ganze (das Absolute) lebt», so sagt Baader, «alles Einzelne nur im Verhältnisse seiner Näherung zum Ganzen, also in *Ek-stase* aus seiner Einzelheit» [184, XIV, 353*].

Allein das Leben also besitzt Wirklichkeit, und seine ewige Bewegtheit ist als das Göttliche anzusehen. Aber dieser unendliche Lebensfluß ist nicht ohne Richtung; er deckt sich keineswegs mit einer blinden Macht. «Alles Vollkommene in seiner Art muß über seine Art hinausgehen, es muß etwas anderes, Unvergleichbares werden» (Goethe: *Aus Ottiliens Tagebuche*). Der Prozeß des Werdens ist gerichtet, und der im individuellen Leben wahrnehmbare Fortschritt legt den Glauben nahe, daß das Leben insgesamt auf ein Endziel hinstrebe.

Hier nun schiebt sich in den Gedankengang dieser Philosophie die Erörterung der ursprünglichen Einheit und der Mannigfaltigkeit des vereinzelten Daseins ein; sie soll die gegenwärtige Verfassung von Natur und Menschheit erhellen.

Der Einheit gewahr zu werden: mit diesem Vorhaben wenden sich die Romantiker der äußeren Welt zu. Ursprünglich stammt es freilich aus einer ausschließlich inneren, rein religiösen Erfahrung, und zwar aus derjenigen der Mystiker aller Zeiten und Richtungen. Sie sind es, die in der göttlichen Einheit das Urgegebene sehen, die sich selbst aber davon ausgeschlossen fühlen und auf dem Wege der *unio mystica* dahin zurückzukehren trachten. Die romantischen Denker, sowohl Schüler der Naturforscher wie der Mystiker, werden nun auch den Prozeß des *kosmischen* Werdens als Weg zurück in die verlorene Einheit zu deuten versuchen und sich dafür auf Mythen berufen, die alle vom Gedanken des Sündenfalls inspiriert sind.

[1] Béguin stützt sich hier auf Spenlé [371, 206].

Das getrennte Dasein ist von Übel. Es muß von einer Abirrung, von einer Sünde herrühren, welche die ursprüngliche Harmonie zerstört hat. «Alles individuelle Dasein ist nur ein einseitiger Reflex des Ganzen, ein unvollkommener Versuch, die absolute Idee des Lebens, welche nur durch die Natur, als Totalität, realisiert werden kann, in ihrer Reinheit darzustellen» [201, 1]. So sieht es Hufeland vom Gesichtspunkt des Naturforschers. Baader jedoch, der religiöse Denker, besteht darauf, daß sich die Natur gegenwärtig in einem anomalen, «gewaltsamen» Zustand befinde.

Die gegenwärtige Entwicklung des Universums stellt einen mittleren Zustand zwischen der ursprünglichen und der wiederzufindenden Einheit dar. Die Menschheit fängt, wie alles Existierende, mit dem Vergessen der ursprünglichen Einheit an; «wenn aber die Entwicklung und Ausbreitung beendigt ist, geht [sie] wieder in sich und wird jener ersten Einheit eingedenk» [J.J. Wagner: 228, 6].

Die Romantiker werden nicht müde, *die* Ursprache heraufzubeschwören, aus der sich die Mannigfaltigkeit der Sprachen herausgebildet, *die* Urreligion, *die* Urgemeinschaft, deren Auflösung zur Vielfalt der Bekenntnisse und zur Staatenbildung geführt hat. Nicht nur die Geschichte der Tiergattungen, ja der Natur überhaupt, auch die Geschichte der Menschheit im ganzen und die unseres je eigenen Lebens wird ihre Deutung finden im Rahmen dieses Mythos: In jedem Wesen lebt, zugleich mit dem Individuations- und Trennungsprinzip, ein verborgener Keim der verlorenen und künftigen Einheit. Da aber einzig der Einheit Wirklichkeit zukommt, schreitet das Leben unweigerlich der Wiedervereinigung entgegen. Allem und jeglichem in unserem sinnlichen Universum eignet symbolische Bedeutsamkeit; es ist halb erhellter, halb noch verdunkelter Reflex der höchsten Wirklichkeit. Diese Doppelnatur der Dinge begegnet auf allen Stufen der Schöpfung als Kampf entgegengesetzter Bestrebungen.

Was bei Fichte noch reine Dialektik war, die Verfahrensweise des menschlichen Geistes und der Erkenntnis, wird für Schelling und die Naturphilosophen das Prinzip und Gesetz des Werdens selbst. Der Grundrhythmus der Natur entspricht genau dem dialektischen Schema: Alle ‹Polarität›, aller Kampf zwischen den sich widerstreitenden und – insofern sie nur zugleich zu sein vermögen – sich ergänzenden und bedingenden Kräften löst sich schließlich in einer höheren Synthese. Was als neue Wirklichkeit daraus hervorgeht, befindet sich seinerseits wieder in einem Polaritätsverhältnis zu einem anderen Lebenszweck; und auch dieses wiederum wird in einer neuen Synthese, oder in der Natur: in einer neuen, höheren Gattung, aufgehoben. So tritt neben das Polaritätsgesetz das Gesetz unendlichen Aufstiegs.

Zwischen all den Zweckpaaren, aus denen sich das Leben aufbaut, besteht eine durchgehende Analogie: Dem Wechsel von Tag und Nacht entsprechen auf anderen Ebenen die Entgegensetzung der Geschlechter, die Prinzipien der

Schwere und des Lichtes, der Kraft und der Materie usw. Aber durch das gesamte Leben des Kosmos hindurch wirkt, alles Seiende unter sich und mit dem Ganzen verbindend, eine mächtige Kraft, die man unter dem Eindruck des eben entdeckten Magnetismus als *Sympathie* bezeichnet.

Wir erkennen hier, bis zu welcher Konkretheit die Romantiker das okkultistische Analogiedenken vorangetrieben haben; das geheimnisvolle Verfahren nimmt alle nur denkbaren Formen der Magie und im besondern der Zahlenmystik an. In endlosen scharfsinnigen Berechnungen werden die geometrischen Kristallformen in Beziehung gebracht mit dem Gang der Gestirne, mit dem Blutkreislauf, mit der Erneuerung tierischer Zellen, mit geologischen Zeitaltern oder mit den Stadien des menschlichen Lebens. Immer schon haben die Zahlen in der Philosophie der Einheit und der universellen Analogie diese große Rolle gespielt. Sie stellen eine geistige Formel für Körperliches wie für Seelisches dar, ein Prinzip der Übersetzung und der unerschöpflichen Äquivalenzen. Schon bei Saint-Martin war zu lesen:

Es gibt Zahlen für die Grundbeschaffenheit der Wesen, für ihre Wirksamkeit, für ihren Werdegang, für ihren Anfang wie für ihr Ende (sofern sie dem Werden und Vergehen unterworfen sind); ja selbst Zahlen für die verschiedenen Stufen des ihnen zubestimmten Wachstums. Und diese Zahlen sind gleichsam ebenso viele Grenzen, an denen die göttlichen Strahlen anhalten und von denen sie sich wieder zu ihrem Urquell zurückwenden, nicht nur um ihm seine eigenen Abbilder, die herrlichen Zeugnisse seiner allmächtigen Erhabenheit und Unendlichkeit darzubringen, sondern auch um aus ihm das Leben, das Maß, das Gewicht, die Rechtfertigung ihrer Beziehungen mit ihm zu schöpfen; alles Dinge also, die, wie wir sahen, ihr Sein einzig und allein im Urgrund aller Wesen haben. [168, II, 132f.]

Romantischem Denken über das Werden des Kosmos kam eine solche Ausdrucksweise sehr gelegen. Das anfänglich Eine zeugt die Zweiheit – Formel des Polaritätsgesetzes, das aller natürlichen Entwicklung zugrunde liegt. Dem Eins und Zwei entsprechen in geometrischer Anschauung der Kreis und die Ellipse, und deren beide Brennpunkte streben in eins zurück, damit sich der ursprüngliche Kreis wieder herstelle.

Diese Deutung der Trinität und der Ellipse, ferner die vom Okkultismus den verschiedenen Seinsbereichen traditionsgemäß zugeordneten Zahlen – die Fünf den Pflanzen, die Sieben den Tieren, die Neun den Menschen usw. – bildeten den Ausgangspunkt für die Bemühungen von J. J. Wagner (in seiner *Mathematischen Philosophie* [227]) und Wilhelm Butte (in seiner *Arithmetik des menschlichen Lebens* [191]), die durchgehenden Beziehungen zwischen dem Wechsel der Jahreszeiten, dem Umlauf der Gestirne, dem Pflanzenwachstum, der Vervielfältigung der Tiergattungen, dem Blütenbau, der Farbskala und der Tonleiter zu erhellen. Überall entdeckte man entsprechende Perioden; das Universum begriff man als durch und durch *rhythmisch* gestaltet. Daraus erklärte man sich die Entsprechungen zwischen den verschiedenen Bereichen der Sinnesempfindungen, die Übereinstimmungen zwischen den Künsten, und Novalis war nicht der letzte, der musikalische und architektonische Formen, die Gesetze der Farbenlehre und der Prosodie miteinander verglich. Man weiß, wie wichtig dereinst diese Ästhetik der Entsprechungen (correspondances) für Baudelaire und seine Nachfolger werden sollte.

Moderne ‹Panvitalisten› haben sich dieses Denkens zu bemächtigen versucht und darin Elemente einer verwandten Lehre zu finden geglaubt, nämlich einer Religion des Lebens im Gegensatz zum Geist, der auch dort als eine dem heiligen Gang der Natur fremde, feindliche Kraft aufgefaßt werde. Das ist eine Vergewaltigung des romantischen Denkens. Wenn nämlich die Romantiker von einem universellen, alles vereinzelte Seiende durchwirkenden und verbindenden Leben sprechen, so darf man nicht vergessen, daß für sie das Werden von einer ursprünglichen zu einer wiederzufindenden Harmonie führt und daß vor allem das Lebensprinzip selbst den Geist in sich aufnimmt: Nicht nur ist der Werdegang orientiert, er ist es durch den Geist, der keineswegs als Eindringling oder als Spätling erscheint, sondern die Natur näher und näher an die Harmonie heranführt, in der sie anfänglich mit ihm gestanden hat.

Mit der neuplatonischen Konzeption des *All-Tieres* ersteht auch die Idee einer allgegenwärtigen *Weltseele* als des geistigen Prinzips aller Dinge, deren individuelle Seelen Emanationen oder Aspekte davon sind. Aus dem Quellgrund dieser Weltseele geht die geistige Wirklichkeit zugleich mit dem Kosmos hervor. Zwischen dem transzendenten Ideenbereich und dem Naturbereich gibt es keine Kluft mehr: Sie stehen in Verbindung. Die Natur entspringt einer unbewußten Tätigkeit dieser Seele, die im menschlichen Geist Bewußtsein erlangt; unter dem Gesichtspunkt ihrer schöpferischen Tätigkeit ist sie das unteilbar Eine. Wie der Künstler vor seinem Werk, so die Allseele vor der Natur. Die Dinge seien, so sagte schon ein anonymer Renaissancedenker, in Gott wie seine eigenen Gedanken; wer über sich selbst nachdenke, werde erkennen, daß dem so sei. Das Universum ist eine andere Seinsweise der Einheit, die, anstatt sich in sich selbst zu schlingen, in Erscheinung tritt und sich entfaltet.

Den meisten dieser Denker fiel es schwer, der Versuchung des Pantheismus zu widerstehen oder dann wenigstens anzugeben, inwiefern ihr Denken vom Pantheismus geschieden bleiben solle. Sie werden durchaus nicht müde zu wiederholen, daß Gott, wiewohl allen Dinge innewohnend, doch das einzige wahrhaft *Wirkliche* sei – keineswegs außerhalb des Universums, gewiß, sondern gegenwärtig *in* ihm, aber als sein Lebensprinzip, sein Mittelpunkt, seine *Seele*. Gott kann zweifellos nicht umhin, sich zu offenbaren und im Erschaffenen selbst zu erkennen; dennoch besteht keine Identität zwischen ihm und dem Kosmos

Welcher Ort kommt in diesem Universum dem Menschen zu? Wie alle Kreatur, so ist auch er Symbol, Abbild des Ganzen, jedoch in ausgezeichnetem

Sinne. Die den gesamten inneren Bau der Natur durchwirkende Analogie läßt den Menschen zum *Mikrokosmos* werden, zur Spiegelung und zum Auszug des *Makrokosmos*. Von der Erkenntnistheorie ausgehend, stellen die Naturphilosophen den Grundsatz auf, daß der Mensch nur solches zu gewahren vermöge, wovon er ein Analogon in sich selbst trage.

Der Mensch ist die Spitze, die Krone der Naturentwicklung, und muß alles umfassen, was vor ihm da gewesen, wie die Frucht alle frühern Teile der Pflanze in sich begreift. Der Mensch muß die gesamte Welt im Kleinen darstellen. [205, § 12]

Es ist Oken, von all unseren Denkern der am wenigsten mystische, welcher hier den Gedanken vom menschlichen Vorrang in eine knappe Formel faßt: Der Mensch steht am Ende einer Entwicklung, und folglich trägt er in sich deren ganze Vielfalt. Von dieser noch durchaus biologischen Auszeichnung war aber schon der junge Baader in seinen *Tagebüchern* spontan übergegangen zu einer poetischen und religiösen Auffassung. Für ihn «lebt ja der Mensch jeden Augenblick [...], und keinen Augenblick ist etwas in und an ihm isoliert und unabhängig vom ganzen übrigen All. [...] Denn Alles ist nur Eines, lebt in Einem» [185, 85]. Ja mehr noch: Er widerspiegelt in sich das Naturganze und findet darin Gott. Der Analogie, die jegliches vereinzelte Seiende zum Symbol des gesamten Organismus erhebt, antwortet die Analogie, welche unseren Geist zum umfassendsten Symbol des Universums werden läßt; die ganze Natur ist

ein kühnes *Gedicht,* voll eines erhabenen, immer anders sich offenbarenden und doch immer desselben Sinnes! Eine große Fabel, die sich mit jedem verwesenden Zeitmomente seiner einen, wie herrlichen, bewunderungswürdigen Moral und Lehre nähert. Selig der Sterbliche, dem einige Kunde dieses großen Sinnes vorahnend zuteil ward, und den sie mit Schauder erfaßte. Ihm ward vergönnt, den Unsichtbaren zu schauen in Seinem Gewande. [...] Des Menschen Naturgesetz [bestimmt ihn] zum Wahrnehmen also der Stimme Gottes, deren Schall in alle Lande tönt, Lesen und Buchstabieren Seiner Hieroglyphenschrift. –
Auch der Mensch als solcher kann ewig nicht anders als – Dichten! Das große Ideal Gottes in der Natur wahrnehmen, ahnen, durchfühlen – und dann wieder sein inneres Ideal – die verstümmelte, wie verzerrte, unreine Kopie von jenem – Allem außer ihm und um ihn in Wort und jeder Handlung ein- und aufprägen. [149*]

Der Mensch – Mikrokosmos, verkleinertes Abbild der offenbaren Welt – ist nach einem Wort Ennemosers auch ein *Mikrotheos* [196, § 97]. Gewisse menschliche Betätigungen sind Abglanz göttlichen Handelns, so vor allem das poetische Schaffen. Dadurch kann denn auch das Dasein in der Vereinzelung eine Rechtfertigung erlangen, wiewohl es ursprünglich von Übel ist. Steffens hat diese wichtige Dialektik aufs trefflichste erhellt; zunächst heißt es bei ihm:

Das ganze Geheimnis der Natur drängt sich in der menschlichen Gestalt zusammen. Der Mensch ist aus den innersten Tiefen der uralten Vergangenheit des Planeten erzeugt, und trägt das Schicksal des Planeten, mit diesem das Schicksal des unendlichen Universums, als *sein eigenes.* [...] Die ganze Geschichte schlummert in einem Jeden. [221, II, 694]

Damit befinden wir uns noch in der ganz natürlichen Ordnung der Stufenfolge der Erscheinungen und Arten, auf deren Gipfel der Mensch mit seiner
Gestalt den Vollendungspunkt darstellt, in dem das Werden zu einem Ende
kommt. Andererseits aber

*ist die Außenwelt selber ein Äußeres seines Innern; er erkennt sich in ihr, sie in ihm. Dieses
große Gespräch des Ganzen mit sich selber, in einem Jeden auf eine bestimmte, eigentümliche Weise,
ist das wahre Mysterium.* [697*]

Der menschliche Geist ist, gerade in seiner geschöpflichen Vereinzelung, der
allerreinste Spiegel des Universums und der Weltseele. Ja diese Seele kann gar
nicht anders zum Bewußtsein kommen und von sich selbst Kenntnis erlangen
als in ihrem Abbild: in der Menschenseele – vorausgesetzt allerdings (und hier
stoßen wir auf Steffens' religiöse Ethik), daß diese nicht verwahrlost und
unveredelt geblieben ist, sondern daß der Mensch es über sich vermocht hat,
«*zu werden, was er schon ist*» [94]. Es geht für den Menschen darum, das Gehör
zu entwickeln für den inneren Dialog des Alls mit sich selber; in die unbewußten Bereiche der Gottähnlichkeit zu gelangen.

So also rechtfertigt sich das individuelle Dasein, welches zunächst vor der
Mystik des Alleinen nicht bestehen zu können schien. Nach Schelling und
seinen Freunden vermöchte der Geist ohne den Menschen, ohne seine eigene
Offenbarung im Menschen, von sich selbst gar kein Bewußtsein zu erlangen;
denn er kann nur in seinem Abbild in Erscheinung treten und seiner selbst
ansichtig werden. Allerdings hat sich der Mensch an der Reinheit seiner Gott-
ebenbildlichkeit vergangen. Sein Sündenfall hat die ganze Natur mitgerissen. Nun
vermögen seine trüben Organe die Natur nicht mehr als die ursprünglich reine
symbolische Rede zu vernehmen. Wenn aber Gott das Universum geschaffen
hat, sich in ihm zu offenbaren, so will er, daß dieses Universum am Ende
seines Werdens in ihn zurückkehre; und damit die Rückkehr gelinge, muß der
Mensch aufs neue werden, «was er schon ist». Sich selbst erlösend, wird er die
Rückkehr alles Seienden bewirken, wird er zum *Erlöser der Natur* werden.

Mit dieser dem Menschen zugedachten Stellung und mit dieser Hoffnung auf
eine Rückkehr in die anfängliche Harmonie haben Baader, Schelling und andere
der ‹vitalistischen› Auffassung Herders eine sie zutiefst verwandelnde theo-
zentrische Richtung gegeben. Während Herder das Werden als ewig und unendlich galt und die Natur – welche er als Geschichte verstand – als alleinige
Offenbarung Gottes, sprechen die Romantiker, von Hamann und okkultistischen
Mythen inspiriert, dem Menschen wieder höhere Fähigkeiten zu, wenn er sich
ihrer nur immer zu bedienen weiß.

Dieses eigenartige Geschick des Menschen, die Natur erlösen und ihr Werden
einem glücklichen Ende zuführen zu können, ist indessen keineswegs Ausdruck
einer Vermessenheit der Kreatur, die sich eigenmächtig mit höchster Würde

ausgestattet hätte. Es darf nicht vergessen werden, daß die Weltgeschichte mit einem goldenen Zeitalter anhob, in welchem der Mensch über sehr viel weiterreichende Fähigkeiten verfügte, und daß er die Schuld am Sündenfall sich allein zuzurechnen hat. Daraus erklärt sich auch einer der eigenartigsten und anerkanntesten aller romantischen Mythen: der von der Androgyne. Er findet sich schon bei Philo dem Juden, Scotus Erigena und Jakob Böhme. Von den Romantikern griff zuerst Baader darauf zurück. Nach ihm wollte sich der Mensch, zunächst ein geschlechtsloses Geschöpf, ohne Gott zur Zeugung aufschwingen und bildete sich deshalb in der Tierwelt ab. Daraufhin schuf Gott Eva, um des Menschen Sturz in die Tierheit zu verhindern.

Die Differenz des Geschlechts ist also als eine Entwicklungskrankheit zu betrachten. Nur der Tod des Individuums macht die numerische Fortpflanzung nötig. Auf ähnliche Weise hätte der nichtgefallene Mensch als Baum sich verzweigt, nicht in einzelnen Bäumen. [184, XIV, 352]

Im Ungehorsam des Menschengeschöpfs liegt der Ursprung der Zeitlichkeit, in welcher es sich mit der gesamten Natur gefangen sieht. Welche Mittel aber sind uns gegeben, sie aufzuheben, uns daraus zu befreien? Worin gründet die Erlösungshoffnung?

Der Mensch versenke sich in sein Inneres, er suche dort – in der Liebe, in der Sprache, in der Poesie, in der reichen Bilderwelt des Unbewußten – die Spuren, welche in ihm die Erinnerung an seinen Ursprung wachrufen. Und er decke auch in der Natur all das wieder auf, was in der Tiefe seiner Seele insgeheim das Gefühl erhabener Ähnlichkeit wieder erweckt. Er hebe diese Keime auf, er pflege sie, er lasse sie aufgehen!

Davon sind jene, von deren geheimnisvoller Präsenz uns der Traum kündet, keineswegs die geringsten. Denn die Erleuchtung, die uns jetzt angeblich auszeichnet, ist in Wahrheit tiefe Verfinsterung; zu echter Klarheit gelangen wir einzig auf der Nachtseite unseres Daseins.

FÜNFTES KAPITEL

DIE NACHTSEITEN DES DASEINS

> Chose inouïe, c'est au dedans de soi qu'il faut regarder
> le dehors. Le profond miroir sombre est au fond de
> l'homme. Là est le clair-obscur terrible. La chose ré-
> fléchie par l'âme est plus vertigineuse que vue di-
> rectement. C'est plus que l'image, c'est le simulacre,
> et dans le simulacre il y a du spectre. [...] En nous
> penchant sur ce puits, notre esprit, nous y apercevons
> à une distance d'abîme, dans un cercle étroit, le monde
> immense.   VICTOR HUGO

Das gesamte romantische Bemühen zielt darauf ab, durch die flüchtigen und
trügerischen Erscheinungen hindurch zur verborgenen wahren Einheit zu gelangen und infolgedessen in uns selbst alles von unseren einstigen Vermögen
wiederzufinden, was Trennung und Zerfall zu überleben vermocht hat. Wenn
Poesie oder Mathematik, Einbildungskraft oder ‹innerer Sinn› für die Romantiker hervorragende Bedeutung besitzen, so weil sie darin unsere verschiedenen
Mittel sehen, die ursprüngliche Beziehung mit dem göttlichen Universum wiederherzustellen, oder auch die Kundgebungen aus Bereichen in uns, «tiefer als wir
selbst», wo diese Beziehung trotz dem Sündenfall noch weiterbesteht. Unsere
Wissenschaften wie unsere magischen Künste werden uns Zutritt verschaffen zu
diesem inneren Geheimnis, auf daß wir aufs neue die Könige sein werden, die
wir einst waren.

Die Psychologie der Naturphilosophen ist nur verständlich aus diesem Mythos.
Es käme ihnen gar nicht in den Sinn, die Rolle einzelner Vermögen zu
analysieren, aus denen sich angeblich der menschliche Mechanismus zusammensetzt, denn sie verwerfen gerade die Auffassung, wonach der Mensch, eher noch
als das Universum, eine zerlegbare Maschine sei. Der Mensch als Mikrokosmos
war anfänglich ein vollkommener Organismus, der nur über ein einziges Wahr-
nehmungsmittel verfügte, den sogenannten ‹inneren Sinn› oder ‹Allsinn›. Nach
okkultistischer Lehre hat dieser Sinn das Universum einst durch Analogie erkannt: Da der Mensch noch durchaus der harmonischen Natur ähnlich war,
brauchte er sich nur in die Betrachtung seiner selbst zu versenken, um zur
Wirklichkeit zu gelangen, deren reines Spiegelbild er ja war. Aber auch heute
noch besitzen wir diesen Sinn, und sei er noch so verblaßt und aufgelöst; wir
müssen bis zu ihm hinabsteigen, wollen wir wahre Erkenntnis erreichen. Er ist
das Analogon zu jener dynamischen Kraft, die – wie aus dem Magnetismus
erhellt – über die ganze Natur herrscht. Sein Wirken bekundet sich in der
Hypnose, in der Magnetopathie, im Somnambulismus, in der poetischen Begeiste-

rung oder kurz: in all jenen Arten der unmittelbaren Hingabe an den Natur-rhythmus selbst, die unter den Begriff der *Ekstase* fallen.

Gemäß der Etymologie, auf welche sich diese Mystiker gerne berufen, führt uns die *Ek-stase* aus unserem gewohnten Zustand *hinaus* und gibt uns für Augenblicke einem anderen Sein zurück. Das heißt übrigens nicht, daß sämtliche Zustände verminderten Bewußtseins mit Notwendigkeit die höheren seien. Diesen Vorzug genießen nur diejenigen, welche uns aus der Gefangenschaft in der Materie, aus der Natur, wie sie dem Sündenfall entsprang, befreien und wieder in unsere anfängliche Harmonie mit der Urnatur einsetzen.

In einer Betrachtung über den «inneren Sinn» aus dem Jahre 1828 besteht Baader auf der Objektivität einer «Sinnlichkeit», die nicht von außen herein, sondern aus unserem Innern, aus unserem Zentrum heraus bildet; unverzeihlich, so sagt er, ihre im allgemeinen höchst lebhaften Wahrnehmungen, wie sie im magnetischen Hellsehen und in der dichterischen Begeisterung auftreten, für «dunkle, gegenstandslose Gefühle» zu halten;

in den Momenten der genialen Begeisterung des Dichters und Künstlers ist es eben diese von Innen heraustretende, von Innen heraus bildende oder *inbildende* Sinnlichkeit, welche ihnen vorleuchtet, nicht die von Außen kopierende, und *jeder wahrhafte Dichter und Künstler ist in diesem Sinne Seher oder Visionär* [*], so wie jedes echte Gedicht und Kunstwerk das Denkmal einer Vision ist, folglich einer Inspiration, gleichviel hier von welcher Art. [184, IV, 138]

In ganz ähnlicher Sprache hatte schon Passavant das magnetische Hellsehen mit dem dichterischen Schaffen in Beziehung gesetzt. Aber da ihm wie immer an religiöser Deutung lag, verlängerte er die Ähnlichkeit noch bis ins Rituelle hinein. Wenn auch, nach Passavant, der Magnetismus eine organische Kraft ist, so verwandelt er sich bei entsprechender Lenkung in eine geistige Kraft, ja schließlich wird er zum Organ göttlicher Vision. Und um diese geht es letztlich auch im katholischen Kultus; Ritus und Sakrament bilden eine heilige Magie, dank deren die Natur zum Organ des Geistes wird. Dasselbe gilt nun auch für das poetische Zauberwesen: «*Der Dichter ist ursprünglich Seher,* die Dichtkunst Prophetie, ekstatisches Zurückschauen, Vorausschauen und Überschauen» [207, 129*]. Rimbauds berühmter Brief hat, wie wir sehen, seine Vorläufer in der Romantik.

Aber im gegenwärtigen Stadium der Menschheitsgeschichte ereignen sich solche ekstatische Entrückungen nur in seltenen Augenblicken und nur bei außergewöhnlichen Naturen. Das war nicht immer so, und die romantische Psychologie befragt deshalb gerne die Geschichte nach Ursachen für die jetzige Schwäche unserer Fähigkeiten und nach Möglichkeiten der Wiederbelebung.

So kommt J. J. Wagner dazu, dem sondernden und verbindenden modernen *Geist* den antiken *Sinn* gegenüberzustellen, der, allerdings unbewußt und blindlings, des «großen Zusammenhangs der Dinge» unmittelbar gewahr wurde.

Jenen ungeteilten Blick haben wir verloren, weil wir unsere verschiedenen Erkenntnisvermögen isolierten; aber am Ende unserer Entwicklung werden wir eine neue, höhere Betrachtungsweise entwickeln. Wenn uns auch die Wissenschaft zunächst von der einen Wirklichkeit entfernt hat, so kann sie uns dennoch, gerade in ihrer abstraktesten Form, die Wahrnehmung der Welteinheit vermitteln: Es ist die Mathematik, die – einmal zur Vollendung gelangt – das Bauprinzip des Kosmos erfassen wird. Den ursprünglichen Allsinn gewinnen wir keineswegs dadurch zurück, daß wir alle bisherigen Eroberungen des menschlichen Geistes aufgeben; vielmehr sollen wir unsere analytischen Wissenschaften bis zu dem Punkt weitertreiben, wo sie selbst die Einheit wiederfinden werden. [228, 14–23]

In den Augen der Romantiker kann die Seele nichts anderes sein als der Ort unserer Ähnlichkeit und unserer Berührung mit dem Weltorganismus, nichts anderes als die Anwesenheit eines Lebensprinzips in uns, das sich vermischt mit dem göttlichen Leben selbst. Und da die ihrer selbst bewußte menschliche Seele die Seele nach dem Zeitpunkt der Trennung ist, eingesperrt in sich selbst, so gilt es, nach einem anderen Bereich in uns zu suchen, wo sich das Gefängnis des individuellen Daseins öffnet zur Wirklichkeit hin. Denn was Sinnlichkeit und Vernunft als unsere Bewußtseinsvermögen unter dem Namen der ‹objektiven Wirklichkeit› erkennen, ist nicht das Wirkliche. Zu ihm, das zugleich das Leben ist, gelangen wir nur in unserem Inneren: im *Unbewußten*.

Zu dem Zeitpunkt, als die Romantiker dem Unbewußten so hohe Bedeutung beimessen, ist es dem Begriffe nach schon längst bekannt. Bei Leibniz wie bei Herder spielt es eine große Rolle, ohne aber je zu höchster Wichtigkeit aufzurücken. Das Unbewußte der Romantiker ist weder eine Summe alter, vergessener oder verdrängter Bewußtseinsinhalte (Freud) noch ein larvenartiges Bewußtsein (Leibniz), noch auch ein dunkles Gebiet voller Gefahren (Herder). Es ist nicht weniger als die Wurzel des menschlichen Seins, sein Ansatzpunkt im großen Gang der Natur. Durch das Unbewußte allein bleiben wir im Einklang mit dem kosmischen Rhythmus, bleiben wir unserem göttlichen Ursprung verbunden.

Im Anschluß an magnetische Experimente schreibt der begeisterte Ritter an Baader:

Eine Entdeckung von Wichtigkeit denke ich durch die eines passiven Bewußtseins, die des Unwillkürlichen, gemacht zu haben. Es wird durch Frage, Andenken erregt. [...] Auch im Leben noch finden viele Verhältnisse hier erst ihre Erörterung: Freundschaft, Liebe etc. [...] Dann Theorie der Kraft der Phantasie. Alles Vorgestellte ist wirklich, eben deshalb aber hat es nur die Eine Hälfte seiner Wirklichkeit, eine Halbwirklichkeit, *für uns,* gerade wie schon jeder Dritte uns doch nicht so wirklich ist, als wir uns selbst. [...] Alle unsere reinen Handlungen sind somnambulistisch, Antwort auf Frage, wir der Frager. Jeder trägt seine Somnambüle bei sich, und ist selbst der Magnetiseur von ihr. [...] *Gott im Herzen.* Vollkommene Somnambulistik dieses Phänomens. Der wachende (willkürliche) Zustand hat keine Erinnerung dafür. [184, XV, 217*]

Was Ritter so freudetrunken entdeckt – von innen kommende, unsere Handlungen wie unsere Vorstellungen diktierende Antwort auf unsere Frage –, kann nicht als ein ‹Vermögen› unseres individuellen Daseins erklärt werden, sondern das ist die heilige, mächtige Präsenz, die Bekundung von etwas in unserem Herzen, was uns unendlich übersteigt. Es ist erstaunlich, daß Ritter hier auf den mystischen Begriff vom ‹Gott im Herzen› zurückgreift, gleichzeitig aber behauptet, unser gewöhnliches Bewußtsein besitze keine Macht über diesen inneren Bereich, ja selbst nicht einmal die Erinnerung daran, was sich dort ereigne. Mystischer Auffassung entspricht denn dies gerade nicht; so hat etwa, am Ende des 14. Jahrhunderts, der anonyme Verfasser der *Theologia deutsch* mit aller nur wünschbaren Deutlichkeit von der entgegengesetzten Erfahrung sämtlicher Mystiker gesprochen:

Aber dise zwei ougen der sêle des menschen mügen nit glîch mit einander ire werk geûben, sunder sol die sêle mit dem rechten ouge in die êwigkeit sehen, sô mûs sich das linke ouge aller sîner werk vorzîhen und vorwegen und mûß sich glîch halden, als ob es tôt sî. Sol dan das linke ouge sîne werk üben nâch der ûswendigkeit, (das ist die zît und die crêatûr) handeln, sô mûß ouch das rechte ouge gehindert werden an sînen werken, das ist an sîner beschowung. [230, 13]

Bei Joubert heißt es kurz: «Schließe die Augen, und du wirst sehen.» Und bei Claudel: «Bevor ich die Augen öffne, weiß ich alles auswendig.»

Wenn auch beide, Romantiker wie Mystiker, von einer doppelten Existenz in uns wissen und von der notwendigen Hinwendung zur einen oder zur andern: weiter geht die Ähnlichkeit nicht. Das Unbewußte der Romantiker ist nicht mehr der *Grund,* die ‹*Scintilla*›, das *Zentrum* der Mystiker, lediglich ein Teil unseres individuellen Seins. Ebensowenig ist es aber auch der Natur entzogen und einzig und allein dem Geist zugewendet. Was wir im Unbewußten gewahren, ist vielmehr gerade der Fluß des kosmischen Stromes durch uns hindurch, ist, nach einem Wort Steffens', «das große Gespräch des Ganzen mit sich selber» [221, II, 697]. Dieser Bereich in uns, aus welchem unsere Eingebungen und Handlungen aufsteigen und in welchen vergessene Vorstellungen und Gedanken wieder eingehen, ist zugleich das Leben der schöpferischen Natur, die uns von allen Seiten umflutet.

So geht ein dunkel geführtes Gespräch neben dem klar gefaßten, welches wir das Wachen nennen [...]. Für dieses [wahre] Wachen tritt das Vergessen hervor, es ist nichts anderes, als das Zurücktreten in die unendliche nächtliche Tiefe. Aber das menschliche Leben ist wechselnd, und, wie die Sonne aufsteigt und niedersinkt, versinkt auch das aufsteigende Bewußtsein in seine eigene Nacht, nicht, wie ein leeres Chaos, sondern *in die ganze Fülle seines verborgenen Daseins.* [...] Der Schlaf ist das tiefe sich Besinnen der Seele in sich selber. [*]

Noch Herder pries es als eine weise Vorsehung der «mütterlichen Natur», daß sie «die tiefste Tiefe unserer Seele», woraus diese sich immer neu belebt und stärkt, «mit Nacht bedeckt» und also der Erforschung durch das klare Bewußt-sein entzogen habe; denn der wache Geist ertrüge den Anblick nicht [179, 185]. Die Romantiker sind nicht mehr dieser Meinung; im Gegenteil: Für sie ist unendlich kostbar, was wir nur immer aus dem Bilderschatz dieser verborgenen Welt zu erkunden vermögen.

Ein Genie tritt da hervor, wo die ganze Gewalt der bewußtlosen Natur, der verschlossenen nächtlichen Tiefe des Daseins, in einem gesunden Wachen enthüllt wird. Das ist das Wesen der Inspiration, die sich in einem jeden wahren Kunstprodukte ausspricht, die in einer jeden geistreichen Äußerung liegt, die die Fülle der Nacht mit der Klarheit des Tages, das Geheimnis des Bewußtlosen mit der Gesetzmäßigkeit des Bewußtseins auf eine für eine innere Anschau-ung klare, aber für die Reflexion völlig unerklärbare Weise zu verbinden vermag. [Steffens: 221, II, 702]

Ohne Kenntnis der wesentlichen Schritte des romantischen Denkens wird man diese Auffassung von unserem Seelenleben kaum begreifen können. Wenn es denn nur *ein* Leben ist, das in allen Dingen waltet, und in ihm Gott stets gegenwärtig ist; wenn der Mensch nicht isoliert, nicht ein ratloses Individuum gegenüber einer objektiven Natur ist, sondern wenn er in sich selbst die durch-gehende Ähnlichkeit mit dem All-Tier und dessen gesamte Wirklichkeit trägt, so wird er denn auch *in sich selbst* auf das Wirkliche stoßen können, und so wird auch die dynamische Wirkkraft, welche den Kosmos belebt und zusammen-hält, zugleich als Urheber unserer physiologischen Bildung wie als Urquell unserer höchsten Inspirationen gelten können.

Für einen Romantiker liegt hierin nichts Widersprüchliches: Unser organisches, physisches Leben bietet den einen Aspekt eben dieses im universellen Leben aufgehenden Unbewußten, und andererseits sind auch die geistigen Realitäten dessen Ausfluß. Übrigens gibt der Mythos vom Sündenfall und von der im Verlauf der Geschichte allmählich sich vollziehenden Rückkehr in die Einheit eine weitere Rechtfertigung für diese ‹coexistentia oppositorum›. Freilich wäre es für die Menschheit besser gewesen, im Paradies zu bleiben und sich mit der anfänglichen unbewußten Innewerdung des Ganzen zufriedenzugeben; aber der Sündenfall ist eine Tatsache, und es gilt der dadurch geschaffenen Lage Rechnung zu tragen. Da wir nun einmal ans Dasein in der Vereinzelung und damit an den Weg der Bewußtwerdung verwiesen sind, wäre es müßig, zum Ursprung zurückkehren zu wollen. Die anfängliche Harmonie werden wir nicht anders erreichen, als indem wir den Geschichtsverlauf zu Ende führen, das heißt indem wir den Fortschritt des Bewußtseins so lenken, daß er schließlich etwas wie ein ‹Überbewußtsein› erreicht.

Wir werden später deutlicher sehen, was darunter zu verstehen ist. Jedenfalls geht es den Romantikern keineswegs darum, sich dem schöpferischen Unbewuß-ten willenlos hinzugeben, denn wir haben ja nur noch beschränkt daran teil. Vielmehr sollen wir uns seiner bemächtigen, sollen es, so weit dies nur möglich ist, in unser Bewußtsein heraufholen, bis eines Tages eine höhere Magie die endgültige Aussöhnung erwirken wird. Diese Aussöhnung – heute schon vorgebildet in der poetischen Schöpfung – bedeutet dereinst die Rückkehr in die Einheit, die harmonische Auflösung der Zeit und den Anbruch der Zeitlosigkeit.

Schon jetzt jedoch trägt selbst unser physisches Leben die Züge doppelter Zugehörigkeit zum Leben in der Vereinzelung wie zum allumfassenden Leben. Es untersteht nämlich einerseits einem individuellen Zentrum (dessen Sitz man gewöhnlich im Hirn annimmt), andererseits einem im Universum liegenden Zentrum (mit dem uns unser Nervensystem verbindet). Bewußtsein und Unbewußtsein sind so Aspekte der umfassenden, alles Leben nach den Prinzipien der Scheidung und Wiedervereinigung ordnenden ‹Polarität›.

Der Wechsel von Wachen und Schlaf ist der augenfälligste Ausdruck unserer Verfügung ins kosmische Leben, Ausdruck auch der rhythmischen Analogie, die das Universum durchzieht. Im materiellen Universum sind wir durch mannigfaltige «tellurische» Einflüsse verwurzelt, und insofern sind wir Gefangene; aber gerade unsere Ketten bürgen für künftige Freiheit und Harmonie. Der Schlaf entsteigt der Erde, das Wachen entspringt der Sonne.

Wie daher in der 24stündigen Umdrehung der Erde um ihre Achse die eine Hälfte der Erde tellurisch, die andere Hälfte solar ist, so drückt sich dasselbe Verhältnis im menschlichen Leben aus und koinzidiert, als von diesem Einflusse bedingt, mit dem allgemeinen Ausdrucke dieses Wechsels des Erdlebens. [Kieser: 202, § 33]

Der Schlaf ist also nicht einfach Negation des Wachens; er ist ebenso eigenständig wie dieses und steht im selben Verhältnis dazu wie der negative zum positiven Magnetpol[1]. Früher allerdings waren Schlaf und Wachen weniger voneinander geschieden als heute. In der Kindheit des Menschengeschlechts schien das Leben mehr ein unvollkommener somnambuler Zustand gewesen zu sein; die Einwirkung des tellurischen Pols überwog. Es war das Zeitalter der Seher, des passiven, kontemplativen Menschen, wie ihn noch heute der Orient unserem westlichen aktiven und zerebralen Typus entgegenstellt. Diese noch ganz tellurische Welt, in der das Gefühlsleben und die Phantasie vorherrschten, wurde im Verlauf der Jahrhunderte abgelöst von einer solaren Welt des Bewußtseins und der Vernunft [Kieser: 202, II, 23 f.]. Während nun das 18. Jahrhundert den Fortschritt in der Richtung einer beständig anwachsenden Herrschaft des lichten Bewußtseins sah, suchen ihn die Romantiker in einer Vereinigung beider Einflüsse; hierin wird die Menschheit ihren Gipfel erreichen.

Im Schlaf befindet sich die Seele in engster Gemeinschaft mit dem Gesamtorganismus der Natur und gleichzeitig mit dem Leben ihres eigenen Leibes.

[1]* Schon in Sebastian Wirdigs *Nova medicina spirituum* (Hamburg 1673, Libr. II, c. IV, 15) hatte es geheißen: «Sicut alternant lux et tenebrae, dies et nox: ita somnus et vigiliae, et hoc propter consensum et harmoniam macro et microcosmi.»

Der Mensch kehrt periodisch aus seinem Gehirnleben zurück in seinen irdischen Urzustand: «Der Schlaf ist zunächst eine Wiederholung des Fötuslebens» [Passavant: 207, 130]. Der Sinnestätigkeit und dem Verstand entzogen, ist er jenem *Allsinn* näher, der ihn ursprünglich in Beziehung mit der Natur gesetzt hat. Ihm ist, als befinde er sich im Herzen der Natur; gerade indem er sich vor den Dingen verschließt, indem er es sich versagt, sie mit gewohnten Mitteln wahrzunehmen, findet er sich aufs wunderbarste mit ihnen im Einklang. Die Mystiker wußten sehr wohl von dieser Erfahrung, daß nämlich Selbstverleugnung und Weltentsagung zum wahren Weltbesitz führe. So Meister Eckhart:

Sô lange ich diz unt daz bin oder diz und daz hân, sô bin ich niht alliu dinc noch enhân ich alliu dinc. Scheide abe, daz dû noch diz noch daz ensîst noch enhâst, sô bistû allenthalben; und alsô, bistû weder diz noch daz, sô bistû alliu dinc. [231, 162]

Anderswo faßt er sich noch kürzer, und welche Unterschiede zwischen einem christlichen Mystiker und den Naturphilosophen auch immer festgehalten werden müssen – hier wenigstens findet sich dieselbe Hinwendung zur Einheit, dieselbe Verachtung des abgesonderten Daseins:

Dar an liget der sêle lûterkeit, daz si geliutert ist von einem lebene, daz geteilet ist, und tritet in ein leben, daz vereinet ist. [232, 136]

Wohlverstanden: Die ‹unio mystica› des Dominikaners ist rein geistige Kontemplation, Abwendung von Sinnlichkeit und Natur, völlige Hinwendung zu Gott, der in uns lebt und seine Gegenwart in uns offenbart. Wenn hingegen unsere Philosophen und Magnetiseure Zustände verminderter Außenwahrnehmung und Bewußtheit erforschen, so wollen sie sich dadurch allen Schwingungen aussetzen, die nur immer aus dem einen *Kosmos* an sie herankommen und sie erregen; es ist dies – nach Schopenhauers schönem Vergleich – wie bei einer Harfe, die wohl «von einem fremden Tone nicht wiederklingt, während sie selbst gespielt wird, wohl aber wenn sie still dahängt» [233, V, 250].

Und wenn nun unsere Seele im Schlaf der Weltseele näher ist (oder in der Sprache der Neuplatoniker: wenn die in jeder Einzelseele gänzlich gegenwärtige Weltseele der Sitz der Träume ist), so ist der Schlaf eine Vorwegnahme des Todes. Die «zentralen», das heißt «von Innen nach Außen tretenden Sinnesanschauungen, wie wir solche im Traum, in Krankheiten und in Ekstasen erfahren» – Baader spricht ihnen «bestimmteste Objektivität» zu – müssen nahe mit jenem Zustande unserer Sensation verwandt sein, welcher unser nach dem irdischen Tod wartet» [184, IV, 138 f.]. Wenn es zwei Bestrebungen sind, die wir während unseres Lebens unablässig verfolgen: die eine nach Individualität, die andere nach Rückkehr in die Einheit, so kann der Tod nichts anderes bringen als die endgültige Auflösung der Individualität, die Erfüllung unserer Sehnsucht, wieder ins ungeschiedene Ganze einzugehen; und davon gibt der Traum einen Vorgeschmack.

Dieser Vergleich von Schlaf und Tod stammt nicht erst aus der Romantik; bekanntlich nannte sie schon Homer Brüder. Aber die Nähe von Schlaf und Tod kann verschieden gedeutet werden. Für Lévy-Bruhls ‹Primitive› ist der Schlaf eine wirkliche Reise ins Totenreich, wo die befreite Seele zu den Geistern zurückfindet; da geht es um buchstäbliche Übereinstimmung. Für die Rationalisten hingegen liegt die Verwandtschaft darin, daß wir sowohl im Schlaf als auch nach dem Tode vom Nichts verschlungen werden; da verschwindet denn gerade alles, was das Menschliche ausmacht: Es verschwinden unsere wachen Vermögen. Und gerade dies, die Untätigkeit dieser Vermögen, ist in den Augen eines Romantikers oder eines Mystikers die Vorbedingung für unser eigentliches Sein. Nur im Schlaf oder Tod der sinnlichen Wahrnehmung, in der Bewußtlosigkeit der Vernunft können wir dem einzig wesentlichen Wissen näherkommen: dem Wissen von Gott und dem Kosmos, und uns mit beiden vereinigen dank dem Tod all dessen, was uns davon getrennt hat.

Die Naturphilosophen räumen dem nächtlichen Dasein nicht alle gleich kühn und entschieden einen solchen Vorrang ein. Während sie sich in der Metaphysik und Physik in schroffem Gegensatz zur vorangehenden Epoche wissen, bleiben manche von ihnen, was die Psychologie anbelangt, noch unter deren Einfluß. Da und dort hält man an der alten Auffassung fest, der Traum sei ein Mittleres zwischen tiefem Schlaf und besonnenem Wachen, ein wunderliches Gemengsel zweier Bewußtseinsweisen während des Einschlafens oder bei den ersten Regungen der erwachenden Sinnlichkeit[2].

Solche noch im Alten verharrenden, verspäteten und inkonsequenten Auffassungen widerspiegeln nun freilich nicht die wahre romantische Philosophie des Traums. Auf sie werden wir in ihrer ganzen Fülle bei Troxler, bei Schubert und bei C. G. Carus stoßen; aber auch andere Philosophen haben, wenn auch noch nicht so eindringlich wie diese drei großen Forscher, wagemutige Ausflüge ins Traumreich unternommen. Der Biologe Treviranus sieht im Traum sämtlicher Lebewesen bis hinunter zum Samenkorn ein Vorwissen von ihrer künftigen Entfaltung:

Man hat gefragt: ob das Weizenkorn, das zu Wurzel, Halm, Blatt, Ähre usw. den Keim in seinem Wesen hat, von Wurzel, Halm usw. träumen und sich dessen, was in ihm ist und aus ihm werden wird, bewußt sein könne? [...] Das Weizenkorn hat allerdings Bewußtsein dessen, was in ihm ist und aus ihm werden kann, und träumet wirklich davon. Sein Bewußtsein und seine Träume mögen dunkel genug sein. Ohne ein solches Bewußtsein und ohne solche Träume gibt es aber kein Leben. [224, I, 16]

---

[2]* Der Traum ein Mittleres, Irrwisch der Seele, Gemengsel: Rosenkranz [219, 165], Eschenmayer [197, § 255]; bloße Reproduktion nach Assoziationsgesetz: Wagner [225, §§ 437–440]; keine Wahrheit, Phantastik, niedriger als waches Bewußtsein: Wagner [225, § 510f.], Eschenmayer [197, § 261], Kieser [202, § 190], Rosenkranz [219, 181–185].

Der Traum gilt hier als der Zustand verschwommenen Bewußtseins, in dem der ganze unbewußte Prozeß physiologischen Wachstums dunkel geahnt wird; er ist im organischen Leben der Augenblick unmittelbarster Berührung mit der das ganze Universum beseelenden Lebenskraft.

Welche Rolle die Phantasie, die Vernunft und der Wille im Traum spielen, diese Frage beschäftigt die Geister weiterhin, und auch hier vergessen die Romantiker in ihren psychologischen Abhandlungen oftmals ihre eigene Voraussetzung einer unteilbaren Seele und geraten in die ausgefahrenen Spuren des 18. Jahrhunderts zurück. Immerhin sind sie sich im allgemeinen darüber einig, daß als Zeugungskraft der Träume die schöpferische Phantasie betrachtet werden müsse, die sich für viele von ihnen mit dem ‹inneren Sinn› oder ‹Allsinn› deckt, diesem Überrest unserer ursprünglichen Vermögen. Passavant ist davon überzeugt, daß sich dieser innere Sinn nicht in der bloßen Reproduktion äußerer Sinnesempfindungen erschöpft, sondern recht eigentlich erfinderisch und schöpferisch wirkt [207, 130]. Sobald einmal die Kategorien der Zeit und des Raums außer Kraft gesetzt sind, finden wir uns mit dem Kosmos verbunden durch den «Ursinn» [l.c.], der im Traum dieselben Fähigkeiten der Voraussicht und der Fernsicht besitzt, die aus allen Formen der Ekstase bekannt sind.

Die doppelte, zugleich körperliche und geistige Natur dieser schöpferischen Macht verbindet Traum und Poesie. Denn der Traum ermöglicht uns, auch in die Quellen des physischen Lebens einzutauchen, eins zu werden mit der einen und immer selben Zeugungskraft, die sowohl die Naturkräfte wie die seelischen Bilder ins Leben ruft. Dank dem Traum vermögen wir die tiefste aller unserer Analogien, unserer rhythmischen Übereinstimmungen mit der Natur zu entdecken; er läßt uns gewahr werden, daß der schöpferische Akt des Dichters, den dieser für die Tat seiner selbst hält, im Grunde genommen eins ist mit eben jenem Akt, dem alles Lebendige entspringt. Auf seltsame Weise ist davon die Rede in einem Briefe Baaders aus dem Jahre 1821, wo dieser von einem Muttermal erzählt, «welches eine Erdbeere vorstellt und gerade allemal zur Blütezeit dieser Frucht sich entzündet und schwillt». Erscheinungen solcher Art stärken natürlich den romantischen Glauben an Einflüsse der Naturrhythmen. Baader fährt weiter:

Ich glaube, daß dieses Muttermal ebensowohl ein organisches Erzeugnis als jede wirkliche Erdbeere selbst ist [...], weswegen denn auch beide denselben Affektionen in derselben Zeit unterworfen sind. – Gilt aber nicht dasselbe von allen wahrhaft genialen psychischen Gebilden des Dichters, Künstlers, Träumenden? und erhalten wir hiemit nicht eine befriedigende Theorie jeder produktiven, nicht reflektiven Gestaltung, die vom Menschen ausgeht oder *im Menschen vorgeht*? [184, XV, 367f.*]

Weist diese erstaunliche Bemerkung über die Rolle des Unbewußten im dichterischen Schaffen, über das fremde Wirken, das «in uns vorgeht», nicht schon ein halbes Jahrhundert voraus auf die Erfahrung, die Rimbaud all jenen entgegenhält, die sich mit großem Geschrei als die ‹Autoren› ihrer Werke ausgeben?

Denn ICH ist ein anderer. Wenn das Blech als Trompete aufwacht, so liegt es doch auch nicht an ihm selbst. So viel ist mir klar: Ich bin dabei, wenn der Gedanke in mir durchbricht: ich schaue, ich höre – ich werfe einen Bogenstrich hin – da rührt sich tief unten die Symphonie, oder sie fährt heraus in gewaltigem Sprung. (Rimbaud: «Lettre du voyant», 15. Mai 1871)

Freilich, bei Baader erscheint das dichterische Schaffen nicht abgesondert; es gleicht der Entstehung der Traumbilder sowohl wie der Bildung jeglicher Lebewesen und Gestalten in der Natur; es ist ein Fragment des schöpferischen Lebens, das überall gegenwärtig ist, in der Körperwelt wie in der Geisterwelt.

Wer dem Traum im Verhältnis zum Wachen eine derartige Originalität und Selbstständigkeit zuspricht, wird den Träumen beim Einschlafen oder Aufwachen nur wenig abgewinnen können, da sie am wenigsten Reinheit und Gewicht besitzen. Der Traum ist nicht – wie es die Gelehrten des 18. Jahrhunderts und mit ihnen die meisten modernen Psychologen wahrhaben wollen – ein unvollkommener Modus des wachen Bewußtseins, das noch oder schon im Schlaf befangen ist. Vielmehr sind uns die wahrsagenden Träume und die Ferngesichte erst im Tiefschlaf beschieden, und erst dann ist der Allsinn der ganzen Fülle seiner Vermögen mächtig. Später werden die Selbstbeobachtungen eines Hervey de Saint-Denys bestätigen, daß Abend- oder Morgenträume, obwohl sie uns für gewöhnlich im Gedächtnis bleiben, sehr viel weniger befremdlich, reich und originell sind als die Träume der tiefen Nacht.

Aus diesem krankhaften Zustande unserer Zeit entsprang der törichte Versuch, die Träume, das Positive des Schlafs, aus dem Wachen allein zu erklären, jene psychologische Erklärungsweise, die in den Träumen nichts sah als die halbverdrängten Gedanken und Vorstellungen des Tages.

Die Reflexion, die sich selber, aus sich selber begreifen will, das Bewußtsein, welches sich fortdauernd in sich selber spiegelt, erzeugt ein Überwachen, eine krankhafte Trennung von dem Positiven, was rein heraustritt aus dem Schlafe [...]. So ist das krankhafte Bewußtsein unserer Tage mit der Masse von Widersprüchen und Zweifeln, die es erzeugt, selbst ein halber Schlaf, ein dämmernder Traumzustand. [221, II, 696*]

Diese Zeilen – sie stammen von Steffens – könnten eben erst gestern gegen den Freudianismus geschrieben worden sein, denn sie enthalten tatsächlich den denkbar größten Gegensatz dazu. Wo immer eine Bewußtseinsverfassung als normal und gesund erachtet wird, die nur gerade ein ehrbares gesellschaftliches Verhalten gewährleistet, da erhebt sich der Protest des Romantikers: Nicht der Einfluß des Unbewußten ist von Übel, sondern das anmaßende Bewußtsein der neueren Zeiten, das alles in seinen Bann ziehen will, und dies auf Kosten all unserer übrigen Vermögen, unserer anderweitigen Verbindungen mit dem Wirklichen, der metaphysischen Angst sowohl wie des spontanen Handelns, der unbefangenen Empfindung wie der poetischen Träume. Ausschließlich im Bewußtsein leben wollen heißt: sich bis zur Absurdität vereinfachen und das an Möglichkeiten, an versteckten Botschaften so reiche Wesen des Menschen auf eine Reihe für immer unverstandener Tätigkeiten reduzieren. Denn ein Bewußtsein, das alles verleugnet, was nicht mit ihm identisch ist, und das sich einzig und allein nach außen richtet, ist das Gegenteil wahrer Erkenntnis. Eine solche nämlich hält sich ans ganze Sein und setzt unendlich viel feinere und geheimnisvollere Wahrnehmungsvermögen ein, als es die der Intelligenz sind.

Für Steffens gibt es aber noch Schlimmeres. Das wache Bewußtsein hat sich schließlich auch in unseren Halbschlaf eingeschlichen, und so sind die Träume des modernen Menschen entstanden, die uns über die wahre Natur des Traums keinen Aufschluß zu geben vermögen.

Es ist das Wachen im Traume, welches den wahren innern Traum, das tiefe Besinnen der Seele in der verborgenen Fülle ihres inneren Daseins, verhindert, hemmt, wie der Traum am Tage das Wachen stört. Diese Störungen bedingen sich wechselseitig und lassen weder die unendliche Tiefe des Allgemeinen in das Besondere des Wachens, noch die unendliche reiche Fülle des Besondern in die nächtliche Tiefe des Allgemeinen des Schlafs hineinleuchten, sie verdrängen diese tiefste Bedeutung des Daseins und erzeugen nur oberflächliche Träume, wie aus dem gestörten Besinnen ein oberflächliches, schwankendes Denken und Handeln. Unsere Tage haben sich durch diese Oberflächlichkeit des Daseins ausgezeichnet. *Wir verstehen das Wachen nicht, und eben daher den Schlaf nicht.* [698*]

Nichts ist natürlicher, als daß sich von allem wahren Verstehen abbindet, wer so sein Leben simplifiziert und des Reichtums beraubt. Denn für einen Romantiker stehen sämtliche Schichten des Seins in engster Wechselwirkung; wird auch nur eine vernachlässigt und verkümmert sie, so leidet der ganze Mensch darunter. Die zeitgenössischen Ärzte betonen denn auch immer wieder, daß es nur eine Krankheit des *ganzen* Menschen, nicht dieses oder jenes Organs gebe. Demnach ist es unsere erste Pflicht, auf das Ganze achtzuhaben, und gerade die Beobachtung des Traumlebens vermag uns hierin zu bestärken.

Wer, der nur aufmerksam war auf seine Träume, hat nicht erfahren, daß eine eigene Traumwelt neben der wirklichen hergeht, hat nicht im Wachen Menschen gesehen, Gegenden erblickt, Ereignisse erlebt, die ihm wie früher bekannt waren, die ihm wie aus der dunklen Erinnerung entgegen traten? Wer fühlt sich nicht im Traume in Lagen und Gegenden versetzt, die er nur aus den Träumen erkennt, und zwar so, daß ein deutliches Bewußtsein ihm sagt, er sei jetzt in einer von der Welt des Wachens gesonderten Welt, deren Bilder zwar aus jener entstanden sind, aber deren eigentümliche Verknüpfung dennoch eine gesonderte Kontinuität bildet von einem Traume zum andern, ja selbst in der Zeit sehr entfernte Träume haben eine solche Kontinuität, und solche Träume sind ganz besonders mit einem tiefen, innern Wohlbehagen verbunden, als fühlten wir uns durch sie ganz vorzüglich von der Hemmung des Wachens befreit. Diese Erfahrung geht durch mein ganzes Leben. [699]

Diese herrliche Seite aus Steffens' Feder wäre es wert, vollständig zitiert zu werden; denn nicht mancher spricht so offen und mit solch kühner Eindringlichkeit von einer Traumerfahrung, die im übrigen diejenige eines jeden echten Romantikers ist, hält es dieser doch für unsinnig, leichtfertig, ja für gefährlich, im Traum lediglich den Bodensatz des Wachens zu sehen. Der Traum offenbart;

aber er offenbart auf *poetische* Weise, denn das eigentümliche Gefühl, die Euphorie, die wir darin empfinden, erweckt in uns – nicht mittels logischer Beweiskraft, aber durch ein unmittelbares Innewerden – die Überzeugung, daß die flüchtig erspähte Welt tatsächlich existiert, daß sie eine wesentliche, ursprüngliche Form unseres wirklichen Seins bildet. Wir sind unsere Träume so gut wie unser Wachen. Den Traum vom Wachen her erklären zu wollen ist ein geradezu barbarisches Unterfangen und heißt sich von vornherein auf eine Verfälschung seines Sinns und vor allem seiner Qualität festlegen. Man kann diesen Zeilen von Steffens alles gegenüberhalten, was im 18. Jahrhundert über dieses Thema geschrieben worden ist, ja selbst das, was die andern Naturphilosophen dazu zu sagen haben, und man wird finden, daß keiner ein so feines konkretes Verständnis besessen hat für das Eigenleben der Träume, für das, was sie absolut unterscheidet vom Wachen. Er wäre wie kein zweiter befugt gewesen, Nervals Wort zu zitieren: Verletzt nicht die heilige Scheu der Traumgötter!

Freilich ist auch Baader, wenn auch nicht mit demselben Feingefühl, zu einem sehr deutlichen Begriff von der absoluten Eigenart der Träume und ihrer Verwandtschaft mit der Poesie gelangt[3]. Seit den Jugendtagebüchern findet sich bei ihm eine äußerst wache Aufmerksamkeit für die Sprache des Traums, für sein Bilderschaffen: *«Bilder tun der Seele wohl!* Sie sind ihre eigentliche Speise» [185, 25]. Ob angenehm oder quälend, sie prägen sich uns für lange ein. Baader führt als Beispiel einen Traum an, der ihm – nach einer tags zuvor widerfahrenen Kränkung – sein wahres Empfinden offenbarte: «Meine Seele malte nun ungestört das ganze Bild aus, und was mir gestern wegen des Ärgers nicht so ganz zuteil wurde und ohne Zweifel als dunkler Wunsch noch immer in meiner Seele lag, *kalte Rache,* wurde im Traume ganz ausgeführt» [27f.]. Was hier Baader als Funktion des Traums im persönlichen Leben entdeckt, kommt gewissen psychoanalytischen Auffassungen ganz nahe – aber er sieht eben noch mehr, nämlich die Vorliebe der Seele für eine keineswegs analytische, sondern metaphorische Ausdrucksweise. Es ist dann Schubert, der diesen Gedanken entwickeln wird, und Leute wie Kieser und Ennemoser[4] werden davon bis zum Überdruß sprechen.

Auf die schon von Heraklit aufgeworfene Frage, ob der Traum eine individuelle, der Mitteilung entzogene, das Wachen hingegen eine gemeinsame, Einverständnis gewährende Welt bilde, lassen sich zwei Antworten denken. Nimmt man an,

---

[3]* 1814 schrieb er an Schubert, nachdem er dessen *Symbolik* gelesen hatte: «Ich möchte fast einmal den Versuch machen, unser dermaliges äußeres Wachen eher aus dem Traume zu erklären, so wie dieser wachende Zustand (soidisant wachend?) leichter aus dem des magnetischen Rapports zu erklären ist als umgekehrt» [184, XV, 253]. Dieses Vorhaben, von dem er noch einmal in einem Brief von 1819 spricht [355], hat er allerdings nie ausgeführt.

[4]* Kieser: «Bilder- und Hieroglyphensprache des Traums» [202, § 190]; Ennemoser: «Bild und Sache sind Eins ..., symbolische Bildersprache» [195, § 71].

das Subjekt befinde sich einer objektiven Welt gegenüber und seine Kenntnis davon sei schlechtweg Abbild, so ist die Sinnenwelt, insofern und weil sie allen gemeinsam ist, *wahrer* als die abgeschlossene, individuelle und also trügerische Traumwelt. – So lautete die Auskunft der Philosophen im 18. Jahrhundert.

Oder aber – und dies ist romantische Auffassung – die sogenannte ‹objektive› Welt existiert lediglich als unsere Übereinkunft, als gemeinschaftliche ‹Setzung›, die uns Menschen den Verkehr untereinander erleichtert. Die Traumwelt hingegen ist uns von innen heraus gegeben; sie *ist* uns wirklich allen gemeinsam, weil wir alle an ihr teilhaben oder weil wir in ihr teilhaben an der universellen Wirklichkeit.

Nach Auffassung der Naturphilosophen wird man aber damit der hohen Bedeutung des Traums noch keineswegs gerecht. Ihnen liegt alles daran, dem Traum eine Rolle in ihrer Kosmogonie und in ihrem Mythos zuzusprechen und die Möglichkeiten ausfindig zu machen, wie er für die magische Erlösung der Menschheit und des Universums einzusetzen sei. Nach Görres war der Traum menschlicher Urzustand im goldenen Zeitalter, er war noch Wort der Natur, und dies unbewußte Sinnen des mythischen Zeitalters war vollkommene Offenbarung des göttlichen Wesens[5]. Der «Geist des Traumschauens», wie er noch für das biblische Altertum bezeugt ist, als «Jehova sich seinen Lieblingen durch die Stimme des Traums offenbarte», hat sich im Verlauf der Menschheitsgeschichte allmählich verloren [J. J. Wagner: 228, 14]. «In der neuen Zeit sind die Träume ganz prosaisch geworden», aber zweifellos wird ihnen eine bessere Zukunft ihre ursprüngliche Kraft wieder zurückgeben. Selbst Hegel, wie fremd ihm auch derartige Auffassungen waren, vergleicht die ganze Geschichte einer Kollektion von Träumen und fügt bei, «wenn man die Träume gesammelt hätte, welche die Menschen während einer bestimmten Periode geträumt hätten, so würde ein ganz richtiges Bild von dem Geiste jener Periode aufsteigen» [nach Ennemoser: 195, S. xiv].

Es muß hier eindringlich davor gewarnt werden, in den Naturphilosophen so etwas wie die Apologeten der Nachtseiten des Lebens auf Kosten jeglicher Bewußtseinstätigkeit zu sehen. Der Mythos von der verlorenen Einheit ist auch der Mythos von der wiedergefundenen Einheit. Der Zustand der Trennung, der dazwischenliegt, der Äon des Werdens, in den sich die Geschichte der kreatürlichen Welt wie die Menschheitsgeschichte einzeichnet, ist nicht einfach reine Manifestation des Bösen. Freilich geht die jetzige Natur auf den Sündenfall zurück. Aber sie ist, zumindest für Jünger Saint-Martins, keine präexistente finstere Materie, in die sich der Mensch blindlings hineingestürzt hätte. Im Gegen-

---

[5] «Die erste Tätigkeit des erwachten Geistes waren Träume. [...] Die Elemente [der Körperwelt] waren's, die da noch im Geiste herrschten, sie fügten im Spiele ihrer Wahlverwandtschaft in Gedanken sich zusammen, die der im Schlafe noch halb befangene Geist [...] wie in innerm Mondschein träumend dann erschaute. [...] So begann alle Religion mit Naturreligion.» [200 (1807), 351 ff.]

teil: Gott hat, wie er des Sündenfalls gewahr wurde, nicht zulassen wollen, daß sich der Sturz bis in die tiefsten Abgründe fortsetze, so daß keine Rettung mehr möglich gewesen wäre; er hat den Menschen in der Materie aufgefangen, um ihm eine letzte Gelegenheit zur Läuterung und Rückkehr zu geben. Der Geist-Mensch ist zum Natur-Menschen geworden, in dem der Mensch der Hoffnung schlummert und auf Auferweckung wartet; seine Sehnsucht, sein inniges Verlangen nach Gott soll ihn in Bewegung versetzen, und sein Fortschreiten wird mit der Wiederherstellung der Urnatur enden.

Und also ist es am Menschen, sein bewußtes Leben, das Dasein in der Vereinzelung bis zur höchsten Vollendung zu steigern. Es kann niemals darum gehen, diesem Dasein zu entsagen zugunsten eines Traumes, in dessen Geborgenheit zurückzukehren uns nun einmal verwehrt ist, oder uns gar in völlige Abhängigkeit von ihm zu begeben. Bewußtheit und Trennung nötigen uns, den Weg zu Ende zu gehen, den wir aus eigenem Verschulden, aber auch dank der Barmherzigkeit Gottes eingeschlagen haben. Sein Ende verheißt wiedergewonnene Einheit. Wollen wir es erreichen, so gilt es auf Zeichen zu hören, gilt es Spuren wiederzufinden, die einzig im Dunkel unseres nächtlichen Seins zu finden sind – aber darauf zu hören und sie zu entdecken, um danach den langsamen und mühseligen Aufstieg zu richten, der es uns, wenn der Tag zur Neige geht und das individuelle Bewußtsein dereinst zu Vollkommenheit gelangt sein wird, mit dem Frieden im Schoße der wiedergefundenen Gottheit lohnt.

Schelling, zuweilen von poetischem Geiste angehaucht, hat diese Vermählung des Tages mit der Nacht in ein herrliches, von jener mondhellen Dämmerung durchwobenes Bild gefaßt, welche die Romantiker so sehr liebten:

Wenn in der Nacht selbst ein Licht aufginge, daß Ein nächtlicher Tag und Eine tagende Nacht uns alle umfinge, da wäre erst aller Wünsche letztes Ziel. Ist's darum, daß die mondhelle Nacht so wunderbar süß das Innere berührt und mit Ahndungen eines nahen Geisterlebens die Brust durchschauert? [234, IX, 64]

DRITTES BUCH

DIE ERKUNDUNG DER NACHT

SECHSTES KAPITEL

METAPHYSIK DES TRAUMS

> Ich kann in mich hinein fortfühlen und denken, fort-
> wollen und wirken bis in eine unendliche Tiefe, wo
> ich mir wieder selbst von allen Seiten begegne.
>
> I. P. V. Troxler

Unter den romantischen Philosophen nimmt sich der Luzerner Ignaz Paul Vital
Troxler (1780–1866) als eine recht eigenartige Persönlichkeit aus. Als Student
in Jena war er Schüler Schellings gerade zu der Zeit, als dieser den Höhepunkt
seines Ruhms erstiegen hatte. In Wien, wo er danach unter dem italienischen
Magnetiseur Malfatti arbeitete, erwarb er sich die Zuneigung Beethovens[1]. Nachdem er in seinem Geburtsort Beromünster eine ärztliche Praxis eröffnet hatte,
publizierte er in den Jahren 1806, 1807 und 1812 seine wesentlichsten philosophischen Werke: *Über das Leben und sein Problem, Elemente der Biosophie* und
Blicke in das Wesen des Menschen.

Als Innerschweizer besaß Troxler die ganze Heftigkeit, Streitlust und Beharrlichkeit seiner Rasse. Gleich nach seinen ersten Veröffentlichungen riß er
eine hitzige Polemik gegen den Mediziner Kilian, dann eine gegen Oken vom
Zaun, in die er auch seine Lehrer Schelling und Himly verwickelte, welche dann
wohl oder übel den Schild über ihren stürmischen Schüler zu halten hatten[2].
Als feuriger Verfechter und Vorkämpfer des politischen Liberalismus mußte er
im Jahre 1821 das Luzerner Lyzeum verlassen, worauf er zum offenen Angriff
auf die aristokratischen Gewalthaber ausholte. 1830 erhielt er den Basler Lehrstuhl für Philosophie, verlor ihn aber wegen politischer Händel schon im Jahre
darauf. Einigermaßen friedlich verlief einzig die Zeit seiner Philosophieprofessur
in Bern von 1834 bis 1853. Dem Widerspruchsgeist und Freischärlertum blieb er
aber treu bis ins hohe Alter, als er sich als Katholik und Theokrat behauptete
zu einer Zeit, da der Liberalismus des jungen Troxler weit herum gesiegt hatte,
so wie er sich auch mehr und mehr der Mystik zuneigte, je weniger seine Zeitgenossen dafür empfänglich waren. Er starb im hohen Alter von sechsundachtzig

---

[1] Von einer ‹Freundschaft› mit Beethoven kann nach Spieß nicht länger die Rede sein
[247, 984, Anm. 16].
[2] Vgl. Spieß [247, 30–37].

Jahren, ohne daß er jemals davon abgelassen hätte, seine erklärten Feinde sowohl wie die einstigen Freunde vor den Kopf zu stoßen.

Karl Rosenkranz hat ihn 1840 in seiner philosophischen Komödie *Das Centrum der Spekulation* auftreten lassen, in der verschiedene Persönlichkeiten um die Nachfolge Hegels an der Spitze des deutschen Denkens wetteifern. An der Seite Baaders, Schellings, Vischers, Mörikes und – George Sands erhebt da ein «Theokrat» die Stimme, hinter dessen Namen man unschwer den Luzerner Philosophen errät. Er erscheint als ein reizbarer Mann, spricht in dunklem, geblümtem Stil, preist die Alpen mit ihren Gießbächen, den Jodel und Alpruf der Hirten, verkündet schließlich, «daß alle Philosophie nur eine Bildersprache ist, alle Spekulation nur ein Nachlallen der göttlichen Offenbarung», und entwirft folgende mystische Lehre:

> Der irdische Mensch muß zerbrechen, damit der Herr der Herrlichkeit in ihm auferstehe und Gewalt gewinne. Gott und Mensch sind das Alpha und Omega des Alls, und der Gottmensch ist die anthroposophische Synthese. [...] Wir entsagen unserm eignen Ich, um in unserm ewigen uns wieder zu finden. [245, 77–79]

Die Karikatur trifft ins Schwarze. Tatsächlich ist Troxler derjenige unter Schellings Schülern, der wegen der schweren Verständlichkeit und Eigenwilligkeit seiner Sprache am meisten Kopfzerbrechen bereitet. Gewiß, auch Oken und Baader haben sich befremdende Paradoxa erlaubt; Troxler hingegen übertraf sie in der Technik, sprachlichen Begriffen einen völlig privaten Sinn zu unterlegen, und diese Manier, in der er sich selbst mit gewissen modernen Denkern hätte messen können, läßt das Studium seiner Werke oft zum mühsamen Geschäft werden. Seine Schriften setzen sich weithin aus kurzen Fragmenten zusammen, deren Verbindung nicht immer leicht ersichtlich ist. Und doch gibt es diesen Zusammenhang, denn kaum je war ein Denken dermaßen ‹orientiert› wie dasjenige Troxlers. Wenn er sich aus dem ungeheuren, herrlichen Reichtum deutscher Mystikersprache unzählige Begriffe geborgt hat, so geschah dies keineswegs im Sinne einer simplen Anleihe; vielmehr verband ihn mit den größten jener Mystiker das zähe Ringen um eine geistige Eroberung, um ein geduldig beharrliches Vorrücken, nicht um äußeren Erfolges, sondern einzig um des inneren Fortschritts, um der inneren Reifung willen. Seine Originalität entspringt nicht der Laune oder Eitelkeit eines falschen Propheten; sie ist das Signum eines Geistes, der sich in einer wahrhaft eigenen Welt bewegt, insofern er sie nämlich Schritt für Schritt selbst erobert hat; und auch das knappe Fragment, dessen er sich ohne Bedacht auf logische Verfügung bedient, ist nichtsdestoweniger genau und gründlich erarbeitet. Die Form des Fragments kommt hier einem ganz anderen Bedürfnis entgegen als etwa bei einem Novalis. Da ist keine Spur von Poesie, nichts von jener Unfertigkeit, welche den Weg offen läßt hinaus in unendliche Träumereien; vielmehr sucht die Troxlersche Sentenz eine vollkommene, ganzheitliche Intuition in ihrer Fülle festzuhalten, einen exakten Begriff von der lebendigen Welt zu vermitteln, so wie ihn das diskursive Denken nicht zu erwerben vermag.

Denn es gibt bei Troxler so etwas wie einen Präbergsonismus, insofern er dem rein intellektuellen Erkennen lediglich die Wahrnehmung von Leblosem zutraut. Das sogenannte ‹Bewußtsein›, welches den gesamten Gefühlsbereich aus sich verweist, gilt ihm nur als «eine einseitige und beschränkte Sphäre in dem Gesamtgebiet der menschlichen Naturerkenntnis» [241, 31]. Dieser unzulänglichen Erkenntnisweise steht der lebendige Denkprozeß gegenüber:

> Das menschliche Denken entspricht nicht dem *Sein* der Dinge in der Welt, sondern dem *Werden* derselben in der Natur, und das System und der Prozeß unseres Denkens ist nicht nur ein Abdruck oder Gegenbild der Außenwelt in ihrem toten Gewordensein, sondern ein ihrem nach außen verschlossenen Wesen und Leben entsprechendes Werden in und aus sich selbst, so daß alle Gestalten und Bewegungen, die im Werden der Dinge sind, sich in der Erkenntnis des Menschen enthüllen, und umgekehrt, was in dieser sich offenbart, in jenem sich verwirklicht. Somit verliert das vielbewunderte, von ihm selbst so oft durch die Tat widerlegte, kleine Wort unseres großen Haller: «Ins Innre der Natur dringt kein erschaffner Geist» allen Sinn und alle Bedeutung, denn das Innere der Natur ist selbst kein Äußeres für den schaffenden Geist, oder dieser ist das Innere der Welt, wie des Menschen, und nur für den, der noch nicht zu sich gekommen oder jenen schaffenden Geist nicht in sich erkannt hat, ist die Natur ein undurchdringbares Äußeres. [53]

Gewiß, das hat etwas von jener Erkenntnis *per analogiam,* wie sie einem jeden Naturphilosophen vertraut war; aber bei Troxler wendet sich alles ins Unvergleichliche. Keiner seiner Zeitgenossen hat so entschieden wie er darauf bestanden, daß es zur Erkenntnisarbeit des *ganzen* Menschen bedürfe. Und wenn auch kein anderer die Grenzen des Intellekts, dessen Unfähigkeit, das ‹Lebendige› zu erfassen, so klar erkannt hat wie Troxler, so weiß doch auch er wieder als einziger, daß der Mensch als Ganzer der Mitwirkung von Verstand und Vernunft nicht entraten kann. Scharf verwahrt er sich gegen das Ansinnen, «ohne Verfolgung und Durchlaufung all der Richtungen und Bewegungen des reflektiven und diskursiven Erkennens zu höherer geistiger Anschauung gelangen zu wollen» [54]. Nichts ist ihm widerlicher als «die sich selbst mystifizierende Mystik, welche mit Umgehung und Überschreitung alles besonnenen und vernünftigen Bewußtseins durch einen Salto mortale sich in die bodenlosen Regionen ungezügelter Schwärmerei versetzt». Es erfüllt ihn mit tiefer Sorge, daß gewisse Zeitgenossen im tierischen Magnetismus ein das Bewußtsein übersteigendes höheres Vermögen entdeckt zu haben glauben; wenn er auch anerkennt, daß die Entdeckungen auf diesem Gebiet den Menschen zur Einsicht führen können, es gebe mehr als nur das eine Bewußtsein, so warnt er doch eindringlich vor der Verwechslung solcher unterhalb des normalen Bewußtseins liegender Zustände mit jenem vollkommeneren Bewußtsein, auf das alles menschliche Bemühen hinstreben müsse.

Auch wenn Troxler gegen den schwärmerischen, ja oft verschwommenen Mystizismus seiner Zeit angekämpft hat und in der Tat der echten Mystik näher stand, so darf er dennoch den Naturphilosophen zugezählt werden. Zumal in seinen ersten Veröffentlichungen teilt er mit ihnen gewisse Grundüberzeugungen und Denkgewohnheiten. Einmal in die Arkana der Troxlerschen Terminologie eingedrungen, stößt sich der Leser zuallererst an der überbordenden, geradezu manischen Befolgung des dialektischen Schemas. Das von der ganzen Epoche so hoch eingeschätzte Polaritätsgesetz gewinnt bei ihm die Tragweite einer Universalformel, auf welche das Denken sowohl wie das kosmische Sein zurückzuführen ist. Und von Thesen fort zu Synthesen läßt sich die ganze Welt durchmessen ...

Oberste Synthese und letzte Wirklichkeit ist für Troxler das *Leben,* dem sonst kein zeitgenössischer Philosoph eine solche Geltung beigemessen hat. Das Leben ist das einzig Absolute, die Grund- und Ursache. Der Seele wie dem Leib kommt nur ein abgeleitetes Sein zu; sie sind «Ur-teile[3]» eines verborgenen Etwas, eben des Lebens. Allein, wegen des Sündenfalls vermag das Menschengeschlecht das Leben in sich selbst nicht mehr zu erfassen, und hierin liegt der Ursprung des Bösen. Vollkommenheit ist nur zu erreichen durch Aussöhnung von Seele und Leib, durch deren Rückkehr in die anfängliche Sündlosigkeit. «Von dem Zustand der Unschuld aus geht das Leben einen großen Gang durch den Abfall in Erscheinung und Existenz zu ihrer Aussöhnung in sich» [236, 29–39, 60].

Sehen wir ab von den Unterschieden im Sprachgebrauch, so stimmt diese Metaphysik sehr wohl überein mit den zeitgenössischen Anschauungen; hier liegt denn auch nicht die eigentliche Originalität von Troxlers Denken. Was ihn hingegen zutiefst von den andern Naturphilosophen unterscheidet – und zwar schon in jungen Jahren und späterhin um so tiefer, je stärker seine persönliche Mystik hervortritt –: das ist sein eigentümliches Verständnis der im übrigen allgemein anerkannten Analogie zwischen Mensch und Natur.

Der Mensch, Ebenbild des Lebens selbst, ist durch und durch zerrissen von jener Scheidung ursprünglicher Einheit in Seele und Leib.

So mag der Mensch, von welcher Seite er immer will, sich erfassen, und er findet eine Wunde, die durch Alles dringt, was an ihm lebt, und die ihm vielleicht das Leben selbst schlug!

Jener Gegensatz im Menschen, als Wurzel aller im Menschen unterschiedenen Mächte, ist eine Tatsache des Lebens, die alle seine Äußerungen bedingt; aber wie nähme der Mensch andererseits diese Unterscheidung in sich selbst wahr, wenn er nicht ursprünglich und unmittelbar in sich eines wäre, oder diese Spaltung, einmal ins Leben geführt, keiner Beziehung und Vermittlung fähig wäre! [238, 19 f.]

Wie das zerspaltene Leben, so strebt auch der zerspaltene Mensch zur Versöhnung seiner Doppelnatur zurück. Alle Ausdrucksformen des Kulturschaffens,

[3] Über die ontologische Bedeutung von Troxlers ‹Urteils›-Begriff vgl. Spieß [247, 51 und 58].

Wissenschaft und Geschichte, Ethik und Kunst, sind nur Blüten der Menschheit, welche «einer höheren Frucht zureifen, einer Frucht, dem Keime gleich, welchem sie entsprossen» [236, 50]. Die Bestimmung des Menschen ist keine andere als die des Lebens überhaupt: aus dem Keime zur Frucht zu reifen.

Keim und Frucht ist aber im Leben Eines, nur in der Entwicklung und Ausbildung verschieden. [...] Die Früchte fallen, die Keime stehen auf; dies ist das Bild des Gesetzes, welches lebendig im Universum waltet. [53]

Nun gebietet dieses Gesetz freilich nicht einem end- und ziellosen Kreislauf von Werden und Vergehen. Es gibt da sehr wohl eine Richtung, und sie schreibt sich jeglichem individuellen Leben ein, das in seinem Verlauf wiederum dem Gesetz des ‹Stirb und Werde› gehorcht. Der Keim dessen, was nach dem Tode wieder aufblühen wird, liegt nämlich schon jetzt in unserem Inneren verborgen. Unser Zustand nach dem Tode ist eben nicht derselbe wie jener vor unserem irdischen Dasein. Denn während unseres Erdenlebens reifen gewisse Keime heran zu Früchten, deren Keime wieder aufgehen werden in unserem jenseitigen Leben. «So trägt der Mensch gewiß *sich selbst* hinüber, wenn er auch noch so vieles zurückläßt im Diesseits», was ihm als unverlierbar erscheinen mochte [241, 61].

Dies also ist der besondere Gehalt, die eigentümliche Richtung des Analogiegedankens, wie ihn Troxler immer und immer wieder und auf mancherlei Weise vertreten hat. So wie wir ihn hier entwickelt haben, gehört er Troxlers Frühzeit an. In den Aphorismen der späteren Jahre gewinnt dieser Kerngedanke an Transparenz und mystischer Gewißheit:

Freilich gibt es eine andere Welt, aber sie ist in dieser, und um alle Vollkommenheit zu erreichen, muß sie nur recht entdeckt und bekannt werden. Der Mensch muß den künftigen Zustand in der Gegenwart suchen und den Himmel nicht über der Erde, sondern in sich. [241, 134]

Die Natur der Dinge in ihrer ursprünglichen Einheit läßt sich nur in der innersten Tiefe des menschlichen Gemüts ergreifen. [240, 209*]

Das Innere der äußeren Natur liegt dem Innern unserer eigenen Natur am nächsten, da die Natur in und außer uns innigst eins mit dem Göttlichen, welches die Wurzel und Quelle der schöpferischen Kraft ist, aus der in uns die Gedanken in Bewußtsein, und außer uns die Dinge ins Dasein hervorgehen. Daher das merkwürdige Verhältnis, daß, *je mehr wir uns von der Erscheinung aus in unser Inneres zurückziehen, wir umso mehr in die Natur der außer uns liegenden Dinge eindringen.* [239, 169*]

Es wird hier bereits deutlich, in welchem Sinne Troxler sagen konnte, alles echte Philosophieren müsse mit der *Anthropologie* beginnen, um zur *Anthroposophie* zu werden: Die Menschennatur bestimmen heißt zugleich die Natur des Weltalls bestimmen. Dies ist der Grund, warum vom Menschen auszugehen ist, vom ganzen, vom lebendigen Menschen – nicht von spekulativen Prinzipien

öder von experimentellen Feststellungen an der Umwelt. Und überdies: Da der
Mensch nicht einem reglosen Weltall entspricht, sondern einer Welt in Bewegung – ausgegangen von der Einheit und zurückkehrend in sie –, muß all
sein Bemühen darauf hinzielen, daß er in sich selbst die Einheit wiederfinde;
daß er also, um es erwecken und hegen zu können, vom Wachstum der in ihm
liegenden Unsterblichkeitskeime genaue Kunde erlange. Oder, um hier die
von Troxler gern verwendete Benennung dieser Keime aufzunehmen: Wir müssen bis zu jenem tiefsten Grund unseres Innern hinabsteigen, wo der *Gottmensch*
schlummernd der Auferweckung harrt. Daß ein solches Trachten ihm zu wirklicher Erfahrung geworden ist, bezeugt der Philosph mit einer Ausdruckskraft,
die eines Eckhart würdig ist:

Ich kann in mich hinein fortfühlen und denken, fortwollen und wirken bis in eine unendliche
Tiefe, wo ich mir wieder selbst von allen Seiten begegne. [241, 134]

Diesem Grundbegriff vom Menschen ist Troxlers gesamte Psychologie verpflichtet. Es liegt ihm fern, das Zusammenspiel seelischer Kräfte zu beobachten,
Geist, Triebleben und Verhalten zu analysieren; sein Forschen gilt vielmehr
der besonderen Lage des Menschen mit seinen Eigenschaften, seinen Gaben und
Gebrechen inmitten des Weltganzen, oder kurz: es gilt den Konstellationen, von
denen der Mensch abhängt. Insofern erinnert uns Troxler an Paracelsus oder
an Böhme, die gleichsam in modernem philosophischem Gewand wieder-
erscheinen.

Von da aus ist seine zunächst sonderbar anmutende Aufgliederung der menschlichen Natur zu verstehen. Er unterscheidet nämlich nicht, gemäß dem herkömmlichen Dualismus, Leib und Seele, sondern die vier Wesensglieder

GEIST

LEIB   SEELE

KÖRPER

Dieses Schema eines gedoppelten Dualismus bezeichnet er als *Tetraktys*. Wir
müssen es uns hier versagen, dieses im einzelnen überaus komplexe Tetragramm
genauer zu erarbeiten, und versuchen davon nur so viel festzuhalten, als zur
hinreichenden Erfassung der allgemeinen Richtung dieses Denkens und insbesondere der Troxlerschen Traumtheorie nötig ist.

Geist und Körper stehen sich als die zwei absolut entgegengesetzten Pole
gegenüber, der Geist als das überpersönlich Göttliche in uns, der Körper als all
das der Sinneswahrnehmung Zugängliche an uns. Leib und Seele hingegen stehen
im reziproken Verhältnis fortschreitender Steigerung, der Leib als das Gestal-
tungsprinzip des Körpers und die Seele als das Ewigkeitsprinzip in jeglichem
Geschöpf. In die Sinne fällt einzig der Körper, während die drei anderen Prin-

zipien Gegenstand einer übersinnlichen Anschauung sind, zumal auch der Leib gewisse Wesenszüge der Seele besitzt; ihm kommt es zu, den Körper hervorzubringen, ihm das individuelle Dasein und Gepräge zu geben und ihn zum Gefäß des Geistes zu bereiten; denn dieser kann nicht ohne Vermittlung sich inkarnieren und auf den Körper einwirken.

Diesen vier Prinzipien des Menschenwesens entsprechen ebenso viele Bewußtseins- und Erkenntnisstufen. So ist der Leib das Organ der sinnlichen Wahrnehmung, die Seele das Organ des normalen Tagesbewußtseins. Aber – und hier erst gewahren wir die ganze metaphysische Tragweite dieser zunächst etwas rätselhaften Psychologie – die zwei extremen Prinzipien, Geist und Körper, offenbaren uns, daß der Mensch mehr ist, als es den Anschein macht: Er besitzt im Geist eine *über-bewußte* Erkenntniskraft, die ins Absolute hineinreicht. Und auf der anderen Seite ist ihm im Körper eine *unter-sinnliche* oder *vor-bewußte* Erkenntnis gegeben, und zwar im Kindesalter, bevor er zum Selbstbewußtsein erwacht.

An den äußersten Polen seines Wesens also tritt der Mensch in Beziehung zum Transzendenten: Durch das Überbewußtsein – in Ekstasen und mystischen Erleuchtungen – ist er mit dem Geist, dem unendlichen Lebensprinzip, und durch das Vorbewußtsein ist er mit der Körperwelt verbunden.

Bei diesem doppelten Dualismus läßt es aber Troxler nicht bewenden; im Menschen wie im Universum muß es einen Mittelpunkt geben, in dem sich alle Gegensätze aufheben. So stehen bereits Leib und Seele im Verhältnis der Steigerung, sind also nicht absolut, sondern nur relativ entgegengesetzt und aufeinander bezogen. Was den Körper anbelangt, so ist er wohl absoluter Gegensatz des Geistes, aber doch nur innerhalb eines Polaritätsverhältnisses: Er ist das unentbehrliche Werkzeug des Geistes, insofern ohne ihn kein irdisches Leben möglich wäre. Ja in gewissem Sinne ist er, als vom Geist erwirkt, diesem ähnlich, nämlich so wie das Nichts dem Etwas, der Tod dem Leben. Der Geist allein ist Leben, ist das Leben an sich; in ihm löst sich letztlich der Körper wieder auf.

Es gibt nun nach Troxler tatsächlich einen Ort solcher Vermittlung und Einheit im Menschen, einen Mittelpunkt seines Daseins, nämlich das *Gemüt*. Das Gemüt ist die Einheit von Geist und Körper, von Seele und Leib.

Das Gemüt ist des Menschen eigentliches Leben, [...] seine wahre Individualität, [...] seines Daseins lebhaftester Mittelpunkt, [...] die Welt aller anderen Welten in ihm, [...] der Mensch an sich. [238, 56–58]

In der *Metaphysik* von 1828 [239] nennt Troxler das Gemüt auch den *Gottessinn*. Dieser wiederum hat sein polares Gegenstück in der *Sinnlichkeit,* welche aber in bestimmter Hinsicht mit ihm eins ist. Das Gemüt oder der Gottessinn ist die «innerste Tiefe», die Sinnlichkeit «die äußerste Mitte der menschlichen Natur» [78 f.]. Anders gesagt: Der eine und selbe Mensch, als die Einheit von

Geist und Körper, Seele und Leib, kann zwei entgegengesetzte Richtungen einschlagen, die Richtung des Gemüts, also die Richtung zu Gott hin, und die Richtung der Sinnlichkeit, die sich der Welt zuwendet. Keineswegs aber handelt es sich hier um zwei ‹Vermögen›, gar noch um ein höheres und ein niedrigeres. Gemüt und Sinnlichkeit bezeichnen beide, wenn auch von entgegengesetzter Seite, die *Mitte des Menschen,* je nachdem ob er in der «wahren Seinwelt» lebt oder aber in der Maja, an der Grenze zum Nichts.

Der Mensch schaut Gott in seinem Gemüt, die Welt in seiner Sinnlichkeit. Troxler gibt diesem Gedanken eine religiöse Deutung, wonach das körperliche Wesen des Menschen aus Gott, der sich in der Welt offenbart hat, hervorgeht, während das geistige Wesen des Menschen die Rückwärtsbewegung des Menschen auf Gott hin ist. Hat sich die anfängliche Einheit zur Geschöpflichkeit der Welt- und Menschennatur entfaltet, so zielt umgekehrt die gesamte Naturentwicklung darauf hin, jenen Urzustand wieder zu erreichen, und der höchste Ausdruck solcher Rückwärtsbewegung ist die menschliche Seele in ihren wesentlichen Bestrebungen.

Der ganzen Troxlerschen Psychologie scheint zunächst vom Terminologischen her etwas Spekulatives, Schematisches anzuhaften; in Wirklichkeit jedoch ist sie von unerhörter Lebendigkeit. Denn wohlverstanden, alle diese Begriffe für die menschlichen Wesenspole gelten nicht etwa reglosen Wesenheiten, sondern Kräften, Bewegungen, Richtungen. Das Individuum ist aufgefaßt als Angelpunkt verschiedener Anziehungskräfte, die, sosehr sie einander zu widerstreben scheinen, doch einer Aussöhnung fähig sind. Auf jeder Stufe der menschlichen Bewußtseinsentwicklung ist es immer nur einer der beiden himmelwärts der Einheit zugekehrten Pole, Geist oder Gemüt, welchem wirkliches Sein zukommt – sein Gegenpol aber, ob Körper oder Sinnlichkeit, lebt in der Maja, da er erdwärts auf Scheidung gerichtet ist; was er an Wirklichkeit besitzt, verdankt er jenem höheren Wirklichkeitspol, in den er schließlich aufgeht.

Wenn auch Troxler nicht oft auf die konkrete seelische Entwicklung des Individuums zu sprechen kommt, so besitzt er dafür doch ein sehr tiefes Verständnis. Das erriete man allein schon aus einem Fragment wie diesem:

Wer den Charakter eines Menschen ganz ergründen will, muß in ihm das Kind auffinden können. [241, 150]

Das Individuum steigt nach und nach die Bewußtseinsstufen empor, die den vier menschlichen Wesensgliedern entsprechen. Troxler erforscht diesen Aufstieg mit größtem Einfühlungsvermögen.

Das Kind besitzt noch ein traumhaftes Vorbewußtsein; es unterscheidet nicht zwischen Ich und Nicht-Ich. Seele und Leib sind in ihm noch eins. Die meisten Erzieher begehen den Fehler, daß sie den Übergang des Kindes zum Erwachsenenbewußtsein beschleunigen.

Alle Kinder sind Propheten und Poeten, und wir stören zu früh den freien, reinen Naturgang der Entwicklung durch Umwendung der Lebensrichtung und durch Hineinarbeiten. [...] *Das Kind träumt, aber gewiß eine künftige Welt.* [42*]

Auf der folgenden Entwicklungsstufe tritt die Seele in relativen Gegensatz zum Leib und wird zum Hauptorgan der Erkenntnis. Es steht nun dem Heranwachsenden frei, auf dieser Stufe der «Reflexion» stehenzubleiben und sich mit dem «intellektuellen» Bewußtsein zu begnügen. Tut er es, so verhindert er freilich die höchste Entfaltung seines Wesens, die erst auf einer dritten Stufe zu erreichen ist, dann nämlich, wenn er seinen Geist zum Erkenntnisorgan ausbildet, wenn er sich dem göttlichen Licht öffnet und den Weg zur Vollendung einschlägt.

In die Lehre von dem Gemüt, diesem Mittelpunkt des Menschenwesens, fügt nun Troxler seine höchst eigenartige *Metaphysik des Traums* ein.

In diesem Lebenspunkte träumt der Mensch seines Lebens tief verborgenen Traum, der das hohe Bewußtsein des Geistes und das dumpfe Dasein des Körpers verknüpft [...].

Es träumt der in die Materie untergehende Geist, es träumt die in Geist aufgehende Materie [...].

Traum ist daher die Offenbarungsweise der Wesenheit des Menschen, und des Lebens eigentümlichster und innigster Prozeß, beziehungsweise bald ein Nachhall des Überirdischen im Irdischen, bald ein Widerschein des Irdischen im Überirdischen.

Es ist Träumen die Einheit von Einbildung und Erzeugung, die Mischung von Phantasie und Synkrasie, der Ernst, der jedem Spiele zum Grunde liegt, welches das Leben übt. [238, 133]

Es scheint, diese Sätze aus dem Jahre 1812 entbehrten, für sich genommen, jegliches konkreten Sinnes, als seien sie die Eingebung einer grillenhaften Laune. Hält man sich aber mit der notwendigen Aufmerksamkeit an die Astronomie des menschlichen Herzens, als die Troxlers Anthropologie gelten darf, so wird man den Traum, diesen neuen Nebelfleck, sehr bald jenen Sternbildern zuordnen, die unser Schicksal bestimmen. Wohlgemerkt! Was Troxler hier als Traum bezeichnet, ist nicht das gleiche, was wir gewohnterweise unter diesem Begriff verstehen, was für ihn aber nur «eine Zufälligkeit des Schlafes» ist; sondern es ist dies der «Traum des Lebens», der «unveräußerliche und unaufhörliche Lebensakt», der hinter all unseren Bewußtseinszuständen schwebt, sie trägt und verbindet, gewissermaßen der menschliche Urzustand schlechthin, in dem das Gemüt herrscht, so wie im Wachen die Seele und im Schlaf der Leib.

Das Wachen ist nur ein Traum der Seele, und der Schlaf ein Traum des Leibes, so daß Wachen und Schlafen selbst nichts anderes als den Kreislauf von Seele und Leib im Traume darstellen. [134]

«Das Leben [...] muß wachen, um Seele zu sein, und schlafen, um Leib zu bleiben», war schon in den *Versuchen in der organischen Physik* von 1804 zu lesen. Es ist dies der menschliche Aspekt eines die ganze Natur durchwaltenden Wechsels: Spiegelung des Umlaufs der himmlischen Sphären, das «Auf- und

Untergehen der zwei Welten und ihrer Systeme in unserem Organismus»
[235, 468f.]. Freilich gilt dieser Rhythmus allen Romantikern als die menschliche Form eines universellen Rhythmus; für Troxler ist er aber mehr als dies,
nämlich der deutlichste Ausdruck unserer wesentlichen Doppelnatur, unserer
Ausrichtung bald auf die Welt, bald auf den Geist.

Wachen ist die Lichtseite, Schlaf die Schattenseite dieses Lebens – jenes ein Leben in Gott,
dieses ein Leben in der Natur; ein wechselndes Leben, wie die Prinzipien der Menschheit
fordern, bis es, in Unsterblichkeit und Tod entbunden, wieder im Leben des Alls zerfließt.
[498]

Was in dieser frühen, von Schelling beeinflußten Schrift noch Andeutung
bleibt, gewinnt dann immer deutlichere Gestalt in den folgenden Veröffent-
lichungen. In dem Maße, wie Troxler seine Metaphysik der unserer irdischen
Lebensbahn gebietenden Gravitationszentren aufbaut, paßt er ihr auch, ohne am
Grundgerüst etwas zu verändern, seine Theorie des Traums, des Schlafs und des
Wachens an.

Im Wachen strebt das Leben einen höheren Traum an, im Schlafen neigt es sich einem tiefern
zu [...].
Das Wachen ist die Geburt der Seele aus dem Körper und die Richtung zum Geiste; das
Schlafen ist das Werden des Leibes und die Neigung zum Körper; und so ist Wachen und
Schlafen selbst nichts anderes als eine Ebbe und Flut von Geist und Materie auf dem Meere
des Lebens.
Gebietet der Geist alleinherrschend den Wogen und hält als unsterblicher den Strom des
Lebens an, so ist alles Wachen und Schlafen dahin, und es liegt die Schöpfung vor ihm wie
vor Gott, ehe es Tag und Nacht ward.
Wird aber der Fluß des Lebens im Körper angehalten, hat die Materie den Geist gleichsam
absorbiert, so fallen hinwieder Schlafen und Wachen in Eines zusammen, und die Person, in
eine Dämmerung mit dem All zerflossen, wird hellsehend in dem Finstern. [238, 136f.]

Diese zwei diametral entgegengesetzten, jeder auf seine Weise den Menschen
«desorganisierenden» Zustände sind die höhere Ekstase und der tierische Magnetismus. Troxler warnt unermüdlich vor der unter Naturphilosophen üblichen
Verwechslung. Im tierischen Magnetismus sieht er weder ein erhöhtes Wachen
noch einen mit geheimnisvollen Vermögen ausgestatteten Schlaf, sondern ein
bewußtloses Hinabtauchen in jenen Traum, der weit unter Wachen und Schlafen
steht und «den die leblosesten Tiere und Pflanzen, die tote Welt selbst träumt»
[138]. Da wird durch einen «wahren Exorzismus des Geistes» der Mensch zur
Materie.

Demgegenüber gibt es unendlich viele Grade und Arten des Wachens sowie
des Schlafens. Während aber im Schlaf und im Wachen «gewisse Teile und
Kräfte» abwechslungsweise verlorengehen [241, 359], wendet sich das Menschenwesen als Ganzes in der höheren Ekstase dem Geiste zu, wobei es sich von den
übrigen Anziehungspolen löst. Es stirbt der Welt ab, der Gegensatz des Vergangenen und Künftigen wird aufgehoben, der des Innern und Äußern ver-

schwindet. Der Zeitlichkeit entrückt, öffnet sich der Mensch himmelwärts dem Unendlichen entgegen.

Der Geist zertrümmert die Schranken, welche Seele, Leib und Körper um ihn zogen, und es öffnet sich das Reich der Orakel und Mirakel. [238, 140]

Es ist dies der «philosophische Tod» der Pythagoreer und Neuplatoniker, die ὁμοίωσις τοῦ Θεοῦ, das μελετᾶν τοῦ Θανάτου.

Es sollte klar geworden sein, daß derjenige Traum, den Troxler als den Urgrund des Lebens, als Voraussetzung des Wachens wie des Schlafens versteht, nicht mit dem Schlaftraum verwechselt werden darf. Er kann je nach der Blickrichtung begriffen werden als Zustand unter oder über unserem individuellen Dasein, welches somit einen Mittelzustand zwischen Diesseits und Jenseits darstellt. Die beiden Urprinzipien, Körper und Geist, lassen sich in ihrer ganzen Reinheit einholen durch den Magnetismus einerseits, durch die Ekstase andererseits. In diesen zwei exzentrisch auseinanderliegenden Zuständen wirkt dort das untersinnliche, hier das übersinnliche Erkenntnisvermögen des Menschen.

Auf dem Grunde tiefster Verborgenheit umgreift dieser Traum unser ganzes Leben in seiner Doppelnatur. Dennoch aber ist er auf die gegensätzlichen Ausdrucksformen unserer Natur angewiesen. Denn als unverwirklichte Einheit kann sich das Leben nur unter diesem Doppelaspekt offenbaren.

Wachen und Schlafen umschreiben diesen Traum des Lebens und legen ihn aus. Dieser Traum offenbart sich nur durch sie, und nicht ohne sie, ja unterschieden und bezögen sich nicht Seele und Leib über ihn ausschweifend, verschwände alle Individualität und Ichheit, Geist und Körper fielen zusammen, und er selbst verlöre alle Bedeutung. [238, 136]

Diese Zeilen lassen erkennen, daß ‹Traum› nur ein anderer Name ist für die ungeteilte, noch nicht in individuelle Existenzen gesonderte Einheit, und zwar bezeichnet er diese Einheit in bezug auf den Menschen. Der Traum ist das Zentrum jeglicher sinnlichen wie auch geistigen Wirklichkeit; im Menschen ist er der ewige Urgrund, nichts anderes als der «Lebensakt» selbst [135].

In diesem Traume ist der Mensch so innig in sich selbst und so tief in dem Eingeweide der Welt, wenn ich so reden darf, daß das Wachen sowohl als das Schlafen ihn nur von seinem Mittelpunkte ab und auf die Oberfläche des irdischen Reichs führt. [135]

Schlaf und Wachen, die beide «sich aus einer dunkeln Region erheben, wo das eine noch das andere ist» [241, 361], sind also gleicherweise ans irdische Dasein gebunden, nicht nur weil ihr Wechsel den kosmischen Rhythmus widerspiegelt, sondern auch weil unser wesenhafter Dualismus unerläßlich ist für die Offenbarung der Einheit in einer entzweiten Natur [239, 214].

In seinem irdischen Leben «*ist* der Mensch noch nicht, sondern *wird* erst, und darum ist er noch leiblich und seelisch im Raum, und schlafend und wachend in der Zeit» [227]. Und doch gibt es schon hier jene kaum merklichen Augenblicke, die den Menschen seine verborgene Einheit innewerden und ihn erahnen lassen, was an seiner Doppelnatur irdisch-vergänglich sei. Es sind dies vorzüglich die Augenblicke zwischen Einschlafen und Aufwachen, in denen er einen Moment lang zwischen den zwei Psychen schwebt, die sein Leben für gewöhnlich lenken. Ohne daß er sich selbst verlöre, vergegenwärtigt sich ihm auf einmal «*der wahre Mittelpunkt, in welchem Seele und Leib eins sind*» [220*].

Aber wenn auch außerhalb solch erleuchteter Augenblicke sein «Hälftewesen und Wechselleben» immer nur in der einen oder andern der beiden Psychen wohnt, so bleibt doch die beschattete Psyche durch die andere hindurch wirksam.

Es gibt Zeichen genug, daß die im Schlaf herrschende Psyche auch in der wachenden, [...] daß die im wachenden Zustand waltende Psyche auch in der schlafenden wiederkehrt. [221]

Das wichtigste Zeichen für ein solches Zusammenwirken ist die Tätigkeit der *Phantasie*, in der sich die schlafende und die wachende Psyche vereinigen. Daraus erklärt sich auch, warum nur sie allein die Kraft hat, frisch und stark, leicht und klar eine wahrhaft lebendige Welt aus sich hervorzubringen, wozu weder das über ihr stehende unabhängige Bewußtsein noch die unter ihr liegende rein sinnliche Erkenntnis fähig ist. *Gedächtnis* und *Vorgefühl*, die ihr nächstverwandten Vermögen, geben den eindrücklichsten Begriff von dieser Kraft der Phantasie, dieser zugleich unter- und übersinnlichen Wahrnehmung, welche aus der Vermählung unserer zwei Psychen hervorgeht. [222]

Wenn der Geist in die Materie untergeht, träumt die Phantasie jenen Traum, der alles Werden aus Gott begleitet und der Ursprung menschlicher Erkenntnis ist. Geht aber, umgekehrt, die Materie in den Geist auf, so erreicht die Erkenntnis ihren «Abgrund» oder ihre Vollendung; dies ist der zweite Traum der Phantasie, *Ekstase* genannt. Nur in seltenen Augenblicken unseres Lebens spricht unser Dämon mit uns; dann bricht das göttliche Licht unseres Gemüts aus uns hervor, besonders aber in unserer Sterbestunde, die zugleich unsere verklärte Geburtsstunde ist. Und doch haben beide Träume, sowohl der die menschliche Erkenntnis einleitende wie der sie vollendende, dies eine gemeinsam, daß sie uns über die Schranken der Endlichkeit hinaustragen. [223]

Da nun «das Unendliche im menschlichen Gemüt Anfang und Ende, Grund und Ziel aller Erkenntnis» ist, ergibt sich die merkwürdige Tatsache, «daß die Richtung und Bewegung der untersinnlichen Psyche im Schlaf von der Innenwelt ausgeht und auf das Zukünftige gerichtet ist, die übersinnliche Psyche im Wachen aber gerade umgekehrt von der Außenwelt anhebt und der Vergangenheit zugewandt ist». [224]

An diesem Punkt nun stößt der nächtliche Traum zum metaphysischen Traum vor. Denn auch in unserem gegenwärtigen Leben ist der Nachttraum Abbild oder

Analogon des erhabenen ewigen Traumes. Wie dieser offenbart auch er unsere ursprüngliche Einheit, indem er aus unserer Doppelnatur ausbricht und sich jenem anfänglichen Zustand des Urbewußtseins nähert, den Troxler als vor-bewußt bezeichnet hat. Die berühmte *Tetraktys* findet hier eine genaue Entsprechung: So wie wir diesseits und jenseits der Dualität von Seele und Leib der ursprünglicheren Polarität von Körper und Geist angehören, so findet sich diesseits unseres Bewußtseins das Vor-bewußte, jenseits das Über-bewußte.

So wie nämlich die Erkenntnis des Wachens den Charakter des Geistes der Vollendung hat, so hat die im Schlafe liegende und sich im Traume offenbarende Erkenntnisweise die Eigentümlichkeit des Urbewußtseins. Das Träumen, dieses Wechselgespräch der zwei sehr redseligen Psychen, das im Grunde niemals ganz verstummt, [...] ist nicht nur Nachhall oder Anklang der Sinnenwelt [...], sondern es ist an sich ein wesenhafter und bedeutungsvoller Urzustand der menschlichen Natur, der uns in die Tiefen der ursprünglichen Erkenntnisweise blicken läßt. [225]

Alles, was wir von menschlicher Urwelt wissen, trägt das Merkmal dieser eigentümlichen Erkenntnis, die noch fortlebt in den Weisen und Sehern aller Art. Denn diese ursprüngliche und unvermittelte Erkenntnisweise ist ihrer Natur nach *poetisch*; das heißt «von innen nach außen gerichtet» empfängt sie die Welt als Schöpfung der frei tätigen Phantasie; und zugleich ist sie *prophetisch,* das heißt «vom Anfang an der Zukunft zugekehrt». Im Traum sind Denken und poetisches Erschaffen eins. [225]

Der Nachttraum ist mithin mehr als nur ein Analogon des ewigen Traums: Er ist dessen Fortleben, die wirkliche Gegenwart der Ureinheit in der Tiefe unseres Gemüts. Er «deutet auf einen ursprünglichen und abgründlichen Zusammenhang, der aber nur vor der Geburt und nach dem Tode wirklich ist» [241, 361]. Schon jetzt aber birgt er in seiner Tiefe den Quell unseres ganzen Lebens.

Welches Menschenkind wird nicht bei still und treuer Selbstbeobachtung gefunden haben, daß die Geburtsstätte seiner Geistesrichtungen und Gemütsstimmungen in dieser dunkeln Tiefe [des Traums] liegt? [239, 226f.]

Das ist bei einem Troxler keine bloß spekulative Beteuerung; man spürt, daß er sich in dieser «still und treuer Selbstbeobachtung» geübt hat, daß er gewohnt war, in sich selbst den Weg zu suchen, der in die allerletzten Bereiche der Menschennatur hinabführt, dorthin, wo die oberflächlichen Scheidungen und Unvereinbarkeiten allesamt dahinfallen. Nur die bedeutendsten aller Mystiker haben über ein ebenso klares, tiefes Wissen von diesem inneren Urgrund verfügt, vor dem die Welt der ‹Seelenvermögen› und der Entgegensetzung von Innen und Außen als ephemere Gegebenheit ohne endgültige Realität zurückbleibt. Diesem oberflächlichen *Ich* abzusterben, um in die Arkana der unteilbaren Seele einzudringen, das war noch immer die erklärte Absicht und das unablässige Streben aller wahren Kontemplation. Und solch klare Auseinanderhaltung

zweier Ebenen – erster Schritt aller mystischen Erfahrung – entspricht Troxlers
Wesen zutiefst, wie er denn auch von romantischer Überspanntheit ebenso weit
entfernt ist wie etwa ein Eckhart von einem Phantasten.

Solcherart ist auch seine Antwort auf die Frage, warum es eine Tiefe des
Traumes gebe, wovon uns keine Erinnerung bleibt – eine Frage, die sich einem
jeden vom «Urtraum» Gezeichneten stellt:

Dies hat nur statt, weil der Traum selbst nicht ins *äußere Schlafende* übergeht, aus dem es allein
in das *äußere Wachen* übersetzbar ist. Indessen lassen diese Traumzustände doch im Wachen
eine Stimmung zurück, die oft das Resultat ahnet, ohne den Grund zu kennen. [241, 359 f.]

Dem hellen Bewußtsein sind nur die oberflächlichsten Träume erreichbar; sie
vermögen uns jedoch nicht den geringsten Aufschluß zu geben über den
Urtraum als die Tätigkeit unseres eigentlichen Wesenszentrums, zu dem hinabzusteigen uns genau so lange verwehrt ist, als wir uns nicht von allen Vermögen
des Taglebens losgesagt haben. Wer darauf erpicht ist, Träume in die Sprache des
Wachens zu ‹übersetzen›, wird unweigerlich nur deren äußersten Saum er-
haschen und zugleich seine Deutungen davon einem bewußten Leben dienstbar
machen, das genau so oberflächlich bleibt. Im übrigen leugnet auch Troxler den
rein praktischen Nutzen einer solchen Wissenschaft keineswegs, erklärt er doch
selbst, er habe, «wie gewiß jeder aufmerksame Arzt», wahrgenommen, daß die
ersten Zeichen von Krankheiten, «besonders von Seelenkrankheiten», im Traume
zu finden seien [239, 227]. Damit ist der ‹Psychoanalyse› der ihr gebührende
Platz unter den therapeutischen Verfahren zugewiesen; es wird ihr aber zugleich,
wie sie es sich von einem Steffens gefallen lassen mußte, die Befugnis ab-
gesprochen, auch über das *Wesen* des Traums eine erschöpfende Auskunft zu
geben.

Weder Schelling noch Schiller ist zu der Einsicht gelangt,

daß es ein doppeltes *Bewußtloses,* oder besser *Andersbewußtes* gibt. Eins vor und unter unserem
Wach- und Schlafbewußtsein, und eins über und nach demselben.

Der Dichter und Künstler aber kann und darf nur aus letzterem schöpfen. Das erstere ist
nur gleich Instinkt oder Kunsttrieb und gibt keine *Totalidee,* welche den Schöpfer erleuchtet.
Tief und klar sind schwer einbare Grundsätze. [241, 363 f.*]

Troxlers Denken bewahrt durch alle Schaffensjahre hindurch eine bewunderns-
werte Kohärenz. Immer und überall bleibt er seiner Vorstellung von der Menschennatur treu, deren anscheinender Dualismus sich verdoppelt um die Verlängerung in dunkle Tiefen und die Hinwendung zum Licht. Dem «Bewußtlosen»
mit seinen sinnlich-irdischen Wurzeln steht das «Andersbewußte» als eine rein
geistige Anschauung gegenüber. Wer diese ursprüngliche Einsicht in unsere
doppelte Zugehörigkeit erworben hat, wird nur noch ein einziges Tun für sinnvoll
erachten: das beharrliche «Fortwollen und Fortwirken» zu einer vom Geistes-
licht geläuterten Kontemplation und also zur Vernichtung aller dem Irdischen

verhafteten Oberflächlichkeit, auf daß endlich die Urwirklichkeit des ewigen Traums offenbar werden möge.

Keiner der Romantiker hat die nüchterne Klarheit von Troxlers Erfahrung erreicht, denn keiner mißtraute der Beschwörungskraft der Sprache und der ungezügelten Schwärmerei so gründlich wie er. Gewiß, ein Schubert wird die poetischen Aspekte des Traums besser erfassen, ein Carus das vielfältige und schwindelerregende Leben des Unbewußten mit größerer Genauigkeit beschreiben; und doch hat weder dieser noch jener in der Einsamkeit und in unerbittlicher Strenge gegen sich selbst dermaßen um geistigen Fortschritt gerungen, daß er sich hierin mit Troxler messen könnte.

Troxler erscheint in seinem Jahrhundert wie ein Fremdling aus anderer Zeit. Wohl hat er von seinen philosophischen Lehrmeistern und seinen Studienfreunden gewisse Besonderheiten im Sprachgebrauch, ferner den Sinn für den Fluß des Lebens, für das Werden, dann auch die Auffassung des Psychischen als eines unaufhörlich Bewegten übernommen; seine eigentlichen Geistesverwandten sind aber anderswo zu suchen; in der Entschlossenheit, vom Leben nur die Keime der Unsterblichkeit zurückzubehalten, in der spontanen Unachtsamkeit für alles, was allein dem irdischen Reich angehört, wie auch im Wissen von einem Urgrund im Menschen, wo sich der einzig wirkliche Traum abspielt, wo Gott «aus unserer Seele geboren wird», ist Troxler der Bruder eines Eckhart und eines Seuse. Und seine Neigung, im Menschen, mehr noch als nach beschreibbaren Vorgängen oder herauslösbaren Vermögen, nach dem ausgezeichneten Punkt zu suchen, worin sich die Strahlen mythologischer Konstellationen sammeln, erinnert, wie auch seine eigenwillige Sprache, an große Alchimisten vom Schlag eines Paracelsus. Nichts vermöchte seine vornehme Originalität besser ins Licht zu rücken als ein Brief, in welchem der noch nicht Vierzigjährige dem Verleger Brockhaus auf dessen Bitte, für eine geplante Sammlung eine Autobiographie zu verfassen, einen abschlägigen Bescheid gibt:

Ich habe mein innerstes Gefühl gefragt, wie mir zumute sein würde, wenn ich bei einer solchen Natur- und Kunstausstellung auch mitstünde, und es regten sich einige Schauer. Versöhnter, glaub ich, muß man mit sich selbst sein, wenn man sein Leben beschreiben will, ich bin es noch nicht; wenigstens ist gewiß, daß mein Geist sich noch nicht genug erhoben und erweitert hat, um mein eigenes Leben ganz zu fassen. Gar zu oft hat schon in der Wirklichkeit der Stoff, der in mir liegt, die Form, die ich ihm geben sollte, gebrochen. Was ich teilweise gewesen bin, ist noch kein Ganzes geworden. Bei der Fülle von Schicksalen und Wechsel und Wandel meiner Verhältnisse wird es mir sehr schwer, dieselben auch nur äußerlich als Material zusammenzutragen. Einige Lebenslagen erfüllen auch jetzt noch meine Erinnerung mit solcher Wehmut und Bitterkeit, einige gar noch mit Ingrimm gegen mich und andere, daß das, was als Geschichte todhaft ruhig oder verklärt sein sollte, mich als lebendige Tragödie erfaßt. [243, 103 f.]

Die ‹Anthroposophie›, auf die Troxlers Denken hinzielt, ist also keineswegs ein hohles Wort. Nicht daß er sich etwa einzig in der schriftstellerischen

Spekulation oder im professoralen Vortrag beflissen hätte, das gesamte Wesen des Menschen ins Gleichgewicht zu bringen: Unablässig war er, seiner unbändigen Natur zum Trotz, gewillt, dem eigenen Leben Ausgewogenheit zu verleihen, das eigene Leben auf die verborgene Mitte auszurichten. Und hier stoßen wir denn auch auf den wahren Beweggrund für die Originalität seines Stils: Wenn er schreibt, schreibt er für sich, ohne Rücksicht auf das Zeitalter, welchem ein solches Denken und Trachten zutiefst fremd war.

Vom Menschen auszugehen, um letztlich auf den Menschen zurückzukommen – dieses Vorhaben braucht nicht unbedingt mit der Verkündigung eines ‹Humanismus› zusammenzufallen, der das Geschöpf glorifiziert. Es kann auch, wie bei diesem ‹Anthroposophen›, auf denjenigen Weg hinausführen, der jedem Mystiker als der einzige Erkenntnisweg gilt, wo alle Fragen an der einen Frage hängen: welcher Art die Natur des Menschen und die persönliche Bestimmung jedes einzelnen sei. Und das heißt vor allem nur solche Fragen stellen, die den ganzen Menschen einbeziehen und bewegen.

SIEBENTES KAPITEL

DIE SYMBOLIK DES TRAUMES

ἐπάμεροι· τί δέ τις; τί δ'οὖ τις; σκιᾶς ὄναρ
ἄνϑρωπος. ἀλλ᾽ ὅταν αἴγλα διόσδοτος ἔλϑῃ,
λαμπρὸν φέγγος ἔπεστιν ἀνδρῶν καὶ μείλιχος αἰών.

PINDAR

Tagwesen. Was aber ist einer? was aber ist einer nicht?
Der Schatten Traum, sind Menschen. Aber wenn der Glanz,
Der gottgegebene, kommt,
Leuchtend Licht ist bei den Männern
Und liebliches Leben.

HÖLDERLIN

I

Die Reise ging über Nürnberg. Dort fand ich den hölzernen Hegel als Rektor des Gymnasiums; er las Heldenbuch und Nibelungen und übersetzte sie sich unter dem Lesen, um sie genießen zu können, ins Griechische. Weiter fand ich, und lernte von ihm geliebt zu werden, den jungfräulichsten, mildesten, rührend kindlichen Philosophen Schubert. [...] Er sieht aus wie das Hühnchen [...], das das Ei aufgepickt und zur höchsten Verwunderung nichts als Tageslicht vor sich sieht. [451, I, 268]

So das Porträt, das Clemens Brentano, wie gewohnt respektlos, im Jahre 1809 vom Verfasser der *Symbolik des Traumes* entwirft, vom «kindlichen Schubert», wie ihn Jean Paul zu nennen pflegte [318, 227]. Etwas minder vertraulich klingt es, wenn Troxler in seiner *Metaphysik* von 1828 den einstigen Studienkameraden als «hehren stillen Sohn der sternhellen Nacht» preist [239, 24].

Das Leben Gotthilf Heinrich von Schuberts – er selbst hat es auf nicht weniger als eintausendsiebenhundert Seiten beschrieben – verlief, nach dem Äußeren zu urteilen, genau so schlicht und friedlich, wie es seiner Gemütsart entsprach. Die Theologie, die Medizin, das Studium der Natur und der Geschichte spielten bei ihm, nicht anders als bei einem jeden Romantiker seiner Generation, eine größere Rolle als die Wechselfälle des persönlichen Schicksals. Dreißig Jahre Unterweisung *de omni re scibili*, fünfzig Jahre Lehramt; eine erste Heirat mit dreiundzwanzig, nach einem Jahr des Witwerstandes eine zweite mit dreiunddreißig; Kinder, Adoption der vom frühverstorbenen Physiker Ritter hinterlassenen Waise: das sind die äußeren Umrisse dieses Lebens. Die geistige Entwicklung verlief freilich verwickelter.

Als Sohn eines sächsischen Pastors durchlief Schubert zunächst das Gymnasium in Weimar. Es war nicht so sehr Goethe, von dem er sich hier begeistern ließ, als vielmehr Herder, dieser «Leuchtstern mitten in nebliger Zeit», und auch

Jean Paul [260, 90]. Mit achtzehn Jahren immatrikuliert er sich in der theologischen Fakultät zu Leipzig, wechselt aber bald in die Naturwissenschaften und in die Medizin hinüber. Er liest Shakespeare, Jean Paul, Herder, Young und entflammt sich für die neuen Theorien der Physiker. In Leipzig schließt er Freundschaft mit Friedrich Gottlob Wetzel (1779–1819), dem mutmaßlichen Verfasser der berühmten *Nachtwachen des Bonaventura* – eine sonderbare Persönlichkeit! Nacheinander Arzt ohne festen Wohnsitz, ruhelos umgetriebener Wanderer, Natur- und Mythenforscher, Redaktor einer Bamberger Zeitung, Lyriker und Tragödienschreiber; kurz: ein Mann, dessen knapp bemessenes Dasein ganz und gar gelebte Romantik ist. Mit ihm zusammen eilte Schubert Hals über Kopf nach Jena, als ihm zu Ohren gekommen war, Ritter «hätte das Wasser wieder in seine alte Ehrenstelle unter den einfachen Elementen eingesetzt». Das war um Weihnachten 1800, in einer an sensationellen Ereignissen gewiß nicht armen Zeit, und doch hielten die beiden Jünglinge die Kunde für so bedeutsam, daß sie unverzüglich zu einem Nachtmarsch aufbrachen [39]. Nachdem sie mehrmals an Ritters Türe angeklopft, ohne diesen zu Hause zu finden, mußten sie allerdings unverrichteter Dinge den Rückweg antreten. Es hielt sie jedoch nicht länger in Leipzig; im Frühjahr darauf sind sie Ritters Schüler, und nach ein paar Wochen schon schreibt Schubert an den mit ihm befreundeten Sohn Herders: «Ich arbeite schon jetzt mit kühnem Sinn an meinem Natursystem [...]. Ich sehe überall eine große Kraft, die überall lebt, im Kleinen und Großen» [16].

Seine Lehrmeister sind Schelling und Ritter, und außerdem studiert er, wie kurz zuvor Novalis, die neue Heilkunde des schottischen Arztes John Brown. Aber diese Studien vermögen ihn nicht auszufüllen, und so nehmen ihn alsbald die romantischen Dichter gefangen.

1803 läßt er sich als praktischer Arzt in Altenburg nieder. Hier setzt seine ausgedehnte schriftstellerische Tätigkeit ein, die bis zum Tode im Jahre 1860 nicht mehr abbrechen wird. Er übersetzt Erasmus Darwin, stellt eine Anthologie altspanischer Lyrik zusammen und bleibt seinen angebeteten Meistern treu: Tieck, Novalis, den beiden Schlegel, Zacharias Werner.

«Es schlafen gar mächtige Funken in den Jünglingen dieser Zeit, und die Jahre der Propheten kehren wieder», schreibt er einem Freund im Hinblick auf die neuen Dichter [333]. Er selbst verfaßt in vierzehn Tagen einen Roman nach Art des Zeitgeschmacks, um zu Geld für den neugegründeten Hausstand zu gelangen.

Ohne Zweifel ist es die anhaltende Lektüre von Hardenbergs Schriften, die ihn bald wieder zum Studiosus werden läßt. Von 1805 an folgt er in Freiberg den Vorlesungen des Geologen Werner. Nun macht er sich an die Niederschrift seiner *Ahndungen einer allgemeinen Geschichte des Lebens,* die er im folgenden Jahre veröffentlicht, nachdem er seinen Wohnsitz nach Dresden verlegt hat.

Hier hält er seine aufsehenerregenden öffentlichen Vorlesungen unter dem Titel *Ansichten von der Nachtseite der Naturwissenschaft* – eine weitere Gelegenheit, einen fünfhundert Seiten starken Band auf den Buchmarkt zu werfen. Er zählt Kleist zu seinen begeisterten Hörern, verbindet sich mit Friedrich Schlegel, Adam Müller, Caspar David Friedrich und unterhält sich mit Madame de Staël.

Als Direktor des Realinstitutes in Nürnberg betritt er im Jahre 1809 die pädagogische Laufbahn. Mit Hegel, dem Rektor des Nürnberger Gymnasiums, versteht er sich nicht eben gut; dafür gewinnt er sich den Orientalisten Kanne zum Freund, dessen Gedanken über die antiken Mythen auf sein Interesse stoßen. Am stärksten aber prägt ihn zu dieser Zeit der Einfluß Baaders, der ihn ins mystische Denken einweiht: 1812 veröffentlicht er eine Übersetzung von Saint-Martin, und 1814 erscheint seine *Symbolik des Traumes*. Von 1819 bis 1827 wirkt er neben Schelling als Philosophieprofessor in Erlangen. Den Rest des Lebens verbringt er in München, wo er mit achtzig Jahren das Zeitliche segnet. Außer den erwähnten Werken hat er im Jahre 1830 seine umfangreiche Psychologie mit dem Titel *Die Geschichte der Seele* veröffentlicht, dann eine Menge frommer Schriften, Reiseberichte aus Italien und Südfrankreich, nicht zu vergessen die zahlreichen Neuausgaben früherer Werke, die er gewöhnlich von der ersten bis zur letzten Seite umschrieb. Als ein vom Schreiben förmlich Besessener legt der Zweiundsechzigjährige seinem Freund Emil Herder gegenüber folgendes Bekenntnis ab:

Aber eine angenehme Unterhaltung wird mir das Spiel der Feder bleiben solang ich lebe; mir ist's gar nicht mehr wohl, wenn ich nicht den angenehmen Druck der Presse auf meinem Rücken fühle, und wenn ich auch für das, was gedruckt wird, selber keinen Heller geben möchte und keinen Heller dafür empfinge. [260, 138]

In seinen Briefen zeigt sich Schubert von Anfang bis zu Ende seines langen Lebens als derselbe: zutiefst gütig gegenüber allen, die ihm nahestehen, freigebig im Umgang mit Zeit und Gut, bedrückt schon von den leisesten Anzeichen irgendeines Zerwürfnisses mit seiner Umgebung und dann auch zuweilen der tiefsten Entmutigung anheimfallend, aus der er sich aber bald wieder kraft seiner unerschütterlichen Frömmigkeit erhebt. Gewiß, sein unglaublicher Schaffensdrang verleitete ihn nicht selten zur Übereilung und zu einer gewissen Naivität im fortwährenden Bestaunen. Und doch geht etwas überaus Anziehendes von diesem Manne aus, der ein so tiefes, untrügliches Gefühl für die nächtlichen Abgründe des Herzens und der Natur besaß und doch immer dem Lichte zugewandt blieb, oder besser: der über seine Umgebung sowohl wie über die besten Seiten seiner Schriften immer wieder ein geheimnisvolles Licht zu verbreiten wußte.

Schon im Roman *Die Kirche und die Götter,* vom vierundzwanzigjährigen, zu Brotarbeit genötigten Arzt in fieberhafter Eile niedergeschrieben, erweist sich

Schubert ganz und gar als Schüler der romantischen Dichter und Denker, wo immer er seine Lieblingsgedanken in die Erzählung einfließen läßt.

In der Frühzeit der Welt war die Erde Eins; hierauf teilte sie sich in Gebirge und Riesenpflanzen. Diese wiederum brachten differenziertere Elemente hervor: Luft und Wasser; durch deren Vermittlung vermochte sich die Erde mit ihrem himmlischen Geliebten, der Sonne, zu vereinigen und die belebte Natur zu zeugen. Denn so will es ein ewiges Gesetz, daß das Eine sich immerfort in zwei Pole scheide, «damit diese nicht mehr einer dem andern, sondern einem Höhern liebend anhangen». So erzeugt Liebe die Individuen [248, I, 197]. Und wenn alle Pole auseinandergetreten sind, erwacht in ihnen die Sehnsucht nach Wiedervereinigung; und also nimmt denn die Schöpfung ihren gewaltigen Aufstieg durch die Liebe.

Das Gesetz der Liebe gebietet selbst den niedrigsten Naturvorgängen: Metalle schmelzen, weil sie sich mit der Luft vermählen möchten; im Reich des Unbelebten tritt die Liebe als Licht in Erscheinung; der Schall ist Freundschaft der Dinge einerlei Geschlechts; und «so wie Freundschaft uns der Liebe fähig macht, so entsteht durch Reiben der gleichen Körper die Sehnsucht (Wärme), und endlich geht die Liebe (Flamme) hervor» [199].

Die 1806 erschienenen *Ahndungen einer allgemeinen Geschichte des Lebens* untermauern denselben, von Schelling und Novalis inspirierten Mythos mit naturwissenschaftlichen Argumenten. In der organischen wie in der anorganischen Natur streben offensichtlich alle Dinge nach ihrer eigenen Vernichtung, darüber hinaus aber nach Vereinigung mit ihren Gegensätzen. Von daher bekommt der Tod seinen Sinn: Er ist Durchgang zu einer höheren Stufe, Etappe auf dem Weg fortschreitender Vervollkommnung. Zuweilen glaubt man Hardenbergs Stimme zu vernehmen, etwa wenn es heißt:

Die Erde aber, wenn sie das Werk der Nacht geschaffen, entschlummert sie, und wird in den Bund der Sonne aufgenommen und zu neuem Leben gezeugt. Also wird das Tätige, wenn es sich in seinem Werk vollendet, in die Welt eines höheren Lebens hinübergenommen. Es stirbt, daß es zu höherem Sein geschaffen werde. [249, 372f.]

Mit den *Ansichten von der Nachtseite der Naturwissenschaft* nimmt Schubert den psychologischen Aspekt jener Forschungen in Angriff, die ihn sein Leben lang beschäftigen werden. Diese Dresdener Vorlesungen vom Winter 1807/08 wenden sich drei Hauptgegenständen zu: dem ältesten, ursprünglichen Verhältnis des Menschen zur Natur, der Harmonie des Einzelnen mit dem Ganzen und dem tief im Innern unseres Wesens schlummernden Keim eines künftigen höheren Daseins [250, 3].

Der Ursprung unsres Geschlechts liegt im goldenen Zeitalter, «wo der Mensch noch Eins mit der Natur gewesen, und wo sich die ewigen Harmonien und Gesetze derselben deutlicher als sonst je in seinem eignen Wesen ausgesprochen». Noch heute nennen wir jene Augenblicke die der höchsten Lust,

«wo sich unser Wesen im innigsten Einklang mit der ganzen äußern Natur befindet» [7]. Darin liegt für Schubert der bündige Beweis für unsern ursprünglichen Zustand, denn was das Gefühl spricht, besitzt die höchste Gewißheit.

Die Naturwissenschaften, und unter ihnen die älteste: die Astronomie, sind
fragmentarische Überreste aus dem großen Ganzen einer früheren Wissenschaft
[44]; es war die Astrologie, die in jener Vorzeit den «Zusammenhang der Geschichte des Einzelnen mit den Bewegungen der Gestirne und der Geschichte
des Ganzen» zum Ausdruck brachte [53]. Da kehrt offensichtlich einer von
Hamanns Grundgedanken wieder; ebenfalls in dessen Gedankenwelt befinden
wir uns, wenn uns der erste Mensch vorgestellt wird als «Organ, durch welches
die Natur sich selber anschauet». Der Geist des Menschen war «das lebendige
Wort der Natur», und indem die *menschliche Rede* diese Übereinstimmung mit
dem Weltrhythmus ausdrückte, prägte sie der Harmonie des Ganzen Menschheit auf. [58].

Der Mensch selbst jedoch gab den Anlaß zum Sündenfall, und seither vermag
er die Natur nicht mehr zu verstehen [68]. Er hat seine Unabhängigkeit mit
dem Verlust unmittelbarer Erkenntnis bezahlt, oder, wie dereinst Baader in
einer Randglosse zur *Symbolik des Traumes* trefflich bemerkt: «Die Natur muß
heute Gott dem Menschen manifestieren, den er ihr manifestieren sollte»
[184, 351]. Indessen, so fährt Schubert weiter, haben schon die alten Ägypter
und Griechen in ihren Mythen und Mysterien die Aussöhnung geahnt oder den
Weg dazu geöffnet; hier schon kommt das eine große Naturgesetz zur Darstellung: daß *Liebe* und *Tod* der Vereinzelung ein Ende setzen. Die in uns
schlummernden höheren Kräfte werden uns zurückgegeben durch den Tod,
welcher Auferstehung ist. Der wollüstige Gedanke an den Tod, der noch auf
Lichtenberg oder Moritz, diese zu metaphysischer Träumerei neigenden Geister,
einen völlig unerklärlichen, verführerischen Reiz ausübte, gewinnt bei Schubert
eine genaue und weitreichende Bedeutung.

Es sind bei dem Menschen gerade die seligsten und geistigsten Augenblicke des Lebens für
dieses selber die zerstörendsten, und wir finden öfters in dem höchsten und heiligsten Streben
unsres Wesens einen seligen Untergang. [250, 70]

Diese höchsten Augenblicke, in denen der Mensch die Wonne des Untergangs
um der Wiedergeburt zu höherem Dasein willen erfährt, sind aber auch der
übrigen belebten Kreatur nicht unbekannt, drückt sich doch darin das tiefste
Gesetz der gesamten Schöpfung aus, ja es findet sich selbst in den kosmischen,
dem Gestirnwandel gebietenden Gesetzen eben diese Abhängigkeit des Einzelnen vom Ganzen und vom höheren Ursprung, zu dem es wieder zurück-
strebt [176]. Von Stufe zu Stufe der Schöpfung enthält ein jeder Zustand die
Symbole des nächsthöheren; so verkünden die Grundgestalten der anorganischen Welt – der Gebirge und Felsenmassen, der Kristalle und Metalle – bereits die Gestalten der organischen Natur, der Pflanzen und Tiere [199]. In

ihren «*kosmischen Momenten*» empfangen sie vom Magnetismus neue Wirksamkeit und Empfänglichkeit und werden dadurch in das Gesamtleben der höheren Natur aufgehoben [179].

Denn das Leben ist überall eins und dasselbe; das Leben der Pflanzen wie der Tiere spielt sich nach eben dem Rhythmus ab, dem auch die größeren und kleineren Perioden der Natur gehorchen: Jahre, Tage und Stunden. «Das Einstimmen in die Harmonie der allgemeinen Wechselwirkung der Weltkräfte ist das Leben» [235]. Im Pflanzengeschlecht ist «der Moment des Blühens, welcher auch zugleich der des Verwelkens und des Todes ist, eine Vorahnung des höheren tierischen Daseins» [249]. So strebt das Werden der ganzen Natur Stufe um Stufe dem Menschen zu, der in der Reihe des Lebendigen den Gipfelpunkt einnimmt [268/275].

Aber auch im menschlichen Leben lassen sich Vorboten und Ahnungen eines künftigen überirdischen Daseins erkennen. «Die hohe Welt der Poesie und des Künstlerideals, noch mehr die Religion vermag in dem irdischen Dasein nie ganz heimisch zu werden» [308]. Hier wie auf allen Stufen der Naturentwicklung kündigt sich nämlich das, was auf der höheren Stufe in Erfüllung gehen wird, in der tieferen als «unbefriedigtes, ja selbst für jetzt zweckloses Streben» an [302]. Außer den unmittelbar nützlichen und bildsamen Vermögen besitzt der Mensch als «zweilebendes Wesen» scheinbar überflüssige Anlagen, durch die ein höheres künftiges Dasein ins vorhergehende unvollkommenere eingreift, «bald als Vorahnung, bald schon deutlich in seinem ersten Beginnen sich regend» [309]. Religion, Poesie, Wissensdurst und Begeisterungsfähigkeit sind die hervorstechendsten Formen dieses tiefen menschlichen Strebens. «Dieses Sehnen aber ist es eben, welches, wenn es uns nur einmal mit seinen warmen Strahlen anblickte, die Banden löst, die uns an der Erde gehalten, und von ihm durchdrungen, wird alsbald das Gemüt von seiner überirdischen Leichtigkeit, wie die Flamme des brennenden Körpers, emporgetragen.» Dies ist der Sinn des Todes [320f.].

II

> Im Traume scheint die Seele eine ganz andre Sprache
> zu sprechen als gewöhnlich.

Der tief im Inneren unseres Wesens schlummernde Keim eines künftigen Lebens blickt deutlich hervor «in gewissen Momenten, wo die Kräfte des jetzigen Lebens ruhen. Hier ist es vorzüglich, wo alle die Erscheinungen [...], die des tierischen Magnetismus, der Vorahnungen, *Träume,* Sympathien und dergleichen, zusammen eintreten werden» [250, 22*].

Zwischen die Zeit, da Schubert in den *Ansichten* den Vorrang, den der Traum dereinst in seiner Philosophie gewinnen sollte, in solch mythischer Form an-

deutete, und das Jahr, in dem er seine *Symbolik des Traumes* niederschrieb,
fällt sein Freundschaftsbund mit dem Mystiker Matthias Burger, diesem Nürnberger Bäcker und theosophischen Seher aus der Schule von Bengel und
Oetinger [254, II, 354–380]. Durch ihn lernte Schubert Tauler kennen, auch
Ruisbroeck, Gottfried Arnold, Angelus Silesius, Swedenborg und Antoinette
de Bourignon, während ihn gleichzeitig Schelling in Jakob Böhme einweihte
und Baader ihn zur Übersetzung von Saint-Martins *Esprit des choses*[1] veranlaßte [350ff]. Daraufhin versenkte er sich dermaßen in diese neue, seinem
eigenen Denken so naheliegende Welt, daß er wider alle Gewohnheit während
sechs Jahren kein weiteres Werk veröffentlichte, bis er dann mit der *Symbolik*
sein Stillschweigen brach und von der Richtung, die sein Denken inzwischen
genommen, Zeugnis ablegte.

Die Anregung zu diesem Buch gab eine recht schillernde Persönlichkeit nach
Art jener Gelegenheitseditoren, die sich, man weiß nicht ob aus Eitelkeit,
kaufmännischer Geriebenheit oder verborgener Neigung, ins literarische Leben
einmischen. Es war dies der Bamberger Weinhändler Karl Friedrich Kunz, der
Zechgenosse Hoffmanns im Gasthof «Zur Rose», der von 1813 an die *Fantasie-
stücke in Callots Manier* herausgab und Jean Paul für die Vorrede zu gewinnen
vermochte. Der Verfasser des Märchens vom *Goldnen Topf* hat von ihm ein
karikierendes Porträt hinterlassen; da sieht man Kunz als schwer lastenden
Dickwanst auf seinem Bette liegen und in einem Manuskripte lesen, augen-
fällig kontrastiert von der Silhouette von Hoffmann selber, der dem Betrachter
den Rücken zuwendet, aber sein faszinierendes ausgemergeltes Antlitz mit dem
Flammenblick erraten läßt. Offensichtlich hat es dem ironischen Zeichner Spaß
gemacht, sein eigenes Porträt demjenigen des Verlegers gegenüberzustellen.
Aber dieser sollte ihm dereinst übel zurückzahlen, als er ein Buch über seinen
Tischgenossen veröffentlichte, das wegen des überheblichen Tons nur wenig
Glauben verdient.

Es war bei einem abendlichen Gelage in Kunzens Garten, als sich Jean Paul
und Hoffmann erstmals begegneten und der Kapellmeister den Autor des
Hesperus mit seinen übermütigen Scherzen auf die Palme brachte; es mochten
wohl die erlesenen Weine dem einen wie dem andern mehr zusagen als der
Geist des jovialen Gastgebers, zumal dieser mit hinterlistiger Freigebigkeit
Flasche um Flasche auf den Tisch brachte. Und zu eben diesem Bamberger
Garten erhielten an einem Julitag des Jahres 1813 auch die Schuberts Zutritt,
eingeführt vom alten Studienkameraden Wetzel, derzeit Redaktor in der schmuk-
ken oberfränkischen Stadt. Man war in angenehmer Gesellschaft, es fehlte weder
an lieblicher Musik noch am Getränk, «welches des Menschen Herz erfreut».
Der Philosoph, der sich wider Erwarten für solche Vergnügungen empfänglich

---

[1] *Vom Geist und Wesen der Dinge.* Mit einer Vorrede von Baader. Leipzig 1812.

zeigte, bekennt von sich, er sei bald in eine Stimmung geraten, «darin man auch gern anderen von der Freude etwas mitteilt, von welcher man selbst erfüllt ist». In diesem Augenblick drang Kunz, abgefeimter Schlauberger, der er war, in Schubert mit der Bitte, ihm eine Schrift in Verlag zu geben. «Was soll ich Ihnen schreiben?» entgegnete dieser scherzend; «etwa ein Traumbuch?» Darauf der freundliche Wirt: «Ganz recht, geben Sie mir ein Traumbuch aus Ihrer Feder, ich werde es mit Vergnügen verlegen.»

Ich bedachte nicht, was ich im Mutwillen gesprochen, denn in meinem Leben hatte ich noch kein Traumbuch gesehen, noch weniger gelesen; Kunz aber, in einem Briefe, den ich bald nach meiner Heimkehr von ihm erhielt, erinnerte mich freundlich mahnend an meine Worte. Aus dieser seltsamen Anregung ist, ich gedenke daran mit Beschämung, meine *Symbolik des Traumes* entstanden, deren erste Auflage ich im Winter von 1813 auf 14 schrieb. [254, II, 480]

Immerhin lag Schubert das Studium der Träume näher, als er es hier wahrhaben will; davon zeugt seine Autobiographie wie schon sein Roman von 1804, der, ganz abgesehen von anderweitigen Anzeichen romantischen Einflusses, dem Traum einen großen Platz einräumt.

Über derlei literarische Interessen am Traum und über die schlichte Erfahrung, daß Träume im persönlichen Leben eine Rolle spielen können, geht die *Symbolik* allerdings weit hinaus. Schubert unternimmt es hier, mit seiner Auffassung vom Traum eine mehr oder minder esoterische Metaphysik zu begründen und alle ihm erreichbaren medizinischen, physiologischen und linguistischen Auskünfte damit in Einklang zu bringen; letztes Ziel aber ist eine christliche Apologetik.

Spuren der eiligen Niederschrift sind leider auch in diesem Buche zu finden: ärgerliche Unstimmigkeiten, dann der sprunghafte Wechsel von einem Thema hinüber zu einem ganz anderen. Nach herrlichen Seiten mit wundervollen Aperçus aus der Vogelschau verwickelt sich der Autor wieder in langatmige, zweifelhafte Gedankengänge und in einigermaßen kindische Beispiele, so daß man sich manchmal unwillig fragt, ob er denn auch all das wirklich habe sagen wollen, was die vorangehenden Seiten an Tiefsinn zu enthalten schienen. Und doch ist das Buch im ganzen von einer eigentümlichen Poesie. Leidenschaftlicher Wissensdurst und Gestaltungsdrang, ungezügelte, zuweilen sich versagende Genialität beseelen diesen Versuch, der von allen theoretischen, dem romantischen Traummythos gewidmeten Werken das originellste bleibt.

Kunzens Werbetrommel verhalf dem Buch zu einer gewissen Berühmtheit, bevor es nur erst geschrieben war. Kaum einen Monat nachdem Schubert sein Manuskript versprochen hatte, erklärte sich Hoffmann «begierig auf alles, was der geniale Mann geschrieben und schreibt», und im folgenden Frühjahr beschwor er den Weinhändler: «[...] schicke – schicke – o schicke mir bald Schuberts Symbolik des Traumes! – ich dürste darnach! – – » [467, I, 409/461]. Jean Paul seinerseits beglückwünschte Kunz zu dem Unternehmen: «Sie fangen besser an, als andere Verleger fortfahren und endigen. Besonders freue ich mich auf Schuberts Symbolik!» [313, III, 6, 362]. Und Fouqué empfahl das Buch, kaum hatte er es gelesen, einem Freund mit folgenden Worten: «Man schaut in die innre Welt hinein, wie durch klare Meeresfläche auf wunderreichen, höchst schauervollen Grund» [255, 127].

Dieses Bild paßt vorzüglich auf Schuberts transparente und tiefe Wesensart, die in keinem seiner Bücher so deutlich zutage tritt wie in diesem. Wenn er darin die von Saint-Martin oder vom Rosenbäcker Burger empfangene Unterweisung, die Creuzerschen Entdeckungen im Blick auf dionysische Mythen oder diejenigen Kannes bezüglich der orientalischen Sprachen verwertet hat, so wußte er doch solche Anleihen aus dem zeitgenössischen Gedankengut mit eigenem Leben zu erfüllen und einer durchaus persönlich gearteten Forschung dienstbar zu machen.

Mit einer Entschiedenheit, wie sie bei romantischen Philosophen nur selten zu finden ist, geht Schubert gleich in den ersten Sätzen des Buches *in medias res:*

Im Traume, und schon in jenem Zustande des Deliriums, der meist vor dem Einschlafen vorhergeht, scheint die Seele eine ganz andere *Sprache* zu sprechen als gewöhnlich. Gewisse Naturgegenstände oder Eigenschaften der Dinge bedeuten jetzt auf einmal Personen, und umgekehrt stellen sich uns gewisse Eigenschaften oder Handlungen unter dem Bilde von Personen dar. [252a, 1*]

Nach dem Vorbild der okkultistischen Symbollehre, für die alles und jedes sprechendes Wort ist, fragt Schubert nach dem die Traumsprache, die poetische Sprache und die Sprache der Natur Verbindenden und Trennenden. Die metaphorische Ausdrucksweise des Traums, deren Bedeutungsträger Bilder, Gegenstände oder Personen sind, und die gewöhnliche Sprache des Wachens, die sich der Worte bedient, sind in mehrerem wesentlich voneinander verschieden. Der Traum verknüpft die Gedanken nach einem andern Assoziationsgesetz, das freilich nicht, wie noch im 18. Jahrhundert, als eine verworrene Abart der normalen Assoziation mißverstanden werden darf, vielmehr der Seele einen «rapideren, geisterhafteren, kürzeren Gang oder Flug erlaubt» [1]. Schon wenige seltsam aneinandergefügte Zeichen, Bilder oder Hieroglyphen vermögen im Augenblick auszudrücken, was mit Worten auseinanderzusetzen ganze Stunden in Anspruch nähme.

Und ist denn die Traumsprache der Natur unseres Geistes nicht in mancher Hinsicht angemessener als die gewöhnliche Wortsprache? Sie ist «unendlich viel ausdrucksvoller, umfassender, der Ausgedehntheit in die Zeit viel minder unterworfen als diese» [2]. Auch müssen wir sie gar nicht erst erlernen; sie ist uns angeboren; die Seele spricht sie, sobald sich die Fesseln des Körpers ein wenig lockern.

Ein Weiteres zeichnet die Traumsprache aus: Sie stimmt mit dem Gang des Schicksals überein. Es scheint nämlich, als ob sowohl die Ereignisse in unserem

Leben als auch die Bilder unserer Träume nach ein und demselben Gesetz verknüpft seien. «Mit andern Worten: Das Schicksal in und außer uns [...] redet dieselbe Sprache wie unsre Seele im Traume» [2]. Die weissagenden Träume sind also gar nicht so unerklärlich. Der «*versteckte Poet*» in uns weiß mit einer «höheren Art von Algebra» das Heute mit dem Morgen, die Vergangenheit mit der fernsten Zukunft zu kombinieren, und dies mit einer Geschicklichkeit und Unfehlbarkeit, wie sie dem wachen Geist nicht gegeben ist.

Nirgends tritt der Gegensatz von romantischer und rationalistischer Auffassung schärfer hervor als hier. An die Stelle der Übereinstimmung von menschlicher Logik und Naturnotwendigkeit, wie sie die Assoziationstheoretiker annahmen, tritt die neue Entsprechung zwischen der Bilderverknüpfung in den Zuständen unüberwachter Passivität einerseits und der Verkettung äußerer Ereignisse andererseits. Wenn dort der menschliche Intellekt durch Vermittlung der Sinne eine restlos determinierte Welt getreulich registrierte, so harmoniert hier ein freies, immerfort schöpferisches inneres Leben mit einem ebenso spontanen Leben des Universums. Die Sprache der Träume besteht nicht aus abstrakten Zeichen, die sich Menschen auf Grund gesellschaftlicher Übereinkunft zunutze machen würden, um damit das Zusammenleben zu erleichtern, sondern sie ist aus Bildern gefügt, die mit der ausgedrückten Realität im Verhältnis realer Teilhabe stehen.

Daraus ergeben sich alle Eigentümlichkeiten dieser Traumsprache. Übereinstimmend mit Traumbüchern aller Völker und auch mit der modernen Psychoanalyse – wenngleich diese von entgegengesetzten Voraussetzungen ausgeht – stellt Schubert zunächst fest, daß sich diese symbolische Sprache von Mensch zu Mensch kaum unterscheidet; sie erscheint «bei allen Menschen so ziemlich als dieselbe, höchstens dem Dialekt nach etwas verschieden» [3]. Nach seiner Auffassung darf man den Traumbüchern weitgehend Vertrauen schenken; indem man deren Bilderkataloge durch unbefangene Selbstbeobachtung überprüft, wird man die Wesenszüge der Traumsprache kennenlernen.

Fürs erste spricht der Traum in Bildern, wie sie auch dem gewöhnlichen poetischen Ausdruck geläufig sind. Ein Weg durch Dornen oder über Glatteis bedeutet eine unangenehme oder gefährliche Lebenslage; Finsternis spricht für Betrübnis und Melancholie; Tod oder Abschied für immer künden sich durch eine Reise, eine Überfahrt an.

Zuweilen aber bedient sich der Traum einer eigenartigen **Rhetorik**. Eine besondere Vorliebe hat er für jene Figur, die eine Sache durch deren Gegenteil bezeichnet: Freude durch Tränen, Traurigkeit durch Tanz, Hochzeit durch eine Beerdigung.

Dem seltsamen versteckten Poeten in uns scheint manches erstaunlich lustig vorzukommen, was uns sehr traurig macht, und umgekehrt scheint er über viele unsrer Freuden sehr ernste Ansichten zu haben; ein Zeichen, daß er sich überhaupt in unsrem jetzigen Zustande nicht so ganz behaglich befindet. [8]

Der versteckte Poet beliebt oft mit uns zu scherzen, indem er etwa von Schmutz und Kot spricht, wenn er Geld meint, von Prügel und Wunden, wenn wir Geschenke empfangen werden, von blühenden Lilien, wenn unser der Spott der Welt wartet. Mit unverkennbarem Behagen führt er uns immer wieder die Hinfälligkeit irdischer Herrlichkeit vor Augen.

Endlich scheinen gewisse rätselhafte Metaphern der Traumsprache aus einer uns unbekannten Natursprache zu stammen, in welcher jeglicher Gegenstand Eigenschaften besitzt, die mit den uns vertrauten in keinem Zusammenhang stehen. «Die gelbe Farbe, zum Beispiel der Anblick einer wie in gelbes Herbstlicht getauchten Gegend, bedeutet im Traume Trauer, die rote Farbe Freude» [10]. Sonnenfinsternis, Sturm und Zeichen am Himmel weisen auf tiefes Leid; der Nabel bezeichnet die Heimat, die Schulter eine Beischläferin.

Offensichtlich verfährt Schubert in der Wahl seiner Unterlagen nicht eben kritisch, vielmehr nimmt er die Beispiele dort, wo er sie gerade findet, und man mag es bedauern, daß er, statt sich an beliebige Überlieferungen zu halten, nicht öfter auf eigene Beobachtungen abstellt. Aber es kommt letztlich auf den Schluß an, zu dem er auf Grund solcher Materialien gelangt. Sind die Beispiele mehr oder weniger einfältig, so gilt dies denn keineswegs für Schuberts Einsicht in den ironischen Gegensatz zwischen unserem geheimen Innenleben und dem ‹Ernst› unserer alltäglichen Bestrebungen und Bedürfnisse. Und hier erst gibt sich Schuberts Wesensrichtung deutlich zu erkennen: Der versteckte Poet in uns leidet an einem Dasein, für das wir mitnichten geschaffen sind. So wahrt er sich denn im Traum das Bewußtsein davon, daß wir nicht gänzlich der Erde gehören.

Nun teilt aber die Traumsprache, wie Schubert zu seinem Erstaunen feststellt, alle diese Eigentümlichkeiten mit andern Ausdrucksweisen, vorab mit der Poesie und der prophetischen Offenbarung. Herder und den Romantikern folgend, nimmt auch er an, daß die Poesie die ursprüngliche Sprache der Menschheit gewesen und der Erfindung der Prosa vorausgegangen sei. Sie verfügt über den «Schlüssel zu unserem inneren Rätsel» und, wie der Traum, über die Gabe der Prophetie [15]. Die Pythia sprach in Versen, und es ist dabei der «beruhigenden, zum Teil einschläfernden und die Seele in die Region der dunklen Gefühle und des Traumes führenden Wirkung des Metrums» zu gedenken [16].

So beruft sich auch die Poesie auf gewisse Innenbereiche, die mit einem kosmischen, der Prosa des Wachens unzugänglichen Sein in Verbindung stehen. Sie rührt an jenes Teil in uns, das wir gewöhnlich in den Stunden des wachen Bewußtseins übergehen und das sich auch nur schwer an die Oberfläche bringen läßt. Und doch birgt diese nächtliche Tiefe alle unsere wahren Reichtümer. Sie ans Licht zu schaffen ist uns verwehrt; aber es sind uns immerhin Mittel gegeben, uns den Zutritt wenigstens zu einem Teil dieser Schätze zu verschaffen, und

deren eines ist eben die Poesie, ja – und hier geht Schubert über seine Vorgänger hinaus – es ist im besondren der poetische Rhythmus selber, der uns mit
Zaubergewalt in einen euphorischen Zustand entrückt, worin wir einer insgeheim wiederauflebenden Harmonie, einer neuen, tieferen Übereinstimmung
mit dem uns umfangenden Ganzen gewahr werden. Indem die Poesie die
Vermögen des Wachens ‹einschläfert›, begünstigt sie die innere Entfaltung des
unbewußten Lebens.

Daraus erklärt sich nun auch die poetische ‹Ironie›, die das Lebensschicksal
des Dichters und besonders den dichterischen Sprachgebrauch zu einem beständigen Ärgernis für das alltägliche Leben werden läßt [16f.]. So wie wir uns im
Alltag Geschäften hingeben, die mit der wahren Bestimmung des Menschen nichts
gemein haben, so verwenden wir auch die Sprache zu Zwecken, die ihr ursprünglich fremd sind. Das poetische Paradoxon, dem theologischen Hamanns
eng verwandt, rührt daher, daß es der Dichter ist, der unsere wahre Natur zu
erahnen und zugleich für Augenblicke die anfängliche Fülle des Wortes zum
Aufleuchten zu bringen vermag.

Noch enger mit der Traumsprache verwandt ist die prophetische Sprache.
Auch ihr kommt weltweite Geltung zu, so daß Propheten verschiedenster
Herkunft unter ein und demselben Bild das nämliche verstehen [17]. Die prophe-
tische Ironie geht mit unserer Welt noch schärfer ins Gericht als die poetische
[18f.]. Und zeigt sich nicht eine überraschende Ähnlichkeit zwischen rituellen
Gebärden des religiösen Kultus und jener Neigung des Träumenden, einzelnen
Handlungen gleichfalls eine symbolische Bedeutung zuzulegen, so daß sie eine
lang andauernde, unser späteres Tun bestimmende Nachwirkung hinterlassen
[22]? Die Worte mancher religiöser Hymnen üben auf unser Gemüt eine
Wirkung aus, die weit über deren begriffliche Bedeutung hinausgeht; ja es ist
der religiöse Kult selbst ein Hymnus, nicht aus Worten, sondern aus symbolischen Gebärden mit geradezu magischer Kraft.

Es ist also immer die gleiche Rhetorik, welche diese geheimnisvollen Ausdrucksweisen regelt. Wie sind nun die zahllosen Übereinstimmungen zu erklären?

Allerdings gleicht jene Sprache in Bildern und Hieroglyphen, deren sich die höhere Weisheit
in allen ihren Offenbarungen an den Menschen bedient hat, ebenso wie die hiermit verwandte
Sprache der Poesie, in unserm jetzigen Zustande mehr dem dunklen Bilderausdruck der
Träume, als der Prosa des Wachens; indes fragt sich sehr, ob nicht eben jene Sprache die
eigentliche wache Rede der höheren Region sei, während wir, so wach wir uns glauben, in
einem langen, mehrtausendjährigen Schlaf, oder wenigstens in den Nachhall seiner Träume
versunken, von jener Sprache Gottes, wie Schlafende von der lauten Rede der Umstehenden,
nur einzelne dunkle Worte vernehmen. [14f.]

Möglich also, daß wie Poesie und Offenbarung auch der Traum der wahre
Wachzustand ist. Das ist bei Schubert nicht eine bloße Vermutung im Sinne
Montaignes: «Wir wachen im Schlaf und schlafen im Wachen», aber auch nicht

eine Frage wie diejenige Pascals, «ob die andere Hälfte des Lebens, wenn wir zu wachen meinen, nicht nur ein etwas von dem andern verschiedener Schlummer ist, von dem wir erwachen, wenn wir zu schlafen meinen[2]». Schubert steht eher in der Nähe einer sehr viel moderneren Auffassung von Poesie und Natur, die erst in der Nachfolge Baudelaires, Mallarmés und Rimbauds zu voller Entfaltung gelangt ist. Es handelt sich hier um einen Symbolismus, dessen Formel Valéry einmal in die berühmte Definition gefaßt hat:

Die Poesie versucht mit den Mitteln artikulierter Sprache *jene Dinge oder jenes Ding* zu vergegenwärtigen oder wiederherzustellen, die der Schrei, die Träne, die Liebkosung, der Kuß, der Seufzer und anderes zum Ausdruck bringen möchten und *die scheinbar die Gegenstände ausdrücken wollen,* insofern sie einen Anschein von Leben oder einen angeblichen Zweck haben. (*Tel Quel* [707, 547])

Immerhin besteht zwischen Schuberts Überzeugung und Valérys Hypothese ein wesentlicher Unterschied. Was für den modernen Dichter eine bloße Möglichkeit, ja eine Metapher bleibt, ist in den Augen des romantischen Philosophen eine unverbrüchliche Gewißheit, eine unmittelbare, von innerer Zustimmung verbürgte Einsicht. Für ihn haben die Naturgegenstände mehr als nur einen *Anschein* von Leben, als einen *angeblichen* Zweck: Sie drücken tatsächlich dieselbe unbegreifliche Wirklichkeit aus, von der auch die poetische Sprache kündet.

Von jenen Bildern und Gestalten, deren sich die Sprache des Traumes sowie die der Poesie und der höheren prophetischen Region als Worte bedienen, finden wir die Originale in der uns umgebenden Natur, und diese erscheint uns schon hierinnen als eine verkörperte Traumwelt, eine prophetische Sprache in lebendigen Hieroglyphengestalten. [252a, 24]

Diese feste Überzeugung – die übrigens der Claudelschen Vision der Welt sehr viel näher kommt als der Poetik Valérys – ist zutiefst in Schuberts Denken verwurzelt. Der Romantiker schaudert zurück vor der teleologischen Deutung der Natur, wonach die Existenz der Geschöpfe auf der wechselseitigen Notwendigkeit des Fressens und Gefressenwerdens beruhen soll. Die Geschöpfe sind nicht da, um uns zu ernähren und uns sinnlichen Genuß zu bereiten. Darüber wußten die alten Mythologien Bescheid, die ihnen eine geistige Bedeutung zuschrieben; damit rechtfertigten sie die Schöpfung in einem sehr viel tieferen Sinne als die teleologischen Deutungsversuche. «Die uns umgebende *Natur* [...] *erscheint als eine Offenbarung Gottes an den Menschen,* deren Buchstaben lebendige Gestalten und sich bewegende Kräfte sind» [29]. Sie ist nichts anderes als das – wenn auch für unser jetziges Auge trübe – Original jener Naturbildersprache, von der unsere Träume und unsere Poesie noch etwelche leicht erkennbare Bruchstücke aufbewahren.

Wir finden in der Natur all die Merkmale der Traumsprache wieder, vorab die *Ironie.* Wie der Traum, so scheint auch die Natur «über unsere elende Lust und unser lustiges Elend» zu spotten:

[2] Frgm. 434, Übs. E. Wasmuth.

Die Zeit der Liebe und der Freude ist es, wenn die Nachtigall ihren klagenden Gesang am meisten hören lässet, worinnen sie, nach einem dichterischen Ausdruck, die Rose über Gräbern besinget, und alle Freudengesänge der Natur haben den klagenden Mollton, während umgekehrt ein ephemeres Geflügel den Tag seiner Hochzeit unmittelbar am Grabe, am Tage des Todes feiert. Tod und Hochzeit, Hochzeit und Tod liegen sich in der Ideenassoziation der Natur so nahe wie in der des Traumes, eins scheint oft das andre zu bedeuten. [...] Schmerz und Lust, Lust und Schmerz sind auf dieselbe Weise verbrüdert. [30 f.]

Aber die Ironie der Natur erschöpft sich nicht einfach in der Verspottung unserer Gefühle und all dessen, was wir ernst nehmen. Sie ist selbst auch Erfinderin lächerlicher Gestalten, ausgefallener Zusammenstellungen und drolliger Verwandtschaften:

Unmittelbar auf den vernünftigen, gemäßigten Menschen folgt in der Ideenassoziation der Natur der tolle Affe, auf den weisen, keuschen Elephanten das unreine Schwein, auf das Pferd der Esel, auf das häßliche Kamel die schlanken Reharten, auf die mit dem gewöhnlichen Los der Säugetiere unzufriedne, dem Vogel nachäffende Fledermaus folgt in verschiedner Hinsicht die Maus, die sich kaum aus der Tiefe herauswagt. [32]

Natur und Traum teilen sich aber auch in die Gabe der Prophetie; man denke nur an das Ferngesicht der Zugvögel oder an die Vorausschau überwinternder Tiere, welche beizeiten für die schlimme Jahreszeit vorsorgen. Auch hierüber war die Mythologie besser im Bild als all unsere Wissenschaft; nicht ohne Grund war Dionysos Schicksalsgott und Traumgott zugleich. Den Alten schon galt als gewiß, daß das Schicksal in und außer uns dieselbe Sprache spreche; daß das Schicksal nicht so sehr ein unser Leben in irgendeine vorbestimmte Bahn lenkendes göttliches Verhängnis sei als vielmehr die zarte Verwobenheit aller Lebensaugenblicke, die uns wohl gewöhnlich in ihrer zeitlichen Abfolge als voneinander getrennt erscheinen, in Wahrheit aber in einem inneren Zusammenhang stehen, vergleichbar dem Ganzen einer musikalischen Satzentfaltung. Und gerade die von Schubert nach ihrer geheimen Verwandtschaft befragten heiligen Sprachen verfügen über die Kraft, diese Augenblicke aus ihrer Vereinzelung zu lösen, sie gleichsam aus der Zeitlichkeit in die Ebene des Schicksals zu heben, wo sie miteinander im engsten Wechselverhältnis stehen.

Es gibt in dieser Hinsicht bei Schubert einige Seiten über die griechischen Mysterien, die zweifellos von Creuzer und Kanne inspiriert sind, dennoch aber von einem bemerkenswerten Tiefblick zeugen; Schubert hat die Beziehungen zwischen Traum und Mythos besser erspürt als jeder andere. Er vergleicht da das Symbolsystem des Dionysosmythos und des eleusinischen Kultes mit dem Symbolsystem der Traumsprache. Seine Art, streng zu vergleichen und buchstäbliche Übereinstimmungen aufzuspüren, mag uns naiv dünken. Zudem hält seine Analyse im einzelnen nicht stand vor den gründlicheren Kenntnissen, die wir heute von griechischen Mysterien besitzen; Dionysosdienst und eleusinischer Glaube können nicht länger gleichgesetzt werden. Und doch hat Schubert aus dem noch recht ungesicherten historischen Wissensgut seiner Zeit eine unge-

wöhnlich lebendige Vorstellung vom Wesen des Mythos geschöpft. Besser als so
manch ein Historiker nach ihm hat er die Verwandtschaft, die alle Schöpfungen
der menschlichen Einbildungskraft verbindet, zu durchschauen, hat er in den
großen kollektiven Mythen sowohl wie in den Visionen der Dichter und in
den Eingebungen des Traumes ein und dieselbe Welterfassung aufzudecken vermocht, die in einem andern als dem alltäglichen Bewußtsein verankert ist. Die
Sagen des klassischen Altertums sind für diesen Romantiker wahrhaftig anderes als
nur gerade ästhetische Gegenstände oder historische Zeugnisse: Noch immer sind
sie gerade so wirksam, so sprechend wie etwa die allerjüngste Poesie. Dionysos
bezeugt ihm noch wirklich die Göttlichkeit der Natur:

Wir sehen uns auch in jener Mysteriensprache in einem mit dem Traume verwandten Gebiet;
ja wir glauben uns in einem Traume voll tiefen prophetischen Inhaltes selber befangen zu
sehen. Und in der Tat, das Wort der Natur, oder vielmehr der zur Natur gewordene Gott, ist
im Altertume zugleich Traum und Traumdeuter gewesen. Der Mensch, ein Teil und Gleichnis
jenes Gottes, dessen Sprache, dessen sinnlich offenbartes Wort die Natur ist, hatte ursprünglich auch das Organ für diese Sprache in sich (er war Herr der Natur, und zwar in anderem
Sinne, als er gewöhnlich genommen wird), und noch jetzt läßt uns die eingesperrte Psyche
wenigstens im Traume den angebornen Ton vernehmen. Übereinstimmend mit dem in ihn
gelegten, war daher dem anfänglichen Menschen das sinnlich offenbarte Wort der äußeren
Natur durchaus verständlich, der Geist des Menschen redete ja dieselbe Sprache, in welcher
jene lebendige Offenbarung abgefaßt war, er war diese Sprache selber. [54f.]

Diese Schubertschen Zeilen, die Lichtenbergs schüchternes Aperçu über die
Analogie von Mythos und Traum unendlich vertiefen (S. 36), sind zweifellos
der frappanteste Ausdruck von einem der wesentlichen Momente romantischen
Denkens. Schubert behauptet die grundlegende Identität von Innenwelt und
Außenwelt, und er stützt sich für diese Behauptung auf eine Kosmogonie, die als
Erbteil aus okkultistischer Tradition von der gesamten romantischen Philosophie
übernommen worden ist: Weil beide, Natur und Mensch, gleichermaßen
Emanation, Offenbarung des göttlichen Wortes sind, wäre es verfehlt, eine endgültige Grenze ziehen zu wollen zwischen dem Schauspiel im Innern, der Ent-
faltung imaginärer Welten, und dem Schauspiel der äußeren Gestaltungen, dem
Werdegang der Natur. Ursprünglich und so lange, als das aus der Trennung
geborene Bewußtsein unsere Beziehungen mit dem All noch nicht zu verwirren
vermochte, bildeten die Welt der Gestalten und die Welt der Ideen eine einzige
Sprache.

Doch wir vermögen jene uns eingeborene Sprache nur noch zu stammeln, sei's
in unsern Träumen, sei's in dem wenn auch noch so trümmerhaften poetischen
Ausdruck. Wie kam es zu solcher «Sprachenverwirrung» [55]? Warum verstehen
sich nicht mehr, die den babylonischen Turm errichteten?
   Was für uns Symbol, bildlicher Ausdruck der höheren Region und des Gegenstandes unserer geistigen Neigung sein sollte, dies selber ist es, was wir als solches

zu verherrlichen begonnen haben, statt ihm seine anfängliche Transparenz zu belassen. Wir haben uns unterfangen, der Sinnenwelt nachzuhängen, anstatt in ihr und durch sie hindurch die Region des Geistigen und Göttlichen zu lieben [77/86].

Der Sündenfall wirkte sich aber nicht nur auf die menschliche Sprache aus. Die Natur selber ist davon durcheinandergebracht worden, läßt sich doch eines vom andern nicht trennen. Was uns umgibt, ist zum Schatten der einstigen Natur entwürdigt. Wie das Kind eine ihm anvertraute Uhr, so hat der Mensch das herrliche Wunderwerk zerlegen wollen und hat doch nur Unordnung hineingebracht.

In traurigem Wahnsinn bezieht er nun jene Worte der ursprünglichen Sprache, die von der ewigen Liebe und ihrem unsterblichen Vorwurfe gehandelt, auf das enge Bedürfnis, seine eigene unnatürliche Liebe, und jenes Wort, welches den Geist des göttlichen Erkennens bedeutete, womit Gott den Menschen und die Welt erkannte und aus sich erzeugte, hat für ihn [...] die Bedeutung niederer sinnlicher Lust gewonnen. [86f.]

So ist nun alles aufs fürchterlichste travestiert worden, und all unser Wirken bleibt zweideutig. Traum, Poesie, ja selbst die Offenbarung reden zwar noch immer die Sprache des Gefühls, der Liebe mit uns und wecken das ewige Sehnen nach dem Göttlichen, zugleich aber leider auch die Welt sinnlicher Neigungen und Lüste. «Der Lebensquell selber ist vergiftet.»

Was Sprache des Wachens sein sollte, ist uns jetzt dunkle Sprache des Traumes, und überhaupt ist nun die Region des Gefühles, selbst des ursprünglich geistigeren und reineren, der Seele, solange sie *in diesem mit doppelten, so entsetzlich verschiedenartigen Saiten bespannten Instrumente wohnt,* eine gefahrvolle, unsichere Region geworden. [89*]

Alles und jedes ist verwandelt, alles verderbt: Die Menschensprachen, die aus der ursprünglichen Natur- und Gestaltensprache hervorgegangen sind, haben deren Wirksamkeit gänzlich verloren. Was einst Poesie war, ist zur nüchternen Prosa herabgesunken, und «das Lied der Natur ist zur Philosophie geworden» [92].

So verbleibt uns denn von unsern einstigen Vermögen nur ein schwaches Teil. Zu den Überresten, die uns auf eine endliche Rückkehr hoffen lassen, gehört der Traum. Aber es gilt auf der Hut zu sein, denn das Unbewußte, in dem die göttlichen Keime schlummern, äußert sich noch und noch zweideutig; es kann uns zum Bösen wie zum Guten verleiten. Das uns angeborene Gewissen – guter, «sokratischer Dämon» sowohl wie schlimmer Dämon – ist so beschaffen, daß sich auch der Böse mühelos seiner bedienen kann. Zweifellos ist das Unbewußte prophetisch; noch sind wir uns keiner bösen Absicht bewußt, und schon regt sich, wenn eine unbekannte Gefahr herannaht, eine Unruhe, eine Angst in uns wie nach einer vollbrachten bösen Tat. Aber «der schlimme Dämon ist auch prophetisch, auf eine ebenso ausgezeichnete Weise als der gute» [62].

In diesem doppelseitigen Einfluß scheint Schubert bereits jene ‹kompen-
satorische› Funktion erspürt zu haben, welche die Psychologen heute dem
Unbewußten zuschreiben; und tatsächlich, hier, wo er den Traummythos für
kurze Zeit aus den Augen läßt, gibt er sich denn auch als der reine Psychologe
von höchstem Ahnungsvermögen und genauestem Wirklichkeitssinn. Wir brauchen nur für das, was Schubert als ‹Gewissen› dem Traum zur Seite stellt, das
‹Unbewußte› zu setzen, so befinden wir uns plötzlich ganz in der Nähe moderner
Auffassungen:

Ein großer Teil jener mit den Neigungen und Ansichten des gewöhnlichen Lebens im seltsamen Kontrast stehenden Traumbilder scheint eine Wirkung dieses besseren Schutzgeistes
zu sein. [...]
Jenem natürlichen Kontrast gemäß, ist die Ideenassoziation des Gewissens eine ganz andere
als die des wachen Denkens, und sie ist dieser ganz entgegengesetzt. Die Stimme des Gewissens
läßt sich durch keine noch so folgerechten und vernünftigen Räsonnements hinwegstreiten
oder ersticken, und noch so oft widerlegt oder übertäubt, läßt sie sich immer von neuem
immer dringender [...] vernehmen. [...]
Von den beiden Janusgesichtern unserer doppelsinnigen Natur pflegt [...] das eine dann zu
lachen, wenn das andere weint, das eine zu schlummern und nur noch im Traume zu reden,
wenn das andere am hellsten wacht und das laute Wort führt. Wenn der äußere Mensch sich
am ungebundensten und fröhlichsten in eine Fülle von Genüssen versenkt, stört jenen Rausch
eine Stimme der inneren Unlust und tiefen Trauer. [...] Auf der anderen Seite läßt uns der
innere Mensch, wenn der äußere weinet und trauert, Töne einer Freude vernehmen, die uns,
wenn wir ihnen nur Gehör geben, unsere Schmerzen bald vergessen machen, und dieser
Phönix frohlockt noch in der Flamme. Je frischer und kräftiger der äußere Mensch vegetiert,
desto ohnmächtiger wird der innere, der sich dann in die Bilderwelt der dunklen Gefühle
und des Traumes zurückzieht, je kräftiger dagegen der innere Mensch auflebt, desto mehr
muß der äußere absterben. (67–69]

Gewiß, Schubert bleibt hier seiner moralischen Konzeption des Seelenlebens
treu. Die zwei Menschen in uns, die sich so seltsam die Waage halten, erhalten
wertende Bestimmungswörter: Sie sind dem Guten oder dem Bösen zugewendet.
Insofern unterscheidet sich Schubert von heutigen Psychologen. Ebenso gewiß
aber ist es, daß ihn eine tiefe und – wie ein jeder dieser Sätze bezeugt –
wahrhaftige Erfahrung über diese merkwürdige heimliche Begleitung belehrt hat,
die unserem bewußten Leben immer und überallhin nachfolgt.

Eine ‹Naturphilosophie› kommt jedoch nicht gänzlich ohne physiologische
Erklärung des Traums aus. In ausgedehnten und oft verworrenen Gedanken-
gängen legt Schubert dar, daß Schlaf und Wachen von verschiedenartigen
Körperorganen abhängen: Das Gangliensystem ist der Sitz der schlafenden Seele,
das Zerebralsystem der Ort des wachen Geistes; der Traum ist ein Mittelzustand.
Gemäß romantischer Physiologie entspricht bekanntlich diese Aufteilung des
Körpers in zwei Systeme der Doppelzugehörigkeit des Menschen: Durch die
Ganglien ist er mit dem physischen Naturleben, mit dem Lebensstrom ver-

bunden und auf ein außerindividuelles Zentrum gerichtet. Das Gehirn jedoch ist das Zentrum der in sich zurückgezogenen Kreatur, der Ort des lichten Bewußtseins. An diesem Punkt wird es Schubert allerdings bänglich zumute; er getraut sich nicht, romantische Philosophie zu Ende zu denken. Ein Carus wird unvergleichlich viel konsequenter und, trotz seiner Besonnenheit, kühner vorgehen. Der Autor der *Symbolik*, welchem seit deren Niederschrift eine christliche Metaphysik vorschwebt, beharrt keineswegs auf der Überzeugung, daß unser physischer Organismus eine göttliche Emanation, eine Offenbarung Gottes von selbem Rang wie unsere geistige Natur sei. Er spricht wieder dem Vorrang des Geistigen das Wort und kehrt infolgedessen zu einer Hierarchie zurück, welche den Traum auf eine tiefere Stufe verweist, nicht etwa weil er verworrener, von cartesischer Evidenz weiter entfernt wäre, sondern weil er unser Triebleben widerspiegelt.

In der Tat ist es nicht gerade die glänzendste und beste Seite, sondern vielmehr die *partie honteuse* unsers armen zerlumpten Selbst, die hier neben uns als werktätige (bildende) Seele an den Karren geschmiedet ist. Wir lernen sie nur zu gut kennen, sobald sie, wenn auch nur auf einzelne Augenblicke, aus ihren Ketten losgelassen wird. Ich erschrecke, wenn ich diese Schattenseite meines Selbst einmal im Traume in ihrer eigentlichen Gestalt erblicke. [118]

So zeichnet sich also das Traumleben durch die besten wie durch die schlimmsten Eigenschaften aus, und wenn sich Schuberts physiologische Theorie manchmal kaum mit seiner Metaphysik in Übereinstimmung bringen läßt, so ist es immer wieder der Mythos vom Sündenfall, mit dessen Hilfe er sich aus jeglicher Ungereimtheit zu ziehen weiß. Solange wir nämlich wie im gegenwärtigen Zustand allein darauf aus sind, einzig aus unserer Eigenliebe Erleuchtung zu gewinnen, kann uns der Traum nur dazu dienen, trotz allem gewisse Beziehungen wahrzunehmen, die zwischen uns und dem kosmischen Leben bestehen geblieben sind. Aber sobald wir uns mit ganzer Kraft und ganzer Liebe einem höheren Lichte zuwenden, dem wir ursprünglich zugehören, liefert uns der Traum Fragmente, mit deren Hilfe wir eines Tages unsere anfängliche Welt wieder aufbauen können. Diese Ambivalenz der Träume läßt sich durch genaue Beobachtung bestätigen. Die einen, abgeschmackt und ungereimt, gehören einem «platten oder niedern Dialekt» an, die andern, jenen übrigens aufs engste verwandt, sind unser bestes Teil. Das Gesetz der Kompensation zwischen Traum und Wachen ist auch hier gültig:

Zuweilen hält sich die Seele für das überflüssige Sprechen, was ihr im Wachen versagt ist, im Traume schadlos, ebenso wie sie umgekehrt bei jenen tieferen Seelen, denen im Wachen das Organ zu fehlen scheint, im Traume sich gewaltiger und gehaltreicher ausdrückt als im Wachen. [11]

Nicht alle Träume sind von gleicher Qualität; es gibt welche, die man für nichts als eine fruchtlose Reproduktion des Vergangenen oder ein freies Spiel unserer Neigungen und Lüste halten wird, «beides in einer Welt von eigentümlichen Bildern und hieroglyphischen Zeichen» [12]. Da sie höchstens über unsern individuellen Charakter einigen Aufschluß geben, schenkt ihnen Schubert nicht weiter Beachtung. Er weiß aber sehr wohl, daß es verschiedene Grade des Träumens gibt, und hält sich weit von der verbreiteten Auffassung entfernt, wonach jene Träume, welche uns in Erinnerung bleiben, die Wesenszüge des Traumlebens vollständig oder zumindest hinreichend widerzuspiegeln vermögen. Nicht alles, was die Seele in ihrer Bildersprache daherredet, ergibt einen sinnvollen Zusammenhang, schon gar nicht beim Einschlafen oder Aufwachen. Aber auch im vollkommeneren Zustand drückt sich der Traum mehr oder weniger metaphorisch aus; so kann er uns eine bevorstehende Begebenheit einmal genau so darstellen, wie sie sich im Wachen wirklich zutragen wird, dann wieder bedient er sich eines Bildausdrucks, der vom Wortausdruck des Alltags so weit entfernt ist, «daß er erst einer Übersetzung in diesen bedarf» [6].

Übrigens ist es mehr als wahrscheinlich, daß es noch einen tieferen Grad des Traumzustandes gebe, von welchem uns beim Erwachen nur höchst selten eine dunkle Rückerinnerung zurückbleibt, weil er von der Region des Wachens durch dieselbe Kluft geschieden ist, als der Zustand der magnetischen Clairvoyance. Jene tieferen Träume lassen indes meist im Wachen eine gewisse Stimmung und einen Teil jener Vorahnungen (zum Beispiel des nahen Todes) zurück, von welchem mehrere Beispiele bekannt genug sind. [12]

Wie jeder, der auch nur einigermaßen einen Begriff hat vom unergründlichen Eigenleben des Traums, so besitzt auch Schubert durch die im Wachen zurückbleibenden flüchtigen Spuren Kunde von jenem unübersetzbaren, niemals zu erfassenden Traum des Tiefschlafes. Seine Qualität ist völlig anderer Art als alles, was uns die Zustände klaren Bewußtseins einbringen; seine Bilder sind dermaßen fremd und rätselhaft, daß wir davon meistens nur eine vage Stimmung zurückbehalten: eine innere Unruhe, ein Wohlgefühl, eine freudige Erregung oder eine unerklärliche Gefaßtheit. Beim Erwachen wissen wir nur, daß wir von weit her zurückkommen; mehr zu wissen verlangt niemand, der sich solchen Innenfahrten bereitwillig anvertraut, denn gerade dank diesen tiefsten Träumen weiß er, daß es andere Regionen gibt, die uns einst zugänglich waren, noch immer für Augenblicke zugänglich sind und es eines Tages wieder sein werden.

III

Im Traum wird die Seele von einer oberen, mütterlich
sie ausgebärenden Welt bewegt.

Die *Symbolik* vermag nicht zu verdecken, daß sie in aller Eile niedergeschrieben worden ist; das entging auch Schubert nicht. Kaum war das Buch erschienen, gestand er in einem Brief, er habe «besonders der Natur noch immer viel zu viel Ehre gelassen» [260, 180]. So erfuhr denn das Werk eine tiefgreifende

Überarbeitung, bevor es 1821 zum zweitenmal erschien. Bezeichnend sind oftmals schon die geringfügigsten Veränderungen, so wenn Schubert bald da, bald dort ein «in gewisser Hinsicht», ein «man darf wohl sagen», ein «mehr oder weniger» hinzufügt oder sich ohne genauere Quellenangabe auf einen «alten Glauben», einen «alten Spruch» beruft. Er bemüht sich insbesondere um stärkere Herausarbeitung einer Rangordnung, wonach die prophetische Bildersprache «auf der höchsten und vollkommensten Stufe» steht, die poetische Sprache «auf einer niederen», diejenige des Traums aber «auf der allerniedrigsten und unvollkommensten» [252b, 21f.]. Während er in der ersten Auflage den Traumbüchern noch «eine ganz vorzügliche Aufmerksamkeit» schenkte [7], ersetzt er die ihnen entliehenen Beispiele oft durch Beobachtungen aus wissenschaftlichen Sammlungen, etwa aus Moritzens *Magazin,* oder durch erbauliche Geschichtchen, oder aber er nimmt sie, falls er sie stehen läßt, nicht mehr ganz ernst. Galt dort die Natur als die ursprüngliche Sprache der Menschheit, als Offenbarung einer recht unbestimmten Gottheit, so wird sie hier entschiedener als Offenbarung des christlichen Gottes verstanden; weitläufige numerische Berechnungen und Zahlenspekulationen sollen nun ihre Übereinstimmung mit der Heiligen Schrift beweisen [45–89].

Eben diese Besorgnis um christliche Rechtgläubigkeit bewegt Schubert auch zu einer veränderten Bewertung des Traumlebens. So streicht er am Schluß des ersten Kapitels jene trefflichen psychologischen Bemerkungen über die verschiedenen Grade des Traumzustandes und trägt statt dessen ein höchst aufschlußreiches Bedenken gegen die Tätigkeit des im Traume wirksamen «rätselhaften Organs» vor:

Wir dürfen nicht vergessen, daß es eins ist mit dem, was der eigentliche Sitz unserer Neigungen und Begierden ist, und was die Schrift Herz des Menschen nennet. Selbst im Traume zeigt es sich gar oft in seiner eigentlichen Natur, und wie überhaupt gar viele Menschen sich im Traume von einer andern, schlimmeren Seite kennen lernen, als die ist, welche sie im wachen Zustande zur Schau tragen (die durch die Dressur der Erziehung und der Lebensverhältnisse gebildete), wie die scheinbar Sanften im Traume aufbrausen, zornig, ja grausam sind usw., so scheint überhaupt die träumende *Natur* in uns ursprünglich keine große Freundin von jenem Licht von oben, vor welchem alle nächtlichen Schatten schwinden. [17f.]

Es geht Schubert um eine deutlichere Abhebung des aufwärtsstrebenden Geistes von der beständig hinabziehenden Natur. Was naturhaft ist, vermag niemals lauter zu sein. Im gleichen Maß, wie sich Schuberts christliche Ausrichtung durchsetzt, nimmt das Unbewußte die Züge einer finsteren Macht an. Nun läßt sich diese dualistische Metaphysik allerdings nicht mehr mit Schuberts früheren Ansichten vereinen; die zweite Fassung der *Symbolik* vermag denn nicht nur die Mängel der ersten nicht zu vertuschen, sie ist verworrener und läßt auf ein leises Unbehagen des Autors schließen. Das Werk wäre gänzlich umzuschreiben gewesen, hätte es eine neue Einheit gewinnen sollen.

Im Jahre 1830 kommt der «jungfräuliche Philosoph» in seiner *Geschichte der Seele,* einem gewaltigen Werk von mehr als tausend Seiten, auf seine gesamte bisherige Philosophie zurück; noch einmal ringt er um eine christliche Krönung seiner Studien in den Bereichen der anorganischen, organischen und menschlichen Natur. Was er seinen früheren Büchern an Vorstellungen und Gedanken freigebig, wenn auch etwas übereilt anvertraut hatte, gewinnt hier an Tiefe. Zwar bleibt dem Unternehmen die Einheit im letzten versagt; Schubert ist nun einmal eher der Gefühlsmensch, dem es an systembildender Kraft weitgehend gebricht. Aber auch so zeugt das Buch von einer außergewöhnlich lebendigen Anschauung, und nicht wenige Seiten bestechen durch ihren kraftvoll strömenden Ausdruck und ihren herrlichen Reichtum. Dem Traumleben kommt hier eine etwas andere Bedeutung zu; es ist nicht mehr so geheimnisvoll, so unerklärlich und erscheint auch in der Hierarchie menschlicher Seelenzustände nicht mehr so weit oben.

Die Natur wird wohl immer noch als eine Sprache dargestellt, aber doch so, daß Schubert von martinistischer Auffassung ein wenig abrückt. Die gesamte «Schöpfung der Sichtbarkeit» ist die Sprache, der Gedanke dessen, der sich Wort, Geist, Logos nennt, ist ein Lobgesang des Sohnes auf den Vater [253, § 3]. Auf diese Schöpfung der Sichtbarkeit ist die unsichtbare Welt bezogen als Ergänzung, Erfüllung:

Dadurch, daß in jedem einzelnen Wesen neben der Fülle ein Mangel gefunden wird, ein Etwas, das es geworden, und ein Vieles, was es nicht geworden, dadurch fügt sich das Einzelne als ein lebendiges Glied an ein Ganzes an, welches durch und durch erfüllet ist von Kräften des Lebens. Denn das, was Mangel an dem einzelnen Wesen ist, das ist das Gefäß, in welches die Kräfte des oberen Lebens einströmen; die Fülle ist das, wodurch es zu diesem besonderen Gliede, ja zu einem besonderen einzelnen Leibe, mitten im größeren Ganzen wird. [19]

Die bestehende Welt wird von zwei entgegengesetzten Kräften beherrscht; die eine drängt auf Individuation, die andere wirkt gleichsam magnetisierend, so daß alle Wesen aneinander und alle zusammen an Gott gebunden werden. Die Menschenseele befindet sich im Wirkbereich dieser beiden Tendenzen, die in der Liebe zur Versöhnung kommen.

Denn was wir Liebe nennen, das ist ein Vorschmack jener Schmerzen, ein Vorschmack jener Lust, welche die heimkehrende Seele empfindet, wenn die beengenden Bande der Leiblichkeit und ihres Wahnes gelöst sind. [...] So wird auch, wenn die Stimme der waltenden Liebe in der Seele ertönet, nicht nur Eine Kraft, es werden alle Kräfte des Leibes und der Seele wach und von einem Bewegen ergriffen, welches auslösend auf die enge beschränkende Selbstheit wirket, und welches einem Fortziehen aus dieser hinaus in die Form eines neuen Seins gleichet. [257]

Das Todesverlangen, eins der bedrängendsten Themen des jungen Schubert wie so vieler Romantiker, gewinnt jetzt einen greifbareren Sinn und verleiht seinem Hohenlied der Liebe das Gewicht einer tiefen persönlichen Erfahrung. Oft scheint es, als werde der Tod des eigenen Leibes ebenso dringend begehrt wie die Lust der Geschlechter; und diese ist denn ja nur ein dürftiges leibliches Abbild der Sehnsucht nach dem Höchsten. Durch das unversiegliche Verlangen nach irdischer Vereinigung wird das höhere Verlangen nach Rückkehr in die göttliche Einheit geweckt und wach erhalten; gestillt aber wird es erst durch den Tod. [256–261]

Aber im Schlafe schon, wenn der Leib bei der tragenden, nährenden Mutter einkehrt, um zu neuem Leben geboren zu werden, geht vorbildlich jener seligste Augenblick in Erfüllung, wo dereinst die Seele sich gänzlich der irdischen Bindung entledigt haben wird [238].

So scheint auch die Seele, wenn ihren Leib der Schlaf umschattet, einer jenseitigen Region näher, aus welcher sie ihren Ursprung genommen, wie der Leib aus den festen Elementen der Erde. Mit ihr walten und spielen, während der Nacht des Leibes, die Lichter und Kräfte eines oberen, fernen Sternenhimmels, und die Seele lässet jene mit sich walten, wie das seines künftigen Leibes noch nicht mächtige Ungeborene die Lebenskräfte der Mutter, in deren Schoß es ruht. Allmählich aber wächset, unter der Arbeit des Tages und dem Spiele der Nacht, die Herrschaft über den noch ungeborenen, künftigen Leib, und der Zug, der diesen nach seinem heimatlichen Boden führt.

Es kommt ein Tag, da die Seele noch einmal die ganze Macht und Bitterkeit der Ermüdung des Leibes, und sein innerstes Sehnen nach Ruhe fühlt; auf den Tag aber folget eine Nacht, da der Zug, welcher die Seele nach oben ruft, seinen Damm zerbricht. [...]

Auch im Traum des Schlafes wird die Seele von einer oberen, mütterlich sie ausgebärenden Welt bewegt, ungefähr auf ähnliche Weise, als die ungeborene Frucht durch die Bewegungen, welche die Mutter macht. [248 f.]

Schon hienieden also ist der Seele ein anderes Leben zubestimmt, an dem sie insgeheim im Traume teilhat. Sobald der Schlaf «den Schleier der Leiblichkeit lüftet», überläßt sich die Seele ihrer eigentümlicheren Wirksamkeit [378]. Darum fühlt sie sich in manchen Träumen so leicht, so beflügelt; und wenn sie sich zuweilen, vom eigenen Leib befreit, mit einer ganz anderen, fremden Persönlichkeit überkleidet, so versucht sie dadurch ihren Fesseln zu entkommen und jenem Ruf zu folgen, den sie unablässig vernimmt. Der Wahnsinn ist in dieser Hinsicht nichts anderes als ein bleibender Traum: Die Seele hat darin ihre Unabhängigkeit schon vor dem Tode erlangt; sie fühlt nicht mehr, daß sie auf Erden einem Leib angehört [407 f.]. So wie jegliches in unserem Leben eine Anspielung auf Vergangenes oder auf Künftiges ist, so besteht insbesondere auch der Traum aus Elementen, die nur Erinnerungen eines früheren oder Ahnungen eines einstigen Zustandes sein können.

So gehet eine ganz innre, dem äußren Sinn verborgne Geschichte der Entwicklung unsres Wesens neben der des wachen Lebens her, und mitten durch dasselbe hindurch. Ihre äußersten Fäden knüpfen sich nach beiden Seiten hin an eine Ewigkeit, welche war, noch ehe das leibliche Leben seinen Anfang genommen, und welche sein wird, wenn dieses endet. [415*]

Es will uns scheinen, niemals zuvor, ja nicht einmal in seiner *Symbolik* habe Schubert dem Traum eine so hervorragende Bedeutung beigemessen, noch nie zuvor habe er sich unterfangen, den Traum für das insgeheim durch unsere Endlichkeit, unsere Absonderung hindurch fortbestehende unsterbliche Leben des Menschen zu halten. Doch in einer befremdlichen Kehrtwendung, die seiner innersten Überzeugung offensichtlich näher kommt als die unbedachte Versöhnlichkeit von einst, fügt er sogleich hinzu:

Nicht das, was wir im Traume empfunden oder vernommen, sondern das, was wir im wachen Leben gewirkt und erworben, gehört der Seele selber an. Wir blicken allerdings in solchen Zuständen zuweilen, wie ein Auge, das durchs Fernrohr in ein fernes, schönes Gebirge und seine reichen Auen schaut, in eine höhere, geistigere Region. Aber die Früchte, welche auf jenem Gebirge wachsen, werden nur dann unser, wenn wir uns, nicht ohne Anstrengung, zu demselben hinbewegen und es ersteigen. [415 f.]

Dies prächtige Bild sagt es deutlich genug: Der Traum steht nicht schlechthin höher als das Wachen; er ist eine Mahnung, er belehrt nur, daß unsere Heimat nicht hienieden zu suchen sei; aber er setzt uns nicht in den Stand, unserer wahren Zugehörigkeit nachzuleben. Nur das Ziel kann er uns zeigen, das es zu erreichen gilt, und dort wird das wache Leben am Ende sein. Schubert ist wahrhaftig nicht der Mann, einer blinden Hingabe an die magische Zaubergewalt des Traums das Wort zu reden; nicht indem wir uns dieser überlassen, gelangen wir zur Einheit zurück, sondern indem wir hienieden dem Wege folgen, den unsere individuelle Verkörperung vorzeichnet: im Wirken und Wachen. Wohl träumen wir von unserer fernen Heimat, aber es geht darum, sie durch den bewußten Fortschritt des ganzen Menschen zu erreichen.

Schon hier und jetzt gehört unsere Seele zwei Welten an: der der Schwere und der des Lichts; wir gingen aber fehl, wollten wir diese für das Sein, jene für das Nichtsein halten. Denn im Tode, dessen Abbild schon der Traum ist, behält die Seele aus dem sterbenden sichtbaren Leib ein Etwas zurück, welches ihr *unsichtbarer Leib* genannt werden kann; es ist dies ein Keim der Unsterblichkeit, in welchem eine reproduzierende Kraft ruht, die zu ihrer Zeit aus dem verwandelten Staub des alten einen neuen Leib zu bilden vermag. «Diese Nachklänge [aus dem irdischen Leib] bilden den Grund und die Aussicht des nachmaligen neuen Seins.» [677]

Es scheint nun allerdings, für Schubert stehe der Traum in engerer Beziehung mit diesem Astralleib, der als Keim künftiger Reinkarnationen die Fortdauer unseres Seins verbürgt und schon auf Erden, mitten in unserem Dasein, die Gegenwart des ewigen Lebens darstellt. Und insofern gleicht der Traum der dionysischen *Begeisterung,* der poetischen und künstlerischen Inspiration:

Siehe, hier hat dieser mächtige Hauch die Seele mit sich hinausgeführt an das Ufer der Geisterwelt: in das Land der Träume, und lieblicher Schlaf beschattet die Glieder. [...]
    Zu erkennen: daß der nämliche, hehre Grund, welcher die Seele in den Stunden der Begeisterung über sich selber und über den vergänglichen Leib erhebt, zugleich auch der mächtige Zug sei, der sie als Tod gänzlich hinausführt aus dem Leibe, ist schon viel, aber nicht alles.
    [...] Denn es ist eine Begeisterung, welche die Seele hinaufwärts führet, und es gibt ein an-

deres Bewegen, der Begeisterung verwandt, welches den innren Menschen hinabwärts zeucht. [873 f.] Aber, wehe –! Der Eigenwille des Menschen hat selbst mit seiner beengten Macht und Kunst den Wagen des belebenden Gestirnes lenken, hat sich selber das Leben der innren Begeisterung *machen* wollen, welche nur Gott schaffet. [...] Siehe Phaethons Fall und der Schwestern Trauer. [876]

Gotthilf Heinrich von Schuberts Werk ist vielleicht nicht gerade ein überragendes Monument des menschlichen Geistes. Zu sehr mangelt es diesem «jungfräulichen Philosophen» an jener höchsten Konzentration und an jenem kraftvollen Zugriff, deren es zur Erschaffung großer Architektur bedarf. Die *Symbolik des Traumes* etwa bietet manchmal kaum mehr als bloße Bücherweisheit; auch vermag das Buch über innere Widersprüche nicht hinwegzutäuschen. Und doch, im unüberhörbaren Ton der Wahrhaftigkeit, auf den ein jedes seiner Werke gestimmt ist, dann auch im zuweilen so herrlich lebendigen, strömenden Stil spricht sich eine liebevoller Beschauung hingegebene schöne Seele aus. Es kann auch nicht verborgen bleiben, mit welch unbeirrter Beharrlichkeit Schubert zeit seines langen Lebens gewissen Leitgedanken treu geblieben ist, Gedanken, die schon im frühen Roman angelegt sind, die dann, wissenschaftlich gefärbt, in den Werken der dreißiger Jahre wieder aufgenommen werden und sich schließlich zur überquellenden Ideenfülle der *Geschichte der Seele* entfalten. Auch wenn einige dieser Leitgedanken durchaus der allgemeinen Richtung der Zeit entsprechen und Schubert in vielem der Schule seiner Vorläufer und Zeitgenossen verpflichtet ist, so tut dies doch der Originalität keinen Abbruch. Nicht allein weil seine *Symbolik* eine gewisse Berühmtheit erlangt und einige Romantiker beeinflußt hat, verdient er innerhalb der Gruppe der Naturphilosophen eine besondere Beachtung, sondern auch weil ihm vor allem und mehr als jedem anderen an einer Lösung des Welträtsels gelegen war, so wie er es in sich selber vorfand.

Freilich, seine Bemerkungen zur Psychologie des Traumes, so interessant sie immer sein mögen, halten nicht lange hin; ein Carus, ja selbst ein Steffens hat über eine weit gründlichere und konkretere Erfahrung vom Leben des Unbewußten verfügt. Zweifellos war Schubert der erste, der Hamanns Ideen auf der Traumleben anwendete, der erste, der den Traum als eine Sprache auffaßte, der erste auch, der sich darum bemühte, die Übereinstimmungen, welche die Metaphorik des Traums in die Nähe gewisser poetischer Verfahren heranrücken, bis ins einzelne zu erhellen. Entschiedener als die andern Psychologen seiner Zeit pochte er auf die Tatsache, daß sich das Leben des Unbewußten weder unterdrücken noch totschweigen läßt; besser als irgendeiner wußte er darum, daß sich gerade die allerechtesten Träume jeglicher Erinnerung und Kontrolle entziehen. Aber darin liegt denn doch nicht das Beste von Schuberts Beitrag beschlossen.

Zu den beständigen Themen von Schuberts Innenleben gehörte die überaus intensive Erfahrung von einer zwiefachen Zugehörigkeit der Seele, von einem

Seelenleben, das sich immerzu auf zwei Ebenen abspielt; und mit dieser Erfahrung verband sich bei ihm stets der Eindruck, diese beiden Regionen stünden zueinander in einem gewissen ironischen Widerspruch. Halten wir allein unser Bewußtseinsleben für wirklich, so wird es zum Traum; vielleicht ist gerade der Traum der eigentliche Zustand des Wachens, der einzige Augenblick, wo wir nicht länger das Spielzeug einer Illusion sind, wo wir uns unserer verborgenen Natur zu erinnern vermögen. Traum, Poesie und Liebe sind dem Tode verwandt, denn der Tod – ein weiteres Hauptthema – ist die Geburt zu neuem Leben. Die höchsten Bestrebungen des Menschen zielen alle auf den Tod hin, weil erst der Tod die Wiedervereinigung, die Rückkehr ins Eine ermöglicht.

Trotz der Beständigkeit dieser Grundgedanken ist Schuberts Geistesleben alles andere als bewegungslos. Es vollzieht langsam, mitunter zögernd und stammelnd, einen Fortschritt, der in einem jeden seiner Werke angelegt, in keinem aber zu Ende geführt ist, dessen vollständiger Verlauf jedoch abgelesen werden kann am gesamten Werdegang dieses Denkens. Und dieser Fortschritt ist dialektischer Art: Das irdische Leben ist ein Traum, gewiß; es genügt aber, es von höherer Warte aus als ein Leben in tiefer Finsternis zu betrachten, auf daß es von einem neuen Licht erhellt werden kann, das ihm seine Würde zurückgibt.

Der Traum, die Poesie, ja alle Offenbarungen des Unbewußten sind gerade deshalb von so unschätzbarem Wert, weil sie uns aus der Einsamkeit des losgelösten Individuums herausreißen und mit jenem tief in uns verborgenen Wesen in Beziehung bringen, welches das oberflächliche Leben andauernd ironisiert und insgeheim mit unserem ewigen Leben in Verbindung steht.

Und doch hält es Schubert so wenig wie die andern Romantiker für geraten, sich dem Zauber der inneren Abgründe völlig hinzugeben. Es gilt auf die Botschaften zu hören, die uns von dorther erreichen und uns ermahnen, das Werk des Bewußtseins nicht für unsere volle Wirklichkeit zu halten; es gilt zu erkennen, daß wir an einem Unbegreiflichen und Unaussprechlichen teilhaben, das uns übersteigt und das uns ruft. Aber wir sind und bleiben Geschöpfe dieser Erde und sollen es auch bleiben, Menschen, denen bestimmt ist, ihren weiten Weg der Vereinzelung zu Ende zu gehen, und dieser Weg ist kein anderer als der des hellen Bewußtseins. Haben wir denn einmal jenen Sirenengesang aus dem Innern vernommen, so wäre es gefährlich, ja vermessen, ihm auch folgen zu wollen, denn die höhere Welt geradewegs zu erreichen ist uns verwehrt, und so gerieten wir unweigerlich in die Fänge des Bösen, der uns allezeit auflauert. Hat uns der Traum, hat uns das Unbewußte erst kundgetan, daß da ein Licht sei, dem wir uns zuwenden sollen, so liegt es alsdann füglich an uns, als einzelne unsere Schritte mit Wissen und Willen und mit der ganzen Kraft unserer Liebe nach diesem Lichte zu richten.

In mythischer Ausdrucksweise und offensichtlich um der bedrängendsten Not seines persönlichen Problems Herr zu werden, besteht Schubert gerade darauf,

worauf er bestehen muß, um leben und glauben zu können: auf der Doppelnatur des Traums, aus Licht und Finsternis gewirkt – auf der Doppelnatur des
Wachens: Weg der Illusionen, so wir uns ihm gänzlich verschreiben, Heilsweg
aber für den, der auf die Offenbarungen seiner besten Träume zu hören weiß.
Ein Carus wird, wenn auch mit ganz anderer Geisteskraft, mit schärferem Blick
für die psychische Wirklichkeit und unter Verzicht auf jegliches mythologische
Beiwerk seiner Vorgänger, zum selben Ergebnis gelangen.

ACHTES KAPITEL

DER MYTHOS DES UNBEWUSSTEN

> [...] und diesen Klang, diese wunderbare Mitteilung
> des Unbewußten an das Bewußte nennen wir – *Gefühl*.
> CARUS

Hier das Antlitz des Meisters, dort das Antlitz des Schülers – schwerlich ließe sich ein schärferer Gegensatz denken!

Im Selbstbildnis festgehalten dasjenige des Meisters, Caspar David Friedrichs: kraftvoll, von Heimsuchungen geprägt, tief gefurcht; die Gesichtszüge schroff, grob, als hätten wir irgendeinen von Not und Arbeit gezeichneten Flick-schuster aus dem 15. Jahrhundert vor uns – wäre da nicht dieser Blick, aus dem die Gewöhnung an Kontemplation spricht, zusammen mit der Angst eines unauf-hörlich Umgetriebenen. Verweilen wir länger vor dieser Kreidezeichnung, so verdichtet sich der Eindruck: ein Mensch, der sich durch seine Unbändigkeit, seinen Starrsinn, durch seine hypochondrisch-menschenscheue Gemütsart von aller Welt abgesondert hat.

Das schöne, ruhevolle Haupt des Carl Gustav Carus hat Maler, Bildhauer wie Medailleure zur Nachbildung verlockt. Der hehren Kunst eines David d'Angers stand alles zu Gebot, dieses Antlitz zu deuten; dessen ebenmäßiger Bau, der Ausdruck klaren Bewußtseins, eines zutiefst mit der Umwelt übereinstimmen-den unverwirrten Nachdenkens sind uns überdies auf einer Daguerreotypie überliefert. Gewiß, dieser Mann hat gerne Ehrenbezeigungen empfangen; er hat sein Werk von langer Hand vorbereitet, ohne jede Übereilung aufgebaut und zu Ende geführt; alles an ihm ist gebändigter Wille, Kultur, klassische Heiterkeit.

Zumal Carus selber eine *Symbolik der menschlichen Gestalt* verfaßt hat, sei es uns erlaubt, seine äußere Erscheinung derjenigen seines Meisters gegenüberzustellen, um auf diese Weise den Zugang zu seinem Denken zu finden.

Was zog wohl diese beiden Männer zueinander hin, so grundverschieden, wie sie waren? Das Rätsel läßt sich eher lösen, wenn wir Carus hinter seinem majestätischen Antlitz und hinter seinem schriftstellerischen Stil zu erfassen ver-suchen in jener anderen Bekundung seiner selbst, im romantischen Maler nämlich, als der er bei Friedrich in die Lehre ging. Gewiß, ihre Werke heben sich voneinander ab wie eben ein Meister von einem Schüler, ein begnadeter Künstler von einem sehr begabten Dilettanten; da gibt es Unterschiede im Talent, in der Verwirklichung und Erfüllung. Und doch läßt sich die tiefe Übereinstimmung ihrer Intentionen nicht übersehen.

I

Die großen Landschaften Caspar David Friedrichs zeugen von den Meditationen des Einsamen, der er zeitlebens gewesen ist. – Ein offenes Fenster, draußen Mastbäume, die aber den Blick nicht aufhalten, sondern in die Ferne schweifen lassen, wo er sich im Unendlichen eines nordischen Himmels verliert – Ostseehimmel bei Greifswald, und, versunken in den Anblick dieser grenzenlosen Weite, eine Frauengestalt, den Rücken dem Betrachter zugewendet, als wolle sie sein Auge dort hinaus lenken. – Aufs neue das Meer, düster, in der Ferne mit ziehenden Wolkenfeldern verschwimmend, draußen vor dem Riff eine winzige Barke, Menschliches, aber fast zum Nichts verkleinert. – Küste, rundgewaschene Felsen, auf den größten hingelagert zwei Frauen und ein Mann im verlorenen Profil; ihre Blicke ruhen auf zwei Fischerbooten, die in gespenstisch schimmernden, vom aufgehenden Mond verklärten Nebel hinausgleiten, Geisterschiffe, deren überlange Segel vor einem Glanzlicht in die Höhe ragen. – Ein einsamer Baum mit zersplissenem, verödetem Wipfel nimmt die Mitte eines Gemäldes ein, aber nicht etwa so, daß er als Schwerpunkt eine ganze Landschaft auf sich zu beziehen vermöchte, nein, er scheint nur dazusein, um den Blick des Betrachters an sich vorbei auf andere zerzauste Bäume im Mittelgrund zu lenken, auf eine wellige Heidelandschaft und dann weiter auf zahllose Täler und Landstriche jenseits der dunstigen Bergketten im Hintergrund. – Eine Kapelle, deren Kreuz sich auf einer nahen Brücke wiederholt, ein paar Bäume, Hügel, aufsteigender Rauch, der eine Siedlung verrät – ein schmaler Streifen Erde und darüber ein unermeßlicher eintöniger Himmel, der sich über den Bildraum hinaus in grenzenlose Räume zu verlieren scheint. – Eine gotische Ruine, vom Sturm gezeichnete Bäume recken sich gespenstisch in die Höhe; verschwindend klein daneben ein andächtiger Pilger, der durch den Schnee stapft. – Von einer Felsenspitze ragt ein riesiges Kruzifix, umgeben von Tannen, ins Abendrot empor; unwirklich und dennoch natürlich, strebt alles Licht auf den Gekreuzigten hin: Anbetung der Natur.

Eine zutiefst symbolische Kunst! Nirgends ist die Landschaft ein in sich Geschlossenes; sie gibt sich als Anspielung auf unendliche Räume jenseits derer, die vom Maler festgehalten sind. Immer wieder tritt ein einsamer Wanderer auf, und wenn er auch meistens im verlorenen Profil erscheint, so ist doch seine Haltung offenkundig die eines Andächtigen, Nachdenklichen; er versinnbildlicht, in welche Horizonte hinaus die Meditation beim Anblick dieser Himmel, Bäume und Meere getragen wird. Und doch verirrt sich Friedrichs Kunst nicht etwa ins Allegorische, wie dies andern Romantikern, Runge zum Beispiel, unterlief, denen allzuviel an literarischen Absichten gelegen war. Friedrichs Symbolik ist verhüllter. Seine Landschaften drängen den Geist zur Flucht über das Augenfällige hinaus. Herbst und Winter sind ihm die liebsten Jahreszeiten. Kreisende oder ziehende Vögel verstärken das Gefühl der Einsamkeit, oft auch der Trostlosigkeit. Zugleich aber tut er sein Bestes, um etwa die geologische Beschaffenheit von Felspartien sichtbar zu machen oder eigentümliche Lichtwirkungen im Nebel einzufangen. Der Verlorenheit, der Angst des Menschen angesichts seiner Winzigkeit entspricht eine Natur, die sich, wie über Äonen der Erdgeschichte hinweg, so schon im Verlauf eines einzigen Tages je nach der Beleuchtung immerzu verwandelt. Seele und Landschaft sind in einer Übereinstimmung, der letzten Endes religiöse Bedeutung zukommt; das gilt auch für Bilder, die nicht eigens mit christlichen Symbolen darauf hinweisen.

Friedrich habe «die Tragödie der Landschaft entdeckt», sagte David d'Angers [271, I, 213 [1]]. In Wahrheit war es allerdings seine eigene, innere Tragödie, die ihn jene entdecken ließ. «Die Dämmerung war sein Element», schreibt Carus [207]. Alles, was wir von Friedrichs Leben wissen, zeugt von seiner andauernden Ruhelosigkeit, von seiner beständigen Suche nach sich selbst, von seiner tiefen Unzufriedenheit mit seinem Leben und Schaffen. Oft floh er aus Dresden, um am heimatlichen Ostseestrand oder im Riesengebirge jene Natur wiederzufinden, die seinen Vorstellungen entsprach. Als echtem Romantiker wurde ihm die Bewunderung Tiecks, Kleists, Arnims, Brentanos und Schuberts zuteil. Aber ein solcher Erfolg ließ ihn kalt; sein Trachten ging auf anderes. Ihn marterte die Zerrissenheit der menschlichen Seele, der tosende Kampf zwischen unversöhnlichen inneren Gegensätzen, und diesen Qualen versuchte er zu entrinnen durch eine leidenschaftliche Suche nach der Einheit, eine Suche, die sich zugleich in seiner Frömmigkeit und in seiner Kunstauffassung ausdrückt.

In seinem Nachlaß sind auch einige Schriften in schlichtem, etwas rauhem Stil erhalten geblieben; da finden sich holprige Verse neben Betrachtungen über die Malerei, ferner verschiedene Aphorismen, worin er sich Rechenschaft gibt von seinen geistigen Bestrebungen und vom Drama in seinem Innern. Seine kleinen Gedichte beschwören dieselbe tragische Natur herauf wie seine Gemälde, dieselben Mondlandschaften, durch welche die Angst geistert. Aber in einer naiven Schatten-, Dämmerungs- und Lichtsymbolik tritt der Beklommenheit sogleich der Glaube gegenüber. Soweit sich seine Meditationen schriftlich niedergeschlagen haben, ist darin überall derselbe Antrieb spürbar. Der Glaube und die Kunst, beide bemühen sich vereint um eine Antwort auf die bedrängende menschliche Ungewißheit, auf die Tragik des Daseins. Der Mensch steht für ihn «Gott wie dem Teufel gleich nahe und gleich fern. Er ist das höchste und das niedrigste Geschöpf, das edelste und das verworfenste, der Inbegriff alles Guten und Schönen wie auch alles Verruchten und Verfluchten» [280, 116].

Leidenschaftlich wendet er sich aber gegen die naturphilosophische Tendenz, in allem und jedem nur den Kampf von Gegensätzen sehen zu wollen:

[1] Vgl. [271, I, 205 f. und 257; II, 303, 402].

Glaubt ihr denn, daß wo Einheit ist, keine Mannigfaltigkeit sein kann? oder daß Einfachheit Leere ist? Wem die Natur sich nicht offenbart im zartesten Einklang, sondern nur im schroffsten Gegensatz erkennt ihren Geist, dessen Sinn ist verschlossen für Kunst. [102]

Was die Kunst angeht, so «mag sie ein Spiel sein, aber sie ist ein ernstes Spiel» [103]. Reine Formkunst ist sie nur für den gemeinen Menschen und Maler; der geläuterte Mensch jedoch erkennt in allem das Göttliche.

Die einzig wahre Quelle der Kunst ist unser Herz, die Sprache eines reinen kindlichen Gemütes. Ein Gebilde, so nicht aus diesem Borne entsprungen, kann nur Künstelei sein. Jedes echte Kunstwerk wird in geweihter Stunde empfangen und in glücklicher geboren, *oft dem Künstler unbewußt,* aus innerem Drange des Herzens. [121*]

In dieser Erfahrung der unbewußten Geburt des Kunstwerks, in diesem Gefühl, nicht selbst der Urheber, sondern das Gefäß zu sein, hierin liegt das Grunderlebnis dieses wahrhaft romantischen Künstlers.

Schließe dein leibliches Auge, damit du mit dem geistigen Auge zuerst siehest dein Bild. *Dann fördere zu Tage, was du im Dunkeln gesehen,* daß es zurückwirke auf andere von außen nach innen. [121*]

Diese Zeilen aus dem Jahre 1830 nehmen einen der Hauptgedanken von Carus' Psychologie vorweg: Seelisches kann sich in Leiblichem audrücken – etwa in bestimmten Gesichtszügen –, affiziert so zunächst die äußeren Sinne des Mitmenschen und überträgt sich dann auf sein Inneres.

Der Maler soll nicht bloß malen, was er vor sich sieht, sondern auch was er in sich sieht. Sieht er aber nichts in sich, so unterlasse er auch zu malen, was er vor sich sieht. Sonst werden seine Bilder den spanischen Wänden gleichen, hinter denen man nur Kranke oder gar Tote erwartet. [193f.]

Carus gegenüber bekannte er einmal, über die eigentümliche Konzentration des Lichts, die alle seine Bilder auszeichnet, habe ihn zuerst ein Traum belehrt, bevor er sie in der Natur entdeckt.

Carus' Malerei sieht derjenigen seines Lehrers ähnlich, auch wenn die Absichten stärker hervortreten. Er nimmt gerne Landschaften zum Vorwurf, deren Felsen an irgendeine geologische Katastrophe erinnern oder eiszeitliche Strukturen aufweisen. Auch bei ihm verstärkt ein romantischer Wanderer den Eindruck von Einsamkeit und Unermeßlichkeit. Manchmal fügt er in seine Licht- und Sturmstudien, die über seine Landschaften ohnehin schon etwas Gespenstisches verbreiten, eine Spukgestalt mit menschlichen Gesichtszügen ein, so im *Erlkönig*, wo sich die wilde Hatz des scheuenden Rosses mit dem vornübergebeugten Schatten des Reiters von einem schimmernden Nebelschleier abhebt, über welchem eine Baumgruppe und der zerrissene Himmel von der Gewalt des Unwetters zeugen. – Anderswo gießt der Mond sein zauberisches Silberlicht über ein Schilfufer am Fluß, droben leuchtet seltsam der Himmel – ein Bild, das unendliche Ruhe verströmt und an das Wort Friedrichs erinnert: «Das Göttliche ist überall, auch im Sandkorn; da habe ich es einmal im Schilfe dargestellt» [280, 248].

Die *Briefe über Landschaftsmalerei*, die Carus um 1820, also zur Zeit seiner Begegnung mit Friedrich niederschrieb, jedoch erst nach erneuter Durchsicht im Jahre 1831 in Druck gab, verraten wohl seine Abhängigkeit vom Lehrer, lassen aber doch auch den Weg erkennen, auf dem er über die Romantik hinausgeht, um sie in eine minder ‹enthusiastische› Ästhetik aufzuheben. Es ist die denkerische Leistung, die bei ihm den Sieg über die Inspiration davonträgt. Von unendlich viel ausgeglichenerer Natur als Friedrich, ist er erhaben über den Widerstreit innrer Gegensätze, den jener rastlos zu beschwören versuchte.

Die Aufgabe des Malers besteht für ihn darin, die Natur im Werden darzustellen und darin die Gegenwart des Göttlichen spüren zu lassen. Der Maler *fühlt* sich in Gott, wie sich der Wissenschafter in Gott *weiß*; Kunst und Wissenschaft treffen sich in der gleichen Ehrfurcht und Anbetung. [264, 34 f.]

Indem ich sage, daß der Mensch, hinschauend auf das große Ganze einer herrlichen Natur, seiner eigenen Kleinheit sich bewußt wird, und, indem er Alles unmittelbar in Gott fühlt, selbst in dieses Unendliche eingeht, gleichsam die individuelle Existenz völlig aufgebend, so glaube ich nicht, damit etwas anderes gesagt zu haben, als auch du beabsichtigst; denn ein solches Untergehen ist kein Verlieren, es ist nur Gewinnen, und indem, was sonst nur geistig erschaut wird, hier beinahe dem körperlichen Auge erreichbar ist, nämlich Überzeugung der Einheit in der Unendlichkeit des Alls, so wird zugleich unser eigentlicher Standpunkt, unser Verhältnis zur Natur immer reiner aufgefaßt werden müssen. [36 f.]

Die Empfindung der Einheit im Mannigfaltigen darf den Maler nie verlassen. Er wird uns den Lebensprozeß zu zeigen versuchen, wie er zunächst die gestaltlosen Felsmassen, danach die Vegetations- und dann die Tierwelt hervorbringt. Der die Landschaft überwölbende Himmel endlich ist deren unerläßlichster und herrlichster Teil, denn Luft und Licht sind das eigentliche Bild der Unendlichkeit, die Quelle alles Lebens. [50 ff.]

Freilich darf sich der Maler nicht einfach damit begnügen, einmal die Empfindungen des Menschen angesichts der Natur auszudrücken, ein andermal Erkenntnisse auf die Leinwand zu übertragen, die er vom organischen Erdleben gewonnen hat. Es gilt, diese beiden Vorhaben in Einklang zu bringen und jene von unsern Empfindungen wiederzuerwecken, die nur darum so lebhaft sind, weil sie in allem die Gegenwart Gottes erahnen lassen. Das vollkommene «Erdlebenbild» wird also bestimmte subjektive Gemütszustände hervorrufen, in denen sich uns das Unendliche hinter den Dingen erschließt, zugleich aber wird es von uns eine objektive Sicht auf die endliche Welt, ein wachsames Auge für alle Besonderheiten der Gestalt verlangen. [43–45/103 ff.]

Es ist diese Ästhetik ein Versuch, den romantischen Subjektivismus, die Goethesche Auffassung der in sich vollendeten Gestalt und die spekulative, von der Naturphilosophie vertiefte Schau der kosmischen All-Einheit miteinander zu versöhnen.

Gewiß, Carus ist dadurch nicht zum großen Maler geworden. Aber wir bemerken in diesem Versuch die entschiedene Absicht, zu einer großen Synthese zu gelangen, eine Absicht, von der sich Carus auch im Gebiet der Philosophie und der Psychologie leiten ließ.

Ein *homo universalis* zu sein, darin nämlich bestand sein Ehrgeiz. Und in der Tat, er war nicht nur ein berühmter Mediziner und Naturwissenschafter, sondern auch der Verfasser eines hervorragenden Buches über Goethe; und Nachruhm gebührt ihm vor allem dafür, daß er dem romantischen Mythos des Unbewußten die endültige, vollkommene Gestalt verliehen hat. Aufgeschlossen für jegliches von den Naturphilosophen dunkel erahnte Geheimnis, aber frei von deren phantastischer Überschwenglichkeit, war er wie geschaffen dazu, das romantische Erbe des astrologischen, magischen und okkultistischen Sprachgewandes zu entledigen, mit dem es vom Zeitgeschmack überkleidet worden war. Wenn er sich als Forscher in dunkle Lebensgebiete hinauswagt, so tut er es ohne Furcht und Zittern, mit jener etwas steifen Würde, die er sich in Goethes Schule angeeignet hatte. Die Nähe des Geheimnisses weckt in ihm das Bedürfnis nach Klarheit, und überkommt ihn dabei dennoch eine starke Empfindung, so gehört er gewiß nicht zu jenen, die aus ihren Gefühlen ein Geheimnis machen. Er schreibt eine völlig durchschaubare, zuweilen allerdings übertrieben monumentale Sprache; da findet sich keine Spur vom hymnischen Schwung, der uns bei einem Schubert hinzureißen vermag, nichts von der Art jener wohl- oder übelgemeinten Anspielungen, auf die sich ein Troxler meisterhaft versteht. Carus bleibt jederzeit seines Instruments Herr, und wenn einen in seiner Gesellschaft gelegentlich das Gähnen ankommen sollte, so ist dies nur jener majestätischen Langenweile zuzuschreiben, die wir dann und wann aus der feierlichen, wohlgesetzten Rede gewisser erhabener Geister herauszuhören vermeinen ...

Im übrigen scheint er nicht eben von froher Natur gewesen zu sein – soweit wir darüber urteilen dürfen auf Grund der monströsen Autobiographie von vierzehnhundert Seiten, in welcher der betagte, aufs höchste geehrte Professor sein ereignisloses Leben beschrieben hat. Offensichtlich hat ihn hier Goethes Vorbild in Versuchung geführt; er übersah, daß sich wohl in den Augen eines großen Dichters selbst die scheinbar belanglosesten Schritte und Rohmaterialien des Lebens dichterisch verklären können, daß aber ein spekulativer Geist, und sei er noch so umfassend, diese Verwandlung des Alltäglichen niemals zu leisten vermag. Da liest man denn von Erkundungsfahrten und Lieblingsbüchern des Jünglings und wird dann über Bände hinweg hingehalten mit der Schilderung der üblichen Etappen einer glanzvollen akademischen Laufbahn, mit einer minutiösen Chronik des Familienlebens, ja selbst der Geburtstage des Autors, der es nicht versäumt, uns jährlich mitzuteilen, welche alten Vettern und Freunde sich um den Festtagskuchen versammelt hätten. Seine inbrünstige Verehrung, um

nicht zu sagen Vergötterung Goethes kommt von Kapitel zu Kapitel bis zum
Überdruß zum Ausdruck, und die beständige Gegenwart des allzu deutlichen
Vorbildes macht uns gegen die Unzulänglichkeit dieses Erzählens nur um so
empfindlicher.

So kommt man denn zum Schluß, dieser steife, abgezirkelte Carus könne
jener Mann nicht gewesen sein, den das Verlangen trieb, als Forscher und zugleich als Künstler ins Innere der Natur zu dringen. Daß in dieser Verbindung
von Kunst und Wissenschaft der wahre Wert seiner Persönlichkeit begründet
lag, darüber scheint er sich allerdings selbst im klaren gewesen zu sein; jedenfalls zählen zum Besten in seiner Autobiographie jene Abschnitte, in denen er
darlegt, daß seine zwiefältige Tätigkeit aus ein und derselben Quelle gespeist
werde: aus der dem ganzen Zeitalter eigentümlichen Ahnung eines lebendigen geistigen Weltprinzips, das sowohl durch die wissenschaftliche Erkenntnis
der Naturerscheinungen zu begreifen als auch durch jene ganz andersartige,
inkommensurable Erkenntnis zu erfassen sein müsse: die der Künste. [271, I,
181 ff.]

Wenn sich Schuberts tiefe, aber unzusammenhängende Einsichten alle auf eine
zentrale Einsicht bezogen, sei es auch nur in lockerer gedanklicher Fügung; wenn
uns Troxler, im Gegensatz dazu, den Anblick einer in starre Begrifflichkeit ge-
wandten Philosophie darbot, so hat Carus dieselben Forschungen mit durch-
dringenderem Verstand wiederholt und ein festgefügtes Gebäude von schöner
Ebenmäßigkeit aufgeführt, ohne jedoch an genialen Einfällen ärmer gewesen zu
sein. Daß auch er ein «Sohn der Nacht» sei, dies freilich läßt sich nicht mehr
ohne weiteres behaupten. Er wendet seinen ganzen Scharfsinn auf, um ans
Licht zu ziehen, was ans Licht gebracht werden kann. Aber tritt denn nicht
immer am Ende einer Epoche des Umbruchs, der Gärung ein klarer Geist auf,
die verstreute Erbschaft zu sammeln, zu sichten und zu ordnen? Carus ist dieser
Testamentsvollstrecker der romantischen Philosophie, und so dürfen wir gewiß
sein, bei ihm deren kostbarste, vom Flitterwerk eines platten Okkultismus ge-
reinigte Schätze wiederzufinden.

Schon seine Forschungsmethode zeigt, daß er sich eine Grundüberzeugung zu
eigen gemacht hat, die ihm, während sich andere daran berauschten, zum Mittel
eines stetigen, ruhigen Vordringens zur psychologischen Wahrheit geworden ist.

Die Psychologie – so erklärt er im Vorwort zu seinen Dresdener *Vorlesungen
über Psychologie* (1829/30) – ist Wissenschaft von dem, was Objekt des inneren
Sinnes ist. Es ist an der Zeit, die bisher üblichen Methoden, ob deskriptiv, analytisch oder teleologisch, aufzugeben, da sie diese Wissenschaft nur verdunkelt
haben. An deren Stelle ist die *genetische* Methode zu setzen, die allein dem natürlichen Entwicklungsprozeß gerecht zu werden vermag. Nicht von analytisch
gewonnenen Elementen ist auszugehen, sondern vom *organischen Ganzen*. Jedes

Organ, jedes Einzelwesen muß aus seinem Verhältnis zum Ganzen verstanden werden, an dem es teilhat. Denn das Einzelne ist nicht selbstständig, wie die Sensualisten annahmen; nur dem Einen, Ganzen kommt wirkliches Sein zu.

Der Organismusbegriff steht im Mittelpunkt von Carus' gesamter Philosophie, so wie bei Herder und Schelling. Aber er bemüht sich, ihn genau zu bestimmen und nie aus den Augen zu verlieren, gleichgültig, ob es um das Universum oder um das Leben eines Einzelwesens geht. Und überdies sorgt er entschiedener als seine Vorgänger für eine klare Beziehung zwischen diesem Begriff und seiner Vorstellung von Gott.

«Alle Philosophie setzt Gott voraus und ist nur möglich unter dieser Voraussetzung»; so lautet der erste Satz von *Natur und Idee* (1861 [270]). Die Natur insgesamt ist nicht von außen, sondern von innen heraus beseelt, aus dem «Urquell *alles* Lebens, als dem Quell, in welchem ein ewiges Werden, nach ewigen Gesetzen, in unausgesetzten Verwandlungen das Weltganze zum ewigen Abbild dieses Göttlichen schafft [das heißt dieses Urquells]»; unmöglich, dieses Lebensprinzip zu verkennen, «welches in den Wandlungen des Kosmos durchaus ebenso sich offenbart wie in der zartesten einzelnen organischen Entwicklung» [134].

Zwischen dem Ganzen und seinen Teilen besteht ein Analogieverhältnis, das Carus in Bildern rhythmischer Entsprechung ausdrückt. Mit «großer göttlicher Konsequenz» widerspiegelt sich das «ungeheure Periodische des Lebens der Weltkörper in dem Daseinskreise der kleinsten Atome unseres eigenen Innern» [268, 284].

Alle Lebewesen entwickeln sich nach dem gleichen Rhythmus. Ohne daß sich Carus zur Akrobatik der Panmathematiker verstiege, sucht er in seinen naturwissenschaftlichen Schriften die Entsprechungen zwischen kosmischen Perioden und biologischen Wachstumsstadien genauer zu erfassen. Freilich weiß er sehr wohl um die durchgängige, wenn auch geringe Abweichung der lebendigen Naturerscheinung vom mathematisch erfaßten Naturgesetz. In keiner organischen Bildung läßt sich eine absolut reine geometrische Grundform finden, in keinem Lebensrhythmus eine völlig genau berechenbare Periodizität. Es scheint, als ob die Idee jedesmal, wenn sie sich in der Natur «darbilden» will, etwas von ihrer ursprünglichen Reinheit und Göttlichkeit opfern müsse. [264, 156]

Zu dieser rhythmischen Entsprechung tritt, sie verstärkend, eine weitere bedeutsame Analogie. Jeder Elementarteil eines Organismus entspricht, was seine innere Form anbelangt, dem Organismus als Ganzem. Die Elementarteile ihrerseits sind sich durchwegs gleich, so daß «alle Vergrößerung des Gliedbaues im lebenden Körper bedingt wird durch unendlich vielfältige Wiederholungen einer und derselben einfachen Grundform». Diese Form ist die «reine Sphäre», die «Urzelle» als der «Ausdruck der Idee des Ganzen, und dadurch auf ihre besondere Weise eigenlebendig» [267, 21 f.].

Die Analogie zwischen Mikrokosmos und Makrokosmos ist also keineswegs nur eine gedankliche Vorstellung, sondern der wirkliche, objektive Ausdruck der Gegenwart des Göttlichen in allen Dingen. Wie die Seele in jeglichem Teil des Leibes, so lebt sich Gott an einer jeden Stelle der Schöpfung dar. Ein «durchaus bewegtes Meer des steten Vergehens und Werdens», dies ist das wahre Bild des Weltlebens! [23]

Aber der unendliche Lebensfluß ist nicht ohne Richtung. Die sich heraus- hebenden Gestalten folgen einander im Sinne des stetigen Aufstiegs, der Vervoll- kommnung. Es ist dies einer der wichtigen Punkte, wo Carus hinauszukommen sucht über das, was innerhalb des romantischen Denkens unklar, verschwommen, richtungslos blieb. Er will in die Physik und in die Kosmologie wieder eine zentrale Wertidee einführen. In dem Maße nämlich, wie das Leben auf dem Wege von der Pflanze zum Tier, vom Tier zum Menschen neue Formen hervor- bringt, treten diese in zunehmend engere Beziehung zu dem sie belebenden Gött- lichen. Es handelt sich hier aber nicht einfach um jenes Prinzip der Goetheschen Biologie, wonach «alles Vollkommene in seiner Art über seine Art hinausgehen, etwas anderes, Unvergleichbares werden muß» (S. 91), also um das Prinzip der Differenzierung, des Aufstiegs durch individuellen Fortschritt, wiewohl dieses Prinzip auch Carus' Denken nicht fremd ist. Vielmehr hebt er hervor, daß einerseits – und das wird für seine Psychologie sehr bedeutsam sein – jede höhere Stufe die entwicklungsgeschichtlich vorausgehenden Stufen nicht aus- schließt, sondern in *sich aufhebt* und daß sich andererseits im Verlauf der Evo- lution der Arten deren *Verhältnis zu Gott und der Welt verändert:* Je mehr sich die Lebewesen aus der Erscheinungswelt herauslösen, desto näher kommen sie jenem Sein in Gott, welches als Ziel aller irdischen Entwicklung anzunehmen ist. [230 f.]

Carus betont denn auch mit allem Nachdruck, daß sein Weltverständnis von jeglicher Spielart des Pantheismus weit entfernt sei. In der pantheistischen Vergöttlichung der Erscheinungswelt sieht er eine absurde, weil statische, jeden Fortschritt des Lebens ausschließende Auffassung. Ein mit Gott identisches Uni- versum müßte ja in alle Ewigkeit bleiben, wie es ist. Das aber widerspricht einer wesentlichen Voraussetzung von Carus' Denken: dem Begriff des auf- steigenden Lebens. Die wissenschaftliche Beobachtung ist es, die Carus zur Ab- lehnung des Pantheismus veranlaßt. Für seine eigene Auffassung prägte er die Bezeichnung «*Entheismus*» oder «*Panentheismus*». Das heißt: Göttliches (nicht Gott!) ist in allem; jedes Einzelne ist «ein Strahl des einen von uns nur geahn- ten absoluten Gottes» – aber weder das Einzelne noch auch die Summe des Einzelnen kann schon eine Gottheit sein [14; 271, I, 126 f.]. Gott ist das Zentrum der Welt und zugleich die Seele oder das Lebensprinzip eines jeglichen ihrer Glieder; aber er ist mit der Welt so wenig identisch wie die Seele mit dem von ihr belebten Körper. Gott ist ebenso außerhalb wie innerhalb der Welt, er überschreitet sie und wohnt in ihr, transzendiert sie und vermöchte sich doch nirgends zu offenbaren, wenn nicht in ihr.

Das Verhältnis Gott–Natur ist gleich dem Verhältnis Seele–Leib, über das Carus lange Zeit nachgedacht hat. Um dieses zu erfassen, macht er sich eine Sprache zu eigen, von der wir uns nicht irreführen lassen dürfen. Seine *Ideenlehre* hat nämlich nicht das geringste zu tun mit derjenigen eines platonischen Spiritualisten. Für ihn sind die Ideen etwas völlig anderes als reglose Wesenheiten, ferne Urbilder der flüchtigen Erscheinung; sie sind das Lebensprinzip alles gestalthaft Seienden: das «Bild», der «Typus», der «vorhanden war, ehe die Gestalt selbst zur Erscheinung kam» [263, 31]. Selbst den niedrigsten Organismen wohnt eine solche Idee inne. Carus nennt sie auch «*bildende Seele*». Sie bestimmt nicht bloß die erste räumliche Gliederung eines Organismus; sie faßt auch «das Wechselspiel seines ferneren Werdens, welches wir Begegnung nennen, in sich», sie ist das Prinzip seiner Gestaltung, seines Wachstums, seiner Entfaltung [33]. Um sich besser verständlich zu machen, nimmt Carus gerne das Gleichnis des künstlerischen Hervorbringens zu Hilfe: Bereits vor seiner Verwirklichung existiert das Kunstwerk als Ganzes im Geiste des Dichters oder des Komponisten. So auch die Seele: Sie existiert schon vor ihrer «Darbildung» in einem Leib. Umgekehrt ist es nun aber gerade diese Darbildung in einer organischen Natur, welche die Seele ihrerseits nötigt, sich aufs vollkommenste zu gliedern und zu entwickeln. Die Seele ist «das über der räumlichen und zeitlichen Erscheinung schwebende und in ihr sich darbildende geistige Prinzip» [40].

Später allerdings, in seiner Schrift *Psyche,* trifft Carus eine Unterscheidung zwischen **Idee** und **Seele** derart, daß diese die zum Weltbewußtsein erwachte *Idee* ist. Die *Seele,* also die mit Bewußtsein begabte Idee, unterscheidet sich wiederum vom *Geist,* der das Selbstbewußtsein voraussetzt. Keineswegs aber dürfen Seele und Geist als zwei verschiedene, nebeneinander bestehende Wesen aufgefaßt werden. Sie sind lediglich zwei verschiedene Intensitätsstufen, zweierlei «Potenzen» ein und derselben göttlichen Lebenskraft, die unserem physiologischen Wachstum ebenso wie unserem Geistesleben gebietet [267, 9/98–100].

In solch feineren Unterscheidungen liegt gerade das Wesentliche dieser Psychologie, verwirft sie doch jeglichen Dualismus, jegliche Unterteilung des Lebewesens, ob in Körper und Seele oder in Körper und Geist. Es gibt nur *eine* Wirklichkeit: das lebendige Prinzip der Idee; alles Weitere ist nur dessen Erscheinung. Der Psychologie als Wissenschaft geht es darum, das unaufhörliche Werden der sich «einlebenden», «darbildenden» Idee zu verfolgen, zu erforschen, wie sie Bewußtsein annimmt und zur Seele wird, wie sie noch eine Stufe höher steigt und sich als Geist erkennt.

Die gestaltende Idee und die gestaltete Natur gehören ein und derselben göttlichen Einheit an. Da alles Natürliche von einer Idee belebt ist, kann von einer

dem Geist entgegengesetzten toten Materie keine Rede sein. Nur das Denken
sondert die Idee vom Stoff. In Wahrheit sind beide die Strahlungen derselben
Ureinheit. «Leben heißt Entstehen und Vergehen, Handeln und sich Verwandeln
nach einer inneren Idee» [270, 28; vgl. 263, IV. Vorl.]. Körper und Seele bilden
zusammen auf zwiefache Weise die besondere, individuelle Existenz, die Verwirklichung der Idee in Zeit und Raum.

Gewiß, von einer Idee zur anderen gibt es Unterschiede; sie werden aber
nur im verwirklichten Leben sichtbar. Sie sind schon bei der Geburt vorhanden,
treten jedoch erst hervor während der Entwicklung vom *Ich* zur *Person*. Zur Bestimmung des Personbegriffs beruft sich Carus auf eine jener bedeutsamen, von
mystischen Denkern hochgeschätzten Etymologien, wofür ihm Hamann oder
Baader das Beispiel gegeben haben mögen und deren sich in unseren Tagen ein
Claudel bedient. ‹Person› geht, nach Carus, auf *per-sonare* zurück: ‹hindurch-
tönen›. Diese Etymologie ist oft allzu buchstäblich verstanden worden, indem
man lediglich an den antiken Schauspieler dachte, dessen Stimme durch die
Maske hervortönte. Für Carus ist ‹Person› dasjenige Individuum, durch welches
die göttliche Idee «hervorleuchtet» und «die göttliche Stimme der Selbstbestimmung, der Freiheit und des Bestrebens nach dem Ewigen durchtönt». All
unser Streben nach persönlicher Vervollkommnung muß auf diese Transparenz
hinzielen. [263, 172f.; 267, 9/243ff.]

Es sind dies die metaphysischen Voraussetzungen, auf denen Carus seine eindringliche Philosophie des Unbewußten aufbaut.

II

*Der Schlüssel zur Erkenntnis vom Wesen des bewuß-
ten Seelenlebens liegt in der Region des Unbewußtseins.*

Der Urgrund des Lebendigen ist überall der gleiche: das göttliche Leben, aus
dem alles hervorgegangen ist und das immerfort das Prinzip aller Gestaltungen
bleiben wird. Vom Gesichtspunkt des menschlichen Daseins aus bietet sich
jedoch das Leben unter zwei Aspekten dar; man darf es «mit einem unablässig
fortkreisenden großen Strome vergleichen, welcher nur an einer einzigen kleinen
Stelle vom Sonnenlicht – das ist eben vom Bewußtsein – erleuchtet ist» [267, 2].

Die Idee, die Seele ist das Prinzip, das aller Kreatur Leben und Gestalt verleiht. Das Individuum ist sich aber seiner eigenen Gestaltung gar nicht bewußt.
Die organischen Vorgänge, das Wachstum, die physiologische Beschaffenheit – all
dies gehört der gewaltigen lebendigen Wirklichkeit des Unbewußten an; ja diese
umfaßt noch weit mehr, ist sie doch der Urgrund, in dem *alle* Lebenserscheinungen verwurzelt sind, der Ort, wo die getrennten Organismen miteinander in

engerer Beziehung stehen, wodurch sie zu Organen eines höheren Ganzen werden. Soweit sie dem Menschen unbewußt bleibt, besitzt auch diese universelle Wirklichkeit selbst kein Bewußtsein. Der Lauf der Gestirne, die tellurischen Lebensbewegungen, das Leben des Kosmos insgesamt vollzieht sich bewußtlos. In diesem Sinne kann Carus schreiben:

Das Unbewußte selbst ist nur der subjektive Ausdruck für das, was objektiv wir als ‹Natur› anzuerkennen haben. [270, 12*]

Das Unbewußte deckt sich also im wesentlichen mit dem Nicht-Individuellen, mit dem ewigen, stetigen Werden, mit der «schaffenden Tätigkeit des Göttlichen» [267, 24]. Das «*Gesetz des Geheimnisses*», dem wir während unseres gesamten Lebens unterstehen, verwehrt uns also, dieses Leben selbst zu ergründen, verwehrt uns zu wissen, was war, ehe wir zum Bewußtsein erwachten, und was dereinst einmal sein wird [98]. Der Gedanke eines heilsamen Nichtwissens, welches das individuelle Dasein ermöglicht, begegnet bei all jenen, die, so verschieden sie im übrigen voneinander sein mögen, an eine ursprüngliche Einheit glauben, von der wir ausgegangen sind und zu der wir zurückkehren werden. Schon K.Ph. Moritz pries dieses Vergessen unseres früheren Daseins, liefen wir doch sonst Gefahr, im vorhergehenden und nachfolgenden Ganzen zu verschwimmen – «wir würden lebend aufhören, zu sein» (S. 63). Und Victor Hugo schreibt zu einer Zeit, als ihn der Spiritismus einer ähnlichen Philosophie zugeführt hatte, in *Ce que dit la Bouche d'Ombre*:

L'homme est l'unique point de la création
Où, pour demeurer libre en se faisant meilleure,
L'âme doive oublier sa vie antérieure.

(Der Mensch ist der einzige Ort in der Schöpfung, wo die Seele ihr früheres Leben vergessen muß, will sie, sich veredelnd, frei bleiben.) *Les contemplations* [677, II, 813].

Allein dies vermögen wir zu erkennen und zu beschreiben, wie in unsrem gegenwärtigen Leben das Bewußtsein und das Unbewußtsein, wie das Leben des Geistes und das organische Leben, wie Reflexion und Spontaneität in unaufhörlicher Wechselbeziehung stehen, wie sie sich zusammenschließen, wie sie auseinandertreten oder wie sie miteinander abwechseln. Aber der Anfangspunkt des Bewußtseins liegt im Dunkeln und kann niemals scharf bestimmt werden.

Immerhin lassen sich bei jedem Individuum Stufen der seelischen Heranbildung nachzeichnen. Schon im ersten auf die Mutter gerichteten Blick des Kindes kündigt sich an, «es solle sich hier offenbaren ein im Gegensatz zur Tierheit durchaus Neues – ein Wesen, durch welches erst eigentlich das Erdenleben geistigen Wert, geistige Bedeutung erhält – mit einem Worte: gleichsam der erste geistige Gedanke des Planeten» [267, 152]. Die Idee des Menschen tritt in drei Stufen in Erscheinung, wobei nach dem allgemeinen Gesetz des Wachstums die höhere und spätere immer auch die niederere und frühere mit umfaßt und einschließt. Zuerst bringt die noch unbewußte Idee den Organismus hervor, die morphologische und physiologische Gestalt des Individuums. Auf der zweiten Stufe gelangt die Idee als Seele zu erstem Bewußtsein, zum «Weltbewußtsein», dem aber Freiheit und Selbstbestimmung noch fehlen, so wie es durch die Triebe noch ganz dem organischen Leben verbunden ist. Und schließlich offenbart sich die Seele durch entwickeltes Selbstbewußtsein im menschlichen Geist, und an die Stelle des Instinkts tritt die Trias von Fühlen, Wollen und Erkennen. [153-156]

Aber auch dann, wenn diese letzte Stufe erreicht ist, bleiben das Unbewußtsein und das Bewußtsein – als «Strahlungen» ein und derselben Einheit – in einem ununterbrochenen Dialog. Es liegt zwischen dem Unbewußten und dem Bewußten eine sehr bewegliche Grenze. Während unseres ganzen Lebens äußert sich die Tätigkeit des Unbewußten in einem unablässig befruchtenden Einfluß auf die Kräfte und Fähigkeiten des Bewußtseins. Ob es sich um ein Können oder um ein Wissen handelt – die Erfahrung zeigt, daß die Versenkung gewisser Bewußtseinsinhalte in das Unbewußtsein «zur Höhe menschlicher Vollendung wahrhaft gehört»; man denke etwa an den Klavierspieler, der, um zu höchster Fertigkeit zu gelangen, eine Reihe von zunächst willkürlichen, eingeübten Bewegungen wieder in die Region des Unbewußtseins bringen muß. [16]

Wesen und Wirksamkeit des Unbewußten zeigen sich nirgends deutlicher als in der *Erinnerung* und in der *Voraussicht*. Carus verwirft selbstverständlich Theorien, welche die Erinnerung auf irgendwelche ‹Gedächtnisspuren› zurückführen, etwa auf ‹Abdrücke› im Gehirn. Seinem Begriff vom organischen Leben getreu ist er davon überzeugt, daß sowohl im Raum als in der Zeit die Mannigfaltigkeit des Einzelnen einem höheren Ganzen untergeordnet ist. So wie hinter unserer physisch-räumlichen Erscheinung eine Idee des Ganzen steht, so gibt es auch die organische Einheit aller unserer Lebensaugenblicke. Jeder ist auf alle vorangehenden und auf alle nachfolgenden bezogen, denn durch alle hindurch lebt sich die eine schöpferische Idee in ihrer Entfaltung dar. Das Göttliche offenbart sich in unaufhörlichem Schaffen, zeugend und bildend, zerstörend und wiederbildend, und eben dadurch erhält es den Zusammenhang unseres Seins aufrecht.

Eben weil aber sonach jede Vergangenheit und jede Zukunft des lebenden Organismus integrierende Teile eines Ganzen, nämlich Bruchteile einer relativen Ewigkeit sind, so müssen sie auch stets in der allergenauesten Beziehung aufeinander sich verhalten, das Vorhergehende muß auf das bestimmteste auf das Folgende, und das Vorhandene ebenso auf das Vergangene deuten, und hierin liegt eben der höhere Grund jener Beziehung der Zeiten, die wir später im Bewußtsein als *Erinnerung* und *Voraussicht* bezeichnen werden. [25]

So sind also die wesentlichen Formen des Bewußtseins im Unbewußtsein bereits angelegt. Ob Samenkorn oder Ei, in beiden lebt eine unbewußte Vorahnung des künftigen Bildungsganges, seiner Stufen und seines Ziels. Carus nennt dieses Vorgefühl des Kommenden das *prometheische Prinzip* des organischen

Unbewußten. Die Vererbung andererseits zeigt, daß es auch ein «Nachgefühl des Vorherdagewesenen» geben muß, das sich in jedem Augenblick der Entwicklung als wirksam erweist; diese unbewußte Form des Gedächtnisses ist das *epimetheische Prinzip* der Gestaltung. [26–29]

Dies Epimetheische des organischen Unbewußten, in dem sich die Verbundenheit aller verwirklichten Lebensaugenblicke ausdrückt, ist also so etwas wie ein unwillkürliches Gedächtnis, dessen Erinnerungen den Bereich des persönlichen Daseins überschreiten und bis in die verborgenen Lebensquellen hinabreichen. So bleibt die unendliche Vergangenheit aufbewahrt – freilich ohne daß unsere bewußte Erinnerung ihrer habhaft werden könnte, denn sie würde sich darin auflösen –, ja sie bleibt nicht nur aufbewahrt, sondern sie wirkt in jedem Augenblick schaffend und umschaffend weiter. Es ist dieses Epimetheische, das uns an die Idee selbst, ans anfängliche Sein bindet, wovon unser irdisches Dasein nur die Erscheinung in Raum und Zeit ist.

Auch wenn das Epimetheische des Unbewußten insofern der bewußten Erinnerung überlegen ist, als es ins Vorindividuelle zurückreicht, so warnt doch Carus immer wieder vor dem Versuch, das Unbewußtsein in jeder Hinsicht dem Bewußtsein überzuordnen. Er betont, «daß eine *eigentliche Gegenwart,* das heißt das Finden eines wahren Haltpunktes zwischen Vergangenheit und Zukunft, erst im bewußten Geiste möglich sei, daß aber dann hierin auch überhaupt *die Flucht der Zeit überwunden* [*] und die *Ewigkeit* ergriffen werde» [26].

Das organische Gedächtnis verbindet sich mit dem Werden, aber es ist unfähig, den Augenblick in seiner Beziehung zur Ewigkeit zu erfassen; dies ist allein dem entwickelten Bewußtsein vorbehalten: dem Geist. Der Verzicht auf eine absolute Rangordnung zwischen Bewußtsein und Unbewußtsein wird uns bei Carus später noch einmal beschäftigen.

Das Unbewußte an und für sich bleibt unbestimmbar; «auf ihm ruht recht eigentlich der Schleier der Isis, der dem Bewußtsein sich nie wahrhaft heben kann» [67]. Aber durch eine Beschreibung dessen, was ihm auch innerhalb einer zum Bewußtsein erwachten Seele weiterhin angehört, lassen sich zumindest einige seiner Wesenszüge ermitteln. Da drängt sich denn vorerst eine klare Scheidung auf zwischen dem *absolut Unbewußten,* dessen Inhalt dem Bewußtseinslicht für immer verschlossen bleibt, und einem *relativ Unbewußten,* in welches die vom Vergessen, von der Gewohnheit und der mechanischen Fertigkeit verdunkelten Bewußtseinsinhalte zurücksinken.

Es gibt eine Region des Seelenlebens, in welche wirklich durchaus *kein* Strahl des Bewußtseins dringt – und diese können wir daher das *absolut Unbewußte* nennen. Dieses absolut Unbewußte verbreitet sich aber entweder noch über alles Walten der Idee in uns *allein,* und dann nennen wir es *das Allgemeine* [das allgemeine Unbewußte]. So fanden wir es im embryonischen Dasein – es war das noch *ausschließend* in der [organischen] *Bildung* Waltende der Idee, der

Idee, die wir eben deshalb eigentlich hier noch nicht mit dem Namen ‹Seele› bezeichnen. Oder aber das absolut Unbewußte ist *nicht mehr allein und ausschließend* der Charakter *alles* Seelenlebens, sondern es hat sich zwar irgendwie ein Bewußtsein entwickelt, die Idee ist wirklich Seele geworden, aber auch hiebei verbleiben alle Vorgänge des bildenden, zerstörenden und wieder gestaltenden Lebens ganz ohne Teilnahme des Bewußtseins, und ein solches Unbewußtes ist daher nicht mehr ein Allgemeines, sondern nur *ein Partielles.*

Dem absoluten oder schlechthin Unbewußten ferner, wie es bald als allgemeines, bald als partielles erkannt wird, steht gegenüber das *relativ Unbewußte,* d. h. jener Bereich eines wirklich schon zum Bewußtsein gekommenen Seelenlebens, welcher jedoch für irgend eine Zeit jetzt wieder unbewußt geworden ist, immer jedoch auch wieder ins Bewußtsein zurückkehrt, ein Bereich, welcher immerfort selbst in der ganz gereiften Seele den größten Teil der Welt des Geistes umfassen wird, weil wir in jedem Augenblick doch immer nur einen verhältnismäßig kleinen Teil von der ganzen Welt unserer Vorstellungen wirklich erfassen und gegenwärtig halten können. [66f., Zusätze von Béguin]

Diese wichtigen Sätze stimmen fast wörtlich überein mit der von C. G. Jung getroffenen Unterscheidung eines *persönlichen Unbewußten* – «das sich aus Inhalten zusammensetzt, die einmal bewußt waren, dann aber vergessen oder verdrängt wurden», oder dann aus solchen, «die wohl bewußt sein könnten, es aber aus irgend einem Grund nicht sind» – von einem *unpersönlichen* oder *kollektiven Unbewußten,* dessen Inhalte nicht das persönliche Verhalten des Individuums, wohl aber seine artgemäßen Reaktionen bestimmen[2]. Freilich liegt zwischen Carus und Jung ein beträchtlicher Fortschritt der experimentellen Erfahrung, besonders was die Beeinflussung durch das kollektive Unbewußte anbelangt; während Carus seine Begriffe spekulativ gewinnt und noch kaum auseinanderhält, was im Erbgut der Menschheit physiologische Gegebenheit und was Mythos, Bild, geistiges Vermächtnis ist, kann sich Jung auf zahllose Belege aus seiner ärztlichen Praxis und aus seiner Erforschung der Mythen stützen. Dadurch wird es ihm möglich, die ‹Archetypen› – die Urbilder also, in denen sich instinktive Reaktionen und angeborene Dispositionen des einzelnen sowohl wie ganzer Völker ausdrücken – mit einer sachlichen Genauigkeit zu beschreiben, die Carus noch versagt war. Und doch stimmt er mit Carus aufs engste überein, wenn er feststellt, daß diese Reaktionen «nicht erlernt werden können und doch jederzeit ohne irgendein Dazutun des Bewußtseins imstande sind, das einer bestimmten Situation angemessene Verhalten auszulösen».

Im übrigen weiß Carus, trotz seinen geringeren Kenntnissen vom Menschen, über diese Dinge sehr genau Bescheid. Er faßt das absolut wie das relativ Unbewußte als Strahlen ein und derselben göttlichen Idee auf, als Emanation der einen Seele, die unser Werden leitet. Unbewußtes und Bewußtes lassen sich mit dem Fundament und der himmelwärtsstrebenden Turmspitze eines gotischen Domes vergleichen, die «weder in ihrer Schönheit leuchten noch in ihrer Höhe

---

[2] Béguin zitiert hier und im folgenden Toni Wolff: Exposé d'ensemble de la doctrine [de C. G. Jung]; *Revue d'Allemagne 7* (1933), S. 709ff., hier S. 722f.

getragen werden könnte, wenn nicht der unsichtbar tief in der Erde ruhende Grund sie überall stützte» [69].

Unser individuelles Leben ist eigentlich nur ein Teil, ein Organ des Organismus ‹Menschheit› und darüber hinaus des Weltganzen; es ist «einverleibt in das Allgemeine» [80]. Daraus ergibt sich, daß auch unsere individuelle Psyche als Teilidee zunächst der Menschheit und ferner des Weltganzen bald mehr, bald weniger von allen Regungen der Seele der Menschheit und der Seele der Welt durchdrungen sein und unbewußt geprägt werden muß [82]. Das absolut Unbewußte ist also für unser ganzes Leben von allergrößter Wichtigkeit; ihm untersteht unser triebhaftes Leben, alles nämlich, was wir mit der Art gemein haben und was also nicht von unserer individuellen Entwicklung und persönlichen Eigenart abhängt (das deckt sich genau mit Jungs Formel). Das «Epimetheische» dieser unbewußten, im Leben des einzelnen als Triebe weiterwirkenden Lebensvorgänge bewahrt und überliefert den gesamten Ertrag der Menschheitsgeschichte. Unzählige Lebensakte, wie wir sie bei verschiedenartigsten Gelegenheiten vollziehen, sind so das Ergebnis einer nach Jahrhunderten zählenden Lehrzeit; in jedem von uns überlebt der Erwerb der vergangenen Geschlechter. Und aus diesem inneren Reichtum schöpfen wir unsere Abwehr-, unsere Lebens- und Schaffenskräfte, wann immer wir – nicht als in besondere Umstände verflochtene Individuen, sondern als Glieder der Menschheit – mit dem allgemeinen Weltleben in einen unbewußten, innigeren Rapport treten.

Dafür gibt es kein besseres Beispiel als die Schaffensweise des Künstlers und des Denkers. Künstler, Dichter und Denker, sie alle berichten immer wieder von derselben Erfahrung: «Nur ein *langes* in der Seele Behalten eines Grundgedankens zu irgendeinem Werk habe ihnen immer das *Reifwerden* desselben begünstigt»; jeder Versuch aber, in diese Reifung bewußt einzugreifen, um sie zu beschleunigen, schade der inneren Vollendung des Werks [86]. Das ist daraus zu erklären, daß die fruchtbarsten schöpferischen Kräfte nicht so sehr dem Bewußtseinsleben des einzelnen als vielmehr dem allgemeinen Unbewußten entstammen, worin sich allmählich die gesamte Erfahrung der früheren Geschlechter angesammelt hat. Genialität, ob in poetischer Erfindung, wissenschaftlicher Eingebung oder machtvollem politischem Eingreifen, wird immer aus dem Unbewußten gezeugt. Auch wenn in diesen Dingen vieles von der Erziehung, vom eigenen Willen und vom persönlichen Einsatz abhängt, so gibt es doch keinen Genius, der nicht zur Genialität *geboren,* also nicht schon vor dem Erwachen des Bewußtseins zu außergewöhnlicher, magischer Wirksamkeit berufen wäre. [269, 277ff.]

Verglichen mit dem Bewußten, steht das Unbewußte weder absolut höher noch absolut tiefer. Im untergründigen Reich des Bewußtlosen herrscht die *Notwendigkeit,* während unmittelbar mit dem ersten Lichtstrahl des Bewußtseins die *Freiheit* sich erhebt. Aber auch hier gilt, daß wir die Freiheit nur bedingterweise über die

Notwendigkeit erheben dürfen. Das Unbewußte hat, eben weil es seinem Wesen nach ein Göttliches ist, «eine Sicherheit, eine Weisheit und Schönheit, zu welcher das Bewußtsein und Freie selbst auf seiner höchsten Höhe in *diesem* Maße nie *ganz* gelangen kann» [267, 71 f.]. Und überdies: Während das bewußte Seelenleben immer wieder der Ermüdung ausgesetzt ist und deshalb einer periodischen Rückkehr ins Bewußtlose bedarf, sich zu erholen, wirkt die in sich ewige Wesenheit der Seele im Unbewußten fort und fort, ohne einen Augenblick des Stillstandes, der Unterbrechung und ohne je zu ermüden. Und eben weil, was immer im Reich des Unbewußten vorgeht, dem Gesetz der Notwendigkeit untersteht, wird hier alles leicht und unmittelbar geübt und vollbracht, ohne daß es des Erlernens, des Einübens, der Fertigkeit bedürfte, denn alles ist mit allem verbunden durch die «Innerung» des Vorhergegangenen und die Ahnung des Kommenden. [73 f.]

Das Unbewußte, ob absolut oder relativ, übt auf die Entwicklung des Individuums eine heilsame Wirkung aus. Das Leben ist ein «immerfort stattfindendes Umbilden, ein stetiges Zerstören und Untergehen und ein stetiges Neuerzeugen» [245]. Nun aber gehorcht die Heranbildung der Person und des individuellen Charakters einem Gesetz, das uns immer weiter von den Lebensquellen hinwegführt. Die Entwicklung schreitet nämlich vom Unbestimmten, Weichen des kindlichen Geistes fort zum Bestimmten, Festen, zur scharf ausgeprägten Persönlichkeit, ja sie kann im spätern Leben bis zur geistigen Erstarrung, bis zum Eigensinn führen. Der Fortschritt des Bewußtseins geriete damit bald einmal in Widerspruch zum unablässig bewegten Leben selbst, wenn nicht das Unbewußte periodisch eingriffe, um den Geist in seine schöpferischen Abgründe zu versenken. Eine unerläßliche Rolle spielt dabei das *Gefühl,* «das mit seinen Hebungen und Schwankungen die Seele immer wieder in das Unbewußte zurückdrängt und eben dadurch wieder das weiche, immerfort bildsame Element hervorhebt» [250]. Der sonst so nüchterne Stil des Philosophen weicht einem wahrhaft dichterischen Ausdruck, wo er uns, wie hier, in eines der tiefsten Geheimnisse seiner Meditation blicken läßt:

Alles was in der Nacht des Unbewußtseins unsere Seele in uns bildet, schafft, tut, leidet, drängt und brütet, Alles was dort sich regt, nicht bloß unmittelbar am eignen Organismus sich kundgebend, sondern ebenso was angeregt ist von Einwirkungen anderer Seelen und der gesamten Außenwelt, welches Alles bald heftiger, bald milder auch unser inneres unbewußtes Leben durchdringt, Alles dies klingt auf eine gewisse Weise aus dieser Nacht des Unbewußtseins auch hinauf in das Licht des bewußten Seelenlebens, und diesen Klang, diese wunderbare Mitteilung des Unbewußten an das Bewußte nennen wir – *Gefühl.* [263]

Das Gefühl ist eine «ganz eigne Färbung der bewußten Seele», welche sich einerseits in den selbstbewußten Geist einlebt und in ihm fortlebt, andererseits aber alle Eigenschaften des Unbewußten aufweist: dieselbe Unmittelbarkeit und Notwendigkeit, dieses Unermüdliche, Unwillkürliche, Unergründliche, der Übung

und Eingewöhnung nicht Bedürfende [263 f.]. Durch das Gefühl rührt die
Seele an jene Regionen des Bewußtlosen, wo alle Seelen auf ihre gemeinsame
Einheit bezogen sind. Die vier Grundregungen des Gefühls sind Freude und
Trauer, Liebe und Haß; die machtvollste aber ist die Liebe, dieses «Urgefühl»
schlechthin: Sie ist «die erste Erlösung aus dem Einzel-Sein und der erste
Schritt zur Wiederkehr in das All» [297].

Das Gefühl aber – und hier verrät sich der Romantiker - ist dem Denken
überlegen:

Im Denken leben wir also weder mehr ganz in der Erscheinung, noch ganz in der Idee, und
das Denken kann weder die eine noch die andere an und für sich vollkommen erfassen und
ersetzen, aber eben darum ist es geeignet, das *Verhältnis* beider anschaulich zu machen. Darin
daher, daß das *Gefühl* wirklich allein es ist, in welchem der *Zustand* der Idee und in diesem
Zustande also auch die Idee selbst innigst und unmittelbar erfaßt wird, liegt ein erst nun ganz
deutlich zu machender ungeheurer, im Stillen von jeder reicher entwickelten Seele längst
erkannter Vorzug des Gefühls vor dem Denken. [334]

III

Der Geist verharrt in innerer stetiger Gegenwart.

Wenn das Unbewußte der Jungbrunnen unserer Seelen- und Körperkräfte ist,
das milde Dunkel, aus dem unsere Seele immer wieder wie neugeboren hervorgeht, so gewinnt das Problem des Wachens, des Schlafes und des Traumes
allergrößte Bedeutung. Es gibt zwei Möglichkeiten einer solch wohltuenden
Rückkehr des bewußten Seelenlebens ins Unbewußte. Ein erster Kreislauf, der
in einer gewissen Verbindung steht mit dem Blutkreislauf, taucht fortwährend einzelne Vorstellungen und Gefühle in ein relatives Vergessen ein, aus
dem sie, verwandelt und bereichert, bei leisestem Anstoß wieder ins Bewußtsein aufsteigen können. In der Zwischenzeit sind sie uns zwar nicht bewußt, aber
doch unverloren, sie besitzen ein latentes Leben wie das Samenkorn vor seinem
Aufkeimen. [267, 203–211]

Neben diesem steten Kreislauf einzelner Vorstellungen gibt es dann aber
einen zweiten Rhythmus, und er ist der bedeutsamere: Es ist dies das periodische
Versinken des Bewußtseins überhaupt in die Nacht des Bewußtlosen. Dieser
Rhythmus wiederholt «nur *die* großen Perioden im ewigen Sein der göttlichen
Idee selbst, welche wir Leben und Sterben nennen» [211]. Rückkehr in den
Schlaf ist Rückkehr in den ursprünglichen Zustand, welcher ein Schlaf ohne Welt-
und Selbstbewußtsein, gleichsam ein pflanzliches Leben war, ist «Wiederholung
des bewußtlosen primitiven Zustandes des Menschen im Leben vor der Geburt»
[263, 94 f./290]. Je gesünder der Mensch, um so genauer entspricht dieser
Rhythmus dem makrokosmisch-planetarischen Wechsel von Tag und Nacht [294].

Freilich, der Schlaf des ausgebildeten Menschen ist immer noch etwas anderes als jenes bewußtlose Leben des Kindes, bevor es das Licht der Welt erblickte. Hier wie überall im Leben gilt, daß ein neuer Zustand die vorhergehenden Zustände im doppelten Wortsinn ‹aufhebt›. So wie der heranreifende Mensch, wenn er zum Welt-, dann zum Selbstbewußtsein erwacht, das anfängliche Unbewußtsein nicht verliert, sondern in sich bewahrt, so dauert das Bewußtsein, wenn auch verdunkelt, im Schlafe fort und wirkt auf das Unbewußtsein zurück, so daß «die Seele fortwährend ein *Doppelleben,* ein bewußtloses und bewußtes *zugleich* führt» und zwischen den Polen des Tag- und Nachtlebens hin- und herschwankt. [295/293; auch 267, 212f.]

Jeglicher Schlaf wird also von einer gewissen Tätigkeit des Bewußtseins begleitet, denn «die Seele in sich selbst ist ja ein Einiges und wendet sich als *Ganzes* nur bald mehr, bald weniger einem besonderen Zustande zu». Wendet sie sich vom einen ab, so bleibt er dennoch ihr Besitz. Und «dieses Fortdauern eines Seins im scheinbaren Nichtsein» gehört nach Carus zu den merkwürdigsten Erscheinungen im Bereiche der Psychologie. [263, 303/306]

Der Schlaf beruht auf einem teilweisen Schwund der äußeren Sinne, auf dem Rückzug des Weltbewußtseins in das Innere [306]. Aus dieser Versenkung in das bewußtlose, vegetative Bildungsleben gewinnt die «Naturseite des Menschen» neue Kräfte, und gleichzeitig entwickelt sich im Unbewußten eine «lebhaftere Wechselwirkung mit der gesamten Natur». Dies kommt auf der andern Seite wieder dem erhellten Weltbewußtsein zugute, insofern sich dadurch «der Kreis der Ideen erweitert» [311]. Sind die Grenzen des in sich abgesonderten Ichs einmal durchbrochen, so tritt die Seele in innigere, unmittelbarere Verbindung mit dem allgemeinen Unbewußten als dem göttlichen Urquell alles Lebens, und wenn auch die vom Wachen in den Schlaf zurückreichenden Erinnerungen noch so undeutlich sind, so erwächst dem Bewußtsein aus diesem Erlebnis doch eine tiefe Ahnung vom Weltganzen.

Die *Welt der Träume* wird bedingt «durch die auch bei diesem Versunkensein im Unbewußten fortziehenden und rhythmisch auftauchenden Vorstellungen und Gefühle» [267, 215]. *Träumen ist also Tätigkeit des Bewußtseins innerhalb der in die Sphäre des Unbewußtseins zurückgewandten Seele* [263, 314/325f.]. Diese Definition darf freilich nicht in dem Sinne verstanden werden, als ob für Carus Traumvorstellungen lediglich Rückstände des Taglebens wären, die frei im Schlafe fortwirken. Eine derartige Auffassung – wir kennen sie von Psychologen des 18. Jahrhunderts – steht im Widerspruch zu Carus' ‹organischem› Denken. Die Bewußtseinssphäre bleibt im Schlaf nicht wie ein Fremdkörper bestehen, der sein Eigenleben bewahrt, sondern Bewußtsein und Unbewußtsein treten in einen innigen Bund ein. Aus diesem Bund geht der Traum hervor. Das sei im Folgenden noch genauer ausgeführt.

Es ist sehr merkwürdig, in welcher Art der Geist in den Träumen wirksam

ist. Carus kommt zur Feststellung, daß von den drei Entwicklungsstufen der
Seele – Unbewußtsein, Weltbewußtsein, Selbstbewußtsein – einzig die zweite
durch dieses Umfangensein des Bewußten vom Unbewußten aufgehoben wird.
Wir verlieren demnach «jegliches Bewußtsein des fortgesetzten *Affiziertseins* von
einer wirklichen Welt, und hiemit natürlich auch alle *Reaktion* gegen eine wirkliche Welt» [267,216*]. Das Selbstbewußtsein hingegen kann die Seele nicht
wieder verlieren, nachdem sie es einmal erlangt hat. Aber es schwindet bis auf
jene Stufe, da der junge Mensch noch nicht zur Vernunft herangereift war, die
Phantasie aber «die gewaltigsten Lücken des Vorstellungslebens noch mit einem
Zuge ausfüllte» [217].

«Von dieser Seite ist nun auch die eigentümliche Poesie der Traumwelt deut-
lichst zu verstehen» [217]. Die Vorstellungsreihen, die im Schlaf das Bewußtsein durchziehen, werden auf zweierlei Weise bestimmt: entweder durch «innere
Assoziationen, welche die Vorstellungen selbst unter sich verbinden» (weshalb
wir oft weiterträumen, was uns zuletzt im Wachen beschäftigt hat); oder aber
«die *Gefühle,* die aus unsern äußern Verhältnissen oder aus der Stimmung unseres Innern – das heißt unseres *unbewußten Lebens* [*] und aus den besondern
Verhältnissen, in welchen die verschiedenen Provinzen unseres Organismus gerade zu dieser Zeit sich gegeneinander gestellt finden – hervorgehen, ziehen
auch gewisse Vorstellungsreihen heran» [217f.].

Indem also hier die Seele diejenigen Vorstellungen heranzieht, welche diesen Gefühlen entsprechen, verfährt sie allerdings ganz gleich dem wachenden Poeten, der auch *die* Bilder auf-
ruft und zur größten Deutlichkeit zu bringen sucht, welche den Gefühlen, die ihn innerlich
bewegen, möglichst adäquat sind. Auf diese Weise mögen wir denn leichtlich einsehen, wie
ein Teil der Traumdeutung, welcher auf körperliche Leiden und deren Vorherverkündigung
sich bezieht, ganz und gar durch diese Art von Poesie bedingt wird. [218]

So kann ein Mißverhältnis zwischen verschiedenen Systemen des Organismus
ein besonderes Gefühl erregen, und dieses bestimmt nun seinerseits eine gewisse
Art von Vorstellungen, von poetischen Symbolen, durch die sich der krankhafte Zustand ausdrückt oder ankündigt.

Im weiteren stellt Carus fest, die Schwächung des Bewußtseins im Traum zeige
sich darin, daß das Gefühl der Persönlichkeit, also die Grundlage alles Bewußtseins, zu schwanken beginne; deshalb träumen wir zuweilen, uns selbst
zu sehen, oder wir vernehmen unsere eigenen Gedanken aus dem Munde er-
träumter Individuen und was dergleichen Spiele mehr sind, deren sich der
Traum bedient, Personen auszutauschen oder zu verschmelzen. Ebenso erlischt
auch das Bewußtsein von Raum und Zeit, was durchaus verständlich ist, da
doch der Seele an und für sich – als einer göttlichen, nur zeitlich in der
Natur sich darlebenden Idee – die Formen des Raums und der Zeit fremd sind.
Je mehr sich also die Seele aus der Natur zurückzieht und je mehr sich das
Bewußtsein von der äußeren Welt verdunkelt, umso mehr verlischt auch «das

Nacheinander der Vorstellungen, oder die Zeit, und das *Nebeneinander* der Vorstellungen, oder der Raum, und umso mehr muß das *In-Einem-Sein* hervortreten» [263, 329f.].

Diese Einheit des Seins, in welcher sich die von Bewußtseinskategorien befreite Seele geborgen fühlt, nimmt nun auch den «*Traumschauungen*», den prophetischen Träumen und Ferngesichten, alles Überraschende, Wunderbare. Es ist hier nämlich daran zu erinnern,

daß, wenn das Bewußte des Organismus erst die Individualität und zuhöchst die Persönlichkeit und Freiheit erscheinen lasse, das Unbewußte des Organismus dagegen ihn enger an das allgemeine Leben der Welt binde, ihn gleichsam *verallgemeinere*, und daß er daher, als ein Unbewußtes, eigentlich auch von allen Regeln der Welt durchzogen sei und daran teilhabe, ja daß in ihm nicht allein Fernes und Nahes und überhaupt Räumliches, sondern auch Vergangenes und Zukünftiges und überhaupt Zeitliches sich durchdringe und begegne. [267, 219]

In unserer gewohnten, «gerade die gesunde Entfaltung der Seele begünstigenden Beschränkung» können wir mit unseren Sinnen nur einen mäßigen Teil dieses «Allebens der Natur» erkennen, wo Vergangenes und Künftiges in jedem Augenblick wirklich da ist und sich Ferne und Nähe aufs mannigfaltigste durchdringen. So wie jedoch unser gewöhnlicher Zustand selbst sich ändert, sind wir ausnahmsweise sehr wohl imstande, andere Seiten des uns umgebenden Weltlebens wahrzunehmen, «Seiten, welche uns dann [...] mit dem Weitesten ebenso wie mit dem Vergangenen oder Künftigen in Berührung bringen können». [263, 330f.]

Von Wundern, von okkulten Erscheinungen kann demnach bei solchen Ausnahmezuständen keine Rede sein; das Wundersame klärt sich auf, wenn wir bedenken, daß «die Seele, eben wegen ihres tiefern Eingetauchtseins im Unbewußten, mehr als in ihrem freien bewußten Zustande partizipieren müsse an jenem Miteingeflochtensein im Allgemeinen und an dem Durchdrungensein von allem Räumlichen und Zeitlichen, wie es dem Unbewußten überhaupt zukommt» [267, 219]. Es ist hier aber zu unterscheiden zwischen einem organischen und einem bewußten Partizipieren – beides ist dem Menschen schon im Wachzustand gewährt –:

Entweder, indem unser *bewußtloses Seelenleben* [*], welches die Bedingung des Ursinns, d. i. des Gemeingefühls, ist, sich darstellt als in dem Kreise des allgemeinen Naturlebens, durch Aufgeben entschiedener Selbständigkeit, gleichsam versenkt und untergegangen, so, daß es nun von Umstimmungen jenes allgemeinen Lebens ungefähr auf gleiche Weise affiziert wird wie von Umstimmungen im Kreise seiner eignen Organisation. – In diesem Falle sehen wir dann, daß [...] diejenigen Menschen, deren Gemeingefühl durch jenes Aufgeben der Selbständigkeit in den großen Kreis des Natur- und Menschheit-Lebens tiefer eingetaucht ist, durch gewisse entfernt vorgehende oder zukünftige Ereignisse, oder andre dem gewöhnlichen gesunden Menschen nicht fühlbaren Wirkungen affiziert werden, dadurch in eine eigne Unruhe, ein unerklärliches Vorgefühl eines Ungewöhnlichen geraten, so daß sie dadurch in ihrer Stimmung somit völlig verändert werden – und dies ist es dann, was mit dem Worte *Ahnung* bezeichnet wird.

Oder aber, es erschließt sich in der *sich bewußten Seele* [*] des Menschen selbst dieser Rapport mit dem gesamten Welt- und Menschheit-Leben bis zur Form einer neuen Art sinnlicher Wahrnehmung, wo nicht mehr bloß in unbestimmten Gefühlen, sondern in deutlich begrenzten Vorstellungen auch solche Seiten des Weltlebens zum Bewußtsein kommen, deren Ausstrahlungen zwar Jeden zu jeder Zeit durchdringen, aber im gewöhnlichen Zustande durchaus nicht wahrgenommen werden – und dies ist es dann, was wir *Hellsehen* nennen. [263, 331 f.]

Ahnung und Hellsehen, unbewußte und bewußte Erschauung des Künftigen, kosmischer «Einfluß», all dies ist auch im Wachzustand möglich. Aber der Traum ist ein besonders günstiger Boden für solche Betätigungen des «Gemeingefühls». Durch das Unbewußtsein hindurch wirken in jedem Augenblick die Geschicke der vergangenen Menschheit, die der gegenwärtigen, ja selbst die der künftigen Geschlechter bildend und umbildend auf uns ein, und diese Umbildungen gelangen in den Vorstellungen des Traums insgeheim zu Bewußtsein. Auf die Analogien zwischen Traum und Mythos, die von diesem Punkt aus sichtbar werden, läßt sich Carus nicht ein; und doch setzen die Untersuchungen C. G. Jungs auch in dieser Hinsicht nur fort, was schon Einsicht des romantischen Philosophen war.

Carus unterscheidet verschiedene Grade der Traumahnungen. Am verständlichsten sind Ahnungen von einer bevorstehenden Veränderung der eigenen Organisation, also von Krankheit oder Tod: «Denn wie jedes zeitliche Leben, eben als ein zeitliches, den Moment seines Aufhörens, den wir Tod nennen, schon als Keim in sich trägt, so trägt oft auch das noch scheinbar gesunde Leben den Keim der Krankheit lange Zeit in sich» [332 f.]. Schon ein solcher Keim ruft eine leise Verstimmung des Gemeingefühls hervor, welche die Seele selbstverständlich besser wahrnimmt, wenn sie – wie im Traum – ganz ihrem unbewußten Leben zugekehrt ist. Der Traum wird dann diese Ahnung in eine Vorstellung kleiden, die früher schon einmal mit dergleichen wirklichen Krankheitsempfindungen verbunden war, oder «das träumend noch kombinierende, man könnte sagen *dichtende* Bewußtsein» wird eine solche Stimmung in eine gleichartige oder kontrastierende symbolische Figur übersetzen.

In einer höheren Form kann der prophetische Traum jedoch auch Veränderungen in den äußeren Verhältnissen des Menschheits- und Naturlebens ankündigen;

hängen doch alle Ereignisse der Menschheit, ja der Welt als ein großes unermeßliches Ganzes zusammen, die größten sowohl als die kleinsten, und ist es doch ganz natürlich und notwendig, daß so wie in unserm eignen Organismus sich oftmals die merkwürdigsten Sympathien zwischen verschiedenen Organen zeigen, so auch in diesem großen äußern Organismus die unsichtbaren Fühlfäden unsers Innern gewisse Seiten mehr, andere weniger umfassen, so daß die enger umfaßten dann mit vollkommner Deutlichkeit, auch ohne von unserm erwachten Geiste wahrgenommen zu werden, in unserm Unbewußten wiederklingen müssen. Diese sind es denn, welche erschaut werden können, wenn der Geist im Unbewußten umfangen ruht, und es ist nur besonders zu erwähnen, daß auch hier noch eine gewisse Poesie des Traumes sich geltend machen kann, so daß zwar manches Entfernte in Zeit oder Raum wirklich als das, was es ist, erfaßt wird, während andres nicht unmittelbar, sondern durch Vertauschung mit einer irgendwie assoziierten Vorstellung nur in Form eines Symbols angeschaut wird. [267, 220]

Gewiß, Carus hat seinen Vorgängern vieles zu verdanken. Erörterungen wie die soeben zitierte, worin er es unternimmt, die prophetischen Träume aus unserm «Einverleibtsein» ins Weltleben zu erklären, zeigen aber eindrücklich, zu welch klarer Verständlichkeit hier geläutert ist, was bei den Naturphilosophen noch dunkle Ahnung blieb. Wenn Schuberts Genialität sich in der ursprünglichen Intuition bewährte, so liegt Carus' Stärke im klug abwägenden, auf Zusammenhang bedachten Aufbau, der es ihm ermöglicht, eine jede dieser Eingebungen und Entdeckungen in eine Gesamtschau des Natur- und Seelenlebens einzuordnen.

Die Wahrheit des Unbewußten fordert eine große Naivität und meist völlige Abwesenheit alles Bewußtseins, wenn sie *rein* hervortreten soll, und *diese* Bedingung wird selten erfüllt. Könnte man der Brieftaube Unterricht in der Geographie geben, so wäre mit eins ihr unbewußt richtiger Zug zum Endziel ihres Flugs eine Unmöglichkeit geworden. [269, 231]

Gewisse Tätigkeiten können also nicht anders als *unbewußt* vollbracht werden; es sind jene, die auf unserm Kontakt mit entlegensten Bereichen des Weltlebens beruhen und zu ihrem Gelingen ganz der Raschheit und Unmittelbarkeit bedürfen, welche das unbewußte Verfahren vor dem langsameren und unsichereren Voranschreiten des aufmerksamen Bewußtseins auszeichnet.

Von einer durchgehenden Überlegenheit des Unbewußtseins ist aber bei Carus keine Rede. Zweifellos anerkennt er im unbewußten Leben den Urquell all unserer Schöpferkraft, die erste Bedingung unserer gesamten Lebenserscheinung, und es ist seine Grundüberzeugung, daß «der Schlüssel zur Erkenntnis vom bewußten Seelenleben in der Region des Unbewußtseins liegt» [267, 173 f./I]. Aber immer und immer wieder ist er dafür besorgt, daß die beiden Sphären unseres Wesens im Gleichgewicht bleiben. Er hält wie die andern Romantiker dafür, daß es dem Menschen weder gezieme noch wohlbekomme, sich den nächtlichen Einflüsterungen vollkommen hinzugeben. Unbewußtsein und Bewußtsein sind für ihn immer nur zwei verschiedene Strahlen desselben Göttlichen und Einen, derselben göttlichen Wesenheit oder Idee [68f.]. Er erachtet es deshalb für notwendig, einem da und dort drohenden Mißverständnis seiner Sprache den Riegel vorzuschieben:

Hiebei muß übrigens auch noch einmal mit Bestimmtheit ausgesprochen werden, was sich eigentlich von selbst versteht, nämlich daß, wenn wir den Ausdruck ‹höher oder niedriger› von göttlichen Ideen und ‹vollkommener oder unvollkommener› von Organismen brauchen, dies eine durchaus menschliche und ganz subjektive Bezeichnungsweise sei. Im unendlichen

Kreise göttlichen Allebens kann Jegliches *in sich nur als ein Vollkommenes* geachtet werden, und in Wahrheit ist in diesem Sinne zu sagen, daß der Mensch nicht *vollkommener* sei als das Infusorium, und daß das scheinbar Niedrigste, *in Gott und für die Gesamtheit der Welt* ebenso bedeutungsvoll und notwendig sei, als das scheinbar Höchste – aber nicht so *für den Standpunkt des Menschen,* und *darum* rechtfertigen sich jene Bezeichnungen. [137]

Ein solches Verständnis des Weltorganismus – und Carus hat es, seiner Voraussetzungen stets eingedenk, bis in die letzten Teilgebiete der Wissenschaft hineingetragen – schließt ein Höher und Tiefer von vornherein aus. Alles ist gleichermaßen göttlichen Ursprungs, und in den Augen Gottes sind alle unsere Unterscheidungen nichtig.

Das gilt nun auch für unsere Auseinanderhaltung von Bewußtsein und Unbewußtsein. Was wir ‹Unbewußtsein› nennen, trägt diesen Namen nicht im absoluten Sinn; in Wahrheit ist es nämlich eins mit dem höchsten Bewußtsein. Für das Denken vollzieht sich hier eine seltsame Vertauschung: Was dem menschlichen Geist unbewußt, was noch ganz organisches und kosmisches Leben ohne Selbstbewußtsein ist, wird dann, wenn wir uns einen göttlichen Gesichtspunkt vorstellen, zum reinen Bewußtsein. Zugegeben, im irdischen Bereich gibt es nur *ein* Bewußtsein: das menschliche, das der Entwicklung fähig ist und seinen vollkommensten Ausdruck in der reifen *Person* erreicht. Aber gerade dieses dem menschlichen Streben vorbehaltene höhere Bewußtsein läßt eine Vertauschung der Begriffe zu, so daß es schließlich zur höchsten Aufgabe des denkenden Geistes wird, das Weltleben als ein dem *göttlichen Bewußtsein* «Eingeborenes» zu betrachten [400].

Das höchste göttliche Bewußtsein, das Bewußtsein des Geistes Gottes an und für sich, ist von uns nur zu denken als ein so Unermeßliches, so Unendliches, so Allumfassendes, daß es für ein so durchaus bedingtes und an Endliches geknüpftes Bewußtsein als das menschliche zuletzt allemal vollkommen zusammenfallen wird mit dem Mysterium des Unbewußten selbst; umgekehrt aber liegt eben deshalb auch das, was wir die Göttlichkeit des Unbewußten genannt haben, nur eben in der Unermeßlichkeit und Unbegreiflichkeit eines höchsten göttlichen Bewußtseins. [401 f.]

An diesem Mysterium des allumfassenden göttlichen Bewußtseins vermag sich der bewußte Geist des Menschen auf seine höchste Stufe zu erheben, dann nämlich, wenn er den Mut hat, das Unendliche als solches mit der ganzen Kraft seines Denkens, Fühlens und Wollens anzuschauen, und wenn er fähig ist, «den Abgrund und das Haltlose eines durchaus Unermeßlichen und Geheimnisvollen durch die Macht und Tiefe der Liebe zu erfüllen und zu besiegen» [402/406 ff.]. Hat der Geist einmal diesen Gipfel seines höheren Lebens erreicht, so wende er sich aus seiner Ekstase dem Menschenleben selbst zu, und es wird sich ihm verklären. Zu solch verklärender Schau gelangt, wer sich im Zustand des religiösen oder künstlerischen Verzücktseins befindet – der in reinster Anbetung sich hingebende Heilige, der im vollsten Aufschwingen der Seele schauende Dichter und Künstler. Indem sich die Seele in der reifen Person zum Geist erhebt, erweitern sich ihre Vermögen bis zu einem Punkt, wo ihr «zweites Gesicht» nicht nur in die Abgründe des bewußtlosen organischen Lebens hineinreicht, sondern sogar ins Unendliche des göttlichen Lebens selber. Unser Geist befindet sich nur in temporärem Gegensatze zum göttlichen Geist, in einem Gegensatz, «der, je mehr er als Entfremdung erscheint, um so mehr das Eigene des Geistes vernichtet, während eben derselbe, je mehr der Geist sich selbst aufgibt und je tiefer er sich zugleich in göttliches Wesen versenkt, diesen um so herrlicher erhebt». Diese «Verzückung» ist ganz anderer Art als alle übrigen ‹magischen› Zustände – wo es immer das Naturleben ist, mit dem wir in eine außergewöhnliche Beziehung treten –: Sie befähigt die Seele, «aus dem Göttlichen, gleichsam als aus ihrer eigenen und eigentlichen Heimat, Bilder einer andern und höhern Bedeutung zu empfangen». [269, 270–276]

Hüten wir uns aber vor einer Verwechslung des irdischen und des göttlichen Gesichtspunktes! Wenn der Geist auf der Spitze seines Bewußtseins das göttliche Bewußtsein zu erschauen vermag, so heißt das noch lange nicht, daß unser Bewußtsein an sich schon dem uns Unbewußten absolut überlegen sei. Ganz im Gegenteil! Ist doch mit dem ersten Lichtstrahl des menschlichen Bewußtseins auch die «Not des Lebens»: die Krankheit und das Böse, in die Welt eingezogen. Das Unbewußte an und für sich, als die reine Offenbarung des Göttlichen, kann gar nicht erkranken und ist frei vom Bösen. Einzig das Bewußtsein, mit dem zugleich die Freiheit gesetzt ist, hat die Wahl, sich dem Guten oder dem Bösen zuzuwenden [267, 410]. Wir können aber das Aufgehen des Bewußtseins in uns nicht verhindern, und wir können das Bewußtsein auch nicht unterdrücken, um so ins ursprüngliche Unbewußte zurückzugelangen. Da wir nun einmal frei sind, obliegt es uns, dem Weg der Freiheit zu folgen, bis unser persönlicher Vollendungsgang uns wieder zu Gott zurückführt.

Unsterblich an uns ist die Idee, die Seele, das Werden an sich, während jegliche besonderen Offenbarungen der sowohl unbewußten als zum Bewußtsein gelangten Grundidee unseres Wesens, insofern sie in der Zeit *werden,* als solche nicht ewig sein können. Es ist aber dem Menschen als freiem, zur Steigerung oder Minderung seiner göttlichen Energie fähigem Wesen aufgetragen, das an ihm Vergängliche, wenn auch nicht an sich, so doch in seinen Folgen zu einem Ewigen zu erheben, und zwar so, daß er alles, was er je denkt, fühlt und will, der Rückkehr der Idee zu Gott, dem «erneuten Einleben ins Göttliche» zum Besten dienen läßt. Denn während die ewige Idee eines bewußtlosen, nicht zum Bewußtsein bestimmten Wesens niemals zum Schauen ihrer selbst, ihres ewigen An-sich-Seins, zu gelangen vermag, vielmehr, von der ewigen göttlichen Werdelust getrieben, im Fluge zwischen Vergangenheit und Zukunft beständig an die Flucht ihrer Erscheinungen gebunden bleibt und nur für Gott selbst eine Bedeutung hat, ist es dem Geist des Menschen vorbehalten, die *ewige Gegenwart seines Wesens zu erfassen,* das heißt die Idee an sich in ihrer Unwandelbarkeit immer klarer zu schauen – aber nur durch ihre mannigfaltigen Erscheinungen in Zeit und Raum hindurch. Auf diese Weise gelangen denn schließlich für den *menschlich-irdischen Gesichtspunkt* die beiden Sphären unseres Wesens, eine wie die andere göttlichen Ursprungs, wieder ins Gleichgewicht. [465–493]

Es enthält die Grundidee unserer Seele, d. i. jenes ewige göttliche Urbild all unseres Seins, in ihrem *einen* Sein eine zweifache Strahlung höchsten Urwesens, deren *eine* als unbewußt schaffendes Göttliche die rastlosen Metamorphosen unserer Erscheinung bedingt und immer wieder erschafft, während die *andere* sich als der in innerer stetiger Gegenwart verharrende Geist und als die freigewordene höhere Hälfte, gleichsam die Blüte der anderen, beweist. [484]

Daraus erklärt sich unser doppeltes Verhältnis zu Gott: Indem wir als kosmische Wesen der unermeßlichen Schöpfung «einvereint» sind und, unsere Individualität überschreitend, in tausendfältiger Beziehung mit der umgebenden Natur leben, sind wir – unbewußt – dem ewigen Mysterium, dem offenbaren Geheimnis der Gottheit «eingeboren». Die zum Bewußtsein erwachte, sich selbst erkennende Seele jedoch: der freie denkende Geist des Menschen verspürt in sich die Sehnsucht, ein Ewiges, Unwandelbares zu erfassen und sich dadurch aus dem Meere der rastlos untergehenden und rastlos sich erneuernden Wirklichkeit zu erretten; es ist dies *die Sehnsucht der Seele nach Gott.* [399–401]

So wird es zur erhabensten Aufgabe des denkenden Geistes, «das Höchste des bewußten Geistes in der tiefsten Tiefe eines *für uns* Unbewußten rein untergehen oder vielmehr aufgehen zu lassen», eines Unbewußten, das doch nichts anderes als das absolut Bewußte ist. [401]

DENKER UND DICHTER

Un homme qui dort tient en cercle autour de lui le
fil des heures, l'ordre des années et des mondes.

PROUST

Im Übergang von der reinen Psychologie zur Metaphysik hat der Traumbe-
griff bei den romantischen Denkern eine tiefgreifende Wandlung erfahren. Sie,
die herangewachsen waren in der zwiefachen Tradition des ausgehenden 18. Jahrhunderts, in der cartesianischen sowohl als in der irrationalistischen, sie empfan-
den die herkömmliche Beschreibung vom Menschen: dieses Schema von Kräften
und Vermögen, die den Gesetzen eines rigorosen geistigen Mechanismus gehorchen sollten, bald einmal als unzureichend. Sie wollten endlich den dunkleren,
verborgeneren Bereichen der menschlichen Seele gerecht werden; sie spürten in
sich selbst all jene Sehnsüchte, welche der Empfindsamkeit der Jünger Rousseaus,
der religiösen Erneuerung des Pietismus und den Entdeckungen der neuen Wissenschaft gerufen hatten; und überdies hatten sie sich vom Okkultismus in ein Denken
einweihen lassen, das nach Einheit strebte. So kam es, daß diese Denker auf
Fragen hingelenkt wurden, die man seit langem für überholt gehalten hatte,
überholt vom ‹Fortschritt der Aufklärung›. Sie wandten sich ab von der simplen
Aufzählung von Fakten und fragten statt dessen aufs neue, welche Rechtfertigung
für unser Hoffen und Handeln, für die Überwindung der Angst und für den
Glauben an einen Sinn des Daseins geschöpft werden könne aus unserem Wissen
von unserer Verwurzelung im Irdischen wie von unserem Ursprung im Nicht-
irdischen. Die Psychologie sollte wieder zu dem werden, was zu sein sie eigentlich
nie vergessen dürfte: Wissenschaft von der Seele. Man machte sich auf die Suche
nach einer Lehre, die dem Menschen seine Einheit wieder zurückgäbe, die ihn als
einen Organismus mit einer Mitte, mit einem inneren Ort der Gewißheit begriffe.
Und das ging nicht ohne eine weitere, parallele und wesensgleiche Überzeugung:
nicht ohne den Glauben an eine kosmische Einheit oder an eine Weltseele.

Voraussetzung für diesen Wandel, für diese erneute Ausrichtung der Wissenschaft vom Menschen auf das bedrängende Problem unserer irdischen und ewig-
keitlichen Bestimmung war eine Verlagerung des Wahrheitskriteriums von der
intellektuellen Evidenz auf die gefühlsmäßige Gewißheit. Bedingung war ebenso,
daß der Geist, aufs neue seines ureigenen Verlangens nach Einheit gewahr werdend, auch anerkannte, daß es bis in die letzten Elemente unserer physischen
Natur hinein eine ihm analoge Wirklichkeit gebe, und daß er folgerichtig für
eine Integration all unserer Vermögen eintrat. Daß sie sich dennoch in einer
hierarchischen Ordnung denken ließen, war dadurch keineswegs ausgeschlossen;
eine Ausrichtung auf das Geistige kann von Anfang an gegeben sein oder
aber der Absicht entspringen, dem Menschen als Ganzem gerecht zu werden.

Der oberste Grundsatz all dieser Denker spricht einzig und allein dem *Ganzen* absolutes Sein zu. Das Dasein in der Vereinzelung ist von Übel. Es stehen uns jedoch verschiedene Wege offen, den Zugang zur verlorenen Einheit wiederzufinden. Und eben hier taucht der Begriff des *Unbewußten* auf, dem die Naturphilosophen eine so große Tragfähigkeit zu geben verstanden. Das Unbewußte deckt sich nicht mit einem individuellen Bereich, der aus dem Bewußtsein erhellt und erklärt werden könnte, sondern es ist die überindividuelle Wirklichkeit, aus der wir unsere Kräfte schöpfen, es ist der Ort, wo wir mit dem Weltorganismus in Berührung stehen. Traum und mancherlei ‹Entzückungen›, Spracheinfälle und poetische Erleuchtungen, Eingebungen im Wahnsinn und Phantasien der Kindheit, all das sind kostbare Überreste von unserem ursprünglichen Einssein mit dem Leben der gesamten Natur, aber auch schon Keime unserer künftigen Rückkehr in die anfängliche Harmonie. Wie die Mystiker, so hoffen auch die Romantiker die wahre Erkenntnis und also das Heil zu erlangen, wenn die Seele den sinnlichen und intellektuellen Gegebenheiten entrissen würde – während doch für die Denker des 18. Jahrhunderts gerade hierin und nur hierin das Seelische begründet war. Nicht länger ist das Unbewußte die Rumpelkammer, in welche die Grillen und Fratzen unserer individuellen Natur automatisch durch eine Fallklappe hinunterbefördert würden. Nun ist es wirklich der ‹Seelengrund›, die Mitte, der wir uns zuwenden müssen, wollen wir unserer Vereinzelung entfliehen. Indem wir uns so aus der oberflächlichen Individualität befreien, dringen wir zur Person durch, die nichts anderes ist als das Geschöpf unter dem Blickwinkel seiner überzeitlichen Bestimmung.

Dennoch wäre es ein verhängnisvoller Irrtum, wollte man in dieser Lehre einen reinen Irrationalismus sehen oder eine vorbehaltlose Apologie des unbewußten Lebens, dem gar noch der absolute Vorrang über das bewußte Dasein gebührte. Gewiß, das Bewußtsein ist nun einmal unauflöslich an die ‹Trennung› gebunden; aber alle unsere Denker sind sich einig in der Überzeugung, daß es nicht in unserer Macht stehe, einem andern Stadium der kosmischen Geschichte anzugehören als eben dem der Trennung. Uns ist aufgegeben, diese Richtung beharrlich einzuhalten, denn das Rad der Geschichte läßt sich nicht zurückdrehen. Schließlich wird der Mensch gerade durch den Einsatz des Bewußtseins das heute weitgehend verschlossene Unbewußte zurückerobern und die anfängliche Harmonie wiederherstellen. Dies ist das Ziel, das einem jeden individuellen Abenteuer vorbestimmt ist; dies wird aber auch das Ziel der gesamten Menschheitsgeschichte sein.

Wenn auch diese Philosophie über Baader und Troxler an die hohe Mystik des deutschen Mittelalters anknüpft, wenn sie dank Steffens oder Schubert in der Tradition des nachfichteschen Idealismus steht und wenn schließlich der Mythos des Unbewußten bei Carus zu solcher Tiefe und Klarheit gelangt, daß er über ein Jahrhundert erneuter Analyse hinweg bereits auf die im Grunde

religiöse Psychologie Jungs vorausweist – hervorgegangen ist diese Philosophie
aus der Erfahrung der romantischen *Dichter* Deutschlands. Wohl verdankt sie
ihre zwar nicht systematische, aber doch einigermaßen zusammenhängende und
logische Form den Denkern, die wir bisher ausführlich zu Wort kommen ließen.
Die aber das eigentliche Abenteuer auf sich nahmen, waren wie immer die Dichter. Es ist des Dichters, durch das Wort und durch eine eigentümliche Magie
von seiner Zwiesprache mit der Welt zu künden. Und es ist der Dichter, der
an die Erkundung des Wirklichen bestimmte Hoffnungen knüpft, ja so innig
damit verknüpft, daß der Weg seiner Eroberung, vielleicht auch der Leidensweg
seines persönlichen Scheiterns eins wird mit der Entstehung seines Werkes. Und
so waren es – noch vor den Denkern – die Dichter der deutschen Romantik, die
von den Figuren des Unbewußten die eine oder andere zu erfassen versuchten,
jeder auf seinem eignen, unverwechselbaren Weg und doch alle in die Gemarkun-
gen der Nacht vorstoßend. Und wenn sie dies mit einer heroischen Beharrlichkeit zu vollbringen versuchten, so eben deshalb, weil für sie ihre Kunst
als das Instrument solcher Beschwörung mit ihrem persönlichen Schicksal verschmolz. Schierer Irrationalismus oder vorbehaltlose Verherrlichung des Traums
war ihre Sache so wenig wie die der Philosophen in ihrer Gefolgschaft. Einige
schätzten den Traum um seines Lichts und seiner Leichtigkeit willen; alle aber
erwarteten sie von ihm eine Antwort auf ihre metaphysische Angst.

Eben weil es poetischen Ursprungs ist, unterscheidet das romantische Denken
derart genau zwischen dem scheinbaren ‹Ich› und der verborgenen Seele, worin
das Individuum sich alles Vereinzelnden entledigt, um ganz nur noch als Geschöpf seinem Schicksal gegenüberzutreten. So bildet sich aus vielen verschiedenen Gesichtern das eine Antlitz der Epoche heraus, einer Epoche, die, sofern es
darum geht, dem Geheimnis die Stirn zu bieten, in der Geschichte der Menschheit zu den ehrgeizigsten und wagemutigsten gehört.

ZWEITER TEIL

TRAUM UND DICHTUNG

Rêve entendu comme l'immense et imprécise vie
enfantine planant au-dessus de l'autre et sans cesse
mise en rumeur par les échos de l'autre.

ALAIN–FOURNIER

VIERTES BUCH

DER ROMANTISCHE HIMMEL

J'ai tant rêvé, j'ai tant rêvé, que je ne suis plus d'ici.
LÉON-PAUL FARGUE

Ich rufe vertraute Gesichter herauf, Gesichter, die mich seit Jahren begleiten und die für mich um so deutlicher, um so lebendiger und wirklicher geworden sind, je tiefer ich an Hand überlieferter Werke und Bekenntnisse ins Geheimnis dieser Schicksale einzudringen suchte. Ich habe beobachtet, wie sich die anfänglich rätselhaften Züge von Mal zu Mal leichter haben lesen lassen, wie ihre Sehnsucht – bei allen die gleiche, wie mir fürs erste schien – zur Sehnsucht von zutiefst verschiedenartigen, unersetzlichen Menschen geworden ist, deren jeder ein einmaliges Drama durchlitt, jeder zu einer Form der Schönheit gelangte, die nur noch sich selber gleicht. Trotzdem bilden sie zusammen eine einzige geistige Familie, die schon daran kenntlich ist, daß sie sich bei der stillen Lektüre am Kamin leichter beschwören lassen als an Orten, wohin sie das Schicksal zu Lebzeiten verschlagen hatte. Gewiß denken wir sie uns nirgendwo anders als in dem Land, das einige von ihnen kaum je verlassen haben: in Deutschland, das mit Recht in ihnen jene seiner Kinder sieht, die sich am schwersten unter einen andern Himmelsstrich versetzen lassen. Und doch! so sehr sie ihrer heimatlichen Landschaft als Dichter, als Denker dem vaterländischen Geist verpflichtet sind – sie scheinen eine Sphäre zu bewohnen, die an keine irdische Umgebung gebunden ist. Für ihre Mitmenschen besaßen sie alle etwas Visionäres, Fremdartiges; und sie selber hatten Augenblicke, wo ihnen klar bewußt war, daß sie «nicht von dieser Welt» seien. *La vraie vie est absente. Nous ne sommes pas au monde,* hätten sie mit Rimbaud sagen können – Das wahre Leben ist anderswo; wir sind nicht auf der Welt. Oder mit Nerval, der ausgerechnet im Valois, dem Land der Kindheit, entdeckte, daß nicht dies die Heimat sei, nach der er sich sehne: *Jusqu'ici rien n'a pu guérir mon cœur, qui souffre toujours du mal du pays* – Mein Herz leidet immerfort an Heimweh; bis jetzt hat es nirgends Linderung gefunden. Das Land ihrer Seele liegt so ganz anderswo, daß wir Jean Paul eher im sonnigen Süden seiner Träume zu begegnen meinen als unter fränkischen Fichten, und Novalis wo immer, nur nicht an der Saale. Als ich in Bamberg den Gasthof «Zur Rose» – Schauplatz von Hoffmanns *Don Juan* – und das damit verbundene Theater suchte, wo er als Kapellmeister gewirkt hat, brauchte ich nur der Stimme einer Sängerin zu folgen, die eine Mozart-Arie probte. Ich war auch in dem reizenden Haus, in dem er zur Zeit des Julchen-Erlebnisses wohnte, und habe sein Fortepiano berührt. In einem Gäßchen wies man mir den bronzenen, ein

grinsendes Altweibergesicht vorstellenden Türknopf, der dem Dichter des
Goldnen Topfs die Szene mit dem Äpfelweib eingegeben haben soll. Und doch
habe ich Hoffmanns Gegenwart viel stärker gespürt an Orten, wo er gar nie
gelebt hat, wo sich aber einige Getreue zu seinem Gedächtnis zusammenfanden.

Und doch, wiewohl losgelöst von der Erde, flüchtige Gäste, Fremdlinge einer
wie der andere, sind die Romantiker denn doch die dahinschwindenden, unwirklichen und allzu engelhaften Wesen nicht, die eine unbegründete Legende
aus ihnen gemacht hat. Je vertrauter sie uns werden, desto deutlicher erscheinen
sie uns als Menschen von sehr bestimmter und genau bestimmbarer Eigenart,
die sich zweifellos nach ihren geistigen Ursprüngen zurücksehnten, aber denn
doch auch hier auf Erden getreu diesen Ursprüngen leben wollten. Sie waren
Visionäre, die sich ihrer Gaben und Fähigkeiten bewußt waren, hellseherische Erforscher der in ihnen verborgenen Schätze, und wer erfahren möchte, wie ein
jeder dieser nach Unendlichkeit Dürstenden aus dem Leben sein eigenes Abenteuer zu machen verstand, braucht nur ihre Bildnisse zu betrachten. Sie sind
Brüder, und sie gleichen einander genau wie Brüder – trotz allem was an Gegen-
sätzlichem, Verschiedenartigem in ihrer tiefsten Natur bestehen bleibt.

Ein Porträt des dreißigjährigen Jean Paul, aus der Zeit des *Hesperus,* gilt
als wenig zuverlässig, und er selbst hat sich nur ungern darin erkannt. Aber
soll man darum weniger betroffen sein von diesem ausgezehrten, von jüngst
durchstandenen Leiden gezeichneten Antlitz mit diesem visionären Blick, der sich
in geistige Räume zu verlieren scheint und noch ganz benommen ist vom Staunen über all das, was er auf seinen jüngsten Fahrten durch Sternenwelten geschaut hat? Und wenn wir ihn dann als zwanzig Jahre Älteren vor uns sehen
und kaum wiedererkennen, so verweilen wir ein wenig, um in Gedanken die
Metamorphosen zu durchgehen, die seine Züge massig werden ließen. Die Stirn
ist ins Ungeheure gewachsen, die Augen sprechen von unendlicher Zärtlichkeit,
und das Staunen von einst hat etwas Melancholisches angenommen. Auch wenn
übermäßiger Bier- und Weingenuß die untern Gesichtspartien hat aufschwellen
lassen und das Lächeln nun in füllige Materie eingebettet liegt, so bleibt doch
der Gesamteindruck von einem Menschen, den eine geistige Überzeugung von
seltener Reinheit erfüllt und der über die sichtbare Welt den Glanz eines inneren Lichtes verbreitet.

Niemand vermag sich der ergreifenden Schönheit von Novalis' Antlitz zu verschließen, das von niederwallenden Locken gerahmt ist, niemand der Tiefe
dieses Blicks, der die unübersehbaren Spuren der Schwächlichkeit in diesem
kränklichen Gesicht Lügen straft. Der Glaube, der diesen Jüngling beseelt, hat
nichts von der kindlichen Einfalt eines Jean Paul, auch nichts von jener etwas

verschwommenen Verträumtheit, die uns die romantische Legende weismachen möchte. Eine engelhafte Gestalt, gewiß, aber sie besitzt keineswegs die weibliche Grazie von Botticellis Engeln. Ein ganz außergewöhnlich scharfer Verstand verbindet sich hier mit einem Selbstvertrauen, das mit dem Einsatz eines Willens errungen wurde, von dessen Beharrlichkeit der gesamte Gesichtsausdruck zeugt.

Kein Bildnis erstaunt auf den ersten Blick mehr als dasjenige Tiecks. Enttäuschung und Ermattung haben tiefe Spuren zurückgelassen in einem Gesicht, das früh schon Fettpolster ansetzte, aber doch keineswegs plump wirkt. Dieses Antlitz über den breiten, steifen Schultern bewahrt eine gewisse Verschmitztheit und eine natürliche Anmut, die rasch vergessen lassen, was der Gesamtausdruck an Trägheit enthalten mag. Und wenn auch der aufwärts gewandte Blick nicht an überragende Schöpferkraft denken läßt, so verrät er doch ein beständiges Träumen und einen von allem Schönen eingenommenen Geist.

Und dann – ein lebhafterer Kontrast läßt sich kaum denken – dieses edle preußische Profil Achims von Arnim, die vorspringenden Wölbungen der Augenbrauen, die scharf geschnittene lange Nase, der Mund eigenwillig, während das Kinn die Mißerfolge verrät, auf welche dieser Wille stoßen sollte. Einzig das struppige Haar bringt eine gewisse Unordentlichkeit in dieses so klar gezeichnete Gesicht des dreiundzwanzigjährigen Dichters. Die Augen folgen nicht einem irdischen Schauspiel; sie träumen, und wir spüren, daß sie in eine imaginäre Zauberwelt hinüberblicken, der freilich die Verschwommenheit derjenigen Tiecks fehlt. Ein Kleinbildnis aus derselben Zeit ist weniger streng; aus dem Gesicht in Vorderansicht blitzt ein scharfer, durchdringender Verstand, und das altertümliche Kostüm verstärkt den Eindruck, als habe man eher einen galanten Minnesänger vor sich als den Ritter aus nordischer Sagenwelt, den jenes Profil zu zeigen scheint. Zwei Jahrzehnte später ist das letzte Abbild entstanden, und es läßt sich nicht leugnen, daß diese Totenmaske – sie galt lange als diejenige Kleists – mit dem Werk des Dichters eher übereinstimmt als das Porträt zu Lebzeiten. Den in sich selber Zurückgekehrten hat die Ewigkeit verwandelt. Wunderbar heiter und rein ist diese langgezogene Maske des Einsamen, die in allem die allmähliche Hingebung an geistige Ziele ausdrückt, wäre nicht die Lippenfalte, aus der so etwas wie Verbitterung oder Verachtung menschlicher Launen zu lesen ist. .

Armer Clemens Brentano! Eine Büste hält die bezaubernde Anmut des Jünglings fest, zierlich und feinfühlig wie er war, zu jedem Scherz aufgelegt und keineswegs weltfremd. Aber das Leben verfuhr grausam mit dieser Gestalt, die – gegen Schicksalsschläge wehrlos – auf Schutz und Beistand angewiesen war.

Ein Bildnis des Gealterten zeigt ihn mit einer Art Büßerhemd angetan, und aus den weichen, schlaffen Gesichtszügen spricht etwas Beklommenes, Ängstliches. Die Augen, geweitet und zum Flehen bereit, sind von Falten umrändert, die das Alter in die welken Lider gezeichnet hat. Der immer noch volle, sinnliche Mund bewahrt das Stigma der Schwachheit und des Überdrusses.

E. T. A. Hoffmann war es vorbehalten, uns sein Bildnis selbst aufzuzeichnen, und zwar ohne alle Selbstgefälligkeit. Ein verzehrendes Feuer bricht aus seiner eigentümlichen Gestalt hervor, das Feuer eines überaus lebhaften Geistes, die Glut unendlicher Leiden. Andere Bildnisse, so die Bleistiftzeichnung Hensels, zeigen einen weniger visionären Hoffmann, kommen aber der Wahrheit zweifellos näher. Das Gesicht ist ernst, nachdenklich und verrät eine herrliche Intelligenz. Die geschwungenen Linien der Lippen, der Nasenflügel, ja sogar der tiefen Falten, die in den letzten Lebensjahren die Stirn durchziehen, erinnern weniger an den phantastischen Verfasser zweitrangiger Gruselgeschichten als an den raffinierten Künstler des *Goldnen Topfs*. Und der Gegensatz zwischen diesem ernsten, gesammelten Antlitz und jener Karikatur, in der sich der Kapellmeister als hopsender, Seifenblasen in die Luft schnippender Johannes Kreisler dargestellt hat, veranschaulicht den tragischen Konflikt dieses Dichters mit der Welt.

Le ciel est pour ceux qui y pensent.   JOUBERT

Alle diese Gestalten, wie unähnlich auch immer, sind Brüder in einem: im schmerzlichen Gefühl des tiefen inneren Dualismus, der sie zwei Welten zugleich angehören läßt. Aber auch dies verbindet sie: Ob mit Willenskraft, ob in untätigem Warten auf irgendwelche dichterische oder göttliche Begnadung oder ob auf gefahrvoller Reise in die Abgründe der Nacht – alle trachten sie eine Harmonie wiederzufinden, zu der sie sich aus tiefstem Wesen bestimmt fühlen. Zerquält wie sie sind, vom Gefühl des «Mangels an Wirklichkeit» verfolgt, ihr Schicksal mit dem Erkenntnisproblem verbindend in der Hoffnung auf eine Gewißheit, nach der es sie mit jeder Faser verlangt, richten sie ihren Blick auf eine Verheißung, auf ein fernes Gestirn aus. So zeichnet sich eine Astronomie des romantischen Himmels ab, der sub *specie aeternitatis* und in nächtlichen Bildern von wundersamer Leuchtkraft die unvollkommenen Konfigurationen der irdischen Lande widerspiegelt.

Rings um diese Sternbilder künden, im Aufgang wie im Niedergang, bleiche Nebelsterne von ihrem Glanz; Kometen ziehen majestätisch die uralte Bahn, Milchstraßen tragen die verklingende Sphärenharmonie weiter, und aufleuchtende Meteore erhellen für Augenblicke den Nachthimmel.

Wir werden lange bei den Bildern verweilen, welche die großen romantischen Gestirne in den Zenit des Firmaments einzeichnen. Aber bevor wir zu diesen nächtlichen Himmelslichtern gelangen und dann wieder am Ende unserer Reise halten wir inne, um auch nach den andern Lichtquellen Ausschau zu halten, welche die astrologische Situation dieses Augenblicks zwischen zwei Zeitaltern vervollständigen.

NEUNTES KAPITEL

NEBELSTERNE UND KOMETEN

Nur zu Zeiten erträgt göttliche Fülle der Mensch.
HÖLDERLIN

Die Romantiker waren gewiß nicht die ersten, die dem Traum im Gedicht, im Roman und im Drama einen Platz einräumten. Hier wie anderswo gilt, daß diese mit Literatur gefütterten – manchmal überfütterten – großen Meister der Anverwandlung und Nachahmung, indem sie Neues schufen, das Werk ihrer Vorgänger weiterführten. Indessen beruht eine Fama nur selten auf reiner Erfindung, und es ist auch nicht von ungefähr, daß man die Begriffe ‹Romantik› und ‹Traum› gewöhnlich miteinander zu verbinden pflegt. Denn wenn, vom Traum der Atossa in den *Persern* bis zum Traum Athalies oder Wilhelm Meisters, die Dichter immer schon sich auf Bilder beriefen, die uns des Nachts heimsuchen, so läßt sich doch nicht ersehen, daß vor Jean Paul und Novalis der Traum jemals die Rolle des beherrschenden Leitmotivs gespielt hätte, die ihm in fast allen romantischen Werken zugewiesen wird. Wir sehen aber auch nichts davon, daß vor dem Ende des 18. Jahrhunderts Ästhetiker oder Schriftsteller, die über das Wesen der Inspiration Bescheid wußten, den Ablauf des Traumgeschehens als Vorbild für das poetische Schaffen hingestellt hätten. Gewiß, noch immer haben wahrhaft inspirierte Dichter aus den Reichtümern des Unbewußten geschöpft; und die Originalität der Romantiker besteht denn auch nicht darin, daß sie eine neue Magie entdeckt hätten, mit der sich die im Dunkeln verborgenen Schätze beschwören ließen. Auch ein Aischylos, ein Racine, ein Goethe hat sich dieser geheimen Schätze souverän bedient. Alle haben sie getrunken von der einen gemeinsamen Quelle der kollektiven Mythen und der persönlichen Bilderwelt, und jeder von ihnen hat gewußt, daß, wenn «tief unten die Symphonie sich rührt» (Rimbaud), die Wellen von viel weiter herkommen als vom Horizont des individuellen Bewußtseins.

Wenn etwas den Romantiker von all seinen Vorgängern unterscheidet und ihn zum Wegbereiter der modernen Ästhetik macht, so ist es das hohe *Bewußtsein* von seiner Verwurzelung in den verborgenen inneren Abgründen. Der romantische Dichter *weiß,* daß er nicht der alleinige Urheber seines Werks, daß alle Poesie zuerst Gesang aus der Tiefe ist, und er wagt es *beherzt* und *bei voller Klarheit,* die geheimnisvollen Stimmen heraufzulocken. Weder seine Quellen noch seine Mittel sind sehr verschieden von jenen, die dem poetischen Schaffensakt von Ewigkeit her vorgeschrieben sind; der einzige wesentliche Unterschied besteht in der Einstellung zu diesen Gesetzen geistiger Fruchtbarkeit.

Dichten ist für ihn um so weniger eine Sache des Instinkts, als er zu einem relativ klaren Wissen von seinem eigenen Tun gelangt ist. Der Romantiker erlebt mit, wie das Gedicht entsteht, wie die Bilder kommen; er beobachtet genau, wie die Materialien aus der Dunkelheit aufsteigen und sich dem hellen Licht der erscheinenden Gestalt entgegenheben. Wenn er sich die Verfahrensweise des Traums zum Vorbild nimmt, so deshalb, weil ihm die Verwandtschaft mit der Verfahrensweise der schöpferischen Einbildungskraft bewußt geworden ist. Hierin unterscheidet sich sein Rückgriff auf den Traum – als das Vorbild oder die Quelle der Inspiration – von demjenigen anderer Dichter, für die der Traum ein Kunstgriff oder bloße Staffage blieb. So ist es sehr begreiflich, daß die Romantiker als erste eine Ästhetik des Traums entworfen haben.

Eine vom Altertum bis zur Romantik reichende Geschichte des Traums sowie seines Anteils an der lyrischen, epischen und dramatischen Dichtung können wir hier nicht einmal im Abriß zu geben versuchen; geschweige denn, daß wir Werk um Werk nach den unbewußten Anleihen befragten, welche die Dichtung seit je beim verborgenen Leben der Bilder aufgenommen hat. Da wäre denn vorerst sorgfältig zu untersuchen, welche religiöse Überzeugung etwa den prophetischen Träumen zugrunde liegt, die ein Aischylos seinen Helden eingibt und die, indem sie mitten im menschlichen Geschehen seiner Tragödien von einem ewigen Verhängnis zeugen, die Begrenzung des Handelns jäh durchbrechen und einen unendlichen Horizont aufreißen. Es wäre zu zeigen, wie der Traum bei Racine Vergangenes zusammenzufassen und Künftiges erahnen zu lassen hat, daß er also für diesen großartigen Architekten die Bedeutung eines kostbaren baulichen Kunstmittels besitzt. Und kämen wir erst noch auf die für wirklich ausgegebenen Träume zu sprechen: wohin würde es führen, wollten wir das Verhältnis der Dichter zu ihrem eigenen Traumleben zu bestimmen versuchen? ... Beschränken wir uns also darauf, bei den unmittelbaren Vorfahren der Romantiker gewisse Modeerscheinungen und gewisse Einsichten hervorzuheben, damit deutlich werde, wie weit wir es mit Ererbtem zu tun haben und wo mit der Vergangenheit gebrochen wurde.

Durch das ganze 18. Jahrhundert zieht sich in Deutschland ein breiter Strom lyrischer Poesie. Darin erscheint der Traum als eins der häufigsten Themen. Es erübrigt sich, auf die zahlreichen Gedichte einzugehen, wo der Traum lediglich als beliebter Rahmen für allegorische Darstellungen verwendet oder wo, in getreuer Nachbildung hellenistischer Poesie, der kleine Traumgott besungen wird.

In der spielerisch-eleganten oder elegischen Dichtung – wie sie noch in Goethes Jugendzeit, ja noch bis zum Vorabend der Romantik große Mode war – stoßen wir immer wieder auf das Motiv des anmutigen, oft erotischen Traumes; die Freiheit, die der Traum gewährt, die Erfüllung so manch eines verliebten Sehnens und zärtlichen Trachtens, dies war es, woran die *poetae minores* des

Barocks und Rokokos Gefallen fanden. Aber auch im erbaulichen Schrifttum und in der moralisierenden oder religiösen Dichtung pietistischer Kreise und volkstümlicher Sekten fehlten die Träume keineswegs.

Alle diese Träume, ob erotische oder erbauliche, stehen der Romantik gewiß sehr fern; aber die Mode, die daraus hervorging und sich in den verschiedenartigsten Gesellschaftskreisen verbreitete, sollte dereinst die Entstehung einer tiefgründigeren Nachtpoesie begünstigen.

Gewiß haben auch Lessings *Nathan*, Klopstocks *Messias* und Youngs *Nachtgedanken* in der Entwicklung einer neuen Traumdichtung eine Rolle gespielt. Aber es handelt sich in diesen Werken noch immer nur um allegorische Träume. Das Verhältnis zu Leben und Kunst mußte sich erst gründlich wandeln, bevor es zu einem wirklichen Einbruch des Traums ins Schaffen der jungen Schule kommen konnte. Hier wie in der Psychologie war Herder der Vater der Romantik: nicht weil er etwa selbst Traumgedichte geschrieben hätte, sondern weil er als erster erkannt hat, durch welch tiefe Übereinstimmungen die Poesie der Träume mit der Poesie der Märchen verbunden ist, die er dem Dichter als Vorbild hinstellt. Es war die Beschäftigung mit Shakespeare, die ihm den Weg wies. In einem schon 1773 verfaßten Aufsatz über den Engländer stellt Herder der Welt des Raums und der Zeit diejenige des Traums und der Dichtung gegenüber. Vorbildlich ist der Traum für die Dichter deshalb, weil sich darin der Geist von aller äußeren Zufälligkeit, von Sorge und Elend befreit und zu freier Herrschaft aufschwingt.

Im Jahre 1802 handelt Herder in seiner Zeitschrift *Adrastea* ausführlich vom *Märchen*. Er sieht in den kosmogonischen Sagen aller Völker, besonders der morgenländischen, tiefsinnige Erklärungen der Natur und der Menschheitsgeschichte, «Jugendträume, die mehr bilden oder mißbilden als alle trocknen Lehrsysteme» [291, XIV, 235]. Die Märchen der Vorzeit sind eine reiche Ernte der Weisheit und Lehre; an uns ist es, die darin schlummernden Keime zu sammeln und die besten mit richtigem Verstande zu gebrauchen. Zwar ist das Märchen nur ein Traum der Wahrheit, «aber ein zauberischer Traum, aus dem wir ungern erwachen und zu unserer Seele sagen: ‹Träume weiter!›»

Und wie in Träumen empfinden wir auch bei ihnen unser *doppeltes Ich*, den träumenden und den Traum anschauenden Geist, den Erzähler und Hörer. [...]

Wunderbares Vermögen im Menschen, diese unwillkürliche und doch mit sich selbst bestehende Märchen- und Traumdichtung! Ein uns unbekanntes und doch aus uns aufsteigendes Reich, in dem wir Jahre, oft lebenslang fortleben, fortträumen, fortwandern. Und eben in ihm sind wir unsre schärfsten Richter. Das Traumreich gibt uns über uns *selbst* die ernstesten Winke. Jedes Märchen habe also die *magische*, aber auch die *moralische* Gewalt des Traumes. [236f.]

Ein «Gespräch mit dem Traume» – in Versen – unterbricht die Abhandlung; vom Menschen befragt, ob er mit ihm in eine höhere Welt eintrete, antwortet der Traum:

Aus Dir nahm ich die Farben und Tön' und Gestalten der Dinge;
　　Achtest Du minder sie, weil ich in *Dir* sie erschuf?
Unter Zerstreuungen sonst, im Gewühl der Sinne verloren,
　　Samml' ich Dich ein in Dich; und Du erwachetest – *Dir!*
[...]

Ich nur schließe Dir auf des *Herzens Tief'* und des *Geistes;*
　　Was sich der Sonne verbarg, zeigt sich dem *inneren Licht.*
Offen dem Auge der Nacht und allen glänzenden Sternen,
　　Dem Unermeßnen tut *Dein* Unermeßnes sich auf.
[...]

Freund, erkenne du mich, *Deinen verlangenden Geist!* [238–240]

Der Traum, dieser innere Freund, ist «das Ideal des Märchens sowohl als aller Romane»; er ist Morpheus: der Gestaltenbildner, und als dieser zeichnet er ihnen die Umrisse ihrer Kunst vor. Das Amt des Dichters ist es, seinen Leser in einen ununterbrochenen Traum zu versenken; daß er nur ja nichts unternehme, was die Illusion stören könnte! Ein recht unromantischer Grundsatz! Der Erzähler wird – der Schönheit des Traumes nacheifernd – eine feinere Zeichnung geben als der Alltag. Und endlich «holt der Traum aus dem tiefsten Grunde die Heimlichkeiten und Neigungen unsers Herzens hervor, stellt unsre Versäumnisse und Vernachlässigungen ans Licht, bringt unsre Feinde uns vor Augen und weckt und warnt und straft [...]. Er macht uns Personen kenntlich, und sie sind's doch nicht; ähnlich und doch nicht dieselben: Er zeichnet im Mondlicht. So auch der Roman, das Märchen». [243 f.]

In diesen Zeilen – niedergeschrieben freilich erst, als die herrlichsten Träume Jean Pauls bereits vorlagen und Novalis schon tot war – verlangt Herder vom Traum, was die Romantiker von ihm fordern: die wunderbare Leichtigkeit an Stelle der drückenden Last der Wirklichkeit, dann das anmutig Märchenhafte, und vor allem die Offenbarung von Seelengeheimnissen. In einem andern Fragment seiner Zeitschrift kommt er erneut auf die Ästhetik des Traumes zu sprechen. Er äußert sich des näheren über die bereits angedeutete Analogie zwischen dem unbewußten Leben und der Dichtung. In der tief verborgenen Welt der Seele schläft eine sehr wirksame Kraft: die Bildnerin der Gestalten. Kaum schließt sich unser Auge, so schweben ihm Bilder vor, verfolgen einander und verschweben, angenehme und widrige, schöne und ungestalte. Die einen sind wiederauflebende Erinnerungen, andere aber sind bisher nie gesehene Schöpfungen unserer Phantasie, die ein dunkles Abbild der unendlichen göttlichen Schöpferkraft ist. Durch die Tätigkeit der Phantasie fühlen wir uns in eine paradiesische Seligkeit versetzt, denn «die Gestalten, die der Geist erschuf, sind *Geist,* sind *Leben*». [256]

Daß Traum und Märchen nebeneinanderzustellen seien – dereinst einer der Glaubensartikel der Romantik – war, von anderer Seite her, auch Wieland aufgegangen. Auch für ihn

ist das Märchen eine Begebenheit aus dem Reich der Phantasie, der Traumwelt, dem Feenland, mit Menschen und Ereignissen aus der wirklichen verwebt und mitten durch Hindernisse und Irrwege aller Art von feindselig entgegen wirkenden oder freundlich befördernden unsichtbaren Mächten zu einem unverhofften Ausgang geleitet. Je mehr ein Märchen von der Art
und dem Gang eines lebhaften, gaukelnden, sich in sich selbst verschlingenden, rätselhaften,
aber immer die leise Ahnung eines geheimen Sinnes erweckenden Traumes in sich hat, je
seltsamer in ihm Wirkungen und Ursachen, Zwecke und Mittel gegen einander zu rennen
scheinen, desto vollkommener ist, in meinen Augen wenigstens, das Märchen. [293, XIX, 254]

Bei Goethe hingegen sollte eine solche Angleichung der Dichtung an den Traum
auf keine Gunst stoßen. Weder in seinem Leben noch in seinem dichterischen
Werk räumte er dem Traum eine Sonderstellung ein. Obwohl er seine Geistes-
entwicklung mit der allergrößten Aufmerksamkeit beobachtete, finden sich in
seiner umfangreichen Korrespondenz doch nur sehr spärliche Anspielungen auf
Träume, die ihn irgendwie lebhafter berührten.

In einem Brief an Kestner, den Gatten Lottes, erzählt er, er habe «neulich
in einem Traum viel Angst über sie gehabt». Um sie zu retten, mußte schleu-
nigst der Fürst gesprochen werden. Er selbst jedoch war im zweiten Stock
gefangen und bewacht und zögerte, aus dem Fenster zu springen. Das Traumbild war sehr deutlich, Goethe sah den bunten Tischteppich, das Filet, welches
Lotte in Arbeit hatte, und auch ihren Strohkorb. «Ihre Hand hab' ich tausendmal geküßt. Ihre Hand war's selbst! die Hand! so lebhaft ist mir's noch!»
(15.9.1773) Vielleicht findet sich ein Anklang an diesen Traum in den *Wahl-
verwandtschaften,* wo Eduard erzählt, daß ihm Ottilie nun, da sie voneinander
getrennt seien, fortwährend im Traum erscheine. «Bald unterschreiben wir einen
Kontrakt; da ist ihre Hand und die meinige, ihr Name und der meinige; beide
löschen einander aus, beide verschlingen sich.» Dann wieder sind gewisse Träume
nicht ohne Schmerz für ihn, so wenn er Ottilien etwas tun sieht, was der
reinen Vorstellung widerspricht, die er sich von ihr gebildet hat, oder wenn sie
ihn gar neckt und quält. Aber sogleich verändert sich ihr Bild, ihr Gesichtchen
verlängert sich: «Es ist eine andre. Aber ich bin doch gequält, unbefriedigt
und zerrüttet.» Der Traum spielt hier, im Roman, eine genau umrissene, rein
psychologische Rolle. Auch der Held selbst sieht darin nichts anderes als die
Äußerung seiner wahren Gefühle für Ottilie. Die eigentümliche Atmosphäre des
Traums würdigt er mit keinem Gedanken. (I, 18. Kap.)

Kaum anders ist es im *Wilhelm Meister*; in der unvollendeten *Theatralischen
Sendung* schmiedet Wilhelm abends im Bett Pläne für den morgigen Tag,

welche Phantasien ihn in das Reich des Schlafes sanft hinüberbegleiteten und dort, von ihren
Geschwistern, den Träumen, mit offenen Armen aufgenommen, durch sie gestärkt und neu
belebt, das ruhende Haupt unsres Freundes mit dem Vorbilde des Himmels umgaben. (II, 7. Kap.)

In den *Lehrjahren* ist es ein Traum, der dem Helden die nahe Trennung von
Mariane ankündigt; ihr reizendes Bild schwebt ihm vor auf einem sonnigen

Hügel; plötzlich aber gleitet es hinunter und nähert sich einem trüben See am Fuße des Hügels. Ein Mann reicht ihr die Hand und scheint sie hinwegführen zu wollen. Wilhelm ruft, um sie zu warnen, versucht ihr zu folgen, der Boden hält ihn fest, und die Geliebte verschwindet. (I, 12. Kap.)

In einem späteren Traum vermischen sich Wilhelms Erinnerungen an Mariane mit denjenigen an seine eigene Jugendzeit. In einem Garten von einst, den er mit Vergnügen wieder durchstreift, begegnet ihm die verlorene Geliebte, liebevoll und «ohne Erinnerung irgendeines vergangenen Mißverhältnisses»; gleich darauf tritt Wilhelms Vater zu ihnen und begegnet der jungen Frau «mit vertraulicher Miene, die ihm selten war». Dann aber blickt Wilhelm in einen andern, fremden Garten, in dem sein ganzer Freundeskreis versammelt ist. Philine und der Harfner setzen mit großen Schritten dem kleinen Felix nach, der schreiend auf einen Teich zuläuft, ins Wasser fällt, und, als man ihn herausgezogen hat, Feuer fängt. Indessen erblickt Wilhelm in der Ferne wiederum Mariane und den Vater, kann aber nicht zu ihnen gelangen.

Es sind durchweg jüngst vergangene Ereignisse, die sich in diesem Traume spiegeln, verzerrt freilich, aber so, daß ihre Bedeutung für Wilhelm stärker hervortritt: das flüchtige Auftauchen Marianes, das befremdliche Betragen Philines, die Feuersbrunst, aus der er seinen Felix errettet hat. Der Traum ist mit großer Sorgfalt komponiert; jedes Detail ist bedeutend und klärt den Jüngling über seine Gefühle auf oder ruft ihm seine Zweifel und Bedenken in Erinnerung. (VII, 1. Kap.)

Goethe kannte derlei Träume aus eigener Erfahrung. In einem Brief an Charlotte von Stein, datiert vom 20. Dezember 1786 – also aus einer Zeit, wo ihre Liebe von peinigender Ungewißheit überschattet war –, erzählt er von halb angenehmen, halb ängstlichen Träumen der vergangenen Nacht:

Ich war in eurer Gegend und suchte dich. Du flohst mich, und dann wieder, wenn ich dir begegnen konnte, wich ich dir aus [...]. Dann sucht' ich dich in meinem Garten, und als ich dich nicht fand, ging ich auf die Belvederesche Chaussee, wo ich ein Stück Weg hatte machen lassen, das mich sehr freute. Wie ich dabei stand, kamen Oppels gefahren, die mich freundlich grüßten, welches mir eine sehr frohe Empfindung war. – So bleibt der Entfernte mit den zartesten Banden an die Seinigen gefesselt.

Und doch spricht nichts dafür, daß sich Goethe je einer anhaltenden Aufmerksamkeit für seine Träume beflissen hätte. Im Brief an Herder vom 27. Dezember 1788 schreibt er:

Wie ich nur deiner Frau, wie auch der Frau von Stein, die verwünschte Aufmerksamkeit auf Träume wegnehmen könnte. Es ist doch immer das Traumreich wie ein falscher Lostopf, wo unzählige Nieten und höchstens kleine Gewinstchen untereinander gemischt sind. Man wird selbst zum Traum, zur Niete, wenn man sich ernstlich mit diesen Phantomen beschäftigt.

Immerhin passierte es ihm selbst einmal, daß er diese Phantome ernst nahm. Als ihm nämlich Eckermann am 12. März 1828 von einem Traum berichtet hatte, erwiderte er:

Es liegen in der menschlichen Natur wunderbare Kräfte [...], und eben wenn wir es am wenigsten hoffen, hat sie etwas Gutes für uns in Bereitschaft. – Ich habe in meinem Leben Zeiten gehabt, wo ich mit Tränen einschlief; aber in meinen Träumen kamen nun die lieblichsten Gestalten, mich zu trösten und zu beglücken, und ich stand am andern Morgen wieder frisch und froh auf den Füßen.

Der einzige Traum, von dem in Goethes Bericht eine wirklich traumhafte Stimmung erhalten blieb, ist der Fasanentraum in der *Italienischen Reise*. Wir lesen da unter dem 19. Oktober 1786:

Es träumte mir nämlich, ich landete mit einem ziemlich großen Kahn an einer fruchtbaren, reich bewachsenen Insel, von der mir bewußt war, daß daselbst die schönsten Fasanen zu haben seien. Auch handelte ich sogleich mit den Einwohnern um solches Gefieder, welches sie auch sogleich häufig, getötet, herbeibrachten. Es waren wohl Fasanen, *wie aber der Traum alles umzubilden pflegt,* so erblickte man lange, farbig beaugte Schweife, wie von Pfauen oder seltenen Paradiesvögeln. Diese brachte man mir schockweise ins Schiff, legte sie mit den Köpfen nach innen, so zierlich gehäuft, daß die langen, bunten Federschweife, nach außen hängend, im Sonnenglanz den herrlichsten Schober bildeten, den man sich denken kann, und zwar so reich, daß für den Steuernden und die Rudernden kaum hinten und vorn geringe Räume verblieben. So durchschnitten wir die ruhige Flut, und ich nannte mir indessen schon die Freunde, denen ich von diesen bunten Schätzen mitteilen wollte. Zuletzt in einem großen Hafen landend, verlor ich mich zwischen ungeheuer bemasteten Schiffen, wo ich von Verdeck zu Verdeck stieg, um meinem kleinen Kahn einen sichern Landungsplatz zu suchen. [*]

Goethe hielt diesen Traum für sehr bedeutsam; in seinen Augen symbolisierte er die reiche Bilderernte, die er in Italien einzubringen hoffte. Und in der Tat konnte er schon in Bologna – ein Jahr nach dem Traum – in sein Tagebuch eintragen:

Der Fasanentraum fängt an in Erfüllung zu gehn. Denn wahrlich, was ich auflade, kann ich wohl mit dem köstlichsten Geflügel vergleichen, und die Entwicklung ahnd' ich auch. [294, 188]

In der *Italienischen Reise* schließt Goethe die Erzählung des Traums mit dem Satz:

An solchen Wahnbildern ergötzen wir uns, die, weil sie aus uns entspringen, *wohl Analogie mit unserm übrigen Leben und Schicksalen haben müssen.* [*]

Der Satz ist sehr aufschlußreich; Goethe äußert sich darin unmißverständlich über die Bedeutung, die er den Träumen zuzubilligen bereit ist; sie stimmt genau überein mit der Rolle, die er ihnen in den Romanen zudenkt. Weder erhofft er vom Traum das eigentümlich Flüchtige, Leichte, noch verspricht er sich von ihm irgendeinen Aufschluß über Bereiche jenseits der Individualität. Nur insoweit der Traum die Selbsterkenntnis zu bereichern vermag, ist er für ihn von Interesse. Gewöhnt daran, dem Umherschweifen des Geistes enge Schranken zu setzen, versagt es sich Goethe, im Halbdunkel der Seele nach jenen verschwommenen Horizonten Ausschau zu halten, welche die Romantiker gerade um ihrer Verschwommenheit willen liebten. Im Leben wie in der Dichtung ist es ihm zutiefst um ein Erschaffen zu tun, das bis zu den äußersten Grenzen

überschaubar und von menschlichen Kräften zu leisten ist. Nicht daß seine
Dichtung aus dem mütterlichen Grund des Unbewußten keine Nahrung zöge oder
der fortwährenden Anspielung auf das Ewige ermangelte; aber sie will das
Ewige im Augenblick, das Unendliche im klar begrenzten Gegenstand fassen.
Phantasmagorien, vage Klänge, Vieldeutigkeiten sind ihre Sache nicht. Ihrem
strahlenden Himmelsstrich ist der Zauber des Nachtgestirns fremd.

Wo immer – selten genug – das Wort ‹Traum› in Goethes Gedichten erscheint, besitzt es doch nirgends jenen durch und durch musikalischen Klang
und jenen Reichtum der Anspielungen, der ihm bei den deutschen Romantikern oder den französischen Symbolisten zukommen wird. Abgesehen von den
anakreontischen Jugendgedichten, wo sich ihm die Wörter ‹Lust› und ‹Glück›
beigesellen, handelt es sich im allgemeinen eher um Träumereien als um wirkliche Träume. In den *Römischen Elegien* wird der Eindruck des Traumhaften –
der ja eigentlich dieser Dichtung nicht entspricht – nur dort geweckt, wo der
ins eleusinische Mysterium Eingeweihte mit scheuem Schritt das Heiligtum
betritt. Auch Faust träumt, und es ist Mephisto, der ihm die Träume schickt,
um ihn besser betrügen zu können; und Helena, die sich in ihrer eigenen
Vergangenheit nicht wiederzuerkennen vermag, glaubt einem Alptraum verfallen zu sein. Die Faustdichtung – von allen Goetheschen Werken dasjenige,
welches die tiefsten inneren Abgründe beschwört und zugleich die weitesten
kosmischen Räume umfängt – bedient sich des Traums zur Erschließung unbekannter Welten einzig dort, wo Homunkulus, eben zum Leben erwacht, das
Traumgesicht des schlafenden Faust sieht und beschreibt: Diesem erscheint
Leda in strahlendem Glanz, umgeben von ihren **Frauen**, die sich zum Bade
entkleiden. Auf einmal rauscht mit großen Flügelschlägen der Schwan heran.
Die Mädchen fliehen, die Königin empfängt den göttlichen, «zudringlich-
zahmen» Vogel «mit stolzem weiblichem Vergnügen». Doch rasch verhüllt
aufsteigender Dunst die Szene. Diese Vision von klassischer Schönheit setzt
der nordischen Düsternis – dem Klima Mephistos – das Licht des hellenischen
Mythos entgegen. Von Stunde an wird Faust dem Ruf des verheißungsvollen
Traumes folgen und nach Helena suchen, der Tochter Ledas und des Gottes
in Schwanengestalt. Der Traum verankert die Helenatragödie im Mythos. Aber
auch hier wieder besitzt er zugleich psychologische und allegorische Bedeutung,
ohne daß die eigentümliche Qualität der Traumstimmung spürbar hervorträte
und zu einem musikalischen Element des ganzen Werks würde. Auch erinnert
nichts an jene Verbundenheit mit dem kosmischen Unendlichen, wonach sich
die Romantiker sehnten.

In der Tat, Goethe hatte nicht das geringste gemein mit den «Nacht- und
Grabdichtern», über die er sich in der Mummenschanz lustig macht. So über-
rascht es uns nicht, wenn er, in einem Gespräch mit Brentano, an Arnims
Gedichten vor allem die «Neigung zum Traum» tadelt [295, II, 51].

> O ein Gott ist der Mensch, wenn er träumt, ein Bettler,
> wenn er nachdenkt, und wenn die Begeisterung hin
> ist, steht er da, wie ein mißratener Sohn, den der Vater
> aus dem Hause stieß.   *Hyperion* I, 12

Bei Hölderlin kehrt das Wort ‹Traum› mit einer Beharrlichkeit wieder, die zunächst an die Romantik denken läßt. Schon in den frühen Gedichten ist der Traum mit Kindheitserinnerungen und mit der nie verstummenden Sehnsucht nach einem goldenen Zeitalter verbunden. Ratlos und traurig unter den Menschen, andauernd in Angst vor einem unmerklichen Zurückweichen der Dinge und von jeder menschlichen Berührung sogleich verletzt, sucht Hölderlin in Gedanken Zuflucht in der wonnevollen Frühzeit, wo er sich noch in seinem Traume geborgen fühlte, wo er «die Sterne seine Brüder nannte» und die Natur sich seinem liebenden Herzen erschloß, wo er der «Einsamkeit der Zeit» entfloh, indem er sich in die «Arme der Unendlichkeit» stürzte.

> Seid gesegnet, goldne Kinderträume,
> Ihr verbargt des Lebens Armut mir,
> Ihr erzogt des Herzens gute Keime,
> Was ich nie erringe, schenktet ihr!

Aber nach einem Rhythmus, der zutiefst in Hölderlins Wesen verwurzelt ist und im Verlauf der Jahre nur stärker hervortritt, weicht die melancholische Klage bald einem verzweifelteren Tone; die Jugendzeit ist hin, des Herzens Frühling ist verblüht:

> Ewig muß die liebste Liebe darben,
> Was wir lieben, ist ein Schatten nur,
> Da der Jugend goldne Träume starben,
> Starb für mich die freundliche Natur;
> Das erfuhrst du nicht in frohen Tagen,
> Daß so ferne dir die Heimat liegt,
> Armes Herz, du wirst sie nie erfragen,
> Wenn dir nicht ein Traum von ihr genügt.
>   «An die Natur»

Sehnsucht und Klage kehren im von Jahr zu Jahr beschwerteren, tragischeren Gesang des Dichters wieder und wieder. Nur Einmal stellt sich das Licht des einstigen Paradieses wieder her und verstummen die Dissonanzen: in der Liebe. Schon in den Tagen der Kindheit angekündigt, dringt das liebliche Götterbild Diotimas in die Nacht ein und verscheucht die tödliche Finsternis.

> Da ich noch in Kinderträumen,
> Friedlich wie der blaue Tag,
> Unter meines Gartens Bäumen
> Auf der warmen Erde lag,
> Da mein erst Gefühl sich regte,
> Da zum erstenmale sich
> Göttliches in mir bewegte,
> Säuselte dein Geist um mich.

Ach und da mein schöner Friede,
Wie ein Saitenspiel zerriß,
Da von Haß und Liebe müde
Mich mein guter Geist verließ,
Kamst du, wie vom Himmel nieder
Und es gab mein einzig Glück,
Meines Sinnes Wohllaut wieder
Mir ein Traum von dir zurück.
«Diotima» [296, I, 212 ff.]

Dieselben Ahnungen von künftiger Liebe überkamen einst auch *Hyperion* in seinen Kindheitsträumen: «Wie in schweigender Luft sich eine Lilie wiegt, so regte sich in seinem Elemente, in den entzückenden Träumen von ihr, mein Wesen» (I, 38).

Alle Augenblicke überkommt den Romanhelden das Gefühl des Mangels an Wirklichkeit, vermeint er, sich im Traum zu befinden, sei es daß ihn das «Wunder der Liebe» allzu schön dünkt, sei es daß er vom Strom der Begeisterung derart mitgerissen wird, daß sein Leben eher einem Traum als der Wirklichkeit gleicht. (129)

Der Abend, da ich von ihr ging, hatte mit der Nacht gewechselt, und die Nacht mit dem Tage; aber für mich nicht. In meinem Leben war kein Schlaf und kein Erwachen mehr. Es war nur ein Traum von ihr, ein seliger schmerzlicher Traum; ein Ringen zwischen Angst und Hoffnung. (Frg. v. Hyp. 197)

Die Träume der Nacht überdauern das Erwachen «wie die Spur eines Kusses auf der Wange der Geliebten» (Hyp. I, 75). Und auch die «tauenden Wölkchen», die in der Dämmerung «die Wiese beschleichen», sind «wie Träume» (101).

In den Zuständen solcher Ungewißheit, wo es Hyperion in einem seltsamen Gemisch von Seligkeit und Schwermut bewußt wird, «daß er auf immer heraus ist aus dem gewöhnlichen Dasein» (123), beginnt er sich zu fragen, ob wohl das Helldunkel das wahre Lebenselement des Menschen sei?

Ich frage die Sterne, und sie verstummen, ich frage den Tag, und die Nacht; aber sie antworten nicht. Aus mir selbst, wenn ich mich frage, tönen mystische Sprüche, Träume ohne Deutung.
Meinem Herzen ist oft wohl in dieser Dämmerung. Ich weiß nicht, wie mir geschieht, wenn ich sie ansehe, diese unergründliche Natur; aber es sind heilige selige Tränen, die ich weine vor der verschleierten Geliebten [...]. Meinem Herzen ist wohl in dieser Dämmerung. Ist sie unser Element, diese Dämmerung? [...]
Es muß heraus, das große Geheimnis, das mir das Leben gibt oder den Tod. (Frg. v. Hyp. 220f.)

Aber gerade hier, wo es den Anschein macht, wir seien den Einsichten der Romantiker, ihrem Hang zum Nächtigen, ihrem Sinn für das Dämmerlicht, für das Dunkel ganz nahe, gewahren wir erst den großen Abstand, der Hölderlin von jenen trennt. Denn auf die eben vernommene Frage, ob die Dämmerung wohl die Heimat unserer Seele sei, hat Hölderlin oft mit einem leidenschaftlichen

Nein und mit einer Verherrlichung des Lichts geantwortet. Keiner hat so wie er den Glanz und die Pracht des jungen Tages, des im Sonnenlicht neu erstrahlenden Meeres und seiner Inselwelt begrüßt und gefeiert. Ein heiliger Augenblick für ihn, wenn die Natur ihre Kinder zu neuem Leben erweckt, ihnen ihr Bild verjüngter Schönheit entgegenhält und sie zu einer Weile der vollkommenen Harmonie versammelt!

> Holde Dämmerung!
> Schön ists, wenn die gütige Natur
> Ins Leben lockt ihr Kind. Es singen nur
> Den Schlummersang am Abend unsre Mütter
> Sie brauchen nie das Morgenlied zu singen.
> Dies singt die andre Mutter uns, die gute,
> Die wunderbare, die uns Lebenslust
> In unsern Busen atmet, uns mit süßen
> Verheißungen erweckt.
>
> «Emilie vor ihrem Brauttag» [I, 287]

Mit den Romantikern teilte Hölderlin die Naturverehrung, aber auch die Sehnsucht nach dem Unendlichen und das Verlangen nach einem Weltbesitz, in dem ihm nichts versagt bliebe, in dem er sich aber auch selbst nichts zu versagen brauchte. Alle diese Bestrebungen nehmen jedoch bei ihm eine so eigentümliche Wendung und sind so stark persönlich gefärbt, daß wir Hölderlin in der Einsamkeit und Einzigartigkeit seines Schicksals belassen müssen. Wollen wir ihn von den Romantikern trennen, so kann es freilich nicht beim Hinweis bleiben, Hölderlin habe klassische Formen gepflegt und sich ein griechisches Ideal vorgenommen; aber hinter der Wahl gerade dieser Formen und Vorbilder steht ein tiefes inneres Bedürfnis; Formunterschiede verraten stets eine Verschiedenartigkeit des geistigen Abenteuers.

Der Weltbesitz, um den Hölderlin ringt, ist nicht von der Art jener magischen Gewalt, zu der sich dereinst die Romantiker aufschwingen wollen; ihm geht es um eine kontemplative und ästhetische Besitznahme. Von der Welt Besitz nehmen heißt für ihn nicht: irgendeines Geheimnisses habhaft werden, so daß der Mensch mit einem Schlag zum Herrscher würde und nach Belieben über die Welt im Innern und die Welt da draußen verfügen könnte; ein solcher Prometheismus ist Hölderlin fremd. Die Welt erwerben hieße: wieder zu einer so reinen Kontemplation, zu einer so lauteren Schau zurückfinden, daß sich die Welt mit einem Male in vollkommener, beglückender Harmonie darböte. Dann stünde der Dichter für immer in ungetrübtem Austausch mit der Welt der Menschen, der Dinge und der Götter. Göttlichen Lichtes voll, schlösse die Natur den Menschen an ihr liebendes Herz.

Hölderlin ist jedoch – das ist seine große Besonderheit inmitten all dieser Unendlichkeitssucher – nie und nimmer der Meinung, eine solche Vollkommenheit setze einen kunstlosen Urzustand oder aber ein zukünftiges, erst noch zu erringendes goldenes Zeitalter voraus. Im Gegenteil, er sieht sie verwirklicht gerade im Zenit der Kultur, im hellen Glanze Griechenlands. Je schwerer er aber darunter leidet, fern jenem Glanze wohnen zu müssen, desto entschiedener rückt er die Gestalt Christi hinein.

Denn Hölderlin war zu seiner Zeit wohl der einzige unter den Dichtern, der das Gespür für das Mythische, für die Götter besaß, so sehr, daß für ihn schließlich die Menschen geringere Wirklichkeit besaßen als die himmlischen Genien. Wenn auch viele seiner Gedichte auf den elegischen Ton gestimmt und das Bekenntnis persönlicher Gefühle sind, so gelten doch die schönsten unter ihnen – jene, die allein er zu schreiben fähig war – einem weit umfassenderen Schicksal: dem der Menschheit, aber einer Menschheit, deren geschichtlicher Fortschritt in einer religiösen Entwicklung besteht. Die menschliche Geschichte ist die Geschichte der menschlichen Beziehungen zur Natur und zu den Göttern.

Glich Hölderlins hellenisches Ideal dem Griechenland der Weimarer schon anfangs nur scheinbar, so führte ihn sein Schicksal Jahr um Jahr nur noch weiter weg von jenem Klassizismus. Sein Hellas entfaltete sich zu einem immer umfassenderen und dichter gefügten, reicheren Gebilde, zu einem Hellas, in dem die Elemente der plastischen Schönheit und des Ebenmaßes sich ergänzten und die ganze Tiefe dionysischer Trunkenheit und tragischen Erleidens in sich aufnahmen. Dies ist der Weg, auf dem er schließlich zum Christentum seiner Jugendzeit zurückfinden wird, freilich nicht ohne diesem gewisse griechische Züge zu verleihen. Hingerissen vom Schönen, in dem alle Dissonanzen sich auflösen, aber aufs äußerste eingenommen für alles Bewegte, Lebenskräftige, für das geschichtliche Werden und Vergehen, ist Hölderlin noch zutiefst überzeugt davon, daß dem Menschen vom Schicksal ein gewaltiges Maß an Leid auferlegt ist. Er, der ursprünglich ganz von der Sehnsucht nach Einheit beseelt war, gelangt schließlich zur Einsicht, daß gerade das Leid und der Schmerz, daß die inneren Kämpfe und die Antagonismen des Lebens die Welt ausmachen.

Die ‹Nacht› ist für Hölderlin nicht jenes heilige Reich der Offenbarungen, jenes Bild des Seins, vor dem die Geschöpfe des Tages allesamt zunichte werden. Er denkt keineswegs daran, die Vorstellung von der Abwesenheit alles Gestalthaften, Individuellen zum Symbol des Absoluten zu erheben, wie dies die Mystiker tun. Im Gegenteil, die Nacht versinnbildlicht ihm das lange Zeitalter, während dem sich die Götter von den Menschen zurückgezogen haben; er lebt in der Erwartung des verheißenen neuen Tages. Uns sind Zeichen geblieben, Brot und Wein, die vom letzten der auf Erden erschienenen Götter die Weihe des heiligen Pfandes empfangen haben; und in der Nacht, die sich ausgebreitet hat, gebührt es dem Dichter, die Feier des Lichtes nicht abbrechen zu lassen.

> Jetzt auch kommet ein Wehn und regt die Gipfel des Hains auf,
>   Sieh! und das Schattenbild unserer Erde, der Mond,
>   Kommet geheim nun auch; die Schwärmerische, die Nacht kommt,

Voll mit Sternen und wohl wenig bekümmert um uns,
    Glänzt die Erstaunende dort, die Fremdlingin unter den Menschen,
    Über Gebirgeshöhn traurig und prächtig herauf.
[...]
Wunderbar ist die Gunst der Hocherhabnen und niemand
    Weiß, von wannen und was einem geschiehet von ihr.
So bewegt sie die Welt und die hoffende Seele der Menschen,
    Selbst kein Weiser versteht, was sie bereitet, denn so
Will es der oberste Gott, der sehr dich liebet, und darum
    Ist noch lieber, wie sie, dir der besonnene Tag.
[...]
Aber Freund! wir kommen zu spät. Zwar leben die Götter,
    Aber über dem Haupt droben in anderer Welt.
Endlos wirken sie da und scheinens wenig zu achten,
    Ob wir leben, so sehr schonen die Himmlischen uns.
Denn nicht immer vermag ein schwaches Gefäß sie zu fassen,
    Nur zu Zeiten erträgt göttliche Fülle der Mensch.

«Brot und Wein», v. 13–24/109 ff.

Der ein so gewaltiges Schicksal zu tragen hatte, der, schwach und zerbrechlich, von den herrlichsten Götterbildern aller Zeiten zum Gefäß erkoren worden war: Hölderlin, er schied schließlich aus der Welt der Menschen lange bevor sein Leib von dieser Erde genommen wurde. Deutlicher noch kam jetzt zum Vorschein, daß sein Weg einzigartig war, daß dieser Dichter mit seiner unvergleichlichen Vision von der Natur und vom Göttlichen, dieser von einem so außergewöhnlichen tragischen Schicksal heimgesuchte Mensch auserwählt worden war, der Welt ein paar unvergängliche, wunderbare Gesänge zu hinterlassen. Zum Ergreifendsten innerhalb seines schmalen Werks gehören nicht zuletzt jene Gedichte, die, in äußerst schlichter Sprache, in der Zeit entstanden, als er, völlig abgesondert von der Welt, ganz nur noch die untertänige, feierlichförmliche Person sein wollte, die ihren früheren Namen verleugnete und an die Mutter Briefe richtete, die von einem andern Planeten zu kommen schienen:

Verzeihen sie, liebste Mutter! wenn ich mich Ihnen nicht für *Sie* sollte ganz verständlich machen können.

Ich wiederhole Ihnen mit Höflichkeit was ich zu sagen die Ehre haben konnte. Ich bitte den guten Gott, daß er, wie ich als Gelehrter spreche, Ihnen helfe in allem und mir.

Nehmen Sie sich meiner an. Die Zeit ist buchstabengenau und allbarmherzig.

Indessen Ihr gehorsamster Sohn Friederich Hölderlin. (VI, Nr. 307)

Zu Beginn der geistigen Vereinsamung beschwören die Gedichte die erstaunlichsten Landschaften herauf, Landschaften von unsäglicher Traurigkeit, voll Licht, Bewegung und Leben, kaum noch irdisch zu nennen.

Mit gelben Birnen hänget
Und voll mit wilden Rosen
Das Land in den See,
Ihr holden Schwäne,

Und trunken von Küssen
Tunkt ihr das Haupt
Ins heilignüchterne Wasser.

Weh mir, wo nehm ich, wenn
Es Winter ist, die Blumen,
Und wo den Sonnenschein,
Und Schatten der Erde?
Die Mauern stehn
Sprachlos und kalt, im Winde
Klirren die Fahnen.

«Hälfte des Lebens»

Später dann, in den Jahren der völligen innren Vereinsamung, tritt die Schwermut stärker hervor, oder sie ist verbunden mit einer kindlichreinen Hoffnung.

Das Angenehme dieser Welt hab ich genossen,
Die Jugendstunden sind, wie lang! wie lang! verflossen,
April und Mai und Julius sind ferne,
Ich bin nichts mehr, ich lebe nicht mehr gerne!

[II, 267]

Die Linien des Lebens sind verschieden,
Wie Wege sind, und wie der Berge Grenzen.
Was hier wir sind, kann dort ein Gott ergänzen
Mit Harmonien und ewigem Lohn und Frieden.

[l. c.]

Welches, in den langen Jahren der Umnachtung, Hölderlins Welt gewesen sei – wir können es nicht wissen. Und doch, wer sich dem seltsamen Zauber der spätesten Gedichte lange genug hingibt, ahnt etwas von jener letzten Weisheit, die sich einmal zum Aufschrei verdichtet:

Und die Vollkommenheit ist ohne Klage.

[284]

ZEHNTES KAPITEL

HESPERUS

> Diesen *Hesperus,* der als *Morgenstern* über meinem
> frischen Lebensmorgen steht, kannst du noch an-
> schauen, wenn mein Erdentag vorüber ist; dann ist
> er ein stiller *Abendstern* für stille Menschen, bis auch
> er hinter seinem Hügel untergeht.   JEAN PAUL

I

Vor uns steht der unbestrittene Meister der Traumwelt, der Dichter der großartigen kosmischen Visionen, der Maler der fabelhaften Landschaften, wo das
Universum sich in Klang und Farbe auflöst, wo das Ich sich wonnetrunken in
unendliche Weiten verliert – aber auch der Beschwörer so grauenhafter Phantasmagorien: von Gesichtern ohne Blick, von blutgetränkten Schlachtfeldern, von
Leibern, denen Hände und Arme wegfallen.

Jean Pauls gesamtes Werk ist ein einziger unermeßlicher Traum, in dem die
himmlischen Sphärengesänge mit Dissonanzen plötzlich aus der Bahn geratener
Gestirne harmonisch zusammenklingen, während in der Menschenwelt die
Schwester des Todes: die Ekstase den schwärmerischen Helden das Tor zu
unbegrenzten Höhenflügen öffnet und die Idyllen zusammen mit dem irdischen
Leben einen zarten Akkord anstimmen. Die Grenze zwischen Wirklichkeit und
Traum verflüchtigt sich jeden Augenblick. Nächtliche Streifzüge, trunkene
Frühlingslust und überströmende Liebe münden immer wieder in einzigartige
Erhebungen. Da ergeben sich zwischen Blumen und Insekten hienieden und
den herrlichen Schauspielen auf Reisen durch das Weltall unvermutet die
sonderbarsten sinnlichen und zugleich übersinnlichen Zusammenhänge. Pflanzen,
Perlen, Tränen, Lichter – eine Überfülle irdischer Bilder von unergründlich-
vielschichtiger Symbolik wechselt ab mit herrlichen Visionen des Paradieses und
mit Verheißungen der Ewigkeit. Im buntschillernden Strom eines magischen
Stils verliert – und behält – jedes Ding seine anfängliche Qualität und bedeutet
nun zugleich sich selber und anderes. Ein außerordentliches metaphorisches
Genie verwischt hinter sich die Wegspur so geschickt, daß ihm die überraschendsten Sprünge gelingen und wir nie ausmachen können, wo die Trenn-
linie verläuft zwischen unmittelbar Wahrgenommenem und jener «zweiten
Welt», in die hinein wir uns immer wieder versetzt fühlen. Dennoch ist dieser
universelle Symbolismus nichts weniger als verschwommen; die Vision bleibt
äußerst genau, das Stoffliche, das sich in reines Licht oder in Musik aufgelöst

hat, fügt sich zur Seelenlandschaft, zur wohlklingenden Symphonie, zu einem großen fortgesetzten Traum von vollkommener innerer Stimmigkeit.

Entgegen dem ersten Anschein ist Jean Paul nicht nur ein Impressionist. Was er vom Traum, von der Träumerei, von Gemütserregungen jeglicher Art erwartet, ist nicht einfach jene Euphorie der Bilder mit verwischten Konturen, wie sie zum Beispiel die französischen Symbolisten oft darin suchen werden. Wer sich gründlich genug Rechenschaft gibt von der tiefen Natur Jean Pauls, wird deutlich sehen, was seine Kunst – weit entfernt davon, sich in Trunkenheit und Taumel zu erschöpfen – an dringlichen Antworten auf eine nimmermüde geistige Suche enthält.

Manche Szenerien und Ereignisse in Jean Pauls Romanen weisen offenkundig traumhafte Züge auf; es handelt sich dabei um Träume am hellen Tag, hevorgerufen durch irgendeine Entzückung, die das Bewußtsein des Helden verwandelt und dadurch auch die äußere Landschaft. Aber es gibt, verteilt über das ganze Werk, auch eine Reihe von Nachtträumen, sei's daß ein Romanheld im Schlaf vom Genius des Traums heimgesucht wird, sei's daß sich nächtliche Visionen zu Zwischenstücken und Extrablättern verselbständigen, deren es bei diesem umständlichen, immer und immer wieder zu lyrischen oder komischen Abschweifungen verführten Erzähler so viele gibt[1].

Durch lange Jahre hindurch bleibt sich die Welt dieser großen Träume, bleiben sich Klima und Farben, Vegetation und Bewohner immer gleich. Es sind stets dieselben Bewegungen, die den Träumer in diese neue Welt entrücken, und er empfindet dabei immer wieder ähnlich: ängstigt sich zu Tode, zerfließt in Wonne, ist geblendet vom Glanz des Geschauten, fliegt in unendliche Höhen auf oder fällt in die Tiefe. Und wenn er die zweite Welt wieder verläßt, so kehrt er wohl auf die Erde zurück, aber seine Heimat erscheint ihm verwandelt, angeglichen an die Gefilde der nächtlichen Ausflüge und der Wallfahrten in die Geisterwelt. Der Übergang vom Wachen zum Träumen, die Rückkehr vom Träumen zum Wachen, beides vollzieht sich unmerklich, und die Elemente eines jeden dieser Bewußtseinszustände wirken auf die andere Lebenshälfte ein.

Im ersten Traum in der *Unsichtbaren Loge* sind es Orgelklänge aus einer nahen Kirche, die den schlafenden Gustav ins himmlische Arkadien hinübergeleiten; ihr Echo hallt im Traume nach, zuerst als ein gedämpftes Jauchzen wie von einer verhallenden Abendglocke, dann als ungeheuerlich anschwellender Orgelton, in dessen Beben die Welt zu zerspringen droht. Darob erwacht Gustav, bleibt aber weiterhin im inneren Elysium seines Traums, in dem ihm Beata als Verstorbene erschienen ist, und nun erhascht er die Hand der lebendigen

---

[1] Der genaue Nachweis der von A. Béguin zusammengestellten Träume aus Jean Pauls Werk findet sich auf S. 539 f.

Beata, die er für den Engel seiner Vision hält, «die geträumte Unterredung wirkte in ihm wie eine wahre und sein Geist war noch eine erhaben-fortbebende Saite, in die ein Engel seine Entzückung gerissen». (33. Sektor)

Dieselbe Verwechslung beider Sphären kennzeichnet auch das Erwachen in der Vision *Die Vernichtung*. Nach der höllischen Erscheinung des Nichts schließt sich dem Träumer das Paradies auf. Dann zieht ihn die Erde wieder in ihre Wolken zurück, er fühlt sich schwerer werden und fällt auf sie zu, aber das Sonnenfeuer des Allmächtigen bleibt als stiller Glanz im Osten stehen; wie er den Boden berührt, erwacht er in seinem Garten und gewahrt, daß ihn die aufgehende Sonne aus schwerem Schlaf erweckt hat.

Das Meisterstück solcher Wechselbeziehung zwischen Traumpoesie und irdischer Herrlichkeit findet sich im *Titan*. Albano hat mit verbundenen Augen die Terrassen von Isola Bella erstiegen. Wie die Sonne aufgeht, reißt er sich die Binde von den Augen und erschaut auf einmal die ganze Pracht eines südländischen Morgens. Im stürmischen Verlauf des Tages kommt er aus seinem «verwirrten Tumult» nicht mehr heraus (3. Zykel). Der Duft der Orangenblüten, den er in seiner Kindheit oft eingesogen, bringt seine Seele allmählich in beklemmende Wallung; die Erinnerung an seine Mutter, an so manchen verblichenen Augenblick taucht auf, seine Entzückung wird heftiger, und nun fällt ihm ein, daß, wenn ihn früher eine ähnliche fieberhafte Steigerung seines Wesens bis zur Zerstörungswut getrieben, er sich mit einem Federmesser eine Armwunde beigebracht und so dem tobenden Blut Linderung verschafft habe. Er versucht das Mittel aufs neue und ritzt sich, aber zu tief. Nach Mitternacht, wie er auf der obersten Terrasse unter freiem Himmel in Schlaf versinkt, ist sein Traum ganz durchwirkt von der dunklen Empfindung dessen, was in ihm vorgeht. Eine heiße Wassersäule hebt ihn in den Himmel empor, mitten unter Gewitterwolken und Sternbilder. Aus einem Wölklein blickt ihn mild und flehend ein blaues Auge an; da er es nicht erreichen kann, vergießt er all seine Tränen, um die Wassersäule anschwellen zu lassen. Jedoch der Tränen sind zu wenig, das Auge läßt sich nicht berühren, und so reißt er seine Ader auf. Unter dem Bluten drängt die Säule höher und trägt ihn zur leuchtend umwölkten Gestalt hinauf, die nichts anderes ist als – der Mond, wie der selig Erwachende bemerkt, dessen Wunde wegen der heftigen Bewegungen im Schlaf wieder zu bluten angefangen hat. (1., 4., 8. Zykel)

Man könnte geradezu eine Geographie von Jean Pauls Traumlandschaften entwerfen, mit so viel Ähnlichkeit reihen sich, bei aller Verschiedenheit in der Tönung, seine Visionen aneinander. Da gibt es die unabsehbaren, mit Vergißmeinnicht, Tulpen und weißen Lilien überzogenen Fluren, die von Hainen und Blütenrändern gerahmten Auen. Hohe Gebirge bilden, bald als dunkler Wall, bald als Eiswand, den Horizont. Ein breiter Fluß zieht durchs platte Land und zwängt sich durch enge Felsrinnen; Kähne anvertrauen sich dem Strom, der sich zuweilen senkrecht aufrichtet und Wasserfälle aufsteigen läßt. Edelsteine und Perlen mischen sich mit der Morgenröte, wundersame Frühlinge entzücken die Seele und zieren die Erde. Überraschende Lichtspiele, Blitze, herrliche Sonnenuntergänge und geheimnisvolle Morgendämmerungen erhellen diese gesegneten Landstriche, wo alles leicht ist, alles schwebt. Hie und da stehen sich zwei Morgenröten gegenüber; oder ein blauer Schatten legt sich über die Erde, ohne daß man sagen könnte, aus welcher Quelle sich das magische Licht ergießt, in das alles getaucht ist. Gigantische Regenbogen, schwarz oder farbig, aus Perlen oder aus Sternen, wölben sich über die Gegend. Durch die Luft wirbeln bunte Feuerflocken.

Diese Paradieseslande sind wie eine vom Licht erwirkte Verklärung irdischer Lande: «ein entzücktes, leichtes, weites Eden» (Titan, 99. Zykel), erquickende Ufer, wo der Honig blüht und der Wein, Blütenwälder über Blütenwälder, mit Edelsteinen besäte Gefilde, Schmetterlinge und geflügelte Blumen, leuchtende Glühwürmchen, Weizenwälder, mit Strahlen bezogene Lichtharfen – ein wahrer Tumult von Eindrücken bemächtigt sich der Sinne. Meere von übernatürlicher Durchsichtigkeit breiten sich aus; Marias Söhne weben in der Luft an unsichtbaren Schleiern. Blumige Erhöhungen mit symbolischen Rosen beginnen auf einmal zu atmen, denn unter ihnen ruhen schlummernde Busen.

Üppige Farbensymphonien entfalten sich, wunderbar und immer wieder anders, in diesem Land der Herrlichkeiten.

Auf dem Rande der großen runden Flur stand ein Brillanten-Gürtel von tausend roten Sonnen [...]. – Haine und Alleen von Riesen-Blumen, die so hoch wie Bäume waren, durchzogen im durchsichtigen Zickzack die Auc; die hochstämmige Rose bewarf diese mit einem goldroten Schatten, die Hyazinthe mit einem blauen, und die zusammenrinnenden Schatten von allen bereiften sie mit Silberfarbe. (Unsichtbare Loge, 33. Sektor)

Um mich war eine dunkelgrüne Aue, die in der Ferne in hellere Blumen überging und in hochrote Wälder und in durchsichtige Berge voll Goldadern – hinter den kristallenen Gebirgen loderte Morgenrot von perlenden Regenbogen umhangen – [...]. (Der Traum im Traume)

In Viktor-Horions Traum von Klotilde verdrängt ein überraschend sich ausbreitendes Weiß die tausend Farben der magischen Landschaft und kündigt die überirdische Erscheinung der Geliebten an, die er noch eben im Grabhügel versinken sah:

Siehe, unter dem Verstummen ging ein großer Schatten [...] heran und stand vor ihm wie eine kurze Nacht und verdeckte die unbekannte Minute aus einer höhern Welt. Aber als die Minute und der Schatten zerflossen waren [...]: Da übergüldete der Blumen-Wiederschein zusammengeflossen den wallenden Himmel – Da klammerten sich an die Purpurgipfel der Eisberge weiße Schmetterlinge, weiße Tauben, weiße Schwanen mit ausgespannten Flügeln wie mit Armen an, und hinter den Bergen wurden gleichsam von einer übermäßigen Entzückung Blüten emporgeworfen und Sterne und Kränze. (Hesperus, 19. Hundsposttag)

Düfte und Töne gesellen sich zu den Empfindungen des Auges. Ein ge-
dämpftes seliges Jauchzen weht durch den Äther; man vernimmt Klänge einer
Orgel, einer Laute, einer Harmonika; irgendwoher spricht eine «Stimme ohne
Gestalt» sibyllinische Worte. Alles ist beseelt, voll Leben, voll Wohlklang,
alles spricht und singt und jauchzt. Das Universum spricht eine unendlich süße
Sprache, der dann und wann schauerliche Töne antworten: Totenglocken der
Natur, Klagegesänge von Toten, das Geflüster von Drohungen. Im *Traum
Emanuels, daß alle Seelen Eine Wonne vernichte* schwinden die Menschenseelen
zuerst am Farbengetümmel dahin, dann an betörenden Düften, dann an wehmütigen Melodien, und jedesmal glauben sie den süßesten Tod zu erleiden; aber
den bringt erst die Liebe. Und Walt sieht am Ende seines großen Traumgesichts
zwei Morgenröten in rauschenden Chören gegeneinander ziehen «mit Tönen
statt Farben»:

> Die Chöre der Morgenröten schlugen jetzt wie Donner einander entgegen, und jeder Schlag
> zündete einen gewaltigern an. Zwei Sonnen sollten aufsteigen unter dem Klingen des Mor-
> gens. Siehe, als sie kommen wollten, wurde es leiser und dann überall still. [...] Die beiden
> Sonnen gingen auf – es waren nur zwei leise Töne, zwei aneinander sterbende und erwachende;
> sie tönten vielleicht: «Du und Ich», zwei heilige, aber furchtbare, fast aus der tiefsten Brust
> und Ewigkeit gezogne Laute, als sage sich Gott das erste Wort und antworte sich das zweite.
> *(Flegeljahre,* Nr. 64)

In diesem Universum, wo «die Düfte, Farben und Töne einander entsprechen»
(Baudelaire: «Correspondances»), bleibt alles in unablässiger Verwandlung und
wechselt seine Gestalt. Aus Blumen werden Wolken; Sterne stürzen zu Boden
und brechen als Wunderblumen auf; Augen von Paradiesvögeln verwandeln sich
in Schneeperlen, sinken als Tränen auf die Erde nieder und lösen diese in Wolken
auf; aus Hagel wird Tau, Schnee und wirbelndes Licht; die von einem Pflug
aufgeworfene Furche breitet sich als Leichenschleier über die Erde und wird zum
Meere mit dampfenden Horizonten. Eine Träne wirft eine Woge auf, die wieder
ein Flügelschiff hervorbringt. Lebendiges löst sich in reine Musik auf. Der
Träumer vermag mit seinen Gedanken eine Landschaft völlig zu verändern oder
verschlossene Pforten zu öffnen; eine große weiße Lilie nimmt plötzlich die
symbolische Gestalt der Verführerin Schlange an.

Wir wohnen fortwährend der Geburt immer neuer Gestalten bei, einem
schöpferischen Überfließen und Überquellen, wie etwa zu Beginn von Walts
geheimnisvollem Traum:

> Wie ein Chaos wollte die unsichtbare Welt auf einmal alles gebären; eine Gestalt keimte auf
> der andern, aus Blumen wuchsen Bäume, daraus Wolkensäulen, aus welchen oben Gesichter
> und Blumen brachen. Dann sah ich ein weites leeres Meer, auf ihm schwamm bloß das kleine
> graue fleckige Welt-Ei und zuckte stark. Es wurde mir im Traum alles genannt, ich weiß
> aber nicht von wem. Dann fuhr ein Strom mit der Leiche der Venus durchs Meer; er stand
> fest, das Meer floß wieder an ihm hin. Darauf schneiete es helle Sterne hinein, der Himmel
> wurde leer, aber an der Mittagsstelle der Sonne entglomm eine Morgenröte; das Meer höhlte

sich unter ihr aus und türmte in ungeheuren bleiernen Schlangen-Wülsten am Horizonte sich auf sich selber auf, den Himmel zuwölbend – und unten aus dem Meeres-Grund stiegen aus unzähligen Bergwerken traurige Menschen wie Tote auf und wurden geboren. *(Flegeljahre,* Nr. 64)

Die meisten dieser Visionen zeigen ein Paradies *in statu nascendi,* eine Welt im Anbruch, eben erst erschaffen und vom frühesten Morgenstrahl angerührt, so daß dem, der sie erblickt, jedes Ding noch mit seinem Namen genannt werden muß. Der Traum erhascht das Universum in einem Augenblick, wo alle Kreatur gerade noch im Werden ist, in einem sehr frühen geologischen Zeitalter, das, seltsam genug, noch in so mancher dichterischen Vision, in primitiven Mythen und in Nachtträumen fortlebt – als ob die Einbildungskraft zwischen uns und der Urzeit der Erde eine unerklärliche Verbindung stifte. Es liegt ein großes Geheimnis in der sonderbaren Empfindung, die wir alle verspüren, wenn die Dichtung, der Mythos oder der Genius des Traums das Schauspiel frühester Anfänge heraufbeschwört, das unentschiedene Schwanken und Zögern der Umrisse und Stoffe, die sich zusammenfügen wollen, um die dauerhaften Gestalten dieser unserer Welt aus sich zu gebären. Es scheint, daß wir dann, wenn wir Hesiod oder Jean Paul lesen oder wenn wir durch die Kosmogonie unserer Träume irren, eine geheime, tiefe Verwandtschaft zwischen der gigantischen Erschaffung der Welt und dem verwirrenden Formenüberfluß unserer Einbildungskraft gewahr werden.

Im Fiebertraum der *Vernichtung* wächst das kosmische Chaos zu einer Katastrophe an, in welcher die Schöpfung untergeht:

Die Welt brach vor ihm ein – die Scherben zerschlagner Gebirge, der Schutt stäubender Hügel fiel danieder – und Wolken und Monde zerflossen wie fallender Hagel im Sinken – die Welten fuhren in Bogenschüssen [...] herab, und Sonnen, von ergriffenen Erden umhangen, sanken in einem langen, schweren Fall danieder – und endlich stäubte noch lange ein Strom von Asche nach ...

In dieser werdenden Welt sind Gestirne so wenig beständig wie irdische Gestaltungen; die Planeten vermehren sich und reihen sich aneinander zu Regenbogen. Zahllose Sonnen und Monde erfüllen das Firmament, schießen durch den Raum oder tanzen im Äther. Der Träumer folgt seiner eigenen lichten Doppelgestalt auf Fahrten durch den grenzenlosen Weltraum, fliegt von Nebelstern zu Nebelstern, eilt über Milchstraßen hinaus bis ans «tote Meer des Nichts». Auch die Gestirnwelt ist immerfort im ‹Ursprung› begriffen; unförmige Nebelflecke werden im All auftauchen und verschwinden, bis die Ewigkeit dem chaotischen Taumel der Weltenbildungen dereinst ein Ende setzt.

Der *Traum über das All* deckt sich in großen Zügen durchaus mit jenem rasenden Flug der Schöpfung durch bodenlose Räume, mit dem Victor Hugo in *Dieu* das Drama der Erkenntnis und die Angst des Menschen symbolisiert.

Aber als wir *fortsteigend* immer die Nächte abwechselten mit Himmeln und wir immer länger eine Finsternis hinaufflogen, eh’ unter uns ein altes Sternengewölbe ein Fünkchen wurde und erlosch – als wir einmal aus der Nacht plötzlich vor einen Nordschein zusammenlodernder, um Erden kämpfender Sonnen traten und um uns her auf allen Erden jüngste Tage brannten – und als wir durch die schauderhaften *Reiche der Weltenbildungen* gingen, wo überirdische Wasser über uns rauschten und weltenlange Blitze durch den Wesen-Dunst zuckten, wo ein finsterer, endloser, bleierner Sonnenkörper nur Flammen und Sonnen einsog, ohne von ihnen hell zu werden – und als ich in der unabsehlichen Ferne ein Gebirge mit einem blitzenden Schnee aus *zusammengerückten* Sonnen stehen und doch über ihm Milchstraßen als dünne Mondsicheln hängen sah: so hob sich und beugte sich mein Geist unter der Schwere des All, und ich sagte zur blitzenden Gestalt: «laß ab und führe mich nicht weiter; ich werde zu einsam in der Schöpfung; ich werde noch einsamer in ihren Wüsten; die volle Welt ist groß, aber die leere ist noch größer, und mit dem All wächst die Wüste.»

Da berührte mich die Gestalt wie ein warmer Hauch und sprach sanfter als bisher: «*vor Gott besteht keine Leere;* um die Sterne, zwischen den Sternen wohnt das rechte All. Aber dein Geist verträgt nur irdische Bilder des Überirdischen; schaue die Bilder!» (*Traum über das All* [*])

Auf einmal aber verwandelt sich das All in ein unermeßliches durchsichtiges Lichtmeer voll Glanz und Musik. Ist das nicht genau jenes Abenteuer, das Hugo in seinem Gedicht beschreibt, jene schwindelerregende Fahrt über die Sterne hinaus? auch wenn dort die unerschöpfliche Fruchtbarkeit des Alexandriners zu übermäßiger Breite führt:

> Et je vis au-dessus de ma tête un point noir.
> Et ce point noir semblait une mouche dans l'ombre.
>
> Dans le profond nadir que la ruine encombre,
> Où, sans cesse, à jamais, sinistre et se taisant,
> Quelque chose de sombre et d'inconnu descend,
> Les brouillards indistincts et gris, fumée énorme,
> S'enfonçaient et perdaient lugubrement leur forme,
> Pareils à *des chaos l'un sur l'autre écroulés.*
>
> *Montant toujours,* laissant sous mes talons ailés
> L'abîme d'en bas, plein de l'ombre inférieure,
> Je volai, dans la brume et dans le vent qui pleure,
> Vers l'abîme d'en haut, obscur comme un tombeau.
>
> («Le corbeau»)

(Und über mir gewahrte ich einen schwarzen Punkt, klein wie eine Mücke in der unermeßlichen Finsternis. – Tief drunten im Nadir, den Vernichtung bedeckt und wohin immerfort etwas Düsteres, Unbekanntes niederfließt, dort drunten versanken die gespenstischen grauen Nebel in ungeheuren Schwaden, und ihre Gestalt schwand schauerlich dahin, als sei *Chaos über Chaos geborsten.* – *Ich stieg und stieg,* und unter meinen geflügelten Fersen blieb der Abgrund der Tiefe, blieb die untere Finsternis immer tiefer zurück, und durch Nebel und heulende Winde flog ich empor, dem Abgrund der Höhe entgegen, dunkel wie ein Grab. [*])

Aber am Ende der Irrfahrten erscheint, weiß geflügelt, das Licht und hebt, wie die «blitzende Gestalt» bei Jean Paul, also zu sprechen an:

> – O ténèbres! sachez ceci: la nuit n'est pas.
> Tout est azur, aurore, aube sans crépuscule,
> Et fournaise d'extase où l'âme parfum brûle.

Le noir, c'est non; et non, c'est rien. Tout est certain.
Tout est blancheur, vertu, soleil levant, matin,
Placide éclair, rayon serein, frisson de flamme.

«La lumière»)

(O Finsternis, wisse! Es gibt keine Nacht. Alles ist Bläue, Aufgang, Anbruch, Tag ohne Abend,
ist Glut der Ekstase, worin die Seele Wohlgeruch verströmt. Die Schwärze ist Nein, und
Nein ist Nichts. Alles ist gewiß. Alles ist Helle, Reinheit, Frühe, Sonnenaufgang, mildes
Aufleuchten, heiteres Erstrahlen, Erschauern der Flamme.)

Und wieder wie bei Jean Paul vermag das menschliche Auge das göttliche
Licht nicht zu ertragen; wer zu erkennen begehrt, muß erst sterben.

Diese Gleichartigkeit des poetischen Klimas läßt sich freilich nicht durch
literarischen Einfluß erklären. Offensichtlich kommen beide großen Visionäre der
Romantik von denselben inneren Anschauungen und Erlebnissen her. Der eine
so kühn wie der andere, stießen sie drunten in den nächtlichen Abgründen des
Traums auf dieselben Gespenster mit den zahllosen Gesichtern, erspähten sie
beide die eine Quelle alles Blendwerks. Der Schwerelosigkeit und Anmut Jean-
Paulscher Paradiese steht der Schauder vor einer Hölle der Einbildung gegenüber, in welche der deutsche Romantiker noch vor dem großen französischen
Erforscher der Nacht eingedrungen ist.

Denn Jean Paul hat sich nicht nur über das blaue «Meer der Ewigkeit»
dahintragen lassen; er weiß auch vom Ozean voll Blut, in dem Leichen umher-
treiben. Wenn ihm zuweilen die Frühlingsgefilde verschlossen sind, streift er durch
einsame, öde Polargegenden mit ungeheuren Gletschern und Eiswüsten, und
statt wehender Schleier im Äther sieht er graue Leichenschleier ziehen, wie sie
auch in Victor Hugos Visionen vorkommen. Manchmal regnet es Blut vom
Himmel, dann wieder wird der Träumer zum qualvollen Anblick von Schlachtfeldern genötigt. Und als fürchterliche Drohung taucht in der Ferne bald ein
schwarzes Eisentor, bald ein gigantisches Zifferblatt ohne Zahlen, bald die
blitzende Sense der erbarmungslosen Zeit auf.

Nicht unbewohnt sind diese lichten oder nächtigen Lande. Da huschen bald
engelhafte, bald verderbenbringende Wesen umher, taumeln und fliegen ent-
zückte Seelen im Paradiesesglanz, und Verstörte weinen blutige Tränen. Es ist
eine Welt *nach* dem Tode, in welche der Träumer eintritt, und hier, wo die
Abgeschiedenen von übernatürlichen Wesen, von Engeln und Dämonen umgeben sind, wartet ihrer beides, entweder göttliche Wonne oder fürchterliche
Qual. Einige dieser Wesen tragen Namen: der Engel des Friedens, der Engel
der letzten Stunde, der Engel des Endes lösen die Seele aus ihren irdischen
Banden; der Tod, die böse Feindin, die zornigen Riesen und, rätselhafter noch,
die drei Stummen zeigen plötzlich ihr Marmorgesicht, ihre leeren, bodenlosen
Augenhöhlen, ihre großen, unverständlichen Gebärden. Andere Erscheinungen,

darunter die schrecklichsten, bleiben namenlos, so das Wesen mit dem Leichen-
gesicht, das Welten und Sterne unter sich zermalmt, oder der Unsichtbare, der
die Sense der Zeit schwingt.

Oft werden Angstträume sowohl wie selige Träume von einer göttlichen
Erscheinung heimgesucht. Während Qualen und Alpdrücke weichen, klärt sich
der Himmel auf, und strahlende Gestalten treten hervor: das Jesuskind, Christus
mit Maria, die Jungfrau mit den blauen Augen, deren Antlitz so erhaben ist,
daß man über dessen Betrachtung aufwacht. Ja oft geht Gott selber, ohne
sichtbare Gestalt, «in der dunkelsten Höhe weit über der wehenden Aue hinweg» [313, I, 2, 383]. Sein Nahen kündet sich geistig an; unversehens ergießt
sich über die Traumlandschaften eine unbeschreibliche Ruhe, und «Gott steigt
von seinem Sonnenthrone und geht in Gestalt eines unsichtbaren unendlichen
Zephyr-Wehens über das Elysium» [4, 239].

Da hallete es plötzlich durch den ganzen grenzenlosen Äther hindurch, als liefe die allmächtige
Hand über das Saitenspiel der Schöpfung hinüber. In allen Welten war ein Nachklang wie
Jauchzen; unsichtbare Frühlinge flogen mit strömenden Düften vorüber [...]; das Meer des
Lebens schwankte, als höbe sich sein unermeßlicher Boden [...]. – Auf einmal wurd' es in
der Unermeßlichkeit still, als stürbe die Natur an einem Entzücken; ein weiter Glanz, als
wenn der Unendliche durch die Schöpfung ginge, lief über die Sonnen, über die Abgründe,
über den bleichen Regenbogen der Milchstraße und über die Unermeßlichkeit – und die
ganze Natur bewegte sich in einem sanften Wallen, wie sich ein Menschenherz bewegt und
hebt, wenn es verzeihen will – – – *(Die Vernichtung)*

Und kein Alpdruck ist fürchterlicher als derjenige vom Nichtsein Gottes, kein
Entsetzen tragischer als dasjenige des toten Christus, als er gewahr wird, daß
der Himmel leer sei.

Der Träumer selbst empfindet genau so, wie es den beiden Aspekten dieser
Traumwelt: der höchsten Seligkeit und dem tödlichen Schrecknis entspricht.
Das Glücksgefühl erweckt bestimmte euphorische Empfindungen, und zwar
immer dieselben; Maria Wutz, Viktor und die seligen Jünglinge im *Ausläuten*
entschweben auf Wolken; andere Gestalten, trunken vom Licht, fliegen in allen
Richtungen durch den unendlichen Weltenraum. Keine Wonne aber ist süßer als
sanft sich zu wiegen auf duftenden Blumenbeeten und in Blütenkelchen, wie
Maria Wutz auf einem entschwebenden Lilienbeet, wie Gustav in einem
«schlagenden Blüten-Meer, das mit dem rauchenden Geiste von tausend Kelchen»
bis in den Himmel wächst, oder wie Emanuel in einem durchsichtigen dunklen
Tulpenkelch. Jean Pauls Einbildungskraft, hier der märchenschaffenden Phantasie
ganz nah verwandt, knüpft vermutlich an Erlebnisse des Knaben an, deren im
Titan gedacht wird. Albano hat einen Apfelbaum erklettert, sich in die Arme
des Geästs gelegt, und nun läßt er sich, zwischen dem Gaukeln der Schmetterlinge
und dem Summen der Bienen, vom Winde wiegen.

Dann zog seine Phantasie den Baum riesenhaft empor, er wuchs allein im Universum, gleichsam als sei er der Baum des unendlichen Lebens, seine Wurzeln stiegen in den Abgrund, die weißen und roten Wolken hingen als Blüten in ihm, der Mond als eine Frucht, die kleinen Sterne blitzten wie Tau, und Albano ruhte in seinem unendlichen Gipfel, und ein Sturm bog den Gipfel aus dem Tag in die Nacht und aus der Nacht in den Tag. – – – (4. Zykel[2])

Das Wonnegefühl kann so lebhaft werden, daß es den Träumer der Sinne beraubt; so verfällt Walt einem todähnlichen Schlaf, als er Gott mit sich selber sprechen hört. Ebensooft aber verfolgt die Geschöpfe des Traums eine nagende Sehnsucht. Glücklich, aber einsam, wie sie sind, sehnen sie sich nach einem Menschen, den sie umschlingen, den sie lieben können, der sie wieder liebt und aus der Vereinzelung des Ichs erlöst. Von einem Planeten zum andern, über Weltenräume hinweg sehnen sie sich mit ausgebreiteten Armen einander zu; oder wenn sich, in Gustavs *Traum vom Himmel,* die Seelen schon umfaßt haben, so schmelzen sie in einen einzigen glühenden Tautropfen zusammen, der sich auf eine Blume legt. Immer wieder erscheint die Gestalt der «Liebe». Sie setzt der Zeit ein Ende, sie öffnet das Tor zur Ewigkeit. Sie führt die getrennten Geliebten zusammen, und wo sie herrscht, ist «nur eine Wonne ohne Maß und ein Freudengebet» *(Traum über das All).*

Aber ihre Herrschaft reicht nicht überallhin; in den Vernichtungsvisionen wird das Grauen, wird die Angst vor den qualligen Ungeheuern derart übermächtig, daß der Träumer stirbt.

Es wird uns allmählich klar, welches der tiefere Sinn dieser großen, von Liebe oder Grauen erfüllten Träume ist. Fast überall äußert sich – ob in der Angst, in süßer Sehnsucht oder im Frieden der Erfüllung – die Ruhelosigkeit des einzelnen Ichs, das seine Einsamkeit als ein unerbittliches Gesetz des Erdenlebens erfährt, aber doch immer wieder in ein Jenseits, in eine «zweite Welt» hinüberblicken darf, wo diese Einsamkeit ein Ende finden wird. Es ist der flehende Ruf des liebevollen Geschöpfs nach einem Lande, wo doch endlich die Liebe Erfüllung

---

[2]* Nichts ist solch lyrischem Aufgehen des Ichs in der kosmischen Unendlichkeit ferner als dasselbe Kindheitserlebnis in der Sicht eines Dichters, der den Sinn für die Dinge besitzt und dem es darum geht, das Universum zu ‹sammeln› so wie sich selbst. Bekannt ist der folgende Text aus Claudels *Connaissance de l'Est*: «Und ich sehe mich wieder auf der höchsten Astgabel des alten Baumes im Winde, ein Kind, zwischen Äpfeln gewiegt. Hier sitze ich wie ein Gott auf seinem Blütenstengel, Zuschauer des Welttheaters, und bin ganz versunken in die Betrachtung von Bau und Gestaltung der Erde und wie sich Hänge und Ebenen verteilen; mit dem scharfen Auge eines Raben fasse ich von meinem Hochsitz aus die Landschaft in den Blick, folge ich der Straße dort, die zweimal nacheinander am Hügelkamm auftaucht und dann im Walde verschwindet. Nichts geht mir verloren: die Richtung aufsteigender Rauchschwaden, die Beschaffenheit von Licht und Schatten, wie die Feldarbeiten voranschreiten, wie das Fuhrwerk dort auf dem Wege dahinfährt, die Schüsse der Jäger. Wozu eine Zeitung? da läse ich nur von Vergangenem; ich brauche nur diesen Ast zu erklettern und sehe über die Mauer hinweg die ganze Gegenwart vor mir ausgebreitet. Der Mond geht auf; eingetaucht in dieses Haus der Früchte, wende ich ihm das Gesicht zu. Ich bewege mich nicht; dann und wann fällt ein Apfel, wie ein gewichtiger, reifer Gedanke.» *(Rêve)*

finden könnte; der Aufschrei des in den Fesseln der Zeit Gefangenen, der nach
Ewigkeit strebt. Dem Herzen wird leichter, wenn es die Erinnerung an den
verschleierten Anfang, an die Morgenröte der Zeit wachruft, wo das Nicht-
Zeitliche noch nahe war. Es schöpft daraus die Gewißheit, daß es eine ephemere
Welt ist, die uns jetzt in ihren Mauern gefangen hält, und es entflieht freudig
ins urzeitliche Gewoge der beweglichen, noch unverfestigten Formen, der
Metamorphosen und der Zeugungen aus dem Chaos. Die «funkelnde Höhle der
unterirdischen Schätze, die der Geist des Traums aufsperrt» [9, 191], zeigt sich
der Seele in einem Lichte, in dem die Dinge immer wieder zu etwas werden,
was sie noch nie waren. Aus einer Verzückung, die sich bis zur höchsten Verklärung steigert, wächst poetischer Magie die Kraft zu, alles und jegliches zu
verwandeln. Und auch der Tod erscheint als ein anderer: In ihm brechen die
irdischen Mauern zusammen und öffnet sich das Tor zu Gottes strahlendem
Paradies.

Die Träume der Nacht sind wie kostbare, «auf den langen Traum des Lebens
gestickte Phantasieblumen» [2,445]; sie sind «Nachtschmetterlinge des Geistes»,
die über den Schlaf hinausflattern in den Tag [3,282]. Ihr wohltätiger Genius
läßt aus der Kindheit die Insel der Seligen wieder auftauchen; er führt uns einen
flüchtigen Abglanz des verlorenen Paradieses vor Augen, immerhin leuchtend
genug, das irdische Dunkel für Augenblicke zu verzehren. Das Ende der Zeit,
die Heilung der Wunden, die das Leben geschlagen hat, die aufgerissenen Tore
zum goldenen Eden, der Untergang der Welten, die wie schwarze Pünktchen
im Lichtmeer der Ewigkeit versinken – von all diesen künftigen Herrlichkeiten,
nach denen die im Leibgitter gefangene Seele schmachtet, gibt ihr der Traum
die Verheißung und einen Vorgeschmack.

II

> Der Anblick ist groß, wenn der Engel im Menschen
> geboren wird.

Welches sind wohl die Beziehungen zwischen diesen großen Träumen der Dichtung und den nächtlichen Erfahrungen ihres Autors? Die Frage stellt sich von
selbst, denn alle diese Landschaften, diese vertauschbaren Bildungen, diese schmel-
zenden Empfindungen scheinen den Argwohn der Erdichtung zu verbieten und
für authentische Nachtträume zu sprechen. Aber andererseits liegt ihnen offensichtlich ein Bauplan zugrunde, und ohne daß sie allegorischen Charakter an-
nähmen, sind sie das Werk eines dichterischen Formwillens, der den Bilderstrom
deutet und lenkt.

Jean Paul hat in seinen Notizheften ziemlich viele Träume aufgezeichnet.
Davon kann aber keiner direkt mit irgendeinem der veröffentlichten großen

Träume in Verbindung gebracht werden, weder in Einzelheiten noch auch nur in der Gesamtstimmung. Man darf aber nicht vergessen, daß die meisten dieser Aufzeichnungen aus den Jahren zwischen 1804 und 1820 stammen, also aus der Epoche, die für poetische Träume am wenigsten ergiebig war. Ob wohl die Quelle poetischer Eingebung versiegt war? Vielleicht wollte sich Jean Paul ihrer im Traume versichern, schrieb er doch 1816: «Ich habe meine tiefsten Freuden und Leiden nur noch im Traum»? Oder gingen zur Zeit der großen Werke authentische Traumgesichte Jean Pauls in seine Dichtung ein, ohne daß es des vermittelnden Protokolls im Tagebuch bedurfte? Und sollten die Traumländer, durch die uns der Dichter führt, nicht eine Eingebung der Nacht sein – woher sonst kennt er sie?

Die paar Beobachtungen über die Eigenart seines Träumens, die Jean Paul schriftlich festgehalten hat, berechtigen nicht zur Annahme, er habe außergewöhnlich phantastische Träume gehabt. Er bemerkt, er habe in keinem Fall bekannte Häuser, Gegenden und Menschen erblickt, aber – und das ist wichtiger – es erscheinen ihm Nacht für Nacht dieselben Städte und Gegenden. Der Himmel ist oft bewölkt, von einer «besonderen Graufarbe»; sehr zahlreich sind die Flugträume. Einmal sieht er vor sich die Personen eines erst noch zu schreibenden Romans – «indes ich nie die Personen meiner fertigen Romane sehe» –, und während er eine Flinte lädt, um auf einen dieser Menschen loszuschießen, empfindet er nicht die geringsten Gewissensbisse, «weil's nur ein Roman ist». Ein andermal steht er vor Napoleon und sagt, er «wäre nie klüger als im Bette, wenn ich eben von ihm träumte; denn dann müßt' ich ihn und seine Gedanken selber erschaffen». Nur ein einziger Traum, allerdings erst aus dem Dezember 1807, erinnert von fern an Träume aus der früheren Dichtung; da steht noch ein zweiter Mond am Himmel, und Jean Paul befürchtet, die Welt löse sich auf und ihre Gesetze träten plötzlich außer Kraft. [315, II, 13/83/106–126]

Jean Paul gab sich aber nicht einfach mit der Betrachtung von Träumen zufrieden, die ein Geschenk der Natur waren; er sammelte systematisch Erfahrungen über das Traumleben und gewann es über sich, während des Träumens ein gewisses Bewußtsein zu bewahren und seinen eigenen Willen geltend zu machen. Jeden Augenblick fragte er sich, ob er denn wirklich träume, und um sich davon zu überzeugen, versuchte er bestimmte Bewegungen zu machen. Lange Zeit übte er sich darin, vor dem Einschlafen erquickende Träume zu erwirken. Er sagt selbst, es sei ihm jeweils gelungen, nach Lust und Laune zu fliegen, sich da- und dorthin zu bewegen, Träume abzubrechen oder zu verlängern, unangenehme Erscheinungen aus seinem Horizont zu verbannen, ohne aufzuwachen. Und tatsächlich gleichen nur diese «Wahlträume» den poetischen Träumen.

Wenn ich mich nämlich gegen Morgen mit Gewalt durch meine psychologischen Einschläferkünste wieder ins Schlafen gezwungen, so bringt mich gewöhnlich ein vorausgehendes

Träumen, worin ich eine Sache nach der andern unter dem Suchen verliere, auf den Gedanken und Trost, daß ich träume. Die Gewißheit, zu träumen, erweis' ich mir sogleich, wenn ich zu fliegen versuche und es vermag. Dieses Fliegen, bald waagrecht, bald (in noch hellern Träumen) steilrecht mit rudernden Armen, ist ein wahres wollustreiches stärkendes Luft- und Ätherbad des Gehirns; nur daß ich zuweilen bei einem zu geschwinden Schwingen der Traum-Arme einen Schwindel spüre, und Überfüllung des Gehirns befürchte. Wahrhaft selig, leiblich und geistig gehoben, flog ich einige Male steilrecht in den tiefblauen Sternhimmel empor, und sang das Weltgebäude unter dem Steigen an. Bei der Gewißheit unter dem Träumen, alles zu vermögen und nichts zu wagen, klimm' ich an himmelhohen Mauern beflügelt hinauf, um droben plötzlich in eine weite, reichste Landschaft hineinzublicken, weil – sag ich mir – nach den Vorstellgesetzen und den Traumwünschen die Phantasie durchaus den rund umher liegenden Raum mit Gebirgen und Auen füllen muß; – und sie tut es jedesmal. An Höhen arbeit' ich mich hinauf, um mich von ihnen zum Vergnügen herabzuwerfen; und noch erinnere ich mich des ganz neuen Genusses, als ich mich von einem Leuchtturm ins Meer gestürzt hatte und mit den unendlichen, umspülenden Wellen verschmolzen wogte. *(Blicke in die Traumwelt, § 5)*

Immerhin gibt Jean Paul zu, auch er verfüge in seinen «Wahl- oder Halbträumen» nicht über unbeschränkte Willensfreiheit; man vermöge das Aufsteigen bestimmter Empfindungsbilder aus dem dunkeln Geisterabgrund weder zu befehlen noch zu verwehren, und höchstens unter gewissen körperlichen Begünstigungen sei man imstande, Gestalten, aber unbekannte, emporfahren zu lassen, ohne jedoch zu wissen, ob sie erschrecken oder erfreuen würden (§ 2).

Es ist demnach so gut wie gewiß, daß Jean Pauls poetische Träume nur zu einem sehr geringen Teil das Echo von Nachtträumen sind. Ihm hat sich der «Geisterabgrund», dem die anmutigen oder schreckenden Bilder entsteigen, im Schlafe nur selten aufgeschlossen, oder dann sind ihm doch – obwohl er ein starker Träumer war – die mit erstaunlicher Gleichartigkeit wiederkehrenden Landschaften und Empfindungen der dichterischen Träume nicht zur Nachtzeit aufgedämmert. Woher denn also diese doppelte Bewegung, der Schauder beim Gedanken an das Nichts und das Verlangen nach Liebe, nach Vereinigung aller mit allen, nach einem paradiesischen Himmelsstrich?

Zwei kurze Einträge ins Tagebuch stellen die Verbindung her zwischen Traum und wirklichem Erlebnis:

Den 18. Februar 1818 erzähl' ich im Traum, wie ich in meiner Kindheit zum erstenmal das *Bewußtsein des Ich* gehabt, das Hineinsehen unter der Haustüre – indes mischt' ich doch quälende Nebensachen dazu; und sagte: das Bewußtsein muß mit einem Schlage kommen.

Den 18. März 1819. Traum: (vorher die Geschichte, wie ich einmal nachts in Leipzig nach ernstem Gespräche Oerthel ansehe und er mich und uns beiden *vor unserm Ich schaudert.*) So sagt' ich zu Goethe, indem er fortging: nach dem Tode lernt man doch das Ich wenigstens. Er blickte mich mit verquellenden Augen an und ich schauderte wie damals. [315, II, 125*]

Diese zwei Träume aus Jean Pauls Alter rufen die Erinnerung an die zwei entscheidenden Ereignisse seines Innenlebens wach, Ereignisse, die in der Folge all seinen dichterischen und menschlichen Bemühungen die Richtung gewiesen haben. Durch seine Autobiographie und durch das, was von ihm selbst auf die Jugend seiner Helden abgefärbt hat, bekommen wir Einblick in die seltsame Entstehungsgeschichte seiner großen Ängste und der lyrischen Erhebung, mit der er auf diese Ängste geantwortet hat. Das erste, im Traum von 1818 auftauchende Kindheitserlebnis gehört noch ganz in die geruhsam-heitere, fröhlich-ernste Atmosphäre jener abgeschiedenen Landpfarrhäuser, deren wir aus Jean-Paulschen Idyllen so manches kennen. Der Knabe, bald in zufällig aufgestöberte Bücher, bald für sich allein in wonnevolle Betrachtung der Natur versunken, vernahm schon sehr früh die doppelte Lockung der Empfindsamkeit und des kritischen Geistes, die sich dann später zum qualvollen psychischen Konflikt verwandeln sollte.

An einem Vormittag stand ich als ein sehr junges Kind unter der Haustüre und sah links nach der Holzlege, als auf einmal das innere Gesicht: *ich bin ein Ich!* wie ein Blitzstrahl vom Himmel vor mich fuhr und seitdem leuchtend stehen blieb: da hatte mein Ich zum ersten Male sich selber gesehen und auf ewig. [313, II, 4, 92*]

Dies frühreife Objektivierungsvermögen, das ihn befähigte, sich selbst zum Gegenstand metaphysischer Betrachtung zu machen, löste im verträumten Knaben einen Schock aus, der nicht mehr abklingen sollte und der dann in den schmerzvollen Entwicklungsjahren eine unaufhörliche Unruhe, eine unstillbare Sehnsucht nach Gewißheit erweckte. Dieser Blitz war die erste Drohung der nahenden Gewitter, das erste Aufleuchten eben des Ichproblems, das für Jean Paul bald zur empfindlichen Mitte werden sollte, zu jenem kritischen Punkt, an dem bei gewissen Menschen das geistige Schicksal einsetzt und sich entscheidet. Mit Wehmut wird er dereinst der glücklichen Zeit gedenken, welche dieser Erkenntnis voran ging, der Kindheit,

wo ich keinen Menschen kannte, nicht einmal den nächsten, mich selbst, alle aber liebte – wo ich noch glaubte, ein Freund wäre so leicht aus der Glückszahlenlotterie zu ziehen als eine Geliebte – wo ich aus dem Jugendparadies noch nicht gejagt war, aus dem wir alle müssen und in das das Alter und die Erfahrung mit dem blitzenden und schneidenden Schwerte keine Rückkehr verstatten. [319, I, 319]

Das zweite entscheidende Erlebnis, auf das sich der Traum von 1819 bezieht, fiel in die traurigste Zeit von Jean Pauls Jugend. Er hatte sich nach dem Tode des Vaters nach Leipzig begeben, um Theologie zu studieren. Aber die große Welt wurde ihm zur bitteren Enttäuschung. Er, der bis dahin ganz von seinen Lieblingsbüchern und von den Höhenflügen seiner Empfindsamkeit gelebt hatte, sah sich nun auf einmal Professoren gegenüber, deren Vortrag keine Spur von der unendlichen Zärtlichkeit verriet, in die er bisher alles, selbst die Gegenstände des Denkens zu hüllen gewohnt war. So brach er das Studium bald ab. Vom Gedanken gepeinigt, daß Mutter und Geschwister dieselbe Not wie er zu leiden hätten, begann er satirische Schriften im Stil der englischen Humoristen zu ver-

fassen. Er tat dabei der Überschwenglichkeit seines jugendlichen Gemüts Zwang
an und hoffte beides: an einer hartherzigen Menschheit Rache nehmen wie
auch seine Familie unterstützen zu können. Erschütternd, wie er in den Briefen
aus dieser Zeit bald in naiver Zuversicht von bevorstehenden Erfolgen spricht,
bald wieder, wenn nichts anderes mehr übrigbleibt, seine Mutter «zum aller-
letztenmal» um Geld bittet. Schließlich geriet er in so bittere Not, daß er der
abenteuerlichen und zerlumpten Kleidung wegen aus seiner Gartenwohnung gewiesen wurde. Und nun stehen wir vor der sonderbaren Tatsache, daß ein Dichter, der später als eines der größten, jedenfalls als eines der reinsten poetischen
Genies hervortreten wird, daß dieser Dichter fast neun Jahre sozusagen ganz
verstummt. Selbst in den Briefen an seine engsten Freunde herrscht der trocken-
ironische Ton, den er den Engländern für seine humoristischen Aufsätze entliehen hatte. Nur ganz selten wird spürbar, daß tief im Verborgenen weiter-
glimmt, was eines Tages wieder aufflammen wird – in einer Erinnerung an die
Kindheit etwa, in einem verlorenen Satz, der sich anhört wie ein halb unterdrückter Aufschrei eines Gefangenen:

– trenne dich mit den Gedanken von der Erde, worauf du wohnst, und sie wird dir wie
einem Mondbewohner schimmernd scheinen und nicht dreckig – [262f.]

All das, was da seit der Geburt des Selbstbewußtseins in ihm schlummert,
tritt einzig in gewissen Augenblicken plötzlichen Erschauderns zutage, wenn
sich der Selbstbetrachtung eine bange Unruhe zugesellt. Die grauenvollen Klänge
der alten tragischen Melodie werden in den Jahren dichterischen Verstummens zuweilen ganz deutlich hörbar. So an jenem Abend, an dem sich die beiden Freunde
ins Auge blicken und vor ihrem Ich zusammenschaudern. So auch in jener
Nacht, deren schrilles, aus Sarkasmus und tiefstem Entsetzen gemischtes Echo wir
aus Viktors *Leichenrede auf sich selber* vernehmen können *(Hesperus, 28. Hundsposttag)*; was sich an jenem Altjahrabend zutrug, hat Jean Paul später selbst
beschrieben; er erzählt – übrigens in schon ganz hoffmannschem Ton –, wie
er mit vier Freunden um eine bleiche Spiritusflamme gesessen und wie sie beschlossen hätten, «einander tot zu sehen»:

Das Blut schien aus jedem Gesicht gedrückt von der Hand des Todes, blutlose Lippen, weiße
verlängerte Hände und die Stube ein Totengewölbe [...]. Unter dem Mond vorbei wurden
zerstückte Wölkchen gerissen und gepeitscht, durch den ungehörten Sturm hinter ihnen; und
wo sie den Himmel offen und zerlöchert ließen, sah ein Dunkles hervor, das über die Welten
hinüber rückwärts reichte. Es war still, als hauchte das kämpfende Jahr den letzten Atem
weg und stürzte um in die Gräber der Vergangenheit nieder. [347, 89]

Aus derselben Zeit hat sich im Nachlaß der Entwurf zu einem poetischen
Traum gefunden, zweifellos zum ersten, den Jean Paul zu dichten unternahm,
und daraus spricht nun schon die tiefverwurzelte Angst angesichts einer frag-
würdigen Identität des Ichs, der Schauder vor der Verdoppelung, das be-

klemmende Gefühl, sich selber zu sehen, das also, was nur in den Werken der Reifezeit und in den Träumen wieder begegnen wird.

Ich träumte einmal und siehe! mich zog etwas Unbekanntes aus meinem Traum und ich wußte nicht mehr, was ich war. Ich hatte keine Menschengedanken mehr, sondern andere; aber ich kannte mich nimmer und war nicht fröhlich und nicht traurig. Die Welt war für mich weggesunken und ich war allein: Etwas Ungestaltes und Dunkles (aber ich weiß nicht, was es war und *ob ich mir nicht selbst so vorkam*) trieb mich, mit meinen Gedanken umherzusehen, und in dem dunkeln Nichts sah ich etwas, wie man die Luft mit den Augen verfolget: Es war mir, als sah ich das Nichts, wie es in sich spielte und kämpfte. [Was] aber in demselben so spielte und kämpfte, war gleich Schatten und Träumen in nächtlichen Lüften.

Das Wesen sagte mir, daß es Dinge wären, die man Menschen nennet, und ich sah, wie sich ein Schatten in den andern verlor und aus dem andern hervorkam; das Wesen sagte allzeit bei jenen, jetzt stirbt, jetzt empfängt er. Etwas Dunkles schwebte über das ganze Gewebe.

Endlich zeigte mir das Wesen unter den Dingen, die aussahen wie Träume, auch eins, das aussah wie ein Traum, und das Wesen sagte: *Das bist du. Ich erinnerte [mich] meines Ichs und schauerte zusammen.* [Nr. 348*]

Noch sind es nur vereinzelte Streiflichter, die ins Innere dringen, und Jean Paul getraut sich noch nicht, den jäh auftauchenden Gespenstern entgegenzutreten. Das Drama des Selbstbewußtseins, das im Knaben so schreckhaft aufgebrochen war und seither immer deutlicher den Ausdruck der Todesangst angenommen hat, dieses Drama tritt erst in die entscheidende Krise ein, als den jungen Mann mehrere schmerzhafte Schläge treffen. 1790 ist das Jahr des offenen Kampfs in dieser Seele. In die Heimat zurückgekehrt, hatte Jean Paul mit seiner Mutter und den jüngeren Brüdern erneut das schwere Los bitterster Armut geteilt. Aber der Tod seines Freundes Adam von Oerthel (1786), dann der Selbstmord des zweitjüngsten Bruders, der sich in die Saale stürzte, um die Mutter der Sorge zu entheben, wie auch noch dieser Mund zu stopfen sei (1789), dann wieder der Tod eines lieben Freundes, Johann Bernhard Hermanns (1790), der, mittellos und ohne Fürsorge, von der Schwindsucht dahingerafft worden war, das waren drei Donnerschläge, die im Herzen des Siebenundzwanzigjährigen – zu lange schon sich selbst entfremdet – bis in die tiefsten Tiefen hinab nachhallten. Andere Umstände kamen hinzu, die lange schon in ihm wirkende Gärung zu beschleunigen; so erhielt er eine Hauslehrerstelle in Schwarzenbach an der Saale, wo er schon einmal, vom dreizehnten bis zum sechzehnten Jahre, gelebt hatte, dort also, wo einst seine Gefühle erwacht waren. Die vertraute Gegend ruft ihm die Kindheit, nach der er sich ohnehin schon in den Stunden innerer Unruhe zurücksehnte, nur um so lebhafter in Erinnerung. Er hat sich später – an einer jener Stellen, wo sich hinter Tönen der Wehmut eine ganz präzise Erfahrung verbirgt – über die Bedeutung dieser Rückkehr geäußert:

Wenn ich oft meiner Phantasie in schönen Landschaften erlaubte, Landschaftsmalereien zu machen [...], so fand ich – und auch sonst –, daß die aus mir aufsteigenden Fluren nur Inseln und Erdstriche aus der längst versunkenen Kindheit waren [...]. Die Kindheitserinnerungen können aber nicht als Erinnerungen, deren uns ja aus jedem Alter bleiben, so sehr leben, sondern es muß darum sein, weil ihre magische Dunkelheit und das Andenken an unsere damalige kindliche Erwartung eines unendlichen Genusses, mit der uns die vollen jungen Kräfte und die Unbekanntschaft mit dem Leben belogen, unserm Sinne des Grenzenlosen mehr schmeicheln. [313, I, 5, 191f.]

Dieser «*Sinn des Grenzenlosen*» – Jean Paul wird ihm später eine Sonderstellung in der menschlichen Seele einräumen, eben weil er in der seinigen vorherrschte –, dieser Sinn für das Unendliche ist es, der sich nun, in der Berührung mit der neu auflebenden Kindheit, in ihm mächtig entfaltet. Und dann umfängt ihn in Schwarzenbach auch wieder die Natur, und er vernimmt aus ihr genau die Unterweisung, die dann seine Helden so oft in ihren Erlebnissen und ihren Verzückungen empfangen werden; so der blinde Julius, der in einem der schönsten Kapitel des *Hesperus* von Emanuel dazu angeleitet wird, im grandiosen Schauspiel der Welt, das er ihm in höchster Entzückung schildert, die hinter dem Schleier der Schöpfung verborgene Gottheit zu gewahren (25. Hundsposttag); so Gustav in der *Unsichtbaren Loge,* der aus der unterirdischen Klause, in der er aufgezogen worden, in die Pracht eines Frühlingsmorgens hinaustritt und im feurigen Sonnenball Gott zu sehen vermeint (5. Sektor).

Aber der Gedanke an Hermanns Tod geht ihm nicht aus dem Kopf; im Juli schreibt er ein paar Seiten über das künftige Leben. Aus den Meditationen über den Tod, über die Kindheit – die «Zeit, in der wir am zärtlichsten sind» – und über die Natur geht schließlich der Plan zur *Unsichtbaren Loge* hervor; es ist die sich vorbereitende Metamorphose, die den Anstoß zum ersten großen lyrischen Wurf gibt. Der Literat tritt seinen Platz an den Dichter ab, an den Magier: Aus Johann Paul Friedrich Richter wird JEAN PAUL.

Im Oktober und November 1790 fügt er seinen verschiedenen Notizheften, welche Gedanken aus der Lektüre, angefangene Aufsätze und eine systematisch angelegte Sammlung von Kalauern enthalten, zwei neue an: das eine mit der Überschrift *Dichtung,* das andere ein Tagebuch, dem er seine hin- und herwogenden Stimmungen anvertraut. Und in diesem Tagebuch nun lesen wir vom 15. November an von der Erleuchtung, die dem Ereignis der Bewußtwerdung antwortet:

15. Nov. *Wichtigster Abend meines Lebens*: denn ich empfand den Gedanken des Todes, daß es schlechterdings kein Unterschied ist, ob ich morgen oder in 30 Jahren sterbe, daß alle Plane und alles mir davonschwindet und daß ich die armen Menschen lieben soll, die so bald mit ihren Bisgen Leben niedersinken – der Gedanke ging bis zur Gleichgültigkeit an allen Geschäften.

Und tags darauf:

16. Nov. Ich richtete mich wieder auf, daß der Tod das Geschenk einer neuen Welt sei und die unwahrscheinliche Vernichtung ein Schlaf.

Und noch am 25. und 29. November heißt es: «Melancholisch an den Tod gedacht.» [321, 18; 315, IV, 381f.]

Es handelt sich hier zweifellos um ein Ereignis, das weit über die gewöhnliche Todesfurcht hinausgeht, nämlich um ein metaphysisches Todeserlebnis. Jean Pauls gesamtes weiteres Leben wird auf diesen einen Gedanken als seinen Mittelpunkt ausgerichtet bleiben: auf den Gedanken des Todes. Im Verlauf der paar Monate des Jahres 1790 hat er sich durch seine Meditationen aus dem Bereich des Fühlens und Empfindens, in dem ihn der Verlust geliebter Menschen anfänglich betroffen hatte, bis zur Erfahrung der einen wesentlichen Angst hinführen lassen. Er hat diesen Übergang später in einer genaueren Aufzeichnung des Ereignisses vom 15. November deutlich gemacht.

An jenem Abend drängte ich mich vor mein künftiges Sterbebett durch dreißig Jahre hindurch, sah mich mit der hängenden Totenhand, mit dem eingestürzten Krankengesicht, mit dem Marmorauge, ich hörte meine kämpfenden Phantasien in der letzten Nacht, – Du kömmst ja, Du letzte Traumnacht! Und da das so gewiß ist, und da ein verflossener Tag und dreißig verflossene Jahre eins sind, so nehm' ich jetzt von der Erde und von ihrem Himmel Abschied, meinen Plänen und Wünschen fallen die Flügel aus; mein Herz mag noch so lange, als es nicht tiefer unter fremden Füßen liegt, am freundschaftlichen Busen schlagen; meine Sinne mögen noch, ehe sie sechs Bretter einsperren, die herumflatternde Freude haschen, beim kurzen Schritte von der Wiege ins Grab –: Aber ich achte alles nimmer, und Euch, meine Mitbrüder, will ich mehr lieben, Euch mehr Freude machen! Ach! wie sollt' ich Euch in Euren zwei Dezembertagen voll Leben quälen, Ihr erbleichenden Bilder voll Erdfarben, ein zitternder Widerschein des Lebens? – – Ich vergesse den 15. November nie! [315, IV, 381 f.]

Das Ereignis vom 15. November – «ich wünsche jedem Menschen einen 15. November» [l. c.] – hat Jean Paul das Reich des Übernatürlichen und der tröstlichen Gewißheiten aufgeschlossen. Denn wirklich, an diesem Tag erlebt er die Befreiung von allem, was ihn über Jahre hinweg in Angst gehalten hat. Die Betroffenheit und der Schauder angesichts des eigenen Ichs, das Entsetzen desjenigen, der in sich geht und erkennen muß, wie verlassen, wie grenzenlos einsam er ist, was für bodenlose Abgründe sich in seinem Innern auftun, während ihn von außen die Fesseln bitterster Not beengen – all dies Schreckliche, das nur schwer sich verbergen ließ, wird nun überstrahlt von dieser einen Erleuchtung. Daß er den Gedanken des Todes gedacht, ausgehalten und überwunden hat, dies wird ihn künftig in den Stand setzen, jeden seiner Schritte, ob in der Dichtung oder im Leben, nach einer göttlichen Verheißung hin auszurichten. Um den Preis, die Angst bis zum Äußersten tapfer durchlitten zu haben, widerfährt ihm seine Verklärung, und als ein so Verklärter wird er in eine verklärte Welt blicken; diese Metamorphose ist es, von der seine Kunst auf ihren Gipfelpunkten künden wird. Jean Paul vermag die äußere Welt erst von dem Augenblick an in ihrer ganzen Herrlichkeit zu schauen und zu beschreiben, wo er «von ihr Abschied genommen», wo er sie nur noch als die Sprache, als die Äußerung einer zweiten Welt verstehen gelernt hat. Es handelt sich da um eine echte *Bekehrung,* wie sie allen «hohen Menschen» seiner Romane widerfährt, besonders rein dem Viktor des *Hesperus:*

Er bekehrte sich den 3 ten April 1793 gegen Abend, als der Mond – und die *Erde* – unter seinen Füßen im *Nadir* waren. –

Der Leser kann über diesen Chronometer gelacht haben; aber jeder Mensch, an dem die Tugend etwas Höheres ist als ein zufälliger *Wasserast* und Holztrieb, muß die Stunde sagen können, worin jene die Hamadryade seines Innern wurde – welches die Theologen *Bekehrung* und die Herrnhuter *Durchbruch* [*] nennen. […]

Es gibt – oder kommt – in jedem mehr solarischen als planetarischen Menschen eine hohe Stunde, wo sich sein Herz unter gewaltsamen Bewegungen und schmerzlichen Losreißungen endlich durch eine *Erhebung* plötzlich umwendet gegen die Tugend, in jenem unbegreiflichen Übergang, wie der ist, wenn sich der Mensch von einem Glaubenssystem auf einmal zum andern, oder vom höchsten Punkt des Grolls schnell zu einer zerschmelzenden Vergebung aller Fehler hinüberhebt – […]. Der Anblick ist groß, wenn der Engel im Menschen geboren wird, wenn alsdann am Horizont der Erde die zweite Welt aufsteigt, und wenn die ganze Sonnenwärme der Tugend auf das Herz nicht mehr durch Wolken fällt. (29. Hundsposttag)

Die «hohen Menschen», die «Feiertagsmenschen» in Jean Pauls Romanen sind wie er dahin gelangt, den Tod als Geburt in eine höhere Welt zu betrachten; und von dieser Gewißheit getragen, vermögen sie über Augenblicke der Angst oder der Rückfälligkeit in lyrischer Erhebung hinwegzukommen. Sie feiern dann die Schönheit einer Welt, durch die schon überall der Glanz des verheißenen Lichtes durchschimmert. Gleich nach dem Entscheidungsjahr 1790 beginnt Jean Pauls poetisches Genie, nun endlich befreit, in fieberhaftem Ungestüm Werk um Werk zu erschaffen; es entstehen so einzigartige Romane wie *Die unsichtbare Loge,* der *Hesperus,* der *Siebenkäs,* aus denen, mit der ganzen Explosivkraft eines lange Zeit aufgestauten dichterischen Vermögens, so manche herrliche Hymne auf die Welt aufsteigt, die er da auf einmal in sich entdeckt hat. Zwischenhinein preisen die Idyllen von *Maria Wutz* und *Quintus Fixlein* die Demut eines bescheiden-genügsamen, kindlich-unschuldigen Daseins; sie atmen die Frische der Aussöhnung. Es folgt dann die Epoche des *Titan,* die einen Abschnitt bedeutet: Jean Paul trachtet durch seine Entzückungen hindurch zu einer menschlicheren, irdischeren Haltung zu gelangen, aus der heraus sich die Welt der großen lyrischen Erhebungen und die Welt der Idyllen verbinden ließen. Aber so wie er sich der Ekstase minder rückhaltlos anvertraut, so scheint er auch weniger begünstigt zu sein von der Phantasie, deren er sich ehedem geradezu verschwenderisch bedient hatte.

In all diesen Werken kommt den Träumen wesentliche Bedeutung zu. In ihnen nämlich ereignet sich die Verklärung der Welt, in ihnen bricht, nach der Vision der Vernichtung, das strahlende Licht durch. Der doppelte Aspekt der Traumgeographie, von dem oben die Rede war, entspricht weniger einer beharrlichen zwiefachen Tönung der Nachtträume des Dichters als vielmehr einem sein gesamtes Leben beherrschenden Wechsel von grausigstem Entsetzen und seligster Trunkenheit. Zwischen dem Innenleben Jean Pauls und der Form des Traums, deren er sich künftig oft bedienen wird, die Geheimnisse seiner Seele auszudrücken, besteht ein so enger Zusammenhang, daß wir im Erlebnis vom 15. November den Anlaß für die Entstehung der ersten großen poetischen Träume sehen dürfen. Ganz von selbst ergießt sich die neuerworbene Gewißheit in die Form des lyrischen Traums; hier in diesen befreienden Ausbrüchen versucht Jean Paul beides zugleich zu schildern, seine einstigen Ängste wie seine jetzige Zuversicht. So ist der wesentlichste Zug seines Genies: die Verklärung der Wirklichkeit, zutiefst in seinem persönlichen Drama verwurzelt; seine Bilder- und Symbolkunst ist, in dieser einzigartigen Form, die leidenschaftlich-nachdrückliche Antwort auf sein metaphysisches Fragen.

Wenn nun also die poetischen Träume nicht direkt aus Jean Pauls Schlafträumen hervorgegangen und dennoch seinem Seinsgrund tiefer verbunden sind – wie anders sind sie dann entstanden? Sind sie die Eingebungen günstiger Stunden? Welcher besonderen Technik oder Askese bedurfte es zu ihrer Erweckung?

Wie Jean Paul verfuhr, um solche Visionen auszulösen, erfahren wir aus einer ganzen Reihe von sehr präzisen Aufzeichnungen. Seinem Beispiele folgend, pflegten auch die jungen Mädchen seiner sogenannten «erotischen Akademie» in Hof ihre großen Träume aufzuschreiben, und der rege Austausch dieser Blätter beansprucht einen großen Raum des Briefwechsels, der sich fast täglich über die Gassen fortspann und der im Ton ganz nahe an Jean Pauls Romane herankommt. Der junge Dichter hatte übrigens die Gewohnheit, seinen engen Freund Christian Otto in seine Briefschaften Einblick nehmen zu lassen; so überließ er ihm auch einmal einen Traum einer Freundin mit der Bemerkung: «Ihr Traum ist, wie du aus dem Tagebuch weißt, ein wirklicher: Er ist unendlich schön nachgeträumt» (15. Januar 1795). Es ist wahrscheinlich, daß ein Teil von Jean Pauls Träumen in dieser Weise «nachgeträumt» ist. Und es ist gewiß, daß sie alle in einem Zustand höchster Entzückung niedergeschrieben worden sind, in der Entzückung eines wachen Träumers freilich, der aber doch eine zu tiefe Kenntnis, eine zu lebhafte Erfahrung von der nächtlichen Traumwelt besaß, als daß er ihr nicht zumindest ihre Landschaften und gewiße Formen ihres Symbolismus entliehen hätte. Der die *Unsichtbare Loge* beschließende Traum ist, wie wir einem Brief an K. Ph. Moritz entnehmen, in einer Stunde entstanden, wie sie der Autor kaum je wiederzufinden glaubte und «wo ihm fast alle Sinne vergingen» (6. Juli 1792).

Wir wissen aber auch, daß Jean Paul allerart Mittel, wie Alkohol und Kaffee, zu Hilfe nahm, um solche Halluzinationen heraufzubeschwören. Insbesondere anvertraute er sich der Musik, wenn er in die zweite Welt entrückt werden wollte. In dieser Hinsicht besitzen wir übereinstimmende Zeugnisse von Richard Otto Spazier und Varnhagen von Ense, wonach Jean Paul selbst gesagt haben soll, die Stimmung zu solchen Phantasien und Träumen «habe er ganz will-

kürlich in seiner Gewalt; er setze sich ans Klavier, phantasiere auf das wildeste,
überlasse sich ganz dem augenblicklichen Gefühl und schreibe dabei seine Bilder hin, freilich wohl nach einer gewissen vorbedachten Richtung, aber doch so
frei, daß diese selbst oft verändert würde» [320, 68/280]. Wir haben keinen
Grund, an diesem Bericht zu zweifeln, und können uns sehr wohl vorstellen, wie Jean Paul diesem Bilderfluß eine weitgefaßte Bedeutung, einen Leitgedanken aufprägte, den er dann, wenn ihn die Wogen der Musik entführt hatten,
leicht für das Geschenk des Augenblicks nahm. Bewundernswert die Intuition,
mit der ein Novalis die Kunst Jean Pauls so zutreffend charakterisiert hat, wie
er selber es wohl nicht für möglich gehalten hätte: «Jean Paul poetisiert musikalische Fantasien» *(Allg. Brouillon* Nr. 419)! Denn tatsächlich tragen die großen
Träume Jean Pauls den Stempel solcher Entstehung. Man erkennt darin sogleich wieder das charakteristisch Traumhafte: das Geheimnisvolle, die Ver-
wandlungsfähigkeit, die Intensität des Empfindens, der Angst und des Wonne-
gefühls. Es läßt sich aber auch die «Richtung» ablesen, in welche diese Träume
vom Geist des Autors gelenkt werden und von den Gedanken, die ihn immer
wieder umgetrieben haben: die schauderhafte Vorstellung öder Welträume,
das Verlangen nach Liebe, das tröstliche Vorgefühl künftigen Lebens. Und
schließlich spürt man das Fließende in der Komposition, im Stil dieser Träume,
dies eigentümliche Herüber- und Hinüberklingen – das davon herrührt, daß
alles bildlich, symbolisch, als Anspielung zu nehmen ist –, diese eminente Musikalität Jean Pauls, durch die er zum unübertroffenen Wegbereiter romantischer
Dichtung geworden ist. Seine Träume unterscheiden sich voneinander lediglich
dadurch, daß sich der rote Faden bald so, bald anders durch die immer gleiche
Landschaft hinzieht. Und wenn auch abgewandelt, so kommt doch überall, ob
absichtlich oder nicht, die eine empfindliche Wesensmitte Jean Pauls zum Ausdruck, wie sie sich ihm selbst offenbart hat in Schmerz und Leid, im Gedanken
an den Tod. Die Motive der schmerzlichen Einsamkeit der Menschen, des erlösenden Aufschwungs ins Unendliche, des Hinscheidens der Freunde – in unzähligen Verkleidungen kehren sie wieder und verraten dadurch, wie tief diese
Visionen in Jean Pauls Persönlichkeit verwurzelt sind.

Gewisse Träume sind übrigens in verschiedenen Fassungen erhalten geblieben,
so daß wir ihre Wandlungen genau verfolgen können. Insbesondere der älteste
der großen kosmischen und religiösen Träume: der berühmte Traum vom toten
Christus, der in der französischen Romantik ein so gewaltiges Echo finden
und von Nerval bis Hugo weitere Abwandlungen erfahren sollte, ist uns in
mehreren stark voneinander abweichenden Versionen überliefert. Ein erster
Entwurf vom 3. August 1789, aus jener schweren Zeit also, in der sich der
Durchbruch von 1790 anbahnte, hält in den ersten Zeilen zweifellos die ursprüngliche Vision fest, ob Wachtraum oder nächtliche Phantasmagorie bleibt
ungewiß:

Wie ich zu Nachts d[en] Geist in der Kirche predigen hörte – von der Eitelkeit aller Dinge – wie ich einen Freund sah darunter – wie d[ie] Bös[en] und d[ie] Gut[en] aussahen – eine nach d[en] Bösen in d[er] Luft schnappende und sich auf- und zuschließende Hand – an der Wand das gehende Rad der Zeit – ein zitterndes Geripp – (oder so: die Toten aufgedeckt und die Guten schlafend mit Träumen des Himmels; die Bösen aufgewacht.) [313, II, 3, 400f.]

Nachträglich hat Jean Paul über diese Tagebuchaufzeichnung – an deren Ende er schon nach eindrücklichen Details für die Ausarbeitung zu suchen scheint – einen Titel gesetzt: «Schilderung des Atheismus. Er predigt, es ist kein Gott.» Die unmittelbare Niederschrift heftig durchlittener Todesfurcht – der Selbstmord des Bruders liegt nur kurze Zeit zurück – bildet den Ausgangspunkt für die verschiedensten Varianten. Eine erweiterte Fassung bleibt noch immer tastender Versuch:

– ich wachte auf und glaubte Gott (und war glücklich und betete) – sehet, dort wallet ein Chaos und wird und vergeht wechselweise: o beglückte Lebende, die ihr glaubt, es gebe eine Zeit und ihr seiet darin, nur eine Ewigkeit gibt's, die euch wiederkäuet [...], gebt uns euern Gott [...] – wo ziehst du hin, du Sonne mit den Planeten, du findest auf deinem langen Weg keinen Gott – Das Sein ist ein Hohlspiegel, der gaukelnde, schlagende Menschen in die Luft stellet – Menschen wie Bilder der *laterna magica,* klein sind sie, hell und stark und verlieren sich mit der Vergrößerung. – Die Natur seufzt und das Leben eines Menschen ist nichts als Echo dieses Seufzers – die Totenasche ist die sichtbare Folie, die einen lebendigen Menschen darstellte – [...] – die Lebenden wie jene Tote, der Tod fasset eure Hand und sie reißet ab – Tote fassen einander und jed[esmal] bleibt die Hand des einen in der des andern – [...] – Man drücket den Toten die Augen zu, aber sie gehen auf und das Augenlid verfault – Gott als blitzendes Auge abgebildet, jetzt nur schwarze Augenhöhle –

Dieser zweite, wohl anfangs 1790 entstandene Entwurf zeigt uns Jean Paul auf der Suche nach immer noch schrecklicheren Bildern; teilweise sind sie offensichtlich angelesen, denn auch hier hat er, wie er stets zu tun pflegte, seine von Jugend auf angelegten Exzerpte konsultiert. So finden wir bereits in einem Heft aus dem Jahre 1786 den Vermerk, gewisse Tote, besonders vom Wüstenwind ausgedörrte, schienen noch ganz zu sein; doch «wenn man sie bei der Hand nimmt, bleibt sie in unsrer» [l. c.].

Im Sommer 1790 kommt Jean Paul auf seine Atheismusvision zurück und versieht die Bilder mit einer Rahmenerzählung, die deren Bedeutung unterstreicht. Man kann sich sehr gut vorstellen, wie er nun, nachdem er die alten Notizen durchgegangen und sich wieder in deren Geist hineinversetzt hat, zu einem altbewährten Mittel greift – Alkohol, Kaffee, Improvisation auf dem Klavier –, damit rings um einen vorgefaßten Gedanken die Bilder um so üppiger aufschössen. Zwei voneinander abweichende Entwürfe – der eine wurde im Juli 1790 an Herder übersandt – halten diese vorletzte Fassung des berühmten *Traums von Jean Paul* fest; sie trägt nun den Titel *Des toten Shakespeares Klage unter toten Zuhörern, daß kein Gott sei* [163 ff.]. Der Erzähler träumt, er sei auf einem Gottesacker erwacht. Die Gräber stehen aufgeschlossen, und über die Mauern fliegen Schatten. Drinnen in der Kirche kämpfen zwei Mißtöne miteinander und wollen vergeblich in einen Wohllaut vergehen. Vom Altar tönt eine hohle Stimme, die zu einer Versammlung jahrhundertealter Schattengestalten spricht. Davor sind Särge aufgedeckt, aus denen wachende Tote blicken; ihre Augen sind leer, an der Stelle des Herzens klafft ein Loch in der Brust. Das Zifferblatt der Ewigkeit kreist ohne Zahl und Zeiger um sich selber. Und dann spricht die Stimme, die Shakespeare zu gehören scheint: «– das stumme nächtliche Begräbnis der Selbstmörderin Natur sehen wir, und wir werden selbst mit begraben [...]. Mit einer leeren unermeßlichen schwarzen Augenhöhle starret sie euch an.» Er ruft die Sonne an, die mit ihren Erden einen Himmel ohne Gott durchirrt; er beschwört die Toten, deren Augen ins ewige Nichts hinausstarren, beschwört das vom Ur-Orkan gekräuselte Chaos und spricht den Menschen an, «dessen Sein ein Hohlspiegel ist, der ein wackelndes eingewölktes Ding in die Luft hinstellt». Und dann schließt er mit den erschreckenden Worten: «Seht ihr denn nicht, ihr Toten, das stillestehende Aschenhäufchen auf dem Altar, ich meine das vom verfaulten Jesus Christus?»

Aber auf diese grauenhafte Vision, in welche auch die früheren Bilder eingegangen sind, folgt das Erwachen, das die Dinge ins rechte Licht rückt:

> Ich erwachte und war froh, daß ich Gott anbeten konnte. *Seine* Sonne aber schien röter durch die Blüten, und der Mond stieg über das östliche Abendrot, und die ganze Natur ertönte friedlich wie eine ferne Abendglocke.

Veröffentlicht hat Jean Paul aber nicht diesen Shakespeare-Traum. Es war ein überarbeiteter Text, den er sechs Jahre später im *Siebenkäs* vorlegte. Hier aber ist es Christus, der an die Stelle Shakespeares tritt; die Botschaft vom Nichtsein Gottes wirkt nun noch um vieles fürchterlicher, da sie aus dem Munde des Heilands kommt, der nach seinem Tod die Wüsten des Himmels durchirrt und nichts gefunden hat als ein einziges unermeßliches Chaos. Als wäre des Schrecklichen nicht genug, kommen noch neue Bilder hinzu, das Grauen zu vergrößern, etwa das Bild von der Riesenschlange, die zwischen ihren Ringen das ganze Weltall zermalmt. Dafür ist aber auch das Erwachen von unendlich sanfter Musik:

> Meine Seele weinte vor Freude, daß sie wieder Gott anbeten konnte – und die Freude und das Weinen und der Glaube an ihn waren das Gebet. Und als ich aufstand, glimmte die Sonne tief hinter den vollen purpurnen Kornähren und warf friedlich den Wiederschein ihres Abendrotes dem kleinen Monde zu, der ohne eine Aurora im Morgen aufstieg; und zwischen dem Himmel und der Erde streckte eine frohe vergängliche Welt ihren kurzen Flügel aus und lebte, wie ich, vor dem unendlichen Vater; und von der ganzen Natur um mich flossen friedliche Töne aus, wie von fernen Abendglocken.

Die Umgestaltungen, die dieser große Traum erfahren hat, lassen uns die Eigenart dessen, was Jean Paul seine ‹Träume› nennt, sehr deutlich erkennen: Diese Vision, schon durch die Zeit ihrer Entstehung mit dem entscheidenden Erlebnis von 1790 verbunden, gibt dessen metaphysische Bedeutung wieder. Es mag sein, daß Jean Paul in dieser Absicht tatsächlich von einem Bild ausging, das

ihm im Traum erschienen war; er schreibt denn auch an einen Freund bei
Übersendung des Manuskripts: «Der erste Entwurf fuhr mir mit Grausen vor
der Seele vorbei, und bebend schrieb ich's nieder ... » [319, I, 313]. Doch nun
beginnt erst das Geschäft der eigentlichen Ausarbeitung; sie ist zu einem guten
Teil eine Sache des bewußten Gestaltens, im übrigen aber beruht sie auf einer
willentlich und mit Methode erzielten Hingabe ans Diktat des Unbewußten.

Was Jean Paul für seine ‹Träume› ausgibt, sind also in Wahrheit Szenen, die
aus den gleichen Regionen stammen wie die Bilder der nächtlichen Traumwelt:
aus jenen Tiefenschichten nämlich, die immer irgendwie mit unsern bedrängendsten Gedanken, mit unsern Ängsten, mit unsern metaphysischen Hoffnungen
in Zusammenhang stehen. Und hier in dieser Tiefe sind wir in allerengster
Beziehung mit unserer *Existenz* oder mit dem, was daran nicht oberflächlich ist.
Der Traum und die Dichtung, wie sie Jean Paul versteht und erschafft, beide
führen sie uns die Mythen vor Augen, in denen zum Ausdruck gelangt, was auf
keine andere Weise ausgedrückt werden könnte: die lebendige Mitte unseres
Seins. Nichts anderes ist Jean Pauls Symbolismus als die beständige Anspielung auf
diese verborgene Wirklichkeit der äußersten Angst und der tiefsten Gewißheit.
Nur so läßt sich verstehen, warum er nach Belieben ins Geschehen seiner Träume
eingreifen kann, ohne daran auch nur das geringste zu verderben, warum er
Symbole austauschen, den Ablauf verändern darf, ohne einem trockenen Allego-
risieren zu verfallen: Er verfügt eben jederzeit über einen seltenen Reichtum an
Bildern, die alle für ihn sehr hohen Gemütswert besitzen. Wie lange hat er sich
doch mit einem Plan zu einem Höllentraum getragen, worin sich erneut seine
Angst vor der Vernichtung hätte äußern sollen – und nach Jahren dann verwandelt sich dieser Traum samt den hiefür aufgesparten Bildern unversehens in
einen *Traum von einem Schlachtfelde*; dasselbe Entsetzen konnte in seiner Phantasie
zweierlei Gestalt annehmen, die der Höllenqualen und die eines Blutbades.
[347, 66f.]

Wahrhaft ‹orphische› Qualität erreicht allerdings nur ein einziger von allen großen
Träumen: derjenige Walts in den *Flegeljahren*, dessen Erscheinungen und wechselnde Stimmungen sich in keine andere Sprache übersetzen lassen (Nr. 64).
Freilich spürt man auch hier, daß diese Landschaften und diese Geisterwesen den
gleichen Regionen entstiegen sind wie die übrigen Träume Jean Pauls. Und doch
muß es eine besondere Stunde gewesen sein, in der er diesen Traum niederschrieb, so daß seine Phantasie bald einmal den roten Faden aufgab und sich,
mehr noch als sonst, der Eingebung des reinen Automatismus überließ. Die
Leiche der Venus, die auf einem Strom durch ein weites leeres Meer treibt; die
böse Feindin, in Meergrün und Meerblüten gekleidet und mit zackigen Schwingen
grimmig um sich schlagend; die drei Stummen, gefolgt vom «Urstummen, der
das älteste Märchen sich selber erzählt»; der Blick durch eine gläserne Fläche ins

«rechte Land» hinüber, wo inmitten von Blumen und Kindern die Liebe regiert –
alles in diesem Traum ist von einer ganz einzigartigen Geheimnishaftigkeit und
Echtheit.

Überhaupt nehmen die *Flegeljahre* in Jean Pauls Werk einen besonderen Platz
ein. Die überschwengliche Entzückung tritt seltener und gemäßigter zutage als in
den früheren Romanen, und es scheint, als ob das Licht, anstatt vereinzelt grell
durchzubrechen, sich hier gleichmäßig der ganzen Erzählung mitgeteilt habe. Das
Lyrische ergießt sich in die Form des «Polymeters», des vom Helden erfundenen
kleinen Prosagedichts, und hebt sich dadurch deutlich von den großen Gefühls-
ergüssen des *Hesperus* ab. Selbst der Traum scheint von einer neuen Sanftheit
und einem zarten Geheimnis erfüllt zu sein.

Verhüllte Gestalten gingen vor mir vorbei und fragten mich, warum ich nicht jammerte und
nicht blaß würde. Eine nach der andern kam und fragte. Ich zitterte vor einer ungeheuren
Entschleierung. Da flogen drei bildschöne Kinder aus Wachs vom Himmel, sie blickten freundlich, grüßten mich. Gebt mir die weißen Händlein und zieht mich hinauf, sagt' ich. Sie taten
es, aber ich riß ihnen die Arme mit der Brust aus, und sie fielen tot herunter. Und schon als
ich erwachte, sah ich noch einen fernen dunkeln Leichenzug, der auf den Knien weiter zog.
(Nr. 32)

Trefflich erfaßt Walt, der Held des Romans, die eigentümlich gedämpfte Wonne,
in die sein Leben gehüllt ist:

Er war selig, ohne recht zu wissen, wie oder warum. Seine Fackel brannte mit gerader Spitze
auf in der sonst wehenden Welt, und kein Lüftchen bog sie um. Nicht einmal einen Streck-
vers macht' er, aus Flucht des Silbenzwangs, *es war ihm, als würd' er selber gedichtet, und er
fügte sich leicht in den Rhythmus eines fremden entzückten Dichters.* (Nr. 52*)

Aber auch Jean Paul selbst fühlt sich in diesem Klima am wohlsten, hier, wo er
den Entzückungsstürmen von einst schon ferner ist, wo er, im Einklang mit der
Poesie seiner Umwelt, sich sanft wiegen lassen darf von der Poesie seines Innern.
Die Idylle, die einst die wiedergewonnene Erde und ihre stillen Winkel besang,
nimmt hier die höchsten Gewißheiten in sich auf, die Jean Paul in den Zuständen
der Entzückung gewonnen hat, und darüber hinaus tritt in Erscheinung, was
ihn künftig ganz ausfüllen wird: seine Zärtlichkeit. Zärtlichkeit dessen, der sich
von der Entzückung auf die höchsten Gipfel hat tragen lassen und nun zu seinen
Füßen eine verwandelte Erde erblickt, die ihre Herrlichkeit dem neuen Lichte
verdankt. Eine Zärtlichkeit, die sich, nach den trunkenen Ausflügen ins Weltall,
jedem Tier, jedem Grashalm, jedem verborgenen Winkel verbunden weiß; die
sich am liebsten in jedes Vogelnest einschmiegen, die in den Sonnenstäubchen
tanzen, die mit verträumten Dörfern im Sonntagnachmittagsfrieden einschlummern möchte. Eine verschwenderische Zärtlichkeit auch, die mitten im Winter
den Frühling hervorzaubert oder die leuchtenden Farben und berauschenden
Düfte einer südlichen Traumlandschaft, die der Dichter in Wirklichkeit nie
gesehen hat – um so verschwenderischer, als es eine strenge fränkische Landschaft
ist, die in solch blühende, gesegnete Frühlingsgefilde verwandelt wird.

Überall in Jean Pauls Romanen befinden wir uns in einer Traumwelt. So sehr
sehnte er sich nach dem Paradies, daß er es in den Rokokogärten mit ihren
Grotten, Wasserspielen und Labyrinthen ebensowohl zu erblicken vermochte wie
in sternklaren Nächten, wenn seine Helden unter dem funkelnden Firmament
vom Tod, vom Leben und von Gott sprechen. Die Empfindung, die Bildlichkeit,
Sprachmagie und Entzückungszustände lassen alles in fortwährender Verwandlung
erscheinen, und nie ist das Lied von der Erde herrlicher erklungen als gerade von
diesem Dichter, der ihr so leicht entfloh.

Keiner der Romantiker wird es Jean Paul in der Musik gleichtun, zu der
dieser die deutsche Sprache zu erwecken weiß, keinem ist es gegeben, diesem
wunderbaren poetischen Instrument so zärtliche Töne zu entlocken. Aber er wird
ihnen ein großes Vorbild sein. In ihrem Willen zur Magie, in der Planmäßigkeit
ihrer Erkundungen, in der Theorie der Dichtkunst wie auch im klaren Bewußtsein vom Wesen der Poesie werden sie über ihn hinausgehen; sie können es aber
nur darum, weil sie als Dichter weniger natürlich, als Schöpfer weniger spontan
sind. Wohl sprechen sie von der Vereinigung des Traums mit dem Wachen, von
der Verklärung der Welt und ihrer Verwandlung in Poesie, von der Erkundung
nächtlicher Geheimnisse, aber sie werden nicht ein einziges Werk hinterlassen, in
dem die universelle Verklärung vollzogen wäre, wie Jean Paul sie vollzogen hat.

III

> Ich bin von nichts so gerührt worden als von Herrn
> Jean Paul.

Jean Paul hat sich auch mit der Psychologie und Ästhetik des Traums aus-
einandergesetzt; seine Gedanken hiezu blieben nicht ohne Wirkung auf die
romantische Theorie. Denn er, den die französischen Romantiker auf Grund
eines einzigen Traums – der von Madame de Staël teilweise übersetzten *Rede des
toten Christus* – für einen wahnsinnigen Visionär hielten[3], er war auch ein
exakter, geduldiger Beobachter, ein überaus feinfühliger, in keinem System
befangener Psychologe. Seine oft so hellsichtigen Bemerkungen über das Leben
der Träume sind freilich immer auf die Ästhetik ausgerichtet; denn auch hier
bleibt er seiner persönlichen Erfahrung treu und geht auf eine Analyse seelischer
Vorgänge nur insofern ein, als er sich davon einen tieferen Einblick in die
Hintergründe des dichterischen Schaffens verspricht. Es sind hier vor allem drei
Aufsätze zu nennen, in denen er sich mit diesem Thema beschäftigt hat: *Über
die natürliche Magie der Einbildungskraft*[4] (1795), *Über das Träumen*[5] (1799),
Blicke in die Traumwelt[6] (1813). Sie sind die Frucht anhaltender aufmerksamer

[3] [322] [331] [332].   [4*] [313, I, 5, 185 ff.].   [5*] [7, 398 f.].   [6*] [16, 138 ff.].

Beobachtung wie auch einer ersten Reflexion des Dichters über sein eigenes
Genie. Wenn er die Kenntnisse von der Traumwelt vertiefen möchte, so nur
deshalb, weil er dadurch immer näher an die Analogie von Traum und Poesie
heranzukommen hofft, von deren Bestehen er überzeugt ist.

Jean Paul weiß sehr wohl, daß unsere Träume mit unsern unbewußten
Begierden in Beziehung stehen; daß in unseren Traumbildern sehr oft ans Licht
tritt, was unsere anerzogene Persönlichkeit, unsere «erworbene Moralität» lieber
im Dunkeln belassen würde.

Der mitgebrachte Religions- und Tilgungsfond des Innern, mit andern Worten das weite
Geisterreich der *Triebe* und *Neigungen* steigt in der zwölften Stunde des Träumens herauf
und spielet dichter-verkörpert vor uns [...]. Fürchterlich tief leuchtet der Traum in den in
uns gebaueten Epikurs- und Augias-Stall hinein; und wir sehen in der Nacht alle die wilden
Grabtiere oder Abendwölfe ledig umherstreifen, die am Tage die Vernunft an Ketten hielt
[313, I, 7, 406f.]

Jean Paul spricht jedoch nur im Vorbeigehen von diesem düstern Aspekt der
Träume, dann aber sogleich wieder von ihrem Licht, ihrer Anmut, von ihren
paradiesischen Herrlichkeiten. Er gehört nicht zu jenen, die am Morast des
Augias Gefallen finden, allerdings auch nicht zu jenen, die davon nichts wissen
wollen. Die finstern Abgründe des Unbewußten scheinen ihm der Aufmerksamkeit weniger wert zu sein als dessen Schätze und Offenbarungen. Und es ist um
seiner Poesie willen, daß er den Traum liebt.

Der erste der drei Aufsätze ist in dieser Hinsicht am aufschlußreichsten. Seine
Entstehung fällt in die Jahre von Jean Pauls befreiendem lyrischem Aufschwung;
noch ist das Staunen spürbar, das der Durchbruch zur Poesie im Dreißigjährigen
erweckt hatte. Bei der Niederschrift seiner großen, so wenig künstlerische
Absicht verratenden Romane konnte er mit eigenen Augen verfolgen, wie die
freie «metamorphotische Einbildungskraft» alles Körperliche in Symbole, in
geistige Zeichen für seine neuen Hoffnungen und seine Entzückungen verwandelte. Und so preist er denn jene Lande, die schon nicht mehr ganz von
dieser Welt sind:

Der Traum ist das Tempe-Tal und Mutterland der Phantasie: die Konzerte, die in diesem
dämmernden Arkadien ertönen, die elysischen Felder, die es bedecken, die himmlischen
Gestalten, die es bewohnen, leiden keine Vergleichung mit irgend etwas, das die Erde gibt,
und ich habe oft gedacht: «da der Mensch aus so mancherlei schönen Träumen erwacht, aus
denen der Jugend, der Hoffnung, des Glücks, der Liebe: ach könnt' er nur – sie wären ihm
dann alle wiedergegeben – in den schönen Träumen des Schlummers länger bleiben!» [5, 187]

Jean Paul unterscheidet noch kaum zwischen Nachtträumen und Träumen, wie
wir sie von der Dichtung oder der Musik erwarten. Der Dichter gleicht dem
Genius der Träume, weil er wie dieser die Welt noch einmal erschafft, um durch
sie hindurch die verborgenen Melodien des Übernatürlichen aufklingen zu
lassen. Und schon auch kündigt sich der romantische Subjektivismus in gewissen

Äußerungen an, worin Jean Paul ganz in die Nähe von Novalis gelangt, etwa in der folgenden:

Ach ja wohl hören wir die rechte Sphärenmusik nur in uns; und der Genius unsers Herzens lehrt uns, wie wir Vögeln, die Harmonien nur unter der Überhüllung unsers Bauers aus Erde. [7, 408]

Und wie den Romantikern gefällt auch ihm an den Traumszenen die Freiheit, mit welcher der Geist Charaktere und Dialoge erschafft. *«Der Traum ist unwillkürliche Dichtung»;* der Träumer soufliert den agierenden Personen seiner Dramen genau die Worte, die ihrer Natur am ehesten entsprechen. So ist der Traum ein wahrer «innerer Shakespeare». Und in einer plötzlichen Erleuchtung, in der auf einen Schlag die Erfahrung des großen Schöpfers sichtbar wird, beschreibt Jean Paul den Vorgang der dichterischen Erfindung so klar wie sonst nur ein Rimbaud:

Der echte Dichter ist eben so im Schreiben nur der Zuhörer, nicht der Sprachlehrer seiner Charaktere, das heißt er flickt nicht ihren Dialog nach einem mühsam gehörten Stilistikum der Menschenkenntnis zusammen, sondern er schauet sie wie im Traum lebendig an und dann *hört* er sie [...]. Daß die Traumstatisten uns mit Antworten überraschen, die wir ihnen doch selber inspiriert haben, ist natürlich; auch im Wachen springt jede Idee, wie ein geschlagner Funke, plötzlich hervor, die wir unserer Anstrengung zurechnen; im Traume aber fehlt uns das Bewußtsein der letztern, wir müssen also die Idee der Gestalt vor uns zuschreiben, der wir die Anstrengung leihen. [7, 405 f.]

Diese tiefsinnigen Sätze weisen schon voraus auf die Inspirationstheorie, die sich dann in der zweiten Romantikergeneration durchsetzen wird. Die Schönheit, das offenbarungskräftige Bild, ist weder im Traum noch in der Dichtung unser eigenes Werk, das Werk bewußten Hervorbringens. Der Dichter und der Träumer, beide verhalten sich passiv; sie vernehmen eine Stimme, die aus ihrem Innern spricht und doch wie fremd klingt, die aus der Tiefe heraufsteigt, ohne daß sie etwas anderes tun könnten, als diese Stimme freudig für das Echo einer göttlichen Rede zu nehmen.

Der Traum schafft, so wie im Gräßlichen, so im Schönen, weit über die Erfahrungen, ja über die Zusammensetzungen derselben hinaus und gebiert uns Himmel, Hölle und Erde zugleich. [16, 143]

Der Traum geht also nach allen Seiten über die Gegebenheiten des Wachens hinaus; wenn er durch seine Symbole in enger Beziehung mit den allerpersönlichsten Erlebnissen steht, so verbindet er uns doch gleichzeitig auch mit dem in uns verborgenen Überindividuellen: Er führt uns bis in jene innere Tiefe hinab, wo wir, ledig all unserer Besonderheiten, nichts anderes mehr sind als das Geschöpf vor seiner Bestimmung, vor seinem irdischen Schicksal, dessen volle Bedeutung erst dann ganz sichtbar wird, wenn sich der Traum bis ins himmlische Licht hinauf und bis in die Höllennacht hinab ausweitet.

Jean Paul hat der Romantik den Weg geebnet; man kann ihn als Romantiker
‹klassifizieren› oder von der Romantik ausnehmen – das ist Definitionssache, und
die Literarhistoriker finden ihre Kurzweil bei derlei Fragen. Sicher und von
Belang ist einzig dies, daß er als erster die enge Verwandtschaft zwischen seinen
Kenntnissen vom Traum und seinen ästhetischen Erfahrungen bemerkt hat. Das
Drama des Bewußtseins, so wie es bei ihm zum Austrag gelangt war, hatte ihn
unwiderstehlich zu der Verklärung der Welt hingeführt, die einem jeden seiner
Werke den herrlichen Glanz verleiht. Wenn er sich angeschickt hatte, innere
wie äußere Gegebenheiten allesamt in eine Woge von Musik aufzulösen, so
darum, weil er das Bedürfnis verspürte, ohne Unterlaß von einem Strom der
Entzückung, des Taumels, von einer Bilderflut dahingetragen zu werden. Und
weil er über eine ganz außergewöhnliche musikalische Genialität verfügte, weil
er wie niemand sonst die Stimmen der Tiefe zu erlauschen wußte, wurde er zu
einem wahrhaften Meister der «natürlichen Magie».

Die nach ihm kamen, wurden an dieselben Gestade getragen; wenn auch ein
jeder auf seinem eigenen Weg, denn das Drama des Bewußtseins wiederholt sich
nie, und der Durchbruch zur Dichtung ist in seiner Art stets einmalig. Und doch
unterscheiden sich alle Dichter der zweiten Generation mindestens in einer
Hinsicht von Jean Paul: Die Magie ist bei ihnen nicht mehr ‹natürlich›. Sie
beruht auf Überlegung; sie ist das Verfahren von Menschen, denen der Taumel
der Begeisterung, denen die lyrische Erhebung viel wert ist, die aber doch
immer einen hohen Grad des Bewußtseins bewahren. Ihnen wird nie wieder diese
Zärtlichkeit vergönnt sein; von überströmender Bilderpracht werden sie keine
Ahnung mehr haben, noch davon, was ein einziger Augenblick höchsten
Entzückens an unersetzlicher Bedeutung mit sich bringen kann.

Im Augenblick des Träumens geschieht es, daß Jean Paul den quälenden
Gedanken des ‹Doppelgängers› und das Grauen vor seinem Dualismus völlig
loswird; und gerade auch dieser Dualismus ist bei ihm nie das, was er dann
bei einem jeden seiner Nachfolger sein wird: die fortwährende Koexistenz eines
Ichs, das lebt und träumt, und eines Ichs, das diesem Leben und Träumen als
kritischer Zuschauer beiwohnt.

Mehr als aus jedem andern Grund hat Jean Paul den Traum darum geliebt, weil
er von ihm ins Land der Kindheit zurückversetzt wurde; Rückkehr ins un-
schuldige Entzücken von einst – das war sein liebster Ausweg aus den beklemmenden Ängsten des reifen Menschen. Das Ereignis der Bewußtwerdung
hatte für ihn auch den Eintritt ins Reich des Dualismus bedeutet, wo die
Todesdrohung wohnt. Nun aber, da es ihn nach Einheit und Unschuld dürstete,
da er der Zeit nachtrauerte, in der die Welt noch unendlich gewesen war, nun
pflegte und förderte er ein jedes Mittel, das es ermöglichen würde, wieder eine
unbegrenzte, von reinem Licht erhellte Aussicht zu gewinnen.

Das goldene Zeitalter liegt in der Vergangenheit, und Jean Pauls gesamte Magie hat den Sinn, dieses Paradies auf Erden wiederaufleben zu lassen. Noch gar nichts ist spürbar vom prometheischen Ansinnen der ‹Romantiker› und der «poètes maudits», von ihrem erklärten Willen, für die Menschheit ganz neue, unumschränkte Fähigkeiten zu erobern. Weil er in jedem Augenblick die Welt um sich herum buchstäblich wiedererschuf, hat Jean Paul nie im geringsten daran gedacht, eine Methode der Eroberung zu entwickeln; was er brauchte, war ein himmlisches Klima, und es war ihm gegeben, dieses Klima hervorzuzaubern. Daher auch konnte er mit abgründigem Humor sagen:

Ich bin von nichts so gerührt worden als von Herrn Jean Paul – der hat sich hingesetzt und durch seine Bücher mich verdorben und zerlassen. Jetzt bin ich ein Selbstzünder und brauche keine Geliebte, um warm, keine Tragödie, um weich zu werden. [319, II, 10]

ELFTES KAPITEL

DER MORGENSTERN

Die Asche der irdischen Rosen ist das Mutterland der himmlischen. Ist nicht auch unser Abendstern der Morgenstern der Antipoden?   NOVALIS

Der berühmte Traum von der blauen Blume – am Anfang von Novalis' *Heinrich von Ofterdingen* – ist in seinen Elementen und Bildern Jean Pauls großen Träumen ganz nahe verwandt. Wir finden ungefähr dieselbe eigenartige Traumgeographie: Öffnungen und Gänge im Berg, Felsschluchten, die man mühelos durchklettert, ein völlig unwirkliches Licht, das sich hell und mild über alles ausbreitet und den Betrachter mit nie gekannter Wonne erfüllt. Und doch, wie anders ist alles! Trotz dem bunten Getümmel von Bildern am Anfang besitzt Novalis' Traum im ganzen mehr Logik, ist er der Allegorie näher als die Jean-Paulschen Visionen. Auch die Sprache ist anders; sie ist kühler, entschiedener bei Novalis und hält sich aus jenem Taumel der Empfindungen heraus, dem Jean Paul in seinen Entzückungen immer wieder verfällt. Die Empfindungen sind rein: Es fehlt ihnen das Zerfließen und Ineinanderfließen, das dort eine völlig musikalische Harmonie erzeugt. Die Bilder jagen sich nicht und zerstören sich auch nicht gegenseitig durch ihren Überfluß, so daß schließlich nur noch die unendlichen Räume Wirklichkeit behielten. Die Bewegung ist der Verflüchtigung und Ausweitung völlig entgegengesetzt. Die Vision konzentriert sich, läßt ab vom Horizont und seinem Glanz und sammelt sich in der genauen und symbolischen Anschauung der blauen Blume. Und dann ist dieser Traum von einer seltsam vergeistigten Erotik durchdrungen: Wer ins Paradies des Novalis eingeht, hat keine Schrecken hinter sich und ist nicht bodenlosen Abgründen entstiegen; er ist aber auch nicht der Bahn von Milchstraßen, Nebelsternen und ungezählten Sonnen gefolgt. Der geistige Hauch verströmt man weiß nicht was für eine Heiligkeit und Reinheit, die sich mit der seltsam überirdischen Wollust der weiblichen Wellen und mit der Erscheinung eines zarten Gesichts verbindet.

Je tiefer man in den Roman hineinliest, desto weiter entfernt sich die Bedeutung dieses Traums und der traumhaften Stimmung von allem Vergleichbaren bei Jean Paul. Zunächst einmal spielt die Vision in Hinsicht auf das Werkganze eine völlig andere Rolle als in der *Unsichtbaren Loge* oder im *Hesperus*. Sie soll nicht nur ein poetisches Register, nicht nur einen Durchblick in den Himmel öffnen; sie ist enger mit dem Leben und Handeln der Personen verknüpft. Weit entfernt davon, sich einem musikalischen Bilderzauber hinzugeben, behält Novalis den Entwurf seines Werks in seiner Gewalt, und er setzt den Traum mit Wissen und Willen dazu ein, die Schritte seines Helden zu lenken.

Wir sind bei Novalis der volkstümlichen Tradition näher; freilich nicht ihrer Spontaneität und Unbefangenheit, aber einem vom Dichter mit Bedacht übernommenen Erbe, dessen er sich zu genau berechnetem Zweck bedient. Nicht nur daß im Traum selbst der tiefe dunkle Wald, den Heinrich durchstreift, an deutsche Märchen erinnert, wie sie von der Romantik immer wieder aufgenommen worden sind; dem Traum kommt auch im Zusammenhang des Romans eine Bedeutung zu, die altem Volksglauben entspricht. Als Heinrich seinem Vater vom Traum erzählt, erinnert sich dieser, als Jüngling ganz ähnliche Bilder gesehen zu haben. Aber er hat derlei Geschichten nie Glauben schenken können; für ihn gilt, wie für die rationalistische Generation, der er angehört: «Träume sind Schäume» [358, 198].

Im Gegensatz dazu ist Heinrich, in dem die Poesie bald ihre Schwingen öffnen wird, von der Bedeutsamkeit der Träume überzeugt. Er wird, anders als einst der Vater, nicht einfach über die nächtliche Botschaft hinweggehen und unbehelligt ins regelmäßige, gewöhnliche Leben zurückkehren. Seine Existenz ist inskünftig nach jenem Reich der blauen Blume ausgerichtet, in das er einen Blick hat werfen dürfen. Schon glaubt er, das im Traum geschaute Paradies sei wirklicher als die gewohnte Welt. Solange wir ihn auf seinen Abenteuern begleiten, wird er in Träumen und «Ahndungen» die Stimmen von dorther vernehmen. Als er seine Vaterstadt in der Morgendämmerung verläßt, fallen dem Jüngling «alte Melodien seines Innern» ein; aus der blauen Flut der Ferne taucht die Wunderblume wieder auf, und ihr wird er auf seiner Reise stets nachfolgen [205].

Die wechselnden Landschaften treten fortwährend in eine seltsam zarte, sanft berückende Beziehung zu den Geheimnissen des Unbewußten. Die Ferne, die weiten Ebenen, die Morgen- und die Abenddämmerung bieten die besten Naturstimmungen für das Aufkommen solcher Seelenregungen. Als Heinrich mit dem alten Bergmann zur Erkundungsfahrt in die unterirdischen Höhlen aufbricht, ist es der Mond, der mit seinem Licht diese wunderbar zarte Harmonie von Traum und äußerer Welt stiftet:

Der Abend war heiter und warm. Der Mond stand in mildem Glanze über den Hügeln, und ließ wunderliche Träume in allen Kreaturen aufsteigen. Selbst wie ein Traum der Sonne, lag er über der in sich gekehrten Traumwelt, und führte die in unzählige Grenzen geteilte Natur in jene fabelhafte Urzeit zurück, wo jeder Keim noch für sich schlummerte, und einsam und unberührt sich vergeblich sehnte, die dunkle Fülle seines unermeßlichen Daseins zu entfalten. [252]

Darin liegt mehr als die bloße Entsprechung von äußerer Lichtwirkung und seelischer Gestimmtheit. Das mystische Licht des Mondes regt nicht einfach zu sanften Träumen an: Es ermöglicht den Dingen, ihre gewohnte Anordnung zu verlassen und in eine neue, poetischere Ordnung einzutreten, das heißt in eine Freiheit, die der Freiheit des menschlichen Geistes entspricht. Die Welt kehrt in ihren Ursprung zurück, dorthin, wo sie sich noch nicht zu Gestalten und Arten verfestigt hat; sie erlangt wieder jene Unbestimmtheit, wo alles noch im ersten Werden begriffen ist. Bei diesem Schauspiel befällt den Geist das heilsame Staunen, welches ein Wesenselement der Dichtung ist: In ihm und außer ihm ist alles neu, ist alles so wie am ersten Schöpfungstag. Oder mit den Worten eines Lehrlings zu Sais:

Der denkende Mensch kehrt zur ursprünglichen Funktion seines Daseins, zur schaffenden Betrachtung, zu jenem Punkte zurück, wo Hervorbringen und Wissen in der wundervollsten Wechselverbindung standen, zu jenem schöpferischen Moment des eigentlichen Genusses, des innern Selbstempfängnisses. Wenn er nun ganz in die *Beschauung* dieser Urerscheinung versinkt, so entfaltet sich vor ihm in neu entstehenden Zeiten und Räumen, wie ein unermeß- liches Schauspiel, die Erzeugungsgeschichte der Natur [...]. [101]

All diese inneren Offenbarungen: Dichtung, Denken, Kontemplation, Gedächtnis und Erinnerung, haben dies eine gemeinsam, daß sie uns aus der gewohnten Abfolge der Begebenheiten herausheben und in eine andere Dauer, in eine «neugeborene Zeit», versetzen. Deshalb gewährt uns die Erinnerung einen tieferen Einblick in unsere eigene Geschichte und in die Weltgeschichte als der Eindruck des Gegenwärtigen; denn die Wesensverwandtschaft weit auseinanderliegender Begebenheiten tritt hervor, sobald sie ihrer augenblicklichen Atmosphäre weniger eng verhaftet sind. So hat Heinrich denn immer wieder das Gefühl des ‹ Déjà vu ›. Die Gestalten seiner Träume verschmelzen mit Gestalten, denen er auf der Reise begegnet, und die Länder, die er erkundet, gleichen aufs seltsamste den Landschaften der Kindheit. Als er in der Höhle des Ein- siedlers eine alte provenzalische Handschrift durchblättert, stößt er verschiedentlich auf sein eigenes Abbild, wie auch auf das seiner Bekannten, die lediglich nach älterer Art gekleidet zu sein scheinen; dann entdeckt er in dem wunderlichen Buch die künftigen Begebenheiten seines Lebens, und auch davon wieder fühlt er sich, entzückt und beängstigt zugleich, an frühere Zeiten erinnert. Ja selbst einige Gestalten seines Traumes mischen sich in den Bildern des Buches unter die bekannten Menschen.

So erweist es sich immer deutlicher, daß dem großen Traum prophetische Bedeutung zukommt, ja bald geht Heinrich auch die Bedeutung der blauen Blume auf. In Augsburg angelangt, begegnet er Klingsohr, dem Dichter, und dessen Tochter Mathilde. Kaum hat er sie erblickt, als eine neue innere Gewißheit seine aus den Landschaften, aus dem geheimnisvollen Buch und aus Erinne- rungen genährten «Ahndungen» wieder wachruft.

Ist mir nicht zumute wie in jenem Traume, beim Anblick der blauen Blume? Welcher sonder- bare Zusammenhang ist zwischen Mathilden und dieser Blume? Jenes Gesicht, das aus dem Kelche sich mir entgegenneigte, es war Mathildens himmlisches Gesicht, und nun erinnere ich mich auch, es in jenem Buche gesehn zu haben [...]. O! sie ist der sichtbare Geist des Gesanges, eine würdige Tochter ihres Vaters. Sie wird mich in Musik auflösen. Sie wird meine innerste Seele, die Hüterin meines heiligen Feuers sein. [277]

Es ist dann wieder ein Traum, der Heinrich in dieser Bewegung seines ganzen Wesens zu Mathilde hin bestärkt. Er sieht sie in einem Kahne über die glatte Fläche eines blauen Flusses rudern. Auf einmal zieht ein Wirbel das Boot in die Tiefe, und Heinrich, der das Mädchen retten will, verliert in der entsetzlichsten Angst das Bewußtsein. Wie er wieder zu sich kommt, ist er in einer fremden Gegend; matt und gedankenlos streift er durch Blumenwiesen, bis ihm plötzlich ein lieblicher Gesang das Gemüt aufheitert, so daß ihm wohl und heimatlich zumute wird. Er folgt der Stimme und findet Mathilde auf dem Grund des Stromes, der nun droben über ihren Häuptern leise dahinfließt.

Durch den ganzen ersten Teil des Romans werden Held wie Leser durch beständige Zeichen ermahnt, die sichtbare Wirklichkeit nicht für die letzte Wirklichkeit zu nehmen; denn dahinter existiert eine zweite, bedeutungsreichere Ebene: die der wahren Natur, die zugleich die der tiefsten «Ahndungen» ist. Nicht als ob dieses Jenseits völlig unzugänglich wäre; schon hier und jetzt können wir es zu erreichen, seine verborgene Gegenwart in und außer uns zu erfassen versuchen. Heinrich und Mathilde empfangen die Offenbarungen davon in der Liebe:

«Ach! Mathilde, auch der Tod wird uns nicht trennen.» – «Nein, Heinrich, wo ich bin, wirst du sein.» – «Ja wo du bist, Mathilde, werd’ ich ewig sein.» – «Ich begreife nichts von der Ewigkeit, aber ich dächte, das müßte die Ewigkeit sein, was ich empfinde, wenn ich an dich denke.» [288]

An Heinrich ist es dann, den Gedanken zu vollenden:

«Ja Mathilde, die höhere Welt ist uns näher, als wir gewöhnlich denken. *Schon hier* leben wir in ihr, und wir erblicken sie auf das innigste mit der irdischen Natur verwebt.» [289*]

«Schon hier!» – *hic et nunc:* das ist die zentrale Botschaft, die Grundüberzeugung von Hardenbergs Romantik, und dies ist es auch, was, mehr noch als die Klarheit seiner Träume, sein Streben von demjenigen Jean Pauls unterscheidet. Es taucht da ein neues Element auf, ein Element irdischen Wollens und Vertrauens: Unnötig, sich nach Auflösung zu sehnen, vom Tod die wirkliche Geburt zu göttlichem Sein zu erwarten. Der Mensch darf, solange er nur immer dazu willens ist, schon auf dieser Erde die ganze Fülle göttlicher Wonne zu erfahren hoffen. Während für Jean Paul die lyrische Stimmung in der Hingabe an eine berauschende Musik, an einen seligen, von der Erde befreienden Taumel bestand, hat Novalis eine wesentlich andere Auffassung von der Poesie. Gewiß, auch bei ihm vermischen sich Traum und Bewußtsein, aber gemäß einer neuartigen Beziehung. Der Dichter «kann nicht kühl, nicht besonnen genug sein. Zur wahren, melodischen Gesprächigkeit gehört ein weiter, aufmerksamer und ruhiger Sinn. Es wird ein verworrenes Geschwätz, wenn ein reißender Strom in der Brust tobt, und die Aufmerksamkeit in eine zitternde Gedankenlosigkeit auflöst» [281]. Gerade in der vollkommenen Geistesgegenwart, im Gefühl, jeglicher Dinge Herr zu sein und den Bilderfluß nach Gefallen lenken zu können, gerade hierin liegt die Bedingung der Poesie. «Die Poesie will vorzüglich», so sagt Klingsohr, «als *strenge Kunst* getrieben werden. Als bloßer Genuß hört sie auf Poesie zu sein» [282*].

«Die Sprache ist wirklich eine kleine Welt in Zeichen und Tönen. Wie der Mensch sie beherrscht, so möchte er gern die große Welt beherrschen, und sich frei darin ausdrücken können. Und eben in dieser Freude, das, was außer der Welt ist, in ihr zu offenbaren, das tun zu können, was eigentlich der ursprüngliche Trieb unsers Daseins ist, liegt der Ursprung der Poesie.» [287]

Soweit die Paralipomena zum zweiten Teil des Romans eine Vermutung über den geplanten Ausgang gestatten, hätte er in einer Apotheose der Poesie bestehen sollen, die offensichtlich als ein Instrument zur magischen Erlösung, zur wirklichen Verklärung der Welt verstanden worden wäre. Nach Mathildes Tod wird Heinrich durch seinen Schmerz dazu reif, über den Zustand der «Ahndungen» hinauszugehen, worin er seit seinem Traum verharrt hatte. Er gelangt auf eine höhere, wahrhaft magische Stufe: auf die des vollen Bewußtseins, und nun vermählen sich Zukunft und Vergangenheit mit der Gegenwart, der Tag und die Nacht und auch die Jahreszeiten. Ein einziges Wort genügt, Licht und Schatten auszusöhnen und den Glanz der Ewigkeit wieder aufleuchten zu lassen.

> Wenn dann sich wieder Licht und Schatten
> Zu echter Klarheit wieder gatten
> Und man in Märchen und Gedichten
> Erkennt die wahren Weltgeschichten,
> Dann fliegt von Einem geheimen Wort
> Das ganze verkehrte Wesen fort. [344f.]

«Die Welt wird Traum, der Traum wird Welt» [319]. Der «Traum» im *Heinrich von Ofterdingen* ist also nicht ein gewöhnlicher Nachttraum. Er ist Offenbarung einer unsichtbaren Wirklichkeit und zugleich Ausdruck eines höheren, durch poetische Magie zu erlangenden Bewußtseins, das bestimmt ist, eines Tages die Hauptwidersprüche des Lebens aufzulösen. So verstanden, sind Traum und Bewußtsein keine Widersprüche mehr. Was für unsresgleichen *noch* Traum ist, wird einst totale Bewußtheit sein. Diese Lehre, deren mythischen Aspekt wir nun betrachtet haben, verdeutlicht Novalis in seinen Fragmenten mit philosophischen Begriffen. Zu seinen ‹magischen› Bestrebungen ist Novalis hingeführt worden durch die miteinander verbundenen Erfahrungen vom Leben und vom Traum.

Über Hardenbergs eigene Träume wissen wir eigentlich nicht viel; immerhin dürfen wir auf Grund einiger Aufzeichnungen in Notizheften annehmen, daß er, wenn auch nicht mit der Ausdauer eines Jean Paul oder eines Lichtenberg, dann und wann gewisse Beobachtungen über sein Traumleben angestellt hat. In der Freiberger Zeit scheint er sich «Betrachtungen über den Traum im gewöhnlichen Sinne» vorgenommen zu haben [III, 63]. Er sieht darin gewisse Aufschlüsse über unsere Natur enthalten, insbesondere das Modell jener doppelten Metamorphose unser selbst und der Welt, nach welcher er sich sehnt:

> Der Traum belehrt uns auf eine merkwürdige Weise von der Leichtigkeit unsrer Seele in jedes Obj[ekt] einzudringen – sich in jedes sogleich zu verwandeln. (Allg. Br. Nr. 381)

Und er bringt den Traum in Verbindung mit seinen dichterischen Bestrebungen, wenn er schreibt:

> Der Traum ist oft bedeutend und prophetisch, weil er eine Naturseelenwirkung ist – und *also* auf Assoziationsordnung beruht – Er ist, *wie die Poesie bedeutend* [*] – aber auch darum unregelmäßig bedeutend – *durchaus frei.* (Allg. Br. Nr. 959)

Wenn es nicht die Beobachtung von Nachtträumen war, wovon Novalis ausgegangen ist, so müssen solche Äußerungen wie auch seine sonst bezeugte hohe Einschätzung des Traums auf etwas anderes zurückzuführen sein: nicht einfach auf psychologische Erfahrung und Selbstbeobachtung, vielmehr auf ein lebenslanges Nachdenken über die Bestimmung des Menschen. Wollen wir Hardenbergs Einsichten in die Bedeutung der Träume für Leben und Poesie nachvollziehen, so müssen wir vorerst die Etappen dieser metaphysischen Eroberung kennenlernen.

Novalis ist gleichzeitig auf mehreren Wegen vorangeschritten. Eine unerhörte intellektuelle Wißbegierde und eine geistige Genauigkeit und Klarheit, vor der die von Tieck geschaffene Legende vom zart-gebrechlichen, verschwommenen Jüngling zunichte wird, trieben ihn zu einer ungeheuren Bestandesaufnahme menschlichen Wissens an. Er war in sämtliche Wissenschaften eingeweiht und machte davon einen sehr eigenartigen Gebrauch, der seine Vorliebe für die Mathematik verrät. Die tiefsten Triebe seines Wesens liefen alle darauf hinaus, mit Hilfe der verschiedenartigsten wissenschaftlichen Auskünfte eine einzige, allumfassende *Formel* für das Universum zu suchen, die den Menschen zu unbegrenzter Herrschaft befähigen sollte.

Aber er war doch vor allem ein religiöser Geist, war leidenschaftlich eingenommen für die Geheimnisse und Fortschritte der Seele, und so nahm er, was für andere objektiv Festgestelltes blieb, in seine allerpersönlichste Erfahrung zurück. Genau dadurch läßt er, der er ihr Wegbereiter ist, alle Naturphilosophen der Folgezeit hinter sich zurück, und genau darum besitzen gewisse Überzeugungen, die wir bereits von Schubert, von Carus und ihren Nachfolgern kennen und bei Novalis erneut antreffen, bei ihm eine ganz einzigartige Reinheit und kristallene Klarheit. Dem Dichter ist es vorbehalten, einem jeden Wort seine unersetzliche Bedeutung zu geben, denn er bezieht ein jedes Wort auf seinen eigenen geistigen Schicksalsweg.

II

Ich gehöre seitdem nicht mehr hieher.

Wir wissen, welche Begebenheit in Novalis' Leben zum Ausgangspunkt wurde
für das, was er seinen magischen Idealismus genannt hat. Nach fieberhaften
Jahren, in denen er bald gierig verschlang, was nur immer sich finden ließ an
Dichtern und Gelehrten, bald als «Fritz der Flatterer», wie ihn sein Lieblings-
bruder nannte, die «Welt durchsponsierte», verlobte sich der zweiundzwanzig-
jährige Hardenberg mit Sophie von Kühn, einem Mädchen von dreizehn Jahren,
unbedeutend, ziemlich ungebildet, launisch und selbst für ihr Alter sehr kindlich. Die eigenartige Liebesbeziehung – bald überschwenglich, bald ernüchtert,
so daß ihm das Mädchen und seine Umgebung in grausamer Klarheit erscheinen – hätte womöglich nicht lange hingehalten, wäre Sophie nicht auf den
Tod erkrankt; rasch schwindet sie dahin, während in ihr jene zutiefst rührende
Poesie aufblüht, die junge, von frühem Tod gezeichnete Menschen verklärt.
Novalis, der selbst schon den tödlichen Keim in sich trägt, gerät über diese
Drohung in Erregung; während der letzten Lebensmonate seiner Braut befindet
er sich in dauernder Unruhe. Er versucht «die Traumwelt seines Schicksals zu
vergessen», indem er sich einredet,

die Asche der irdischen Rosen sei das Mutterland der himmlischen. Ist nicht unser Abendstern der Morgenstern der Antipoden?
  [...] Meine Phantasie wächst, wie meine Hoffnung sinkt – wenn diese ganz versunken ist
und nichts zurückließ als einen *Grenzstein,* so wird meine Phantasie hoch genug sein, um
mich hinaufzuheben, wo ich das finde, was mir verloren ging. [357, 175]

Dieser Brief – wenige Wochen vor Sophiens Tod geschrieben – läßt schon die
Askese und die unerhörte Willensstärke ahnen, zu der sich Novalis durchringen
wird, sobald das Schlimmste geschehen und die erste Niedergeschlagenheit überwunden sein wird.
  Zunächst freilich, als das fatale Ereignis eingetreten ist, verfällt Novalis für
etliche Tage einer tödlichen Ermattung, so daß für ein Gefühl der Auflehnung
kein Platz bleibt, und wie er sich dann wieder zu fassen versucht, gilt sein
erster Gang Sophiens Grab: «Es soll mein Magnet sein und wird die Stätte
meiner Heiligung sein» [189]. Er gelobt sich, ihr in den Tod zu folgen –
«Ist nicht ihr Tod und mein Nachsterben eine Verlobung im höhern Sinn?»
[188f.] –, und zur Bekräftigung seiner Absicht beruft er sich auf die Schicksal-
haftigkeit der Daten: Der 15. März (1795) war der Verlobungstag, der 17. März
ihr Geburtstag, der 19. März (1797) ihr Todestag, am 21. erhielt er die Nach-
richt von ihrem Tode – «sollt' ich nicht ahnden dürfen, daß ich den 23. ihr
nachkäme?» [187] (Seltsam, Novalis starb am 25. März 1801!)

Einige Tage darnach schreibt er seinem Freund Just:

Wenn ich bisher in der Gegenwart und in der Hoffnung irdischen Glücks gelebt habe, so muß ich nunmehr ganz in der echten Zukunft und im Glauben an Gott und Unsterblichkeit leben. Es wird mir schwer werden, mich ganz von dieser Welt zu trennen, die ich so mit Liebe studierte; die Rezidive werden manchen bangen Augenblick herbeiführen – aber ich weiß, daß eine Kraft im Menschen ist, die unter sorgsamer Pflege sich zu einer sonderbaren Energie entwickeln kann. [191]

Welch wunderbares Vertrauen in die Heilkraft der Seele! Alle Gaben, die er empfangen hat, will er künftig zu bestem Nutzen anwenden, jeder Begebenheit höchste religiöse Bedeutung beimessen. Was auch immer geschehen mag – von nun an wird er der Überzeugung sein, der Mensch sei fähig, es zu verklären, es zum Ausgangspunkt für eine Eroberung zu machen. Von Brief zu Brief wiederholt und verdeutlicht sich das Verlangen nach dem Tod. Statt daß er Sophie sogleich ins Grab zu folgen begehrt, freundet er sich recht bald mit dem Gedanken an ein Weiterleben an, vorausgesetzt, dies neue Dasein erzöge ihn dazu, das Leben selbst fortwährend in Gedanken zu vernichten. Daß aus unablässiger Betrachtung des Todes jeglichem Ding seine wahre Bedeutung zuwachse, das ist die Hoffnung, die ihn zu eigenartigen Ausbrüchen der frohesten Zuversicht veranlaßt. Kein Monat ist seit dem Tod der Verlobten vergangen, so schreibt er an Friedrich Schlegel, Sophiens Grab übe auf ihn eine immer stärkere und tröstlichere Anziehung aus.

Mein Herbst ist da, und ich fühle mich so frei, gewöhnlich so kräftig – es kann noch etwas aus mir werden. So viel versichere ich dir heilig, daß es mir ganz klar schon ist, welcher himmlische Zufall ihr Tod gewesen ist – ein Schlüssel zu allem – Ein wunderbarschicklicher Schritt [...]. Eine einfache, mächtige Kraft ist in mir zur Besinnung gekommen. Meine Liebe ist zur Flamme geworden, die alles Irdische nachgerade verzehrt. (13. April 1797)

Und in einem Brief an Professor Woltmann erklärt er sich gleichentags entschlossen, alle in seinem Innern aufbrechenden Keime zu pflegen und zu fördern – Keime der Liebe, der Begeisterung, der Tätigkeit –, um dereinst vollkommener und gekräftigter vor die Geliebte treten zu können:

– die Farben sind heller auf dem dunkeln Grunde, der Morgen naht – das verkünden mir die ängstlichen Träume. Wie entzückt werde ich ihr erzählen, wenn ich nun aufwache und mich in der alten, längst bekannten Urwelt finde, und sie vor mir steht – Ich träumte von dir: ich hätte dich auf der Erde geliebt – du glichst dir auch in der irdischen Gestalt – du starbst – und da währte es noch ein ängstliches Weilchen, da folgte ich dir nach.

Der Freitod, zu dem sich Novalis entschließt, ist also ein völlig geistiger Akt. Er gibt das Leben nicht auf, aber er lebt von nun an so, daß Sophiens Tod den Mittelpunkt seines Daseins bildet und ihm aus ihrem Anblick die Kraft zufließt, durch ein wahrhaftes Wunder bewußten Wollens schließlich den Tod zu bewirken. Das Tagebuch, das Novalis am 18. April 1797, einen Monat nach dem Ereignis und vier Tage nach dem Tod seines Bruders Erasmus, anfängt, hält das Hereinwachsen des Unsichtbaren ins wirkliche Leben Schritt für Schritt

sorgfältig fest, samt den Rückschlägen, die – wie vorausgesehen – diesen Fortschritt immer wieder hemmen. In den zweieinhalb Monaten des Versuchs sieht
er sich beinahe tagtäglich genötigt, über Unschlüssigkeit, Zerstreuung oder verworrene Gedanken zu klagen. Dem Leben zuwider zu leben will nicht leicht
gelingen; es rächt sich auf demütigende Weise, durch Geschwätzigkeit, sinnliche
Regungen, Leckereien oder durch Kälte des Herzens, wo Innigkeit und Wärme
des Andenkens zu erwarten gewesen wären. Er auferlegt sich eine wahrhafte
Askese, und manchmal trägt sie auch Früchte, so wenn er spät abends Söpchen
neben sich auf dem Kanapee sitzen sieht oder wenn im Mai, während eines
Aufenthalts in Grüningen, die täglichen Besuche auf dem Grab seine Erregung
bis zur Ekstase anwachsen lassen:

– auf blitzende Enthusiasmusmomente – das Grab blies ich wie Staub vor mir hin – Jahrhunderte
waren wie Momente – ihre Nähe war fühlbar – ich glaubte, sie solle immer vortreten. [385]

Am übernächsten Abend erlebt er auf dem Grab erneut «einige wilde Freuden-
momente» [386]. Ein paar Tage darauf jedoch fühlt er sich «unaussprechlich
einsam in gewissen Momenten – so entsetzlichen Jammer in dem, was mir
begegnet ist», obwohl er sich vorgenommen hat, «alles in Beziehung auf ihre
Idee zu bringen» [387]. Als er vom «guten Grabe» und von Grüningen Abschied
nimmt, bemerkt er: «Je mehr der sinnliche Schmerz nachläßt, desto mehr wächst
die geistige Trauer, desto höher steigt eine Art von ruhiger Verzweiflung. Die
Welt wird immer fremder. Die Dinge um mich her immer gleichgültiger. Desto
heller wird es jetzt *um* mich und *in* mir –» [389].

Einer Besorgnis wird er nie ganz ledig, daß nämlich sein Todesverlangen zu
einem Fluchtweg werden könnte; das will er unter allen Umständen vermeiden.
Nicht um im Tod eine Rettung zu finden, die ihm hier verwehrt gewesen
wäre, reißt er sich vom Leben los, sondern um eine Tat zu vollenden, die einen
absoluten Fortschritt bedeutet. «Mein Tod soll Beweis meines Gefühls für das
Höchste sein, echte Aufopferung – nicht Flucht – nicht Notmittel» [390].

Hie und da glaubt er diese Abgewöhnung vom Leben erreicht zu haben und
stößt einen Freudenschrei aus: «– die Idee der unaussprechlichen Einsamkeit, die
mich seit Sophiens Tod umgibt – mit ihr ist für mich die ganze Welt aus-
gestorben. *Ich gehöre seitdem nicht mehr hieher*» [394*].

Einige Fragmente auf einem Blatt, das wegen seiner engen Beziehung zum
Tagebuch wohl dem Herbst 1797 angehört, halten die Quintessenz dieses
Erlebnisses fest:

54. Der echte philosophische Akt ist Selbsttötung; dies ist der reale Anfang aller Philosophie,
dahin geht alles Bedürfnis des philosophischen Jüngers, und nur dieser Akt entspricht allen
Bedingungen und Merkmalen der transzendenten Handlung.
56. Ich habe zu Söpchen Religion – nicht Liebe. Absolute Liebe, vom Herzen unabhängige,
auf Glauben gegründete, ist Religion.
57. Liebe kann durch absoluten Willen in Religion übergehn. Des höchsten Wesens wird
man nur durch Tod wert. / Versöhnungstod. / [358, II, 395]

Der Versuch, den Novalis in diesen entscheidenden Monaten seines Lebens unternimmt, ist also darauf angelegt, ein Ereignis, das nach menschlichem Ermessen bloß zufällig ist, auf die Ebene des Glaubens zu transponieren; Novalis will die Gegebenheiten seiner eigenen Geschichte in eine höhere Potenz erheben, und zwar durch einen Willensakt. Es läßt sich nicht leugnen, daß dieses Unterfangen in einer gewissen Hinsicht gescheitert ist; er läßt sich wieder binden: vom Leben, von Freunden, von neuem Eifer für Beruf und Wissenschaften, und noch sind keine zwei Jahre verflossen, als er sich mit Julie von Charpentier verlobt. Die Rückkehr zu angestrengter und vielfältiger Tätigkeit scheint seinen «Entschluß», seinen «Zielgedanken», seinen «Beruf zur unsichtbaren Welt» für immer zunichte zu machen. Aber das stimmt doch nur unter einem bestimmten Gesichtswinkel: dem der sichtbaren Tatsachen, die der Wille, selbst ein männlicherer als Hardenbergs, nicht zu verändern vermag. Im Innern jedoch hat sich Novalis so sehr verwandelt, daß vom Frühsommer 1797 an alles um ihn herum einen völlig veränderten Anblick gewinnt. Seitdem die Kluckhohnsche Ausgabe seiner Schriften Aufschluß über die Datierung der Dichtungen und Fragmente gegeben hat, kann kein Zweifel mehr darüber bestehen, daß sich das Denken des Novalis erst dann in seiner ganzen Breite und Originalität entfaltete, als er durch das Sophienerlebnis seine Bekehrung zum Tod erfahren hatte[1]. Sein gesamtes dichterisches Werk ist daraus hervorgegangen, und wir wissen heute, daß die *Hymnen an die Nacht* und die *Geistlichen Lieder*, in denen sein Grunderlebnis mythische Gestalt gewinnt, im wesentlichen erst aus der zweiten Verlobungszeit stammen.

Ja mehr noch: Die Anwandlung des Willens, durch die sich Novalis zur Verklärung alles Vorgegebenen befähigt fühlt, hat sich ihm während der Askese der ersten Monate so tief eingeprägt, daß sein Geist auch künftig davon gezeichnet bleibt und daß er bei allen seinen Schritten in die unendlich vielfältigen Interessensgebiete hinaus seinem ursprünglichen Entschluß treu sein wird.

Es ist diese Gebärde eines magischen Willens tatsächlich das Hauptmerkmal seines gesamten Denkens. Sie zielt darauf ab, aus jeglichem Gedanken, jeglichem psychologischen, ja selbst physiologischen Faktum etwas *anderes* zu machen, alles schlicht und ‹real› Gegebene in ein Symbol der unsichtbaren Wirklichkeit, in eine Stufe des geistigen Aufstiegs zu verwandeln. Wenn auch der Tod der Geliebten diese Grundgebärde in ihm nicht erschaffen hat, so hat er sie doch offensichtlich entbunden. Erst von diesem Augenblick an vermag sich Novalis voll zu entfalten. Erst von jetzt an ist er ganz er selbst und fügt er allem, was er sich von seinen Lehrmeistern, von Fichte, Hemsterhuis oder Jean Paul angeeignet hat, ein persönliches Element hinzu.

[1] Zur Entstehungsgeschichte sind jetzt die revidierte Haupteinleitung zur zweiten Auflage und die Einleitung zu den *Hymnen* und *Geistlichen Liedern* zu vergleichen [I, 47–52/115 ff.].

Was Novalis von Jean Paul unterscheidet und ihn als wirklichen Begründer der deutschen Romantik erscheinen läßt, wird besonders deutlich an den Konsequenzen, die der eine und der andere aus einer analogen Betrachtung des Todes zieht. Während sich Jean Paul *hingibt* an den tröstlichen Gedanken des Jenseits und sein Genüge findet im Wonnetaumel, wo die Welt in übernatürlichem Glanz zu erstrahlen scheint, empfängt Novalis aus Sophiens Tod die Unterweisung, seinen ganzen *Willen* aufzubieten, um das Leben zu verklären, es *hic et nunc* vollkommen nach dem Gesetz des Jenseits zu leben. Ja er setzt seine ganze Hoffnung in eine Eroberung, die hienieden von Dichtern und Denkern für die gesamte Menschheit unternommen werden könnte und eine wirkliche Verwandlung der irdischen Welt, ihre endgültige Aussöhnung mit der allumfassenden Harmonie und ihre Rückkehr in die Ewigkeit erbrächte. Das Willentliche an Hardenbergs Denken ist es, was ihn von allen seinen Vorgängern unterscheidet.

Geht es denn noch an, von einem Scheitern zu sprechen, wenn man Novalis von nun an recht eigentlich in der Erwartung des Wunders und in der Vorbereitung auf das Wunder leben sieht? Wonach dereinst ein Rimbaud trachten wird: das Leben zu verändern, dies im buchstäblichsten Sinne ist sein Ziel, und alle seine Bemühungen konzentrieren sich in diesem Streben nach «Erhebung des Menschen über sich selbst» [II, 535].

Dieser Begriff der Erhebung im Sinne einer Potenzierung ist für Novalis wesentlich. Er sieht künftig alles unter diesem doppelten Aspekt: «Der Akt des sich selbst Überspringens ist überall der höchste – der Urpunkt – die *Genesis des Lebens*» [II, 556]. Alles Materielle, Organische, Physiologische kann in ein Zeichen, ein Symbol des Geistes verwandelt werden; auch die niedrigsten und abstoßendsten Realitäten sind dieser Metamorphose zugänglich. Man kann sich zum Beispiel beim Gedächtnismahl für einen Freund vorstellen, mit jedem Bissen sein Fleisch und sein Blut zu genießen.

Dem weichlichen Geschmack unserer Zeiten kommt dies freilich ganz barbarisch vor – aber wer heißt sie gleich an rohes, verwesliches Blut und Fleisch zu denken. Die körperliche Aneignung ist geheimnisvoll genug, um ein schönes Bild der geistigen *Meinung* zu sein – und sind denn Blut und Fleisch in der Tat etwas so Widriges und Unedles? Wahrlich hier ist mehr als Gold und Diamant und die Zeit ist nicht mehr fern, wo man höhere Begriffe vom organischen Körper haben wird.

Wer weiß welches erhabene Symbol das Blut ist? Gerade das Widrige der organischen Bestandteile läßt auf etwas sehr Erhabenes in ihnen schließen. Wir schaudern vor ihnen wie vor Gespenstern und ahnden mit kindlichem Grausen in diesem sonderbaren Gemisch eine geheimnisvolle Welt, die eine alte Bekanntin sein dürfte. [620f.]

Die Potenzierung erschöpft sich jedoch nicht in einer solch grenzenlosen Jagd nach Symbolen, die wohl ihre auffälligste, aber auch niedrigste Form ist. Gleicherweise müssen auch alle Lebens- und Denkakte umgewandelt werden, so lange, bis der Mensch totale Herrschaft erlangt haben wird. Denn Hardenbergs verborgenes Ziel ist nichts Geringeres als die Veränderung der menschlichen Natur.

«Wir sollen nicht bloß *Menschen*, wir sollen auch mehr als Menschen sein.» [III, 471]

Durch welche «Operation» vermag es der Mensch über sich, seiner Unvollkommenheit zu entrinnen und seine gegenwärtige Natur zu transzendieren, um «Gott gleich zu werden»? (Allg. Br. Nr. 78) Es geschieht dies durch eine neue Verklärung seiner eigenen Voraussetzungen. Aus dem Erlebnis von Sophiens Tod wuchs Novalis ein so großes Vertrauen in die Macht des Willens zu, daß er schreiben konnte: *«Alle Zufälle unsers Lebens sind Materialien, aus denen wir machen können, was wir wollen»* [II, 437*]. Die Welt, die wir die äußere nennen, besitzt, trotz dem Anschein eigengesetzlicher Notwendigkeit und einem von unserem Geist unabhängigen Sein, nur eine illusorische Selbständigkeit. Die Scheidung in Außen- und Innenwelt, in Körper und Geist geht auf Rechnung unseres gewöhnlichen Bewußtseinszustandes. Beides zusammen bildet eine und dieselbe Wirklichkeit; es liegt allein an uns, davon wieder das Bewußtsein zu erlangen, mithin die Welt wieder in ihre ursprüngliche Einheit zurückzuversetzen. «Wir werden die Welt verstehn, wenn wir uns selbst verstehn, weil wir und sie integrante *Hälften* sind. Gotteskinder, göttliche Keime sind wir. Einst werden wir sein, was unser Vater ist.» [548]

Oder noch deutlicher: «Magie ist = Kunst, die Sinnenwelt willkürlich zu gebrauchen» [546], das heißt unseres Körpers so Herr zu werden, wie wir es über den Geist sind. Das System der Natur und das System des Geistes müssen wieder eine vollkommene Harmonie bilden, und das wird nur möglich durch Unterordnung des Körpers unter den Geist. Auch dies ist Potenzierung. Das niedere Selbst wird mit dem besseren Selbst identifiziert; das Gewöhnliche erhält ein geheimnisvolles Ansehen, das Bekannte die Würde des Unbekannten. Und umgekehrt bekommt alles Höhere, Unbekannte, Mystische, Unendliche einen geläufigen Ausdruck. Durch diese doppelte Operation wird die Welt «romantisiert». [545]

Wir selbst aber werden dabei «Gott gleich», denn der wahre Magier erschafft sich sein Universum (Allg. Br. Nr. 78, vgl. Nr. 61). *«Die Welt soll sein, wie ich will* [...]. Die Welt hat eine ursprüngliche Fähigkeit, durch mich belebt zu werden – [...] meinem Willen gemäß zu sein.» [II, 554*]

«Eine Sache ist oder wird, wie ich sie setze, voraussetze.» [591*]

Novalis begreift die Beziehungen zwischen Ich und Welt nach dem Vorbild der poetischen Erfindung. In unserm jetzigen Zustand hindert uns ein zu geringer Grad von Bewußtsein, uns in unseren Einbildungen wiederzuerkennen und die Hervorbringungen der Phantasie für ebenso wirklich zu halten wie die Außenwelt. Aber darin liegt keine Notwendigkeit, und Novalis träumt denn

auch von einem ‹magischen› Zustand, worin der Mensch in vollem Bewußtsein
über diesen höhern Sinn verfügen würde. Seiner Ansicht nach erklärt sich aus
solchem Bewußtsein die wahre Genialität: «Genie ist das Vermögen, von ein-
gebildeten Gegenständen wie von wirklichen zu handeln, und sie auch wie
diese zu behandeln» [II, 421]. Dieses souveräne Bewußtsein ist aber weder
jedermann zugänglich, noch wird es zum unverlierbaren Besitz dessen, der es
einmal erlangt hat:

Das willkürlichste Vorurteil ist, daß dem Menschen das Vermögen außer sich zu sein, mit
Bewußtsein jenseits der Sinne zu sein, versagt sei. Der Mensch vermag in jedem Augenblicke
ein übersinnliches Wesen zu sein. Ohne dies wäre er nicht Weltbürger, er wäre ein Tier.
Freilich ist die Besonnenheit, Sichselbstfindung, in diesem Zustande sehr schwer, da er so
unaufhörlich, so notwendig mit dem Wechsel unsrer übrigen Zustände verbunden ist. Je
mehr wir uns aber dieses Zustandes bewußt zu sein vermögen, desto lebendiger, mächtiger,
genügender ist die Überzeugung, die daraus entsteht; der Glaube an echte Offenbarungen
des Geistes. Es ist *kein Schauen, Hören, Fühlen;* es ist aus allen dreien zusammengesetzt, mehr
als alles Dreies: eine Empfindung unmittelbarer Gewißheit, eine Ansicht meines wahrhafte-
sten, eigensten Lebens. Die Gedanken verwandeln sich in Gesetze, die Wünsche in Erfüllun-
gen. [421*]

Wir sehen: Was Novalis mit dem genialen Bewußtsein meint, ist eine Ekstase,
eine höhere Intuition, vergleichbar gewissen Zuständen, wie sie von Mystikern
beschrieben worden sind. Vorbedingung dazu ist ein rasches Entweichen, eine
Flucht aller übrigen Wahrnehmungen. Die Sinnesvorstellungen müssen einander
verjagen, damit der Geist allein tätig und voll und ganz mit seiner Betrachtung
beschäftigt bleibe. Dadurch offenbart sich uns unser wahrhaftes Leben, das
Leben, das uns wirklich zugehört und dem wir zugehören, das jenseits von
Schauen und Hören ist, in der Mitte der Seele, dort, wo wir eins sind mit
unserer ewigen Wesenheit.

Novalis zählt dann die Gelegenheiten auf, die solchen Augenblicken intensiven
geistigen Schauens günstig sind, und diese Gelegenheiten werden derart präzis
bezeichnet und sind überdies so natürlich, daß zweifellos echte persönliche
Erfahrung dahintersteht:

Auffallend wird die Erscheinung besonders beim Anblick mancher menschlichen Gestalten
und Gesichter, vorzüglich bei der Erblickung mancher Augen, mancher Mienen, mancher
Bewegungen, beim Hören gewisser Worte, beim Lesen gewisser Stellen, bei gewissen Hin-
sichten auf Leben, Welt und Schicksal. Sehr viele Zufälle, manche Naturereignisse, besonders
Jahrs- und Tageszeiten, liefern uns solche Erfahrungen. Gewisse Stimmungen sind vorzüglich
solchen Offenbarungen günstig. Die meisten sind augenblicklich, wenige verweilend, die
wenigsten bleibend.

In solchen Erleuchtungsaugenblicken klammert sich also der Mensch nicht länger
an eine von der Geisterwelt unterschiedene Körperwelt, sondern blitzartig
nimmt er seine grundlegende Einheit wahr.

Aber wohlgemerkt! Novalis lebt und denkt zugleich auf zwei Ebenen: auf der

Ebene der schlichten gegenwärtigen Realität und auf der Ebene der Verklärung dieser Realität – durch Magie, durch den Willen, durch Liebe. In den Fragmenten und Notizen, die ja zum größten Teil nicht für die Veröffentlichung bestimmt waren, ist dieser Unterschied nicht immer ausdrücklich bezeichnet. So erklären sich denn auch gewisse scheinbare Widersprüche zwischen Aphorismen, die sich, recht besehen, einmal auf das gegenwärtige Stadium der Menschheit, ein andermal auf das künftige goldene Zeitalter beziehen. Das gilt auch für seine Philosophie des Unbewußten und des Bewußten.

Das höchste Ziel und der Gipfel der Genialität ist ein absolutes Bewußtsein – das aber nicht einfach durch die bloße Vervollkommnung unseres jetzigen Bewußtseins erreicht werden kann. Im Gegenteil, erst wenn eine Entwicklung zu Ende sein wird, die mit der Versenkung ins Unbewußte anfangen muß, kann seine Herrschaft anbrechen. Das höhere Bewußtsein bildet sich durch vollkommene Integrierung des Unbewußten.

Die Offenbarungen in der Ekstase beweisen uns, daß unser bewußtes Ich – oder was wir üblicherweise so benennen – nicht unser ganzes Sein ausmacht: Wir sind unendlich viel mehr als unsere Individualität. In einem jeden von uns liegen viel größere Reichtümer verborgen, als wir vermuten.

Sonderbar, daß das Innere des Menschen bisher nur so dürftig betrachtet und so geistlos behandelt worden ist. Die sogenannte Psychologie gehört auch zu den Larven, die die Stellen im Heiligtum eingenommen haben, wo echte Götterbilder stehen sollten. Wie wenig hat man noch die Physik für das Gemüt – und das Gemüt für die Außenwelt benutzt. Verstand, Phantasie – Vernunft – das sind die dürftigen Fachwerke des Universums in uns. Von ihren wunderbaren Vermischungen, Gestaltungen, Übergängen kein Wort. Keinem fiel es ein – noch neue, ungenannte Kräfte aufzusuchen – ihren geselligen Verhältnissen nachzuspüren – Wer weiß welche wunderbare Vereinigungen, welche wunderbare Generationen uns noch im Innern bevorstehn. [III, 574]

Das abstrakte Spiel unseres bewußten Denkens bleibt an der Oberfläche und verdeckt allzuoft «das sonderbare Accompagnement» des innern Bilderspiels, die fortwährende verborgene Begleitung eines symbolischen Denkens [441]. Diese Bilderwelt ist von einer ganz eigenartigen, äußerst lebhaften Wirklichkeit, sie ist verlockend und zugleich schwindelerregend.

Die innre Welt ist gleichsam mehr mein als die *äußre*. Sie ist so innig, so heimlich – Man möchte ganz in ihr leben – Sie ist so vaterländisch. Schade, daß sie so traumhaft, so ungewiß ist. Muß denn gerade das Beste, das Wahrste so scheinbar – und das Scheinbare so wahr aussehn? Was außer mir ist, ist gerade in mir, ist mein – und umgek[ehrt]. [376f.]

Und doch, sosehr man sich von der einen Seite in dieser innern Welt geborgen fühlt, so ist sie andererseits unendlich, unerschöpflich, wie ein Abgrund. «Man muß notwendig erschrecken, wenn man einen Blick in die Tiefe des Geistes wirft» [381]. Sooft wir hinabsteigen wollen – der Versuch endet stets im Bodenlosen: «Daß überall das *Höchste,* das Allgemeinste, das Dunkelste mit im Spiel ist, und daher jede Untersuchung bald auf dunkle Gedanken stoßen muß, ist sicher» [595].

Die geheimnisvolle Nacht in uns ist also der höchsten, der universellen Realität vergleichbar. Wenn irgendwo, so reichen wir da drunten in diesem Abgrund über uns hinaus, sind wir mehr als wir selbst, ist das Universum in uns selber. Die Einsicht in diese größere Wirklichkeit überkommt den Menschen in einer Art von ‹dialogue intérieur›, in einem Gespräch mit einem unbekannten geistigen Wesen, das «sich mit ihm auf eine Art in Beziehung setzt, die keinem an Erscheinungen gebundenen Wesen möglich ist» [II, 528].

Der erste Schritt zur Erkenntnis ist also ein Akt der Selbsterkenntnis; zuerst gilt es, den Offenbarungen dieses innern Gesprächs zu lauschen, der Stimme des uns innewohnenden Geistes Gehör zu schenken.

Wir träumen von Reisen durch das Weltall: ist denn das Weltall nicht in uns? Die Tiefen unsers Geistes kennen wir nicht. – *Nach Innen geht der geheimnisvolle Weg*. In uns, oder nirgends ist die Ewigkeit mit ihren Welten, die Vergangenheit und Zukunft. Die Außenwelt ist die Schattenwelt, sie wirft ihren Schatten in das Lichtreich. Jetzt scheint es uns freilich innerlich so dunkel, einsam, gestaltlos, aber wie ganz anders wird es uns dünken, wenn diese Verfinsterung vorbei, und der Schattenkörper hinweggerückt ist. Wir werden mehr genießen als je, denn unser Geist hat entbehrt. [417–19*]

So also stehen für Novalis die Schätze des Unbewußten in fortwährendem Austausch mit der Tätigkeit eines in unendlichem Progreß begriffenen Bewußtseins. Ich kann die Welt nur in mir selbst entdecken, in diesem höheren Ich, in dem alle Dinge gegenwärtig sind; ich kann nur das erkennen und verstehen, wovon ich den «Keim» schon in mir trage, und es ist meine erste Aufgabe, all diese inneren Keime organisch zu entwickeln [l. c.]. Das Universum und die Welt des verborgenen Ichs stehen in genauester *Analogie* zueinander; ihre Figuren und Rhythmen entsprechen sich. Und «hat man den *Rhythmus* der Welt weg – so hat man auch die Welt weg.» [III, 309*; vgl. II, 612]

Aber das ist lediglich ein erster Schritt. Der Weg des Subjektivismus führt letztlich zu einer Wiederentdeckung der äußeren Welt. Die Erkundung der eigenen Realität bedarf der Ergänzung durch eine zweite Erkenntnisgebärde, die, wenn wir uns erst unserer Mitte wieder versichert haben, die Außenwelt besser wird erfassen können. Novalis stellt hier einen Grundsatz auf, der für ihn von allergrößter Bedeutung ist:

Jede Hineinsteigung – Blick ins Innre – ist zugleich Aufsteigung, Himmelfahrt – Blick nach dem *wahrhaft Äußern*. [III, 434]

Selbstentäußerung ist die Quelle aller Erniedrigung, so wie im Gegenteil der Grund aller echten Erhebung. Der erste Schritt wird Blick nach Innen, absondernde Beschauung unsers Selbst. Wer hier stehn bleibt, gerät nur halb. Der zweite Schritt muß wirksamer Blick nach Außen, selbsttätige, gehaltne Beobachtung der Außenwelt sein. [II, 423]

Denn es geht Novalis keineswegs darum, sich ohne Kontrolle den unbewußten Regungen hinzugeben oder sich in einen reinen Subjektivismus zu verkapseln.

Im Gegenteil! Er will, daß der Mensch – im Besitz des Weltgeheimnisses, das er aus dem inneren Abgrund gehoben hat – zum Leben zurückkehre und einen neuen, einen um all seine Entdeckungen bereicherten Blick hineinwerfe.

Was brauchen wir die trübe Welt der sichtbaren Dinge mühsam zu durchwandern? Die reinere Welt liegt ja in uns, in diesem Quell. Hier offenbart sich der wahre Sinn des großen, bunten, verwirrten Schauspiels; und treten wir von diesen Blicken voll in die Natur, so ist uns alles *wohlbekannt,* und sicher kennen wir jede Gestalt. Wir brauchen nicht erst lange nachzuforschen, eine leichte Vergleichung, nur wenige Züge im Sande sind genug, um uns zu verständigen. So ist uns alles eine große Schrift, wozu wir den Schlüssel haben. [I, 89 f.*]

Gewiß, der Abstieg auf dem Weg nach innen bleibt immer der wesentliche und erste Akt, aber dieser Akt ist unvollständig, ist verstümmelt und verfehlt sein Ziel, wenn ihm nicht die genaue Beobachtung der Natur folgt. Die Betrachtung der Außenwelt ist so lange fruchtlos und kurzsichtig, als sie sich allein auf sich selbst verläßt; sie wird wieder fruchtbar erst nach der inneren Erfahrung. Ebenso kann das Bewußtsein, das bisher an der Oberfläche der Dinge verweilte, sich zu höchster Potenz erheben, kann es zum unumschränkten Bewußtsein werden, sobald es einmal in die verborgenen Quellen der Seele eingetaucht und in die wesentlichen Rhythmen eingeweiht ist.

Novalis läßt sich auf seinem Eroberungszug von zwei tief in seinem Geist verwurzelten Forderungen leiten: vom Bestreben, ein jegliches Ding in seiner Einheit zu betrachten, indem er alle seine Teile integriert – und von der ästhetischen Neigung, die ihn veranlaßt, in der sichtbaren Welt ohne Unterlaß nach Symbolen und Offenbarungen der unsichtbaren Welt zu suchen.

Die menschliche Person wird erst vollständig in der Harmonie von Unbewußtem und Bewußtem. Ja sie *ist* selbst diese Harmonie, diese höhere Synthese. Mehr noch: Sie ist die Synthese von Seele und gesamter Natur, und eine wahrhafte Psychologie könnte den Menschen nicht anders denn in seiner Ganzheit betrachten. Die ideale Psychologie, die die ganze Physiologie in sich begriffe, ginge von oben herunter und würde zur umfassenden Weltpsychologie [III, 249 f.]. Jeglicher Abstrich, jegliche Abstraktion ist ein Wirklichkeitsverlust, und Novalis' Geist wacht peinlich genau darüber, daß nichts ausgelassen werde. Nur die totale Einheit der Welt – der geistigen wie der materiellen – *ist* für ihn im vollen Wortsinn. Das ist nicht etwa nur ein gedankliches Postulat, sondern eine Forderung des ganzen Menschen. Selten war das Bedürfnis, alles Einzelne zum Ganzen zu fügen, war der Glaube an ein Zugleich aller Dinge und an eine Zukunft, wo jegliche Scheidung in der Rückkehr zur vollkommenen Harmonie ein Ende nehmen wird, selten war diese Sehnsucht nach Einheit so tief in einem Menschen verwurzelt. Der ganze Novalis – mit der unendlichen Schmiegsamkeit seiner Fragmente, mit der unerhörten Ausdehnung seiner Erkundungen auf alle möglichen Wissensgebiete, mit der unermüdlichen Bereitschaft zur Abwandlung eines Gedankens – erklärt sich aus diesem einen Bedürfnis, und die ganze Vielfalt seiner Wege läuft in diesem einen Punkt zusammen. Die Beobachtung von Natur und Mensch wie auch seine innere Erfahrung führten ihn zwar immer wieder zur Feststellung der universellen Unvollkommenheit und Geschiedenheit, aber seine Zuflucht, das Mittel, das ihn dennoch an die Verwirklichung der Einheit glauben ließ, war die ‹Magie›: Magie des Geistes, der darnach strebt, alles auf die Ebene zu heben, wo er Herrscher ist; Magie des poetischen Schaffens, das sich zum Ziel setzt, schon hier und jetzt durch die Dinge hindurch die Allgegenwart des Unsichtbaren zu erfassen.

Was das Verständnis dieses Denkens manchmal erschwert, ist weniger der fragmentarische Zustand der Zeugnisse, die uns von seinem Streben überliefert sind, als vielmehr die Eigenart und die Richtung dieses Strebens selbst. Es ist eine einzige prophetische Versicherung, auf die es Novalis abgesehen hat und worin für ihn die allein befriedigende Antwort auf seine persönliche Unruhe liegt. Seinem Wesen kann nur eine Welt entsprechen, die vollkommen transparent, die gleichsam ein reiner Kristall ist, der von den Strahlen einer einzigen Lichtquelle durch und durch ausgeleuchtet wird. Deshalb setzt er der Welt, wie sie zu sein scheint: trüb und zerstückelt, die andere Welt entgegen, die, welche der souveräne menschliche Geist eines Tages wird schaffen können. Und weil er ohne diese Gewißheit nicht zu leben vermöchte, versichert er unerschütterlich, dem Menschen sei ein goldenes Zeitalter verheißen, es werde ihm jedoch erst dann zuteil, wenn er es selbst erfunden haben werde: durch das höhere Bewußtsein, welches alsdann das Unbewußte in sich aufgenommen haben wird, und durch die poetische Magie, die uns allein in den wirklichen Besitz der Einheit bringen kann.

Das höhere Bewußtsein existiert noch nicht, aber es *soll* eines Tages herrschen [III, 390]. Der Mensch kann Geist werden durch eine höhere Art von Tod, durch eine Verklärung. «Der vollkommen Besonnene heißt der *Seher*» [62] – nicht der also, der sich den dunklen Offenbarungen hingibt, sondern derjenige, der sich ihrer zu bemächtigen weiß, der ihrer Herr wird. «Alles *Unwillkürliche* soll in ein *Willkürliches* verwandelt werden» [II, 589]. Aber dieses Bewußtsein gewinnt seine wahre Bedeutung erst, wenn es alles in sich aufnimmt, was bis jetzt noch im Dunkeln liegt.

Stimmungen – unbestimmte Empfindungen – nicht bestimmte Empfindungen und Gefühle machen glücklich. Man wird sich wohl befinden, wenn man keinen besondern Trieb – keine bestimmte Gedanken und Empfindungsreihe in sich bemerkt. Dieser Zustand ist wie das Licht ebenfalls nur heller oder dunkler [...]. Man nennt es Bewußtsein – *Vom vollkommensten B[ewußt]S[ein]* äßt sich *[sagen], daß es sich alles und nichts bewußt ist* [*]. Es ist Gesang – bloße Modulation der *Stimmungen* [...]. Die innere *Selbstsprache* kann dunkel, schwer, und barbarisch – und griechisch und italienisch sein – desto vollkommner, je mehr sie sich dem Gesange nähert. Der Ausdruck, er versteht sich selbst nicht, erscheint hier in einem neuen Lichte. *Bildung der Sprache des B[ewußt]S[eins]*, Vervollkommnung des Ausdrucks. *Fertigkeit sich mit sich selbst zu besprechen.* Unser Denken ist also eine Zweisprache – unser Empfinden – Sympathie. [611]

Das durch eine innere Verwandlung erreichte vollkommene Bewußtsein würde seinerseits wieder die Welt verwandeln. Und es werden die Dichter sein, die der Menschheit diese unumschränkte Macht verschaffen, die Harmonie zu verwirklichen. Die Idee des Dichters als eines Weisen oder Magiers steht im Mittelpunkt von Hardenbergs Ästhetik; er hält an seinem Wunsche fest, *hic et nunc* mit der höchsten Wirklichkeit in Beziehung zu treten. «Nichts ist dem Geist erreichbarer, als das Unendliche» [598], denn «alles Sichtbare haftet am Unsichtbaren – das Hörbare am Unhörbaren – das Fühlbare am Unfühlbaren. Vielleicht das Denkbare am Undenkbaren» [650]. Ja «die Geisterwelt ist uns in der Tat schon aufgeschlossen – Sie ist immer *offenbar* – Würden wir plötzlich so elastisch, als es nötig wäre, so sähen wir uns mitten unter ihr. Heilmethode des jetzigen mangelhaften Zustandes [...].» [III, 301 f.]

Es muß eine Askese entwickelt werden, die uns instand setzt, die Offenbarung des Geistes in den Dingen zu erfassen, das Universum als eine entzifferbare Schrift zu betrachten, deren Wörter voll unvergänglicher Bedeutung sind. Dazu sind neue Sinne zu entwickeln, und es ist des Dichters, sich einer solchen Askese zu unterziehen. «Der echte Dichter ist *allwissend* – er ist eine wirkliche Welt im Kleinen» [II, 592]. «*Die Poesie ist das echt absolut Reelle* [...]. *Je poetischer, je wahrer*»; Novalis erklärt selbst, diese Überzeugung sei der Kern seiner Philosophie. [647*]

Seine Dichtungstheorie widerspiegelt die Haupttendenzen seines Denkens. Die Poesie schöpft aus den inwendigen Quellen und ist dem geheimnisvollen Weg hinunter in die Tiefen des Geistes verpflichtet. Ein gelungenes Werk hat immer etwas «Heimliches», etwas Unbegreifliches, berührt «noch uneröffnete Augen in uns». [III, 564]

Poesie ist *Darstellung des Gemüts* – der *innern Welt in ihrer Gesamtheit*. [650]

Der Sinn für Poesie hat viel mit dem Sinn für Mystizism gemein [...]. Er stellt das Undarstellbare dar. Er sieht das Unsichtbare, fühlt das Unfühlbare etc. [...]. Der Dichter ist wahrhaft sinnberaubt – dafür kommt alles *in ihm* vor [*]. Er stellt im eigentlichsten Sinn *Subj[ekt]* *Obj[ekt]* vor – *Gemüt und Welt*. Daher die Unendlichkeit eines guten Gedichts, die Ewigkeit. Der Sinn für P[oesie] hat nahe Verwandtschaft mit dem Sinn der Weissagung und dem religiösen, dem Sehersinn überhaupt. Der Dichter ordnet, vereinigt, wählt, erfindet – und es ist ihm selbst unbegreiflich, warum gerade so und nicht anders. [685 f.]

Der Dichter ist also ein Zauberer, der die Schatten der Tiefe heraufbeschwört und zur Rede stellt, ohne aber auch zu wissen, was sie bedeuten. Er hebt uns aus der gewohnten Welt heraus und offenbart uns ein wunderseltsames Land, von dem er weiß, daß es wirklich ist – aber zugleich weiß er, daß nicht er selbst dessen Schöpfer ist. Es geschieht in ihm alles nicht nach seinem eigenen wohlerwogenen Plan, sondern auf Grund einer zugleich transzendenten und innerlichen Erleuchtung. Dennoch ist die Poesie das Gegenteil von allem Verschwommenen, Unbestimmten: «Je persönlicher, lokaler, temporel-

ler, eigentümlicher ein Gedicht ist, desto näher steht es dem Zentrum der
Poesie. Ein Gedicht muß ganz *unerschöpflich* sein» [664]. Unerschöpflich ist es
aber genau in dem Maße, als es Präzision besitzt: Präzision, wie sie jeglicher
magischen Gebärde eignet. Gibt es doch nichts Exakteres, nichts Minutiöseres
als Zauberriten und Geisterbeschwörungen! Solchen Riten entsprechen die
Worte des Dichters; sie sind «Zauberworte», «durch irgend ein herrliches Andenken geheiligt», so wie Heiligenreliquien wunderbare Kräfte behalten
[II, 533]. Für einen echten Dichter hat die Sprache nie genug Besonderheiten;
er verwendet oft wiederkehrende und deshalb abgenutzte und zu allgemeine
Worte so, daß er ihnen die einmalige, beschwörende Bedeutung einer einzigen,
ganz konkreten geistigen Realität verleiht. Der Materialien der Sinnenwelt bedient er sich zu völlig individueller und neuartiger Verbindung. Angesichts
der unendlichen Vielfalt des Sinnlichen verfährt er selektiv und wendet er sich
ganz der besonderen Erscheinung zu, die er eben um ihrer Besonderheit willen
wählt. Gerade der Verzicht auf das Unendliche ist die Bedingung für eine
wirkliche Annäherung ans Unendliche.

Die Poesie ist der höchste Akt für den, der wie Novalis sich des inwendigen
Geschehens, der psychischen Wirklichkeit vollkommen zu bemächtigen trachtet
und der nach der herrscherlichen Gebärde forscht, welche die Synthese des
Unbewußten mit dem höchsten Bewußtsein bewerkstelligen könnte. Diese
Synthese zwischen «Instinkt» und «Kunst» [III, 287] drückt sich bei ihm, wie
bei allen Physikern seiner Zeit, im Kult des *Lichtes* aus, das von keinem so sehr
verherrlicht worden ist wie gerade vom Dichter der *Hymnen an die Nacht.*
Er erblickt darin das schöpferische Element der physischen Welt und zugleich
das Symbol des höheren Bewußtseins. Aber der Anbruch dieses Bewußtseins
steht noch aus; er ist erst für den Beginn des goldenen Zeitalters zu erwarten.
    Das ist auch der tiefere Sinn der *Märchentheorie,* in der sich Hardenbergs
Gedanken über die Poesie und über den Traum zusammenschließen. Im Märchen
sieht Novalis die höchste Form der Dichtkunst. Er vergleicht es immer wieder
mit dem Traum, nicht nur wegen der zauberhaften Atmosphäre, sondern vor
allem auch, weil sich der Geist im Märchen wie im Traum einer einzigartigen
Freiheit erfreut. Von der Gegenwart einer ihn gefangenhaltenden Welt befreit,
kann er sich wieder in einen Zustand der *Naivität* und des *Staunens* zurückversetzen, wo er der Übereinstimmung seines Wesens mit der Natur gewahr
wird – nicht mit der Natur, wie sie uns jetzt gegenwärtig ist, sondern wie sie
am Anfang der Zeiten, im ursprünglichen Chaos, war und wie sie wieder werden
kann am Ende der Zeiten, im goldenen Zeitalter.

Ein Märchen ist eigentlich wie ein Traumbild – ohne Zusammenhang – Ein *Ensemble* wunderbarer Dinge und Begebenheiten – z. B. eine *musikalische Fantasie* – die harmonischen Folgen
einer Aeolsharfe – die *Natur selbst.* [...]

Ein höheres Märchen wird es, wenn ohne den Geist des M[ärchens] zu verscheuchen irgend ein *Verstand* – (Zusammenhang, Bedeutung – etc.) hineingebracht wird. [III, 454 f.]

Das ist freilich nicht einfach ein ästhetisches Gesetz. Denn das Märchen ist mehr als ein Stück Literatur: Es ist streng prophetisch und nimmt den Zustand vorweg, in dem sich unser Bewußtsein und die Welt dereinst befinden werden. Dem anfänglichen Chaos, wo noch alles im Werden, alles mit allem vertauschbar war, wo die Gestaltungen aufs wunderlichste frei und ungewiß waren, wird ein neues Chaos entsprechen, eine nicht minder große, aber höhere, weil bewußte Freiheit. Und diese Zukunft ist es, die uns das Märchen ahnen läßt. Mitten in unserer Welt geschmälerter Freiheit und geschwächten Bewußtseins zeigt es uns an, welches das Ziel aller Evolution sein wird. «Der echte Märchendichter ist ein *Seher der Zukunft*» [III, 281*]. Und gerade hierin gleicht das Märchen dem Traum. Denn «*unser Leben ist kein Traum – aber es soll und wird vielleicht einer werden*» [*].

Es ist die «Ahndung», die Spiegelung ursprünglicher und künftiger Freiheit, die Novalis zum Traum hinzieht, für den gelten darf, was für das Märchen:

In einem echten Märchen muß alles wunderbar – geheimnisvoll und unzusammenhängend sein – alles belebt. Jedes auf eine andre Art. Die ganze Natur muß auf eine wunderliche Art mit der ganzen Geisterwelt vermischt sein. Die Zeit der allg[emeinen] Anarchie – Gesetzlosigkeit – Freiheit – der *Naturzustand der Natur* – die Zeit vor der *Welt* (Staat.) Diese Zeit vor der Welt liefert gleichsam die zerstreuten Züge der *Zeit nach der Welt* – wie der Naturzustand ein *sonderbares Bild* des ewigen Reichs ist. [...]

In der *künftigen* Welt ist alles, wie in der *ehmaligen* Welt – und *doch alles ganz anders*. Die *künftige* Welt ist das *vernünftige* Chaos – das Chaos, das sich selbst durchdrang – in sich und außer sich ist – *Chaos²* oder ∞. [280 f.]

Alle Märchen sind nur Träume von jener heimatlichen Welt, die überall und nirgends ist. [II, 564]

Prophetisch ist auch der Traum, nicht der gewöhnliche, aber der potenzierte. Er ist der erste Entwurf, die «Karikatur einer wunderbaren Zukunft» [III, 385].

Wenn sich das höhere Märchen insofern von spontaner Zauberei unterscheidet, als in ihm das Wunderbare durch Beteiligung des Verstandes an Tiefe gewinnt, so wird auch das prophetische Märchen, ja echte Poesie überhaupt nach der Synthese der totalen Freiheit des Traums mit dem Bewußtsein des Wachens trachten:

Erzählungen, ohne Zusammenhang, jedoch mit Assoziation, wie *Träume*. Gedichte – bloß *wohlklingend* und voll schöner Worte – aber auch ohne allen Sinn und Zusammenhang – höchstens einzelne Strophen verständlich – sie müssen, wie lauter Bruchstücke aus den verschiedenartigsten Dingen [sein]. Höchstens kann wahre Poesie einen *allegorischen* Sinn im Großen haben und eine indirekte Wirkung wie Musik etc. tun – [...] [572]

Dieses Ideal eines Gedichtes, das höchstens im Ganzen etwas bedeutet, während der einzelne Ausdruck reine Musik, reiner Anklang ist, scheint sein Vorbild im schlechthin unübersetzbaren Traum zu haben. Novalis bemerkt weiter, jede zufällige Zusammenstellung der verschiedenartigsten Dinge sei eben um ihrer Zufälligkeit willen poetisch, ob in der Natur, in der Rumpelkammer oder in der Stube des Zauberers. *«Der Dichter betet den Zufall an»* [449*]. Er «braucht die Dinge und Worte wie *Tasten*, und die ganze Poesie beruht auf [...] selbst-tätiger, absichtlicher, idealischer *Zufallsproduktion»*. [451]

Immerhin ist dies nur der eine Aspekt der Sache. Es trifft nämlich nicht zu, daß Novalis den Traum absolut über das Wachen stellt, ob um seiner Vorbild-lichkeit für den Dichter oder ob um seiner Verheißung des goldenen Zeitalters willen. In einem Brief aus dem Jahre 1799 sagt er im Hinblick auf Schlegels *Lucinde* mit aller Deutlichkeit:

Ich weiß, daß die Phantasie das Unsittlichste – das geistig Tierischste am liebsten mag – Indes weiß ich auch, wie sehr alle Phantasie wie ein Traum ist – der die Nacht, die Sinnlosigkeit und die Einsamkeit liebt – Der Traum und die Phantasie sind das eigenste Eigentum – sie sind höchstens für zwei, aber nicht für mehrere Menschen. Der Traum und die Phantasie sind zum Vergessen – Man darf sich nicht dabei aufhalten, am wenigsten ihn *verewigen*. – Nur seine Flüchtigkeit macht die Frechheit seines Daseins gut. Vielleicht gehört der Sinnenrausch zur Liebe, wie der Schlaf zum Leben – der edelste Teil ist es nicht – und der rüstige Mensch wird immer lieber wachen als schlafen. Auch ich kann den *Schlaf* nicht vermeiden, aber ich freue mich doch des Wachens und *wünschte heimlich, immer zu wachen* [*]. [357, 277]

Das bezieht sich nicht nur auf erotische Träume. Denn in Tat und Wahrheit ist ja Hardenbergs Ideal, hier wie überall, eine Synthese: nicht ein beliebiger Traum, sondern ein vom Bewußtsein verklärter, erleuchteter Traum. «Einst wird der Mensch beständig zugleich schlafen und wachen» [358, III, 319]. *«Träumen und Nichtträumen zugleich* – synthesiert ist die Operation des Genies – wodurch beides sich gegenseitig verstärkt» [63*].

Novalis strebt immer und überall nach jener Epoche, wo die *Zeit* aufgehoben sein wird, und nach jener Synthese, worin Bewußtes und Unbewußtes, Not-wendigkeit und Freiheit, vollkommener Zusammenhang und absolute Phantasie schließlich eins werden. Er ermuntert den Menschen, mit Hilfe der Magie – in der alles zusammenwirkt: sämtliche Vermögen, Wissenschaften, Künste, Intro-spektion und Beobachtung – dem Geist jene absolute Herrschaft zu erobern, in welcher er einst mit allen Dingen wird nach Belieben schalten und walten können. Darum sehen wir ihn dann und wann zu einer exakten, zuverlässigen Methode raten, und darum kann er, der sonst den sprunghaft verfahrenden Dichter für den echten Weisen hält, fordern, der Mensch solle «nur von be-stimmter Aufgabe zu bestimmter Aufgabe» fortschreiten, denn das Streben nach Unbekanntem, Unbestimmtem sei «äußerst gefährlich und nachteilig» [601]. Er, der Anwalt der Musik, der Anspielung, der Beschwörung, sieht das Ideal in der absolut durchsichtigen Reflexion. Und mit Friedrich Schlegel erkennt er in diesem unumschränkten Bewußtsein das, was beide die *Ironie* nennen: Sie ist «nichts anders als die Folge, der Charakter der Besonnenheit, der wahrhaften Gegenwart des Geistes» [II, 425].

Der Traum übernimmt manchmal die Rolle, das Leben zu ironisieren. Seinem Vater, der den Träumen jede Bedeutung abspricht, entgegnet Heinrich von Ofterdingen:

Ist nicht jeder, auch der verworrenste Traum, eine sonderliche Erscheinung, die auch ohne noch an göttliche Schickung dabei zu denken, ein bedeutsamer Riß in den geheimnisvollen Vorhang ist, der mit tausend Falten in unser Inneres hereinfällt? [...]
Mich dünkt der Traum eine Schutzwehr gegen die Regelmäßigkeit und Gewöhnlichkeit des Lebens, eine freie Erholung der gebundenen Phantasie, wo sie alle Bilder des Lebens durcheinanderwirft, und die beständige Ernsthaftigkeit des erwachsenen Menschen durch ein fröhliches Kinderspiel unterbricht. Ohne die Träume würden wir gewiß früher alt, und so kann man den Traum, wenn auch nicht als unmittelbar von oben gegeben, doch als eine göttliche Mitgabe, einen freundlichen Begleiter auf der Wallfahrt zum heiligen Grabe betrachten. [I, 198 f.]

III

Nun weiß ich, wenn der letzte Morgen sein wird –

Hardenbergs Märchen – dasjenige von Hyazinth und Rosenblütchen in den *Lehrlingen zu Sais,* dasjenige Klingsohrs im *Ofterdingen* – lassen eine gewisse Enttäuschung im Leser zurück, falls er sich auf die aus tiefsten Quellen schöpfende und nach dem höchsten Licht ausgerichtete Poesie gefaßt gemacht hat, von der in den Fragmenten über das Märchen die Rede ist. So reizend immer das Märchen von Hyazinth ist, mit seinem volkstümlichen Ton, seiner Zartheit, seiner völlig musikalischen Symbolik, so verdankt es doch dem Philosophen in Novalis mehr als den Bildern seiner inneren Poesie. Zweifellos klingt darin etwas von seinem Erleben und seiner Sehnsucht an, und auch Klingsohrs Märchen hält in seinem Hermetismus gewisse persönliche Ereignisse aus Hardenbergs Leben fest und erhebt sie ins Mythische.

Aber die wahrhaft poetische Verwandlung von Novalis' eigener Erfahrung findet sich anderswo, in jenem Werk, das als einziges, unabhängig vom philosophischen Denken, seinen Rang ganz allein sich selber verdankt: in den *Hymnen an die Nacht,* in diesem eigentlichen Meisterwerk der im engeren Sinne romantischen Dichtung – und überhaupt einem der herrlichsten dichterischen Zeugnisse für ein zum Mythos verwandeltes persönliches Abenteuer.

Verbindung, die auch für den Tod geschlossen ist – ist eine Hochzeit – die uns eine Genossin für die Nacht gibt. Im Tode ist die Liebe am süßesten; für den Liebenden ist der Tod eine Brautnacht – ein Geheimnis süßer Mysterien. [357, 378]

Dieses kurz nach Sophiens Tod niedergeschriebene Tagebuchfragment enthält schon den Keim zur mythischen Verklärung, die sich in den *Hymnen* vollziehen wird. In der Tat, diese *Hymnen* sind jene Poesie des tiefsten Gemüts, wonach sich Novalis sehnt: Alle Realität ist doppel- und mehrdeutig; reale Begebenheiten klingen so lange nach, bis sie zu Symbolen einer Reihe von mystischen Stufen werden. Nur von wenigen Dichtungen kann man wie von dieser sagen, daß sie buchstäblich selber die Erfahrung *sind*, mit der sie verschmelzen. Der Dichter begnügt sich nicht damit, einer Erinnerung, einem Gefühl, einer erworbenen Gewißheit Ausdruck zu geben, nein, im Akt des Dichtens selbst und in dem Maß, als er sich einer ihm selber unbegreiflichen Erhebung und Offenbarung hingibt, vollzieht er einen Fortschritt, eine doppelte Hinwendung: vom erlebten Ereignis zum verklärten Ereignis, und zugleich von der flüchtigen Hoffnung zur eroberten Gewißheit.

Die Symbole der Nacht, der verlorenen und wiedergefundenen Geliebten, die Gaben des Traums bereichern sich von Hymne zu Hymne, von Augenblick zu Augenblick um neue Bedeutungen. Im Werden begriffene Dichtung wird zum Weg, dem sich der Dichter anvertraut, zum geheimnisvollen Weg in die wirkliche Welt.

Zunächst hebt sich die Nacht vom Tage ab, dessen Licht eingangs verherrlicht wird, und zwar sind es Tag und Nacht der Natur, woran präzise Bilder erinnern.

Welcher Lebendige, Sinnbegabte, liebt nicht vor allen Wundererscheinungen des verbreiteten Raums um ihn, das allerfreuliche Licht – mit seinen Farben, seinen Strahlen und Wogen; seiner milden Allgegenwart, als weckender Tag. Wie des Lebens innerste Seele atmet es der rastlosen Gestirne Riesenwelt, und schwimmt tanzend in seiner blauen Flut – atmet es der funkelnde, ewigruhende Stein, die sinnige, saugende Pflanze, und das wilde, brennende, vielgestaltete Tier – vor allen aber der herrliche Fremdling mit den sinnvollen Augen, dem schwebenden Gange, und den zartgeschlossenen, tonreichen Lippen. [...]
Abwärts wend' ich mich zu der heiligen, unaussprechlichen, geheimnisvollen Nacht. Fernab liegt die Welt – in eine tiefe Gruft versenkt – wüst und einsam ist ihre Stelle. In den Saiten der Brust weht tiefe Wehmut. In Tautropfen will ich hinuntersinken und mit der Asche mich vermischen. – Fernen der Erinnerung, Wünsche der Jugend, der Kindheit Träume, des ganzen langen Lebens kurze Freuden und vergebliche Hoffnungen kommen in grauen Kleidern, wie Abendnebel nach der Sonne Untergang.

Aber die Nacht ist nicht nur die erquickende Zeit der Einsamkeit in der Natur, wo die Erinnerungen in der Brust aufsteigen. Gleich darauf erweist sie sich dem Dichter als die große Offenbarende, als die verborgene Quelle unserer Gefühle und zugleich der Dinge, als unermeßliche Schatzkammer, wo unter den Schritten des Suchenden eine ganze Welt von Bildern aufwacht. Die Augen des Traums öffnen sich hinunter in jene Tiefen und entdecken das heimlichste Leben, das göttliche Reich, das nur der «Ahndung» sich erschließt. Das Antlitz Sophiens, eins mit dem der ewigen Mutter, mit dem der Nacht selber, scheint aufzudämmern.

Was quillt auf einmal so ahndungsvoll unterm Herzen, und verschluckt der Wehmut weiche Luft? Hast auch du ein Gefallen an uns, dunkle Nacht? [...] Die schweren Flügel des Gemüts hebst du empor. Dunkel und unaussprechlich fühlen wir uns bewegt – ein ernstes Antlitz seh' ich froh erschrocken, das sanft und andachtsvoll sich zu mir neigt, und unter unendlich verschlungenen Locken der Mutter liebe Jugend zeigt. Wie arm und kindisch dünkt mir das Licht nun – wie erfreulich und gesegnet des Tages Abschied [...]. Himmlischer, als jene blitzenden Sterne, dünken uns die unendlichen Augen, die die Nacht in uns geöffnet. Weiter sehn sie, als die bläßesten jener zahllosen Heere – unbedürftig des Lichts durchschaun sie die Tiefen eines liebenden Gemüts – was einen höhern Raum mit unsäglicher Wollust füllt. Preis der Weltkönigin, der hohen Verkündigerin heiliger Welten, der Pflegerin seliger Liebe – sie sendet mir dich – zarte Geliebte – liebliche Sonne der Nacht, – nun wach ich – denn ich bin Dein und Mein – du hast die Nacht mir zum Leben verkündet – mich zum Menschen gemacht – zehre mit Geisterglut meinen Leib, daß ich luftig mit dir inniger mich mische und dann ewig die Brautnacht währt.

In der zweiten Hymne, in der sich die Sehnsucht nach Auflösung der irdischen Individualität inbrünstig ausdrückt, sind es abermals der Schlaf und die unendlichen, in die Ewigkeit schauenden Augen des Traums, worum der Dichter fleht:

Wird nie der Liebe geheimes Opfer ewig brennen? Zugemessen ward dem Lichte seine Zeit; aber zeitlos und raumlos ist der Nacht Herrschaft. – Ewig ist die Dauer des Schlafs. Heiliger Schlaf – [... die Toren ... ahnden nicht, daß du ...] den Schlüssel trägst zu den Wohnungen der Seligen, unendlicher Geheimnisse schweigender Bote.

Das ist aber nur die erste Stufe, die der Anrufung, des ‹mystischen Durstes›, der eine noch ferne Gewißheit ahnt. Erst die dritte Hymne bricht zur Ekstase durch; dahinter steht einer der «Enthusiasmus-Momente» auf Sophiens Grab in Grüningen, aber er bekommt hier seine ganze Tiefe. Die Nacht, der Traum, Sophie – sie werden eins, während der Begeisterte, endlich befreit von der Welt, die sich unter ihm auflöst, emporschwebt und von nichts anderem mehr weiß als von einer unaussprechlichen Zuversicht. Die Nacht, in der sich solches ereignet, ist weder bloß eine irdische noch die innere Nacht, in der die Bilder einer «Ahndung» wohnen, die allein das geheiligte Land zu erschließen vermag; sie ist beides zugleich und noch mehr. Die Nacht gelangt endlich zu ihrer vollen mystischen Bedeutung. Sie ist für Novalis, was sie für einen Meister Eckhart war oder einen Johannes vom Kreuz: das Reich des Seins, das eins ist mit dem Reiche des Nichts; die endlich errungene Ewigkeit, deren Fülle der Mensch nicht anders ausdrücken kann als im Bild der Abwesenheit jeglicher Kreatur, jeglicher Gestalt. Und doch, auch in der aller Bildlichkeit baren Nacht erscheint dem Dichter, dem die Liebe den Schlüssel zur Ekstase gereicht hat, Sophie als die einzige Bewohnerin dieser Stätte. Das Land der Ewigkeit ist auch das Land der Liebe:

Einst da ich bittre Tränen vergoß, da in Schmerz aufgelöst meine Hoffnung zerrann, und ich einsam stand am dürren Hügel, der in engen, dunkeln Raum die Gestalt meines Lebens barg – einsam, wie noch kein Einsamer war, von unsäglicher Angst getrieben – kraftlos, nur ein Gedanken des Elends noch. – Wie ich da nach Hülfe umherschaute, vorwärts nicht konnte und rückwärts nicht, und am fliehenden, verlöschten Leben mit unendlicher Sehnsucht hing: – da kam aus blauen Fernen – von den Höhen meiner alten Seligkeit ein Dämmerungsschauer – und mit einemmale riß das Band der Geburt – des Lichtes Fessel. Hin floh die irdische

Herrlichkeit und meine Trauer mit ihr – zusammen floß die Wehmut in eine neue, unergründliche Welt – du Nachtbegeisterung, Schlummer des Himmels kamst über mich – die Gegend hob sich sacht empor; über der Gegend schwebte mein entbundner, neugeborner Geist. Zur Staubwolke wurde der Hügel – durch die Wolke sah ich die verklärten Züge der Geliebten. In Ihren Augen ruhte die Ewigkeit – ich faßte Ihre Hände, und die Tränen wurden ein funkelndes, unzerreißliches Band. Jahrtausende zogen abwärts in die Ferne, wie Ungewitter. An Ihrem Halse weint' ich dem neuen Leben entzückende Tränen. – *Es war der erste, einzige Traum* – und erst seitdem fühl' ich ewigen, unwandelbaren Glauben an den Himmel der Nacht und sein Licht, die Geliebte. (3. Hymne*)

Hier hat der ‹Traum› seine höchste Bedeutung erreicht; er ist die Pforte zur zeitlosen Welt, der Weg, auf dem man, aller Einsamkeit, aller Verzweiflung, aller abgeschiedenen Existenz ledig, zur grenzenlosen Hoffnung gelangt. Und jetzt, wie der Gipfel erklommen ist, kann sich der Mystiker wieder der Welt zuwenden, von der er sich zu lösen vermochte; die Ekstase hat ihn so sehr verwandelt, daß er künftig auch am lichten Tag seine Rechtfertigung finden und auf dieser Erde wieder zu einem tätigen, geduldigen Menschen werden wird, denn all sein Tun ist getragen von der Gewißheit der verheißenen Ewigkeit. Diese Erfahrung des Novalis stimmt mit der aller echten Mystiker überein: Das sinnlich Gegebene, das in der Erhebung zur nächtlichen Ekstase zu «annihilieren» war, gewinnt nun neues Leben. Ein so eitles Unterfangen es war, in den Dingen selbst Befriedigung finden zu wollen – wenn der Glaube einmal unerschütterlich geworden ist, findet der Mystiker die Dinge aufs neue: in Gott. So erklären sich die letzten Jahre des Novalis, der dem Leben zurückgegeben ist gerade durch seinen Entschluß, es zu verlassen, und genau das ist es, wovon die drei letzten Hymnen künden:

Nun weiß ich, wenn der letzte Morgen sein wird – wenn das Licht nicht mehr die Nacht und die Liebe scheucht – wenn der Schlummer ewig und nur Ein unerschöpflicher Traum sein wird. (4. Hymne)

Wer wie er die weite Wallfahrt zurückgelegt, auf der er sein Kreuz trug, wer «oben stand auf dem Grenzgebirge der Welt, und hinübersah in das neue Land, in der Nacht Wohnsitz», der wird nicht ins Treiben der Welt zurückkehren, er wird oben bleiben, wo er, heiter und abgeklärt, in beide Länder zugleich schauen kann. Und wenn ihn auch das Licht in menschliche Bedingungen zurückrufen wird, so wird er darüber die Erinnerung an die geheiligte Stunde nicht verlieren; gern wird er die Hände rühren, den Gang der Zeiten betrachten und die Herrlichkeit des Lichtes preisen. Aber sein geheimes Herz bleibt «getreu der Nacht, und der schaffenden Liebe, ihrer Tochter». Was uns entzückt, was uns begeistert, immer «trägt es die Farbe der Nacht». Sie ist die Mutter des Tages, sie ist die Quelle all seiner Zierde, ohne sie zerginge die Lichtwelt in den endlosen Raum. Und die Nacht ist es, die die Menschen in die Welt gesandt hat, sie durch die Liebe zu heiligen, «zu bepflanzen sie mit unverwelklichen Blumen». Gewiß, diese göttlichen Gedanken sind noch nicht reif – «Noch sind der Spuren unserer Offenbarung wenig». Aber der Dichter weiß es: Die Stunde wird kommen, wo der Mensch seine Gewißheit teilen wird mit der Natur und wo der Tag, auch er, voll inbrünstiger Sehnsucht vergehen wird. Dieses Endes der Zeiten harrend, lebt der Dichter ein Leben, welches das beständige Todesverlangen nur um so schöner erscheinen läßt.

> Ich fühle des Todes
> Verjüngende Flut,
> Zu Balsam und Äther
> Verwandelt mein Blut –
> Ich lebe bei Tage
> Voll Glauben und Mut
> Und sterbe die Nächte
> In heiliger Glut.

Die fünfte und die sechste Hymne verdeutlichen Novalis' Hoffnung und fügen sie in den Rahmen des Christentums ein. Der Vision der Weimarer Klassiker, insbesondere Schillers Ode *Die Götter Griechenlands,* hält er die christliche Offenbarung entgegen. Was den Mystiker die Ekstase gelehrt hat, bestätigt ihm die Geschichte. Die Antike war die Zeit unbestrittener Sonnenherrschaft; alles erstrahlte in wunderbarem Licht, ein Riese trug die selige Welt, Götter wandelten auf Erden mitten unter Menschen, und alle Geschlechter verehrten die göttliche Schönheit. Aber manchmal erhob sich am Horizont dieses lieblichen Paradieses Ein Gedanke, «Ein entsetzliches Traumbild»: der Gedanke an den Tod, den auch die Götter nie völlig zu bannen vermochten. Die ewige Nacht blieb ein unergründliches Rätsel, «das ernste Zeichen einer fernen Macht».

Aber diese Welt neigte sich dem Ende zu, und in der Verzweiflung über ihren Untergang erhob sich aus dem Schoße des verachtetsten Volkes der «Sohn der ersten Jungfrau und Mutter – Geheimnisvoller Umarmung unendliche Frucht»; er brachte die neue Religion des Todes und der Nacht:

> Was uns gesenkt in tiefe Traurigkeit
> Zieht uns mit süßer Sehnsucht nun von hinnen.
> Im Tode ward das ew'ge Leben kund,
> Du bist der Tod und machst uns erst gesund.
>
> (5. Hymne)

Das Grab Christi wird eins mit dem Grab Sophiens: Durch den Tod des Erlösers hat die Menschheit das Leben empfangen, so wie Novalis durch den Tod seiner Braut. Die letzte Hymne ist ein wunderbarer Gesang der Sehnsucht nach dem befreienden Tode:

> Hinunter in der Erde Schoß,
> Weg aus des Lichtes Reichen.
> Der Schmerzen Wut und wilder Stoß
> Ist froher Abfahrt Zeichen.
> Wir kommen in dem engen Kahn
> Geschwind am Himmelsufer an.

Gelobt sei uns die ew'ge Nacht,
Gelobt der ew'ge Schlummer.
Wohl hat der Tag uns warm gemacht,
Und welk der lange Kummer.
Die Lust der Fremde ging uns aus,
Zum Vater wollen wir nach Haus.

[...]

Hinunter zu der süßen Braut,
Zu Jesus, dem Geliebten –
Getrost, die Abenddämmrung graut
Den Liebenden, Betrübten.
Ein Traum bricht unsre Banden los
Und senkt uns in des Vaters Schoß.

Die *Geistlichen Lieder* setzen diese Ekstase völlig ungezwungen fort. Novalis
verherrlicht hier in wunderbar schlichten Versen Jesus und die Jungfrau. Nichts
ist schöner, inniger, aber auch nichts unübersetzbarer als die letzten Hymnen
an Maria, in denen alle Hoffnungen, die der Dichter einst in die tätige, magische
Eroberung setzte, zurückgenommen sind in eine reine, kindliche Frömmigkeit,
in die Erwartung der Gnade: daß das im Traum für Augenblicke geschaute
Bild wirklich, daß es gegenwärtig werde, daß die Verheißung an die Lebendigen
sich doch endlich erfüllen möchte!

Wer einmal, Mutter, dich erblickt,
Wird vom Verderben nie bestrickt.

[...]

Oft, wenn ich träumte, sah ich dich
So schön, so herzensinniglich.
Der kleine Gott auf deinen Armen
Wollt' des Gespielen sich erbarmen;
Du aber hobst den hehren Blick
Und gingst in tiefe Wolkenpracht zurück.

Was hab' ich, Armer, dir getan?
Noch bet' ich dich voll Sehnsucht an.

[...]

Darf nur ein Kind dein Antlitz schaun
Und deinem Beistand fest vertraun,
So löse doch des Alters Binde
Und mache mich zu deinem Kinde.
Die Kindeslieb' und Kindestreu
Wohnt mir von jener goldnen Zeit noch bei.
                                        (Nr. XIV)

Ich sehe dich in tausend Bildern,
Maria, lieblich ausgedrückt,

Doch keins von allen kann dich schildern,
Wie meine Seele dich erblickt.

Ich weiß nur, daß der Welt Getümmel
Seitdem mir wie ein Traum verweht,
Und ein unnennbar süßer Himmel
Mir ewig im Gemüte steht.

(Nr. XV)

ZWÖLFTES KAPITEL

SELENE

Mondbeglänzte Zaubernacht,
Die den Sinn gefangen hält,
Wundervolle Märchenwelt,
Steig auf in der alten Pracht!
TIECK

Es gibt kaum ein romantisches Œuvre, worin der Nachttraum und der Eindruck hellwachen Träumens ein so beständiges Thema bilden wie im vielfältigen und vielgestaltigen Werk Ludwig Tiecks. Der Typus des romantischen Helden, der die äußere Wirklichkeit nur zögernd anerkennt, der sie am liebsten als flüchtigen Abglanz seines Innern abtun und immer wieder Zuflucht und Geborgenheit im Paradies kindlicher Unschuld finden möchte – er ist das Geschöpf Tiecks viel eher als Jean Pauls oder Novalis'. Tiecks Landschaften, ob in den Romanen oder in den Erzählungen, gehören einer beweglichen, immerzu sich verwandelnden, von Wohlgefühlen wie von Drohungen erfüllten Welt an, die mit den Augen des Traums gesehen zu sein scheint. Die einzige Erfahrung von Bestand, die uns dieser so schwer faßbare Mensch gewährt, ist gerade die der unablässigen Bewegung, welche alles Gestalthafte in einem endlosen Kreis unzähliger Metamorphosen dahingleiten läßt. «Alles wandelt und Nichts besteht, und im Wandeln ist es nur unser; wir sind nur, weil wir uns immerdar verändern, und können es nicht fassen, wie ein Dasein ohne Wechsel ein Dasein heißen könnte.» Und so kommt er zum Schluß: «*Alles was uns umgibt, ist nur wahr bis zu einem gewissen Punkt*» [384, XXII, 120*]. Aber der Unwirklichkeit der äußern Welt kommt bei Tieck die Ungewißheit über sich selber gleich; Menschen wie er sind nie ganz sicher, ob sie auch wirklich seien; ihre Innenwelt ist ebenso unbeständig, ebenso flüchtig und der Verwandlung unterworfen wie die Außenwelt. Tieck hält auch das Individuum nur für «wahr bis zu einem gewissen Punkt»; darüber hinaus aber weiß er von sich selber nicht mehr, als daß er von Augenblick zu Augenblick ein anderer werde. Nichts ist von Dauer, nichts ist voraussehbar, alles kann zu allem werden, sei es einer Rührung wegen, einer Stimmung, einer neuen Beleuchtung, wer weiß!

Dieser schwindelerregenden Folge von Gestalten, Farben und Empfindungen wird der Tiecksche Träumer mit zwei verschiedenartigen, wiederum unvorhersehbaren Reaktionen begegnen, wobei er nicht im geringsten zu einer überlegten Wahl fähig ist. Bald wird er sich einer süßen Euphorie hingeben und gerade an der Vielfältigkeit seiner Welt Gefallen finden, die ihm dann wie eine Spiegelung eigenen Reichtums, wie ein Echo seines beglückenden Resonanzvermögens erscheinen wird. Bald jedoch wird er aus Angst, in seinem Innern keinen Haltepunkt mehr zu finden, an dem er sich wiedererkennen und festklammern könnte, ein Refugium herbeiwünschen, einen Schlupfwinkel, wo er vor dem Andrang von Bildern und Eindrücken verschont bliebe. Aber diese zwei Bewegungen werden ihn auf verschiedenen Wegen beide an die Schwelle des Traumes führen. In Stunden, wo ihm leicht zumute ist und er sich seiner Stimmung überläßt, wird er die wunderliche Unberührbarkeit der traumhaften Bilder wollüstig genießen, diesen unmerklichen Übergang, diese Verwandlung des Wachens in eine Zauberwelt, die in ihrer Schönheit den herrlichen Erfindungen des Genius der Nacht gleicht. In andern Augenblicken freilich, wenn ihn das Entsetzen packt über den Mangel eines Mittelpunktes, um den sich die vorbeiwirbelnden Schauspiele ordnen ließen, wird er sich fern von ihrem Ansturm in einen Traum einschließen wollen, der ihn seines allzu lebhaften Bewußtseins von der Flüchtigkeit des Wirklichen enthöbe und in die Kindheit zurücktrüge, in jene paradiesische Zeit, wo alles verbürgte Wirklichkeit war, ohne daß sich auch nur der leiseste Zweifel erhob.

Derart ungefestigte und sehnsüchtige Naturen wie Tieck verwandeln sich zwar ohne Unterlaß, vermögen aber in ihrem Leben wohl kaum je einen wirklichen Fortschritt zu erzielen. Es kann zur Ermattung kommen, zur Ergebung in die allgemeinen Bedingungen menschlichen Daseins, und bei den Künstlern unter ihnen zu einer weniger subjektiven Ausrichtung der ästhetischen Bemühungen. Von einem aufsteigenden Weg, von einer erfolgreichen Eroberung ihrer eigenen Wirklichkeit oder irgendwelcher Gewißheiten ist bei ihnen jedoch nichts zu verspüren. Nichts ist ihnen ferner als jener Progreß, der die im übrigen so verschiedenartigen Lebensläufe eines Jean Paul oder eines Novalis charakterisiert. Was Tieck an Gaben mitbekommen hat, erscheint vielschichtiger, der Reichtum an Möglichkeiten größer, aber die Jahre tragen ihm kein einziges neues Element ein – was nicht ausschließt, daß er auf rein literarischer Ebene bis ins hohe Alter hinein Neuland erschlossen hat; Tiecks realistische Novellen und sein historischer Roman stehen am Anfang einer langen Tradition. In bezug auf seine geistige Entwicklung läßt sich nirgends die Wirkung eines alles beherrschenden Magnetes verspüren, der das ursprüngliche Chaos geordnet und die Schaffung eines Klimas oder eines Mythos ermöglicht hätte. Die Jugendwerke sind und bleiben am aufschlußreichsten: In sie ergießt sich ohne Kontrolle der gesamte Schatz an Entdeckungen, die ganze Mannigfaltigkeit der fein abgetönten Berührungen zwischen einer äußerst empfänglichen, vibrierenden Sinnlichkeit und einer irdischen Landschaft, die in jeder Farbe, jedem Winkel bald harmonisch, bald jäh verstimmt anklingt. Später dann stumpfen die Organe solchen Austausches allmählich ab, gewisse Gebärden werden zu Attitüden, ohne daß damit eine höhere Wirkung erzielt würde. Und schließlich läßt sich der geschwächte Dichter auf die Beschreibung einer Welt ein, die er je lieber für wirklich ausgibt, je stärker das Alter den Wunsch nach Besänftigung und Ruhe zur Geltung bringt.

So kommt es auch, daß Tieck über einen unmittelbareren Sinn für den Traum, über feinere Kenntnisse davon verfügte als jeder andere, daß er sich jedoch des Traums nie als Instruments für irgendwelche Eroberung bedient hat. Seine Werke, vor allem die aus der Jugendzeit, schöpfen aus der Quelle des Unbewußten einen überfließenden Reichtum an Symbolen, Gestalten und mannigfaltigen Eingebungen. Man spürt, daß ihm diese abgründigen Bereiche vertraut sind, und so wie er der erste Maler der romantischen Natur ist, beschwört er auch als erster verborgene Phantasmagorien herauf. Er findet Gefallen an ihrer Fremdartigkeit, gibt sich ihrem bilderreichen Fluß hin, und mit ebendem Vertrauen, mit dem der Urmensch Magie zu Hilfe ruft, taucht er immer und immer wieder in ihren Jungbrunnen; deshalb die so häufig wiederkehrenden Themen plötzlich aufwachender Kindheitserinnerungen und der Rückkehr in die Heimat. Aber keine Spur davon, daß er hinausginge über ein solch unvermitteltes Wiederauftauchen von Bildern aus der Tiefe; weder begehrt er davon das Monströse, Bedrohliche, Gefahrvolle heraufzubeschwören, wie es Arnim oder Hoffmann tun werden, noch gedenkt er sich dieser Schätze zu der Menschheit Heil zu bedienen wie Novalis. Er kennt bezaubernd-anmutige Gestalten in seinem innern Schattenreich, und auch die fürchterlichsten Schreckgespenster; aber er hütet sich, ihnen allzuweit zu folgen oder sie zur Rede zu stellen. Er gehört zu jenen, die den Taumel gerne leiden mögen und auch den Schrecken zu kosten wissen, wenn er sich in Grenzen hält, und nichts ist ihnen fremder als die Anspannung oder der Exzeß. Es ist ein gemäßigtes Klima, das Tieck zusagt: sanfter Mondschimmer einer Augustnacht – nicht die Glut eines Brentano oder die schneidende Kälte Arnims.

Vielleicht sagt man mit Recht, wir seien alle verbannte Geister, die, unwürdig ihres höheren Glückes, sich auflehnend gegen die Liebe, in den Zustand versenkt wurden, der mit dem Tode verwandt ist und den wir Menschen unser Leben nennen. So wachsen denn, gedeihen wir, und unsere Jugend ist ein Traum, der in uns webt. Rosengewölk vor dem Aufgang der ersten heißen Sonne. [393, IV, 736]

Die Sehnsucht nach der Kindheit, das Gefühl, eine Welt vertrauter Zärtlichkeit für immer verloren zu haben, hat Tieck unaufhörlich verfolgt. Fast alle seine Helden leiden unter dem beklemmenden Eindruck, ein schales, seiner ursprünglichen Farben beraubtes, unfreundliches Leben zu leben; sie stellen ihm das Paradies gegenüber, «das jeder der spätgeborenen Menschen betritt, und das für jeden immer wieder von neuem verloren geht» [I, 833]. Zuweilen, etwa auf einem verträumten Spaziergang, überkommen sie wie mit magischer Gewalt die einstigen Gefühle und auch die Erinnerung an Augenblicke, als der Schmerz und das Leid zum erstenmal die lieblichen Gestalten aus dem kindlichen Zauberland vertrieben. Das Unbewußte bewahrt aber nicht nur entzückende Bilder auf; ebenso lebendig wie diese sind die beängstigenden Erinnerungen, die sich ebenfalls seit den ersten Kinderjahren eingeprägt haben.

Die Kindheit ist aus Schrecknissen und grausamen Enttäuschungen gewebt so gut wie aus Freuden. Und Tieck selbst erinnerte sich mit aller Deutlichkeit sehr früher Ereignisse in seinem Leben, wo jeweils der Gegensatz zwischen dem flüchtigen Zauber verheißenen Glücks und seinem jähen Zusammenbruch grell und schmerzhaft zutage getreten war – untröstlich das Kind, dem man ein Kaleidoskop wegnahm, durch welches es eine Wunderwelt zu sehen geglaubt hatte; dann das Grauen vor der Einsamkeit, als es eines Tages die Wärterin aus den Augen verlor; das Entsetzen angesichts einer Fratzen schneidenden Kasperlefigur, die in seinen Augen die erhabene Trauer eines Schauspiels schändete [410, 9ff.]. Die Episoden zeigen alle dieselbe Bewegung, denselben grausamen Absturz des Kindes, das durch einen störenden Einbruch der Wirklichkeit aus der Wonne einer schönen Illusion gerissen wurde.

Ein derart wacher Sinn für das Innenleben mußte Tieck zu manch einer Feststellung führen, die von der heutigen Psychologie bestätigt und präzisiert worden ist. Tieck hat über eine so unmittelbare Erfahrung vom eigenen Dualismus verfügt wie nur wenige Menschen; er hat stets auf zwei Ebenen zugleich gelebt wie wir alle – er aber mit der beständigen Empfindung von diesem Doppelleben. Anfänglich hat er sich bemüht, tiefer in jene zweite Existenz einzudringen, die insgeheim unser tägliches Leben begleitet und sich dann und wann in einem jähen Andrang von Bildern oder ungeklärten Empfindungen kundtut. Die Poesie war für ihn vorerst ein Mittel, in die Schlupfwinkel der Seele einzudringen und solche verschleierte Bilder bei hellichtem Tag zu beschwören. Recht bald aber beschlich ihn das Gefühl des Wagnisses und bekam er den Eindruck, verbotenes Gebiet zu betreten; aber selbst dann noch, als sich in seinem Schaffen der Wunsch nach Festigung und minder bedrohtem Weltbesitz geltend machte, vermochte er seinen Gestalten und seiner dichterischen Sprache eine Tiefendimension zu geben, wie sie nur Menschen eigen ist, die mit ihrem verborgenen Ich im Gespräch geblieben sind.

Das Unbewußte ist bei Tieck und den Geschöpfen seiner Phantasie der beständige Hintergrund, etwas von Geburt an Mitgegebenes, um früheste Erlebnisse Angereichertes, woraus das bewußte Leben seine Vorlieben und seine Ängste, seine Inspirationen und seine Kräfte schöpft.

Von den Grundbedingungen unserer Existenz können wir uns niemals losmachen [...], und so repetiert sich nur immer in umgekehrten Metaphern oder Umsetzungen, was wir schon waren oder wußten, wenn es auch nicht immer zum äußeren Bewußtsein gekommen war. [403, 185]

Immer wieder kommt er zu sprechen auf diese «Urverfassung in uns selbst, die nichts zerstören kann» und die zuweilen völlig unerwartet zum Vorschein kommt [393, I, 659]. Aber er, der das Temperament eines großen Schauspielers besaß und der wegen seiner Leseabende berühmt geworden ist, er weiß ebensogut, daß uns allen die «Lust zur Mimik» innewohnt und daß sie über einen beträchtlichen Teil unseres Lebens gebietet.

Unser innerlicher Mensch ahmt oft lange einen Gedanken, oder die Vortrefflichkeit einer Gesinnung, ja selbst eine Empfindung nur mimisch nach, bis wir, gerade wie die Kinder lernen, uns die Sache selbst durch Wiederholung und Angewöhnung zu eigen machen können. [384, IV, 101]

Ein Widerspruch zwischen diesen beiden Erfahrungen der Kontinuität und der Mimesis besteht nur scheinbar. Gerade wer mit seinem Unbewußten in beständiger Beziehung ist, neigt am leichtesten zur Aneignung dessen, was anfänglich nur nachgemachte Gebärde war. Er ist unfähig zur augenblicklichen Unterscheidung und Wahl zwischen Eigenem und Entliehenem, wie sie Menschen geringerer Passivität und schärferen Blicks zu vollziehen vermögen. Bei Tieck und seinesgleichen reichen sämtliche Handlungen, selbst die Attitüden, bis in jene verborgenen Treibhäuser hinunter, wo sich die allmählichen Reifungen vollziehen. Was vorerst bloßer Gestus war, macht in diesem Zentralfeuer eine langsame Verwandlung durch, bis es schließlich in die Persönlichkeitsmasse eingeht. Wer von derart grenzenloser Empfänglichkeit ist, gilt in den Augen jener, die in den Grenzen ihres angeborenen Reichtums bleiben, leicht als unstet oder labil. Weder Tieck noch Nodier ist diese voreilige Einschätzung erspart geblieben.

Bei ihm müsse zuerst alles tiefe Wurzeln fassen, bevor es zum Vorschein komme, schreibt Tieck aus Anlaß von Novalis' Tod. Und zwei Jahre später: «Ich bin umso mehr ein Individuum, umso mehr ich mich in alles verlieren kann; es ist kein Verlieren, denn wir verstehn, fühlen eine Sache nur, insofern wir die Sache sind». [357, IV, 447; 408, 144]

Eine Doppelbewegung veranlaßte Tieck, zunächst alles in sich zu vergraben, was sich seinen Sinnen oder seinem Geist darbot, und erst nach langer Ruhezeit bei hellem Licht sehen zu lassen, was im Dunkel des Unbewußten daraus geworden war – eine Doppelbewegung, die er selbst für den Grundrhythmus des Menschen gehalten hat. «Unser ganzes Leben besteht aus dem doppelten Bestreben, uns in uns zu vertiefen und uns selbst zu vergessen, und aus uns herauszugehn, und dieser Wechsel macht den Reiz unseres Daseins aus» [384, IV, 100]. Den Reiz, aber auch die Mühsal! Tieck ist dafür ein eindrückliches Beispiel. Er wünscht fortwährend mit dem Innersten in Verbindung zu bleiben und leidet darunter, daß ihm dies nicht immer gelingen will. Er möchte, was in ihm ist, durch das Leben, durch die Kunst, durch die Gebärde sichtbar werden lassen und jammert, wenn er dabei scheitert. Aber der Schmerz hält nicht an; ein sicherer Instinkt festigt ihn alsbald wieder und überredet ihn dazu, sich mit diesen Bemühungen, mit der noch vagen Intuition und mit dem sanften Hin und Her der zwei widerstreitenden Neigungen zufriedenzugeben.

Freilich, das Unbewußte, völlig durchtränkt von Kindheitserinnerungen, behält den zweideutigen Charakter dieser Erinnerungen bei: Es ist nicht nur die Heimat, in der die Seele ihren Frieden wiederfinden kann, sondern auch die Stätte unaussprechlicher Qualen, grausamer, ja verbrecherischer Absichten und der Ort der metaphysischen Angst. Die Schreckgespenster gehören nun einmal zur inneren Zauberlandschaft, und wenn die Vernunft ihre Kontrolle über die Ausbrüche in der Tiefe auch nur ein wenig lockert, kann sich völlig unerwartet ein glühender Lavastrom aus dem Vulkan ergießen.

Es gibt Fälle und Stimmungen, wo man über einen Menschen, den man schon lange, lange kennt, erschrickt, sich zuweilen entsetzt, wenn er ein Lachen aufschlägt, das ihm recht von Herzen geht und das wir bis dahin noch nicht von ihm vernommen haben [...]. Wie in manchem Herzen unerkannt ein süßer Engel schlummert, der nur auf den Genius wartet, der ihn erwecken soll, so schläft oft in graziösen und liebenswerten Menschen doch im tiefen Hintergrund ein ganz gemeiner Sinn, der dann aus seinen Träumen auffährt, wenn ihm einmal das Komische mit voller Kraft in des Gemütes verborgenstes Gemach dringt. Unser Instinkt fühlt dann, daß in diesem Wesen etwas liege, wovor wir uns hüten müssen. [393, III, 905]

Tieck weiß genau, daß auch die Kunst und der Traum, beide so nahe verwandt, zu durchleuchten und zu beschwören vermögen, was dort durch ein unbeherrschtes Lachen zutage tritt. Vor allem die Musik bringt das Wunder fertig, an den verborgensten Kern in uns, an den Verwurzelungspunkt all unserer Erinnerungen zu rühren und daraus für Augenblicke den Mittelpunkt einer Zauberwelt zu machen.

Wie schnell, gleich zauberhaften Samenkörnern, schlagen die Töne in uns Wurzeln, und nun treibt's und drängt's mit unsichtbaren Feuerkräften, und im Augenblick rauscht ein Hain mit tausend wunderbaren Blumen, mit unbegreiflich seltsamen Farben empor, *unsere Kindheit und eine noch frühere Vergangenheit* spielen und scherzen auf den Blättern und in den Wipfeln. Da werden die Blumen erregt und schreiten durcheinander, Farbe funkelt an Farbe, Glanz erglänzt auf Glanz, und all das Licht, der Funkelschein, der Strahlenregen lockt neuen Glanz und neue Strahlen hervor. [391a, II, 81*]

Diese tiefe Einheit von musikalischer Empfindung und unbewußtem Leben, diese einzigartige Befähigung der Kunst, bis zu den Quellen des Gefühlslebens zu gelangen, kommt in einer unvergeßlichen Strophe Tiecks zum Ausdruck:

> Liebe denkt in süßen Tönen,
> Denn Gedanken stehn zu fern,
> Nur in Tönen mag sie gern
> Alles was sie will verschönen.   [90]

Die Kunst beschränkt sich nicht darauf, die verborgenen Tiefen aufzurühren, sondern sie ist nach Tieck auch fähig, deren fremdartige Inhalte zu verwandeln und zu läutern, mit Licht zu erfüllen, was zunächst nur dunkle Materie und rohe Natur war. Das ist der Sinn einer Äußerung Tiecks, die von modernen Psychologen oft zitiert wird, weil sie eine wesentliche Einsicht ihrer eigenen Forschung vorwegnimmt. Man wird denn auch weder bei Jung noch bei Freud eine feinsinnigere, zutreffendere Definition des Unbewußten finden als in diesen paar Zeilen, zu denen Tieck im Jahre 1824 durch die Beschäftigung mit Shakespeare inspiriert worden ist:

Wieviel Vermögen und Kräfte wir haben, ist schwer auszumachen; wissen wir doch nicht einmal, wie viele Sinne wir besitzen. Über die ziemlich groben körperlichen sind alle Menschen einig; aber [...] diese Kraft der Rührung, das Vermögen, das Unsichtbare, Ferne, längst Vergessene sich unmittelbar zu vergegenwärtigen – die Ahndungsfähigkeit – diese sonderbaren Schauer, die das Haar aufrichten und mit Frost die Haut zusammenziehen, diese feinen, leise hinschwingenden Gefühle, die Wollust und Grauen vermählen, diese und andere Empfindungen, was sind sie denn sonst, als wahre Sinne die nur tiefer liegen, die nicht immer tätig sind, aber dafür auch um so mächtiger wirken. [393, III, 371]

Und auf die Frage, ob sich die Poesie auf diesen Überfluß an unbekannten Vermögen und Kräften einlassen dürfe, antwortet Tieck, es sei von jeher das Ziel des Dichters gewesen, *solche Naturtriebe «in himmlische Klarheit, in Sehnsucht nach dem Unsichtbaren zu steigern»* [345*].

Tiecks Haltung kommt in diesem Text sehr deutlich zum Ausdruck. Er, der Gärungen in den Tiefen der Seele mit außergewöhnlich scharfem Blick zu erfassen vermag, kennt sehr wohl ihren Reichtum, ihre Fruchtbarkeit und Bedeutung; nur – verfallen will er ihnen nicht. Er läßt sich nicht einfach von den gestaltlosen Klängen des verborgenen Lebens einwiegen, so wenig wie er sich unbedacht in jene Abgründe wagt, wo der Mensch mit seinen eigenen Gespenstern zu kämpfen hat. Ohne daß sich bei ihm der Wille je entscheidend geltend machte oder er des innern Chaos mit deutlichem Bewußtsein Herr würde, verlangt Tieck – für sich selbst durchaus in Passivität verharrend –, die Poesie müsse die Bilder und Urlaute des Unbewußten läutern und verklären. Was immer aus der Tiefe heraufdrängt, es ist nichts als roher Stoff, dem die Kunst einen andern Wert verleihen soll, und keiner dieser Naturtriebe gelangt zu höherer Würde, es sei denn, der Dichter verwandle ihn und gebe ihm eine Richtung.

Im Blick auf moderne Theorien dürfen wir nun allerdings nicht übersehen, daß Tiecks Auffassung, so nahe sie jenen zu stehen scheint, sich in Ton, Ausgangspunkt und Zielsetzung davon unterscheidet. Der Dichter *konstatiert* nicht die *Tatsache* der ästhetischen Sublimierung wie der Psychologe, er *bekennt* seine *Erfahrung* von den verborgenen Bereichen der Seele, und weil dies für ihn eine Notwendigkeit ist, eine Forderung seiner ganzen Natur, die ihr Daseinsrecht in Frage gestellt sieht, nimmt er seine Zuflucht zur poetischen Umsetzung und bedient sich ihrer zur Sicherung gegen die von innen drohenden Gefahren, zur Läuterung dessen, was von Natur nicht lauter ist.

Aus dem Bilderstrom heraustreten und sich darüberstellen, ihn beurteilen und lenken, aus dem Automatismus ein freies Spiel machen – diese Loslösung, dieses Abstandnehmen nennen die Romantiker *Ironie*. Wenn Tieck die Bilder immer wieder gerne beschwört, wenn er zum Kinde werden und aufs neue im beglückenden Ineinander von Einbildung und Wirklichkeit leben möchte, so will er doch auch seine Geistesgegenwart bewahren. Zu spielen wie ein Kind schließt für ihn das Vergnügen nicht aus, dem Spiel zuzuschauen. Die Ironie hat also zwei Funktionen: Sie wird zur Skepsis erziehen gegenüber dem sinnlich Gegebenen, indem sie dazu befähigt, der Welt, «wie sie ist», die absolute und endgültige Wirklichkeit abzusprechen, und indem sie unter Berufung auf die Veränderlichkeit des psychisch Gegebenen diese Welt durch eine unbeständige, mobile, jeder Vorhersage entzogene ersetzt. Aber sobald sie sich dieser neuen Wirklichkeit zuwendet, wird die Ironie den Geist davor bewahren, daß er sich dem Fluß der Träume völlig hingibt. Sie ist das Gleichgewichtsorgan, das den Dichter instand setzt, sich aufs Leben des äußeren wie des inneren Werdens einzulassen, ohne sich doch völlig hinzugeben oder gar darin zu verlieren.

Der Traum hat im Leben wie im Werke Tiecks mannigfaltige Aspekte und Wirkungen, die mit der Stufenleiter all der feinen Beziehungen zwischen Unbewußtem und Bewußtem übereinstimmen. Er erschließt verborgene Tiefenbereiche, gewährt der Seele Zuflucht, die sich nach dem Fließenden sehnt, dient der ästhetischen Verklärung als Vorbild, kann aber auch zum Verließ werden, dem der Träumer möglichst rasch zu entfliehen versucht.

Tiecks Kenntnisse vom Traum, seine Liebe dafür und zuweilen seine Angst davor gründen sich weniger auf die Beobachtung von Schlafträumen als auf Erinnerungen an Halluzinationen, denen er unterworfen war. In Wachträumen bekam er es mehr als einmal und jeweils äußerst heftig mit den Gefährdungen zu tun, die in seiner Natur lagen und diese aus dem Gleichgewicht zu bringen drohten.

Die erste Vision, von der wir wissen, fällt in Tiecks Studentenzeit in Halle. Nachdem er zwei Freunden bis in die frühen Morgenstunden aus einem neuerschienenen Roman vorgelesen hatte, ward er zunächst in die lieblichsten Träume, in Augenblicke glücklichster Begeisterung versetzt. Doch mit einem Schlag bricht alles zusammen, und während grausige Totenstille einkehrt, steigen ringsum bedrohliche Felsen auf.

Mein Zimmer war, als flöge es mit mir in eine fürchterliche schwarze Unendlichkeit hin, alle meine Ideen stießen gegeneinander, die große Schranke fiel donnernd ein, vor mir eine große, wüste Ebne, die Zügel entfielen meiner Hand, die Rosse rissen den Wagen unaufhaltsam mit sich, ich fühlte es, wie mein Haar sich aufrichtete, brüllend stürzte ich in die Kammer [wo die Freunde sich schlafen gelegt hatten].

Die Kammer weitet sich zu einem Saal, in dem ihm zwei Riesen entgegentreten, «groß und ungeheuer und mit einem Gesicht wie der Vollmond». Der Träumer, kaum dem Paradies der Phantasie entrissen, wird bei diesem Anblick von «Angst und Wut geschüttelt». Vergeblich sucht er nach einem Degen, sich der zwei Widersacher zu erwehren. Das Wahnbild weicht, als ihm plötzlich einfällt, die Zügel seiner Pferde wieder zu fassen und den Wagen zum Stehen zu bringen.

Der Halluzination folgt ein Zustand ähnlich einer Ohnmacht. Während er auf einem Bette liegt, arbeitet die Phantasie an Vorstellungen weiter, die seine völlige Ermattung spiegeln. Er glaubt mit den Füßen voran auf einem Strom hinabzutreiben, während der Kopf sich ablöst und stromaufwärts schwimmt. Dann wieder ist ihm, als läge er in einem Totengewölbe, wo drei Särge mit weiß schimmernden Gebeinen nebeneinanderstehen. [395, II, 50–54; vgl. 402, I, 141 ff.]

Mit dieser ersten Vision, die in leicht durchschaubarer Symbolik das Grauen vor der Einsamkeit ausdrückt, steht ein anderes, bedeutsameres Erlebnis in Zusammenhang, von dem allerdings erst ein Brief des Achtzigjährigen berichtet, wiewohl es nur kurze Zeit danach anzusetzen ist. Es war am Johannistag 1792, als der Jüngling nach einer durchwachten Nacht zu Fuß auszog, um einen Freund im Harz zu besuchen. Gegen Abend kehrte er in einem Gasthaus ein, wo sich junge Leute an Musik und Tanz erfreuten. Von seinem Zimmer aus nimmt er durch die offene Tür am fröhlichen Treiben teil. Ohne geschlafen zu haben, bricht er in der Morgendämmerung auf und erklimmt eben einen Hügel, als die Sonne aufgeht.

Aber wo Worte hernehmen, um das nur matt zu schildern, das Wunder, die Erscheinung, welches mir begegnete, und meine Seele, meinen innern Menschen, alle meine Kräfte verwandelte und einem unsichtbaren, einem göttlich großen Unnennbaren entgegen riß und führte. Ein unnennbares Entzücken ergriff mein ganzes Wesen; ich zitterte, und ein Tränenstrom, so innig durchdringlich, wie ich ihn nie vergossen hatte, floß aus meinen Augen. Ich mußte stille stehen, um diese Vision ganz zu erleben, und so wie mein Herz in der höchsten Freude zitterte, so war mir, völlig überzeugend, als wenn ein zweites, seliges, liebendes Herz an meinen Busen klopfte. [...] Dies war der höchste Moment meines ganzen Lebens; ich konnte mich in Freude überseliger Lust der tiefsten Tränen in der Entzückung nicht erwehren. Wie lange diese berauschende Zeit mich ergriff, kann ich nicht sagen. [...]

Achtzig Jahre bin ich nun alt, und der Rückblick auf diese Momente ist mir der wundervollste, rätselhafteste meines langen Lebens geblieben. Diese *unbeschreibliche persönliche Liebe, diese fühlbare, überzeugende,* ist mir niemals wieder begegnet, und doch halte ich mich für hoch beglückt, daß ich diesen Zustand erleben konnte. [...]

Visionen, Entzückungen, augenblickliches Schauen in das sogenannte Jenseits sind die Verherrlichungen unsers Gemüts, die nur wenigen gegönnt sind [...]. Mein Entzücken und wiederholtes Bestreben, einen Zustand wieder zu erleben, den ich den allerhöchsten Moment meines Daseins nennen muß, war in meinem langen Leben immer vergeblich und nur *von bitterer Reue* begleitet, so viel ich auch sonst gelesen, gedacht und mich an Poesie und Kunst, Mystik und wunderbaren Gedanken und den sonderbarsten Erfahrungen entzückt habe. [272, 101–109*]

Es ist denkbar, daß Tieck das Erlebnis nach sechzig Jahren nicht mehr bis in alle Einzelheiten gegenwärtig hatte und daß er ihm ein anderes Gewicht beimaß als ehedem. Dennoch steht die Echtheit außer Frage, ja die Redlichkeit des Erzählers ist gerade dadurch verbürgt, daß er auf den ‹natürlichen› Ursachen der Vision besteht: Schlaflosigkeit, Musik, während der Wanderung empfangene Eindrücke. Was sich in dieser einzigartigen Stunde zutrug, ist so anders als alles,

was Tieck je widerfahren ist, daß wir diesmal die Wirkung des Nachahmungs-
triebes ausschließen dürfen. In diesem erhabenen Augenblick hat Tieck eine
unwiederholbare Begegnung mit dem Göttlichen erlebt, das sich ihm in einer
Lichterscheinung offenbarte. Und diese einmalige Vision übte auf ihn eine so
starke verwandelnde Wirkung aus, daß er darin den Ursprung der Poesie
gesehen hat. So kann Ludwig in der Erzählung *Die Freunde* (1797) zu sich
selber sagen:

Wie unbegreiflich flog damals das zusammen, was mir auf ewig durch große Klüfte getrennt
schien; die ungewissesten Ahndungen in mir erhielten Form und Umriß, und strahlten Schimmer von sich, in denen ich tausend Nebengestalten erblickte, die ich bis dahin noch niemals
wahrgenommen hatte. So ward mir nun das genannt, was ich immer hatte aussprechen wollen;
ich empfing nun die schönsten Schätze der Erde, die meine Sehnsucht bis dahin vergeblich
gesucht hatte; und wie hab' ich dir seitdem, du göttliche Kraft der Phantasie und Dichtkunst,
so alles zu danken! Wie hast du meinen Lebenslauf eben gemacht, der erst so verworren schien!
Immer neue Quellen des Genusses und des Glückes hast du mich entdecken lassen, so daß sich
mir jetzt nirgends eine dürre Wüste entgegenstreckt; alle Ströme der süßen, wollüstigen
Begeisterung haben ihren Lauf durch mein irdisches Herz genommen, ich bin trunken worden, und habe die Himmlischen kennengelernt. [393, I, 64]

Die religiöse Offenbarung ist demnach für Tieck zugleich eine Erleuchtung, die
ihm unbegrenztes Vertrauen in die Poesie einflößt. Im selben Augenblick, da er
sich mit der Welt in vollkommenem Einklang fühlt, entdeckt er tausenderlei
neuartige Dinge und Empfindungen, die endlich die tröstliche geheimnisvolle
Bedeutung besitzen, nach der er sich bisher vergeblich gesehnt hatte. Und die
Poesie wird für ihn immer das erquickende, wenn auch abgeschwächte Echo
jenes anfänglichen Staunens und Entzückens sein, als ihm die Ekstase das lichte
Schauspiel der Welt erschloß.

Tiecks Gedanken über den Traum sind inspiriert von diesen Erlebnissen, wozu
noch die paar Schlafträume zu fügen sind, die er seinem Biographen Köpke
aus der Erinnerung mitteilte [402, I, 235/314/318/359ff.; II, 126f.].
    Immerhin hat Tieck auch auf persönlichere Träume angespielt; leider wissen
wir aber davon nichts Genaueres, als daß es sich manchmal Nacht für Nacht
um dieselben Angstträume handelte, in denen er zu so blutrünstigen Grausamkeiten fähig war, daß ihn noch bei der Erinnerung daran das Grauen packte.
Spuren dieser Erinnerungen tauchen in seinem Werk bei mehreren Personen auf.
    Man darf sich nicht weiter darüber aufhalten, daß Tieck, was den Wert der
Träume anbelangt, sich manchmal widersprochen hat. Wie bei andern Themen,
so läßt er auch hier das Wort abwechslungsweise zwei Gesprächspartnern, die in
ihm fort und fort diskutieren, ohne daß er selbst jemals eindeutig Partei er-
griffe. Bald ist es der sehnsüchtige Poet, der die Stimme erhebt und für den
die Träume das Werk einer «höchsten und darum rätselhaften geistigen Macht»
sind [II, 126]; bald wieder sieht er darin, gerade umgekehrt, «die nach außen

geworfene Metapher oder Spektrum und Vision unserer schaffenden Phantasie»
oder «einen reif gewordenen Auswuchs innerer Desorganisation oder unbewußt
gebliebener Affektionen» [403, 185], und als Vorläufer der Psychoanalyse bemerkt
er, die Wollust sei «das große Geheimnis unseres Wesens», die Sinnlichkeit
«das erste bewegende Rad in unserer Maschine» [384, VI, 212f.].

So sehen wir Tieck einmal Zuflucht nehmen zu den skeptischsten Erklärungen
der Psychologie, ein andermal inniges Vertrauen fassen in die Offenbarungen der
inneren Poesie. Er selbst war sich dieses Widerspruchs bewußt. Zweimal hat er
sich in den Novellen der letzten Jahre um eine Vermittlung zwischen den beiden
Haltungen bemüht. In *Des Lebens Überfluß* (1839) äußert er zwar lediglich einen
Zweifel, und er läßt die Frage offen.

Es kommt nur darauf an [...], *ob und inwiefern unsre Träume uns gehören*. Wer kann sagen, wie
weit sie die geheime Gestaltung unseres Innern enthüllen. Wir sind oft grausam, lügenhaft,
feige im Traum, ja ausgemacht niederträchtig, wir morden ein unschuldiges Kind mit Freuden, und sind doch überzeugt, daß alles dies unsrer wahren Natur fremd und widerwärtig
sei. Die Träume sind auch sehr verschiedener Art. Wenn manche lichte an Offenbarung
grenzen mögen, so erzeugen sich wohl andre aus Verstimmung des Magens oder andrer Organe. Denn diese wundersam komplizierte Mischung unsers Wesens von Materie und Geist,
von Tier und Engel, läßt in allen Funktionen so unendlich verschiedene Nuancen zu, daß
über dergleichen sich am wenigsten etwas Allgemeines sagen läßt. [393, III, 918*]

Das Tor aus Horn und das Tor aus Elfenbein lassen, bei Tieck wie bei Homer,
verschiedenerlei Träume in uns eindringen, solche, die unsere verborgenen
Grausamkeiten, die Abgründe in uns aufdecken, und andere, die vielleicht
Strahlen eines höheren Lichtes sind.

In der 1828 erschienenen Novelle *Die Gesellschaft auf dem Lande* hatte Tieck
jedoch seinen Personen einen Dialog in den Mund gelegt, der den Widerspruch,
statt ihn im Zweifel aufgehen zu lassen, einer echten Synthese zuzuführen versuchte. Auf die Erzählung eines Traums erwidert dort ein junger Mann folgendes:

Ich meine [...], daß sich oft *das Tiefsinnigste unsers Wesens, jene noch unsichtbaren Gedanken zuweilen in Bilder umsetzen, deren sich dann der Traum bemächtigt, um unser ganzes Sein von Grund
aus zu erschüttern.* [III, 233 f.*]

Der junge Psychologe weiß also, daß die «Bilder» übersetzen und verraten, was
für uns noch Geheimnis ist, und daß der Augenblick, der uns mit dieser Poesie
des Abgrunds konfrontiert, unser Leben in eine ganz andere Bahn weisen kann.
Der Erzähler des Traums wirft daraufhin eine sehr bezeichnende Frage auf:

«*Spielen wir selbst mit uns, oder mischt eine höhere Hand die Karten?*»

«Vielleicht», antwortete der Jüngling mit bedenklicher Miene, «*läuft* in den recht wichtigen
Lebensmomenten *beides auf eins hinaus.*» – Er schien von dieser Vorstellung selbst überrascht
zu werden.

«Es ist wahr», fuhr der Alte fort, «unser eigenes Gewissen arbeitet wie ein geschickter
Künstler sein echtes Gold in mehr als vier Farben aus. Und freilich, was ist es denn wieder,
was diesen unbestechlichen Werkmeister treibt, als jene ewige Wahrheit, von welcher alle
Wahrheit stammt?» [*]

Unsere Träume, und auch die ungeheuerlichsten, unflätigsten, wären also nur dem Anschein nach das Werk unserer allzumenschlichen Natur; alles – selbst die albernen, lächerlichen Züge, die sich immer wieder unseren edelsten Taten verstohlen beimischen, als seien sie das Echo eines hämischen Satansgelächters –, alles wäre veranlaßt vom höchsten Willen, der unsere Geschicke lenkt. Um uns aufzuklären, bedient er sich zuweilen der absonderlichsten Mittel und gibt er uns die allerärgsten Aufschlüsse über uns selbst.

Dieser Gedankengang entspricht dem Wunsch nach Aussöhnung, der Tieck in der Reifezeit dazu drängt, das Gleichgewicht zwischen den unversöhnlichsten Trieben seiner Natur zu wahren. Während ihn ein von Ängsten gepeinigtes Traumleben und ein unbeirrbarer psychologischer Scharfblick über die Beziehungen zwischen den Träumen und den Tiefenregionen der Seele unterrichteten, ließ ihn eine andere Erfahrung, nämlich die seines schwankenden, labilen Wirklichkeitsbegriffes, das milde Licht und die besänftigenden Stimmungen des Traums liebgewinnen. Angesichts eines derart tiefen inneren Gegensatzes ließ sich freilich die erlösende Magie niemals in einer bloß theoretischen Vermittlung finden. Nur in der Poesie, vorab in der des *Märchens*, wird Tieck für Augenblicke die beschwörende, befreiende Tat gelingen.

II

> Wunderbare Träume von Liebe und Entführungen,
> einsamen Wäldern und Stürmen auf dem Meere tanz-
> ten in seinem Gemach auf und nieder, und bedeckten
> wie schöne bunte Tapeten die leeren Wände.

Die Fähigkeit zu poetischer Beschwörung des Traums, wie wir sie aus den *Märchen* kennen, erwarb sich Tieck erst nach manchen Anläufen. Sein Jugendroman *William Lovell* ist der Ausdruck seiner heftigen Unruhe in jenen Jahren, als er hin und her schwankte zwischen dem wundervollsten Genuß der Phantasie und dem Wunsch nach Annäherung an die unbegreifliche äußere Wirklichkeit, ohne daß er ein Gleichgewicht oder auch nur einen Kompromiß zwischen den beiden Welten hätte finden können. Lovell versucht vergeblich, sein eigenes Leben zu verwirklichen, vergeblich, die Menschen und das Geschehen um ihn herum als lebendig anzuerkennen. «Die Gegenwart ist nur ein Traum, die Vergangenheit dunkle Erinnerungen aus dem Traume, die Zukunft eine Schattenwelt, deren wir uns einst auch nur mit Mühe erinnern werden» [393, I, 480]. Bis zum Überdruß wiederholt er seine Beteuerungen, die Welt sei tot, starr, leblos, seine Träume aber seien voll Bewegung, Farbe und sanfter Verführung. Die Verzweiflung über das Unvermögen, je an die Wirklichkeit heranzukommen, treibt Lovell in einen schrankenlosen Subjektivismus.

Alles unterwirft sich meiner Willkür, jede Erscheinung, jede Handlung kann ich nennen, wie es mir gefällt; die lebendige und leblose Welt hängt an den Ketten, die mein Geist regiert, mein ganzes Leben ist nur ein Traum, dessen mancherlei Gestalten sich nach meinem Willen formen. Ich *selbst* bin das einzige Gesetz in der ganzen Natur, diesem Gesetz gehorcht alles. [355]

Je tiefer wir in diese von Restif de la Bretonne inspirierte Geschichte des *rêveur perverti* hineinlesen, um so bitterer wird dieses Gefühl und um so deutlicher wandelt es sich zur Ironie: Bleibt die Welt nun einmal undurchdringlich, so wird Lovell mit ihr zu spielen beginnen, wird er zum *Voluptuoso* werden, der, nicht anders als seine Verführer, in dieser Scheinwelt nur noch die Zerstreuung sucht.

Was dem Roman dennoch den ernsten, bedrückenden Ton verleiht, ist die auffällige Diskrepanz zwischen Lovells Liebe zum Traum und der Tragik dessen, was er denn wirklich träumt. Er und die andern Personen haben nur entsetzliche Träume, wie sie Tieck aus eigenem Erleben gekannt hat.

Am schrecklichsten und wohl auch am glaubwürdigsten sind die Träume von Lovells Diener Willy. So sieht er einmal seinen Herrn auf einem hohen Berg sich tollkühn über eine Klippe bücken, indes ihn sein treuer schwarzer Pudel, ebenso besorgt um den Herrn wie der Diener, beim Rockschoß faßt; Lovell aber, nachdem er das gute Tier zurückgestoßen hat, stürzt plötzlich in das Felsental hinunter. Nur allzubald verwirklicht sich dieser prophetische Traum in Lovells moralischem Fall, den auch die Vorhaltungen des Dieners nicht zu verhindern vermögen. [374f.]

In einem andern Angsttraum erblickt Willy den Kopf seines Herrn, der über eine Gebirgskette hereinragt. Da ihm das blasse, eingefallene Gesicht den Tod zu verheißen scheint, versucht er die Berge hinanzulaufen, um Nachschau zu halten; Lovell aber schüttelt den Kopf und versinkt, während die Berge vor Willy in die Ferne weichen, weiter und weiter, bis sie, klein wie Kinderköpfe, am Horizont einer ungeheuren schwarzen Wüste stehen. Freilich ist es Willys eigener Tod, der sich in dieser verstörenden Vision ankündigt. [532f.]

Es gibt neben all den Schreckbildern, von denen in diesem Roman keine Person verschont bleibt, nur einen einzigen angenehmen Traum; Lovell – und zweifellos Tieck selber – hat ihn als Kind erlebt. Es geht darin die Welt unter, und aus den ungeheuren Massen des Chaos steigen wundervoll verschlungene süße Klänge auf, als wären es Farbenstrahlen, die, von der Sonne ausgesandt, in tausend Funken zerstieben und sich wieder zum einen mütterlichen Akkord vereinigen. «Ich hörte das wunderbarste Konzert, das mich in der ungeheuren Leere mit Schwindel erfüllte, so daß ich bald nichts mehr hörte.» [471f.]

So sind bis ins Traumleben hinein allein dem Kinde solche Empfindungen paradiesischer Glückseligkeit vergönnt. Im Vergleich damit ist das Leben nichts anderes als «ein leeres groteskes Traumbild. Wir halten es immer für etwas so

Ernsthaftes, und es ist eine plumpe, unzusammenhängende Farce, der nüchterne, verdorbene Abhub einer alten, bessern Existenz, eine Kinderkomödie *ex tempore*, eine schlechte Nachäffung eines eigentlichen Lebens.» [627]

Sternbald, der Held des zweiten großen Romans, hat sehr viel Ähnlichkeit mit Lovell; auch ihm «erscheint sein ganzes Leben oft als ein Traumgesicht, und er hat dann einige Mühe, sich von den Gegenständen, die ihn umgeben, wirklich zu überzeugen» [391a, II, 173]. Aber als begabter Maler entgeht er den Verirrungen seines älteren Bruders, und die Magie der Kunst setzt ihn instand, endlich doch ins Paradies der Kindheit zurückzufinden. Das Schicksal ist ihm bis in die Träume hinein günstiger gesinnt; es herrscht ein milderes, verheißungsvolleres Klima, das eine Lösung der Konflikte erwarten läßt und ein Wiederaufleben der Blumen, die vom Leben zum Verwelken gebracht worden sind.

Besonders aufschlußreich ist der Traum zu Beginn des zweiten Buches. Auch hier kehrt die Angst wieder, das Grauen, aber nur für kurze Augenblicke und gedämpft, während der Grundton durchaus licht ist und das, was er im Wachen gedacht, gesehen und ersehnt hat, ganz natürlich in den Traum eingeht, duftig und verklärt. Sternbald hat sich unter einem Baume niedergelassen und vergeblich das Gesicht der schönen Freundin zu zeichnen versucht, die er vor kurzem gesehen, der er aber erst viel später wieder begegnen wird; zärtlich betrachtet er die getrockneten Blumen, die er der zurückgelassenen Brieftasche des Mädchens entnommen hat, bis ihn schließlich das Murmeln eines Baches einschlummern läßt. Der Traum versetzt ihn auf eine Wiese, wo unter Feldblumen auch seine eignen frisch aufblühen, an Glanz und Farbe alle andern übertreffend. Doch Sternbald ist betrübt und will sie wieder pflücken, als er in einer Laube seinen Lehrmeister Dürer an einem vortrefflichen Porträt der Fremden malen sieht. Plötzlich aber wechselt der Schauplatz, Sternbald befindet sich in einem Wald, dessen Laub immer dunkler wird; liebliche Stimmen, darunter die seines Freundes Sebastian und die des Mädchens, rufen ihn beim Namen. Die Rufe werden allmählich ängstlich, als drohe ihm Gefahr, die dichten Bäume erscheinen ihm entsetzlich.

Plötzlich war es Mondschein. Wie vom holden Schimmer erregt, klang von allen silbernen Wipfeln ein süßes Getöne nieder; da war alle Furcht verschwunden: der Wald brannte sanft im schönsten Glanze, und Nachtigallen wurden wach, und flogen dicht an ihm vorüber, dann sangen sie mit süßer Kehle, und blieben immer im Takte mit der Musik des Mondscheins.

Ein Waldbruder, in einer Felsklause dem Gebet hingegeben, sagt zu ihm: «Hörst du nicht die liebliche Orgel der Natur spielen? Bete, so wie ich.» Da findet Sternbald vor sich seine Palette, beginnt die Andachtsszene festzuhalten, «ja es gelang ihm sogar, und er konnte nicht begreifen wie, die Töne der Nachtigall in sein Gemälde hineinzubringen». Sofort aber erlahmt sein Eifer, die Farben erlöschen ihm unter dem Pinsel, ihn fröstelt, und er möchte den Wald verlassen. Er erwacht beim Sonnenaufgang und geht nach der Stadt ...

Am Abend darauf träumt er aufs neue; die Fremde winkt ihm, ihr in einen süß duftenden Lindengang zu folgen. Dort umfängt sie ihn zärtlich, und die beiden gestehen sich ihre Liebe, während der Mond näher kommt. Dann setzt sich der Traum fort, indem er Sternbalds früheste Erinnerungen aufweckt. Und Tieck schließt das Kapitel mit folgenden Gedanken:

So ist der Schlaf oft ein *Ausruhen in einer schöneren Welt;* wenn die Seele sich von diesem Schauplatz hinwegwendet, so eilt sie nach jenem unbekannten magischen, auf welchem liebliche Lichter spielen und kein Leiden erscheinen darf: dann dehnt der Geist seine großen Flügel auseinander, und fühlt seine himmlische Freiheit, die Unbegrenztheit, die ihn nirgend beengt und quält. Beim Erwachen sehn wir oft zu voreilig mit Verachtung auf dieses schönere Dasein hin, weil wir unsre Träume nicht in unser Tagesleben hineinweben können, weil sie nicht da fortfahren, wo unsre Menschentätigkeit am Abend aufhörte, sondern ihre eigne Bahn wandelten. [*]

Dieser Zauber der glücklichen Träume, der Lovell fremd bleibt, während ihn Sternbald zu beschwören vermag, macht nun den Reiz von Tiecks besten *Märchen* aus. Aber auch hier bleibt das Gefühl der Angst nie ganz aus, und gerade das ist der Grund, weshalb einige dieser Märchen denjenigen manch anderer Romantiker überlegen sind: Es ist ihnen die wunderbare Leichtigkeit des Traums eigen, der Schimmer wahrhafter Märchen erhellt sie; aber jene unsäglich grauenhaften Empfindungen, von denen der Dichter oftmals des Nachts heimgesucht wurde, die fürchterlichen Traumbilder, welche verbrecherische Neigungen aufdecken, sie lassen manchmal jäh ihre Schatten über diese luftigen Gewebe gleiten.

In den die Märchen umrahmenden Gesprächen des *Phantasus* finden sich zwei Stellen über Träume, die einander ergänzen und das Wesen der Tieckschen Zauberwelt bestimmen helfen. Im ersten der beiden Gespräche ist die Rede davon, wie heftig wir von Träumen gerührt werden können und was von ihnen zu lernen ist:

Alles was wir wachend von Schmerz und Rührung wissen, sagte Anton, ist doch nur kalt zu nennen gegen jene Tränen, die wir in Träumen vergießen, gegen jenes Herzklopfen, das wir im Schlaf empfinden. Dann ist die letzte Härte unsers Wesens zerschmolzen, und die ganze Seele flutet in den Wogen des Schmerzes. Im wachenden Zustande bleiben immer noch einige Felsenklippen übrig, an denen die Flut sich bricht.

Gewiß, fuhr Heinrich fort, sollten wir die Zustände des Wachens und Schlafens mehr als Geschwister behandeln, wir würden dann klarer wachen und leichter träumen. [384, IV, 95]

Ein andermal kommen die Freunde auf die Eigenschaft des Traums, auf das eigentümlich Euphorische darin zu sprechen und gleichzeitig auf die Poesie der Farbenempfindung, die Tieck so oft vom Traum erborgt hat, um seinen Erzählungen Stimmung zu verleihen.

Wie wundersam, sich nur in eine Farbe als bloße Farbe recht zu vertiefen? Wie kommt es denn, daß das helle ferne Blau des Himmels unsre Sehnsucht erweckt, und des Abends Pupurrot uns rührt, ein helles goldenes Gelb uns trösten und beruhigen kann, und woher nur dieses unermüdete Entzücken am frischen Grün, an dem sich der Durst des Auges nie satt trinken mag?

Auf heiliger Stätte stehen wir hier, sagte Friedrich, hier will der Traum in uns in noch süßeren, noch geheimnisvolleren Traum zerfließen, um keine Erklärung, wohl aber ein Verständnis, ein Sein im Befreundeten selbst hineinzuwachsen und zu erbilden: hier findet der Seher die göttlichen ewigen Kräfte ihm begegnend, und der Unheilige läßt sich an der nämlichen Schwelle zum Götzendienste verlocken. [74 f.]

Tiecks Märchen – zumindest jene, die nicht rein literarischer Absicht entsprungen sind – machen ganz den Eindruck, als seien sie unmittelbar dieser zwiefachen, tief mit des Dichters ureigenstem Konflikt übereinstimmenden Erfahrung entsprungen: Erfahrung der außergewöhnlichen Gemütserregung in jenen Träumen, in welchen sich die unbezwinglichsten Ängste verraten – und Erfahrung des eigenartigen Wohlgefühls, das sich nur schon beim Anblick einer Farbe oder einer schönen Naturstimmung in uns ausbreiten kann. Die Ausdrucksweise zeigt, wie so oft bei Tieck, daß er auch von psychologischen Erscheinungen, die in ihren Abtönungen äußerst schwer zu erfassen sind, eine sehr differenzierte Erfahrung besitzt: Eine Farbe, ob in der Natur oder in einem Gemälde, rührt sogleich an den «Traum in uns» und vermittelt uns den Eindruck, daß sich dieses verborgene, eingekerkerte Ich plötzlich befreit und in überraschenden, süßen Einklang tritt mit dem weiten, «noch geheimnisvolleren Traum», der uns umgibt.

In all diesen Erzählungen nimmt der Nachttraum einen großen Platz ein, aber er wirkt immer wieder wie ein «Traum im Traum», er verschmilzt mit der Gesamtstimmung, die an sich schon völlig traumhaft ist.

Und es ist diese poetische Stimmung, die in den besten phantastischen Werken Tiecks immer wiederkehrt: im *Eckbert,* in den *Freunden,* im *Runenberg,* im *Tannenhäuser,* wozu noch die später entstandenen Märchen *Die Elfen* und *Der Pokal* zu fügen wären sowie das Trauerspiel *Leben und Tod der heiligen Genoveva.* Da erscheint fast überall der deutsche Wald, der Wald der alten Volksmärchen mit seinem Geheimnis und seinen Schrecknissen, das einsame Kind oder der Jüngling, die nicht mehr daraus herausfinden, der kuriose Alte, der plötzlich auftaucht. Aber es liegt nicht allein an der Landschaft mit ihrem milden Glanz, den überraschenden Lichtspielen und den felsigen Gebirgen, daß eine so eigenartige Stimmung zustande kommt. Andere Themen – innere – sind hineinverwoben, die unschwer Ängste erkennen lassen, von denen der Dichter von klein auf heimgesucht wurde. Eine Erinnerung, einstmals tief ins Unbewußte versunken, taucht plötzlich wieder auf, gewöhnlich wegen irgendeiner überraschenden Wahrnehmung – einer Farbe, eines Worts, eines bloßen Tons –, die einer früheren Wahrnehmung gleicht, und dieses plötzliche Wiederaufleben von Vergangenem ist von einer Angst begleitet, die manchmal zum Entsetzen anwächst. Gewisse Dinge, an sich keiner Erinnerung wert, vermögen, wenn sie aus dem Vergessen aufsteigen, das Dasein bis in die Grundfesten zu erschüttern. Die Menschen in diesen Märchen entkommen oft, man weiß nicht, durch welche Gunst, dem beschränkten Erdenleben und sehen sich in ein zauberhaftes Paradies versetzt, ähnlich jenem in Sternbalds Traum. Aber da ist nicht einer, der nicht aus solchem Glück zurückgerissen würde; der eine hat einen Fehler begangen, der andere ein Geheimnis enthüllt, oder dann verblaßt auf einmal die herrliche Vision und verwandelt sich in ein groteskes oder schreckliches Chaos. Die Gewißheit, unter einem drohenden oder hereinbrechenden Gericht zu leben, lastet auf den meisten von ihnen, ohne daß sie über die Natur ihres Vergehens völlig im klaren wären: angeborene Sündhaftigkeit des Menschen, verbotene Fleischeslust, unwissentliche Beleidigung der geheimnisvollen Beschützer? Und schließlich kehren mit Beharrlichkeit die Blumen und die Steine und vor allem gewisse Farben wieder, die mit einer tief symbolischen Bedeutung verbunden sind.

Alle diese Merkmale – einige lassen sich im Volksmärchen wiederfinden – sind auch Merkmale des Traums. Tieck scheint, auch wenn er sich nie darüber äußerte, genaue Kenntnis und ein tiefes Verständnis besessen zu haben von der unleugbaren Analogie zwischen den Mythen, in denen die kollektive Einbildungskraft die bewegendsten seelischen Erfahrungen der Menschheit ausdrückt, und den Geschichten, die ein jeder von uns in seinen Träumen erfindet. Die Mythologie der Völker zehrt vom gleichen Symbolschatz, aus dem auch wir die Szenen unserer nächtlichen Dramen schöpfen. Zwar besitzen diese Symbole nicht die Bedeutungskonstanz, die ihnen von gewissen Theorien zugeschrieben wird; aber die Bilder behalten dennoch einen hohen Gemütswert bei, der wohl einen andern Sinn gewinnen, nicht aber die Intensität verlieren kann. Und genau dies setzt einen Dichter wie Tieck instand, solche Bilder heraufzurufen und uns dadurch seine Erfahrung vom Leben des Unbewußten mitzuteilen, in uns die Organe der Angst oder des Entzückens zum Schwingen zu bringen.

In den Träumen, die Tieck als Dichter schuf, um zugleich die Wirkung des tiefgründigen Werks zu erzielen und die ihn selbst bedrängenden Geister, ihnen Ausdruck verleihend, zu bannen, übernimmt selbstverständlich der Nachttraum die Rolle des bevorzugten Kundschafters jener Geheimnisse, in die uns die eigenartige Magie des Märchens hineinblicken läßt.

Tiecks Märchen unterscheiden sich voneinander nur in einem: in der Wahrscheinlichkeit des Traumhaften. Die einen bleiben leicht durchschaubar; die Präsenz des Dichters, der mit Wissen und Willen die verschiedenen Ebenen der Wirklichkeit und die Kreise des inneren Infernos gegeneinander absetzt, ist allzu deutlich spürbar. Die andern hingegen halten sich mit ungewöhnlicher Überzeugunskraft im Bereich poetischer und seelischer Wahrheit; es scheint, als sei hier der Dichter nicht ‹Autor› in dem Sinne, daß er seine Erzählung komponierte, sondern als lasse er sie aus sich hervorgehen, als rufe er sie, man weiß nicht, wo herauf, indem er sich einzig auf das Sprachvermögen, auf die Wirksamkeit eines unwillkürlichen Symbolismus und auf die Macht wahrhaft magischer Gebärden verläßt.

Von solch unwiderlegbarer Wahrscheinlichkeit des Traumhaften ist die Erzählung *Die Freunde* noch weit entfernt. Der Übergang vom Wachen ins Träumen und in das Zauberreich, dann die Verschuldung und das Aufkommen von Gewissensbissen sind sehr deutlich gekennzeichnet. Ludwig, der Held der Erzählung, hat sich aufgemacht, einen Freund zu besuchen, der ihn um Beistand am Krankenlager gebeten hat. Er wandert durch eine Landschaft von Wäldern und Feldern, als plötzlich die Sonne untergeht, alles sich seltsam verwandelt und er, in Erinnerungen versunken, vom Wege abkommt. Er gerät in ein Zauberland und erblickt einen Palast, «wie aus lauter beweglichen Regenbogen und Gold und Edelsteinen zusammengesetzt». Die Farben werden immer betörender, Flammen tanzen durch das Gras hin, ein holder Gesang lockt den Träumer in eine prächtige Blumenallee hinein, wo helle Glocken tönen und Rosenknospen sich entfalten; schließlich gelangt er in eine Versammlung von überirdisch schönen Frauen, die ihn willkommen heißen. «Alle meine kühnsten Träume sind in Erfüllung gegangen», ruft er aus; «des vorigen Lebens kann ich mich kaum noch erinnern.» Als ein in die höchste Glückseligkeit Eingeweihter «fühlt er sich neugeboren». Aber als er sich dann in einer Laube schlafen legt, hat er einen seltsamen Traum im Traume: Sein Paradies verblaßt, der Mond fällt aus dem Himmel und läßt eine trübe Lücke zurück, die lieblichen Gesänge weichen ängstlichen Tönen.

Ludwig erwachte unter bangen Empfindungen und schalt auf sich selbst, daß seine Phantasie noch die verkehrte Gewohnheit der Erdbewohner habe, alle empfangenen Gestalten barock und wild zu vermischen und sie uns so im Traume wieder vorzuführen.

Nach diesem ersten Mißklang lebt Ludwig mehrere Tage glücklich, außer daß manchmal am Abend ein Hahnenschrei den Palast erzittern und seine Bewohner erbleichen läßt. Dann erinnert er sich jeweils mit Wehmut der vergessenen Erde. Von Sehnsucht übermächtigt, bittet er die Traumfrauen, ihm seinen Freund zum Gefährten zu geben. Da antwortet ihm eine der Ehrwürdigen:

Wir sind die alten Feen, von denen du schon seit lange wirst gehört haben. Sehnst du dich heftig in die Erde zurück, so wirst du dorthin zurückkommen. Unser Reich blüht empor, wenn die Sterblichen ihre Nacht bekommen, ihr Tag ist unsre Nacht. Unsre Herrschaft ist seit lange und wird noch lange bleiben.

Da plötzlich erkennt er sie: Es ist die furchtbare Gestalt seiner Kinderträume, die sich nun von ihm abwendet. Einholen kann er sie nicht, und so gerät er über die Grenzen des Feengartens hinaus. Ein fremder Wanderer nimmt sich seiner an, da rüttelt ihn jemand aus dem Schlafe – kein anderer als sein genesener Freund selbst. «So bin ich wirklich wieder auf der Erde?» ruft Ludwig freudig aus; darauf sein Freund:

Du wirst ihr nicht entgehen [...]. Feen gibt es gewiß, aber das sind nur Erdichtungen, daß sie ihre Freude daran haben, die Menschen glücklich zu machen. Sie legen uns jene Wünsche ins Herz, die wir selber nicht kennen, jene übertriebene Forderungen, jene übermenschliche Lüsternheit nach übermenschlichen Gütern, daß wir nachher in einem schwermütigen Rausche die schöne Erde mit ihren herrlichen Gaben verachten.

Sich nach einem verlorenen Paradies sehnen und doch zum Leben auf dieser Erde genötigt sein, den Traum lieben und doch die schweren und schönen Gaben der Wirklichkeit dankbar annehmen müssen – dies menschliche Drama kommt in dieser Erzählung in einem doppelten Bedauern Ludwigs zum Ausdruck: Mitten in der höchsten Wonne des Traums fühlt er sich schuldig, weil er eine Freundespflicht vernachlässigt hat; und sobald er wieder auf Erden ist, verwünscht er zwar «diese Wüste, dieses glänzende Elend» des entschwundenen Traums, aber er wird das dunkle Gefühl nie los, als sei er seiner Schuld wegen aus dem Zauberreich verbannt worden.

Der blonde Eckbert zeigt dieselbe Thematik, aber in tragischerer Tönung. Das Sündenbewußtsein, das Gefühl der doppelten, untilgbaren Verschuldung gegenüber den irdischen Bindungen und den Verheißungen des Traumes wächst hier zu einer geheimnisvolleren, weniger leicht lösbaren Beklemmung an, und im ganzen ruft das Märchen Stimmungen von größerer Glaubwürdigkeit hervor. Bertha, eine junge Frau, erzählt einem Hausfreund, von ihrem Gemahl dazu ermuntert, die sonderbare Geschichte ihrer Jugend. Ein armes Hirtenkind, hat sie eines Tages die elterliche Hütte verlassen, um den grausamen Züchtigungen des Vaters zu entkommen, aber auch in der Hoffnung, bald mit Gold und Silber beladen wieder heimzukehren und die Eltern zu beglücken. Auch sie verirrt sich in sagenhaften Wäldern und zerklüfteten Gebirgen. Als sie aus Verzweiflung über ihre Einsamkeit zu sterben beschließt, trifft sie bei einem Wasserfall eine alte, schwarz gekleidete Frau mit einem Krückenstock, die ihr zu folgen gebietet. Kaum hat das Kind aus der Gegenwart eines Menschenwesens Mut geschöpft, so erscheint die Gegend völlig verwandelt und in einen traumhaften Glanz getaucht:

In das sanfteste Rot und Gold war alles verschmolzen, die Bäume standen mit ihren Wipfeln in der Abendröte, und über den Feldern lag der entzückende Schein, die Wälder und die Blätter der Bäume standen still, der reine Himmel sah aus wie ein aufgeschlossenes Paradies, und das Rieseln der Quellen und von Zeit zu Zeit das Flüstern der Bäume tönte durch die heitre Stille wie in wehmütiger Freude.

In einem reizenden Tälchen langen die beiden schließlich bei der Hütte der Alten an. Hier beginnt für das Mädchen ein ungezwungenes, süß-eintöniges Leben in Gesellschaft eines kleinen Hundes und eines Vogels, der beständig dasselbe Lied wiederholt – und dieser Kehrreim ist gleichsam zum lyrischen Wahlspruch der deutschen Romantik geworden:

Waldeinsamkeit,
Die mich erfreut,
So morgen wie heut
In ewger Zeit,
O wie mich freut
Waldeinsamkeit.

Nur eins bleibt für das Kind in diesem Paradies unbegreiflich: das Gesicht der Alten, das andauernd in Bewegung ist, so daß sich das Mädchen keine Züge einprägen kann und immer wieder zu lachen versucht ist.

Jahre gehen vorüber, und nichts stört das stille Glück in der abgeschiedenen Hütte. Tag für Tag legt der Vogel ein Ei, das einen kostbaren Stein enthält, das Mädchen verbringt seine Zeit träumend am Spinnrad, die Alte begibt sich oft wochen- und monatelang weg. Einmal jedoch warnt sie das Kind mit einem schnarrenden Ton, *wenn man von der rechten Bahn abweiche, folge die Strafe nach,* wenn auch noch so spät. Daraufhin begibt sie sich länger weg als je, und Bertha hat in ihrer Einsamkeit Zeit, diesem Wort nachzusinnen. In ihrer Seele widerstreiten einander zwei Wünsche: zu fliehen oder in dieser friedlichen Abgeschiedenheit zu verbleiben. Eines Tages kommt es zur Entscheidung:

Ich hatte die Empfindung, als wenn ich etwas sehr Eiliges zu tun hätte, ich griff also den kleinen Hund, band ihn in der Stube fest, und nahm dann den Käfig mit dem Vogel unter den Arm. Der Hund krümmte sich und winselte über diese ungewohnte Behandlung, er sah mich mit bittenden Augen an, aber ich fürchtete mich, ihn mit mir zu nehmen. Noch nahm ich eins von den Gefäßen, das mit Edelsteinen angefüllt war, und steckte es zu mir, die übrigen ließ ich stehen.

Der Vogel drehte den Kopf auf eine wunderliche Weise, als ich mit ihm zur Tür hinaustrat, der Hund strengte sich sehr an, mir nachzukommen, aber er mußte zurückbleiben.

Ich vermied den Weg nach den wilden Felsen und ging nach der entgegengesetzten Seite. Der Hund bellte und winselte immer fort, und es rührte mich recht inniglich, der Vogel wollte einigemal zu singen anfangen, aber da er getragen ward, mußte es ihm wohl unbequem fallen.

Nach längerer Irrfahrt gelangt das Mädchen unvermutet in sein Heimatdorf zurück; es sucht das Elternhaus auf, öffnet hastig die Tür und steht vor ganz unbekannten Gesichtern. Die Eltern sind schon vor Jahren gestorben, und so wiegt der Kummer, sie nicht mehr mit Reichtum überraschen zu können, ebenso schwer wie die Gewissensbisse wegen des allein in der Traumhütte zurückgelassenen Hündchens. Einige Zeit später beginnt der Vogel, bis dahin verstummt, plötzlich wieder sein Liedchen zu singen, aber in einer unheilverkündenden Variante. Bertha kann die Warnung nicht ertragen, steckt die Hand in den Käfig und erwürgt den Zeugen ihres Vergehens. Bald darauf verbindet sie sich mit Eckbert und vergißt diese sonderbare Vergangenheit.

Während des Erzählens will ihr etwas nicht mehr einfallen: der Name des kleinen Hundes. Aber der Hausfreund Walther verabschiedet sich, nachdem er die Geschichte vernommen hat, mit den Worten: «Ich kann mir Euch recht

vorstellen, mit dem seltsamen Vogel, und wie ihr den kleinen *Strohmian* füttert.»
Bertha fragt sich ganz verstört, weshalb wohl Walther den Namen kenne und
wie dann dieser Mensch mit ihrem Schicksal zusammenhänge. Dies Wiederaufleben des längst Vergessenen bringt sie fast um den Verstand, und sie verfällt
einem bedenklichen Fieber.

Daraufhin wird Eckbert, ihr Gatte, von argwöhnischem Haß gegen den mit-
wissenden Freund gepackt. Er erschießt ihn im Wald und kehrt erleichtert
zurück; aber unterdessen ist Bertha schon gestorben. Fortan führt er ein ein-
sames, von seinen Erinnerungen gequältes Leben. Einem neuen Freunde, dem
jungen Hugo, entdeckt er schließlich seine ganze Geschichte, doch der Argwohn,
von diesem verraten zu werden, flößt ihm alsbald den Wahn ein, Hugo und
Walther seien ein und derselbe. Er flieht in die Wälder hinaus und gelangt auf
einen Hügel; ein Hund bellt, ein Vogel singt das alte Lied; da schleicht eine
Alte an einer Krücke heran und schreit ihm entgegen:

«Bringst du mir meinen Vogel? Meine Perlen? Meinen Hund? [...] Siehe, das Unrecht be-
straft sich selbst: Niemand als ich war dein Freund Walther, dein Hugo.»

«Gott im Himmel!» sagte Eckbert stille vor sich hin – «in welcher entsetzlichen Einsamkeit hab ich dann mein Leben hingebracht!»

«Und Bertha war deine Schwester.» [...]

Eckbert lag wahnsinnig und verscheidend auf dem Boden; dumpf und verworren hörte
er die Alte sprechen, den Hund bellen, und den Vogel sein Lied wiederholen.

Zu Berthas Vergehen kommt also erst noch ein alter Fluch hinzu, und der Inzest
läßt die Verschuldung des Mädchens noch schrecklicher erscheinen. Die ganze
Erzählung ist in eine Stimmung des Befremdens getaucht, die ohne Minderung
durchhält. Der schöne Traum wird jäh zunichte, aber weil Bertha in der
Zauberwelt nicht zu bestehen vermocht hat, ist und bleibt sie schuldig: Kein
Vergessen kann die alten Bilder und Skrupel am Aufsteigen hindern, kann die
Rache der beleidigten Götter abwenden. Nirgends verrät sich Tiecks tiefe Vertrautheit mit den Vorgängen im Unbewußten so deutlich wie in diesem gelungenen
Werk; das Leben der Gestalten im Innern verbindet sich völlig natürlich mit
den an die menschliche Kreatur ergangenen Warnungen und Verheißungen. Die
Traumbilder lassen uns, ob in der Transparenz himmlischer Glückseligkeit oder
in den entsetzlichsten Farben des Bösen, unsere ewigkeitliche Bestimmung lebhaft spüren; bei hellem Bewußtsein mag uns scheinen, unsere Handlungen blieben
ohne Folgen, wenn wir uns nur durch das Vergessen gegen ihre Auswirkungen
sichern. Aber der Traum gibt ihnen eine Virulenz zurück, vor der uns nichts
schützen kann.

Diese Ängstigungen, von denen auch das Märchen vom *Tannenhäuser* inspiriert ist, finden sich wieder im *Runenberg*. Wie Bertha verläßt auch der junge
Christian seine Eltern, irrt auch er in den Bergen umher, bis ihm ein fremder

Mann den Weg auf den sagenhaften Runenberg weist. In schwindliger Höhe angelangt, gewahrt er durch ein Fenster eine große weibliche Gestalt, die in einem geheimnisvoll schimmernden Saal auf und nieder geht und «nicht den Sterblichen anzugehören scheint». Da befällt ihn ein sonderbares Gefühl, halb Schauder vor der Heiligkeit dieses Götterbildes, halb verborgene Wollust.

[...] Sie fing an sich zu entkleiden, und ihre Gewänder in einen kostbaren Wandschrank zu legen. Erst nahm sie einen goldenen Schleier vom Haupte, und ein langes schwarzes Haar floß in geringelter Fülle bis über die Hüften hinab; dann löste sie das Gewand des Busens, und der Jüngling vergaß sich und die Welt im Anschauen der überirdischen Schönheit. Er wagte kaum zu atmen, als sie nach und nach alle Hüllen löste; nackt schritt sie endlich im Saale auf und nieder, und ihre schweren schwebenden Locken bildeten um sie her ein dunkel wogendes Meer, aus dem wie Marmor die glänzenden Formen des reinen Leibes abwechselnd hervorstrahlten. Nach geraumer Zeit näherte sie sich einem andern goldenen Schranke, nahm eine Tafel heraus, die von vielen eingelegten Steinen, Rubinen, Diamanten und allen Juwelen glänzte, und betrachtete sie lange prüfend. Die Tafel schien eine wunderliche unverständliche Figur mit ihren unterschiedlichen Farben und Linien zu bilden; zuweilen war, nachdem der Schimmer ihm entgegenspiegelte, der Jüngling schmerzhaft geblendet, dann wieder besänftigten grüne und blau spielende Scheine sein Auge: er aber stand, die Gegenstände mit seinen Blicken verschlingend, und zugleich tief in sich selbst versunken. In seinem Innern hatte sich ein Abgrund von Gestalten und Wohllaut, von Sehnsucht und Wollust aufgetan, Scharen von beflügelten Tönen und wehmütigen und freudigen Melodien zogen durch sein Gemüt, das bis auf den Grund bewegt war: er sah eine Welt von Schmerz und Hoffnung in sich aufgehen, mächtige Wunderfelsen von Vertrauen und trotzender Zuversicht, große Wasserströme, wie voll Wehmut fließend.

Die seltsame Gottheit anvertraut Christian einen wunderbaren Talisman: die magische steinerne Tafel. Daraufhin stürzt er über die Felsen hinunter und erwacht weit entfernt vom Gipfel, auf den ihn der Traum versetzt hatte. Ein wüster Nebel erfüllt sein Gedächtnis, so daß er sich seines früheren Lebens nicht mehr entsinnen kann. Der Traum hat ihn aus dem Leben gerissen, hat ihn in eine fremde entlegene Gegend entführt.

Dann gelangt er in ein Dorf, wo man das Erntefest feiert, und faßt wieder Fuß in der Wirklichkeit. Bald heiratet er ein einheimisches Mädchen, die blonde Elisabeth, und beginnt mit ihr ein neues, friedliches Leben. Der vergangene Traum erscheint ihm «ruchlos und frevelhaft», und er dankt Gott, «daß er ihn ohne sein Verdienst wieder aus den Netzen des bösen Geistes befreit habe». Dennoch kann er die Runenberger Vision nie ganz vergessen, ja selbst in den Armen Elisabeths bleibt er von jener Erinnerung nicht verschont. Manchmal geht ihm auch wieder sein plötzlicher Weggang vom Elternhaus durch den Kopf, und so macht er sich eines Tages auf die Suche nach seinem Heimatdorf. Unterwegs begegnet er einem alten Mann und erkennt in ihm seinen Vater, der sich aber keineswegs überrascht zeigt von der Begegnung, denn eine Blume, die er zeitlebens gesucht und soeben gefunden, hat ihm das Wiedersehen geweissagt. Der glücklich vereinigten Familie sind etliche Jahre der Zufriedenheit und Eintracht beschieden.

Dann aber kehrt einmal ein Fremder im Hause ein; bevor er abreist, anvertraut er Christian sein Geld zur Verwahrung. Trotz der väterlichen Ermahnung gerät der Sohn in den Bann dieses «güldenen Blutes». Nächtelang zählt er die Goldstücke. Er beteuert, der Fremde und jenes wunderschöne Weib seien eins, und behauptet, er höre draußen beständig ein fürchterliches unterirdisches Ächzen.

Ich könnte ganz froh sein, aber einmal, in einer seltsamen Nacht, ist mir durch die Hand ein geheimnisvolles Zeichen tief in mein Gemüt hineingeprägt; oft schläft und ruht die magische Figur, ich meine sie ist vergangen, aber dann quillt sie wie ein Gift plötzlich wieder hervor, und wegt sich in allen Linien. Dann kann ich sie nur denken und fühlen, und alles umher ist verwandelt, oder vielmehr von dieser Gestaltung verschlungen worden [...]. Alles will dann die inwohnende Gestalt entbinden und zur Geburt befördern, und mein Geist und Körper fühlt die Angst; wie sie das Gemüt durch ein Gefühl von außen empfing, so will es sie dann wieder quälend und ringend zum äußern Gefühl hinausarbeiten, um ihrer los und ruhig zu werden.

Unempfänglich für die Schönheit der Pflanzenwelt, aus der er nur die «Seufzer und Klagen der Natur» zu hören vermeint, scheint er ganz der Gesteinswelt zugetan zu sein. Und eines Tages, als wieder das Erntefest gefeiert werden soll, gibt er der Sehnsucht nach dem alten Traume nach und flieht in den Wald hinaus. Dort glaubt er die herrliche Frauengestalt erspäht zu haben, aber sie verwandelt sich jäh in ein häßliches Waldweib.

Sein Vater folgt besorgt seiner Spur; sie verliert sich in einem verlassenen Schacht, so daß Christian für tot ausgegeben werden muß. Elisabeth entschließt sich zu einer neuen Heirat, aber das Glück weicht dem Elend, die Ernte wird ein Raub der Flammen, der Gatte verfällt der Trunksucht. Jahre später, wie die verkommene Frau draußen das wenige Vieh hütet, tritt ein entsetzlich verwilderter Landstreicher zu ihr heran, schüttet einen Sack Kieselsteine auf den Boden und beteuert, es handle sich um die kostbarsten Juwelen. Es ist Christian, der nur einmal noch sein Töchterchen an sich drücken will und dann wieder in den Wald hinauszieht, wo «die mit dem goldenen Schleier» auf ihn wartet. Seither hat man ihn nie wieder gesehen.

Der Zusammenbruch der Traumwelt ist in dieser Erzählung schrecklicher noch als in den vorangegangenen. Das Erotische tritt stärker hervor, der Traum führt tiefer in schuldhafte Verstrickung hinein. Und die Wirklichkeit, die sich davon abhebt – das Dorf mit dem fröhlichen Erntetreiben, Elisabeths unbefangene Liebe und Christians Seligkeit in diesem Idyll –, all dies ist weit verlockender als im *Eckbert*. Das Schuldgefühl verbindet sich mit der Sehnsucht nach einer durchaus irdischen Unschuld, und der Symbolismus der Steine und Pflanzen – vielleicht angeregt durch Tiecks damalige Böhme-Lektüre – gewinnt rein psychologische Bedeutung. Auf der Welt der Heimsuchungen, der sinnlichen Begierden lastet der Fluch des Todes. Die erhabensten Geschöpfe des Traums verwandeln sich jählings in die verkörperte Häßlichkeit, luftige Gebilde aus Feuer und Licht sind beim Erwachen nichts als leblose Kiesel. Wer sich der Nachfolge verschreibt, unterwirft sich der bösen Macht des Metalls und wird taub gegen die menschlichere Sprache der irdischen Blumen, der goldenen Ähren und des schlichten Glückes.

Auf Tiecks letzten Märchen, *Die Elfen* und *Der Pokal,* lastet derselbe Fluch. Die kleine Marie begeht, nachdem sie in der schwerelosen Elfenwelt hat leben dürfen, trotz ihrem Versprechen den Fehler, davon zu erzählen. Dadurch verscherzt sie sich und ihrem Dorf die Wohltaten der kleinen Genien, und ihr schönes Töchterchen, das bis anhin wegen seiner kindlichen Unschuld in der Gunst der Elfen gestanden hat, verzehrt sich und stirbt.

Im *Pokal* ist es erneut die Sündhaftigkeit sinnlicher Begierden, die zum Zusammenbruch des Traums führt. Ferdinand hat sich in ein fremdes Mädchen verliebt, und nun soll ihm ein alter Goldmacher weissagen, ob er glücklich werden könne. In einem mit rotem Damast ausgeschlagenen Zimmer und auf einer roten Tischdecke – die rote Farbe dominiert und gibt der Erzählung den Grundton – zaubert der Alte aus einem goldenen, rotglühenden Pokal Funken hervor, die Funken reihen sich, während eine magische Musik erklingt, zu leuchtenden Fäden, und daraus ersteht unter der Meisterhand ein lichtes Gewebe, das zitternd über dem Pokal schwebt. Alsbald bricht das Netz, seine Strahlen tropfen in den Kelch hinein; eine rötliche Wolke schwebt daraus empor, kreisend, sich verwandelnd, bis sich plötzlich das lächelnde Angesicht der Geliebten mit dem «lieblich roten Mund» hervorhebt. Wie sich endlich die nackte Gestalt abzeichnet und «die beiden zarten, gewölbten und getrennten Brüste erscheinen, auf deren Spitze die feinste Rosenknospe mit süß verhüllter Röte schimmert», drängt sich Ferdinand herbei, um die Geliebte aus dem goldenen Gefängnis zu heben. Sogleich ist das Zauberbild verschwunden, «eine Rose lag am Fuß des Pokales, aus deren Röte noch das Lächeln schien»; er drückt sie an den Mund, aber sie «verwelkt an seinem brennenden Verlangen».

Den ganzen Tag über irrt er draußen vor der Stadt umher, bis er im «roten Schimmer» der untergehenden Sonne das Mädchen im Wagen vorbeifahren sieht. Freundlich lehnt sie sich aus dem Schlage. Dabei fällt die Rose heraus, die ihren Busen zierte; er hebt sie auf und erblickt darin das Zeichen ewiger Trennung. Seine schuldhafte Übereilung hat das Glück auf immer zerbrochen. Von Verleumdungen getäuscht, heiratet das Mädchen einen anderen.

Vierzig Jahre später wird der greise Ferdinand von einem jungen Mann zur Hochzeit der Schwester geladen. Nach Tisch führt man ihn in sein Zimmer – zu seinem Erstaunen ist es dasselbe, in welchem er einst aus Ungeduld alle seine Hoffnungen zerstört hatte. Noch ist alles wie ehedem, nur der rote Damast ist verblichen. Tags darauf reicht man ihm den «Festpokal» – es ist derselbe wie damals. Und schließlich erkennt Ferdinand in der Brautmutter seine verlorene Geliebte wieder.

Dieselbe Farbensymbolik hatte Tieck dem Traum schon entliehen, um die
Szenen seiner *Genoveva* auf geheimnisvolle Weise zu verbinden. Das 1799 entstandene Versdrama bedient sich immer wieder des Traums, um die geheimen
Regungen des Unbewußten auszudrücken. Im Traum geschah es, daß Genoveva
zum erstenmal Golo erblickte, und zwar erschien er ihr als Christus, der durch
das weit geöffnete Dach einer Kirche herniederstieg «wie aus Morgens purpur-
roten Toren» [393, II, 421].

Kaum hat sie der alten Amme Gertrud diesen Traum anvertraut, so plagt sie
auch schon die Reue; denn obwohl ihre Zuneigung zu Golo frei von schuld-
hafter Begehrlichkeit ist, spürt sie irgendwie, daß gewisse Herzensgeheimnisse
besser im Dunkeln blieben. Schon droht die Katastrophe hereinzubrechen;
Wolf, der alte Ritter, hat im Traume die Mondscheibe auf einem Meer von
dunkelrotem Blut schwimmen sehen [385]. Golos Liebe zur Gemahlin seines
Herrn entartet denn auch bald zur entsetzlichsten Raserei, die sich dichterisch im
Aufleuchten immer grellerer Rottöne ausdrückt.

> Deine Worte sind im Dunkeln
> Wie die roten Edelsteine,
> Die mit ihrem Zauberscheine
> Durch die Nacht und Dämmrung funkeln. [411]

> Sei gütig böser, holder, liebster Satan,
> Du Gottheit mir, gebenedeite Jungfrau,
> Nein Hölle mir, die meine Seele peinigt
> Mit ewgen Flammen, mit rastlosen Flammen,
> Mit gütger Schadenfreude, mit dem Lächeln,
> Mit Augen, deren Glanz das Mark mir aussaugt,
> Mit Lippen, deren Röte aus dem Herzen
> Wegtrinkt mein rotes Blut! [433 f.]

> Sie muß, sie muß zum Garten nieder kommen,
> Schon freuet sich die liebesrote Rose,
> Schon sind die Feuerwürmchen angeglommen [...]

> [Und bald darauf, als Genoveva erscheint:]
> Die Blumen erwachen
> Vom tiefen Schlaf und Lachen,
> Und röter wird der Rosen Mund. [441/443]

Der Traum spielt in diesem Drama immer wieder die Rolle der warnenden
Stimme; Golo, Genoveva und ihr Gemahl gewahren im Traum, was sich in
Wirklichkeit bald erfüllen wird. Aber auch das Gedicht im ganzen ist, mit seinem
Wechsel von Licht und Dunkel, nach dem Vorbild des Traums aufgebaut.
Bernhardi, der Freund Tiecks, gab offensichtlich die Meinung des Dichters
wieder, wenn er in seiner Kritik des Stückes feststellte:

Das eigentliche Stück [...] fängt in derselben Kapelle an, in welcher der Prolog gehalten wird,
und schließt eben da [...]; nur ist es bei dem Anfange des Stücks früher, noch dunkler Morgen,
die Kapelle schwach erleuchtet, am Schlusse des Stücks aber heller Morgen, so daß nun alles

Vorhergehende als ein Morgentraum erscheint, der in tiefer Finsternis mit trüben Phantasien begann, und durch Morgenrot und mit dem Morgenlichte in Heiterkeit endete. [396, 469]

Für alle diese Werke empfängt Tieck psychologische und ästhetische Unterweisung aus seiner tiefen Vertrautheit mit dem Traumleben. Zunächst borgt er sich von der Geheimwelt die unvermittelten Aufschlüsse über unser verborgenes Leben, über unsere Ängste und unsere Sehnsüchte. Und wenn er seinen Menschen immer wieder Träume eingibt, so will er dadurch meistens deutlicher sichtbar machen, was ihnen von ihren irdischen Wünschen und von ihren edelsten Bestrebungen noch verborgen geblieben ist.

Aber gleichzeitig nimmt er in seinen gelungensten Märchen den Traum zum Vorbild für das Kunstwerk und holt er sich daraus die Grundsätze einer Ästhetik. Es ist das Fließende und das Symbolische, es ist der Wechsel der Stimmungen, die Beweglichkeit der Gestaltung, was Tieck am Traum zu schätzen weiß; ja er setzt sich zum Ziel, die Poesie des Traums an Freiheit noch zu übertreffen. Im Aufsatz über *Shakespeares Behandlung des Wunderbaren*, den er 1793 seiner Übersetzung des *Sturms* als Einleitung vorausschickte, hat er diese Ästhetik des Traums auf eine Formel gebracht. Er vermutet hier – und das ist zugleich ein wichtiges Bekenntnis zu seiner eigenen Inspirationsweise –, Shakespeare habe vor der Niederschrift seiner phantastischen Stücke sich selbst in seinen Träumen aufs genaueste beobachtet. Tieck führt Shakespeares Verfahrensweise auf vier Grundsätze zurück: Soll ein Werk einen traumhaften Eindruck erzielen, so muß es vollständig im Bereich der Illusion, in der Welt des Wunderbaren bleiben; die gewöhnliche Wirklichkeit darf nirgends durchschimmern. Ferner müssen sich die Handlung sowohl wie die Dekoration fortwährend verändern, damit die Beweglichkeit der Traumwelt zum Ausdruck kommt, und es dürfen die Empfindungen nie so leidenschaftlich werden, daß sie die Täuschung des Wunderbaren zerstören. Und schließlich wird die Verwendung des Komischen sowie die Wirkung der Musik die Nachahmung des Traums vollkommen machen. [389, I, 35–74]

Es wird sogleich deutlich, daß Tiecks eigene Erzählungen dieser Shakespeareschen Ästhetik nur halb entsprechen. Das komische Element gelangt sehr selten zum Einsatz und besitzt kaum je die Qualität des traumartig Burlesken. Jeden Augenblick wird man an die Wirklichkeit erinnert, wird die Illusion von jähen Rückfällen ins Alltagsleben durchbrochen. Und manchmal erreichen die Empfindungen im Traum eine derartige Stärke, daß sie unerträglichen Schmerz bereiten.

Diese Differenz zwischen Theorie und dichterischer Verwirklichung erklärt sich daraus, daß Tiecks Theorie genau der Sehnsucht all seiner Helden entspricht. Völlig im Traume zu leben, den Leser oder Zuschauer in der Illusion leben zu lassen, dies ist das Ideal derer, die nur ungern auf die Wirklichkeit zurückkommen oder unter ihrer Berührung allzu heftig leiden. Tieck aber bleibt als Mensch wie als Dichter unfähig, sich völlig in die Zauberwelt einzuschließen. Sobald der Traum da ist, gleichviel ob entzückend oder tragisch, verspürt der Träumer das unerklärliche Verlangen, in den irdischen Bereich zurückzukehren, und dieses Verlangen ist um nichts schwächer als jenes, das ihn vorher in den Traum entfliehen ließ. Von Natur aus wenig geschickt, der Wirklichkeit und ihren Schwierigkeiten die Stirn zu bieten, ist Tieck sehr wohl empfänglich für Träume; aber er möchte nicht, daß sie sich in die Länge ziehen; und ob er sich diesseits oder jenseits des Styx befindet – er will jedenfalls aufs andere Ufer hinübergelangen. Es gibt bei ihm nichts von der Art jener Auflösung, jener Verflüchtigung irdischer Wirklichkeit im glühenden Glück der Ekstase, die bei Jean Paul unversehens Naturschauspiele verklären und den Zugang zum erahnten Paradies öffnen kann. Und ebensowenig erinnert Tiecks Geist an jene recht eigentlich ‹magische› Gebärde, die einen Novalis dazu befähigt, allem und jedem eine höhere Bedeutung zu geben und sich mit Hilfe des Traums vom Licht des Tages abzuwenden und ins gesegnete Dunkel der mystischen Nacht hinabzusteigen.

So wie er sich als Jüngling in einer seiner Halluzinationen den Strom hinabgleiten sah, so pendelt Tieck endlos zwischen den zwei Ufern hin und her, das Boot treibt dahin, während er kraftlos das Steuerruder umklammert. Die Bilder ziehen vorbei, die Schauspiele erneuern sich, aber keine Brücke und kein Sprung verbindet die beiden für immer geschiedenen Länder der Wirklichkeit und des Traums.

Daß Tieck nach den letzten Versuchen in der romantischen Erzählkunst ein gewisses inneres Gleichgewicht erlangte, war nur möglich, weil er sich die allmählich enttäuschende und an seinen Kräften zehrende Flucht in den Traum und ins Unbewußte je länger, je mehr versagte. Auch die Träume im Spätwerk drücken noch etwas von den früheren Ängsten aus, auch sie karikieren die Wirklichkeit, sofern sie nicht einfach Künftiges vorwegnehmen. Aber bis dahin wird sich Tieck jene ‹ironische› Haltung angeeignet haben, die ihn instand setzt, mit den Geistern des Innern, denen er einst Trotz geboten, nunmehr zu spielen, wobei er ihre Schachzüge wohlgefällig beobachtet und aufzeichnet. Der Scharfblick des Psychologen wird die abenteuerliche Zauberei des Dichters mehr und mehr in den Hintergrund drängen.

Was Tieck der romantischen Bewegung der folgenden Generation – einer Bewegung, die er weder begriff noch guthieß – als Erbe hinterließ, war eine ganz eigentümliche Mondscheinstimmung, eine ungewöhnlich fließende, gleichsam musikalische Landschaftsgestaltung. Die Geister, die er rief und später mit Müh und Not wieder ins Dunkel zurückdrängte, suchten nachher jene heim, die er nie als seine Jünger anerkennen wollte. Das Gefühl des «Mangels an

Wirklichkeit», der Sinn für das Nächtige, der Hinblick auf den seltsamen Bilderstrom, der plötzlich aus der Tiefe hervorbrechen und seine Wirksamkeit offenbaren kann, dies alles sind Entdeckungen und Haltungen, die auf Tieck zurückgehen. Bei Armin wie bei Hoffmann und bei Brentano lassen sich Tiecksche Elemente nachweisen. Aber auch wenn er, mehr noch als Novalis und Jean Paul, die Poesie des Traums in Mode gebracht hat, so fehlte ihm doch jener Heroismus, jene männliche Siegeszuversicht, die einen jeden der Jüngeren zu kühnen Auseinandersetzungen mit dem Traum inspirierten.

DREIZEHNTES KAPITEL

DER POLARSTERN

Du fragst mich, Stern der Winternacht ...
ACHIM VON ARNIM

I

Ludwig Achim von Arnim ist ein Mann der augenfälligen Gegensätze und Widersprüche. Die Qualität seines Werkes ist noch heute sehr schwer einzuschätzen, zweifellos weil keiner so wahrhaftig, vom Nachahmungstrieb so verschont war wie er. Er war seinen Zeitgenossen ein Rätsel; er ist es bis heute geblieben. Etwas Ungewohntes, Fremdartiges, eine unglaubliche Reinheit, unnahbar und zutiefst verschwiegen, läßt uns den Atem anhalten und erschaudern. Man weiß zunächst gar nicht, woran man ist mit diesem Menschen ohne Verwandtschaft, ohne Ähnlichkeit. Ist er ein Träumer, so sehen wir ihn doch nicht den bunten, gaukelnden Zauberbildern einer willfährigen Phantasie hingegeben, vielmehr ruht sein Blick, jenseits der Sinnlichkeit, auf den allerwirklichsten, deutlichsten Gegenden der Welt, kristallklar und regungslos wie ein sonniger Septembertag im preußischen Flachland. Da vernimmt das Ohr keine verwehenden Schwingungen von Äolsharfen, keine nächtlichen Klänge aus der Ferne, vielmehr den schneidenden Ton eines in Rauhreif starrenden Wintermorgens. Das Klima dieser Seele ist nicht die milde Sanftheit des Mondscheins hienieden, sondern die Schärfe und Klarheit von Landschaften auf dem Mond.

Preußen glaubt, in diesem adligen, seine eingefleischten Leidenschaften ungestüm bekundenden Sohne sich selber wiederzuerkennen. Als feurigem Franzosenhasser, hartnäckigem Antisemiten und Verehrer der behelmten Muse fehlte ihm zum Vaterlandsdichter eigentlich nur eine hinreichende schriftstellerische Banalität. Dennoch! Eher säumt er bei einem Mädchen, als daß er sich dem bewaffneten Eindringling entgegenstellte. Als Landjunker verwaltet er seine Ländereien gewissenhaft, und er ist ein pflichtbewußter Familienvater; aber seine besten Kräfte widmet er der Geisterbeschwörung. Wenn auch ein Lutheraner aus voller Überzeugung, träumt er doch von einer mittelalterlichen Christlichkeit und gefällt er sich in katholischer Atmosphäre.

Und dann fesselt ihn ein Frauenzimmer, wie es sich gegensätzlicher nicht denken ließe: diese Bettine, flatterhaft, überschwenglich, geradeheraus, indiskret und naseweis, von Sitten und Bräuchen unbehelligt. Alles, was dem nordischen Temperament Arnims abgeht, scheint er, zu seinem Glück und zu seiner Pein, bei diesem verzogenen Kind zu finden, das in sich die südländische Glut mit der Kühnheit des deutschen Mädchens vereinigt. Er, der nichts unternimmt ohne eine gewisse feierliche Würde, der die überlieferten Formen respektiert, die Verschwiegenheit hochhält und sich stets peinlich genau in den Grenzen des Anstands bewegt, ausgerechnet er muß sich in dieses junge Wesen verlieben, das, zwar ohne es an Aufrichtigkeit fehlen zu lassen, jedem noch so ernsthaften Geschäft ein gut Teil Spiel beimischt.

Trotz allem Klatsch und trotz der Veröffentlichung des Briefwechsels bleibt die Geschichte dieser Liebe – wie die aller tiefgründigen Leidenschaft – vom Geheimnis umwoben. Dieses langwährende Abenteuer zweier Menschen, die, wie verschiedenartig auch immer, beide gleichermaßen Bewunderung verdienen, offenbart zwar bei Bettine einen überraschenden Reichtum an Poesie und echter Zärtlichkeit, läßt aber doch die Achtung vor Arnim noch höher steigen.

Bettine hat jegliche Schwäche, die man ihrem Geschlecht nachzusagen pflegt, bis zum Exzeß: Sie ist von einer wahren Vergötterungssucht besessen, läßt sich im Kielwasser von Koryphäen dahintragen, ist betört von Dichtern, Monarchen und Propheten; in ihren Jugendfreundschaften ist sie so lebhaft wie launisch, im gesellschaftlichen Verkehr so edelmütig wie kokett. Aber dafür besitzt sie auch alle Vorzüge des weiblichen Genies. Eine augenblickliche Intuition enthüllt ihr sofort das verborgene Wesen von Menschen, die ihr nahekommen; sie hat die Gabe des Ausdrucks und findet, ob in der Musik, in der Zeichnung oder in der Dichtung, stets ein Mittel, ihr Herz sprechen zu lassen. Sie bezieht wohl alles auf sich selbst, auf ihr Fühlen und Denken, aber sie vollbringt das Wunder, es ganz und gar selbstlos zu tun; weitherzig, wie sie ist, verwandelt sie ihre Ichbezogenheit in Tugend, die fortwährenden Herzensergießungen in Poesie und ihre impertinente Intelligenz in Reiz und Verführung. Die ganze Welt ist voll Leben für sie und gewinnt Leben durch sie.

Nur ein Mann, der so männlich war wie Bettine weiblich, konnte sie so lieben wie Arnim und so stark an sich binden, daß er sie zu verwandeln vermochte und doch selber um all das reicher wurde, was sie ihm an Schätzen zu offenbaren hatte. Kaum je waren die Pole, zwischen denen der Liebesfunke springt, so deutlich einander entgegengesetzt und zueinander hingezogen. Anders als so manche romantische Liebschaft war diese weder ein tragisches Scheitern noch eine platonische Einbildung. Weil Arnim der Mann war, seine Wünsche zu verwirklichen und seine Träume zu leben, und weil sich Bettine danach sehnte, ihre Welt und sich selber zu verschenken, besitzt ihre gemeinsame Geschichte genau das Geheimnis, das jeder unerfüllten Leidenschaft abgeht, die Tiefe des in seiner ganzen menschlichen Fülle Erlebten. Gewiß, solche Verwirklichung ist von Leiden begleitet, von Enttäuschungen, das ist schmerzliches Privileg aller Lebenden! Aber ebenso gewiß überwinden Menschen, die in sich die Kraft solcher Leidenschaft und solcher Treue besitzen, die Hindernisse und Fehler, denen sie gerade wegen ihrer Kühnheit von Schritt zu Schritt ausgesetzt sind. Weder der allzu launenhaften und mutwilligen Bettine noch dem allzu strengen und reservierten Arnim blieben Verirrungen erspart, und wer die Bedingungen solcher Naturen verkennt, glaubt leicht, derartige Schwächen hätten das Vertrauens- verhältnis alsbald zerstören müssen. In Wirklichkeit erwies sich ihre Bindung nach jeder Krise als um so verhängnisvoller, aber auch um so unauflöslicher.

Es war Bettine, die gleich bei der ersten Begegnung Feuer fing für den Gefährten ihres Bruders Clemens. Und dieser, der die verborgenen Pfade des Herzens so gut kannte, wie er dort seiner selbst nicht mächtig war, sah zu- tiefst richtig, wenn er an Arnim schrieb:

> Was Du von Bettinens Liebe sagst, begreife ich auch wohl besser als Du. Bettine liebt Dich auch wie ich [...], aber sie ist eine Jungfrau, und die Natur stellt sie in ein doppeltes Verhältnis mit Dir, Du hast sie nicht verstanden [...]. Ich fürchte, sie wird nicht lange leben, so ohne Liebe und ohne Freude, ich bitte darum, Deine Hochachtung für sie zurückzuziehen, man kann an Surrogaten sterben. [419, II, 5]

Arnims erste Briefe sind sehr kühl, diejenigen Bettinens voller Herzens- ergießungen und Stimmungsschilderungen. In Königsberg, wo ihn 1807 der Krieg festhält, läßt sich Arnim mit der ältesten Tochter seines Gastgebers in ein Verhältnis ein und macht erst noch die ferne Freundin Bettine zur Mitwisserin:

> Sie erfüllt angenehm mein Dasein [...], wie eine dunkle nächtliche Himmelsbläue über einem Schlachtfelde ist ihr Anblick meine Ruhe. [54]

Bettine antwortet:

> O Arnim! Wenn Sie wüßten, wie viele Liebe auch für Sie in mein ganzes Leben eingewebt ist! [...] Wie ist das, Arnim? Sie haben das Mädchen so lieb, diese weiß es nicht, und ist auch nicht wie Sie? – Das schadet nichts, war mir's doch auch so mit Ihnen und mit allem, was ich begehrte, in meinem Leben [...]. Guter, guter Arnim, wenn Sie nur wüßten, wie um Ihrer selbst willen ich Sie lieb habe. [56ff.]

Das ist ernst gemeint; Bettine liebt Arnim so, wie er ist, mit seinen Schatten- seiten und allem Unverständlichen. Er hingegen macht von Anfang an kein Hehl daraus, daß er das «Kind» zu erziehen, daß er dessen Wesen zu läutern gedenkt. Er will die ungezügelten Äußerungen, die den Reiz dieses Mädchens ausmachen, ihm aber irgendwie gefährlich vorkommen, unter Kontrolle bringen. Und genau dadurch fesselt er Bettine stärker an sich, als es Goethe möglich ist. Der illustre alte Herr schätzt seine Verehrerin nicht sonderlich; er läßt sich von ihr anbeten, und er findet in ihren Briefen, ehe sie ihm lästig fallen, eine jugendliche Überspanntheit, die ihm von ferne ein Echo aus eigener Jugendzeit zuträgt. Aber dieser eigenartige Egoismus des Genies, das sich lediglich an unvermutetem Glück zu bereichern gedenkt, sich jedoch abwenden wird, sobald das Erlebnis Früchte gezeigt hat, vermag die ernstliche und leicht vorwurfsvolle Intervention Arnims nicht aufzuwiegen. Bettine ihrerseits wünscht nicht, daß sie ihrer überbordenden Begeisterung überlassen bleibt; sie erwartet Widerstand und Lenkung. Und Arnim weiß das zu gut, als daß er sich ihrer nicht sicher fühlte; nie hegt er auch nur den geringsten Verdacht wegen ihrer Briefe an Goethe.

Bettinens Briefe an Arnim lassen erahnen, daß es sie dann und wann schauderte vor der übermäßigen Reserviertheit dieses so wenig mitteilsamen Menschen, dem bange wurde vor Anwandlungen der Begeisterung und der einen eigentümlichen Stolz in alle Äußerungen seiner Gefühle legte. Es war Bettine, die beständig zur Erneuerung der Liebe beitrug, während Arnim, nach ihren eigenen Worten, sich erst allmählich angewöhnen mußte, was ihr angeboren war [120]. Dieser Unterschied war dem jungen Mann sehr wohl bewußt:

Aber wer kann aus seiner Haut, wir müssen erst viel miteinander tanzen, um miteinander in Takt zu kommen, bis endlich Mutwille und Ernst sich verstehen wie Messer und Gabel. [54]

Was die Natur an sinnlicher Glut und Heftigkeit in ihre beiderseitige Zuneigung gelegt hatte, versetzte Arnim in Unruhe, während sich Bettine in ihrer unmittelbaren Art kühner zeigte. Arnim verabscheute alles, was nach Spiel aussah; eines Tages gesteht er ihr, überrascht von seiner eigenen Sinnlichkeit:

Es ist wirklich ein Geheimnis, wie Du schreibst, zwischen uns, das uns planetarisch voneinanderhält, ich fühlte das zuweilen an Deinem Munde; mich hielt etwas, als täte ich ein Unrecht, und eine Wehmut durchschauerte mich. [310]

Worauf ihm Bettine – ihrer Natur und ihrer Neigung gemäß, das Schicksal zu nehmen, wie es ist – zur Antwort gibt:

Ich sage Dir fest und bestimmt, daß ich nie mehr Abschied von Dir nehmen will; [...] also richte Dich danach und sehe mich lieber gar nicht wieder, als ein getrenntes Leben führen, weil – ich ein Mädchen bin. [316]

Die Entscheidung kam aber erst 1810; um der Neugier und der Klatschsucht des Publikums ein Schnippchen zu schlagen, ließen sich die beiden jungen Leute in aller Heimlichkeit trauen. In den zwei Jahrzehnten, die der Ehe bis zu Arnims Tod beschieden waren, hatte er die Gabe und das Glück, aus Bettine das zu machen, wovon er geträumt hatte: Das romantische Mädchen verwandelte sich aus Liebe zu ihm und auch, weil sie in sich den ganzen Reichtum einer vollkommenen Frau besaß, in eine vortreffliche Mutter, die im übrigen nichts von ihrer eigentümlichen Genialität einbüßte.

So selbstverständlich, wie Bettine das Leben liebte, hatte sie auch Sinn für Träume; und Arnim, der sich nur mit willentlicher Anstrengung eine gewisse Lebensangst vom Hals zu schaffen vermochte, war entsprechend zurückhaltend gegen die Lockungen des Traums. Der Gegensatz dieser zwei komplementären Seelen tritt im Traumleben genau so zutage wie vor der irdischen Realität. Auch hier ist Bettine unmittelbarer, begabter; auch hier ist Arnim der Heroische, welcher allem Verfließenden, Verschwimmenden Gestalt gibt.

Bettinens Briefe, in der originalen Fassung sowohl wie in der von ihr publizierten freien Bearbeitung, enthalten viele Aufzeichnungen von Nachtträumen. Freilich wissen wir nicht, wieviel daran echt ist. An Hand der nachträglich aufgefundenen Originalbriefe läßt sich Bettine offensichtlicher Erdichtungen überführen, etwa wenn sie in einen ihrer Briefe an Goethe, datiert vom 22. Mai 1809, einen prophetischen Traum einschmuggelt, worin sie Einzelheiten der Tiroler Freiheitskriege vorausgesehen haben will, und sich diese «schweren Ahnungen» als teilweise wörtliche Übernahme aus Bartholdys erster geschichtlicher Darstellung der Ereignisse entpuppen [422, II, 195f.; 428, 104f.]. Und doch! Auch wenn Bettine ihre Träume etwas allzu bedenkenlos ausgeschmückt haben mag, so sind sie doch von einer solchen poetischen Wirklichkeit und Stimmungseinheit, daß wir darin zweifellos das eigentliche Klima ihrer Seelenfahrten wiedererkennen dürfen. Wie die realen Landschaften, die sie beschrieben hat, sind auch die ihrer Träume allesamt voll Sonne und Milde, oder voll beklemmender Gewitterschwüle, und immer mit dem Gefühl unendlichen Überströmens oder tiefer Niedergeschlagenheit verbunden. Außenwelt und Seelenregungen verschmelzen in dieser schönen, geschmeidigen Prosa zu einem ganz eigentümlichen, unverwechselbaren Ton. Einmal fühlt sich das träumende Mädchen in einen schwülen Sommertag versetzt und vom Kummer bedrückt, weil es für die Blumen – zeitlebens seine Lieblinge – «nicht den Regen aus dem Gewölke niederschütteln konnte» [422, I, 110]. Und immer wieder wandelt sie, von der Jugend bis ins Alter, im selben Garten voll blühender Obstbäume, und die Wiederkehr dieses Traums ist stets von drückender Wehmut begleitet. [419, II, 339f.; 422, II, 446f.]

Am verdächtigsten von all diesen Mitteilungen sind die an Goethe gerichteten. Sie sind zusammengesetzt aus Erinnerungen an Augenblicke der Begegnung, aus Liebkosungen, die sich das «Kind» erträumte, oder aus süßen Worten, die es gerne aus dem Munde des berühmten Mannes vernommen hätte. Zuweilen wird in diesen kleinen Prosagedichten das Eigentümliche des Traums überaus geschickt nachgeahmt, mit jener schwebenden Anmut, die immer wieder für Bettinens poetische Augenblicke bezeichnend ist. Man spürt daran das Künstliche, aber es ist die Künstlichkeit derjenigen, die mit Traumstimmungen aufs engste vertraut ist.

Häufig hab ich denselben Traum, und es hat mir schon viel Nachdenken gemacht, daß meine Seele immer unter denselben Bedingungen mit Dir zu tun hat; es ist, als solle ich vor Dir tanzen, ich bin ätherisch gekleidet, ich hab ein Gefühl, daß mir alles gelingen werde, die Menge umdrängt mich. – Ich suche Dich, dort sitzest Du frei mir gegenüber; es ist, als ob Du mich nicht bemerktest und seiest mit anderem beschäftigt; – jetzt trete ich vor Dich, goldbeschuhet, und die silbernen Ärme hängen nachlässig, und warte; da hebst Du das Haupt, Dein Blick ruht auf mir unwillkürlich, ich ziehe mit leisen Schritten magische Kreise, Dein Aug verläßt mich nicht mehr, Du mußt mir nach, wie ich mich wende, und ich fühle einen Triumph des Gelingens; – alles, was Du kaum ahnest, das zeige ich Dir im Tanz, und Du staunst über die Weisheit, die ich Dir vortanze, bald werf ich den luftigen Mantel ab und zeig

Dir meine Flügel und steig auf in die Höhen; da freu ich mich, wie Dein Aug mich verfolgt; dann schweb ich wieder herab und sink in Deine umfassenden Arme; dann atmest Du Seufzer aus und siehst an mir hinauf und bist ganz durchdrungen. [II, 75]

Der Traum ist klar: Das Bedürfnis, leicht zu werden, zu schweben und zu entschweben, das Verlangen nach Zärtlichkeit, die Lust, sich von der Menge bewundern zu lassen und den Dichter in Bann zu ziehen, all das ist hier unumwunden in einer völlig durchsichtigen Symbolik ausgedrückt. Überflüssig, auf die offenkundig erotischen Elemente zu verweisen. Bettinens Liebe zu Goethe war besonderer Art, und wenn sie gerne von Zärtlichkeiten träumte, so geschah dies gleichsam außerhalb der Sinnenwelt in einer Art körperlicher Berührung der Seelen. Nie war sie sich auch nur der geringsten Falschheit, des geringsten Widerspruchs zwischen diesem Verlangen und ihrer Neigung zu Arnim bewußt, der ja von allem Kenntnis besaß. Hier stellt der Traum – trotz der Einmischung wacher Phantasie – jenes besondere Universum dar, wo die Seelen, zu reinen Bildern geworden, einander begegnen, einander nahekommen könnten in schwereloser, übernatürlicher Glückseligkeit.

Anders als die Goethe anvertrauten sind jene Träume, von denen sie Arnim erzählt; sie setzen Bettine in eine prosaischere Beziehung zu dem jungen Manne, zugegeben, dafür aber in eine konkretere. Bettine gesteht, sie träume nicht oft von ihm, redet sich aber ein, es geschehe nur mit seinem Willen, wenn er ihr erscheine [V, 153]. Arnim gehört denn auch ihr besseres Teil: Ihm gegenüber unterdrückt sie ihre Eitelkeit und ist sie sich der Gefährlichkeit von Verstellungskünsten klar bewußt. Als sie einmal in der Erzählung eines Traums allzu dick aufgetragen hatte, antwortete ihr Arnim mit Härte: «Schreib doch deine Träume auf, aber ehrlich, sonst hat es gar keinen Wert, ich meine ohne irgendeine Verschönerung» [419, II, 379]. Und Clemens, der genau und mit gutem Grund wußte, wie seine Schwester zuweilen mit der Wahrheit umsprang, hatte sie schon Jahre zuvor in humorvollem Tone getadelt: «Auch das lange Herumtragen und Betrachten der Träume ist kindisch [...]. Du läufst Gefahr, daß die Leute sagen, sie ist sehr klug im Traum, aber nicht recht gescheut im Wachen.» [422, I, 111]

Die Vorsicht, zu der sie sich in den Briefen an Arnim veranlaßt sah, hat uns etwelche glaubwürdigeren Träume eingetragen, als sie der *Briefwechsel mit einem Kinde* enthält. Einen davon will sie am Morgen geträumt haben, als sie Arnims entscheidenden Brief erhielt, worin dieser um ihr Jawort bat. Sie sieht darin Luther mit seinem Weibe, «das er die Liebe nennet», eine Meeresklippe ersteigen, worauf der Reformator eine herzzerreißende Anklagerede an eine grausame Königin hält, die, umringt von ihrem Volk, am Ufer sitzt. Diese hat seinem Weib das Herz aus dem Leibe reißen lassen, so daß «der Tag und das Auge der Welt jetzt die Früchte der Liebe in ihrem Leib sehen konnten, die doch ewig ein Geheimnis hätten bleiben sollen [...]. Er griff ihr in die

Wunde [...] und holte etwas heraus, was er hinter sich ins Meer warf»; hierauf stürzt sich das Paar in die Fluten.

Ich ging betrübt nach Hause, das Volk folgte mir im dumpfen Zuge, ich war noch so jung, daß mir eine alte Kindermagd folgte, mich zu hüten, der ich ehmals versprochen, daß wenn ich heirate, so solle sie zu mir kommen. Zuhause war Essenszeit, jedermann setzte sich zu Tisch; ich dachte aber, daß ich nimmermehr essen und trinken wolle, weil es so fürchterlich traurig in der Welt sei. Da weckte mich Dein Brief. [V, 167]

In Bettinens schriftstellerischem Werk verraten jedoch andere Anleihen beim Traum noch deutlicher die ununterbrochene Wechselbeziehung, die – mindestens bis zur Verheiratung – zwischen ihrem bewußten Leben und den verborgenen Quellen von Traum und Poesie bestanden haben muß. Und schon vier Jahre nach der Veröffentlichung des Briefwechsels mit Goethe – bis dahin ihr erstes und einziges Buch – hat sich ein Kritiker gefunden, der die Beziehungen zwischen Poesie und bewußtem Leben bei Bettine mit überraschender Einfühlung aufspürte. Dieser scharfsinnige Geist, Georg Friedrich Daumer (1800–1875), ist überhaupt einer der erstaunlichsten Männer seiner Zeit: Er war Erzieher des rätselhaften Kaspar Hauser, war in allen Wissenschaften bewandert, Verfasser zahlreicher historischer Schriften, ein glänzender Übersetzer orientalischer Lyrik und zu all dem einer von Nietzsches Vorläufern; er hatte sich eine Theorie des künftigen Übermenschen zurechtgelegt und bezog sich darauf in seinem Kampf gegen das Christentum ... bis er 1859 zum begeisterten Anhänger des Katholizismus wurde und in Christus den Übermenschen seiner früheren philosophischen Träume erkannte.

Daumer war überrascht, in Bettinens Buch immer wieder gleiche rhythmische Perioden, ja sogar «wirkliche, aber in Prosa aufgelöste Verse und förmliche Gedichte» hören zu können. In einem Aufsatz *Über Bettinas Nacht- und Traumleben*, 1839 in einer kleinen bayrischen Zeitschrift erschienen [435], wagt er die Behauptung, dieser eigentümliche spontane Tonfall entspringe der fortwährenden, jedoch fragmentarischen Erinnerung an Träume. In Anlehnung an G.H. von Schubert setzt er voraus, in den dunkeln, unerforschten Tiefen der menschlichen Natur wohne ein «‹versteckter Poet› und künstlerischer Genius, scharf geschieden von unserem gemeinen, eigentlichen Ich und Selbst». Die poetischen Erzeugnisse der Menschheit sind samt und sonders mehr oder weniger vollständige Offenbarungen von diesem «Gott in uns», der, noch immer «in seine dunkle, nächtliche Innerlichkeit verstoßen, durch unser mit ihm zerfallenes Ich hindurch zu einer neuen Offenbarung und Freiheit der Erscheinung strebt». Aber sein Streben kommt nie anders als unvollständig zum Ausdruck und erleidet dabei Zerstückelung und Verlust.

Auch Bettinens Buch ist eine solche Offenbarung: «Vieles darin ist aus einem eigentümlichen poetischen Schlaf- und Traumleben der Verfasserin als bewußtlose Reminiszenz in ihr waches Sinnen, Schaffen und Schreiben übergegangen.»

Was Daumer hier so glücklich formuliert, könnte geradezu als Definition dienen für eine ganze Romantik und Literatur, die bis heute daraus hervorgegangen ist. Durch Bettine, die aus eigenem Erleben ein gründliches Wissen davon besaß, war er innegeworden, daß die Tiefenschicht, aus der Gesänge und Eingebungen aufsteigen, eine allem Bewußtsein zugrunde liegende Welt ist, die sich nur auf ein bestimmtes Zauberwort öffnet. Zu allen Zeiten haben Dichter die Stimme, welche durch sie hindurch erklang und der sie Sprache liehen, als etwas Fremdartiges empfunden. Aber bei den deutschen Romantikern und – seit Rimbaud – bei den Franzosen hat sich dieses Gefühl zur Gewißheit geklärt. Sie begriffen ihr Werk als ein Gespräch zwischen ihnen selbst und einer Wirklichkeit, die drinnen in der Tiefe weit über sie selber hinausreichte, und gaben sich der Erwartung geheimnisvoller Offenbarungen hin oder gewissen Automatismen, welche dem poetischen Mysterium förderlich waren.

Von dieser Wahrheit hat Bettine eine so eigenständige und unmittelbare Erfahrung besessen wie nur wenige unter den Romantikern, und darauf beruht ihre schriftstellerische Größe. Gewiß, es gibt bei ihr auch ‹Literatur›; aber wo sie das Phänomen des Poetischen in sich selber beobachtet, ist sie erhaben über jegliche Abhängigkeit und Nachahmung. Dieses Wissen von dem verborgenen Leben hat sie wirklich aus eigenstem und immer wieder neuem Erleben geschöpft, und übrigens bevor irgendeine Schreiblust sie überkam.

Daumer weist die Etappen dieser Erfahrung genau nach. Schon als Kind zog es sie bei Wind und Wetter in die nächtliche Einsamkeit hinaus, wo sie auf tollkühnen Streifzügen eine unbegreifliche Leichtigkeit und Gewandtheit entwickelte – ähnlich wie im Somnambulismus. Daumer verweist auf zahlreiche Tagebuch- und Briefstellen, die Einblick geben in eine Art dramatische Komödie zwischen dem wachen Selbst und einem Dämon, Geist oder Genius im Innern, dessen Eingebungen sie zum Teil gar nicht faßt, nach dessen Liebkosungen sie sich sehnt, mit dem ihr eine Versöhnung wohltut, der ihr aber auch oft zürnt, weil sie ihn so schlecht versteht:

«Ich habe oft mit dem Genius gespielt in der Nacht, statt zu schlafen, und ich war müde und er weckte mich zu vertraulichen Gesprächen und ließ mich nicht schlafen.» – «So sprach der Dämon heute mit mir; er setzte Gedanken in mir ab, und sie hatten das Eigene, und haben es noch, daß ich sie *nicht als Selbstgedachtes, sondern als Mitgeteiltes empfinde.*» [*] – «Gedanken dieser Art beglücken mich, wenn ich Frieden mit mir schließe und den Schlaf gleichsam annehme als Versöhnung mit mir selbst, so gestern abend fühlte ich vor dem Einschlafen, *als ob mich mein Inneres in Liebe aufgenommen habe,* und da schlief ich die Ruhe bis tief in meine Seele hinein und wachte von Zeit zu Zeit auf und hatte Gedanken. Ich schrieb sie, ohne sie weiter zu spinnen oder ihren Gehalt zu wägen, ja manchmal, ohne sie ganz zu verstehen, mit Bleistift auf und schlief dann gleich wieder fort, aber bald weckte mich's wieder auf. – Ob diese Gedanken Wert und Gehalt haben, lasse ich dahin gestellt, aber immer werden sie ein

Beweis sein, daß der Geist auch im Schlafe lebendig ist.» [*] – «Gestern früh im Nachen schlief ich und träumte über Musik und was ich dir gestern abend halb ermüdet und halb besessen niedergeschrieben, ist kaum eine Spur von dem, was sich in mir aussprach; *es ist eben ein großer Unterschied zwischen dem, was einem der Geist im Schlafe eingibt und dem, was man wachend davon behaupten kann.*» [435, 9f.]

Daumer gelangt in seinem Aufsatz zu einem kühnen und ziemlich überraschenden Schluß. Er glaubt, Bettine habe im Traum Verse und Gedichte gemacht, an die sie sich im Wachen nicht mehr erinnern konnte, die aber dennoch unbewußt in aufgelöster und fragmentarischer Gestalt in ihre Prosa eingegangen seien. Er will dadurch seinen sonderbaren Versuch rechtfertigen, die ursprüngliche Gedichtform nach da und dort der Prosa abgelauschten festen, reimlosen Metren wiederherzustellen – ein zum Scheitern verurteiltes Unterfangen, das aber der zugrunde liegenden Einsicht keinen Abbruch tut. Denn auch wenn die Annahme, das Diktat des Unbewußten vollziehe sich in metrisch gebundener Form, weit übers Ziel schießt, so bleibt es doch sehr wahr, daß Bettinens Werk ganz und gar aus verborgenen Quellen gespeist wird. Durch alle Briefsammlungen Bettinens zieht sich das eine Drama eines Bewußtseins, das ununterbrochen erschüttert wird von den überwältigenden Erscheinungen eines anderen Lebens und fremdartigen Daseins. Ob inmitten der Natur, in der Berührung mit Menschen oder in den Gezeiten und Stürmen ihrer eigenen Leidenschaften, überall fühlt sich Bettine weit hinausgetragen aus sich selber; sie ist in der Gewalt einer unerklärlichen Lockung, einer Strömung, die sie fortzieht. Aber gleichzeitig spürt sie, daß dieser Selbstverlust ein Weg ist, zum Kern des Selbst zu gelangen. Der Taumel, vor dem sie sich nicht lange gefürchtet hat, den sie liebte, in dem sie es zur Virtuosität bringen wollte, er bleibt bei ihr weder bloße Wollust noch bloße Flucht. Aus all ihren lyrischen Bekenntnissen spürt man so wie sie, dunkel und doch mit Gewißheit, die Gegenwart einer inneren Wirklichkeit, an die sie glaubt. Sie weiß sich unterwegs nach etwas, was sie gerne den Geist oder das Schöne nennt und dessen Nähe sich ihr in einem Gefühl des Wohlbefindens, des Gewiegtwerdens, der Versöhnung mitteilt. Verschlungen zu werden von diesem Meer des Geistes, das ist die Zärtlichkeit, nach der sie sich sehnt. Und vom Traum erwartet sie, wenn sie dem Trug ihrer Eitelkeit, ihrer Einbildung und den Maskeraden ihres Schauspielertalents entrinnt: ein tieferes Wissen von ihrer Seele, die, aller Fesseln frei, in eine Welt der Leichtigkeit entflieht.

II

Fürchte auch nimmer Vergessen, es ist der fruchtende Boden,
Dem die Traube voll Safts steiget aus glühendem Schoß.

«Ich weiß, daß Du kein Freund von Träumen bist», schreibt Bettine an Achim [419, II, 340], und tatsächlich kommt der Dichter in seinen Briefen nur ganz selten auf Träume zu sprechen; wo er es tut, erzählt er davon mit kühler Genauigkeit, kommentarlos, unberührt von ihrer Atmosphäre. Sie sind gern grotesk oder schrecklich, von jener eigentümlich befremdenden, strengen, ein wenig grausamen Kühlheit, die an seinem literarischen Werk auffällt.

Ist es nicht erstaunlich, daß im Gegensatz zu den Briefen das dichterische Werk Arnims an Träumen so reich ist wie kaum ein romantisches sonst und daß der Dichter darin oft ein unerschütterliches Vertrauen in die Offenbarungs- und Weissagungskraft des Traums an den Tag legt? Indessen ist dies nur einer von den immer wieder überraschenden Widersprüchen zwischen Leben und Werk Arnims. Sieht man den so ernstlich um besonnene Lebensführung beflissenen Mann seine phantastischen, mit zahlreichen Erscheinungen und Träumen durchsetzten Erzählungen niederschreiben, so möchte man glauben – und man hat auch oft geglaubt –, der Erzähler Arnim habe sich ganz einfach dem Zeitgeschmack gefügt und, obwohl eigentlich Realist, absichtlich die Erfindungen und die Sprache der romantischen Schule nachgeahmt. Wie aber läßt sich dann begreifen, warum diese Arnimschen «Contes bizarres[1]» den Eindruck von tiefer Wahrheit hervorrufen?

Zugegeben, anfänglich bedient sich der junge Schriftsteller des Traums, ohne daß er recht wüßte, was herauszuholen wäre. Er hat noch etwas vom experimentierenden Physiker, vom Forscher, als der er in den Jahren zuvor seine wissenschaftlichen Entdeckungen gemacht hat. Seine ersten Romane, *Hollins Liebeleben* und *Ariels Offenbarungen*, lassen die romantischen Einflüsse deutlich erkennen; und doch sind die Träume schon hier so einfach und natürlich, psychologisch so wahr wie nirgends bei Tieck oder Jean Paul. Aber all das ist noch wenig verantwortet, ist erst Zeichen, Verheißung, wie überhaupt die Episoden dieser Jugendromane. Die Personen leben, wie diejenigen Tiecks, in zwei Welten zugleich; deren Verbindung bleibt ihnen unklar. Immer wieder klagen sie: «O meine Träume, warum lebet ihr? O du mein Leben, warum lebst du nicht?» [417, 58] «Wahne Träume» und Wachträume suchen in diesen gestaltlosen Romanen die haltlosen Menschen heim, die sich nach dem vollen Lichte sehnen, jedoch nicht zu ihm hinfinden können und denen die Erde nichts anderes ist als eine «kalte Traumwelt» [11/18/164/227]. Aber die Scheidung von Innenleben und Außenwelt erscheint in solcher Banalität bei Arnim einzig zu der Zeit, als er, zunächst noch Opfer einer literarischen Mode, nach seinem persönlichen Ausdruck sucht.

Der Wintergarten (1809) – der Titel ist gleichsam Ankündigung dessen, was die Werke des reifen Arnim sein werden – führt uns in einen originaleren Bereich hinein, und zwar in eine ganz eigentümliche Atmosphäre der Absonder-

---

[1] Unter diesem Titel hat, einer Anregung Heines folgend, Théophile Gautier (fils) im Jahre 1856 erstmals Novellen von Arnim ins Französische übersetzt *(Isabella von Ägypten, Melück Maria Blainville, Die Majoratsherren)*. André Breton hat diese Übersetzung 1933 neu herausgegeben und eingeleitet. [Nr. 431]

lichkeit. Die Hauptperson der gelungensten dieser Erzählungen, *Mistris Lee*, eine
launische, kokette, gefährliche Frau, wie es deren viele gibt bei Arnim, fordert
zwei um ihre Liebe wetteifernde Brüder auf, ihr einen Traum auszulegen: eine
wonnevolle Vision von Sonne und Mond am Nachthimmel. Es ergeben sich die
widersprüchlichsten Erklärungen: Durchgang eines Meteors, christliche Allegorie,
Verheißung ausschweifender Liebe. Die letzte Deutung sagt der schönen Träume-
rin zu, und sie setzt sie alsbald in die Tat um. Der Traum soll weder ein
fremdartiges Element ins wirkliche Leben einführen noch eine Atmosphäre
poetischer Leichtigkeit schaffen, sondern er dient lediglich als Vorwand für die
Auflösung eines kleinen psychologischen Dramas. Wir bemerken sogar, daß sich
Arnim an einer Stelle über die Traummode lustig macht, indem er antike
Autoren zitiert und sich feierlich auf Horaz, Ovid, auf Brutus und Alexander
beruft. [418, II, 251–273]

Immerhin findet sich in derselben Sammlung ein großes Gedicht, das die
Träume preist und ihnen – zweifellos unter dem Einfluß Jakob Böhmes, dem
der *Achte Winterabend* gewidmet ist – das Vermögen der Offenbarung zuspricht.
Während des Schlafes steigen die Götter herab in die Menschen und «sprechen
verständlich in Worten», die beim Aufwachen wieder vergessen gehen. Aber
dieses Vergessen ist «der fruchtende Boden,/Dem die Traube voll Safts steiget
aus glühendem Schoß». [242–248]

Es brauche viel Zeit, bis das, was wir einmal zum Credo erhoben haben, auch
wirklich in Fleisch und Blut übergehe, sagt ein moderner Autor. Arnim ist es
jedenfalls erst in seinem dritten Roman, in der *Gräfin Dolores* (1810), und in
der Novellensammlung von 1812 gelungen, seinem Vertrauen in die Fruchtbarkeit des Unbewußten eine bestechende Gestalt zu geben und seine Überzeugungen in echtes Romangeschehen umzusetzen, Überzeugungen, die er wohl
schon im *Ariel* ausgedrückt hatte, ohne aber dabei viel zu denken, ganz nur
dem Zauber der Reime und Assonanzen hingegeben.

Die *Gräfin Dolores* nimmt das Thema der *Mistris Lee* wieder auf, das uns
übrigens noch in den *Kronenwächtern* und auch in einigen Dramen begegnet: das
Thema weiblicher Doppelzüngigkeit, der Wechselfälle des Herzens – ein für
Arnim so wesentliches Thema, daß es von seiner Auffassung des Wunderbaren
gar nicht getrennt werden kann. Alle diese Frauengestalten werden mehr oder
weniger unverschuldet zu Treubrecherinnen. Ohne es irgendwie voraussehen zu
können, fühlen sie sich von einem Tag auf den andern dazu bewogen, ihre
Liebe zu verleugnen oder ihre Leidenschaft aufzuteilen. Dolores ist die inter-
essanteste unter diesen Gestalten. Die Hauptperson in diesem oftmals weit-
schweifigen Roman ist außerordentlich lebhaft, und was sich immer an Geheimnisvollem und Seltsamem zuträgt: es ist gleichsam die Projektion dieser vielgestaltigen widersprüchlichen Seele in die Außenwelt, einer Seele, die den Keim

zu allen Wirrungen in sich trägt. In einer bedrückend traumhaften Atmosphäre, wo sich alles verdüstert, wo Vergangenheit und Tod jede Lebensregung zu ersticken drohen, reift das Leid allmählich heran.

Dolores und ihre Schwester sind von ihrem Vater, nachdem er Bankrott gemacht hat, auf einem prunkvollen Schloß im Stiche gelassen worden. Hier fristen sie ein immer kärglicheres Leben. Klelia, die Ältere, ist ein einfaches, frommes, ernstes Gemüt ohne besondere Begabung, während Dolores all den Reiz und all die Talente besitzt, welche immer bei Arnim die besonders unheilvollen Frauen auszeichnen. In ihrer Einsamkeit vertreibt sie die Zeit damit, die Wände des Schlosses mit wunderlichen Fresken zu zieren; auch hat sie Freude an der Musik, und immer wieder hängt sie ihren Wunschträumen nach, indes Klelia für den Haushalt besorgt ist. Die Kehrseite all dieser Gaben tritt jedoch an den Tag, als Graf Karl, ein fahrender Student, um Einlaß ins verlassene Schloß bittet. Dolores ersinnt sogleich tausend Listen, um ihre Schwester kaltzustellen, die sie als ihre Kammerjungfer ausgibt. Trotz den Vorhaltungen Klelias empfängt sie vom gerührten Jüngling Geld; wie sie damit unter allerlei Vorwänden ihre kokette Putzsucht befriedigen könne, ist trotz allen guten Vorsätzen bald ihr einziger Gedanke. Als Karl, der so ganz die feierliche Innigkeit des romantischen Jünglings besitzt, sich für einige Zeit wegbegibt, ist Dolores rasch bereit, ihn bei geselligen Vergnügungen zu vergessen, oder besser: Sie führt von nun an ein Doppelleben, und zwar ohne es selbst zu bemerken. Will sie ihrem Verlobten recht schmachtende, süßtrauernde Briefe schreiben, so wählt sie dazu ganz unbewußt die einsamen Stunden des Überdrusses zwischen zwei Zerstreuungen. Darin liegt durchaus keine «absichtliche Verstellung»; in solchen Zeiten nimmt sie ihre Empfindungen ernst. Sie schreibt ihm so unschuldig «wie eine Braut des Himmels», und ihre Briefe sind mindestens für den Augenblick aufrichtig gemeint. [418, I, 51]

Die Feder führte sie unbewußt immer wieder in die alte Gegend zurück [...]. Ihr Gefühl schlug überhaupt hell und laut an nach der Art wie es berührt wurde, aber der Nachklang dieser Glocke ging in den nächsten Schlag des Hammers über und vermischte sich damit; die Zärtlichkeit, die der Graf in ihr erweckt hatte, überraschte sie jetzt in der Nähe jedes liebenswürdigen Mannes. [49]

Als der zurückkehrende Graf Karl seine Geliebte mit Heiligenbildchen aus einem nahen Kloster beschenkt, besudelt sie diese aufs schändlichste; sie gibt dabei ihrem Hang zum Karikieren nach, der sie immer wieder zur Profanierung jedes ernsthaften Gefühls treibt. Eine unabsichtliche Grausamkeit läßt sie unfehlbar alle empfindlichen Stellen auffinden, wo sie Karl verwunden kann. Schließlich heiratet sie ihn doch. Sie zieht mit ihm aufs Land; da sie sich dort langweilt, sucht sie Umgang mit allerhand leichtfertigem oder übeltäterischem Gesindel aus der Nachbarschaft. Alsbald verfällt sie der «stolzesten, prächtigsten Sinnlichkeit, die je über die Erde geblickt, als wäre sie ganz zu ihrem Genusse

geschaffen» [248], und läßt sich von einem raffinierten spanischen Beau verführen. Aber ihr Fehltritt wird Anlaß zu Besserung und langer Buße.

Die tiefgreifende innere Dualität, welche sie bald die guten, bald die
schlimmen Neigungen aus ihrem Bewußtsein verdrängen läßt, kommt schließlich
mit der Heftigkeit eines offenen Kampfes zum Vorschein. Das Unbewußte, in
dem alles Zuflucht genommen hat, was in ihr nach dem Guten strebt, übt in
dem Augenblick Vergeltung, als sich der innere Gegensatz infolge des begangenen
Fehltritts verschärft hat. Und zwar geschieht es eines Nachts im Traum, daß sie,
im Schlafe redend, ihrem Gatten den Treubruch gesteht.

Er hört sich selber aus ihrem Munde in dem wahrhaften Dialoge, der nur dem Traume und
halbverrückten Dichtern eigen, seine eigne Art zu antworten, in Stimme und Gefühl, das
sie nicht nachsprach, sondern *was er in sich verschloß*, aus ihrem Munde heraus schreien [...].
Es wurde ihm dabei als lebte er wirklich ganz in ihr. [301 f.*]

So bringt der Traum hellsichtig zwei Menschen miteinander ins Gespräch, die
sich hintergangen, die sich voreinander verborgen haben – er wegen des Arg-
wohns, den er gegen sie gefaßt hat, sie wegen ihrer Schuld, die sie totschweigen
wollte. Die Gedanken, denen sie bisher hartnäckig ausgewichen sind und die eine
unerträgliche Mißstimmung zwischen ihnen geschaffen haben, treten nun jählings
ans helle Licht und ermöglichen es schließlich, daß der Graf verzeihen, die
Gräfin ihr Vergehen sühnen kann.

Gerade solchen Selbstgesprächen verdankt der Roman seine Tiefe, solcher Aus-
lotung innerer Abgründe, die nur in gewissen Augenblicken gelingt, dann
nämlich, wenn der einzelne, von seiner Person frei geworden und der Kontrolle
des Bewußtseins entzogen, in sich selbst an das rührt, was ihn zugleich am
meisten schreckt und am meisten ermutigt. Die Gräfin, die von so verschiedenartigen Neigungen beherrscht wird und es so schwer hat, einen sicheren Weg
durch die Gefährdungen ihrer Natur zu finden, ist durchaus nicht die einzige, die
auf verschiedenen Ebenen lebt. Auch der Graf, obwohl er von einer Durch-
leuchtung seines Verhaltens nichts zu befürchten braucht, tauscht die trübe
Wirklichkeit seines Ehelebens gegen einen schönen Traum aus. Er malt sich die
heiligen Gefühle aus, die seine Gemahlin für ihn hegen müßte, wenn es nach
seinem Wunsch ginge, und so lebt er schließlich in einer vollkommenen
Illusion [71]. Bis zu dem Tag, an dem ihm ein verräterischer Traum die
Untreue der Gattin vor Augen führt. Und diesen bösen Traum, den er zunächst
gar nicht in seiner ganzen Entsetzlichkeit zur Kenntnis zu nehmen wagt, beginnt
er in Verse zu fassen, als wolle er ihm dadurch die verderbliche Wirkung
nehmen: Dolores hat sich von ihm abgewendet und einen Unbekannten namens
Jedermann mit einem so zärtlichen Blicke bedacht, wie er ihn selbst nie
empfing. Kaum aber hat er diesen ersten Teil des Traums niedergeschrieben,
kommt ihm eine andere Episode in den Sinn: Ein gewaltiger Mann «habe ihm
mit dem Schwerte gewinkt, in alle Welt zu gehen». Und bei dieser Erinnerung

regt sich plötzlich etwas in ihm und fordert ihn auf, diesem Geheiß nachzukommen. Was nun folgt, gehört zum Erstaunlichsten in Arnims Werk. Die
Flucht Graf Karls wird nämlich nicht beschrieben, sondern durch einen wahrhaften ‹monologue intérieur› des Helden heraufbeschworen. In einer absonderlich
abgehackten, gehetzten Sprache gehen Wirklichkeitsfetzen und unverständliche
Bilder aus dem Unterbewußten und der Phantasie wirr durcheinander. Erinnerungen an den verräterischen Traum; Worte des Kutschers; stammelnde Klagen
einer bis in die verborgensten Winkel verletzten Seele; die Empfindung,
sich selbst verdoppelt und das erdachte Gegenüber mehrfach zu sehen; plötzlich
eingeblendete Meerbilder; quälende Sehnsucht nach der Kindheit und nach dem
Mutterschoß: All das zieht in einem ununterbrochenen, schwindelerregenden
Strome vorbei.

Es ist Arnim jedoch nichts daran gelegen, diese völlig ungeordnete Folge
blitzartiger innerer Erleuchtungen sklavisch abzuschildern. Vielmehr ist es der
Eindruck davon, den er zu vermitteln sucht, und zwar indem er sich einem
genuin dichterischen Automatismus anvertraut: dem Spiel mit den Silben, der
Echowirkung, wodurch ein Wort das andere ruft, sich mit andern Wörtern verbindet ohne logisches Band. Ist dieser Automatismus der Sprache einigermaßen
eingespielt, so eignet er sich erstaunlich gut dazu, die Fratzen des Unbewußten
zu beschwören. Das aufbrausende Chaos von Bildern festzuhalten, die, auf-
gescheucht von einer äußersten Gemütserregung, einander in taumelndem
Rhythmus hervorrufen und verdrängen, ist völlig unmöglich; will der Dichter
dennoch in Worte fassen, was sich in solchen Augenblicken ereignet, so wird er
von den ihm zu Gebote stehenden Mitteln eine analoge Befreiung von den
Gesetzen der Logik verlangen. Durch eine wahrhafte ‹écriture automatique›, die
Arnim als erster verwendet hat, um dem Unbewußten Geheimnisse zu entreißen, wird er einen Ausdruck erlangen, der den Zwängen des kontrollierten
Denkens so weit wie möglich entzogen ist. Arnim, der sich hier wie auch sonst
der Neuartigkeit seiner Versuche bewußt ist, weist den Leser darauf hin, daß
«diese schauderhaften Bilder [...] uns bei aller Nachlässigkeit ungemein rühren,
denn es ist die Sprache eines tief gekränkten Herzens» [267].

Es versteht sich von selbst, daß keine Übersetzung in eine andere Sprache die
Eigenart dieses ‹monologue intérieur› wiedergeben könnte, denn es ist der
Klang der Sprache, der hier selbstherrlich geworden ist, und zudem fallen die
Grenzen zwischen Vers und Prosa.

Nun reißen vier Stricke am Wagen gespannet, mich weg von dem Glücke, ich hab mich
ermannet. Den Wagen sie ziehen, die Steine erglühen, wär einer gerissen, ich hätte halten
müssen. Warum reißet mein Schmerz doch nie und schreiet nur immer: «Flieh!» mit wem
red ich, wer kennt mich, wer sind wir? – Ich und die Luft hier. [...]
    Ach wie ist mir doch geschehn. Ach wo war ich doch so lange; kühlend wehet ein Ver-
gessen und mir wird nun endlich bange, daß ich gar nichts hab besessen. Hab ich einstmals
doch gesessen meinem Glücke in dem Schoß und hier sitz ich nackt und bloß. Neun Monat

lag ich im Mutterschoß und hab ihn mit Weinen verlassen, so ließ mich die Liebe nackt und
bloß am Berge in Nebelmassen. [...]

Warum die Schönheit so flüchtig ist, das will ich euch verkünden, sie ist ein Gift, das um sich
frißt, die Augen davon erblinden. [...] O wohl uns, daß so viel Schönheit tot, daß wir sie nicht brauchen zu lieben, o weh uns, daß in der Tränennot mehr Glück als in der Überlegung. [267–271]

Es gibt in diesem Roman noch mancherlei, was unser Interesse erweckt, und es
gibt auch schwache Stellen. Aber was Arnims Geist während der Niederschrift
offensichtlich ganz in Beschlag genommen hat, ist die Aufspürung des verborgenen, unbewußten Lebens. Nicht nur der Graf und die Gräfin sind immer
wieder den unvorhersehbaren Wechselfällen des Herzens ausgeliefert, nicht nur sie
bangen davor, was ihnen der Augenblick, der Traum, die Ahnung, was ihnen
all diese Automatismen bringen werden. Gerade etwa die Figur des kleinen
Traugott, eines verlassenen Knaben, der zwei Romankapitel in Anspruch nimmt
und dann verschwindet, scheint eigens dafür geschaffen worden zu sein, uns eine
noch deutlichere Vorstellung von den verschlossenen Wegen des Innern zu geben.
Das kränkliche Kind ist geistig erstaunlich frühreif; was aus seinem Munde
kommt, besitzt die Kraft der Weissagung, die es aus dem Traume schöpft.
Arnim läßt den Knaben ausführlich von seiner ersten Erinnerung erzählen, die
ganz den Anschein eines Traums erweckt, oder eher noch: die jenen Zeitpunkt
festhält, wo das kindliche Bewußtsein, ohne den Unterschied zu bemerken, zugleich in der Wirklichkeit und in der Phantasie zu Hause ist. Als dem Knaben
der Verkehr mit seinem kleinen Gespielen Fürchtegott, der herrliche Papier-
paläste baute, vom Vater untersagt wurde, beschloß er, sich totzuhungern.
Nachdem er einen Tag gehungert, lockte ihn morgens früh eine rote Wolke
hinaus; einem Bienenschwarm folgend, drang er so tief in den Schloßgarten
ein, als ihm sonst, der vielen Teiche wegen, verboten war. Während ihn die
Kiesel an den Füßen schmerzten, schritt er durch zwei Reihen weißer, regloser
Menschen ohne Augen, dann zwischen Bäumen dahin, die links und rechts wie
Mauern aufragten. Auf einmal stieß er mit dem Kopf gegen Bretter, worauf sich
die Landschaft in wirbelnde bunte Flecken auflöste. Hierauf gewahrte er im
Schutz eines großen Steins einen Kiennadelhaufen voller Ameisen, «die er wohl
kannte». Da rührte er in den Haufen, «um ihnen doch eine Ursache zur Unruhe
zu geben»; aber aus Mitleid darüber, daß ihnen nun das Hausdach fehlte,
steckte er einen Strohhalm in den Haufen, «auf daß sie sich in der Gegend um-
sehen könnten». Die Ameisen drängten sich aber dermaßen auf dem schönen
Aussichtspunkt, daß er ihnen böse wurde und sie mit Erde bewarf. Vor ihrer
Verfolgung rettete er sich in einen Teich. Da sah er sich umringt von Wasser-
lilien, und aus jeder Lilie blickte ihn Fürchtegotts spöttisches Gesicht an. Aber
als ihn eine unbekannte Hand aus dem Wasser gehoben hatte, lag vor ihm eine
leuchtende Landschaft, schöner als alle Paläste Fürchtegotts, «und dieser war ihm
auf immer ganz gleichgültig». [201–204]

Dieser Kindertraum mit seinen unerklärlichen und widerstreitenden Empfindungen beendet einen Konflikt, der auch andere Achimsche Figuren bedrängt: Die Gestalt des bewunderten und zugleich unheilvollen Jugendgespielen ist eine der Grundkonstanten in dem von Mythen und Drohungen erfüllten Gedächtnis, das er seinen Geschöpfen mitgibt.

Traugotts Sterben spielt sich im Grenzbereich von Traum und Wirklichkeit ab. Eingeschlafen auf dem Grab der Mutter, erblickt er im Traum eine wunderbare gelbe Blume, die er nach Kinderart ihrer Schönheit wegen gleich zu essen begehrt. Da erscheint ihm die Mutter, und sie entreißt ihm die Blume. Vor Weinen wacht er auf und gewahrt zu seiner Verwunderung in seinen Händen eine gelbliche Blume, die er im Schlafe abgepflückt. Der Graf, dem er sie zeigt, erkennt sie entsetzt für Belladonna. Von nun an denkt der Kleine nur noch an eine Blume, «die nicht giftig wäre und doch gelb, zu der die Sonne wie ein Staub täglich neu fliege und falle; sie schwimme wie eine Wasserlilie auf dem Meere». Aber er weiß, daß er noch nicht reif dazu ist, sie zu finden, und deshalb weilt er immer wieder sinnend auf dem Grab der Mutter. Nicht lange darnach findet man ihn dort tot. [201–227]

Es läßt sich aus der *Gräfin Dolores* sehr gut herauslesen, auf welchem Wege sich Arnim den Geheimnissen des Innern genähert hat: Es ist das Absonderliche im menschlichen Verhalten, es ist vor allem das Widersprüchliche in der Liebe, das ihn immer wieder erschrecken und spüren läßt, daß in ihm selber verschiedene ‹Ichs› nebeneinander bestehen, und zugleich gewahrt er in andern dieselbe unberechenbare Wechselhaftigkeit. Es läßt sich denken, daß Bettine mit all ihrer gefährlichen und launischen Spontaneität Arnims Unruhe geschürt hat. Aber er fand auch in sich selbst genug Anlaß dazu: in seiner Liebe zu Bettine, die ihn lange Zeit heimlich umtrieb und die er sich nur zögernd eingestand; in andern, flüchtigeren Liebschaften, die immerhin so heftig werden konnten, daß er sich selber darüber wunderte, ohne aber deshalb mit Bettine zu brechen; in dem Drang zu patriotischer Aktion, der seiner Neigung widerstritt, ganz nur seiner persönlichen Entfaltung zu leben. Überall, auf allen Lebensgebieten kam er sich verdoppelt, verdreifacht, vervielfacht vor, und da er die schlichte Einfachheit über alles schätzte, bereiteten ihm seine inneren Entdeckungen immer größeres Unbehagen. Die *Gräfin Dolores* ist davon ganz durchtränkt, man denke nur an die Träume, an das plötzliche Hereinbrechen des Unbewußten, oder daran, wie liebevoll der Dichter durch die Gestalt des kleinen Traugott die Kindheit heraufbeschwört, worin Wirklichkeit und Phantasie noch nicht auseinanderfallen.

III

Wieder ein Tag vorüber in der Einsamkeit der Dichtung!

Als Arnim im vierten Lebensjahrzehnt seine dichterische Meisterschaft erlangt hat,
schickt er sich an, seine innere Erfahrung in Werke zu gießen, welche die
Gräfin Dolores zwar nicht an Reichtum, aber an Ausdruckskraft bei weitem
übertreffen. Es sind die Jahre des Ehestands; Bettine ist nicht mehr das ferne,
lockende, ungewisse Wesen der vergangenen Jahre. Aus ihr ist geworden, was er
sich gewünscht hat: die vortreffliche Haushalterin auf seinem Herrschaftsgut.
Von 1814 an sieht er sich genötigt, seine entlegenen Besitzungen in Wiepersdorf
selbst zu bewirtschaften. Aus dem kraushaarigen Dichter, dem Gefährten und
Vertrauten des ruhelos umherschweifenden Clemens Brentano, wird der tüchtige
märkische Junker, der sich die umsichtige Verwaltung seiner ländlichen Güter
angelegen sein läßt. Dieses neue Leben beeinträchtigt seine literarische Tätigkeit
nicht im geringsten; im Gegenteil, es stärkt sein Selbstvertrauen und erlaubt ihm,
eine Romanwelt zu erschaffen, in die sich seine Einsichten und die ihn
beunruhigenden Gedanken restlos umsetzen, während sie noch in der *Gräfin
Dolores* die Gestalt der Erörterung oder des psychologischen Dokuments angenommen hatten. Die kurz nach der Verheiratung in Berlin entstandenen
Novellen projizieren die Geheimnisse, die der Dichter zunächst in sich selber
aufgespürt hatte, in die äußerste Welt, in leibhaftige Menschengestalten und
phantastische Begebenheiten. Arnim ist sich bereits bewußt, daß wir aus verschiedenen Wesen bestehen und daß uns das eine oder andere, sei es drohend, sei
es warnend, im Traum erscheint, manchmal aber auch in bestimmten unerwarteten Handlungen, über die wir selbst erschrecken, weil wir sie nicht mit unserem
vermeintlichen Ich vereinen können. Ja er hält künftig diesen Konflikt, dieses
Nebeneinander verschiedener Ordnungen der Realität für das Grundprinzip auch
des Universums. Alles, was uns an Unvorhersehbarem innewohnt, existiert auch
außerhalb unser und hat uns in seiner Gewalt. Dem Dichter aber ist es durch
das Wort gegeben, diese Geister zu rufen und zu beschwören.

Arnim hat ein eigentümlich modernes Gefühl für sein Künstlertum besessen. Wie
nur wenige Schriftsteller ahnte er etwas von einer unbekannten und doch sehr
realen Zauberwelt, die in uns selber verborgen liegt. Aber um an sie heranzukommen und sie aufzuschließen, genügte ihm keineswegs schon die Begeisterung
allein. Er hat kein Hehl aus seiner Überzeugung gemacht, daß der Künstler die
Kunst im Grunde als ein Spiel betreibe, über dessen Tragweite er nicht allzuviel
wisse. Der Schriftsteller ist nach seiner Auffassung weitgehend angewiesen auf

alles, was ihm – nicht in lyrischer Trunkenheit: vom eigengesetzlichen Wirken seines Geistes und der Sprache eingegeben wird. Da er die wahre Bedeutung seines Tuns nicht ermessen kann, glaubt er, es geschehe bloß um des Vergnügens willen, daß er Gestalten und Ereignisse erfindet, für die es im ‹wirklichen› Leben keine Vorbilder gibt. Aber obwohl Schöpfer einer sehr willkürlichen Wunderwelt, weiß der Dichter doch nie, wieviel selbständiges Leben seine Geschöpfe annehmen können. Man merkt es denn auch Arnim immer wieder an, daß ihn der Gedanke ängstigt, den Erzeugnissen seiner Kunst könnte unversehens eine gefährliche Realität zukommen. Einige seiner Erzählungen machen einen verstörenden Eindruck, aber nicht etwa weil wir befürchten, wir könnten den Gespenstern, die da beschrieben werden, eines Tages auf der Straße oder hinter einem Scheunentor oder nach einer Wegbiegung in die Hände laufen. Die Angst ist ganz anderer Art; sie packt uns etwa, wenn wir ganz unvermutet und plötzlich im Alltag allerlei Geschöpfe, Geister, Ungeheuer zu erblicken glauben, die wir aus bloßer Spielerei in Gedanken ausgeheckt haben. Bei Arnim staunt der menschliche Geist fortwährend über seine Fabuliergabe und stellt sich immer wieder beherzt der bangen Frage: *Und wenn am Ende das, was ich mir da einbilde, nicht ohne Folgen bliebe?* Wenn die Einbildung nicht einfach dieses sonderbare Dasein von Romanmenschen und Phantasiewesen zur Folge hätte, sondern ganz unvermutet ein Dasein ähnlich dem unsern, unabhängig von uns, wer weiß, sogar feindlich? – Wahrhaftig, welch tiefe Furcht des Menschen, als Demiurg aufzuwachen, verflucht und verdammt dazu, sich mit Wesen herumzuschlagen, die er selbst in die Welt gestellt hat!

Diese geistige Erfahrung, die der Verbreitung von Arnims Schriften abträglich war, ist bei einem Menschen mit einem so empfindlichen Gewissen das Resultat einer Übertragung: Die Furcht vor den Konsequenzen und vor der Verantwortung, wie sie sich ganz natürlich und allgemein bei den alltäglichsten Handlungen einstellt, überträgt sich hier auf das Wirken der poetischen Einbildung. Wissen wir denn, ob wir nicht, nur schon mit unsren Gedanken, unabsehbare Wirren und Umwälzungen anstiften, die sich unserer Macht entziehen? Ob nicht eine jede unserer Einbildungen draußen in der Welt eine Reihe von Verrückungen auslöst, die sich gegen uns kehren könnten?

Daher rührt Arnims Gefühl, als Künstler zu ‹spielen›, rührt seine Auffassung von der Kunst als einem zwar blinden, aber folgenreichen Tun, das den Künstler das Leben kosten kann. Nach seinen ersten Versuchen in der Dichtung berichtet er Brentano: «Es ist mir jetzt ernster geworden mit der Poesie, ich habe ihren Zauberklang gehört, aus ihrem Becher getrunken, und ich tanze nun, *wie es das unendliche Schicksal will,* gut oder schlecht, meinen Reihen herunter» [419, I, 32*]. Und im feierlichen Ton seiner Zeit, dennoch aber seinen Worten eine ganz persönliche Wendung gebend, verkündet er:

Alles geschieht in der Welt der Poesie wegen, die Geschichte ist der allgemeinste Ausdruck dafür, das Schicksal führt das große Schauspiel auf. [...] Nur wenige, und das sind die Poeten, werden genug begünstigt, daß ihnen die Arbeit ein Spiel wird [...]. Wer sich daher Poet nennt in diesem weitesten Sinne, der zeigt keinen Stolz, sondern die höchste Tugend an; er ist ein wahrer Märtyrer und Eremit, er betet und kasteiet sich für andere, damit sie das Leben haben. [38]

Und ein andermal, als ihm zu Ohren gekommen ist, daß sich Tieck abschätzig über seine Kunst geäußert habe:

Die arme menschliche Seele sehnt sich nach vielerlei vergebens, vielleicht auch nach der Poesie, vielleicht ist's doch nicht umsonst. Ansichten und Urteile sind das Unbedeutendste; jeder tue, was ihm notwendig *zu seinem Heile.* [316*]

Diese würdigen Äußerungen über die Poesie zeugen nicht nur von Bescheidenheit, sondern auch von tröstlicher Gewißheit: Arnim gehört zu jenen Dichtern, die wohl wissen, daß nicht sie allein die Autoren ihres Werks sind, die aber zugleich an dieses Werk die höchsten Hoffnungen knüpfen. Ohne nach Anerkennung und Ruhm zu streben, schaffen sie *Objekte,* nämlich Gedichte, Romane, Theaterstücke, denen sie ihren Wunsch nach Vollkommenheit und ihre Heilshoffnung anvertrauen. Paradoxerweise scheinen gerade diese Dichter oftmals der Meinung zu sein, ihr Schaffen vollziehe sich in einer Reihe von Gebärden, deren wirkliche Bedeutung ihnen selbst entgehe. Man darf aber nicht übersehen, daß sie von vornherein überzeugt sind, es gebe insgeheim eine solche unergründliche Bedeutung. Wenn sie ihre Kunst für etwas Handwerkliches ausgeben oder für ein Spiel, so halten sie sie immerhin für ein Spiel auf Leben und Tod. Und wenn sie sich ganz nur dem Klang und Anklang der Wörter, dem freien Reigen der Bilder, dem reinen Gebot des Rhythmus hingeben, so steht dahinter ihr Glaube, die wie zufälligen Gebilde solchen Spiels rührten irgendwo an eine Wirklichkeit, die mitten in unserer so andersartigen Welt heraufbeschworen werden könne.

Schon im *Ariel* rechtfertigt Arnim die stets wechselnde Zeitmessung seiner Prosa und seiner Verse mit dem Hinweis auf die leidenschaftliche Rede natürlicher, unverbildeter Menschen, auf deren mannigfaltige, ganz auf den Augenblick abgestimmte Formen. Denn, so sagt er, «Silbenmaß und Reim sind nicht bloß für das Ohr, sie sind die notwendigen Begrenzungen, die Pole, ohne welche alle Rede der Empfindung ins Unbestimmte, oder in Stummheit sich verliert» [417, 210ff.]. Das ist bei Arnim nicht etwa bloße Theorie – niemand war weniger Theoretiker als er. So kann er 1813, während er am Monsterwerk der *Päpstin Johanna* arbeitet, ganz kühl an Brentano schreiben: «Ich habe meine *Johanna* zu ungeheurer Dicke in gereimten Jamben fertig; da mir aber Reimer gesagt hat, daß Verse keinen sonderlichen Absatz haben, so wird täglich eine gewisse Zahl in Prosa zusammengezogen, aus Drama in Erzählung» [419, I, 307]. Es ist aber nicht einfach um der modischen Gunst des Publikums willen, daß er diesen sonderbaren Weg einschlägt. Sein Verfahren ist tiefer begründet, nämlich in der geheimen Überzeugung, daß die Gebärde des Schreibens, welche Form sie auch immer annehme, in und durch sich selber eine unermeßliche Tragweite besitzt, die jedenfalls weit über die Absicht des Dichters hinausreicht. Deshalb kann er ein andermal behaupten: «Es gibt keine Poesie, die man nicht ebenso wie die Maler ihre Gruppen nach der Beleuchtung des Orts verändern könnte, ohne in die Bedeutung des ganzen Bildes einzugreifen» [234f.]. Denn diese Bedeutung hängt gar nicht vom überlegten Eingriff des Dichters ab. Ihm bleibt nur eins: sich dem hinzugeben, was mit ihm geschieht, und dafür wird ihm das «unendliche Schicksal» gewähren, daß seine Feder ein oder das andere Fragment der letzten und höchsten Wirklichkeit festhält. Von hier bis zum Gedanken, das ästhetische Schaffen sei völlig der Willkür anheimgegeben, ist es nur noch ein Schritt, den spätere Dichter vollziehen werden.

Aber die entscheidende, immer und immer wieder auftauchende Frage lautet für Arnim und letztlich für jeden wahrhaften Dichter: *«Was wir schaffen, gehört es uns?»* [418, III, 410] Diese Beunruhigung über die Bedeutung des Schaffensaktes und über seine möglichen Folgen kommt, wenn auch durch mehrfache Spiegelung kompliziert, in einer 1826 erschienenen Erzählung zur Sprache: in den *Holländischen Liebhabereien*. Ein junger Dichter verfaßt eine Tragödie nach der Sage von Ikarus. Ikarus und Protea haben sich, ohne einander zu kennen, im Traume gesehen. Daraufhin begibt sich Ikarus mit seinem Vater auf die Suche nach der Geliebten, aber die «Glut seines Herzens» zerschmilzt seine Flügel. Das Meer wirft seine Leiche vor Proteas Füße, und sie erkennt im Leichnam die geliebte Gestalt ihres Traumes. Genauso begegnet nun dem jungen Dichter jene Protea, von der sein Held geträumt, im wirklichen Leben. Und Arnim beteuert:

Der Glaube des Erfinders an etwas noch *Unerschaffenes,* das er zu Tage fördern, warum er sich in den Abgrund stürzen, und mit ganzer Seele dem Chaos sich hingeben müsse, ist etwas sehr Heiliges, und darum auch so leicht verletzlich, seine Wunden so schwer zu berühren, und darum so schwer zu heilen, daß besonders die Poeten nicht mit Unrecht ein zorniges Geschlecht genannt werden. [373]

Nirgends aber hat Arnim, dem Dichtung heilige Offenbarung und Fluch zugleich ist, ein so ergreifendes Bekenntnis von seiner dichterischen Grunderfahrung abgelegt wie in der erstaunlichen *Einleitung* zu den *Kronenwächtern*. Was unter dem Titel *Dichtung und Geschichte* auf diesen paar Seiten steht, ist aus innerstem Herzen gesprochen, und wir tun gut daran, es Satz für Satz ernst zu nehmen. Mit würdiger Zurückhaltung und ohne je sich selber in den Vordergrund zu rücken, weiht uns Arnim ins Geheimnis seines Dichtertums ein, indem er, in der einsamen Gemächlichkeit seines Landlebens, an einer Meditation fortspinnt, deren Eindringlichkeit keinen Augenblick nachläßt. Wieder spüren wir dieselbe Beunruhigung über den Wert des schöpferischen Einsatzes und über die letzten –

göttlichen oder dämonischen? – Gründe des ästhetischen Werkes; und dem
antwortet ein in keiner Weise dünkelhaftes, ein unerschütterliches Vertrauen in
die Poesie, die eine privilegierte Stellung zugewiesen bekommt und zum Heiligtum wird, worin das, *was wir suchen,* mit dem, *was uns sucht,* ein Gespräch
führt, das in alle Ewigkeit nie abreißt. Es ist dies genau jene Erfahrung, aus der
Dichter von Novalis bis Rimbaud die Einsicht empfangen, daß sie ‹Seher› höherer
Art seien. Und wenn Arnim am Schluß der Einleitung sagt, Leidenschaft mache
den Dichter nicht aus, so mag man sich der verwandten Feststellung Paul
Valérys erinnern: «L'enthousiasme n'est pas un état d'âme d'écrivain» – aus
Enthusiasmus zu dichten ist unwürdig –, eine Überzeugung, die uns bereits aus
Klingsohrs Ratschlag bekannt ist: «Der junge Dichter kann nicht kühl, nicht
besonnen genug sein» (S. 239).

Wir können es uns nicht versagen, diese Einleitung im vollen Wortlaut wiederzugeben, denn selten ist so trefflich von der Dichtung gesprochen worden.
Arnim, an ununterbrochenes Meditieren gewöhnt, überspringt wie immer
gedankliche Überleitungen, die für den Leser lediglich eine logische Verbindung
schaffen würden. Er hält sich an die verborgenen Bezüge von Gedanken und
Bildern und kümmert sich wenig um Widersprüche, die sie an und für sich
enthalten. Schon die ersten Sätze rufen in uns die Vorstellung vom Dichter
wach, wie er von seiner Arbeit aufschaut, den Blick durchs Fenster gleiten
läßt und dann das vertraute Treiben auf seinem Landgut gewahr wird. Wir
begreifen von hier aus besser, warum in seinem Werk so selten Landschaften
beschrieben werden: Die Felder und Wälder, die er andauernd vor Augen hatte,
gingen bei ihm unmittelbar in die Kontemplation ein. Daß ihm der Sinn ganz
danach steht, aus dem Herzen zu sprechen, spürt man vom ersten Wort an:

Wieder ein Tag vorüber in der Einsamkeit der Dichtung! Die Glocke läutet Feierabend, und die
Pflüger ziehen heim mit dem Gespann, führen und tragen behaglich die Kinder, die ihnen
entgegen gegangen, und freuen sich ihrer Mühe in der Ruhe.

Dann wird das Tagewerk des Landmanns beschworen, mit seiner tiefen Notwendigkeit, seiner Gesetzmäßigkeit, seiner Abhängigkeit von der Sonnenbahn, mit
seiner unbewußten Richtigkeit und Gerechtigkeit. Wie gefährdet ist demgegenüber das Wirken des Geistes!

Die Sonne und der Pflüger kennen einander und tun beide vereint das Ihre zum Gedeihen
der Erde. Fest fortschreitend, von allen geschätzt und geschützt, sehen wir die Tätigkeit, die
sich zur Erde wendet [...].

Die Zerstörung kommt von der Tätigkeit, die sich von der Erde ablenkt und sie noch zu
verstehen meint. Aber nach Jahrhunderten der Zerstörung erkennen die einwandernden An-
bauer des Walds mit Teilnahme die Unvergänglichkeit der Ackerfurchen und Grundmauern
untergegangener Dörfer und achten sie als ein wiedergefundenes Eigentum ihres Geschlechts,
das der Gaben dieser Erde nie genug zu haben meint.

Gleichgültig werden daneben die aufgefundenen Werke des Geistes früherer Jahrhunderte als
unverständlich und unbrauchbar aufgegeben, oder mit sinnloser Verehrung angestaunt. [...]

Wer mißt die Arbeit des Geistes auf seinem unsichtbaren Felde? Wer bewacht die Ruhe seiner Arbeit? Wer ehrt die Grenzen, die er gezogen? Wer erkennt das Ursprüngliche seiner Anschauung? Wer kann den Tau des Paradieses von dem ausgespritzten Gifte der Schlange unterscheiden?

Kein Gesetz bewacht Geisteswerke gegen Frevel, sie tragen kein dauerndes, äußeres Zeichen, müssen in sich den Zweifel dulden, ob böse oder gute Geister den Samen ins offene Herz streuten; ja die anmaßende Frömmigkeit nennt oft böse, was aus der Fülle der Liebe und Einsicht hervorgegangen ist.

Der Arbeiter auf geistigem Felde fühlt am Ende seiner Tagewerke nur die eigene Vergänglichkeit in der Mühe und eine Sorge, der Gedanke, der ihn so innig beschäftigte, den sein Mund nur halb auszusprechen vermochte, sei wohl auch in der geistigen Welt, wie für die Zeitgenossen untergegangen.

Aber dem Zweifel des Geistes an seinem eigenen Tun folgt in ganz unvermittelter Wendung des Gedankengangs das gläubige Bekenntnis zu seiner Wirksamkeit.

Diese härteste aller Prüfungen öffnet ihm das Tor einer neuen Welt. Indem er diese geistige Welt gleich der umgebenden als nichtig und vergänglich aufgibt, da fühlt er erst, daß er nicht hinaus zu treten vermag, daß sein ganzes Wesen nicht nur von ihr umgeschlossen, sondern, daß sogar außer ihr nichts vorhanden sei, daß kein Wille vernichten könne, was der Geist geschaffen. Darum sei uns lieb diese träumende Freude und Sorge aller schaffenden Kräfte als ein Zeichen der höheren Ewigkeit, in die sich der Geist arbeitend versenkt und der Zeit vergißt, die immer nur weniges zu lieben versteht, alles aber fürchten lernt und mit Ängstlichkeit dingt, was mitteilbar sei, oder was verschwiegen bleiben müsse. Das Verschwiegene ist darum nicht untergegangen, töricht ist die Sorge um das Unvergängliche.

Aber der Geist liebt seine vergänglichen Werke als ein Zeichen der Ewigkeit, nach der wir vergebens in irdischer Tätigkeit, vergebens in Schlüssen des Verstandes trachten, auf die uns der Glaube vergebens eine Anwartschaft gäbe, wenn sie nicht die irdische Tätigkeit lenkte, das Spiel des Verstandes übte, und dem Glauben aus der tätigen Erhöhung in Anschauung und Einsicht beglaubigt entgegenträte.

Die Demut, mit der er diese Überzeugung vorträgt, inspiriert dann den Dichter zu einer Warnung vor der Götzendienerei seiner Zeit, und es will uns scheinen, als habe er damit bereits geahnt, was sich erst recht in unseren Tagen erfüllen sollte. Schließlich, wie er sich von diesen Irrtümern abwendet, kommt er zum Schluß, daß die Wahrheit der Dichtung höherer Art sei als die Wahrheit der Geschichte.

Nur das Geistige können wir ganz verstehen und wo es sich verkörpert, da verdunkelt es sich auch. Wäre dem Geist die Schule der Erde überflüssig, warum wäre er ihr verkörpert, wäre aber das Geistige je ganz irdisch geworden, wer könnte ohne Verzweiflung von der Erde scheiden. Dies sei unserer Zeit ernstlich gesagt, die ihr Zeitliches überheiligen möchte mit vollendeter, ewiger Bestimmung, mit heiligen Kriegen, ewigen Frieden und Weltuntergang.

Die Geschicke der Erde, Gott wird sie lenken zu einem ewigen Ziele, wir verstehen nur unsere Treue und Liebe in ihnen und nie können sie mit ihrer Äußerlichkeit den Geist ganz erfüllen. Die Erfahrung müßte es wohl endlich jedem gezeigt haben, daß bei dem traurigsten, wie beim freudigsten Weltgeschicke ein mächtigeres Gegengewicht von Trauer und Freude uns selbst verliehen ist, daß sich alles in der Kraft des Geistes überleben läßt und in seiner Schwäche uns nichts zu halten vermag.

Es gab zu allen Zeiten eine Heimlichkeit der Welt, die mehr wert in Höhe und Tiefe der Weisheit und Lust, als alles, was in der Geschichte laut geworden. Sie liegt der Eigenheit des Menschen zu nahe, als sie den Zeitgenossen deutlich würde, aber die Geschichte in ihrer höchsten Wahrheit gibt den Nachkommen ahndungsreiche Bilder

Wir nennen diese Einsicht, wenn sie sich mitteilen läßt, *Dichtung,* sie ist aus Vergangenheit in Gegenwart, aus Geist und Wahrheit geboren. Ob mehr Stoff empfangen, als Geist ihn belebt hat, läßt sich nicht unterscheiden, der Dichter erscheint ärmer oder reicher, als er ist, wenn er nur von einer dieser Seiten betrachtet wird; ein irrender Verstand mag ihn der Lüge zeihen in seiner höchsten Wahrheit, wir wissen, was wir an ihm haben und daß die Lüge eine schöne Pflicht des Dichters ist.

Auch das Wesen der heiligen Dichtungen ist wie die Liederwonne des Frühlings nie eine Geschichte der Erde gewesen, sondern eine Erinnerung derer, die im Geist erwachten von den Träumen, die sie hinüber geleiteten, ein Leitfaden für die unruhig schlafenden Erdbewohner, von heilig treuer Liebe dargereicht. Dichtungen sind nicht Wahrheit, wie wir sie von der Geschichte und dem Verkehr mit Zeitgenossen fordern, sie wären nicht das, was wir suchen, *was uns sucht,* wenn sie der Erde in Wirklichkeit ganz gehören könnten, denn sie alle führen die irdisch entfremdete Welt zu ewiger Gemeinschaft zurück.

Nennen wir die heiligen Dichter auch Seher und ist das Dichten ein Sehen höherer Art zu nennen, so läßt sich die Geschichte mit der Kristallkugel im Auge zusammenstellen, die nicht selbst sieht, aber dem Auge notwendig ist, um die Lichtwirkung zu sammeln und zu vereinen; ihr Wesen ist Klarheit, Reinheit und Farbenlosigkeit.

Der Schluß dieser großartigen Einleitung kann geradezu als Definition von Arnims gesamtem Werk dienen, einem Werk, das aus der Fülle der Erfahrung schöpft, aber sich doch davon gelöst hat, das immer wieder aus den Quellen eigenen Erlebens gespeist, aber vom Dichter auf eine höhere Ebene gehoben wird.

Nur darum werden die eignen unbedeutenden Lebensereignisse gern ein Anlaß der Dichtung, weil wir sie mit mehr Wahrheit angeschaut haben, als uns an den größern Weltbegebenheiten gemeinhin vergönnt ist. Das Mittätige und Selbstergriffene daran ist gewiß mehr hemmend als aufmunternd, denn Heftigkeit des Gefühls unterdrückt sogar die Stimme, weil diese sie zum Maß der Zeit zwingt, wie viel weniger mag sie mit der trägen Pflugschar des Dichters, mit der Schreibfeder zurecht kommen.

Die Leidenschaft gewährt nur, das ursprünglich wahre, menschliche Herz, *gleichsam den wilden Gesang des Menschen,* zu vernehmen und darum mag es wohl keinen Dichter ohne Leidenschaft gegeben haben, aber *die Leidenschaft macht nicht den Dichter,* vielmehr hat wohl noch keiner während ihrer lebendigsten Einwirkung etwas Dauerndes geschaffen und erst nach ihrer Vollendung mag gern jeder in eignem oder fremden Namen und Begebenheit sein Gefühl spiegeln.

(Hervorhebungen und Absätze von A. B.)

IV

Dichtungen wären nicht das, *was wir suchen,* WAS
UNS SUCHT, wenn sie der Erde in Wirklichkeit ganz
gehören könnten.

Das Absonderliche und Wunderbare in Arnims Werken wie auch die Träume,
durch die es sich oftmals offenbart, beides ist auf den einen, unverwechselbaren
Grundton des geistigen Dramas gestimmt, das ihm unablässig zu schaffen machte.
Das Traumhafte und Phantastische ist für ihn nie eine Welt für sich, wohin ihn
jeweils ein verborgenes Heimweh entführte und die er um ihres Schwebenden,
Luftigen, Schillernden, Wechselnden willen liebte. Zwischen der Ebene all-
täglicher Vorkommnisse und der Ebene all des Zauberhaften, des Wunderbaren,
der Phantasien und Hirngespinste gibt es kaum einen spürbaren Unterschied,
weder in der Schwere und Dichte noch im Atmosphärischen. Das Geschehen
höherer Ordnung scheint durchaus aufzugehen im gewohnten Lebensgang und
sich in nichts davon zu unterscheiden, höchstens durch den unerklärlichen
Schauder, den es uns immer wieder einflößt. Die absonderlichen und wunderbaren Begebenheiten in Arnims Erzählungen, gleichviel ob bedrohlich oder
glückhaft, ob von teuflischem oder göttlichem Eingriff zeugend, haben immer
wieder eine ganz eigenartige Wahrscheinlichkeit für sich: Sie wirken um nichts
gekünstelter als die natürlichsten Ereignisse und Handlungen, denn die einen wie
die andern tragen sich in einem Bereich zu, wo das Imaginäre aus dem wirklichen
Leben hervorzugehen scheint, indes alle Wirklichkeit sich poetisiert und vergeistigt.

*Es erschien überall durch den Bau dieser Welt eine höhere, welche den Sinnen nur in der Phantasie
erkenntlich wird: in der Phantasie, die zwischen beiden Welten als Vermittlerin steht, und immer
neu den toten Stoff der Umhüllung zu lebender Gestaltung vergeistigt, indem sie das Höhere verkörpert.* [418, III, 63 f.]

Dies Hereingleiten des Imaginären in die Wirklichkeit löst in den Erzählungen
das eigentliche Arnimsche Unbehagen aus. Ob es sich, wie in der *Gräfin Dolores,*
um Automaten handelt, um diese «fühllosen Maschinen, die, vom Menschen
geschaffen, leicht die Obergewalt über ihn bekommen könnten» [I, 274], oder,
in *Melück Maria Blainville,* um eine furchtbare Gliedergruppe – man spürt
dieselbe Beklommenheit. Arnim war der erste, der von derlei Ausgeburten der
Phantasie umgetrieben wurde; an Vergleichbarem findet sich unter allen phantastischen Gestaltungen der Epoche nichts. Auch E.T.A.Hoffmann ist nicht bis zu
dieser Art des Wunderbaren gelangt, das uns einen solch eisigen Schauder über
den Rücken jagt; seine Gespenster, seine Vampire, seine Doppelgänger sind der
Fieberglut, sind feuriger Erregung entsprungen. Nicht so die Angstträume, in
die uns Arnim hineinführt; darin herrscht gleichsam eine andere Temperatur. Es

scheint, zu ihrer Erschaffung habe es des Feuers überhaupt nicht bedurft. Sie bewahren immer etwas Künstliches, Berechnetes, besitzen aber dennoch eine vollkommen überzeugende Wirklichkeit. Man sieht sie nicht aus der Nacht auftauchen, als kämen sie von selber aus einer andern Welt, wo sie im Verborgenen ein Leben für sich geführt hätten. Man erlebt ihre Erzeugung mit; sie gehen aus präzis ausgeführter Zauberei hervor, sind das Ergebnis ganz bewußter, methodischer, menschlicher Praxis, deren Rezepte alten Zauberbüchern entnommen werden können. Und insofern gleichen sie Arnims Kunst.

In der *Isabella von Ägypten*, der besten von Arnims Erzählungen, besitzen die wichtigsten Symbole gleichzeitig mehrere Bedeutungen, die sich auf die Themen seines Lebens und seines Denkens beziehen. Die wesentlichen Motive – Wechselhaftigkeit des Herzens, Teufelei im Menschenwerk – erfahren eine bisher unbekannte Vertiefung. Die Doppelheit oder, schlimmer noch, die Doppelzüngigkeit des Menschen nimmt die Gestalt des *Golems* an: einer Tonfigur, die Isabella nachgebildet ist und an deren Stelle tritt. Der junge Erbprinz Karl, nachmals der Fünfte, fällt der Täuschung zum Opfer und hängt sich in feuriger Liebe an die Doppelgängerin, die wohl über das Wissen und die Liebesgedanken des Urbildes verfügt, im übrigen aber ein teuflisches Gemüt hat und von einer höheren Welt nichts weiß. Aber die unwiderstehliche Begierde zu diesem Geschöpf, das er für die wahre Geliebte hält, macht den Prinzen stutzig. Er vermag darin sein eigenes Empfinden nicht wiederzuerkennen, denn diesmal verlangt es ihn nach «etwas Bestimmtem, etwas Möglichem», während seine Traumliebe «sich vielleicht ins Unendliche traumartig ausblühte». Ihm, wie noch vor kurzem Arnim selber, scheint nun «das Wesenlose, das Ungewisse in jenen hohen Freuden leer und verächtlich gegen diesen erkannten Sieg seiner Sinne» [II, 528f.]. Sein Herz ist von zweierlei Liebe besessen; die eine, göttliche ist ihrem Wesen nach unstillbar, die andere trägt wohl das flüchtige Glück loser Vergnügungen ein, aber nur in Gesellschaft eines von Menschenhand verfertigten und vom Grauen des Teufelswerks umwitterten Geschöpfes.

Die beiden Ängste, die Arnim immer wieder bedrängen, treten also vereint auf; denn – das *Mandragora*thema zeigt es noch deutlicher als das des *Golems* – die Novelle zeugt durchwegs von einem geheimen Schauder des Menschen vor seiner Hände Werk. So wie uns die Liebe aufs höchste zu läutern und zu veredeln oder aber zutiefst zu erniedrigen vermag, so können menschliche Kunstfertigkeit und menschliches Schaffen zugleich für beiderlei bürgen: für ein Streben nach Höchstem wie für eine teuflische Lockung. Nachdem Bella den Prinzen auf seinem Nachtlager überrascht hat und in glühende Liebe entbrannt ist, geht sie, um sich mit diesem Zaubermittel seinen Anblick wieder verschaffen zu können, eine Alraunwurzel ausreißen. Sie verhilft der geheimnisvollen Mandragora zu menschlicher Gestalt, und nun ergeht es ihr genau so wie

der Gräfin Dolores, als diese der Untreue verfiel: Sie hängt sich mit so inniger
mütterlicher Zärtlichkeit an dies scheußliche Galgenmännlein, daß darüber die
Erinnerung an den Prinzen völlig erlischt. Allein der Traum, diese Zufluchts-
stätte all der tiefen Gedanken, die im Verborgenen fortleben, hegt die Glut der
früheren Liebe weiter, bis sie eines Tages neu aufflammen kann. Aber zur
Falschheit der Dolores kommt bei Bella ein Weiteres hinzu: das Drama des
Erschaffens, der Schöpfung; Bella verfällt dem Glauben, ihre Liebe zum kleinen
Wicht sei etwas weit Besseres als die einstige Liebe zum Prinzen:

> Es ist das Heiligste, *diese Anhänglichkeit an alles, was wir schaffen,* und ruft uns, während wir
> vor den Häßlichkeiten der Welt, und unsren eignen erschrecken, die Worte der Bibel in die
> Seele: «Also hat Gott die von ihm geschaffene Welt geliebet, daß er ihr seinen eingebornen
> Sohn gesendet hat». [471*]

Arnim scheut nicht davor zurück, den Wortlaut des Johannesevangeliums ein
wenig zu verändern, indem er hinzufügt: «von ihm geschaffen», um zu verdeutlichen, wie er das Bibelwort verstanden haben möchte.

Schon bald aber rächt sich das Geschöpf und wendet sich teuflisch gegen
seinen Schöpfer. Nachdem sich der Kleine eine verrostete Brille aufgesetzt hat,
erschrickt Bella vor ihm «wie eine überwiesene Sünderin» [474], und als sich das
Mädchen des kleinen Teufels zu entledigen versucht, hält er ihr entgegen:
«Du kannst mich nicht zerstören, wie du mich leichtsinnig spielend geschaffen
hast» [511].

Traum und Wirklichkeit vermischen sich in dieser Erzählung außerordentlich
leicht. Nicht nur lebt Isabella zwei Leben, indem sie sich entgegengesetzten
Neigungen und Empfindungen hingibt, auch die Welt um sie herum gleicht in
allem bald ihren Träumen, bald der Wirklichkeit des Alltags. Gleich schon beim
ersten Auftritt erfährt die junge Zigeunerin, nachdem sie im Traum ihren Vater
auf einem hohen Thron in Ägypten gesehen, er habe auf dem Hochgericht sein
Leben lassen müssen. Daraufhin deutet sie den Traum mit einem der Wortspiele,
deren Bedeutung für das Traumleben die romantische Psychologie genau gekannt hat: Ihr Vater ist allerdings «in den Himmel erhöht» worden, und das
sollte ihr mit dem Bild vom Thron kundgetan werden. Am Abend, als sie
beim Mondschein das Totenmahl in den Bach schütten will, kommt der tote
Vater dahergeschwommen, auf seinem Haupte die Krone. Sie glaubt, er lebe
noch, und will ihn aus dem Wasser ziehen, indes sie vom schwarzen Hund am
Rocke festgehalten wird. Bei diesem gespenstischen Anblick bricht die alte
Braka, ihre Weggefährtin, in ein schrilles Gelächter aus, «ungeachtet es ihr sehr
zu Herzen ging und sie nicht von Herzen, sondern nur mit dem dürren Munde
wie ein Hungernder lachen mußte» [457].

Wenig später übernachtet Prinz Karl im verwunschenen Hause der beiden
Zigeunerinnen, um eine Mutprobe gegen die Gespenster zu bestehen; als ihn
Bellas Kuß aus dem Schlafe weckt, erschrickt er zu Tode und wird «von tausend

Phantomen seines Traumes, wie mit glühenden Kugeln umstürmt», worauf Arnim zu bedenken gibt:

Solch ein Grauen wohnt in der Tiefe des hochmütigsten Menschen vor der unnennbaren Welt, die sich nicht unsern Versuchen fügt, sondern uns zu ihren Versuchen und Belustigungen braucht. [461 f.]

Der Traum erscheint also in seiner ganzen Abenteuerlichkeit als derjenige Bereich, wo wir, eher als im Alltag, rings um uns herum das Wirken geheimnisvoller Kräfte spüren, die uns lenken und beherrschen. Er ist aber auch das Heiligtum, in dem Bella die Verheißung ihrer hohen Sendung zuteil wird: Es erscheint ihr darin der Vater, um ihr zu verkünden, sie sei gesegnet, ein Kind zu tragen, welches das Zigeunervolk einst heimführen werde [519f.]. Und bald darnach sieht sie ein Kind in ihrem Schoße, das dem Erzherzog gleicht und vor dem sich zahlreiche Völker beugen [535].

Auch Erzherzog Karl versinkt an Isabellas Seite in einen schönen Traum. Darin sieht er alle Völker der Erde ihm huldigen, während er selbst die spanischen Großen an prachtvollen Goldketten hinter sich herzieht. Dann jedoch wacht er am Licht des Tages auf, das stets die trügerische Wirklichkeit nächtlicher Gesichte zu zerstören scheint; Arnim führt den Gedanken weiter:

Wer spinnt aber im Innern unsres Hirnes? Der die Sterne im Gewölbe des Himmels in Gleichheit und Abwechslung bewegt! [549]

Der Traum ist das Werk derselben Hand, welche die Welt regiert und die Geschicke der Menschen lenkt; und eben darum ist er prophetisch. Im Sterben noch versinkt Bella in ein «freudiges Anschauen»: Inmitten fabelhafter Lande steigen glänzende Paläste auf und verheißen ihr Macht und Herrlichkeit ihres Sohnes, der sein Volk einer schönen, gesicherten Zukunft entgegenführen wird. Und diese Verheißung ist wahrhaftig, denn «was in reiner Seele die Begeisterung eines Augenblickes tut, bleibt ihr notwendiges Gesetz in Ewigkeit». [555f.]

Die Majoratsherren (1820) besitzen weder die Anmut gewisser Episoden der *Isabella* noch dieselbe Größe im Phantastischen; von den natürlichen Beziehungen, die sich dort zwischen dem Traum, den grauenhaften künstlichen Figuren und der rührenden Einfalt der Heldin ganz von selber einstellen, finden wir hier nichts. Einzelne Szenen sind von einer morbiden Schauerlichkeit, aber die Novelle ist vor allem psychologisch sehr interessant. Arnim wendet sich wieder der Erforschung des Unbewußten zu, freilich bereichert um all die aus der Arbeit an seinen phantastischen Schriften gewonnenen Einsichten in die Bezüge zwischen Phantasie und sinnlich gegebener Wirklichkeit, und untersucht hier systematisch einen seltsamen Fall von Gedankenübertragung und von Projektion innerer Bilder in die Außenwelt. Alles ist durch die Halluzinationen eines Menschen gesehen – des Majoratsherrn –, der sich eine besondere Fähigkeit des Sehens errungen hat; er sieht nämlich in einer Art von magnetischem Hellsehen die Gestalten seiner Phantasie, ja selbst die aus den Träumen anderer leibhaftig im Raum erscheinen. Von seinem Fenster aus beobachtet er im Haus gegenüber die junge Esther, und dann im Traum sieht er sie als Todesengel. Als er sie tags darauf spricht, kommt sie ihm aufs neue so vor, und von Stund an erinnert ihn alles an dies eine Bild. Das Seltsame am Rapport zwischen diesen beiden Menschen bricht aber erst dann ganz auf, als Esther am zweiten Abend auf ihrem Zimmer eine imaginäre Teegesellschaft empfängt, mit der sie sich unaufhörlich in allen Sprachen unterhält; der Majoratsherr erblickt die geisterhaften Gestalten tatsächlich, sobald die junge Gastgeberin sie nennt oder in ihrem Namen spricht. Und welch kaltes Entsetzen packt ihn, als Esther nun auch sein Kommen ankündigt! Er fürchtet, sich selbst so eintreten zu sehen wie die andern Gäste; ihm ist, «als ob er wie ein Handschuh im Herabziehen von sich selbst umgekehrt würde» [50f.]. Er tritt jedoch im Zimmer gar nicht in Erscheinung; es ist Esther, die das Wort für beide führt, die fragt, antwortet, schweigt, fleht und Geheimnisse enthüllt, und das alles in einer unheimlich beklemmenden Atmosphäre. Am folgenden Tag veranstaltet sie vor den Augen des Spähers einen Maskenball mit großem Aufgebot an grotesk verkleideten Gestalten, wobei die seltsamsten Kunststücke vorgeführt werden. Und am vierten Abend erfüllt sich, was der Majoratsherr gleich anfangs geträumt hat: Der Todesengel beugt sich in Gestalt einer alten Jüdin über Esther nieder und erwürgt sie. Er selbst nimmt einen Sprung ins Zimmer hinüber, leert den Becher, in dem der Engel sein Schwert wusch, und stirbt.

Die Novelle löst ein eisiges Panikgefühl aus. In einer Glanzleistung bringt es Arnim fertig, all diesen Luftbildern ‹natürliche› Erklärungen nachzuschicken, ohne aber die beängstigende Ungewißheit zu vermindern, die auch so über allem schwebt. Mit unerhörter Deutlichkeit führt uns der Erzähler dasjenige menschliche Drama vor Augen, das ihn zeitlebens am heftigsten geängstigt und umgetrieben hat: Da entstehen im Geist irgendwelche seltsame Bilder und Vorstellungen, unmerklich entgleiten sie seiner Kontrolle, ja sie führen bald ein völlig unabhängiges Dasein und wirken am Ende gar unheilvoll auf ihren Urheber zurück.

Der breit angelegte Roman *Die Kronenwächter* – der erste Band erschien 1817, der zweite blieb im Entwurf liegen – steht den Novellen an Phantastik nicht nach. Mit großer Beschwörungskraft werden das deutsche Mittelalter und die Renaissance zu neuem Leben auferweckt; getreu seiner Auffassung, daß der Dichtung zustehe, Geschichte zu erfinden, hat Arnim jedoch in seine Erzählung manche Elemente eingefügt, die aufs neue erkennen lassen, was seinen Geist in Unruhe hielt. Im ersten Band, der von den Abenteuern Ritter Bertholds, eines Abkömmlings der Hohenstaufen, handelt, sind die Träume selten; fast alle sind

prophetisch und verbinden sich mit andern bedeutsamen Zeichen, um die Roman-
figuren ihrer Bestimmung zuzuführen. Über Jahre hin treten darin, ratschlagend
oder drohend, dieselben geheimnisvollen Gestalten auf. [I, 548f./611/627f./728]

Der zweite Band, der den ersten an Lebensfrische und Empfindungsreichtum
weit übertrifft, enthält Träume von ganz anderer Tragweite. Und auch sonst
stößt man in diesen Entwürfen, die vom Leben des Malers Anton erzählen –
auch er ein alter Hohenstaufe –, auf etliche Lieblingsthemen Arnims. Die Gestalt
der gefährlichen Frau, die ihre Liebe teilt, erscheint wieder in der Person Annas,
der Witwe Bertholds, in welcher die rohe Natur allmählich die Oberhand gewinnt
über den ursprünglichen Seelenadel. Ihre Verkommenheit, ihr gemeines Gezänk
mit Anton, ihrem zweiten Gemahl, die schreckliche Züchtigung, die ihr vom
Schicksal auferlegt wird, als ihr Jüngster den Erstgebornen, ihr Lieblingskind,
ersticht und stolz erklärt, er habe «das Schwein recht schön geschlachtet»
[911ff.]: All das ist von einer so grausamen Tragik, wie sie Arnim sonst nie
erreicht hat. In der Schwerblütigkeit Antons findet sich jedoch alles zusammen,
was zum Dualismus anderer Arnimscher Gestalten gehört. In seiner Leiden-
schaftlichkeit eine rechte Landsknechtnatur, im verborgenen aber von einem
Edelmut, von dem er sich selber erst spät Rechenschaft gibt, schreitet er von
Verbrechen zu Verbrechen, von Mißlingen zu Mißlingen, von Wunder zu
Wunder der Offenbarung seiner wahren Berufung und seiner hohen Bestimmung
entgegen.

Wie zu erwarten, sind ihm, Anton, die offenbarenden Träume und geheimnisvollen Erscheinungen vorbehalten. Wie alle Figuren, die in Arnims Gunst stehen,
lebt er fortwährend zwischen zwei Welten, die sich in und außer ihm in unaufhörlichem Widerstreit befinden. Seine zwei Seelen gewinnen äußere Wirklichkeit,
sie projizieren sich so gut in Menschen aus Fleisch und Blut wie in Gespenster
oder in Traumbilder. Mit seiner ganzen irdischen Leidenschaft ist er seiner Frau
zugetan, und auch dann, wie er sich als Landsknecht durch die Fremde schlägt,
bewahrt er ihr eine Art von verzweifelter Treue. In rächender Wut legt er eines
Tages gemeinsam mit andern Soldaten ein Dirnenhaus in Trümmer und rettet
daraus ein junges Mädchen, ohne zu ahnen, daß es ihn zum lichten Teil seiner
selbst zurückführen werde. Diese Susanna bleibt, einzige engelhafte Frauengestalt
in Arnims Werk, ziemlich unwirklich. Sie hätte sich am Schluß des Buches mit
Anton vermählen sollen. Schenkt man einer Notiz Arnims Glauben, so wäre diese
Vereinigung aber ganz mystisch geblieben:

Anton findet beim Erwachen Susannen nicht mehr und glaubt sie aufgeküßt zu haben, sie
spricht in ihm, aus ihm. Preis der Liebe des Alters, der reinen geistigen und ihrer ewigen
Lust. [1045]

Der Traum hätte so das Leben in sich aufsaugen, die Welt der Reinheit hätte
die schwer lastende Wirklichkeit auflösen sollen.

Aber im Verlauf des Romans bleibt Anton immerfort geteilt zwischen der engelhaften Susanna und einer «zärtlichen Gestalt» seiner Träume, die bald Susannen, bald andern Frauen zu gleichen scheint. Sie ist das sichtbare Bild irdischer Lockungen, die von Anton nicht ablassen wollen, und als solches taucht die «reizende Nachtgestalt» in seinen Träumen, ja zuweilen auch im Wachen auf und zeigt ihm die Abwege, die sein anderes dunkles Ich insgeheim einzuschlagen begehrt.

Für Anton, der – wie die Gräfin Dolores – in seinem Wesen gespalten ist und Erinnerungen verlieren und wiedererlangen kann, gewinnt der Traum aber noch eine besondere Bedeutung. Als er einmal, von einem Gewehrschuß nieder-gestreckt, in Ohnmacht liegt, träumt er, wie immer bei Verwundungen, von einer vergessenen Episode aus früher Zeit, und so steigt die Erinnerung der Kindheit auf. Daran ist eine Figur geknüpft, der man bei Arnim oft begegnet: die des geliebten, aber treulosen Jugendgespielen. Und wieder in einem Traum entdeckt er die Mordlust, die er angesichts des wiedergefundenen Gefährten unbewußt in sich nährt. [840 ff./953 ff.]

Am Schluß des ausgeführten Romanteils läßt sich Anton von seinem «zärtlichen Gespenst» in den Wald locken. Dort schläft er an der Seite seiner Frau ein, die gekommen ist, ihn wieder an sich zu ziehen, nachdem sie vor langem ver-flucht. Als die Sonne aufgeht, träumt Anton, er falle in eine Höhle, die bis in den Kern der Erde gehe; wie er erwacht und das Symbol seiner Verkommenheit neben sich erblickt, erdolcht er Anna und löscht mit diesem letzten Verbrechen die Blutschuld, die auf seinem Geschlecht gelastet hat. [1020 ff.]

Nach Arnims Absicht sollten diese Träume, wie alle geheimnisvollen Begeben-heiten und Winke in diesem Roman, eine besondere Bedeutung haben: Das Schicksal oder irgendeine Schutzgottheit ließe dadurch den Menschen ihren Willen kundtun. Die Begünstigten hörten darauf, als seien es Ratschläge, die ihnen von den Urahnen zukämen. So sollten Berthold und Anton erfahren, ihnen als Nachfahren der Hohenstaufen sei aufgetragen, ihre rohen Triebe zu besiegen und das Reich Barbarossas wiederherzustellen.

Es ist allerdings Arnim nicht gelungen, dieser kühnen Idee von einer im Traum offenbarten geschichtlichen Bestimmung und von einem über Jahrhunderte hinweg seine Abkömmlinge lenkenden Herrschergeschlecht Leben zu verleihen. Die Stärke des Buches – auch in seinem fragmentarischen Zustand – beruht auf dem unbändigen Leben in den Tiefenschichten der Seele, wo die entsetzlichsten Gedanken hausen, wohin aber auch hie und da ein göttlicher Lichtstrahl fällt. In den Träumen dieser im ungewissen tappenden Menschen – und ist, da sie in einer fort und fort sich verwandelnden Welt umherirren, nicht schlechthin alles Traum für sie? –, in ihren Träumen tauchen Gespenster auf, die sich schauder-hafte Kämpfe liefern, erscheinen Gestalten im Werden, unvollendete Kristallisa-tionen, Dämonen und Engel, die einem Augenblick innerer Phantasmagorie

angehören, wo aus der Vereinigung von Wirklichem und Eingebildetem eine
individuelle, chaotische, blutige Mythologie hervorgeht, in der Schrecken und
Drohung herrschen. Und doch werden sie durch all diese Ängste hindurch eine
Sehnsucht nie los: die Sehnsucht nach innerem Frieden und nach einem Ausblick, den die Scheusale aus dieser Hölle des Ichs nicht mehr zu verstellen
vermöchten.

Arnim und seine Gestalten kämpfen alle verzweifelt um den Ausbruch aus
ihrem Gefängnis. In einem Fragment, das wohl als Epilog des Romans gedacht
war, kommt die Hoffnung zum Ausdruck, die Arnim in jegliche Form der
‹Ahnung› setzte: ob Dichtung, Traum, Wahrsagung des Künftigen oder Wiederaufleben des Vergangenen. Er versprach sich davon eine Ausweitung innerer
Räume, eine Öffnung des Horizonts bis ins Unendliche.

Propheten sprechen oft zu uns aus unserm eigenen Munde, an das Unbedeutende heften sie
den Blick mit Ahnungen und wir fühlen ein gemeinsames Leben mit aller Welt. [...] Wie
sehen wir ahnend so anders in die Welt, und in den Himmel sehen wir, wie ein allumfassendes
Blau die verbrennenden Gestirne ernährt und herstellt [...]. O könnten wir doch auch rückwärts unsern Blick in eurer Kraft wenden und die Welt verstehen lernen, die unsere Erinnerung belastet, könntet ihr das Vergessene und Verborgene uns wiederbringen, erst dann wäre
unsre Welt unendlich und dazu möchte ich euch zur Stunde meiner Geburt hinwenden, das
Gefühl zu wissen, mit dem der Mensch sein Auge zum erstenmal öffnete [...], ja dann wüßte
ich, wie die Erde fühlt mit ihren Saaten und Wäldern in jeder Jahreszeit. [1025]

Auch die Personen in Arnims *Dramen* sind erfüllt von dieser Sehnsucht, über die
Grenzen des Daseins hinauszukommen. Auch sie möchten all die Schätze einsammeln, die sie in der Tiefe ihrer Seele erahnt haben. Dramatische Wahrheit
jedoch geht ihnen ganz ab. Wohl fühlte sich Arnim zeitlebens zum Theater
hingezogen; er wollte die tragischen Kämpfe auf der Bühne zeigen, die in seinem
Innern von Schattengeistern ausgefochten wurden. Aber wie die Heldin in seiner
Päpstin Johanna blieb auch er unfähig, dem überbordenden Reichtum an Stoff
zu plastischem Leben zu verhelfen, unfähig, «die Masse des Erkannten mit dem
überschwenglichen Gefühle in Ausgleich zu bringen» [413, XIX, 114]. In all
seinen Stücken beginnen die Menschen eine Weile zu leben und sich durch-
zusetzen, dann aber brechen sie plötzlich vor unsern Augen zusammen, als ob sie
von einem Ferment der Zerstörung, das sie in sich getragen, insgeheim zersetzt
worden wären.

Die *Päpstin Johanna* (entstanden 1808–1813), ein monströses Drama, in welchem
allein schon die Verflechtung von Motiven des Inzests, der Entheiligung, auf-
dämmernder Kindheitserinnerungen und magnetischer Einflüsse zu einem un-
entwirrbaren Durcheinander führt, verliert sich im Ungefähr einer angeblichen
Geschichtlichkeit ohne konkrete Realität. Arnim hat von diesem mißlungenen
Werk bekannt, es sei darin «manche Wehmut seines Herzens zugelächelt, um den
Leuten nicht wehzutun, die etwas ausgesprochen finden, was sie kaum zu fühlen

gewagt» [419, III, 204f.]. Die Gestalten, die uns der Dichter vorführt – Johanna,
der Dämon Spiegelglanz, der Pfalzgraf, das Flügelweib Melancholia oder die
Fürstin Venus –, sind teils als wirklich, teils als phantastisch zu betrachten und
entziehen sich doch allesamt dem geistigen Zugriff des Lesers. Sie lösen sich
zusehends auf, je länger sie leben oder, besser: je mehr sie von einem flüchtigen,
unfaßbaren Leben ergriffen werden, das jegliche Grenzen zwischen ihnen und
einer ungewissen Umwelt auslöscht. Was Johanna träumt, schwebt gleichzeitig
als sichtbares Schattenspiel über ihrem Haupte, und Meister Spiegelglanz, der an
ihrem Bette wacht, wird von den Traumwogen des Kindes in eine seltsame
Vegetation hineingezogen, deren schwankende Bildungen für Augenblicke über
die Zimmerwand fluten [413, XIX, 96f.]. Der Dichter ist offenbar unfähig,
seine Gestalten am Leben zu erhalten; sie verflüchtigen sich unter seinen Händen
zu Erscheinungen ohne Halt und Bestand. Johanna und ihr Geliebter, der
Pfalzgraf, werden in ihren Träumen immer wieder von der gleichen vergangenen, gegenwärtigen oder künftigen Wirklichkeit gefesselt, ohne daß diese
unfeste Welt, in der Ahnungen, Bilder, sündige Gedanken und quälende Schuld-
gefühle herrenlos dahintreiben, durch irgendeine Tat, irgendeine Gebärde je eine
gewisse Struktur gewönne [280f./308/429]. Es ist, als ob man auf den fünfhundert Seiten dieses «Dramas» in fremdartige Meerestiefen hinabtauchte, wo
der erstaunlichste Algenflor zum Vorschein kommt und wo zwischen wogenden
Schwammfeldern da und dort versunkene Schätze funkeln.

In seinem ersten großen dramatischen Versuch, *Halle und Jerusalem* (1811),
gelingt es Arnim nicht, diesen Eindruck des Fremdartigen und doch irgendwie
Verlockenden zu erwecken. Abgesehen von einer zweideutigen Frauengestalt, wie
wir sie von ihm aus Erzählungen und Romanen kennen, ist dieses Stück jedoch
nicht weniger verschwommen. Mitten in einem Leben blinder Ausschweifungen
und Leidenschaften werden die Sünder durch Träume gewarnt, die «ein Ruf aus
einem ahndungsvollen Land» zu sein scheinen, «aus einer Vorzeit, die uns hat
geboren und die uns darum kennt in unsern Elementen» (2. Aufzug, 3. Auftritt).
Die unbewußten Wünsche der jungen Olympie verraten sich in doppelsinnigen
Reden, und als ihr von ihrem Bruder diese Zweideutigkeit vorgehalten wird,
gerät sie, beschämt durch die Entdeckung ihrer wahren Gedanken, in Zorn
(4. Auftritt).

Andere Dramen Arnims zeigen die innere Mannigfaltigkeit der Personen und
die Zerstörung ihrer anfänglichen Kohärenz in vollem Lichte. Der Dichter
macht sich geradezu ein Spiel daraus, zunichte werden zu lassen, was zunächst
einen Anschein von wirklichem Leben oder von dramatischer Größe anzunehmen verhieß. So machen die ersten drei Akte in *Der echte und der falsche
Waldemar* (Entwürfe seit 1805) aus dem Markgrafen einen prächtigen Helden,
der seiner Zeit einen klaren, entschiedenen Willen aufprägt. Dann aber verschwindet er, zerschmettert von der Einsicht in seine Sündhaftigkeit, und in der

zweiten Hälfte des Dramas begegnet er uns als unerkannter Pilger, der Reich und Namen Betrügern dahingibt. Nach dem kraftvollen ersten Teil wird eine neue Saite angeschlagen, alles wird anders, ein unbeschwerter, burlesker Ton und eine groteske Parodie verwischen mutwillig die Konturen des Gemäldes, das sich in Traum auflöst. Alles scheint nur dazu gemacht, den gelungenen ersten Teil zu verulken.

Nicht anders ist es in den *Appelmännern* (1813), einem recht wirkungsvollen Drama, in dem sich ein Vater gezwungen sieht, seinen ungeratenen Sohn zum Tode zu verurteilen. Aber auch hier sind die prophetischen Träume Fremdkörper und der Tragödie abträglich. Arnim versucht sich aus der Sache zu ziehen, indem er Wunder geschehen läßt: Der in Zauberkünsten bewanderte Scharfrichter leimt dem Enthaupteten den Kopf wieder an. Und der Dichter, der sich seines Versagens bewußt ist, nennt sein Stück kurzerhand «ein Puppenspiel».

Eigentlich unterscheiden sich diese Theaterstücke kaum von Arnims Erzählungen und Romanen. Es spricht daraus dieselbe Beunruhigung des Dichters angesichts der eigentümlichen Tragik, deren Erfinder er ist. Aber da sich die Bühne schlecht eignet für eine Kunst, die eine Erkenntnisnot zur Darstellung bringt, bleibt von diesen sonderbaren Erfindungen nur der peinliche Eindruck, daß sie unweigerlich zerfallen. Anstatt Dramen zu schaffen, führt uns Arnim das ganze Drama seines künstlerischen Schaffens vor Augen, und am Ende bleibt nur die so grandiose wie erschütternde Tragödie des Dichters, der von quälenden Fragen verzehrt wird.

Clemens Brentano nannte Arnim einen «Spiegel der Durchsichtigkeit» [419, I, 218]; von diesem Bild mag besonders die Vorstellung von eisiger Kühle und von Regungslosigkeit haften bleiben. Und tatsächlich, Arnims Persönlichkeit sowohl wie sein Werk hinterlassen den Eindruck von einer fühllosen Fläche, auf der sich alles mit einem Hauch von Leblosigkeit spiegelt, etwa wie wenn man Menschen aus Fleisch und Blut plötzlich in einem Spiegel gewahrt. Da findet sich bei ihm nichts von Glut, Farbe und Schmelz, es fehlen die wiegenden Klänge. Wer aber auch nur ein wenig auf die Gestalten im Spiegel achtgibt, bemerkt, daß sie, anfangs ganz scharf und deutlich, Gesichter schneiden nach Art der bizarren Gestaltungen des Unbewußten. Furchterregende Mißklänge werden vernehmbar; was Phantasie nur ersinnen mag, nimmt Gestalt an, schwer von dunkler Bedeutung und bleierner Angst taucht es auf, verschwindet wieder und läßt alles Streben nach Ordnung, nach Harmonie ermatten. Es ist nicht Anmut, nicht Musik des Traums, was einem hier aufgeht, und nie war Dichtung, die auf gefälligen Effekt verzichtet, weiter entfernt von jener paradiesischen Stimmung, in die sich ein Jean Paul durch Hingabe und Ekstase entrücken ließ – denn wenn dieser Gespenster rief, so nur um sie zu besiegen. Arnim

enthüllt mit unerbitterlicher Härte immer wieder neue Larven, deren Anblick um
so schrecklicher wirkt, als ihre Umgebung alles andere als gespenstisch ist. Das
Innenreich dieses Dichters ist ein Reich des Todes, das genau so aussieht wie die
alltägliche Welt. Die Gefahren, die hier lauern, stammen nicht aus irgendeiner
Hölle jenseits des Lebens, sondern es ist das Leben selbst, das sie in sich birgt,
und ein etwas überscharfer Blick kann sie überall entdecken.

Arnim war zu Lebzeiten ein Einsamer; er ist es bis heute geblieben.

Was soll ich viel von mir hören lassen, die Welt mag mich nicht hören. – Meine Werke haben
das mit dem Himmel gemeinschaftlich, daß die wenigsten hineinmögen. [416, I, LXVI f.]

Daß sein dichterisches Verfahren, den Automatismen des Geistes freies Spiel zu
lassen und so die Gespenster des Innern zu beschwören, etwas Ungewohntes
hatte, wußte Arnim genau. Als ihm Brentano einmal vorgeworfen hatte, er lasse
seine Poesie «allzusehr ins Wildfleisch wachsen», antwortete er:

Es ist wohl leicht, sich dahinzubringen bei einem Tische vor Papieren zu sitzen, aber die
Gedanken sind frei und gehen bald tausend Wege, die auf dem Papiere nicht verzeichnet sind,
und der Mensch, der da in seinem Eifer die Wiesen gemähet hat, statt die Blumen auszupflük-
ken, drückt Dornen und Stechpalmen mit an sein Herz. [LXVII]

Die Blumen fehlen indessen nicht in Arnims Strauß, ja selbst eine von so tiefer
Beklommenheit erfüllte Novelle wie die *Isabella von Ägypten* enthält Szenen und
lyrische Partien von anmutiger, rührender Zartheit. Aber wenn sein Werk in
seiner ganzen Originalität trotzdem schwierig bleibt, so darf nicht übersehen
werden, daß Arnim die Beklommenheit, die Angst, die davon ausgeht, nie absichtlich hat hervorrufen wollen. Sein ganzes Leben gibt Zeugnis davon, daß er
mit allen Kräften nach Frieden und Harmonie, nach der Heiterkeit der Vollendung strebte. Sein Drama ist zuallererst ein geistiges Drama: das Drama eines
Bewußtseins, dem eine zutiefst obskure Wirklichkeit aufgedämmert ist; eines
Menschen, welcher die Bedrohungen aus unserem eigenen Innern klarer erkannt
hat als irgendwer und der doch, obwohl er sie in seinem Leben und in seiner
Umwelt zu beschwören vermochte, dieser Bedrohungen mit der Zaubergewalt
der Dichtung nicht Herr werden konnte. Deshalb der Widerspruch zwischen
dem ruhevollen Antlitz dieses preußischen Aristokraten und der in Unordnung
geratenen Welt seines Werks, das trotz allem den Wunsch nach der verwehrten
Harmonie spüren läßt. Keiner hat wie er das verborgene Leben der Seele darzustellen gewagt, wie es sich, frei von jeglichem Eingriff, jeglicher Lenkung,
von sich aus offenbart, keiner aber auch so schmerzlich wie er das Verlangen
verspürt, endlich doch noch die Gewißheit zu erhalten, daß der *mundus
ineffabilis,* aus dem uns so viele Träume zufallen, ein *mundus lucis* sei.

VIERZEHNTES KAPITEL

AVE MARIS STELLA

«O clemens, o pia, o dulcis virgo Maria!»
O Stern und Blume, Geist und Kleid,
Lieb, Leid und Zeit und Ewigkeit!

CLEMENS BRENTANO

I

Clemens Brentano ist der größte Lyriker der Romantik. Aus Theorien hat er sich wenig gemacht. Von ihm einen magischen Willen, eine wohlberechnete Verklärung der Welt durch das Wort, eine planmäßige Erkundung des Innenreichs zu erwarten wäre verfehlt. Seine Dichtung weiß nichts von jenen metaphysischen Abgründen, auf die auch noch die geringste Strophe von Novalis anspielt; ebensowenig beschwört sie die eisigen Kristallisationen und die Phantome herauf, die das Werk Arnims erfüllen. Eher steht Brentano in der Nähe von Tieck, dem er durch die Wandelbarkeit und empfängliche Hingabe ähnlich ist; aber in den Gedichten hat er ihm den persönlicheren Klang und ein unendlich spontaneres Verhältnis zur Welt der Bilder voraus. Er war der geborne Dichter und besaß nie den Ehrgeiz, das innerste Geheimnis der Welt im souveränen Wirken der poetischen Erfindung ausdrücken zu wollen. Das Erkenntnisdrama, das einen Novalis, einen Arnim umtrieb, blieb ihm fremd. Da gibt es nur ein Drama, das ihn beschäftigt: das seine. Oder besser: Das Drama der Schwachheit, der Sündhaftigkeit, des Gebets und der Demut verströmt sich, statt in die Angst und in die Meditation einzumünden, im Lied, löst sich im Vertrauen und in der Zuflucht zu wohltätigen Bildern. Wenn Arnim in seinem Werk jeden Zug beseitigt, der das Geheimnis seines Lebens verraten könnte, so empfindet sein Freund von der Jugendzeit bis in seine letzten Jahre hinein das Bedürfnis zu beichten. Die beiden so eng verbundenen Freunde sind sich in allem entgegengesetzt. Der eine, «kimmerischem Norden» entstammend, Aristokrat und Protestant, hält sein Leben fest in Händen, während seine Dichtung gleichsam in einer ganz anderen Gegend heranreift, wo der Schrecken regiert und wo, außerhalb aller Kontrolle, ungestalte Kreaturen aufsteigen, die einer mit Wissen und Willen sich selbst überlassenen Phantasie entspringen. Brentano hingegen, in dem südländisches Blut braust, gibt sein Leben jeder Lockung hin; ihm ist das Spiel nur zum Vergnügen, zur Zerstreuung da, und von Gewicht und Tiefsinn, die andere Romantiker hineinlegen, findet sich bei ihm keine Spur. Versuchungen gibt er nach, verliert den Kopf dabei, verfällt dem Sinnenrausch und taucht in verworrenen Abenteuern unter. Vom Katholizismus behält er zunächst nur das Bedürfnis nach Beichte und Bilderfrömmigkeit zurück, und er erwartet von ihm lange Zeit nichts anderes, als daß er ein wenig Würze in das zügellose Leben bringe. Als dann Katastrophe über Katastrophe hereinbricht, gelangt er näher und näher an den Abgrund der Gewissensnot und zur Demut des Sünders, den nach Versöhnung dürstet. Aber er bemüht sich nie, diesen Kampf zwischen Licht und Finsternis, der ohne sein Zutun in seinem Herzen tobt, auf die Ebene des Allgemeinen zu heben und daraus ein Verständnis zu gewinnen für das universale Ringen von Mächten, die sich die Welt streitig machen und die sie hier in die Verdammnis, dort zum Heil ziehen möchten. Er gibt sich damit zufrieden, seinem angeborenen poetischen Instinkt zu gehorchen und dadurch von selbst zu einer Magie zu gelangen, die für andere reine Theorie blieb.

Das Bild befriedigt ihn so, wie es seinen Sinnen sich darbietet und die Sprache es vermittelt; es drängt ihn nicht, sich seiner zu bemächtigen und es in ein Symbol zu verwandeln, es zum Ausgangspunkt einer geistigen Suche zu machen, indem er ihm bewußt eine höhere oder tiefere Bedeutung zuspräche. Weil er dafür unmittelbar empfänglich ist und weil es unmittelbar auf ihn einwirkt, begnügt er sich mit dem Bild allein, so wie es ihn bewegt. Wenn er sich daran festklammert und ihm nachgeht, so geschieht dies aus einer Art unerklärter Liebe und nicht weil er es in irgendeinem Sinn ergänzen möchte. Und das ist denn auch das Wichtigste, was er als Dichter dem Katholizismus verdankt; er ist Katholik schon vor seiner «Bekehrung», wie ein Baudelaire oder ein Verlaine, an die er in so manchem erinnert: keineswegs nur darum, weil er an gewissen Lieblingssymbolen festhält, die dem Gottesdienst oder den Texten der Kirche entstammen und sich ihm in der Kindheit tief eingeprägt haben, sondern vor allem weil er im Symbol niemals nach zusätzlichen Erklärungen sucht. Sobald ein Bild etwas in ihm zum Schwingen bringt und sich die Worte dafür zum schmeichelnden Gesang fügen, vertraut er ihm, ohne weiter zu fragen.

Genau an dem Punkt, wo sich ein Pietist wie Novalis in die Meditation einläßt, um hinter dem Bild seinen Sinn zu erfassen, die Wirklichkeit, auf die es anspielt, ist ein katholischer Ästhet wie Brentano vollkommen befriedigt; sein Ziel ist erreicht. Man sagt oft, der Unterschied zwischen Katholiken und Protestanten sei der, daß auf Grund ihrer Erziehung die einen zu bildlichem Denken fähig seien, während die andern nach einem weniger sinnlichen, nüchterneren Denken strebten. Aber gerade am Gegensatz zwischen Brentano und den lutherischen Romantikern wird deutlich, daß diese Unterscheidung unvollständig ist. Wahr daran ist, daß Katholiken oder mindestens gewisse Katholiken gewohnt sind, sich der Wirkung symbolischer oder ritueller Gebärden zu bedienen, ohne ihre Bedeutung zu erklären, aber im Bewußtsein, daß es eine solche gebe; der Protestant hingegen mit seiner traditionellen Bilderfeindlichkeit und seinem Mißtrauen gegen ästhetische Rührung kann wohl empfänglich sein für Bilder, versucht sie aber spontan in eine für ihn klarere Sprache zu übersetzen.

Man darf diese Unterscheidung natürlich nicht zu weit treiben; ganz abgesehen von urwüchsiger Genialität, die sich solcher Festlegung immer entziehen wird, gibt es zwischen der einen und der andern Haltung mancherlei Abstufungen. Im übrigen hat im Deutschland der Goethezeit gerade die humanistische Bildung den Lutheranern zuweilen eine plastische Erziehung zuteil werden lassen, die sie mit dem ästhetischen Formensehen vertraut gemacht hat, auch wenn es nicht zu einem vollkommen natürlichen Verhältnis zur Symbolik der Bilder kam.

Brentano, Kind einer protestantischen Mutter, aber im katholischen Glauben des Vaters erzogen, trug in sich manche Widersprüche. Auf der Ebene des Bewußtseins hielt er sich viele Jahre von der Kirche fern; erst nach langem Herumvagabundieren und manchen Kämpfen kehrte er in ihren Schoß zurück, und zwar durch einen Willensakt, der darauf abzielte, die inneren Konflikte einer Lösung zuzuführen. Auf einer andern Ebene jedoch: auf der des Unbewußten, das sich von Bildern nährt, ist Brentano – nicht anders als Baudelaire – von allem Anfang an Katholik, durch seine Sensibilität für Bilder nämlich, ferner durch sein Beichtbedürfnis und durch sein tiefes Gefühl für die eigene Sündhaftigkeit, das sich je länger, je deutlicher aus der Empfindung innerer Zerrissenheit entwickeln sollte. Wie alle Romantiker hat er den Eindruck, zugleich inner- und außerhalb dieser Welt zu leben, und er sehnt sich wie sie nach einer allmächtigen Gebärde, die diesen Widerspruch in Harmonie aufzulösen vermöchte. Aber sobald er ganz er selber ist, gewinnt dieser Dualismus in seinen Augen die Bedeutung des ewigen christlichen Gegensatzes von Geist und Materie, von göttlichem Licht und irdischer Schwere, und die Versöhnungshoffnung wird zur Heilshoffnung. Brentano, dieser Mensch mit zerrissenem Herzen, der von zwei einander widerstreitenden und langehin ebenbürtigen Stimmen gelockt wurde, brauchte nicht erst ein christlicher Dichter zu *werden*; er war es immer schon, darüber kann seine romantische Periode nicht hinwegtäuschen. Immer und immer beschwört seine Poesie dasselbe Klima herauf, und gerade die Beharrlichkeit, mit der er sich der gleichen Bilder bedient, bezeugt seine Identität am augenfälligsten.

Die ganze Gegensätzlichkeit dieser aus Kühnheit und Angst, Immoralismus und Skrupeln, aus Schwäche und jäher Entschlußkraft gewirkten Seele spiegelt sich in Brentanos Liebesleben wider. Ein Dilettant der Leidenschaft, scheut er zuweilen selbst vor dem mit Wonne gekosteten satanischen Vergnügen nicht zurück, andern Leid zu bereiten. Nur selten widersteht er der Versuchung, aus seiner Verführungsgabe Vorteil zu ziehen, zumal bei blutjungen Mädchen nicht, aber fast immer geht er sich dabei selbst in die Falle. Und als Opfer seines Opfers leidet er mehr, denn ihn peinigt beides zugleich: nicht in dem Maß zu lieben, wie er geliebt wird, und doch auch mit seiner ungeduldigen Begehrlichkeit auf immer neue Hindernisse zu stoßen. So leicht er sich in ein Abenteuer verwickeln läßt, so bald gibt er es jeweils auf, den Don Juan zu spielen; sein Treuebedürfnis und sein Verantwortungssinn machen ihn zur leichten Beute für jede, die sich aufs Kapern versteht. Aber auch dort, wo er sich gern fangen läßt, packt ihn schon bald wieder das Verlangen nach Freiheit, kommt ihn der Wunsch an, allein zu leben und sich einsam den Lebensstürmen auszusetzen. Sophie Mereau, seine erste Gattin, die ihn tief durchschaute und seine Unruhe einigermaßen zu lindern verstand, schrieb ihm, als er sich eines Tages aus keinem andern Grund als wegen seiner tief verwurzelten Unbeständigkeit von ihr entfernt hatte, alsbald jedoch über die Trennung jammerte:

Du bist es, nicht ich, der ewig nach der Fremde trachtet. Deine Begierde nach mir ist eben das, was Du oft bei mir empfunden, was Dich jetzt zu mir zieht, zog Dich oft von mir weg, es ist ein allgemeines Gefühl, ein stetes Sehnen nach dem Entfernten, das mich eigentlich insbesondere gar nichts angeht. Ich bitte Dich, lieber Fremdling, komm doch endlich einmal nach Hause, Du bist stets nicht bei Dir, und es ist so hübsch bei Dir; versuch es nur, und komm zu Dir selbst, Du wirst die Heimat finden, sie lieben, und dann immer mit Dir tragen! [446, II, 127]

Vergebliche Hoffnung! Brentano wird während der Ehe mit Sophie immer neu von der Vagabundierlust ergriffen, nicht anders als früher, als er sie leidenschaftlich zur Heirat zu überreden versuchte. Er hat nichts, aber auch gar nichts von jener Treue und Beständigkeit Arnims, der schließlich alle äußeren Hindernisse, alle inneren Schwierigkeiten überwindet und seine Liebe aufs schönste zu verwirklichen weiß. Für Brentano ist die Liebe eine Musik, deren seine Seele bedarf, eine Stimmung, in die er gern eintaucht, die aber der Welt der Verwirklichungen fremd bleibt, fremd auch den Frauen, die sie nacheinander in ihm wachrufen. Seine Liebe gehört viel eher der Welt des Traums an als der Welt der Tat. Überrascht stellt man fest, daß seine Briefe an Sophie, ob vor oder nach der Heirat geschrieben, und diejenigen an Minna Reichenbach oder an Gritha Hundhausen alle auf denselben Ton gestimmt sind und daß immer dann, wenn er ins Schwärmen kommt, von Träumen die Rede ist.

Liebe, Traum und Poesie fließen ihm in eins zusammen und sind lediglich Mittel, den schlummernden Gott im Herzen aufzuwecken. Er rät Minna, diesen verborgenen Gott ins Freie zu tragen und ans Sonnenlicht zu gewöhnen; «die Strahlen, die durch die geschlossenen Augenlider schimmern, zünden in seiner Seele leichte Träume an, seine ersten Worte sind Worte eines Träumenden, abgebrochen, in einer göttlichen, heimlichen Poesie, die nur die Liebe versteht» [449, I, 37]. In einem Brief an die junge, zierliche Gritha, die er liebt, als ihn Sophie von sich fernhält, und die ihm in einer Aura der Unschuld erscheint, beschreibt er seine Liebe wie eine verschwebende, träumerische, wehmütige Musik. Dieselbe Sehnsucht nach einem Entrinnen, dieselbe Flucht in den Traum, dasselbe Bedürfnis, die Liebe in eine musikalische, irreale Welt hinüberzuretten, wenn Clemens an Sophie Mereau schreibt:

O ihr Träume seid mir günstig, und lasset euer phantastisches Spiel, lernet die Kunst und die Liebe, webt mir ein einfaches Bild und freut euch meiner Geliebten, Schweres ist nichts in ihr, ihr braucht kein tiefes Ergründen, ihr braucht nicht zu sinnen, zu rechnen, um sie zu bilden, ich will euch sagen, wie ihr euch vorbereiten mögt, mich glücklich, und zum Träumer zu machen, jetzt, ehe die Blumen die Türen verschließen, eilet noch hin in die Glocke, den Kelch, den Stern, und die Krone, trinket, wo es euch schmeckt, und stoßt die einschlummernden Gäste, den Käfer und Schmetterling, leise an, und spinnt mit diesen halbtrunknen zarten Gesellen schöne Gespräche an […], dann wenn das Herz euch pocht, freudig und ehrlich, dann steht schon am Himmel der Mond und die Sterne, und es schließt schon die Blume das Fenster, eilt dann fröhlich und entzückt durch die Blätter der ernsten Eichen und muntern Birken, und denket ernst und betend an Mond und Sterne […], dann dringt eilend zu mir durch die Luft, daß euch die Locken rückwärts fliehen, und der Leib anschmiegt um die Seele, die durchblickt, so kommt zu meinem Lager, und seht mich weinend und sinnend, und wie das Herz pocht und die Lippe bebt, spielen Gedanken in meinen Locken, schon sinket die Wimper mir, um die Stirne schlingt euch an, fest verschlingt die Hände, und dreht euch bald leise bald rascher um sie, denn sie ist ihr Tempel, und in mir wird sie dann helle, und ich sehe sie, wie sie ist, *ohne Unglück, ohne Zeit, ohne Tat, wie sie ist in sich, in mir, in der Liebe, und nicht in der Welt.* Gut Nacht ich sehe nicht mehr, gut Nacht liebe Sophie, ich will träumen von Dir. [446, I, 143 f.*]

Gewiß, Brentanos Liebesleben ist nicht immer so ätherisch; manchmal überläßt er sich einer Sinnlichkeit, die kein Geheimnis kennt, etwa im Brief an Karoline von Günderrode, zur selben Zeit entstanden wie der vorige:

Gute Nacht! Du lieber Engel! Ach, bist Du es, bist Du es nicht, so ohne alle Adern Deines weißen Leibes, daß das heiße, schäumende Blut aus tausend wonnigen Springbrunnen spritze, *so* will ich Dich sehen und trinken, bis ich berauscht bin und Deinen Tod mit jauchzender Raserei beweinen kann, weinen wieder in Dich all Dein Blut und das meine in Tränen, bis sich Dein Herz wieder hebt und Du mir vertraust, weil das meinige in Deinem Puls lebt […]. Lebe wohl, und habe den Mut, nur darum zu weinen, daß Du nicht bei mir bist im Fleische, sondern nur in Gedanken […]. Was macht der Brief für eine Wirkung auf Dich, liebes Günderödchen, ich fürchte immer, Du stellst Dich klüger oder dümmer an, als Du bist, sei doch kein Kind, mein Kind […]. [450, 108 ff.]

Der Dämon, der sich hier Clemens' bemächtigt und ihn ein Vergnügen darin finden läßt, die junge Freundin seiner Schwester Bettine derart zu erschrecken, hat ihm verschiedentlich übel mitgespielt, und es ist durchaus begreiflich, daß er, der solchen sinnlichen Verirrungen ausgesetzt war, Zuflucht in einer ätherischeren Liebe suchte. Und doch hat er sich nach dem Tode Sophiens – mit der er nicht glücklich zu werden vermochte, deren Hinschied ihn aber dennoch in tiefste Verzweiflung stürzte – Hals über Kopf in ein neues Abenteuer eingelassen. Diesmal jedoch geriet er an eine Spielerin, die verwegener war als er, und der Spaß ging schief. Von der jungen Bankierstochter Auguste Bußmann wurde er buchstäblich entführt und zur Heirat gezwungen, und während der endlos scheinenden Monate des Zusammenlebens stürzte ihn das irre Geschöpf in einen wahren Alptraum von Schicksalsschlägen, wobei es an tragikomischen Knalleffekten durchaus nicht fehlte. Es war dies die schlimmste Zeit seines

Lebens, das Ende von Jugend und Spiel. Und aus dieses Abgrunds Tiefe vermochte er sich schließlich emporzuschwingen zum Licht, dessen er durch die Bekehrung gewahr geworden. Seine zuweilen noch recht stürmische Zuneigung zu Luise Hensel und Emilie Linder und seine Aufopferung für die visionäre Augustinernonne Katharina Emmerick verbanden ihn in den Jahren seiner Pilgerschaft mit sanfteren Frauengestalten als einst.

Godwi, Brentanos zerfahrener, willkürlicher, von literarischen Moden entstellter Jugendroman, verdient deshalb Interesse, weil sich in ihm der Autor selber spiegelt, mit seinen hauptsächlichen Bestrebungen und seiner gespaltenen Natur. Schon hier löst das bedrückende Gefühl der Schwere alles Wirklichen eine Fluchtbewegung aus, die eine instinktive Abwehrgebärde ist: Flucht in den Traum, ins Spiel, in eine nicht ganz glaubhafte, ein wenig erzwungene Leichtigkeit. Aber wie immer ist diese Fluchtgebärde von einer Unruhe begleitet: Die um eines poetischeren Klimas willen preisgegebene Wirklichkeit erscheint plötzlich wieder mit unerwarteten Reizen ausgestattet, so daß es den Dichter jammert, nicht zu ihr hingelangen zu können.

In diesem Stimmungsroman nach irgendwelchen Beweisführungen und Schlußfolgerungen zu suchen wäre vergeblich. Wer sich in den verworrenen Intrigen einigermaßen zurechtgefunden und an das Kunterbunt der Stile gewöhnt hat – es reicht von der lässigsten Prosa bis zum strengen Sonett, von berauschendem Fluß bis zu vollkommener Klarheit –, der sieht sich gewissen gleichbleibenden Themen und Symbolen und einer Reihe von unscharfen und gegensätzlichen Gestalten gegenüber. Derselbe Held, der die Dirne verherrlicht, diese «Dichterin mit dem Leibe» [442, II, 292], betet die Unschuld mystischer, «sternenreiner» Mädchen an. Er, der vorerst einmal im Traume lebt und daran höchsten Gefallen hat, er empfindet es bald darauf als Befreiung, in glühender Wollust versinken zu dürfen, widmet dann aber doch wieder den Rest seines Lebens dem treuen Andenken an ein Mädchen, das er selber ins Unglück gestoßen hat. Und dennoch weiß man nicht, wer es ihm wirklich angetan hat, die empfindsame Joduno, die geheimnisvolle Annonciata, die leichtsinnig lose Gräfin oder die tragische Violette, so wenig wie man weiß, ob er eigentlich den Traum liebt oder ob er nicht eher bedauert, stets zum Traum hin- und dadurch vom Genuß sinnlicher Leidenschaft weggezogen zu werden.

Die Nachtträume umgaukeln ihn mit sanftem Leuchten; während des Tages folgt er ihren «rosigten Fusstapfen» [22] und ihrem Lächeln, das dem friedlichen Licht nach einem Gewitter gleicht.

Ich lebe nun einmal in einer Traumwelt, und tue ich nicht recht, wenn ich darin lebe, wie man es kann? Du hast mir so oft geklagt, daß doch alles, was wir wissen, alles, was wir tun, Schatten sei; nun sieh, ich lebe dein Schattenleben, drum bin ich so glücklich an Jodunos Seite im Schatten der Eichen; drum lernte ich sie kennen in der Sterbestunde des Tages, in der Abendröte, in der die Schatten alle geboren werden. [41]

Die Liebe vermischt sich für ihn mit dem wonniglichen Gefühl der Unwirklichkeit, als ob eine laue, leichte Luft aus warmen Tälern zu ihm heraufwehe.

Mir ist wohl, ich werde mild berührt, und in mir erhebt sich ein körperlicher Reiz, der unbestimmt und doch allgemein ist. In Stunden, in denen ich liebte und nicht fühlte, wie ich leise auf wolkichten Träumen hinabzog in ein anderes Wesen, wo die Ströme lieblicher unausgesprochener Rede schneller flossen, und die gestaltlose Flut der Seele fromm von dem schweigenden Mädchen empfangen wurde – wo die Liebe schon verstummte, und keinen einzelnen Sinn mehr hatte [...], da war es mir so. [318]

Liebe im Traum, Traum der Liebe, unbestimmtes Sehnen und höchste Erfüllung im Traum fügen sich im todgeweihten, fiebernden Dichter Maria zu einer eigenartigen Hymne, in der die Virtuosität frei mit Wörtern zu jonglieren beginnt:

Wenn die Liebe einschlummert und träumt, träumt sie den Traum der Liebe, und dieser Traum ist jener stille schöne Schmerz, jenes Bangen, ich möchte sagen, die Seele aller Sehnsucht, und die sentimentale Poesie der Liebenden. –
Mir ist jede unvollendete Harmonie in den Naturerscheinungen, jenes Streben des Formlosen und Toten nach Gestalt und Leben, wo Seele und Stoff mit innerm Drange zueinander streben, und der Stoff von dem Strahle des Geistes nur erglüht und schmerzlich wieder in den Tod zurücksinkt, so ein Traum der Liebe. [415 f.]

Gewiß, das ist nicht viel mehr als eins jener Wortspiele, denen der Dichter des *Godwi* allzuoft verfällt, wodurch aber doch mit der Zeit der Eindruck von einer Wirklichkeit entsteht, die sich zusehends auflöst, verflüchtigt, die dahinschwindet wie verfliegende Wolkengebilde an einem stürmischen Tag.

Aber das ist nicht der ganze *Godwi*. Der Titel dieses «verwilderten Romans»: *Godwi oder das steinerne Bild der Mutter,* lenkt die Aufmerksamkeit des Lesers auf eine Szene, die scheinbar belanglos, in Wahrheit aber die einzige ist, in welcher Brentano ganz klar eins der bleibenden Symbole seiner persönlichen Mythologie erfaßt hat.

Aus der Reihe der Notturnos und wolkigen Landschaften, die dem Buch den Grundton verleihen – einige sind wunderbar eindrücklich –, hebt sich dies eine Bild heraus, klar, scharf, mit marmorner Kontur: das Standbild der Madonna mit dem Kind, das anderswo im Roman sein Gegenstück findet im Grabmal der unglücklichen Violette. Auch wenn man noch kaum begreift, was sie an dieser Stelle soll, vermag diese steinerne Madonna die Einbildungskraft nachhaltiger zu beschäftigen und eine wirksamere Präsenz zu entfalten als jede lebendige Figur des Romans. Wir ahnen, daß sie zu jenen tiefen, dauerhaften Bildern gehört, in welchen bei einem jeden von uns die Seele ihre verborgene Heimat hat; davon überzeugt uns schon der erste Eindruck beim Lesen, auch wenn uns andere eindeutige Beweise dafür fehlten, daß Brentano an dieser Stelle Einblick in einen seiner geheimsten Träume gewährt.

Die in Verse gesetzte *Szene aus meinen Kinderjahren,* in der das steinerne Bild erstmals erscheint, gehört zum Besten in Brentanos Lyrik [142–147]. Zunächst beschwört er darin den Lebensekel, die Langeweile, das träge Einerlei herauf,

dem er sich als Knabe – wie Baudelaire – nur zu entziehen vermochte, indem er
sich auf die Erde legte und sich in der Betrachtung der «tausendförmigen
Wolken» verlor oder indem er durch ein Zauberglas blickte, das die Welt um-
kehrte.

> Ich wollte damals alles umgestalten,
> Und wußte nicht, daß Änderung unmöglich,
> Wenn wir das Äußre, nicht das Innre wenden,
> Weil alles Leben in der Waage schwebet,
> Daß ewig das Verhältnis wiederkehret
> Und jeder, der zerstört, sich selbst zerstöret.

An einem Sommerabend gibt sich das Kind der Süße der Dinge hin und läßt
seine Phantasie mit den Eindrücken der Abenddämmerung spielen, mit den im
geröteten Himmel aufleuchtenden Sternen, mit dem Mond und der süßen
Stummheit des verdämmernden Firmaments. Der Himmel wird zum unendlichen
Abendmeer, das ihn in einem Kahne wiegt. Und dann erblickt er am Ufer das
steinerne Bild:

> *Und es schien das tiefbetrübte*
> *Frauenbild von Marmorstein,*
> *Das ich immer heftig liebte,*
> *An dem See im Mondenschein,*
> *Sich mit Schmerzen auszudehnen,*
> *Nach dem Leben sich zu sehnen.*
>
> *Traurig blickt es in die Wellen,*
> *Schaut hinab mit totem Harm,*
> *Ihre kalten Brüste schwellen,*
> *Hält das Kindlein fest im Arm.*
> *Ach, in ihren Marmorarmen*
> *Kanns zum Leben nie erwarmen!*
>
> *Sieht im Teich ihr Abbild winken,*
> *Das sich in dem Spiegel regt,*
> *Möchte gern hinuntersinken,*
> *Weil sichs unten mehr bewegt,*
> *Aber kann die kalten, engen*
> *Marmorfesseln nicht zersprengen.*

Plötzlich verhüllt sich der Mond, die Nacht bricht schwarz herein, und der
Knabe, den es das weiße Bild zu umschlingen drängt, stürzt in die Fluten. Bis
zum andern Morgen umfängt ihn tiefe Finsternis.

> Doch bleibt in meinem Leben eine Stelle,
> Ich weiß nicht wo, voll tiefer Seligkeit,
> Befriedigung und ruhigen Genüssen,
> Die alle Wünsche, alle Sehnsucht löste.
> [...]
> Als ich erwachte, warf sich mir die Welt
> Eiskalt und unbeweglich hart ums Herz.
> [...]

In diesem Augenblicke fiel mein Los.
Ein ewger Streit von Wehmut und von Kühnheit,
Der oft zu einer innern Wut sich hob,
Ein innerliches, wunderbares Treiben
Ließ mich an keiner Stelle lange bleiben.

Es war mir alles Schranke, nur wenn ich
An jenem weißen Bilde in dem Garten saß,
War mirs, als ob es alles, was mir fehlte,
In sich umfaßte, und vor jeder Handlung,
Ja fast, eh ich etwas zu denken wagte,
Fragt ich des Bildes Widerschein im Teiche.

Brentano glaubt, in jenem Traum, in der Finsternis «jener Nacht, von der ich nichts mehr weiß», an ein Geheimnis seiner Existenz gerührt zu haben, das sich niemals ergründen und begreifen lasse; dennoch kehrt er in Gedanken immer wieder dahin zurück, stellt er allem Unvollkommenen, Enttäuschenden des täglichen Lebens die unsägliche Seligkeit jener Entrückung gegenüber. Das Standbild der Mutter mit ihrem Kind, dem jene frühe Rührung galt, bleibt ihm geheiligt, auch wenn sich der schauderhafte Gedanke daran knüpft, sie sei im kalten Marmor gefesselt und ewig von der Lebendigkeit des Spiegelbilds geschieden, das sich drunten in den Wellen regt. Auch Antonio Firmenti, eine andere Figur des Romans, erzählt von einer Statue der heiligen Maria, die er einmal im Mondlicht erblickt habe, worauf sie ihm in seligem Traum lebendig und mit heiliger Vorbedeutung erschienen sei [172].

Die Echtheit dieses Erlebnisses und dieser Bindung bezeugt übrigens auch ein Brief, den Brentano während der Arbeit am *Godwi* an Sophie Mereau schrieb. Er erzählt darin einen Wachtraum, in dem er mit seiner Schwester Sophie durch einen ihm gehörenden Garten spazierte und plötzlich vor einem Marmorbild stand, «und ich weinte, es war Dein Denkmal, Du warst tot [...], ich kniete vor das Bild nieder und weinte heftig». Das Standbild läßt zugleich die Erinnerung an die Mutter aufsteigen – «[...] meine Mutter war auch da und küßte das Bild» –, eine Träumerei, in welcher Clemens' Phantasie spontan die beiden geliebten Frauengestalten desselben Namens zusammenbringt und in welcher sich ans marmorne Standbild die ganze kindliche Sehnsucht heftet, die der Knabe, früh von der Mutter getrennt, auf die Heilige Jungfrau übertrug. [446, I, 7f.]

Die Kindheitserinnerungen, die Brentano in den Einleitungsterzinen der *Romanzen vom Rosenkranz* wachruft, werfen ein Licht auf diese Verwandschaft von Kindesliebe und Marienverehrung. Er gedenkt der Abende, wo er in seinem vom «Traum umspielten» Bett auf den mütterlichen Kuß wartete; wenn er dann die Tränen der unglücklichen Mutter gespürt und zum erstenmal geahnt hatte, was es heißt, auf Erden leiden zu müssen, betete er: «Maria, sei gegrüßet!» Von den abendlichen Erzählungen der Mutter ging ihm keine so zu Herzen wie die «von des süßen Jesus schweren Leiden» und von Marias Flucht nach Ägypten. Eine Erinnerung aber hat sich ihm ganz besonders tief und nachhaltig eingeprägt: Einmal trug ihn ein alter Diener zur Kirche, beim Einzug rührten ihn die Orgelklänge, die Mönche schlichen zu ihren Stühlen, und plötzlich hört er vom Chor laut seinen Namen erklingen – man singt das *Salve Regina*, Clemens zittert vor Entzücken und Angst, als ihm die Worte wie Feuer in die Seele klingen:

> «O clemens, o pia, o dulcis virgo Maria!»
> Ein ewiges Gefühl hab’ ich empfangen.
> Ruft man mich Clemens, sprech ich still: «o pia!
> In meiner letzten Stund’ dich mein erbarme;
> O clemens, o pia, o dulcis virgo Maria,
> Empfange meine Seel’ in deine Arme!»
>
> [442, I, 652f.]

So lebt die erste fromme Rührung weiter dank einer jener sprachlichen Assoziationen, welche in uns die zuverlässigsten Automatismen zum Spielen bringen; mögen sie noch so oberflächlich erscheinen, so stehen sie in Wirklichkeit doch mit unserem verborgensten Leben in Verbindung, und manche Gebärde, manche Bindung und Anhänglichkeit des Erwachsenen verdankt ihre Dauerhaftigkeit und ihre eigenartige seelische Tiefenwirkung einer solchen klanglichen oder optischen Fortdauer. Wenn es zunächst auch nur eine Silbe, ein Wort, eine plastische Form ist, woran sich die kindliche Seele ohne Wissen, dafür aber mit ihrer ganzen Hingabefähigkeit hängt, so entsteht doch eine unauslöschliche Übereinstimmung zwischen uns selbst und diesem Bruchstück der Sinnenwelt, dessen Bedeutungsgehalt jeder Vertiefung fähig und nicht der Abnützung durch die Zeit unterworfen ist. «O clemens» – «o pia ...», das also ist das Gespräch zwischen dem Knaben und der Jungfrau Maria, das nie mehr abbrechen wird: noch ganz dem Lautlichen verhaftet und automatisch vorerst; verschwiegen und zärtlich dann, wenn es aus der Entfernung einiger Jahre paradiesische Farben annehmen wird; tief und endlich in voller Klarheit geführt, wenn dereinst nach all der Schwachheit und all dem Leid das Licht der Bekehrung Brentanos Seele erhellen wird.

Und auch die Irrungen, die Niederlagen, die Umwege eines ganzen langen Lebens sind – sofern der Prolog zu den *Romanzen* die Erinnerung treu wiedergibt – schon in der Kindheit vorgezeichnet. Clemens bewahrt das Gedächtnis an einen herrlichen Pfingsttag, an dem er die Firmung empfing; er denkt sein Lebtag an den bischöflichen Backenstreich, der bei ihm derber ausfiel als bei den andern, weil der Prälat – so vermutet er später – in ihm das «ird’sche Wanken» erkannte, dem er sich bis zum Tode nicht entringen würde. Und als sollte sich die Ahnung sogleich bewahrheiten, läßt sich Clemens am Altar von einem kleinen Mädchen so tief rühren, daß er seine Hand erfaßt; da ihm dies streng verwiesen wird, muß er die kleine Geliebte ziehen lassen, und sie verschwindet in der weißgekleideten Schar. Erster Liebesschmerz, erste verbotene Gebärde, deren selig-schreckliche Erregung für immer ans Bild der heiligen Zeremonie gebunden bleibt.

Dann folgen die schweren Jahre, in denen Clemens, fern von den Seinen, einer «strengen und unmütterlichen Zucht» unterworfen wird, Tage, die sich im Rückblick versteinern «wie kleine Gärten zwischen steilen Mauern, / Die nie ein Sonnenstrahl hat heimgesucht». In seiner Empfindlichkeit verletzt und vom Leid der Mutter tief bewegt, entflieht der einsam trauernde Knabe in Spiele, welche die Bilder von einst heraufzaubern: Er schmückt sich mit dem blauen Band des Firmlings, legt sich Ketten aus Goldpapier um, ergreift einen Schäferstab und kommt sich vor wie Fürst, Schäfer und verlorener Sohn in einem. Sein Auge folgt den Wolkenschafen, die über ihn hinziehen, und dabei schläft er eines Tages ein. Während sich die Abendröte auf seine Stirn legt, entführt ihn ein Traum in friedliche Lande. Er sieht aus einer Linde den Saum eines weißen Kleides niederfallen, und durch die Zweige erscheint ihm jenes reizende Firmungskind wieder. Aber da wird er jäh geweckt; man gibt ihm «Moralien und trockne Blicke» für seine Träumerei und schließt ihn in einen Gartensaal ein, wo er, von Fresken geängstigt, vor einem Bild Mariens niederkniet; die Muttergottes schickt ihm mit dem linden Schlaf einen «ernsten Traum».

Aus eben diesen Tiefen der Kindheit und der unverlöschlichen Symbole hat Brentano Godwis steinernes Bild heraufgeholt. Und dem heiligen Andachtsbild gegenüber errichtet er das Bild menschlicher Liebe und menschlichen Leids: das Grabmal Violettens, dessen Basreliefs ein der Zudringlichkeit eines Fauns ausgesetztes kleines Mädchen – das Erwachen der Sinnlichkeit –, dann die Verführung der Jungfrau und schließlich ihren Wahnsinn darstellen. Das Standbild selbst oder die «Apotheose» zeigt das arme Weib im Augenblick des Sterbens, als es vom irdischen Irrsal erlöst wird [II, 290–301]. Die Eindringlichkeit, mit der diese Szenen beschrieben werden, verrät das glühende Mitgefühl Brentanos, den das ewige Bündnis von Liebe und Leid nie zur Ruhe kommen ließ. Der ganze Roman ist auf diese beiden Skulpturen ausgerichtet, und es bleibt unentschieden, welchem der Bilder sich der Dichter letztlich zuwenden will. Das eine weckt in seinen Träumen die kindliche Frömmigkeit wieder auf, die zärtliche Anbetung Mariens. Und doch verspürt er einen geheimen Schauder dabei; der Dichter des *Godwi* blickt nicht ohne Bangigkeit auf die leblos Gefesselte; die selige Erinnerung an die Kindheit stößt bei ihm auf einen seltsamen leisen und wie verängstigten Widerstand. Ins andere Bild hat er das Maximum an irdischer Verlockung und sinnlicher Verwirrung gelegt samt allem, was an Bitternis und Geschmack von Freiheit darin enthalten ist.

In diesem Marmorbilde lag all mein Schmerz gefangen, ich lag wie das Kind in den kalten Armen des Bildes: was in dem Teiche sich bewegt, das ist dasselbe immer wieder, nur im beweglichen Leben gesehen; aber was dort über den grünen Büschen in die Höhe strebt, das ist meine Freiheit; in Marien lag der Schmerz und die Liebe gefangen, in Violetten ward das Leben frei. [373]

Freiheit und Reinheit teilen sich für immer in seine Seele und gebieten über das Hoch und Tief, über die geistigen und geistlichen Aufschwünge und die Rückschläge, aus denen sich Brentanos ganzes Leben zusammensetzt.

II

> Sprich aus der Ferne
> Heimliche Welt ...

Brentano hat diese Unruhe und Not seiner zutiefst zerrissenen Natur immer wieder durch die Dichtung zu bannen versucht. Ein großer Teil seines Werks ist aus dieser Absicht zu erklären, und auch dadurch fühlen wir uns bei ihm oft an Baudelaire erinnert.

Seine Versuche, eine Welt zu schaffen, in der sich die innere Beklemmung lösen würde, sind am wenigsten geglückt in seinen Schauspielen und Novellen. Lustspiele, Dramen, Singspiele, Trauerspiele, Erzählungen, all das ist einigermaßen enttäuschend, mißlungen, ermangelt des Lebens und verdient höchstens Interesse als psychologisches Dokument. Zudem sind diese Werke so voll oberflächlicher Romantik, daß man sich hüten muß, darin nach einem echten Ausdruck zu suchen.

Viel näher lag seiner Begabung das *Märchen*, und hier ist ihm einiges aufs schönste gelungen, auch wenn es weder die Originalität der Arnimschen noch die rätselhafte Fremdartigkeit der Tieckschen Märchen besitzt – Brentano hatte es gar nicht auf diese bereits recht literarische oder philosophische Spielart des Märchens abgesehen. Als Kind, das er zeitlebens geblieben ist, hatte er ganz einfach Freude an wunderbaren Geschichten, und er erzählte sie am liebsten unbeschwert von symbolischer Bedeutung. Denn als Dichter mit einer ganz außergewöhnlichen mimetischen Begabung blieb er dem Ton seiner volkstümlichen Vorlagen treu und kam er nicht auf den Gedanken, das Märchen zu einer besonderen Gattung zu erheben. Ihm war es genug, wenn er das Klima des echten Volksmärchens nachahmen und während des Schreibens in einer leichten, luftigen, unwirklichen Welt leben durfte, wo es manchmal allerhand Schreckliches zu erzählen gab, gewiß, aber die Traumstimmung, die über allem lag, milderte es und machte es ungefährlich. Aus diesem Grund besitzen der *Müller Radlauf* und *Gockel, Hinkel und Gackeleia* am meisten Ähnlichkeit mit den wunderbaren Geschichten, wie sie Generationen mündlich weitergegeben haben. Die Menschen erzählen sich darin gerne die fürchterlichsten Grausamkeiten, verlieren sie doch durch die Verlegung in eine unwirkliche Welt alles Schreckende und Gefährliche. Ungestört frißt der Wolf das Rotkäppchen, nährt sich der Menschenfresser von seinem Opfer, der Drache reckt sein greuliches Haupt, aber über solche Greuelszenen legt sich ein Zauber, der den fürchterlichen Geruch von Blut und rohem Fleisch tilgt. Und die Angst, die etwa noch bleibt, ist wunderbar leicht; man wartet auf den Augenblick, wo die Opfer solch wilder Begierden wieder auferstehen werden, unversehrt und mit einem süßen Lied auf den Lippen.

Brentano schrieb seine Märchen zu seinem eigenen Vergnügen, so daß nur drei davon, zum Teil gegen seinen Willen, zu Lebzeiten veröffentlicht worden sind. Er hatte stets eine Vorliebe für die Variation bekannter Themen besessen, und so griff er Erzählungen aus der volkstümlichen Tradition oder aus Basiles Pentamerone auf und verwandelte sie, indem er seinen Witz und seine Laune damit spielen ließ. Wie im Volksmärchen wird auch bei ihm viel geträumt, und genau wie dort stimmen die Träume so harmonisch mit den alltäglichen oder wunderbaren Begebenheiten des Erzählfadens zusammen, daß man sie kaum davon unterscheiden kann. Und auch außerhalb der Nachtträume verwandelt sich alles nach den Gesetzen der Traumphantasie; Personen steigen aus dem Boden auf, sobald man ihren Namen ausspricht, verwandeln sich in Ratten und Vögel oder setzen sich an die Stelle anderer.

Das Märchen von Gockel und Hinkel, ein wahres Wunder an Leichtigkeit und Einfallsreichtum, entleiht dem Empfinden volkstümlichen Erzählens ein Element, das auch im Traum oft erscheint und Brentano aus eigenem Erleben vertraut war: das quälende Gefühl begangenen Unrechts, der Feigheit gegenüber einem geliebten Geschöpf. Der Hahn Alektryo wird deshalb geopfert, weil ihn die kleine Gackeleia verleumdet hat, seine eigene Henne samt allen Hühnchen gemordet zu haben; dabei war sie es, Gackeleia, die damit ihre Lieblingskätzchen fütterte. Natürlich geht die Geschichte gut aus; am Ende aller Pein wird der Hahn wieder ins Leben zurückgezaubert, man feiert ein herrliches Fest, und alle Anwesenden verwandeln sich in Kinder. Das Gockelmärchen in seiner vollendeten Anmut läßt besser noch als die andern Erzählungen den eigentlichen Sinn des Brentanoschen Märchens erkennen: die Sehnsucht nach einem Paradies der Unschuld, nach einem Ort des kindlichen Einsseins mit der Welt der Menschen, der Dinge und der Tiere. Einzig in der Atmosphäre des Traums, wo sich alle Bilder, die vom menschlichen Leben durcheinandergebracht worden, wieder zum Einklang zusammenfinden, einzig hier vermag Brentano seinen Versuchungen und Ängsten zu entrinnen.

Aber in solch zauberhafte Selbstvergessenheit hat er sich nur ganz selten zurückgezogen. Seine Lyrik klingt anders; sie klagt von den Kämpfen eines schwachen, zerrissenen Menschen, den das Leben lockt und der sich dem Leben entwinden möchte. Es ist ein und dieselbe innere Zerrissenheit, die, wenn auch ungeschickt,

schon in seinen Roman- und Dramenfiguren zur Darstellung gelangt, aber
erst eine gültige Gestalt bekommt in seinen Gedichten. Da ist zunächst der Riß
zwischen Traumleben und Wirklichkeit. Brentano und seine Geschöpfe werden
von zwei gegensätzlichen und doch untrennbaren Empfindungen hin- und her-
gerissen: vom sehnlichen Verlangen nach einem Leben im Lichte des Traums
und vom Schmerz, das wirkliche Leben nie in seiner ganzen Fülle ergreifen
zu können und davon immer nur einen unvollkommenen Genuß zu haben, so
flüchtig wie der des Traums. Aber je mehr Brentano durch seelische Niederlagen
genötigt wird, seine anfängliche Rolle eines Kabarettisten, eines Spielers, eines
überlegenen Ironikers aufzugeben, je näher ihn das Leid zur Bekehrung hinführt, um so deutlicher gewinnt sein Dualismus einen neuen Anblick. Traum
und Wirklichkeit bleiben noch immer unversöhnlich entgegengesetzt, aber die
Spaltung bekommt einen moralischen Charakter; die Seele ist geteilt zwischen
dem Göttlichen und dem Irdischen, zwischen der Reinheit des Lichts und der
Schwere der Materie. Brentano bleibt trotz allen Anstrengungen seines frommen
Strebens, das die qualvollsten Prüfungen auf sich nimmt, bis ans Lebensende im
labilen Gleichgewicht, innerlich angefochten, immer neuen Rückschlägen und der
seelischen Verödung ausgesetzt. Er wird durch endlose Wüsten pilgern müssen,
ohne seinen Durst nach Frieden und strahlender Reinheit löschen zu können.
Vor dem Bild Violettens, voll Glut, Leidenschaft und Schmerz, und dem Bilde
Mariens, ruhig, vollkommen, aber unnahbar, wird seine Seele immer wieder in
tiefer Zerrissenheit verharren, bald entflammt, bald angeekelt und oft genug elend
und voll Schmach.

Brentanos *Lyrik* beginnt mit Spielereien der Phantasie und mit Augenblicks-
impressionen, setzt sich fort im Schmerzensschrei, im Ruf der geknechteten
Kreatur nach einem ihr selbst noch verborgenen Licht und vollendet sich in
der selten, aber glanzvoll verwirklichten Kontemplation der ewigen Schönheit.
Während all der vierzig Jahre, welche diesen Wandel abstecken, bleibt eine
Empfindung beständig erhalten: das Verlangen nach Flucht, nach Geborgenheit,
das Heimweh nach einem verlorenen Paradies, das in mancherlei Gestalt erscheint,
dessen Wiederkunft aber durch keine noch so dauerhafte Gewißheit verbürgt
ist. Die Fremde des Daseins und dieser irdischen Welt erweckt in ihm, der
sich in keinem Klima heimisch fühlt, oft den Eindruck des Träumens. Die
sichtbare Welt verflüchtigt sich vor den Augen dessen, der von innerer Schau
zurückkehrt:

> Ich wohnte unter vielen vielen Leuten
> Und sah sie alle tot und stille stehn,
> [...].
> Nur in mir selbst die Tiefe zu ergründen,
> Senkt' ich ins Herz mit Allgewalt den Blick;
> Doch nimmer konnt' es eigne Ruhe finden,
> Kehrt' trübe in die Außenwelt zurück,

> Es sah wie Traum das Leben unten schwinden,
> Las in den Sternen ewiges Geschick,
> [...].   [442, I, 162 f.]

Der Dichter gibt sich jedoch immer wieder gerne solchen Traumgefühlen hin und sucht Herbstlandschaften auf, Mondnächte und die unsicheren Stunden der Abenddämmerung, in denen die Kontur der Dinge zu verschwimmen beginnt. Unermüdlich hat er die den Traum begünstigenden Augenblicke besungen, in denen sich die Natur verschleiert. Freilich waren alle Romantiker der Abenddämmerung, der Zeit der fallenden Blätter, der vom Mondlicht übergossenen Welt zugetan. Maler und Dichter ergingen sich in einsamen Streifzügen; aber dabei suchte jeder seine eigene Befriedigung. Brentano gehörte zu jenen, die die Nacht liebten um des Fließenden willen, das sie allen Dingen mitteilt, den Herbst wegen des Schauspiels einer ersterbenden Natur und der vom Nebel verhüllten Linienzüge. Andere, darunter Jean Paul, fanden Gefallen an den überraschenden Metamorphosen der Gestalt; die Nacht war für sie eine Schatzkammer berauschender Empfindungen, die sich an jene des Tages anschlossen. Wieder andere sehnten sich wie Novalis danach, daß die irdische Welt zurückweiche und die Seele sich, vom Dunkel begünstigt, in sich selbst zurückziehe; die Nacht war ihnen Bild und Symbol für die Abgründe, in die sie kraft äußerster Konzentration des Geistes eindrangen. Für Brentano besitzt die Nachtlandschaft andere Eigenschaften. Sie bleibt Landschaft, bleibt Gemälde; sie lockt durch ihr Kolorit, ihre Licht- und Schattenspiele, ihre Formen und Gestalten. Keiner ist von der mystischen Vision der *Hymnen an die Nacht* weiter entfernt als Brentano, denn keinem mangelt es in dieser Hinsicht so sehr an der Fähigkeit zu willentlicher Magie. Ebenso fern steht er aber auch Jean Paul und jener Nachttrunkenheit, in welcher dieser geniale Voluttuoso vom grandiosen Schauspiel der Welt jene befreienden Harmonikaklänge erwartet, die sein ganzes Fühlen und Empfinden in Schwingung versetzen. Für Brentano ist die Nacht vorab eine Augenweide, und zugleich befriedigt sie seine Seele, der sich darin eine Wirklichkeit erschließt, die ihr eher entspricht und leichter zugänglich ist als die des hellichten Tages. Er, der oft und oft darüber klagt, die Welt nicht stellen, ihre Flucht nicht aufhalten zu können, er rettet sich immer wieder gerne in die verhüllten Augenblicke, wo die Wirklichkeit, nunmehr traumhaft geworden, weder ferne noch feindlich ist.

Beim Sonnenuntergang blüht seine Seele auf:

> Es öffnet jed Leben dem andern die Brust,
> Und trinket mit Lust,
> Ganz ohnbewußt,
> Den himmlischen Kuß,
> Den Wechselgenuß.
> [...]

Und endlich lösen die Arme sich auf,
Der Mond zieht herauf;
Der dämmernde Blick
Träumt trunkenen Traum.
Im himmlischen Raum
Erblühen die Sterne,
[...]   [39]

Landschaft und Empfindung des Dichters, durch die Metamorphose des Traums aufeinander abgestimmt, schwingen des Nachts harmonisch ineinander ein. Die Welt wird vom Dunkel aus ihrer Ferne erlöst, die Seele fühlt sich der Hingabe ganz nahe und läßt sich von dieser freundlicheren, sanfteren Welt einwiegen. Eins der besten *Godwi*-Gedichte drückt dieses Glücksgefühl wunderbar aus:

Sprich aus der Ferne
Heimliche Welt,
Die sich so gerne
Zu mir gesellt.

Wenn das Abendrot niedergesunken,
Keine freudige Farbe mehr spricht,
Und die Kränze stilleuchtender Funken
Die Nacht um die schattigte Stirne flicht:

Wehet der Sterne
Heiliger Sinn
Leis durch die Ferne
Bis zu mir hin.
[...]

Alles ist freundlich wohlwollend verbunden,
Bietet sich tröstend und traurend die Hand,
Sind durch die Nächte die Lichter gewunden,
Alles ist ewig im Innern verwandt.

Sprich aus der Ferne
Heimliche Welt,
Die sich so gerne
Zu mir gesellt.   [55 f.]

Die Empfindung glückseligen Träumens begünstigt in solch frühen Gedichten noch die Erinnerung an wirkliche Landschaften, an irdische Nächte und an Träumereien draußen in der Natur. Aber in den qualvollen Jahren der Verängstigung und des vielfachen Scheiterns, die so bald schon herankommen werden, beginnt sich Brentanos Poesie allmählich ihre eigenen Provinzen, ihr eigenes Klima zu schaffen; wirkliche Landschaften, selbst verklärte, wird sie dann nicht mehr kennen. Eine mehr und mehr musikalische und anspielungsreiche Sprache wird immer kühnere, vollkommenere Ausbrüche unternehmen, wobei die Worte für irdische Stunden und Jahreszeiten, für vertraute Farben und Formen nicht viel mehr bedeuten als flüchtige Schwingungen auf den Saiten einer Harfe. Eine ‹werdendere›, unübersetzbarere Lyrik als die des reifen Brentano läßt sich nicht denken, denn jedes Wort, ja beinahe jede Silbe spielt hier so viele verschiedenartige Rollen, daß der Leser oder Zuhörer gleichsam von einem funkelnden Tanz, von einem klingenden Licht verführt und hingerissen wird. Ist es die subtile Orchestrierung der Vokale, ist es der Rhythmus oder ist es der zwiefache Taumel der Bilder und der Gefühle, was dem *Schwanenlied* seine Magie verleiht? Himmel und Erde, Engel und Blumen, alle Winter und Frühlinge, alle Leiden und alle Freuden, das schäumende Blut und das Todesahnen, alles fügt sich hier zu einer Welt von deutlich bestimmtem, wenn auch fließendem Dasein zusammen.

> Wenn die Augen brechen,
> Wenn die Lippen nicht mehr sprechen,
> Wenn das pochende Herz sich stillet
> Und der warme Blutstrom nicht mehr quillet:
> O dann sinkt der Traum zum Spiegel nieder,
> Und ich hör' der Engel Lieder wieder,
> Die das Leben mir vorüber trugen,
> Die so selig mit den Flügeln schlugen
> Ans Geläut der keuschen Maiesglocken,
> Daß sie all die Vöglein in den Tempel locken,
> Die so süße wildentbrannte Psalmen sangen:
> Daß die Liebe und die Lust so brünstig rangen,
> Bis das Leben war gefangen und empfangen;
> Bis die Blumen blühten;
> Bis die Früchte glühten,
> Und gereift zum Schoß der Erde fielen,
> Rund und bunt zum Spielen;
> Bis die goldnen Blätter an der Erde rauschten,
> Und die Wintersterne sinnend lauschten,
> Wo der stürmende Sämann hin sie säet,
> Daß ein neuer Frühling schön erstehet.
> Stille wird's, es glänzt der Schnee am Hügel
> Und ich kühl' im Silberreif den schwülen Flügel,
> Möcht' ihn hin nach neuem Frühling zücken,
> Da erstarret mich ein kalt Entzücken –
> Es erfriert mein Herz, ein See voll Wonne
> Auf ihm gleitet still der Mond und sanft die Sonne
> Unter den sinnenden, denkenden, klugen Sternen
> Schau' ich mein Sternbild an in Himmelsfernen;
> Alle Leiden sind Freuden, alle Schmerzen scherzen
> Und das ganze Leben singt aus meinem Herzen:
> Süßer Tod, süßer Tod
> Zwischen dem Morgen- und Abendrot.

[245 f.]

Nächtliche Welt und Flucht in den Traum vereinigen sich auch in den Schlafliedchen des Myrtenfräuleins und ihres Prinzen, in diesen zarten, duftigen Gedichten aus Bildern, durch die Brentanos persönliche Mythologie durchschimmert, eine Mythologie aus Kindheitserinnerungen, deren Symbole oft der Märchenwelt entstammen und worin die Sterne und Blumen nie fehlen.

> Säusle liebe Mirte,
> Wie still ist's in der Welt,
> Der Mond, der Sternenhirte
> Auf klarem Himmelsfeld,
> Treibt schon die Wolkenschafe
> Zum Born des Lichtes hin:
> Schlaf, mein Freund, o schlafe,
> Bis ich wieder bei Dir bin.
>
> Säusle liebe Mirte
> Und träum' im Sternenschein
> Die Turteltaube girrte
> Auch ihre Brut schon ein.
> Still ziehn die Wolkenschafe
> Zum Born des Lichtes hin,
> Schlaf', mein Freund, o schlafe,
> Bis ich wieder bei Dir bin.
>
> Hörst du wie die Brunnen rauschen,
> Hörst du wie die Grille zirpt?
> Stille, stille, laß uns lauschen,
> Selig, wer in Träumen stirbt.
> Selig, wen die Wolken wiegen,
> Wem der Mond ein Schlaflied singt,
> O wie selig kann der fliegen,
> Dem der Traum den Flügel schwingt,
> Daß an blauer Himmelsdecke
> Sterne er wie Blumen pflückt:
> Schlafe, träume, flieg', ich wecke
> Bald Dich auf und bin beglückt.
>
>   [251 f.]

Das Wort ‹Traum› hat in dieser schwerelosen Poesie kaum noch eine nennbare Bedeutung; es ist – wie bei gewissen Dichtern des französischen Symbolismus – ganz nur noch Klang. In der zumeist an Emilie Linder, Brentanos Altersliebe, gerichteten Lyrik der letzten Jahre erscheint das Wort wieder auffallend häufig, jeweils begleitet von weiteren Schlüsselwörtern, die es Clemens besonders angetan haben und die zum Teil schon in früheren Gedichten erschienen – «Myrte», «Schwan», «wiegen», «Lilie» –, teils aber jüngere Geheimnisse beschwören, wie die «Linde», die an Emiliens Namen anklingt und fast nie fehlt. Alles wird zum Traum im Augenblick, wo diese letzte platonische Liebe aufflammt und

Clemens noch einmal inspiriert: Rosen und Düfte, Bienen und Nachtigallen haben Träume mit «Goldsäumen»; Schwäne und Myrten, der Kuß und das Glück sind Traum und Wiegenlied[1]. Das Fließende von einst geht bis zur Verflüchtigung, die Sprache löst sich auf, die Wörter reihen sich kaum verbunden aneinander, jedes für sich aufklingend und einem flüchtigen Bilde rufend:

> Und die Schultern fein gesenket,
> Kühl und süß mein Haupt hier ruht.
> Träumet, flüstert, dichtet, denket
> Licht und Wort und Fleisch und Blut.
>
> [542]

Dies eigenartige Stammeln, das Clemens von seiner späten Liebe eingegeben wurde, ist wie das Echo seiner früheren Liebeslyrik; gewiß, auch diese war ganz aus Träumen gewirkt, aber es fehlte dort diese Brechung des verströmenden Lichtes in tausend Fragmente, so wie durch die Facetten eines geschliffenen Kristalls. Liebe und Traum sind bei ihm auf eine geheimnisvolle, notwendige Weise aneinander gebunden.

Im übrigen haben zwei oder drei Nachtträume unter Brentanos Feder dichterische Gestalt angenommen. Der eine, von dem man zu Unrecht angenommen hat, er beziehe sich auf Luise Hensel, die Freundin der Pilgerjahre, bleibt trotz der deutlich allegorischen Form ganz im Bereich der Erotik. Der Dichter sieht seine Freundin nackt an einem Brunnen sitzen, das Kleid neben sich im Gras, und damit beschäftigt, die Füße zu waschen:

> Sie sprach: «Mein Fuß, der wird wohl rein
> Durch dieses Wassers Tugend,
> Doch ach! stets bleibt das Oberbein
> Vom Fehltritt in der Jugend.»
>
> [440, II, 166–169[2]]

Danach kniet sie nieder und sieht im Brunnen ihr Spiegelbild, schämt sich aber keineswegs ihrer Nacktheit am heiteren Tage – er aber, «traurig und erschreckt», muß darüber bitter weinen und wacht aus dem Traum auf.

Des *Todes Wiegenlied,* wohl für Sophie Mereau gedichtet – eine geistliche Kontrafaktur entstand nach der Bekehrung –, ist nicht eigentlich ein Traum. Aber dieses Sehnsuchtslied, worin sich das Kind der mütterlichen Zärtlichkeit erinnert, als es noch in den Mutterleib eingeschmiegt lag, hat doch ganz den Charakter eines Traums. Und man spürt hier reiner als anderswo dieses für Brentano so eigentümliche Ineinander von Sinnlichkeit und kindlicher Liebe.

> O Mutter, halte dein Kindlein warm
> Die Welt ist kalt und helle
> Und leg' es sanft in deinen Arm,

---

[1]* [442, I: 537–541/560f./564–567/550–553/546–548].
[2]* Zur Datierung Guignard [457, 88].

An deines Herzens Schwelle.
[...]
Da träumt mir, wie ich so ganz allein,
Gewohnt dir unterm Herzen,
Wie all die Leiden die Freuden dein
Mich freuten und mich schmerzten.

Und war deine Sehnsucht ja allzugroß,
Und wußtest nicht, wem klagen,
Da weint' ich still in deinem Schoß,
Und konnte dir's nicht sagen.

2. Fassung [170 ff.]

In einem der letzten Gedichte Brentanos, im *Traum der Wüste,* vereinigt sich das Wort ‹Traum› von Strophe zu Strophe mit den Vorstellungen des Dursts und der Sehnsucht, der versengenden Einsamkeit und der Hoffnung zu einer religiösen Musik mit ganz fremdartigen Anklängen:

O Traum der Wüste, Liebe, endlos Sehnen,
Blau überspannt vom Zelte, Stern an Stern;
O Wüstenglut voll Tau, o Lieb' voll Tränen,
Weil sich unendlich Nahes ewig fern.
[...]
O Liebe, Wüstentraum des Heimatkranken,
Ihr Paradiese, schimmernd in der Luft,
Ihr Sehnsuchtsströme, die durch Wiesen ranken,
Ihr Palmenhaine, lockend in dem Duft.
[...]
O Liebe, Wüstentraum, du mußt verbluten,
Beraubt, verwundet, trifft der Sonne Stich,
Der Wüste Speer dich, und in Sandesgluten
Begräbt der Wind dich, und Gott findet dich!

[624 ff.[3]]

Ungefähr vom Jahre 1835 an taucht in der Münchner Lyrik und leitmotivisch im großen Gockelmärchen immer wieder derselbe Refrain auf, so in einem Traum, der im *Tagebuch der Ahnfrau* erzählt wird und der auf einen wirklichen, dem Dichter von Emilie Linder mitgeteilten Traum zurückgehen soll [451, II, 484 ff.]. Die Einzelheiten dieses Traums kennen wir nicht, und die für das *Tagebuch* verfaßte Version ist eine allegorische Szene, in die Brentano nach Belieben eigene Erinnerungen und eine ganze florale Symbolik mit Rosen, Lilien, Bienen und Glühwürmchen einflicht; und hier spricht eine Menschenstimme mit wehmütigem Tone die Worte:

O Stern und Blume, Geist und Kleid,
Lieb, Leid und Zeit und Ewigkeit!

---

[3] Das Gedicht war ursprünglich einem Pilger der Marinalegende in den Mund gelegt, vgl. Anmerkung zu [442, I, 624].

Worte, von denen der Dichter sagt: «Ich verstand sie durch und durch und konnte sie doch nicht erklären» [442, III, 855 ff.[4]]. Immer wieder ist er darauf zurückgekommen, als wären diese Verse sein Wahlspruch und der genaueste Ausdruck für all das, was er an unsäglicher Pein und unaussprechlicher Hoffnung in sich getragen hat. Die allegorischen Deutungen, die er in einem Brief an Emilie Linder oder in Gedichten zu geben versuchte, können nichts erklären; die Richtigkeit dieser paar Worte ist so vollkommen wie die jener Verse von Baudelaire, an die ihre Bewegung von ferne erinnert:

> Là, tout n'est qu'ordre et beauté,
> Luxe, calme et volupté.

Indessen darf ob der Ähnlichkeit nicht der Unterschied zwischen diesen zwei dichterischen Formeln vergessen werden. Im Refrain der *Invitation au voyage* erinnert nichts an jene Vereinigung des Entgegengesetzten, jene Harmonie gegensätzlicher Begriffe, welche der *Invocatio* Brentanos ihre Tiefe gibt. Für eine Weile leben die vier feindlichen Paare: Erde und Himmel, Geist und Schein, Liebe und Leid, Zeit und Ewigkeit, durch die Magie der Poesie in einem wunderbaren Einklang.

III

Einsamkeit, du Geisterbronnen ...

Die *Romanzen vom Rosenkranz* sind, obwohl Brentanos reichste Dichtung, nicht etwa ein Alterswerk. Dieses große katholische Gedicht mit seiner üppigen Bilder- und Symbolpracht, das in einzelnen Teilen eine poetische Landschaft von außergewöhnlicher Reinheit hervorzaubert, blieb einige Jahre vor der endgültigen Konversion unvollendet liegen. Nachdem er ein Jahrzehnt lang daran gearbeitet, gab der Dichter seinen Plan um 1812 auf; damals begann für ihn jene Epoche, wo er vom Schicksal und von der eigenen Schwachheit in ein Leben der Ausschweifungen, der zügellosen Gefühle und der religiösen Sehnsucht geworfen wurde. Später rührte er das Manuskript nicht mehr an, wollte es sogar einmal vernichtet wissen, und so erschienen die Romanzen erst nach seinem Tode in den *Gesammelten Schriften*. Aus diesen Daten zu schließen, die Romanzen seien noch keine katholische Dichtung, wäre jedoch verfehlt. Sie sind es, weil sie sowohl die Symbole wie den Grundton aus dem Katholizismus beziehen; sie sind es vor allem deshalb, weil Brentano, noch bevor er die Rückkehr zur Kirche seiner Kindheit klar ins Auge faßt, das Verlangen hat, sich in ihre Atmosphäre zu flüchten, den Leiden seines Daseins diese andere Welt des Lichtes entgegenzusetzen, in die er vorläufig nicht anders als durch die dichterische Evokation einzudringen vermag. Seine Briefe an Runge, den er um

[4] Vgl. Anmerkung zu [442, I, 601].

Randzeichnungen für seine Romanzen anging, lassen die Wurzeln dieser Dichtung deutlich erkennen. Sie ist hervorgegangen aus der Krise, die durch den Tod Sophie Mereaus ausgelöst und durch das jämmerliche Scheitern der zweiten Ehe mit Auguste Bußmann grausam verschärft wurde. Brentano bekennt freimütig, er habe seit jenen traurigen Erlebnissen die Begierde verspürt, «ein Gedicht zu erfinden, wie ich gern eines lesen möchte» [442, I, 1203], habe aber anfänglich nichts vor sich gesehen als «gewisse Bilder und Zusammenstellungen», ohne ihren Sinn recht einzusehen; allmählich seien die Farben bestimmter geworden, und er habe sich entschlossen, die vagen Gestaltungen mit einer geschichtlichen Epoche und mit historischen Personen in Verbindung zu bringen.

Die Rosenkranzdichtung ist demnach entstanden, ohne daß Brentano an einen Plan dachte; sie hat ihm vorgeschwebt in rätselhaften Symbolen, die ihn sonderbar erfreuten. Als Kontrast zu seinem zerbrochenen Leben tat ihm das Klima dieser unbewußten Bilder wohl. Er ließ sie sich zunächst gefallen, und erst nach und nach gelang es ihm, daraus Elemente zu einem großen Gedicht zu schöpfen. Ein Brief an Fouqué hält diese Etappen genau fest:

Ich war eine Goldharfe mit animalischen Saiten bezogen, alles Wetter verstimmte mich, und der Wind spielte mich, und die Sonne spannte mich. Und die Liebe spielte so leidenschaftlich Forte, daß die Saiten zerrissen [...]. Nun habe ich die Harfe in Feuer ausgeglüht und sie mit Metall besaitet, und spiele sie selbst. [...] *Nun aber habe ich mir alles ausgedacht, was ich noch nirgends gelesen und gesehen, und wonach ich dürste.* [1208 f.*]

Das Gedicht im ganzen hätte erzählen sollen, wie im 13. Jahrhundert in Bologna der Rosenkranz erfunden und dadurch eine Familie von einer alten Erbschuld erlöst wurde. Runge gegenüber erklärte der Dichter, er habe sich die irdischen Begebenheiten und Verhältnisse in fortwährender Beziehung zu den Gestirnen, zur himmlischen Vorsehung gedacht. Er wollte den Bildern, die in ihm aufstiegen, eine gleichsam auf zwei Ebenen verteilte Bedeutung geben. Mit einer konstanten Symbolik sollte erreicht werden, daß gewisse Motive, die immer wieder auftauchen, nach und nach über dem Erzählten und über den Gestalten eine andere, geistigere, heiligere Fabel, eine himmlische Begleitung hervortreten ließen. Brentanos beständiges Gefühl, in zwei Welten zugleich zu leben, im Traum und in der Wirklichkeit, wurde hier um eine religiöse Deutung bereichert: Die Ebene des Traums wurde zur Ebene des Mythos, der alles irdische Geschehen im geheimen begleitete.

Als er Runge bat, den Romanzen Zeichnungen beizugeben, ging es dem Dichter nicht einfach um eine gefälligere Präsentation. Er hoffte auf ein innigeres Zusammenwirken, das ihm durch die Kunst gerade dieses Malers gewährleistet schien. Er wollte, daß dort, wo das Wort die Verlängerung ins Mythische nicht zu schaffen vermochte, die Feder einspringe, und zwar durch die ornamentale Strichführung und die Arabesken, die Runge mit der barocken Kunst gemein hat. Seine Zeichnungen sollten – so erklärt er dem Maler – die engen Beziehungen zwischen den geschilderten Situationen und den «unsichtbar wandelnden Gestirnen» andeuten und herausbilden, ihren «innern, steten Bezug zu den christlichen Mythen der Ober- und Unterwelt», auch wenn davon in den Gedichten nicht viel gesprochen werde. [1207]

Runge starb, bevor er an die Aufgabe gehen konnte. Er wäre wie geschaffen gewesen dazu, denn die Poetik der Romanzen ist seiner symbolistischen Kunst sehr nahe verwandt. Seine Kunst – für uns wegen ihrer zu starken literarischen Ausrichtung und der oftmals schwerfälligen Ausführung nicht leicht zugänglich – erstrebte tatsächlich eine Transparenz der Gestalt, hinter der fortwährend eine verborgene Bedeutung zu erahnen sein müßte. Selten war die Malerei von ihren rein malerischen Zielen so sehr abgewandt wie in Runges Gemälden, und nichts ist von Natürlichkeit weiter entfernt. Runge, der Gelegenheitsdichter und Autor romantischer Märchen, bleibt Schriftsteller auch in seiner Malerei. Die Formen der Menschen, der Gegenstände, der Landschaften erscheinen stets verdoppelt durch ihre ornamentale Wiederholung, welche die Umgebung beschwert, ja bis zum Rahmen hinaus in Blumengewinden, Engeln, abstrakten Linien und Figuren. Es scheint, als wolle der Maler die Gesichter und die realen Gegenstände der Bildmitte auf diese Weise entstofflichen. Nicht durch eine Flucht von Horizontlinien gelangt man aus der realen Welt ins Unendliche hinüber, wie bei Friedrich, sondern durch eine Art Reduktion aller Körperlichkeit auf ihre linearen Elemente. Runge starb zu früh, als daß wir über das, was er erreicht hat, urteilen dürften; das Werk, das er hinterließ, interessiert trotz allen Schwächen wegen seiner Zielsetzungen. Und wenn auch – gerade aus der Absicht heraus, ein jedes Ding auf seine geistigen Elemente zurückzuführen – seine Kunst den Gegenstand der Malerei zu übersteigen scheint, so erlaubt uns ein Blick darauf zumindest dies, daß wir das Anliegen Brentanos besser erfassen können.

Was Brentano vor den Irrtümern seines Malers bewahrt, ist die innere Notwendigkeit seines Symbolismus. Die Romanzen hätten von Anfang bis zu Ende die menschliche Kreatur zeigen sollen, wie sie einem verzweifelten Kampf zwischen Gut und Böse ausgeliefert ist. Der Charakter dieses inneren Kampfes, der des Dichters eigener ist, läßt sich unschwer an der Handlung und an den Personen ablesen. Als das Böse erscheint vor allem die sinnliche Versuchung; sie wird symbolisiert durch den fortgesetzten Inzest, dem schließlich die zwei Gruppen von Schwestern – Rosarosa, Rosadora (Biondetta), Rosablanka – und von Brüdern – Jacopone, Meliore, Pietro – entsprungen sind. Diese Erbsünde geht auf entfernte Vorfahren zurück, die in eine Verschwörung gegen die Heilige Jungfrau und ihr Kind verwickelt waren. Die Gottesmutter hatte damals geweissagt, die Sippe werde erst dann vom Fluch erlöst werden, wenn drei Rosen lebendig geworden seien und sich von Sünde freizuhalten vermöchten.

Dieser Mythos, von dem übrigens in den ausgeführten Romanzen nicht, wohl aber in den Paralipomena die Rede ist [992 ff./1212 ff.], gibt der Dichtung erst ihre volle Bedeutung. Die Rosen sind darin das wesentliche, immer wiederkehrende Element; und erst wenn die drei in Blutschande gezeugten Töchter der Rosatristis die Versuchung überwinden, wird der Fluch vom Geschlecht genommen werden. Die Erfindung des Rosenkranzes wird den neuen Bund besiegeln. Aber die Geschichte der drei Schwestern kompliziert sich, weil sie nicht wissen, daß Jacopone, Meliore und Pietro ihre Brüder sind. Es ist dies ein Aspekt des doppelten Anscheins aller Dinge: Von ihrem eigenen Gesichtspunkt aus haben sich die «drei Rosen» nur gegen die gewöhnliche Anfechtung durch die sinnliche Begierde zu verteidigen. Nicht sie, wohl aber die Mächte des Himmels und der Hölle wissen es für sie, daß ihnen diese Versuchung in der Gestalt des Inzests begegnen wird. Sollten sie darüber siegen, so wird ihr Sieg viel herrlicher sein, als sie sich denken konnten.

In dieser Dichtung, so wie sie uns vorliegt, ist es von Anfang an der Traum, der dem irdischen Tun seinen mystischen Bezug gibt. Rosablanka, die jüngste der drei Schwestern, begibt sich im Morgengrauen in den Garten hinaus; sie sinkt in Schlummer und «Legt in Gottes Hand die Zügel/Der nachtwandelnden Gedanken». Im Traum sieht sie einen Jüngling mit einem Spaten in der Hand, wagt ihn aber nicht zu grüßen, denn er ist hell und finster zugleich. Da pflückt sie Rosen, «die noch schlafen,/Die unschuld'gen, ohne Sünde,/Ohne Taufe», und flicht ihm daraus einen Kranz. Nun spricht er sie an und sagt, der Mensch müsse, anders als diese seligen Blüten, für Evas Sünde büßen und mit dem Spaten die Erde durchwühlen, bis sich der Vater seiner erbarme. Hierauf versinkt der Jüngling in der Gruft, die er selber ausgehoben hat. (I. Romanze)

Dieser erste Traum – er spielt sich in einem eigenartigen Grau-in-grau ab, über das jedoch am Ende der Glanz der Morgenröte triumphiert – stellt die Verbindung her zwischen der ersten Versuchung im Paradies und den Versuchungen, denen die «drei Rosen» künftig ausgesetzt sein werden. Brentano läßt das alte Thema vom Adam als dem Ackermann wiederaufleben, das so oft auf alten deutschen Stichen dargestellt worden ist. Die Erscheinung Adams, der zu harter Erdarbeit verdammt ist, warnt Rosablanka vor der ihr auflauernden Sünde. Wie auch späterhin in den Romanzen offenbart sich das Ringen zwischen den Mächten des Guten und des Bösen in einem Kampf zwischen Licht und Finsternis. In dem Augenblick, als Adam versinkt, sieht das Mädchen Nebelschwaden aufsteigen; sie verwandeln sich in einen Riesen mit düstern Füßen, der sich die Nacht auf den Rücken lädt. Und diesem trüben Lügner gegenüber erhebt sich, ganz in Flammen gehüllt, auf dem Ozean der Sonnengott. Aber in diesem Moment verblaßt die Vision der beiden zum Kampfe gerüsteten Riesen. Dafür taucht die Schlange auf. Das Bild des Erbfluchs wird abgelöst vom Bild der Versuchung Rosablankens selbst. In ihrem Traum ruft sie die Gottesmutter an, und alsbald setzt Aurora den Fuß auf das Haupt der Schlange. Als die Sonne aufgeht, wird das Mädchen von emsigen Bienen und schwirrenden Schwalben aus dem Schlummer geweckt.

Dieser Traum, dessen Symbole dem christlichen Mythos entnommen sind, deutet das künftige Schicksal Rosablankas und ihrer Schwestern an und läßt seine wahre Natur erkennen: Die Gefahr, der sie ausgesetzt sein werden, ist zunächst eine Gefahr durchaus eigener Art, dann aber auch ein Sonderfall jener allgemeinen Bedrohung, die über dem Menschengeschlecht als Ganzem schwebt und über die letztlich nur die göttliche *clementia,* die Barmherzigkeit und Gnade, Herr werden kann.

Das Mädchen anvertraut seinen Traum dem Vater; dieser erkennt darin die Stimme Gottes, gedenkt der alten Sünde, die er und die Nonne Rosatristis, die Mutter der «drei Rosen», einst auf sich geladen haben, und heißt Rosablanka Kerzen und Rosen aus seinem Garten ins Kloster der Verstorbenen tragen. (II. Romanze) Auf dem Wege dahin begegnet sie bei einem Madonnenbild dem Studenten Meliore, in dem sie die Züge jenes Jünglings mit dem Spaten wiederzufinden glaubt, der ihr am Morgen im Traum erschienen ist. Gemeinsam flechten sie aus den Rosen einen Kranz für die Muttergottes, auf daß diese sie beide vor Sünde bewahre. Aber die Mahnung des Traums erneuert sich, zu Recht, denn schon ist Rosablanka, die in Meliore ihren Bruder nicht zu erkennen vermag, von geheimer Macht bezwungen. Am Mittag findet sie am selben Ort einen schlafenden Knaben, den kleinen Agnus Castus, das göttliche Kind, das als Sendling des Himmels die Schritte der drei Schwestern lenkt. Es erbittet sich von Rosablanka drei Kerzen, eine rot, eine schwarz, eine weiß, die es «für drei Rosen» opfern will, und ermahnt sie, der ernsten Worte des Jünglings mit dem Spaten eingedenk zu bleiben und ihnen zu gehorchen. Dann verschwindet der Knabe; sie aber bewegt es zutiefst, daß er von ihrem Traume weiß. (IV. Romanze)

Am Abend desselben Tages wartet ihr auf dem Heimweg der Gärtner Pietro auf, Meliores und also auch ihr Bruder, und hält um ihre Hand an. Nichts davon ahnend, daß er dadurch in ihr die Erinnerung an den mahnenden Traum wachruft, erzählt er ihr, er habe die weiße Rose, die er einst von ihr erhalten, in seinem Garten großgezogen.

> Paradiesisch blüht der Garten,
> Seit die Rose bei mir wohnet,
> Und ich gleich' dem ersten Manne,
> Eh' das Weib geschaffen worden.
> (VI. Rom. v. 129 ff.)

Er reicht ihr eine Orange, sie aber nimmt sie nicht an, da sie darin den Apfel des Bösen zu erkennen glaubt, und nun erzählt sie ihm ihren Traum. Danach gibt sie ihm Bescheid, die Frucht der Erkenntnis niemals mit einem Manne teilen zu wollen; er solle «Trauern nicht um eine Rose,/Die dem Himmel sich verlobet». Unterdessen schmückt sich die abendliche Landschaft mit symbolischen Farben und Formen, denen sich droben am Himmel Gestalten aus Träumen und Mythen zugesellen und aus einer Natur, die zum Ausdruck der zwei schweigenden Menschenkinder geworden ist, die beide in einem feierlichen Lebensaugenblick in deren Betrachtung versunken sind.

> Aus den Tälern wächst der Schatten,
> Und es betet schon die Sonne
> Ihren Abendsegen, schwankend
> Auf des Waldes goldnen Kronen.
> [...]
> Und zum Rosengarten wandelt
> Sich zu baden nun die Sonne,
> Einen Mantel webt im Schatten
> Ihr die Nacht aus grauem Flore.
> [...]
> Aber rings aus Luft erstarren
> Hohe Purpurburgen, golden
> Wundervolle Inseln wachsen
> Aus des Äthers glüh'nden Wogen.
>
> Und die Inseln werden Drachen,
> Und die Burgen all Sankt George,
> Und der Sonne Strahlen Lanzen,
> Gen die Drachen blank erhoben.
>
> Aber ewig sich verwandelnd,
> Wo sie aufeinander stoßen,
> Ziehn sie eine Bucht kristallen
> Um der Sonne Bad voll Rosen.
> [...]
> Mahnend zieht die Nacht den Mantel
> Vor des Unterganges Tore,
> Und die Herzen fühlen alle,
> Wer verloren, wer gewonnen.
>
> (VI. Rom. v. 165 ff.)

Der Traum, durch den Rosablanka vor ihrem Schicksal gewarnt worden ist, bewahrt sie also vor der Inzeste mit Pietro und wird auch später ihre Liebe zum Bruder Meliore unterdrücken. Denn als sie diesen in der Kapelle gewahrt, wie er dem Priester bei der Messe zudient, kann sie den Blick kaum mehr von ihm wenden; nur seine Ähnlichkeit mit Adam, der ihr im Traum erschienen, kühlt ihre Liebeslust. In ihrem Innern tobt ein schrecklicher Kampf, aber ein Sonnenstrahl, der auf das Altarbild Mariä fällt, verhilft dem Guten zum Sieg. (XV./ XVI. Romanze)

Die älteste der «drei Rosen», Rosarosa, deren Abenteuer in den ausgeführten Romanzen nur angedeutet werden, wird auf ebenso wunderbare Weise vor

Schlimmem bewahrt. Einem frommen Gelübde gehorsam, lebt sie bis zu ihrem frühen, tragischen Tode in keuscher Ehe mit Jacopone, der, ohne es zu wissen, vom selben Vater abstammt wie sie. (XI. Romanze)

Die mittlere der drei Schwestern, Biondetta (oder Rosadora), war schlimmeren Versuchungen ausgesetzt; es scheint, Brentano habe daran Gefallen gefunden, sie dem Teufel zu jeglichem Vorhaben zu überlassen. Was sie erleiden muß, sind seine eigenen Qualen, ist die schreckliche Unentrinnbarkeit des Bösen, der er sich selbst ausgeliefert fühlte. Dafür hat er ihr auch den heldenhaftesten Siegeswillen verliehen. Der Triumph des Lichts über die Finsternis wird um so strahlender sein, je günstiger anfänglich die Aussichten für die Höllenmächte sind, ihren Anschlag zu verwirklichen.

Biondetta, die gefeierte Sängerin, entsagt dem Theaterleben, um ins Kloster einzutreten. Zuvor will sie einen Abschiedsabend geben, an dem sie mit prunkvollem Aufwand eine allegorische Szene spielen wird; darin soll die mystische Bedeutung ihres Entschlusses sichtbar werden. Die achte Romanze, die durch ihren Bilderreichtum und ihr dramatisches Leben hervorsticht, beschwört dieses Schauspiel und seinen schrecklichen Ausgang herauf. Das Publikum, zahlreich versammelt, trägt Trauer und verwandelt mit all den strahlenden Diamanten auf schwarzen Gewändern den Saal in ein Firmament mit flammenden Sternen. Als der Vorhang aufgeht, erscheint Biondetta unter einem Blumentempel. Alles schweigt, wie «die junge Erde,/Da der Mensch, der Gottgeschaffne,/In dem Kelch des jungen Lebens/Sinnend schwankt' und weint' und lachte» (v. 53 ff.). Die Dekoration wechselt; auf einem Felsen gewahrt man Brentanos Lieblingsbild: eine Maria. Der Saal gleicht «dem Meere,/Über dem ein Gott hinwandelt» (v. 93), und Biondetta singt das *Ave Maris Stella*. Publikum, Bühne, Gebärden und Worte der Darstellerin, alles vereinigt sich zu einer grandiosen Folge von Meerbildern. Biondetta erzählt von ihrer Kindheit, von der Frömmigkeit, zu der sie von ihrer Pflegemutter angeleitet wurde, von ihrer Einweihung in Musik und Tanz. Dann steigt eine Wunderinsel aus dem Meer auf, während von oben der himmelblaue Mantel Mariens niederschwebt und die Sängerin verhüllt. Als sie wieder erscheint, stellt sie Judith mit dem Schwerte dar, unter purpurner Decke das Haupt des Holofernes tragend. Dann tritt sie in weißem Mantel auf, die goldnen Flechten aufgelöst, und singt ihren Schwanengesang: das Lied vom Tod des Opferlammes. Am Ende steigt sie den Felsenpfad hinan und tritt, von der Abendsonne beschienen, ins dunkle Tor des Waldes. Die Musik, die bisher das Schauspiel fortwährend begleitet hat, hält in diesem feierlichen Augenblick inne; Biondetta nimmt Abschied von den trügerischen Farben, vom Flitter und Tand, vom «Regenbogen eitler Tränen» (v. 368) und wünscht sich schwarz zu kleiden wie der Rabe, der von Noahs Arche ausflog, und weiß zu verschleiern wie die Taube, die mit dem Ölblatt zurückkehrte.

Im selben Augenblick bricht auf der Bühne Feuer aus, im Nu steht das ganze Theater in Flammen. In der allgemeinen Verwirrung erblickt man Biondetta, um die sich eine gräßlich lachende flammende Gestalt und ein flinker Jüngling streiten, den man als den Studenten Meliore erkennt. Dieser siegt; sein Feind, vom Priester mit Weihwasser besprengt, fällt in Asche zusammen. Vergeblich haben die Höllenmächte diese Katastrophe angestiftet, um sich einer Seele, die ihnen durch die Fänge zu gehen drohte, wieder zu bemächtigen.

Nach ihrer Rettung wacht Biondetta aus einem Traum auf, worin sie sich selber hat zu Asche werden sehen. Sie erzählt ihn Meliore, der neben ihr kniet, und ermahnt ihn: «Liebe nicht, was irdisch schwanket [...],/Denn auch du bist ausersehen/Zu unendlich großen Gnaden» (v. 568/585 f.). Damit weist sie voraus auf das, was sie durch den Traum erfahren hat: Meliore wird mit der Erfindung des Rosenkranzes dereinst den Versöhnungspakt besiegeln.

Biondetta ist aber noch nicht am Ende ihres Leidensweges angelangt; zu ähnlich ist sie Brentano, als daß ihrer nicht neue Versuchungen warteten. Sie nimmt den schwer verwundeten Meliore bei sich auf, und nur am äußersten Rand des Abgrunds kann sie sich ihrer Leidenschaft für ihn erwehren. Vom Arzt und Magier Apo verzaubert, ersticht sie sich, und er, der im Bund mit dem Bösen schon lange darnach getrachtet hat, eine der Schwestern zur Sünde zu verführen, erreicht es, daß der Leichnam Biondettens wieder Leben annimmt. Daraufhin ist das irdische Bild des Mädchens ganz in den Händen der finsteren Mächte und gibt sich der tollsten Unzucht hin; diese fürchterliche Karikatur, an der sich der Dämon weidet, bringt freilich die Seele Biondettens nicht ums Heil. (XIV./XVII./XVIII. Romanze)

Die Romanzen sind, auch wenn unvollendet, unausgeglichen und manchmal durch rasch angelesenes historisches Wissen, durch kabbalistische und magische Lehren verdorben, in ihren besten Partien bei weitem allem überlegen, was Brentano veröffentlicht hat. Was für ein Farbenreichtum, was für eine Geschmeidigkeit in der Bewegung! Vor allem aber ist hier oft eine sehr wirksame Übereinstimmung erzielt zwischen den stark voneinander verschiedenen Wirklichkeitsebenen. Symbole, die Brentano von Kindheit an vertraut sind, wie die Muttergottesstatue, verbinden sich mit einem fortwährenden Reigen von neuen Symbolen. Es sind vor allem die Rosen, die, immer wieder und in tausenderlei Bedeutungen erscheinend, heilig, weltlich, sinnlich, dem Ganzen seinen eigentlichen inneren Zusammenhang geben. Das Heilsdrama, die Psychologie der einzelnen Personen, all das ist weniger wichtig als die eigentümliche musikalische Qualität der verschiedenen Episoden, worin stets dieselben Bilder in immer veränderter Tönung wiederkehren. Man spürt deutlich, daß das Werk dem Dichter zuerst in der Gestalt von Farben, von unerklärlichen Bildern und Harmonien vorgeschwebt hat. Und eben dadurch – mehr noch als durch Träume, welche göttliche Botschaften übermitteln – unterstehen die Romanzen der Ästhetik des

Traums. Der Traum ist zunächst das Mittel, wodurch die Mädchen vor ihrem
künftigen Schicksal gewarnt und auf ihre Schwächen aufmerksam gemacht
werden. Der Unterschied zwischen den geträumten und den erlebten Begebenheiten ist gering. Das ‹wirkliche› Geschehen hat durchwegs jenen verborgenen,
kaum faßbaren Bedeutungsgehalt, der den Gegenständen der Traumvisionen
eigen ist. Und daß auch die Landschaften einer Traumwelt angehören, zeigt
schon die Konstanz, mit der das Wort ‹Traum› in diesem Zusammenhang auftaucht; Aurora, der Mond, Wald und Wiesen, Nachtigallen und Schwalben,
die Rosen träumen, sind «Inseln der Träume», «spinnen die nächt'gen Träume
an⁵». Alles Gestaltete ist fortwährend im Fluß. Die Farben wechseln und gleiten
ineinander über, und so entsteht eine Welt in Bewegung, in beständigem
Wandel, fast nur noch Musik, eine Musik übrigens, in der auch die schrillen,
die herzzerreißenden Klänge nicht fehlen.

Die Welt mit Licht erfüllen oder ihr entrinnen in ein lichtvolleres Dasein:
diesen zwei Bestrebungen gehorcht Brentano zeit seines Lebens. Er bleibt ihnen
auch treu, als er, nach letzten Qualen und äußersten Versuchungen in den Schoß
der Kirche zurückgekehrt, sich als bescheidener Schreiber ganz in den Dienst
einer Seherin stellt. In der Nähe der Katharina Emmerick findet seine Seele
Ruhe, soweit sie überhaupt der Ruhe fähig ist. Der Kampf zwischen Licht und
Finsternis endet für ihn in der Entsagung; er bescheidet sich dazu, die Visionen
einer begnadeteren Seele in Demut zu empfangen und der Welt weiterzugeben.
    Schwachheit – kein anderes Wort paßt besser auf Brentanos Natur! Er war
schwach im Leben; und wenn er es weniger war in der Kunst, so hat er doch
auch darin nicht die höchste Stärke erlangt. Er war begabter als die meisten
seiner Gefährten, aber auch unfähiger, seine ganze Kraft aufzubieten für irgendeine Verwirklichung. Er verfügte über einen außerordentlichen Reichtum an
Phantasie, durchlitt ein geistiges Drama, das Stoff für ein umfangreiches Werk
gegeben hätte, aber es fehlte ihm an Ernst in seiner Kunst und an Gestaltungs-
vermögen. Das Beste, was von ihm geblieben ist, sind zwei, drei Märchen, in
denen er zum Klima kindlicher Zauberwelt zurückgefunden hat wie niemand
sonst; dann die *Romanzen*, deren Musik in wunderbarer Weise einen einzigen
unermeßlichen Traum aus Blumen, Dämmerungen und flüchtigen Färbungen
heraufbeschwört; und endlich ein paar angstvolle Schreie, kurze Gedichte, in
denen er, selten genug, seine verborgensten Ängste auszusprechen vermochte.
Er, der mit zerrissenem Herzen zwischen Traum und Wirklichkeit stand, ohne sie
vereinigen zu können, er, der an allen Klippen scheiterte, die ihm das Leben
in den Weg stellte, er hat es nicht dahin gebracht, daß er wirklich hätte
sagen können, welcher Traum ihn eigentlich gefangenhielt. Und doch hat diese

---

⁵* Romanze VII, Verse 113ff./IX, 437ff./XIV, 9ff./XV, 97f./287f./XVI, 4/31f./XVIII,
21/XIX, 15f.

gequälte, fassungslose Seele, als die Launen einer geräuschvollen, aber recht
hohlen Jugendzeit abgeklungen waren, zuweilen ganz unnachahmliche Töne gefunden. Da stiegen dann durch alle Leiden und Erniedrigungen hindurch Erinnerungen an eine träumerische, fromme Kindheit auf; der unversöhnliche
Gegensatz zwischen Traum und Wirklichkeit ordnete sich der christlichen Entgegensetzung von Licht und Dunkel unter, und ein tragisches Lied hub an,
in welchem der zur Erde Niedergezogene den Himmel anflehte, ihn aus seiner
Schwachheit zu reißen:

> Einsam will ich untergehn
> Wie ein Schwanenlied im Tode,
> Ist der Stern, den ich gesehn
> Mir nicht mehr ein Friedensbote
> Will ich einsam untergehn
> Wie ein Schiff in wüsten Meeren.
>
> [I, 390/597]

Der schrecklichste dieser Hilferufe ist der *Frühlingsschrei eines Knechtes aus der
Tiefe,* in welchen Brentano kühn die ganze unermeßliche Beklemmung der
Kreatur faßt:

> Meister, ohne dein Erbarmen
> Muß im Abgrund ich verzagen,
> Willst du nicht mit starken Armen
> Wieder mich zum Lichte tragen.
> [...]
> Herr, erbarme du dich meiner,
> Daß mein Herz neu blühend werde,
> Mein erbarmte sich noch keiner
> Von den Frühlingen der Erde.
> [...]
> Herr, ich mahne dich, verschone,
> Herr! ich hört' in jungen Tagen,
> Wunderbare Rettung wohne
> Ach, in deinem Blute, sagen.
>
> Und so muß ich zu dir schreien,
> Schreien aus der bittern Tiefe,
> Könntest du auch nicht verzeihen,
> Daß dein Knecht so kühnlich riefe!
>
> Daß des Lichtes Quelle wieder
> Rein und heilig in mir flute,
> Träufle einen Tropfen nieder,
> Jesus, mir, von deinem Blute!
>
> [329 ff.]

Solche Schreie aus der Tiefe lassen den reinen Glanz des Gesangs, der zuweilen aus dieser schmerzensreichen Seele aufsteigt, nur um so heller erstrahlen.
In den wahrhaft wunderbaren Liedern, die Brentano, vom Zauber der Harmonie

getroffen, als *Nachklänge Beethovenscher Musik* bezeichnet, bricht das Licht mitten aus der Finsternis hervor; in der Tiefe der Einsamkeit blinken plötzlich die Sterne auf. Aus dem Abgrund der Leiden und Kämpfe hebt sich das Gebet empor, und der Dichter reißt sich von der Nacht los, den göttlichen Morgen zu grüßen:

> Und den Traum, den Mitternacht gesponnen,
> Üb' ich tönend, den Tag zu grüßen.
>
> [441.1, 140f.]

Die Töne des Dichters in diesen Liedern, wo die Schönheit Schritt für Schritt über die Welt der Schmerzen zu siegen scheint, sind des Komponisten, der sie eingab, nicht unwürdig:

> Einsamkeit, du Geisterbronnen,
> Mutter aller heil'gen Quellen,
> Zauberspiegel innrer Sonnen,
> Die berauschet überschwellen,
> Seit ich durft' in deine Wonnen
> Das betrübte Leben stellen,
> Seit du ganz mich überronnen
> Mit den dunklen Wunderwellen,
> Hab' zu tönen ich begonnen,
> Und nun klingen all die hellen
> Sternenchöre meiner Seele,
> Deren Takt ein Gott mir zähle,
> Alle Sonnen meines Herzens,
> Die Planeten meiner Lust,
> Die Kometen meines Schmerzens,
> Klingen hoch in meiner Brust.
> In dem Monde meiner Wehmut,
> Alles Glanzes unbewußt,
> Kann ich singen und in Demut
> Vor den Schätzen meines Innern,
> Vor der Armut meines Lebens,
> Vor der Allmacht meines Strebens
> Dein, o Ew'ger, mich erinnern!
> Alles andre ist vergebens.
>
> [442, I, 308f.]

FÜNFZEHNTES KAPITEL

DIE LILIE UND DIE SCHLANGE

> Ich muß dich lieben ewiglich, o Serpentina! – nimmer
> verbleichen die goldnen Strahlen der Lilie, denn wie
> Glaube und Liebe ist ewig die Erkenntnis.
>
> E. T. A. HOFFMANN

Wie sein Liebling Johannes Kreisler, den er sich zum literarischen Doppelgänger erschuf, ist E. T. A. Hoffmann einer von jenen Menschen, die den Eindruck erwecken, «die Natur habe bei ihrer Organisation ein neues Rezept versucht». Aber verdeutlichend und die eigene Lebenslinie bis zum Rande des
Wahnsinns verlängernd, fügt er dem hinzu:

Der Versuch ist mißlungen, indem seinem überreizbaren Gemüte, seiner bis zur zerstörenden
Flamme aufglühenden Phantasie zu wenig Phlegma beigemischt und so das Gleichgewicht
zerstört worden, das dem Künstler durchaus nötig ist, um mit der Welt zu leben und ihr
Werke zu dichten, wie sie dieselbe, selbst im höhern Sinn, eigentlich braucht. [465, I, 25 f.]

Man hat dieses Fiasko allzu bedenkenlos für ein Eingeständnis des Autors
genommen. Da nun einmal die Natur des Kapellmeisters unendlich schwer zu
erfassen ist und da dieser, zumal er den heftigsten seelischen Erschütterungen
ausgesetzt war, von sich oft lieber eine unheimliche als eine komische Karikatur
gab, glaubte man ihm aufs Wort und dachte sich ihn gerne nach Art von
Kreisler, der, «mit zwei übereinander gestülpten Hüten und zwei Rastralen, wie
Dolche in den roten Leibgürtel gesteckt, lustig singend zum Tore hinaus hüpfte».
Gewiß hatte er nichts von einem Phlegmatiker, einem Anpasser und Kompro-
mißler; aber das Gesicht eines Phantasten, eines Verrückten legte er sich deshalb
zu, weil es ihn ergötzte, sich mit den Augen des Philisters zu sehen. Er wußte
nur zu gut, daß all sein Trachten, seine aufopfernde Hingabe ans Werk und
sein ästhetischer Mystizismus der Menge zusammenhanglos und närrisch erscheinen mußten. So wie Kreisler wurde auch er beständig «von seinen innern
Erscheinungen und Träumen wie auf einem ewig wogenden Meer dahin, dorthin
getrieben»; und wie dieser «schien er vergebens den Port zu suchen, der ihm
endlich *die* Ruhe und Heiterkeit geben sollte, ohne welche der Künstler nichts
zu schaffen vermag». Freilich, diese Ruhe blieb ihm nicht verwehrt, das beweist sein Werk. Es stimmt zwar, daß er es nie dahin gebracht hat, sich in der
Musik, in dieser für ihn «romantischsten aller Künste», je vollkommen auszudrücken, und darüber grämte er sich sein Leben lang. Aber in einigen der von
ihm erschaffenen Mythen ist wunderbar ausgesprochen, was er gewußt, was er
geschaut, was er gehofft hat. Er hatte von der Musik erwartet, daß sie ihn mit
der «unsichtbaren Welt» in Berührung bringe, daß sie seine Sehnsucht stille

und ihn mit sich selber versöhne, nicht indem sie ihm Zuflucht im Irrealen geboten, sondern indem sie eine Sprache gestiftet hätte, die zugleich Sprache der unmittelbaren und der geistigen Realität gewesen wäre. Statt dessen war ihm das Wort gegeben. Durch das Wort war ihm verstattet, die gegenseitige Durchdringung des Unsichtbaren und des Sichtbaren – für ihn die verborgene Struktur der Welt – zu beschwören, ja sie in seinen besten Werken mit größerer Kunst, mit erstaunlicherer Magie zu beschwören als jeder seiner Zeitgenossen.

Jünger als Novalis, dessen Schriften für ihn eine wahre Offenbarung bedeuteten, aber wenig geeignet, diesem auf seinem Wege mystischer Spekulation zu folgen, und geistig nur langsam reifend, nährte Hoffmann seine Kunst mit romantischem Gedankengut. Da die Bedürfnisse seines persönlichen Dramas und seine eigene Geistesrichtung es so verlangten, gab er jedoch den meisten dieser bei Novalis und Tieck, bei Schubert und Steffens entliehenen Gedanken einen vielleicht weniger nüchternen, dafür aber mit sprühendem Leben erfüllten Ausdruck. Mehr als bei jedem seiner Lehrmeister verwandeln sich bei ihm die Eingebungen in Personen, in Ereignisse, in Atmosphäre, und die ganze Welt, die zunächst überraschend real wirkt, nimmt je länger, je mehr Fremdartiges, Rätselhaftes in sich auf. Anfänglich ist nichts von einer Parteinahme des Autors, nichts von einer beabsichtigten Symbolik zu spüren. Es scheint, er begebe sich in ein Abenteuer ohne Geheimnis. Doch unversehens wird man aus solcher Schlichtheit des Erzählens hinausgeführt. Die Personen beginnen wie die Dinge und die ganze Umgebung transparent zu werden und lassen unvermutet ihre doppelte und dreifache Bedeutung erkennen. Oder auch umgekehrt: Sie werden undurchschaubar, bedrohlich, leiden unter quälenden Vorstellungen, dumpfen atavistischen Erinnerungen und schneiden auf einmal Fratzen. Der Traum steigt mitten im gegenwärtigen und übrigens recht konkreten Leben auf; er bricht riesige Fenster heraus, die hier auf die unsichtbare Welt der Kunst, dort auf die finsteren Gegenden des Alptraums gehen.

I

An den Namen Hoffmanns, des «Phantasten», knüpft sich immer wieder die Vorstellung von einer Art schwarzer Literatur, von einer Geisterwelt, in welcher der Schrecken, das Verbrechen, der Erbfluch, die Vampire herrschen. Nichts bleibt einem in dieser Welt erspart. Da kreuzen burleske und grauenerregende Gestalten den Weg, plötzlich stößt man auf seinen Doppelgänger, der friedfertigste Geheime Rat gebärdet sich auf einmal toll wie der Teufel und vollführt Sprünge wie eine ungeschickt gehandhabte Marionette. Sooft die Zärtlichkeit oder die Schönheit diesen Hexenkessel erleuchten, gellt ein höhnisches Gelächter auf, und weg sind die anmutigen Bilder.

Diesen Hoffmann gibt es; ja in gewissen Erzählungen – den meistgelesenen, am häufigsten nachgeahmten – schwingt er sich zu Meisterschaft auf. Auch wenn er sich weder mit der ganzen Persönlichkeit des wahren Hoffmann noch mit seiner besten Originalität deckt, auch wenn gerade der Sieg über dieses Zerrbild seiner selbst ihm die schönsten Triumphe eingetragen hat, so läßt sich doch nicht leugnen, daß der Autor des *Goldnen Topfs* von Alpträumen mächtig angezogen, ja zuweilen geradezu *besessen* wurde. Wohl hatte Hoffmann eine außergewöhnliche Gabe, seinen Lesern das Gruseln beizubringen, aber daß er sich aus bloßer Spielerei einen Spaß daraus gemacht hätte, Schauergeschichten zu erzählen, darf man nicht glauben. Es bedarf selbst dort, wo er als Feuilletonist schreibt, keines langen Umgangs mit ihm, um einzusehen, daß die Gespenster und Vampire für ihn nie etwas anderes sind als die Verkörperung abgründiger persönlicher Ängste. Zweifellos glaubt er weitgehend an diese bösartigen Erscheinungen, und er beschwört sie nicht ohne Zittern herauf. Da ihm sein überaus empfindlicher Organismus zu schaffen macht und er unter Halluzinationen und Augenblicken unerträglicher nervöser Spannung leidet, ist er zudem psychologisch interessiert an jeglichen Krankheitserscheinungen, die das klare Bewußtsein beeinträchtigen und an Wahnsinn grenzen. Aber das Wunderbare bei Hoffmann läßt sich weder mit dem Studium solcher Störungen noch mit dem Behagen am Entsetzlichen erklären. Man spürt, daß es um anderes geht als ums Spiel oder um wissenschaftliches Interesse. Er selber unterläßt nichts, den Leser darauf hinzuweisen, sowohl in den Unterhaltungen der Serapionsbrüder, welche die Erzählungen umrahmen, als auch innerhalb seiner besten Werke. Offensichtlich spricht Cyprian im Namen Hoffmanns, wenn er in einem der Gespräche seinen Umgang mit Wahnsinnigen begründet:

Immer glaube ich, daß die Natur gerade beim Abnormen Blicke vergönne in ihre schauerlichste Tiefe, und in der Tat selbst in dem Grauen, das mich oft bei jenem seltsamen Verkehr befing, gingen mir Ahnungen und Bilder auf, *die meinen Geist zum besonderen Aufschwung stärkten und belebten.* [III, 29*]

Die Bizarrerien gewisser Hoffmannscher Helden – die «elektrischen» Zustände der Prinzessin Hedwiga im *Kater Murr,* in einigen Erzählungen der Vampirismus, die Verdoppelung der eigenen Person, unter der Kreisler leidet –, alle diese ‹Fälle› von Heimsuchungen und Psychosen bringen Hoffmanns Geist auffallend in Schwung. Denn er begnügt sich nicht mit der Kenntnisnahme und Wiedergabe von bestimmten Zuständen geistiger Irritation und der dadurch hervorgerufenen Verwirrung der Welt. In jedem dieser ihm so nah verwandten Kranken erkennt er ein Gleiches: nämlich ein Wesen, in dem genau die Lage aller irdischen Kreatur in Erscheinung tritt, nur eben deutlicher. Wenn Hoffmann auf Gestalten versessen ist, deren Inneres von einer außergewöhnlichen nervösen Reizbarkeit zerrüttet wird, so weil sich in ihnen das menschliche Drama zu einer solchen Heftigkeit steigert, daß es besser erkannt werden kann. In den jähen Ausbrüchen der in unserm Innern gefesselten Kräfte und in ihrem schreienden Mißverhältnis mit der gewöhnlichen Welt gewahrt er Zeichen, welche ihm erst die ganze Weite unserer eigentlichen Natur zu verraten scheinen. Denn diese reicht über unser alltägliches Leben hinaus in ganz andere Räume. Einwirkungen aller Art – magnetische Einflüsse von Menschen und Tieren, telepathischer Verkehr, unerklärliche Emotionen beim Anblick bestimmter Gemälde, plötzlich durchbrechende Angstgefühle – all dies läßt uns, die wir über uns selbst und unsere ‹natürliche› Umwelt nur halbwegs Bescheid wissen, immer wieder ahnen, daß wir einer wie der andere in dunklen Beziehungen mit der «Geisterwelt» stehen. Mancherlei dem Anschein nach widersprüchliche Symptome sprechen für unsere Verbundenheit mit einem bald dämonischen, bald göttlichen Hintergrund des Realen. Das Erlebnis der Dichtung, ja der Kunst überhaupt ist für Hoffmann von Halluzinationen und Krankheitszuständen nicht zu scheiden: nicht etwa weil diese die ‹Ursache› der Dichtung wären, wie man oft sagt, oder weil Dichtung die Antwort auf eine derartige Notlage wäre. Die poetische Begeisterung, von der die besten Helden Hoffmanns dem Licht entgegengetragen werden, wie auch die Momente psychischer Verstörung, die andere seiner Personen in die Kreise des Alptraums hineinziehen, beides ist eines Wesens und von gleicher Wichtigkeit: Alle diese Erfahrungen verlängern gleicherweise das uns zubemessene wahre Schicksal über seine knappe irdische Zeitspanne hinaus. Wenn die Dichtung von ihrem Adepten vollkommene Aufopferung und den Verzicht auf jede andere Befriedigung verlangt, so erregen die aus der Finsternis auftauchenden Schreckgespenster den Geist nicht minder nachhaltig; indem sie ihn zur Verteidigung herausfordern, bringen auch sie ihm zu Bewußtsein, daß der Mensch mit seinen Wurzeln im Unbekannten gründet.

Wer außer acht läßt, daß der finstere Wald in den *Elixieren des Teufels* und die luftig schimmernden Visionen im *Goldnen Topf*, der Kampf gegen die Erbsünde und die «Liebe des Künstlers» eine gemeinsame Bedeutung haben, der wird von Hoffmanns Werk nicht das geringste erfassen können. In der Gnade, die den Studenten Anselmus ins Feenreich der goldnen Schlänglein entrückt, und im Fluch, der den Mönch Medardus unter ein verbrecherisches Verhängnis zwingt, hier wie dort wirkt ein und dasselbe dieser Welt fremde «geistige Prinzip». Der Erwählte wie der Verfluchte, beide werden von einer höheren Macht regiert. Und übrigens ist auch die Gnade ein Fluch, insofern sie den Begnadeten zu Einsamkeit und Entbehrung verurteilt; und umgekehrt erweist sich selbst der Fluch als eine Gunst, denn wer davon betroffen wird, entrinnt der elenden Dürftigkeit des gemeinen Lebens und dringt in den unendlichen Lauf des Schicksals ein. Dessen ist sich Hoffmann ganz klar bewußt.

Dem Menschen behagt das tiefste Entsetzen mehr, als die natürliche Aufklärung dessen, was ihm gespenstisch erschienen, *er will sich durchaus nicht mit dieser Welt abfinden lassen;* er verlangt etwas zu sehen aus einer andern, die des Körpers nicht bedarf, um sich ihm zu offenbaren. [II, 439*]

Über den Gebrauch, den Hoffmann selber vom Wunderbaren macht, scheint Meister Abraham, der Magier im *Kater Murr*, Auskunft zu geben; als sich Kreisler gegen seine Foppereien verwahrt und sich nicht länger durch Kniffe irritieren lassen will, bei denen letztlich alles ganz natürlich zugeht, erwidert ihm der alte Zauberer:

Natürlich! – natürlich, [...] als ein Mann von ziemlichen Verstande solltet Ihr doch einsehen, daß nichts in der Welt natürlich zugeht, gar nichts! – Oder glaubt Ihr, werter Kapellmeister, daß deshalb, weil wir mit uns zu Gebote stehenden Mitteln eine bestimmte Wirkung hervorzubringen vermögen, uns die aus dem geheimnisvollen Organism strömende Ursache der Wirkung klar vor Augen liegt?

Dieser Sinn für das Geheimnis, der sich so gut auf die Abgründe des Seins wie auf dessen höchste Höhen richtet, erklärt die beiden scheinbar widersprüchlichen Aspekte von Hoffmanns Werk. Den Mythen von der Kunst, von der höchsten Erkenntnis, vom Traum als dem Vermittler göttlicher Botschaften stellen sich, jene bekräftigend, die Themen des Sünders, des Entsetzens und des Alptraums entgegen: dort *Der goldne Topf, Prinzessin Brambilla, Don Juan,* hier *Die Elixiere des Teufels;* die meisten der *Nachtstücke;* und als Synthese, das Grauen mit dem poetischen Zauber verbindend: Kreisler, umgeben von den übrigen Künstlergestalten, alle vom Leben umworben, aber aufgerufen, sich davon abzuwenden und sich völlig der Poesie hinzugeben.

«Il y a en tout homme, à toute heure, deux postulations simultanées, l'une vers Dieu, l'autre vers Satan» – in jedem Menschen gibt es zu jeder Stunde beides nebeneinander: das Verlangen nach Gott und das Verlangen nach Satan, hat Baudelaire gesagt, und diese Feststellung trifft auch auf *Die Elixiere des Teufels* zu. Kaum ein anderes Werk beschwört mit derartiger Magie jene Stelle in uns, wo wir in der Gewalt dieser beiden wesentlichen Verlangen sind, jenen Kampfplatz, wo unsere innersten Bestrebungen aufeinanderprallen. Hoffmann mit seiner erstaunlichen Begabung für dergleichen Erkundigungen wußte, daß dort, wohin nur gelangt, wer für Bilder offene Augen hat: daß in den Tiefenschichten des Unbewußten unsere Fesselung im beschränkten Ich lockerer wird und daß wir zugleich mit allem, was uns an unsere Ahnenreihe bindet, in unmittelbarer Berührung stehen. Auch wenn unser aktuelles Bewußtsein davon nichts weiß, bleibt doch die große Gemeinschaft aller Menschen über undenkliche Zeiten und Generationen und über alle räumlichen Schranken hinweg lebendig und gegenwärtig in diesem verborgenen Sein. Hier sind Gut und Böse als Qualifikationen nicht länger allein auf das verantwortliche Handeln des Individuums bezogen. In diesem Reich, aus dem das individuelle Wissen um die Mythen der Völker hervorgegangen ist, existiert nämlich der einzelne nur noch in seiner Bindung an alle andern, die dasselbe Schicksal tragen wie er. Er kämpft nicht nur gegen seine eigene Sünde, sondern gegen jenes Verlangen nach der Sünde, das allen Menschen gemeinsam ist und die Gestalt des Teufels angenommen hat. So bedeutet in diesem Roman der Inzest eines Urahns die Teilhabe eines jeden an der Schuld aller. Aber es tauchen in diesen Abgründen auch andere, hilfreiche mythische Gestalten auf, Fürsprecher, Schutzgeister, denen das Los der Kreatur nahegeht, weil auch sie ins gemeinsame Schicksal verflochten sind.

In den Visionen des Mönchs Medardus, ob inwendig oder in die Wirklichkeit hinausprojiziert und dieser ihren überindividuellen Anblick verleihend, spielt sich nicht nur das Schicksal dieses einen Menschen ab, sondern das eines jeglichen Geschöpfs. Seiner anfänglichen Unschuld und der klösterlichen Obhut entrissen, wird der Mönch den Weg des Verbrechens einschlagen. Die Versuchung wird nacheinander in der Gestalt des Hochmuts, der sinnlichen Begierde und der Mordlust an ihn herantreten. Auch wenn er sein eigenes Tun verabscheut, wird Medardus lange Zeit taub bleiben gegen die Mahnungen des geheimnisvollen Malers, und statt in ihm seinen guten Geist zu erkennen, stößt er ihn mit aller Kraft zurück. Denn im Zustand der Besessenheit, deren Opfer er ist, wird er den Engel nicht vom Widersacher unterscheiden können. Und aus dieser Unwissenheit, dank welcher der Teufel ein leichtes Spiel mit ihm hat, wird Medardus erst dann heraustreten, wenn er nach einer langen Reihe von Heimsuchungen endlich das Wesen des Bösen durchschaut. Die Waffen zur Verteidigung werden ihm aus derselben Welt des Unbewußten zukommen, durch die sich der Fluch der Sünde seiner bemächtigt hat. Die Verbrechen, die er begeht, drücken ihn nieder und zwingen ihn zu immer neuen Schandtaten, solange er sie für die Taten seines individuellen Ichs hält. Aber dem Urgrund der Mythen entsteigt schließlich die fürchterliche Gestalt des Doppelgängers, und auf diesen verlagert sich endlich die ganze Last der Verbrechen. Nun erst beginnt Medardus die Bedeutung seines Lebens zu erfassen. Indem er seine Sünde nach außen projiziert und in einem Bruder verkörpert sieht, an dem er die Züge seiner Sippe wahrnimmt, geht ihm allmählich die Erkenntnis auf, daß sich in ihm einmal mehr der Kampf zwischen den zwei über uns waltenden gegensätzlichen Mächten abspielt, der ewig neu ausbricht. Eine allumfassende Sündenvergebung gibt es nicht. Aber wenn der einzelne seinen Anteil am Verhängnis übernimmt und einsieht, daß er an einer Schuld trägt, die durch die Natur des Menschen bedingt ist, so kann und soll er für sich die guten Kräfte herabrufen, die sein Heil sichern werden. Wer den Kampf gegen den Doppelgänger bis zum Siege durchstehen will, wird aber auch Nachsicht und Barmherzigkeit üben müssen gegen dieses «Brüderlein», diesen Gleichen unter Gleichen.

Medardus wird schließlich doch noch Vergebung und Ruhe erlangen. Und es ist bezeichnend, daß er durch eine Reihe von Träumen auf den rechten Weg gewiesen wird, denn dies ist die Sprache, deren sich die heilsamen Mächte bedienen, um ihm zum Verständnis seines Dramas zu verhelfen. In einem ersten Traum – im Gefängnis, wo er auf die Vollstreckung seines Todesurteils wartet – offenbart ihm der geheimnisvolle Maler, sein Urahn, er sei mitnichten der verruchte Widersacher, für den er ihn gehalten, sondern sein Schutzgeist. Und kaum bricht der Tag an – die Ereignisse in diesem grandiosen Traumroman richten sich immer wieder nach den Empfindungen und Ahnungen des sündigen Mönchs –, wird er auf Geheiß des Fürsten auf freien Fuß gesetzt. [II, 175f.]

Später, als er seine Sünden gebeichtet und die Bußezeit angetreten hat, wird Medardus von schrecklichen Traumbildern verfolgt. Es erscheinen ihm jene, die er gemordet, entstellt, heulend, blutend, und mit ihnen abscheulich verunstaltete Köpfe, Raben mit Menschengesichtern und Menschen, die sich über die Brust streichen, als wären sie Geigen, kurz, der ganze «Spaß» der Hölle steigt empor, und wie der Mönch in wilder Begier Aurelie umschlingen will, lacht triumphierend der Satan auf. [222f.]

Eins seiner Opfer verkündet dem Mönch in diesem Traum: «Deine Qual ist in dir, und tötet dich nicht, denn du lebst in ihr. Deine Qual ist der Gedanke des Frevels und der ist ewig!» Das erneute Aufflackern verbrecherischer Lust verlangt verstärkte Kasteiung, «denn selbst die Frevel des Traums, jeder sündliche Gedanke fordert doppelte Buße».

Auch die letzte Versuchung des Mönchs nimmt ihren Weg durch den Traum. In seinen Träumereien und im Schlaf sieht er, wie er seiner strengen Buße wegen vom Volk als Märtyrer glorifiziert und zum Heiligen ausgerufen wird. Ein herrlicher Traum, in seiner Art nicht minder wahrhaftig als die besten Träume in Dostojewskis Romanen, läßt nach den letzten Narreteien der Hoffart und des Lasters die Gestalt des gnädigen Christus erscheinen. Und wie in Nervals *Aurélia* gilt die im Traum empfangene Vergebung auch für das wache Leben. [258–261]

Die Symbolik dieses letzten Traums ist überaus eindrücklich, Farben und Objekte nehmen nacheinander Bedeutungen an, die in Kürze den Bogen des ungeheuren Schicksals nachzeichnen, dem der Roman im ganzen gefolgt ist. Der Mönch sieht sich selber erdolcht im Garten des Klosters liegen, das er vor Zeiten verlassen hat. Aus seiner Wunde quillt ein farbloser Saft, während er, von seinem toten Selbst getrennt, als «das im Äther schwimmende Rot» zu den goldenen Wolken aufsteigt und durch das Tor des Paradieses einziehen möchte. Aber da drängen ihn feurige Schlangen zurück, und er fällt zur Erde nieder.

«*Ich – ich*», sprach der Gedanke, «ich bin es, der Eure Blumen – Euer Blut färbt – Blumen und Blut sind Euer Hochzeitsschmuck, den ich bereite!»

Da erblickt er seinen Leichnam, der sich aufrichtet, ihn mit hohlen Augen anstarrt und heult:

«Verblendeter, törichter Gedanke, kein Kampf zwischen Licht und Feuer, aber das Licht ist die Feuertaufe durch das Rot, das du zu vergiften trachtest» –

Dann sinkt die Leiche zurück, die Blumen neigen ihre Köpfe, und zum Himmel auf steigt der Jammer gespenstischer Menschen:

«O Herr, Herr! ist so unermeßlich die Last unsrer Sünde, daß du Macht gibst dem Feinde unseres Blutes Sühnopfer zu ertöten?»

Aus dem Traum emporgerissen, vernimmt Medardus in sich die Worte, die an jene des toten Christus bei Jean Paul erinnern:

In dem Augenblicke brach der Purpurschimmer des Abendrots durch den düstern farblosen Nebel, aber in ihm erhob sich eine hohe Gestalt. – Es war Christus, aus jeder seiner Wunden perlte ein Tropfen Bluts und wiedergegeben war der Erde das Rot, und der Menschen Jammer wurde ein jauchzender Hymnus, denn das Rot war die Gnade des Herrn, die über ihnen aufgegangen! Nur Medardus' Blut floß noch farblos aus der Wunde, und er flehte inbrünstig [...]. Da regte es sich in den Büschen – eine Rose, von himmlischer Glut hochgefärbt, streckte ihr Haupt empor und schaute den Medardus an mit englisch mildem Lächeln, und süßer Duft umfing ihn, und der Duft war das wunderbare Leuchten des reinsten Frühlingsäthers. «Nicht das Feuer hat gesiegt, kein Kampf zwischen Licht und Feuer. – Feuer ist das Wort, das den Sündigen erleuchtet.» – Es war, als hätte die Rose diese Worte gesprochen, aber die Rose war ein holdes Frauenbild. – In weißem Gewande, Rosen in das dunkle Haar geflochten, trat sie mir entgegen. – «Aurelie», schrie ich auf, aus dem Traume erwachend.

In den *Elixieren des Teufels*, deren unerhörten Reichtum an ineinander verschlungenen Motiven wir hier nicht würdigen können, beruft sich Hoffmann auf den Traum, um die Beziehungen zwischen dem unbewußten Leben und dem mythischen Schicksal der Kreatur, in welcher sich der Kampf der entgegengesetzten Kräfte abspielt, ins rechte Licht zu rücken. Gewisse Episoden dieses atemraubenden Romans sind von einer außerordentlichen halluzinatorischen Stärke. Man spürt förmlich die Angst pochen in einem Menschen, den unablässig der Kummer quält über den Verlust der Harmonie, eines Paradieses, gegen welches dies irdische Leben nichts als eine einzige Höllenqual ist. Der erste Teil des Romans, den Hoffmann in anderthalb Monaten niederschrieb, wurde an dem Tag in Angriff genommen, als die Reinschrift des *Goldnen Topfs*, also der vollkommensten Evokation des ersehnten Paradieses, vorlag. Als dieser erste Teil fertig war, schrieb Hoffmann an seinen Verleger, den Weinhändler Kunz:

Oneiros der Traumgott hat mir einen Roman inspiriert, der in lichten *Farben* hervorbricht [...]. Es ist darin auf nichts Geringeres abgesehen, als in dem krausen, wunderbaren Leben eines Mannes, über den schon bei seiner Geburt die himmlischen und dämonischen Mächte walteten, jene geheimnisvollen Verknüpfungen des menschlichen Geistes mit all den höhern Prinzipien, die in der ganzen Natur verborgen und nur dann und wann hervorblitzen, welchen Blitz wir dann Zufall nennen, recht klar und deutlich zu zeigen. [467, I, 454*]

II

Démasquez-vous donc, mon petit Monsieur!

Es ist der Traumgott, der Hoffmann seine dramatischsten, düstersten Werke wie die wunderbarsten, schwebendsten, lichtesten seiner Erzählungen eingegeben hat. Von Jugend auf war er mit dem Traumleben vertraut, und er wußte um den Dialog, der darin zwischen den Mächten der Finsternis und den Engeln geführt wird. Tagebuch und Briefe klagen bald über schlimme Weissagungen oder unangenehme Erinnerungen im Traum, bald sprechen sie von der Herrlichkeit der Traumgesichte und von ihrer Poesie. «In der Nacht ist mein Geist am tätigsten», schreibt er 1795 an Hippel, «und wenn ich ungenierter wäre, würden die Produkte mancher glücklich durchträumten Nacht Musterstücke ihrer Art sein» [467, I, 69]. Andere, dem Traum sehr ähnliche Erlebnisse brachten ihn zu denselben Entdeckungen. Das Tagebuch hält in seinen knappen, aber heftigen Bemerkungen Augenblicke fest, wo Hoffmann das Bewußtsein von seiner eigenen Person abhanden kommt. So glaubt er sich einmal auf einem Ball plötzlich vervielfältigt zu sehen wie durch ein Prisma, und er ärgert sich über das Treiben all dieser Ichs um ihn herum (6. November 1809). Zuweilen wird er als Zuschauer seines eigenen Tuns von einer schneidenden Selbstironie zu noch qualvollerer Verdoppelung veranlaßt (7. Februar 1812). Dann wieder reichen seltsame Träume ins wache Leben herüber, und «der innere Poet arbeitet und überflügelt den Criticus und den äußeren Bildner» (August 1814). Eine aufschlußreiche Bemerkung! Für Hoffmann nährt sich die Dichtung aus Träumen, aber der Dichter selbst bleibt schaffend bei voller Klarheit.

All dies kann sich bis zur Angst vor drohendem Wahnsinn steigern, zumal in der Bamberger Zeit, wo die Liebe zu Julie Mark alle inneren Konflikte tragischer macht. In den Monaten der Krise begleitet Hoffmann insgeheim beständig das Gefühl, es fehle nicht viel zur Verrücktheit. Aber wie auch immer die Angst sich äußert – stets sucht er dieselbe Zuflucht: Er bemüht sich, in seinen vielfältigen Qualen einen Sinn zu entdecken, und zwar verschiedenartige Kundgebungen des Poetischen. In seinem Tagebuch, worin er Julchen Mark, um Indiskretionen vorzubeugen und in Erinnerung an Kleists Stück, den Namen Käthchen («Ktch») zulegt, ist davon oft die Rede. Die Mißgeschicke, die Dramen des Lebens, die befremdlichen Erfahrungen, die Heimsuchungen, diese ganze Welt des Verhängnisses ist aufs innigste mit der Kunst verbunden:

[19. Januar 1812:] – Ktch – Ktch – Ktch O Satanas – Satanas – Ich glaube, daß irgend etwas hochpoetisches hinter diesem Dämon spukt, und in so fern wäre Ktch nur als Maske anzusehen – démasquez vous donc, mon petit Monsieur! –

Der Traum und die Poesie stehen für Hoffmann aufs engste in Beziehung miteinander; denn die Poesie ist in seinen Augen die höhere Form der Offenbarung jener geheimnisvollen Mächte, die sich sonst im Traum, in Gesichten und in abnormen Phänomenen aller Art zu erkennen geben. Dies nämlich sind für ihn Masken, hinter denen es das eine Antlitz der Poesie zu entdecken gilt.

So bekommt die theoretische Ausdrucksweise, die er für das so wichtige Traumleben bei Schubert und Novalis entlieh, bei ihm eine besondere Bedeutung. Er spricht wie sie vom «inneren Sinn», der im Traum und in somnambulen Zuständen tätig ist; und auch er hält dafür, daß der übersinnliche «versteckte Poet» die Stimme unseres besseren Ichs ertönen läßt und zugleich die «Urtöne der Schöpfung» vernimmt [465, I, 430]. Die Saiten in unserem Innern, «welche sonst nur durcheinander rauschten», klingen im Traum auf einmal zum reinen Akkord zusammen [III, 343]. Im *Magnetiseur* unterhält man sich in Gesellschaft ausführlich über die Bedeutung der Träume; abgesehen von einem unbelehrbaren Materialisten, der ihnen jeden Wert abspricht, ist man sich in der Auffassung einig, daß der Traum, selbst der durch äußere Eindrücke veranlaßte, das Werk des Geistes sei; über Raum und Zeit schwebend, reicht er von bloßer Ahnung bis zu eigentlicher Erkenntnis der unsichtbaren Welt und schaltet frei mit den Dingen der diesseitigen Welt. Diese Freiheit ist jedoch nicht unumschränkt, denn unsere psychische und physische Verbindung mit der äußeren Natur ist so eng, daß wir uns nicht davon loslösen könnten, ohne unsere Existenz zu vernichten. [I, 142/148]

Durch den Traum treten wir also in Verbindung mit einer Realität, die Hoffmann bald die «Seele der Welt», bald das «geistige Prinzip der Dinge» nennt. Es fällt nun auf, daß bei Hoffmann das Gegenstück zu diesem höheren Traum fehlt, nämlich jener aus den physischen Schichten des Seins aufsteigende niedere, gemeine Traum, von dem Schubert und die andern Naturphilosophen nur mit Scham und Verachtung sprechen (S. 145 ff.). Der geheime Zusammenhang der Dinge, der nach Auffassung dieser Philosophen natürlicher Art ist, eine physiologische Verbindung unseres Organismus mit dem Weltorganismus, dieser Zusammenhang erscheint Hoffmann als ein geistiges Prinzip. Und dieser verborgene Geist, der sich unaufhörlich bald schrecklich, bald bezaubernd im Traum und in allen andern «zweiten» Zuständen offenbart, ist für ihn die einzige Realität, welche Würdigung verdient. Seine Einbrüche in unser Bewußtsein wirken nur deshalb so beunruhigend, ja verstörend, weil er für unsere gewohnte Welt fremd ist. Das Adjektiv *fremd* erscheint bei Hoffmann immer wieder dann, wenn an der Oberfläche unseres Ozeans plötzlich aus der Tiefe herauf ein Riff, ein Eiland aus den Wogen ragt. Beim Anblick solcher Fragmente aus einer andern Welt packt uns das Grauen. Und doch ist diese Welt gerade nicht das Reich des Bösen, sondern der Harmonie, aus der wir verbannt sind.

Hoffmanns Werk ist reich an sehr exakten Bemerkungen über das Traumleben. Er kennt sich vortrefflich aus, aber er interessiert sich dafür nicht als reiner Psychologe. Nur deshalb folgt er so aufmerksam seinen Windungen, weil er im Traum einen der Beweise sieht, auf die er sich in seinem einzigen Glauben stützen kann: im Glauben an eine dauernde oder doch zeitweilige Wirksamkeit der höchsten Realität mitten in dieser Welt hier.

Denn dies ist in der Tat das Zentrum, auf das Hoffmanns gesamtes geistiges Leben, seine gesamte Existenz und sein ganzes Werk ausgerichtet sind. Die unsichtbare Wirklichkeit, die unsern üblichen Erkenntnismitteln verschlossen bleibt, wählt alle möglichen Umwege, um uns ihre Gegenwart anzuzeigen und uns spüren zu lassen, daß wir ihr mindestens ebensosehr angehören wie der engen Welt unserer Alltagsgeschäfte, unserer Moral und unserer kleinen und großen Sorgen. Mit Vorliebe setzt sie sich in den Ritzen unseres Bewußtseins fest und zieht dem Schlaf jenen «Zustand des Delirierens vor, der dem Ein-schlafen vorhergeht» [I, 50/468]. In solchen Augenblicken des Dahindämmerns wie auch im Traume macht sich die verborgene Macht des Geistes über unsere gewöhnlichen Gewißheiten lustig.

Hier ist nun zu bemerken, daß unser Geist im Traum an das höhere, nur in Ahnungen sich gestaltende Sein oft Gemeinplätze des befangenen Lebens hängt, dieses aber dadurch auf bittere Weise zu ironisieren weiß. Kann diese Ironie, die tief in der ihrer Entartung sich be-wußten Natur liegt, nicht auch der entpuppten, der Traumwelt entzogenen Psyche eigen sein, wenn ihr Rückblicke in den verlassenen Körper vergönnt sind? [III, 114]

Alle möglichen Erfahrungen und psychologischen Zustände, die unser Staunen erregen, lassen sich auf die plötzliche Wirksamkeit eines fremden Prinzips zurück-führen, das uns aus unserer Verhaftung in der Materie herauslöst. So stellt uns, nach den Worten des «scharfsinnigen Mediziners» im Öden Haus, der Traum oft plötzlich Personen vor Augen, an die wir seit Jahren nicht mehr dachten oder die wir vielleicht erst viel später kennenlernen, und es befällt uns dann dieses wunderliche Gefühl des déjà vu, das bei Hoffmann allen Menschen vertraut ist.

Wie, wenn dies plötzliche Hineinspringen fremder Bilder in unsere Ideenreihe, die uns gleich mit besonderer Kraft zu ergreifen pflegen, eben durch ein fremdes psychisches Prinzip veran-laßt würde? [I, 476f.]

Die Träume im Werk Hoffmanns, ob natürliche oder magnetische, haben alle diesen einen Sinn: Sie decken weniger die dunklen, kaum bekannten Regionen des Individuums, die Schlupfwinkel unterdrückter Gedanken auf, als daß sie die momentane, umwerfende Gegenwart einer unerforschlichen, unaussprechlichen Macht offenbaren, die uns jäh überfällt.

Die Hoffmannschen Gespenster – die der Träume wie die, die sich unter die Lebenden mischen – tauchen aus einem unbekannten Raum auf, und wenn sie in unsere Welt eintreten, sehen sie so fremd aus wie Menschen aus fernen Ländern. Ihr Blick, ihr Gang, das Burleske oder Erschreckende an ihrem Be-nehmen, alles verrät Bräuche, die hierzulande nicht üblich sind, wohl aber dort ganz unauffällig und schlicht erscheinen müssen, wo sie zu Hause sind: in ihrer «namenlosen Heimat».

Nach dieser namenlosen Heimat lockt Hoffmann eine Sehnsucht, vergleichbar jener, die Tieck und Novalis ausblicken läßt nach einem goldenen Zeitalter in der Kindheit, vor dem Sündenfall oder in einer Zukunft, wo die Welt ihre ursprüngliche Einheit wiedererlangt haben wird. Aber genau hier wird der große Unterschied sichtbar zwischen Hoffmann und seinen Lieblingsdichtern: Nirgends bei ihm tritt der Wunsch nach einem erneuerten, künftigen Paradies zutage, nirgends die Absicht, ein solches gelobtes Zeitalter mit magischer Gewalt herbeizuführen. Während Novalis sich der göttlichen Fürsprecher am Anfang mit ungeheurer Kraft bemächtigen will, sie dann aber am Ende demütig anruft und in ihre Hände sein Schicksal legt, hegt Hoffmann durchaus keine Hoffnung auf ein tausendjähriges Reich, sondern überläßt das unfaßbare, namenlose Geheimnis ganz und gar der fremden Macht, die über alles regiert. Die Versöhnung am Ende der *Elixiere des Teufels* wird wohl mit christlichen Symbolen ausgedrückt, aber das sind denn doch nur Bilder, die – wie jene vom Klosterleben am Anfang des Buches – dem Wirken der geistigen Kräfte eine konkrete Gestalt geben sollen. Im übrigen bleibt diese Zuhilfenahme bestimmter Dogmen einmalig in Hoffmanns Werk; überall sonst unterläßt er selbst die bloße Nennung Gottes. Sein Glaube reicht nicht bis zur Annahme, eine göttliche Person kümmere sich um unser Schicksal. Es bleibt bei der Gewißheit, daß sich unaufhörlich ein «höheres geistiges Prinzip» in unser irdisches Leben einmischt. Unsere Welt ist gleichsam ein Zettel, in den immer wieder Fäden aus einem andern Material einschießen. Nichts anderes kann der Mensch von sich selber sagen, als daß er derart doppelten Wesens sei. Meistens vergißt er es. Aber hie und da bringen ihm gewisse Zufälle den Kontrast seiner beiden Wesenshälften zum Bewußtsein. Die verschiedenen Melodien, die an unser Ohr dringen, je nachdem ob wir uns in dieser Welt einkapseln oder der andern zuwenden, klingen dann plötzlich zugleich auf, und es kann vorkommen, daß ihre Dissonanz zur schrecklichen Qual wird.

Werden wir sie einst zum Zusammenklingen bringen? Schreitet die Menschheit unter Führung ihrer Dichter und Magier dem von Novalis erahnten Augenblick entgegen, wo der Abgrund zugedeckt, wo aller Dualismus aufgehoben, die verlorene Einheit wiederhergestellt sein wird? Hoffmann vermag dies nicht zu glauben. Er hegt keine Hoffnung, daß die Menschheit nach und nach das Heil gemeinschaftlich erobern werde. Durch sein Künstler- und Dichterschicksal isoliert, ist er sich vor allem seiner Andersartigkeit bewußt. Wenn er sich mit den Augen von seinesgleichen betrachtet – und dazu braucht er nur seiner Abstammung und seinem Sinn für mustergültiges Beamtentum zu gehorchen –, so erblickt er an sich selber das schauerlich verzerrte Gesicht eines Originals von der Art seines Ritters Gluck. Oder umgekehrt: Schenkt er seiner feurigen Natur Gehör, so sind es die andern, jene aus der selbstzufriedenen Menge, die ihm wie Affen vorkommen, bedauernswerte Affen, über die man nur mit Tränen in den Augen lachen kann – aber welche Verrücktheit, aus ihnen Welterlöser machen zu wollen!

Und doch verzweifelt Hoffmann nicht; oder wenn ihn die Verzweiflung überkommt, so gilt es, ihr einen Glauben entgegenzusetzen, wie er nur Ausnahmemenschen zusteht, die dafür aber auch die größten Opfer erbringen müssen. Denn was diese Menschen absondert, was Hoffmann selber von den andern trennt, ist nicht etwa der Dünkel dessen, der sich über gewöhnliche Sterbliche erhaben fühlt, sondern es ist eine Art von Verhängnis, das solchen einzelnen ein feineres Gehör verleiht für die aus fernen Sphären des Geisterreichs herüberklingenden Melodien und das sie dadurch zwingt, ein besonderes Leben zu leben. Was sich im Traum offenbart, vermögen sie besser zu erkennen als andere, und daraus erwächst ihnen eine Verpflichtung: Sie sollen sich dieser Wirklichkeit, die für sie die Gestalt der Kunst annimmt, im vollen Sinne des Wortes *weihen*. Das ist der Ursprung des Mythos von der «Liebe des Künstlers», der im geheimen alle Meisterwerke Hoffmanns miteinander verbindet.

III

> Nur einen Engel des Lichts gibt es, der Macht hat
> über den bösen Dämon. Es ist der Geist der Tonkunst.

Die Elixiere des Teufels ausgenommen, gibt es unter Hoffmanns bedeutenden Werken keins, das nicht das Thema der «Liebe des Künstlers» aufnimmt und entfaltet: das Thema der Wahl zwischen Wirklichkeit und innerem Traum, wie sie dem Ausnahmemenschen auferlegt ist. Denn dies ist die Gestalt, in der in Hoffmanns Leben die Wahl zwischen Gut und Böse erschien, ja erscheinen mußte. Seine Liebe zu Julie Mark, seiner jungen Schülerin in Bamberg, ist nicht die ‹Ursache›, durch die sich *Der goldne Topf,* der *Kater Murr, Die Doppelgänger, Der Artushof* oder die *Prinzessin Brambilla* ‹erklären› ließen. Dieses an und für sich banale Abenteuer ist seinerseits der Ausdruck von Hoffmanns verborgener Natur. Es war nicht zu umgehen, daß er im gegebenen Augenblick diese entscheidende Krise durchlebte, und das Schicksal gestand ihm dies auch zu, so wie es ihn seine Erzählungen niederschreiben ließ. Unter dem Zwang der Verhältnisse hatte Hoffmann auf seine Beamtenlaufbahn verzichtet, und der Zufall hatte sein Problem gelöst, indem er ihn dazu bestimmte, aus der Musik seinen Broterwerb zu machen. Genau in diesem Augenblick hatte er einen neuen Kampf zu bestehen: Er mußte erst noch beweisen, daß er bereit sei, sich der Kunst völlig zu verschreiben und ihr alles zu opfern. Die Versuchung, die ihn auf dem Wege zum Künstler aufzuhalten drohte, erwuchs ihm ausgerechnet aus der Musik, aus der Leidenschaft, die sich am Gesang des geliebten Mädchens entzündete, und um so schwieriger war es, sie zu überwinden. Das Tagebuch hält die Spuren dieses Kampfes fest, bis es Hoffmann endlich über sich bringt, die Verheiratung Julias mit einem traurigen Spießer *um seiner Kunst willen* für ein Glück zu halten.

Denn die Treue des Künstlers zu seiner Kunst, zu den Augenblicken, wo er von der Inspiration heimgesucht worden ist, fordert von ihm das Opfer jeder anderen Liebe. Wer meint, das Bild seiner Träume in einer irdischen Verkörperung fassen zu können, begeht Verrat. Wie Ettlinger im *Kater Murr* wird er im Wahnsinn enden [II, 428 f.]. Oder man denke an Berthold, den Maler in der *Jesuiterkirche,* der seine Frau anklagt, «nur ihm zum rettungslosen Verderben habe sie trügerisch jenes Himmelsweibes Gestalt und Gesicht geborgt», und der, nachdem er sie ermordet hat, die Inspiration zurückgewinnt [I, 435–437]. Ja, auch Johannes Kreisler entgeht dieser Gefahr nur mit großer Mühe. Die Stunden, in denen der Geist der Tonkunst sich siegreich in ihm erhob, haben die Erinnerung an eine machtvolle Stimme zurückgelassen, die allein fähig ist, die irdischen Leiden zum Schweigen zu bringen. Ihn treibt und quält das echt Hoffmannsche Verlangen nach einem «Paradies der höchsten Befriedigung, das selbst der Traum nicht zu nennen, nur zu ahnen vermag», aber er weiß, daß er es vergeblich außerhalb seiner selbst sucht [II, 256]. Denn die Musik hat ihm offenbar gemacht, daß dieses dunkle Geheimnis in seinem eigenen Innern verborgen liegt, wo nur sie es auferwecken kann. Umsonst das Bemühn, es in einem irdischen Wesen wiederzufinden! Kreisler selbst sagt dies im Ton seiner schneidenden Ironie, indem er die «guten Leute» den «Musikanten» gegenüberstellt:

Die guten Leute verlieben sich leichtlich in ein paar schöne Augen, strecken beide Ärme aus nach der angenehmen Person, aus deren Antlitz besagte Augen strahlen, schließen die Holde ein in Kreise, die, immer enger und enger werdend, zuletzt zusammenschrumpfen zum Trauring, den sie der Geliebten an den Finger stecken, als pars pro toto – Sie verstehen einiges Latein, gnädigste Prinzeß – als pars pro toto sag ich, als Glied der Kette, an der sie die in Liebeshaft Genommene heimführen in das Ehestandsgefängnis. Dabei schreien sie denn ungemein. ‹O Gott› – oder ‹o Himmel!› oder, sind sie der Astronomie ergeben, ‹o ihr Sterne!› oder haben sie Inklination zum Heidentum, ‹o all ihr Götter, sie ist mein, die Schönste, all mein sehnend Hoffen erfüllt!› – Also lärmend, gedenken die guten Leute es nachzumachen den Musikanten, jedoch vergebens, da es mit der Liebe dieser durchaus sich anders verhält. – Es begibt sich wohl, daß besagten Musikanten unsichtbare Hände urplötzlich den Flor wegziehen, der ihre Augen verhüllte, und sie erschauen, auf Erden wandelnd, das Engelsbild, das, ein süßes unerforschtes Geheimnis, schweigend ruhte in ihrer Brust. Und nun lodert auf in reinem Himmelsfeuer, das nur leuchtet und wärmt, ohne mit verderblichen Flammen zu vernichten, alles Entzücken, alle namenlose Wonne des höheren aus dem Innersten emporkeimenden Lebens, und tausend Fühlhörner streckt der Geist aus in brünstigem Verlangen, und umnetzt die, die er geschaut, und hat sie, und hat sie nie, da die Sehnsucht ewig dürstend fortlebt! – Und *sie, sie* selbst ist es, die Herrliche, die, zum Leben gestaltete Ahnung, aus der Seele des Künstlers hervorleuchtet, als Gesang – Bild – Gedicht! [II, 430 f.]

Diese Inspiration, dieser poetische Zustand, für den der Künstler alles aufopfern muß, will er nicht der Verdammnis anheimfallen, ist die höchste Form dessen, was Hoffmann ‹Traum› nennt, ist die Quelle unermeßlicher Glückseligkeit für den, der daraus die lebendige Mitte seines Daseins zu machen weiß, aber die Quelle des Unheils für jeden, der sich zur Geringschätzung der göttlichen Gunst verleiten läßt. Freilich fällt es nicht leicht, diesem Traum gemäß zu leben und die Präsenz der unsichtbaren Welt in sich selbst durchzuhalten. Ritter Gluck erklärt seinem Gesprächspartner, wer einmal durchs elfenbeinerne Tor ins Reich der Träume eingedrungen sei, befinde sich in einer tollen, wirbelnden Welt, wo bizarre Gestalten umherschwebten, und es sei schwer, wieder herauszukommen. Viele verlören sich im Traum und zerflössen darin.

Sie werfen keinen Schatten mehr, sonst würden sie am Schatten gewahr werden den Strahl, der durch dies Reich fährt; aber nur wenige, erweckt aus dem Traume, steigen empor und schreiten durch das Reich der Träume – sie kommen zur Wahrheit – der höchste Moment ist da: die Berührung mit dem Ewigen, Unaussprechlichen! [I, 18]

Es gilt, den Ungeheuern und grinsenden Larven die Stirn zu bieten und auf das Hereinbrechen des Lichts, auf die Wogen der Melodien zu warten, die den Träumer umfangen, wenn er zur Wahrheit gelangt.

Einmal mehr weist hier Hoffmann auf die Verbindung, die nach seiner Auffassung zwischen dem schrecklichen und dem wunderbaren Traum besteht. Der eine wie der andere gehört in jenes Reich, das sich hinter dem Tor der Träume verbirgt. Aber wehe dem, der sich mit dem Traum zufriedengibt, der, nachdem er daraus Gnade empfangen, nicht alles daransetzt, um zur höchsten Offenbarung zu gelangen!

Die *Prinzessin Brambilla* und *Der goldne Topf* nehmen diese Themen alle wieder auf, aber es fehlt die grausame Ironie, von der sie in der Kreislerbiographie begleitet werden. Diese beiden Erzählungen sind das Beste, was Hoffmann geschaffen hat, ja vielleicht bilden sie – mit den Gedichten von Novalis und Brentano – den Gipfel der romantischen Kunst überhaupt.

Giglio, der Held in der *Prinzessin Brambilla,* wird in eine Welt der «Illusionen und Phantastereien» hineingezogen, und zwar durch einen Traum und durch eine Reihe von Ereignissen, deren wirklicher Zusammenhang ihm verborgen bleibt – dahinter steht ein geschickter Regisseur, der ein klares Ziel verfolgt –, worin er aber eine andere, mysteriöse, verheißungsvolle Verkettung zu erkennen meint. Was tut es schon, daß sich hinter der angebeteten Prinzessin seine kleine Freundin Giacinta verbirgt? Für ihn ist es die Prinzessin Brambilla, an die sein Schicksal unauflöslich gebunden bleibt. Und auch er, Giglio, wird für Giacinta zum Prinzen Chiapperi. Er wie sie, beide folgen ihrem Traumbild, einem jener Träume, die sich des Menschen im wahren Sinne bemächtigen, die von ihm völlige Hingabe verlangen und das ganze übrige Leben dahinschwinden lassen. So groß aber ist das Wunder, das Hoffmann mit seiner Kunst zustande bringt, daß selbst der Leser mit in den Traum hineingezogen wird. An der Schwelle zur Zauberwelt, die zu betreten ihn der Dichter einlädt, sucht er umsonst mit einem Rest seines gewohnten Spürsinns herauszufinden, welches der eigentliche, natürlich erklärbare Tatbestand sei. Auch für ihn werden Giglio und Giacinta zum Prinzen und zur Prinzessin, und auch für ihn hören sie allmählich auf, lediglich Rollenträger zu sein, wachsen sie über das gewöhnliche, verblassende Leben hinaus. Und als sich die beiden auf dem Höhepunkt ihres Traums in die Arme fallen und einander erkennen, ist die Zaubergewalt des Traums so groß, daß sie darüber nicht die geringste Enttäuschung empfinden. Prinz Giglio, Prinzessin Giacinta – sie sind es noch und werden es immer bleiben, denn an ihnen hat sich jener wahrhafte Glaube an den Traum bewährt, den Hoffmann fordert, wenn er den ehrt, «der den Traum erfand»:

Nicht *den* Traum, der aus unserm Innern nur dann aufsteigt, wenn wir unter des Schlafes weicher Decke liegen – nein! *den* Traum, den wir durch das ganze Leben fort träumen, der oft die drückende Last des Irdischen auf seine Schwingen nimmt, vor dem jeder bittre Schmerz, jede trostlose Klage getäuschter Hoffnung verstummt, da er selbst, Strahl des Himmels in unserer Brust entglommen, mit der unendlichen Sehnsucht die Erfüllung verheißt. [IV, 260]

In der *Prinzessin Brambilla* schweigt die Ironie, verstummen die Dissonanzen, die sonst die Hoffmannsche Poesie zu begleiten pflegen; höchstens dann, wenn Giglio den Mut sinken läßt und zweifelt, ob er die Prinzessin je gewinnen könne, vernimmt man davon ein schwaches Echo, aber auch dies wird sogleich übertönt von der Melodie des Traums.

Neben diesem «Capriccio», das sich in einer Atmosphäre des Karnevals und der von Callot inspirierten Maskerade abspielt, nimmt sich *Der goldne Topf,* dieses am Anfang von Hoffmanns literarischer Karriere entstandene Märchen, fast tragisch aus. Der Traum verwandelt und verzaubert eine schwerere Welt nicht mit derselben spielerischen Leichtigkeit; er zieht sich andauernd neben dem alltäglichen Leben her und kommt ihm immer wieder in die Quere. Der Student Anselmus hat aus einem Holunderbusch den Ruf der Kristallglocken und der grünen Schlänglein vernommen, zögert aber, ihm zu folgen. Ihm fehlt jenes Illusionsvermögen, das es Giglio erlaubt, mit Leichtigkeit ins Zauberreich hineinzuspringen. Die Vision des Wunderbaren, die sein Herz mit dem Gefühl des Unendlichen erfüllt hat, verschwindet bald wieder aus seinem Gedächtnis, und als er in die schönen dunkelblauen Augen Veronikas, der Tochter des biedern Konrektors Paulmann, hineinschaut, heftet sich die «einzige Liebe», die der Traum in ihm entzündet hat, an dieses irdische Geschöpf. So begeht er den Verrat des Künstlers, und es wird lange dauern, bis er das flüchtig erblickte Paradies wiederfindet. Die Lockungen und Verheißungen Serpentinas, der Tochter des Geisterfürsten, vermögen seine Wahl nicht zu bestimmen. Die Satanskünste der alten Liese, der Vertrauten Veronikas, schrecken ihn derart, daß er drauf und dran ist, klein beizugeben.

Aber die Liebe, die im Geisterreich erwacht ist, heftet sich nicht ungestraft an ein gewöhnliches Menschenkind. Anselmus wird für seinen frevelhaften Glauben, das göttliche Traumbild könne sich in irdischer Gestalt verkörpern, bitter büßen müssen. In eine Kristallflasche eingeschlossen, wird er «das dumpfe Brausen des Wahnsinns» vernehmen [I, 240]. Seine Freiheit und den Zutritt zum Feenreich erlangt er erst dann, wenn seine Treue zu Serpentina die Probe bestanden haben wird.

Die Erzählung ist ein Triumph Hoffmannscher Genialität. Die herrlichen Symphonien der Empfindungen und die mythische Tragweite von Anselmus' Visionen rücken sie ganz in die Nähe des Traums. Düfte, Farben, Kristallklänge, wunderbar gestaltete Blumen, das alles bildet ein zauberhaftes Klima, in dem sich die Welt mehr und mehr verwandelt. Wenn man aus der kompakten Gegenständlichkeit des Alltags allmählich in die Trunkenheit des Traums hinübergleitet, so ist dies die Wirkung einer Art von Taumel, der sich der Sinne bemächtigt, mit ihren Wahrnehmungen spielt und die Materie in einen schwebenden Tanz hineinzieht, wo sie ihre Dichte und Schwere verliert. Unversehens und ohne daß man sich des ersten Eindrucks noch entsänne, ist man mitten im Feenreich. Hoffmann wußte genau Bescheid über den Ursprung dieser Euphorie, über ihre Auslösung durch «Entsprechungen», so daß er in einem kurz vor dem *Goldnen Topf* entstandenen Kreislerianum die folgende, auf Baudelaires Ästhetik und gewisse Visionen Nervals vorausweisende Erfahrung mitteilen konnte:

Nicht sowohl im Traume, als im Zustande des Delirierens, der dem Einschlafen vorhergeht, vorzüglich wenn ich viel Musik gehört habe, finde ich eine *Übereinkunft der Farben, Töne und Düfte*. Es kömmt mir vor, als wenn alle auf die gleiche geheimnisvolle Weise durch den Lichtstrahl erzeugt würden, und dann sich zu einem wundervollen Konzerte vereinigen müßten. – Der Duft der dunkelroten Nelken wirkt mit sonderbarer magischer Gewalt auf mich; unwillkürlich versinke ich in einen träumerischen Zustand und höre dann, wie aus weiter Ferne, die anschwellenden und wieder verfließenden tiefen Töne des Bassetthorns. [I, 50*]

Diese Poesie der in schwebender Harmonie vereinigten Sinnesempfindungen ist aber nicht das einzige, was dem *Goldnen Topf* innerhalb von Hoffmanns Werk einen besonderen Platz sichert. Der Mythos von der Feuerlilie und der grünen Schlange, den Serpentina dem Studenten Anselmus erzählt, erhebt dessen Abenteuer in den Rang eines exemplarischen Schicksals. Die Erzählung weitet sich dadurch aus, und das Thema der «Liebe des Künstlers» erhält seine metaphysische Rechtfertigung. Dem Anselmus ist letzten Endes an der Seite Serpen-

tinas nichts Geringeres vergönnt als «das Leben in der Poesie, der sich der
heilige Einklang aller Wesen als tiefstes Geheimnis der Natur offenbaret»
[255]. Und hier, in diesem Paradies der Poesie, das jenen zum Lohn wird, die
in der Treue zum Traum leben, richtet er folgenden Dankhymnus an die Fee
Serpentina:

«Serpentina! – der Glaube an dich, die Liebe hat mir das Innerste der Natur erschlossen! –
Du brachtest mir die Lilie, die aus dem Golde, aus der Urkraft der Erde, noch ehe Phosphorus
den Gedanken entzündete, entsproß – sie ist die Erkenntnis des heiligen Einklangs aller Wesen,
und in dieser Erkenntnis lebe ich in höchster Seligkeit immerdar. – Ja, ich Hochbeglückter
habe das Höchste erkannt – ich muß dich lieben ewiglich, o Serpentina! – nimmer verbleichen
die goldnen Strahlen der Lilie, denn wie Glaube und Liebe ist ewig die Erkenntnis.» [254]

Die Erkenntnis ist ein Fluch, wenn sie dem waghalsigen, vermessenen Tun
des vereinzelten Geschöpfs entspringt; geheiligt aber ist sie als Kontemplation
der die Welt durchwirkenden Harmonie. Diese Überzeugung verbindet Hoffmann mit der gesamten romantischen Philosophie. Aber die Bedeutung, die er
der Kunst und der Inspiration in diesem Erkenntnisakt zumißt; das Opfer jeder
irdischen Liebe, das er fordert; seine Neigung, ohne Unterschied *alle* Offenbarungen des Unsichtbaren gelten zu lassen; und endlich ganz besonders das
Fehlen aller endzeitlichen Hoffnungen bei diesem Dichter, der sich nur für die
Erwählten, für die Ausnahmemenschen interessiert – das ist es, was ihm seine
ganz eigentümliche Originalität sichert. Und dank der Überlegenheit seines
ästhetischen Sinnes vermochte er Werke zu schreiben, die von manchen Kennern
für das Unvergänglichste gehalten werden, was die Romantik hervorgebracht
hat. Sein Traum ist im Laufe der Zeit nicht schal und farblos geworden. Auf
ihn trifft zu, was Anselmus in den *Serapions-Brüdern* von sich selber sagt:

«Ihr habt es ja alle oft gesagt, daß ein eigner Stern, der über mir waltet, mir in wichtigen Momenten fabelhaftes Zeug dazwischenschiebt, woran niemand glaubt und das mir selbst oft
wie aus meinem eignen innern Wesen hervorgegangen erscheint, unerachtet *es sich dann auch
wieder außer mir als mystisches Symbol des Wunderbaren, das uns im Leben überall entgegentritt,
gestaltet.* [III, 865*]

SECHZEHNTES KAPITEL

MILCHSTRASSEN UND METEORE

Voie lactée ô sœur lumineuse
Des blancs ruisseaux de Chanaan
Et des corps blancs des amoureuses
Nageurs morts suivrons-nous d'ahan
Ton cours vers d'autres nébuleuses.

GUILLAUME APOLLINAIRE

Wir sind durch Traumlandschaften gewandert, die, ohne sich durchweg ähnlich zu sein, in der seelischen Geographie der Dichter als ausgedehnte Kontinente, als elysische Inseln oder als geheimnisvolle Höhlen erschienen. Wir könnten die Reise fortsetzen und fänden je nach dem Himmelsstrich eine veränderte Traumflora. In den *Nachtwachen* des geheimnisvollen Bonaventura wäre zu beobachten, wie der Traum die Wirklichkeit verspottet, sich mit dem Wahnsinn verbündet und zum Komplizen des Nachtwächters wird, der mit seinen ironischen Spielen die Menschen und ihre Überzeugungen, ja selbst den Tod zum besten hält[1]. Ein *Apokalyptisches Fragment* Karoline von Günderrodes ließe unsern Blick über ein weites Meer schweifen, aus dem seltsame Gestalten aufsteigen, um alsbald wieder «zu der Quelle des Lebens» zurückzukehren; und die träumende Dichterin, «erlöst von den engen Schranken ihres Wesens», berauscht sich an diesem Bad in den Fluten des kosmischen Lebens:

Ja ich kenne ein Land, wo Tote zu Lebenden reden,
Wo sie, dem Orkus entflohn, wieder sich freuen des Lichts,
Wo von Erinn'rung erweckt, sie auferstehn von den Toten
Wo ein irdisches Licht glühet im Leichengewand.
Seliges Land der Träume! wo, mit Lebendigen, Tote
Wandeln, im Dämmerschein, freuen des Daseins sich noch.

(Die Bande der Liebe[2])

Isidorus Orientalis, auch er sänge das Lob der Nacht und erzählte uns seinen Traum vom verlorenen Paradies, das der Landschaft eines romantischen Mittelalters gleicht[3]. Und zu den Klängen volkstümlicher Romanzen begleiteten wir noch andere Dichter auf ihren Wanderungen, Dichter, die in einer zusehends verflachenden Romantik noch und noch das Thema des paradiesischen oder des grauenhaften Traumes abwandeln. Bei Chamisso und Fouqué, bei Justinus Kerner wie bei Uhland, in den Dramen Zacharias Werners, in Mörikes Lyrik

[1]* [546, 41/51/83/174–178/186–188/196/243 f. usw.].
[2]* [550, 47–49/64. Vgl. 10f./39/70f./103/442–444 (Aufzeichnungen von Träumen); 552, 24/75/92–99].
[3]* [553, Nr. 63/87 usw.].

und Immermanns Prosa, überall würden wir auf Träume stoßen, denn sie bilden von nun an einen unentbehrlichen Bestandteil der poetischen Sprache[4].

Diese lange Reise trüge uns aber kaum irgendeine Entdeckung ein, die wir bisher nicht hätten machen können. Und doch sind ein paar kurze Aufenthalte notwendig, denn am romantischen Himmel mit seinen bleichen, undeutlichen Sternennebeln schimmert eine große Milchstraße: Das poetische Paradies Eichendorffs zieht unsern Blick an. Meteore huschen über das Firmament; einer aber blitzt so hell auf, daß er von unserer Astronomie nicht übergangen werden kann: die hellglänzende Bahn Kleists. Und mitten in Heines Werk verfinstert ein dunkler Himmelskörper den romantischen Mond und wirft über die ganze Landschaft den modernen Schatten des Sarkasmus.

I

Die banale Romantik, die sich alsbald über Deutschland ergießen und mit ihrer gefälligen Musik das rührselige Bürgertum in sanfte Träume wiegen sollte, bezog ihr poetisches Rüstzeug von Heine und über ihn vom anmutigsten unter den großen romantischen Lyrikern: von Eichendorff. Auch wenn sein Werk leichter zugänglich ist als das vieler seiner Gefährten, auch wenn es weder dieselben Brüche in der Form noch die tragischen metaphysischen Konflikte aufweist, ist es doch himmelweit entfernt von der gefälligen, faden Poesie seiner Nachahmer. Es wirkt aristokratisch durch seine Zurückhaltung, es ist romantisch, was die meisten seiner bleibenden Themen anbelangt, zugleich aber unromantisch seiner formalen Vollkommenheit wegen, die nicht dem Chaos entstiegen oder abgerungen zu sein scheint, sondern sich von selber einstellt und fast mozartisch anmutet.

Eichendorffs Lyrik ist von der Art jener Dichtung, die ihre tiefe Wahrhaftigkeit durch die Treue zu bestimmten Bildern, zu einem bestimmten Kolorit oder zu wenigen Schlüsselworten beweist, die noch nicht in eine konventionelle Sprache eingegangen sind, sondern den Dichter selber immer von neuem faszinieren. Bis hin zu den von Tieck übernommenen Themen – Waldein-

---

[4]* Chamisso: *Heimweh, Traum, Muttertraum, Ihr Traum, Traum und Erwachen* usw. / Kerner: *Unerhörtes Gebet, Alte Laute, Des Arztes Traum, Täuschung, Des Kindleins Grab, Der schwere Traum, Der bange Traum* usw. / Uhland: *Nachts, Traumdeutung, Der Traum, Die Schlummernde, Der Mohn, Gruß der Seelen* usw. / Mörike: *Ideale Wahrheit, Seltsamer Traum, Nannys Traum, Nachtgesichte* usw. Ferner viele Gedichte von Wilhelm Müller (*Elfentraum, Frühlingstraum*), von Lenau (*Der Schlaf, Warnung im Traume, Traumgewalten* usw.), von Rückert und Platen – kurz von allen Lyrikern der Epoche. Träume findet man auch in den meisten Dramen von Fouqué (*Waldemar, Baldur, Held des Nordens* usw.) sowie bei Zacharias Werner (besonders in den *Söhnen des Tals* und *Martin Luther*), Müllner (*Der neunundzwanzigste Februar, Die Schuld*), ja bis hin zu Büchner (*Dantons Tod, Leonce und Lena*). Immermann: *Münchhausen* II, 7; III, 3 usw.

samkeit, Magie des Mondlichts und der Dämmerung – trägt alles bei Eichendorff diesen Charakter des Persönlichen. Dank einer besonderen Anmut und Gnade – einer *gratia* im doppelten Sinne des Worts – vermag er uns in eine Welt der Unschuld und der glückseligen Schwerelosigkeit zu versetzen. Er fühlt sich im Paradies wie zu Hause. Vor Eintönigkeit braucht er sich nicht zu fürchten; er mag sich noch so viele Abwandlungen ein und derselben Melodie gestatten – nie wird sich der Leser ihrer Magie entziehen.

Alles, was nach ihm von den *poetae minores* bis zum Überdruß wiederholt wurde, behält in Eichendorffs wunderbarer Musik den anfänglichen Zauber bei. Seiner Mondnächte, seiner Dämmerungen, seiner Wälder und Nachtigallen, seiner schimmernden Himmel mit den luftigen Wolken und ihren unwirklichen Schatten wird man nicht müde. Nichts gleitet bei ihm aus dem Bereich wahrhafter Verzauberung in die Plattheit des literarischen Klischees ab, weder die Sehnsucht nach der Ferne noch die Melancholie des Heimwehs noch die unvergängliche Vagabundierlust des entzückten Wanderers. Nicht allein die zarte Harmonie einer anmutigen und vollkommenen Form sichert dem Zauber seine Wirkung. Diese Poesie, die auf den ersten Blick des Echos aus inneren Abgründen zu entbehren scheint, schöpft aus sehr tiefen Quellen. Der Aufschrei, die dramatische Gebärde bleiben ihr fremd; aber sie ist wie die Musik Mozarts eine ständige Anspielung auf etwas Unaussprechliches, Wesentliches. «*Der Dichter ist das Herz der Welt*» (*An die Dichter*). Er erkennt in allen irdischen Wesen die Spur Gottes. Seine Stimme bringt Freiheit in jedes Herz und verleiht der Natur eine klingende Transparenz.

> Schläft ein Lied in allen Dingen,
> Die da träumen fort und fort,
> Und die Welt hebt an zu singen,
> Triffst du nur das Zauberwort.
> *(Wünschelrute)*

Der Dichter irrt durch die Natur, lauscht dem warmen Regen, dem Rauschen der Bäume, sieht den Glanz der Seen und den Schimmer der Hügel im Morgenlicht; begeistert von diesen Eindrücken, spürt er ein «neues Leben» auf ihn herabkommen, und die Erinnerung an vergangene Zeiten steigt wieder auf.

> Und es weben sich die Träume
> Wie von selbst zum Werk der Musen,
> Und rings Berge, Blumen, Bäume
> Wachsen in die heitern Räume
> Nach der Melodie im Busen.
> *(Dichterfrühling)*

Der Traum des Dichters läßt eine verzauberte Natur aufleben, die mit der im Innern aufblühenden Poesie zusammenstimmt. Und jedesmal, wenn bei Eichendorff diese beglückende Übereinstimmung Ereignis wird, kehren dieselben Worte wieder, um zu verkünden, daß das Paradies sich aufgeschlossen habe: «wie im Traume – wie in Träumen – wie ein Traum». Dieser Refrain ist das Zeichen der erlangten Seligkeit. Die Nacht ist «wie ein Feenland von Träumen» [508, I, 228]; «und nachts oft wie in Träumen / Fängt der Garten zu singen an» [106]. Die Lieder, die das Ohr vernimmt, die Wolken, die Bäche und Ströme werden zum Traum, der Frühling sieht «blühende Träume über die Berge schreiten» [65]. Und eins der vollkommensten Nachtgedichte verbindet wunderbar den Eindruck von einer träumenden Natur mit dem des Paradieses, das den Segen des Herrn empfängt:

Nachts

Ich stehe im Waldesschatten
Wie an des Lebens Rand,
Die Länder wie dämmernde Matten,
Der Strom wie ein silbern Band.

Von fern nur klagen die Glocken
Über die Wälder herein,
Ein Reh hebt den Kopf erschrocken
Und schlummert gleich wieder ein.

Der Wald aber rühret die Wipfel
Im Traum von der Felsenwand.
Denn der Herr geht über die Gipfel
Und segnet das stille Land.

Eichendorff ist aber nicht ein ausschließlicher Bewunderer der Nacht, auch wenn er sie immer wieder in herrlichen Liedern besungen hat. Dasselbe friedliche Entzücken überkommt ihn auch in der Abenddämmerung oder im Glanz des Mittags und mit besonderer Wonne beim Tagesanbruch. Vielleicht hat sonst nur noch Hölderlin – wenn auch in ganz anderem Ton – den Sonnenaufgang in solch hingerissenem Entzücken gefeiert.

Der Morgen

Fliegt der erste Morgenstrahl
Durch das stille Nebeltal,
Rauscht erwachend Wald und Hügel:
Wer da fliegen kann, nimmt Flügel!

Und sein Hütlein in die Luft
Wirft der Mensch vor Lust und ruft:
Hat Gesang doch auch noch Schwingen,
Nun, so will ich fröhlich singen!

Hinaus, o Mensch, weit in die Welt,
Bangt dir das Herz in krankem Mut;
Nichts ist so trüb in Nacht gestellt,
Der Morgen leicht macht's wieder gut.

Auch die Romane Eichendorffs sind in dieses zauberhafte Licht eingetaucht, die Helden ziehen von Schloß zu Schloß, nächtliche Streifzüge wechseln mit strahlenden Tagen. In ihren Augen haftet allem eine Spur von Unwirklichkeit an. Ihre Nachtträume sind kaum schwereloser, als was ihnen am Tag widerfährt. Die herrlichen Landschaften, ob in Italien oder in Deutschland, wirken nie ganz irdisch; sie sind immer schon vom beständig bewegten Gemüt des romantischen Wanderers verwandelt, sind Gegenden aus einem Traum.

In *Ahnung und Gegenwart* kündigt ein quälendes Traumgesicht unheilvolle Ereignisse an. Man braucht sich aber dabei nur der Alpträume Jean Pauls oder des eisigen Klimas bei Arnim zu erinnern und wird sogleich den ganzen Unterschied spüren zwischen den Augenblicken des Entsetzens dort und der sehr gemäßigten Angst bei Eichendorff. Sein Held hat als Kind mehrmals denselben Traum; darin erscheint ihm sein Bruder, der sich mit einem langen Schwert einen Weg durch ein ungeheures Meer von Wolken bahnt, so daß die Funken stieben. Die Wolken verwandeln sich alsbald in ein Gebirge, zu dessen Füßen sich eine wunderbare Landschaft ausbreitet, durchzogen von einem singenden Fluß. Zuletzt aber verwirrt sich die Vision, als der Bruder übermäßig lachend und mit seltsamen Gebärden wieder auftaucht, rings umgeben von ungeheuren Drachen.

Der Grundton der Träume in den Romanen ist jene Melancholie der Erinnerung, jene sanfte Traurigkeit, welche so oft bei Eichendorff die Auferstehung der Vergangenheit begleitet. Einmal erscheint Graf Friedrich ein Kind mit leuchtendem Antlitz, um ihm eine unbegrenzte Runde von Meeren, Strömen, Ländern und zerstörten Städten zu zeigen und darin das seltsam zerfallene Schloß seiner Kindheit. Für einen Augenblick herrscht der Eindruck der Verwüstung vor, und als die Sonne ins Meer versinkt, befällt den Träumer die Angst, sie könnte für immer untergehen. Aber das wunderbare Kind tröstet ihn mit einer sanften Verheißung. (5./14./17. Kapitel)

Der Traum ist voll kostbarer Erinnerungen und seltsamer Übereinstimmungen mit dem wirklichen Leben. In *Dichter und ihre Gesellen* wird der Träumer von einer altbekannten Stimme beim Namen genannt; ein Traum trägt ihn in die Jugendzeit zurück, er hört ein vergessenes Lied, und beim Erwachen klingt es wirklich durch die Nacht herüber. Die Glocken von Rom, deren Klang Otto in seinen Kinderträumen so bezaubert hat, daß er die heilige Stadt sehnsüchtig zu sehen begehrte, ertönen ihm, als er endlich am Ziel seiner Wünsche ist, immer noch «wie damals aus weiter, weiter Ferne, als gäb' es noch eine andere Roma weit hinter diesen dunklen Hügeln» (14./9./18. Kapitel). Eine Szene erinnert an Arnims *Gräfin Dolores,* für die Eichendorff eine Schwäche hatte[5], und zugleich an Kleists *Käthchen:* Fortunat vernimmt aus dem Mund der schlafenden Fiametta ein Liebesgespräch zwischen ihr und ihm, und «er erschrickt, daß sie so aus seiner Seele redet». (17. Kapitel)

5* *Ahnung und Gegenwart*, 12. Kap.

Alle diese Träume zeigen eine geheimnisvoll verwandelte Natur; und seltsam, ob der Träumer Trauer oder Entsetzen empfindet, sie bleibt davon unberührt. Die Ängstlichkeit, die Eichendorff erweckt, ist der geheime Schauder in Augenblicken, wo die Magie zu wirken beginnt und wo die Natur, ob im Traum oder in der Poesie, ganz nahe daran ist, ihr Geheimnis zu enthüllen. Eine heilige Ahnung, ein unendliches Sehnen und eine gedämpfte Angst verweben sich zur Stimmung dieser Träume.

Immer, wenn die Natur mit ihren vertraulichsten Worten zum Dichter spricht, fließt Eichendorff ganz ungezwungen dieselbe Wendung in die Feder. Die Sommernächte, der aufgehende Mond, die Morgennebel, sie «verwandeln alles in Traum». [508, V, 206/249/368]

In den Traum flüchtet sich aber auch die Poesie, wenn sie aus dem Leben verbannt werden soll.

Die Seele des Dichters ist wie eine Nachtigall, je tiefer man ihren Käfig verhängt, je schöner schlägt sie, und ich hörte sie oft in Träumen wunderbar klagen [...]. Es war mir nicht anders, als säß’ ich viele hundert Klaftern tief im Meer und hörte die Abendglocken meiner Heimat von weitem über mir. *(Dichter und ihre Gesellen,* 9. Kapitel)

Traum und Poesie sind einander ganz ähnlich. In ihnen ereignet sich das Wunder jener Magie, die allen Dingen eine Stimme verleiht und einen sichtbaren Körper den heiligen Ahnungen des Seins.

Es gibt nur wenige Dichter in der Welt, und von den wenigen kaum einer steigt unversehrt in diese märchenhafte, präct’ge Zaubernacht, wo die wilden, feurigen Blumen stehen und die Liederquellen verworren nach den Abgründen gehen und der zauberische Spielmann zwischen dem Waldesrauschen mit herzzerreißenden Klängen nach dem Venusberg verlockt, in welchem alle Lust und Pracht der Erde entzündet und wo die Seele wie im Traume frei wird mit ihren dunklen Gelüsten. (19. Kapitel)

Eichendorff repräsentiert den glücklichen Dichter im genauen Gegensatz zum «poète maudit» oder zur «Einsamkeit der Dichtung», zu der sich Arnim bekennt. Poesie und Traum bedeuten für ihn das Reich der Glückseligkeit, der ungebrochenen Harmonie; und zwar ist es nicht eine Harmonie, wie sie ein Jean Paul oder ein Novalis erst nach der Überwindung von Konflikten erreicht hat, nicht das zerbrechliche, flüchtige Glück eines Tieck oder eines Brentano, der das Chaos und seine Seelenqualen in der Zuflucht zu einer unbeständigen Zauberwelt für Augenblicke vergessen hat. Daß es ein Chaos, daß es irgendwelche Konflikte gebe, davon ist bei Eichendorff nichts mehr zu spüren. Sein Entzücken ist das *vor* der Vertreibung.

Und ohne sie zu zerstören, mischt sich dieser Wonne des Dichters das Heimweh nach der Vergangenheit bei, die sehnsüchtige Erinnerung. Mit unnennbar sanfter Melancholie ruft der Traum die Landschaften von einst herauf, die gerade um ihrer Ferne willen so zauberhaft wirken.

Treue

Wie dem Wanderer in Träumen,
Daß er still im Schlafe weint,
Zwischen goldnen Wolken-Säumen
Seine Heimat wohl erscheint:

So durch dieses Frühlings Blühen
Über Berg' und Täler tief,
Sah ich oft dein Bild noch ziehen,
Als ob's mich von hinnen rief;

Und mit wunderbaren Wellen
Wie im Traume, halb bewußt,
Gehen ew'ge Liederquellen
Mir verwirrend durch die Brust[6].

II

Wenn Eichendorff – nach Tieck und Brentano der Schöpfer der Stimmungs-
romantik – allen seelischen Wirren entrinnt, welche die andern Romantiker
kennzeichnen, so trägt hingegen Heinrich von Kleist tief in sich selber und in
seiner Dichtung Konflikte von einer dermaßen tragischen Gewalt aus, daß man sie
nicht mit denjenigen einer Epoche oder einer Gruppe von Dichtern und Denkern
vergleichen kann. Es hieße die Augen verschließen gegen die Größe seiner Seele
wie seines Dichtens, wollte man ihn der Romantik zuordnen, und trotz allem,
was ihn von jenem andern Genius trennt, den der Blitzstrahl traf, gleicht er
Hölderlin zumindest durch diese seine Einsamkeit. Gefährlich, den Vergleich
weiter zu treiben, aber für einen Augenblick denke man sich die drei nebeneinander: Eichendorff, Hölderlin und Kleist, den glücklichen Dichter und die
beiden vom Leid Gezeichneten. Gemeinsam ist ihnen die Sorge um die Form,
wie sie kein Romantiker kannte; sie alle haben Dichtungen vollendet, die dank
einem Bewußtsein von den künstlerischen Mitteln eine Vollkommenheit erreichten, die dem Gesang und dem Aufschrei der Zeitgenossen fast durchweg
verwehrt blieb.

Und doch ist Kleist unvergleichlich, und wo immer wir eine Verwandtschaft
zwischen ihm und irgendeinem Dichter seiner Zeit zu gewahren glauben, möchten
wir sie am liebsten gleich wieder leugnen. Wenn er der innern Architektur,
den Proportionen, der genau kalkulierten Präzipitation seiner Dramen eine Aufmerksamkeit schenkte wie nirgends ein Arnim oder ein Brentano, so scheint er
sich andererseits auch vom Wirken seines eigenen Genies Rechenschaft gegeben
zu haben wie keiner der Romantiker. Wie sie, ja mehr als sie fügt sich Kleist
einer aus tiefsten Schichten des Seins heraufdrängenden Lava, und in jedem Vers

6* Vgl. *Nachklänge 4* | *Erinnerung 1.*

seiner Dramen bezeugen die jäh und ungestüm aufbrechenden, der intellektuellen Kontrolle entzogenen Bilder, daß sich der Dichter, gleich wie seine Helden, im Moment des Erschaffens in einem Zustand des Hellsehens befindet und daß nur dann die Gespenster aus den Schächten der Seele an die sichtbare Oberfläche der Sprache gelangen. Obwohl Kleist an psychologischen Theorien interessiert war und obwohl er sogar zu Pedanterie neigte, gibt er doch nirgends zu verstehen, daß er eine solche Beschwörung unkontrollierter Bilder für der Untersuchung wert hielt. Keine Spur bei ihm von jenem Selbstbewußtsein des Dichters, der seine Mission kennt und die Bedeutung der schöpferischen Gebärde ermißt, wie wir es in verschiedenen Graden bei allen Romantikern finden. Ob diese sich, wie Friedrich Schlegel und Novalis, ein Ideal vollkommener Hellsichtigkeit zum Ziele setzen oder ob sie sich dem Instinkt und dem Diktat des Innern überlassen wie Arnim, sie wissen jedenfalls genau, was ein Dichter ist und wieviel sein Trachten gilt. Kleist jedoch, der sie als Dichter alle überragt, denkt nicht daran, sich solche Fragen auch nur zu stellen.

Mehr Bewußtsein von den eigentlich ästhetischen Bedingungen des Kunstwerks – weniger Bewußtsein von den metaphysischen oder mystischen Bestrebungen, die jeden schöpferischen Geist leiten, auch ohne daß er davon weiß: beide Differenzen gehen auf Rechnung eines angeborenen Genies, wie man es bei keinem Romantiker wiederfindet.

Das geistige Abenteuer eines Novalis mag unvergleichlich lichtvoller sein, die überschwengliche Seele Jean Pauls eine unnachahmliche menschliche Zärtlichkeit verströmen, Arnims Geist das Drama der Phantasie und der Erkenntnis bis zum äußersten Entsetzen durchstehen. Der Gesang, der zuweilen aus Brentanos Seele aufsteigt, ist ohne Zweifel eine mildere, schmelzendere Musik als die Sprache Penthesileas, und Hoffmann hat besser gewußt als irgendeiner, welches Opfer die «Liebe des Künstlers» erheischt. Ebenso wahr aber ist, daß Kleist, der darum rang, Dramen zu erbauen und Gestalten zu schaffen, die sich aus seinem verborgensten Wesen nähren, daß er der Nachwelt Werke hinterlassen hat von einer Größe und Vollkommenheit, wie sie in der deutschen Literatur nur ganz selten erreicht worden ist.

Kleist vereinigt in sich beide Vorzüge: die vollkommene Klarheit des *Künstlers,* der sein Handwerk durch und durch versteht – und die notwendige Dunkelheit des *Dichters,* der von dionysischer Begeisterung mitgerissen wird und jede Konfrontation seiner persönlichen Mythen mit der für ihn völlig unwirklichen Außenwelt ausschlägt.

Steht das bewußte Tun höher oder tiefer als das unbewußte? Da sich für Kleist diese Frage im Zusammenhang mit seiner dichterischen Tätigkeit aufdrängte, wurde er nicht müde, darüber nachzudenken. In seinem berühmten Aufsatz *Über das Marionettentheater* hat er eine Antwort gegeben, die nun allerdings des Zusammenhangs mit dem Denken seiner Zeitgenossen nicht entbehrt.

Die Marionette ist in ihren Bewegungen vollkommener als der Tänzer, denn ihr fehlt das Bewußtsein; sie gehorcht bloß dem Gesetz der Schwere. Seitdem jedoch der Mensch vom Baum der Erkenntnis gegessen hat, ist er sich seiner Bewegungen bewußt, hat sich aber zugleich um ihre Freiheit und um ihr Ebenmaß gebracht. Denn das jetzige Bewußtsein des Menschen ist unvollständig. Aber die Welt ist rund, und wenn uns das Paradies verschlossen ist, «müssen wir die Reise um die Welt machen und sehen, ob es vielleicht von hinten irgendwo wieder offen ist». Das Bewußtsein könnte, zu absoluter Vollendung gelangt, jene «Grazie» wieder zurückgewinnen, die ans Fehlen der Reflexion gebunden ist. «Nur ein Gott könnte sich auf diesem Felde mit der Materie messen.» Die menschliche Lage ist genau die zwischen der Marionette und Gott, und so bewegt uns beides zugleich: die Reue über den Verlust der ursprünglichen Grazie und die Hoffnung auf eine neue Grazie, die sich dann einfinden wird, wenn das Bewußtsein unendlich geworden ist. «Das ist das letzte Kapitel von der Geschichte der Welt[7].»

Nirgends ist Kleist der romantischen Philosophie näher gekommen als in diesem kleinen Aufsatz. Die Apologie des Unbewußten verbindet sich bei ihm wie bei Novalis oder Carus sogleich mit einer dialektischen Bewegung. Da es dem Menschen unmöglich ist, kurzerhand auf sein unvollkommenes und störendes Bewußtsein zu verzichten, muß er umgekehrt danach trachten, es so lange zu vervollkommnen und zu erweitern, bis es die Grazie wiederfindet.

Gleichzeitig wird aber auch der Abgrund deutlicher sichtbar, der Kleist von den Romantikern trennt. Der Begriff der *Grazie* gibt dieser Philosophie eine ästhetische Richtung, und diese fehlt der Magie des Novalis, die auf einem Begriff der *Macht* aufbaut. Hier will der Mensch sich der Natur *bemächtigen,* um sie in ihren ursprünglichen Zustand zurückzuführen; dort trachtet er nach einer Wiederherstellung der Harmonie *in ihm selber.* Beide Wege führen zur Vergöttlichung, aber Ausgangspunkt und Ziel sind anders.

Und wenn Novalis und die andern, welche Kunst und Erkenntnis zusammenrücken, aus dem Kunstwerk, über das sie unablässig *reflektieren,* ein Instrument der beabsichtigten Wiederherstellung machen, führt Kleist sein Werk zu Ende, ohne ihm irgendwelche metaphysische Zielsetzungen aufzubürden. Während sich sein Denken auf die Hoffnung nach einer Vergöttlichung ausrichtet, ist seine Dichtung dem Wesen nach *tragisch* in dem Sinne, wie die großen griechischen Tragödien tragisch waren und wie es kaum ein modernes Drama noch ist, auf alle Fälle kein romantisches. Kleist stellt die menschliche Situation dar, wie sie ist, mit all den Qualen eines schon erwachten, aber noch unvollkommenen Bewußtseins. Die Tragik besteht genau darin, daß die Kleistschen Menschen

[7]* Vgl. Ayrault [532, 336–338].

weder Marionetten noch Götter sind. Und dem Genius des tragischen Dichters geht es einzig darum, Bilder zu finden, welche die ganze unabänderliche Tragödie des Menschseins blitzartig beleuchten.

In Kleists Dramen treten da und dort Personen auf, die sich in somnambulem Zustand befinden und auf zwei Ebenen des Bewußtseins leben. Es liegt nahe, zur Erklärung die romantische Psychologie des Traums zu Rate zu ziehen, und man hat denn auch immer wieder von einem Einfluß Schuberts gesprochen, dessen Vorträgen über ‹pathologische› Erscheinungen solcher Ichverdoppelung Kleist mit großem Interesse gefolgt ist. Aber es heißt bei solchen Vergleichen vorsichtig sein. Nicht nur fand Kleist in sich selber genug Anlaß zu entsprechenden Beobachtungen; die Ziele seiner Kunst gaben dem romantischen Gedankengut überdies eine ganz eigentümliche Wendung.

Penthesilea, von Achill besiegt, wütend über ihre Niederlage, aber mehr noch gekränkt, weil sie sich vom geliebten Kämpfer verachtet glaubt, verfällt der Raserei. Die Verirrungen ihres Stolzes und ihrer Leidenschaft vermischen sich in einem seltsamen Zustand der Verwirrung, worin Achill und der Sonnengott zu einem einzigen Bild verschmelzen. Erschöpft von diesem Anfall des Wahnsinns, fällt sie in Ohnmacht, und wie sie wieder zu sich kommt, glaubt sie, ihre Niederlage im Kampf sei nur ein «entsetzensvoller Traum» gewesen, den sie nun ihrer Vertrauten erzählt. Im einzelnen wiederholt diese Erzählung auf sonderbare Weise den authentischen Bericht vom Kampf, den eine Kriegerin zuvor gegeben hat; aber die Ereignisse haben eine ganz andere Bedeutung, sie erhalten durch die Gefühle der gekränkten Königin eine andere Färbung. So wie sie in der Meinung, alles nur geträumt zu haben, die Wirklichkeit vergißt, verwischt sie auch bestimmte Einzelheiten. Achill, der im Kampf jäh von Liebe zu seiner Gegnerin ergriffen worden war, hatte die Besiegte in zärtlichem Schmerz vom Boden gehoben; in ihrem Traum hingegen trägt er sie triumphierend als Gefangene davon. (14./8. Auftritt)

Im zweiten Waffengang ist die Amazone allzusehr verblendet, als daß sie auf den Gedanken käme, Achill begehre, sich von ihr besiegen zu lassen; so tötet sie ihn denn, wirft sich mit der Hundemeute über ihn her und zerfleischt seinen Leichnam. Aber als sie aus ihrer blutrünstigen Raserei erwacht, weiß sie nichts mehr von ihrer schrecklichen Untat.

> *Penthesilea:* Wer mir den Toten tötete, frag' ich,
> Und darauf gib mir Antwort, Prothoe.
> *Prothoe:* Wie, meine Herrscherin?
> *Penthesilea:*   Versteh mich recht:
> Ich will nicht wissen, wer aus seinem Busen
> Den Funken des Prometheus stahl. Ich will's nicht,
> Weil ich's nicht will; die Laune steht mir so:
> Ihm soll vergeben sein, er mag entfliehn.

Doch wer, o Prothoe, bei diesem Raube
Die offne Pforte ruchlos mied, durch alle
Schneeweißen Alabasterwände mir
In diesen Tempel brach; wer diesen Jüngling,
Das Ebenbild der Götter, so entstellt,
Daß Leben und Verwesung sich nicht streiten,
Wem er gehört; wer ihn so zugerichtet,
Daß ihn das Mitleid nicht beweint, die Liebe
Sich, die unsterbliche, gleich einer Metze,
Im Tod noch untreu, von ihm wenden muß:
Den will ich meiner Rache opfern. Sprich!

(24. Auftritt)

Als es den Kriegerinnen gelingt, sie von ihrer eigenen Schuld zu überzeugen,
sammelt sie in sich selber die Kraft zur Sühne:

Penthesilea: Denn jetzt steig' ich in meinen Busen nieder,
Gleich einem Schacht, und grabe, kalt wie Erz,
Mir ein vernichtendes Gefühl hervor.
Dies Erz, dies läutr' ich in der Glut des Jammers
Hart mir zu Stahl; tränk' es mit Gift sodann,
Heißätzendem, der Reue durch und durch;
Trag' es der Hoffnung ew'gem Amboß zu
Und schärf' und spitz' es mir zu einem Dolch;
Und diesem Dolch jetzt reich' ich meine Brust:
So! So! So! So! Und wieder! – Nun ist's gut.
(Sie fällt und stirbt.)

In dieser Tragödie, worin sich die Entfesselung der Leidenschaften zur wilden
Raserei steigert, spielt der Traum eine psychologische Rolle. Aber es geht Kleist
nicht nur darum, einen Fall von doppeltem Bewußtsein vorzuführen, und wenn
er mit unerhört präziser Kunst die Übergänge von einer Welt in die andere
festhält, so geschieht es weder aus bloßem Interesse an der Beobachtung noch
aus dem Verlangen, dem Dunkel der Seele Offenbarungen zu entlocken, die über
das helle Bewußtsein hinausreichen. Es geht ihm darum, seine Heldin wieder in
Bereiche gelangen zu lassen, wo der wilde Instinkt Meister ist, und eine keuchende
Kreatur zu zeigen, die zerrissen ist zwischen dem, wozu sie sich bekennt, und
denjenigen Kräften in ihr, zu denen sie sich nicht bekennen kann[8].

Auch *Prinz Friedrich von Homburg* zeigt einen ‹Fall› von Somnambulismus. Der
Held befindet sich anfangs in einem Wachtraum und geht darin völlig überraschend auf das Spiel ein, das der Kurfürst mit ihm treibt. Er hört und sieht
wohl seinen Herrn, aber im Zustand des zweiten Gesichts deutet er die Wirklichkeit um und verrät zugleich sein Verlangen nach Ruhm und seine Liebe für
Prinzessin Natalie. Aber auch hier wieder geht Kleist über das rein psychologische Phänomen hinaus. Im Traum des Prinzen sprechen sich tief in seiner
Seele verborgene Wünsche aus, die er niemandem gestehen würde und die er

[8]* Vgl. [532, 344 f.].

auch selber nicht genau kennt – als er aufwacht, ist ihm Nataliens Name entfallen, und es bedarf einer Reihe von Ereignissen, bis er die Personen des Traums in der Wirklichkeit wiedererkennt. Überdies ist der Traum eng mit der Handlung des Stücks verflochten. Kleist bedient sich seiner in der Absicht, den Konflikt zwischen Staatsräson und Gefühl, zwischen gesellschaftlicher Tugend und persönlichem Leben zu zeigen. Der Prinz gehorcht seinem Traum, der dieses persönliche Leben aufs deutlichste zum Ausdruck bringt, und gerät dadurch unwissentlich in Konflikt mit dem Befehl seines Herrn. Die Tragik menschlicher Bedingtheit zeigt sich hier in einer neuen Form, indem sich zwei Welten gegenüberstehen, welche beide dieselbe innere Notwendigkeit besitzen. Das Stück endet wohl mit einer Aussöhnung, aber man spürt, daß sie nur ausnahmsweise gilt und daß die Tragik des Irdischen bestehen bleibt. Wenn der *Prinz Friedrich von Homburg* den Höhepunkt und Abschluß von Kleists Schaffen bedeutet, den Augenblick, wo er einer Lösung der Konflikte am nächsten war, so vermag vielleicht ein anderes Stück den eigentümlichen Charakter seines ‹Somnambulismus› in ein helleres Licht zu rücken[9].

Das *Käthchen von Heilbronn,* nach Kleists eigenen Worten «ein Stück, das mehr in die romantische Gattung schlägt» (an Cotta, 7. Juni 1808), räumt dem Traum tatsächlich eine Bedeutung ein, die gewissen zeitgenössischen Auffassungen entgegenkommt. Aber auch diesmal weicht Kleist von der Romantik ab, indem er einen göttlichen Ratschluß für das Geschehen verantwortlich macht. Der Traum nimmt das Künftige vorweg, aber nicht auf Grund einer vorherbestimmten Analogie zwischen der Welt des Unbewußten und dem äußeren Werden, sondern weil es Gott so will und er dem kleinen Käthchen einen Cherub gesandt hat, der über die Erfüllung seines Schicksals wachen soll.

Käthchen, angeblich das Kind eines Waffenschmieds, in Wahrheit die Tochter des Kaisers, hat sich an einem Silvesterabend von einer alten Magd ihre Zukunft weissagen lassen. Als ihr kundgetan wird, sie werde einen mächtigen Herrn heiraten, bittet sie Gott, ihr in einem Traum die Wahrheit der Prophezeiung zu verbürgen. Nachts darauf erscheint ihr ein schöner Ritter, begleitet von einem Cherub mit hellglänzenden Flügeln. Einige Zeit danach erblickt sie in der Werkstatt des Waffenschmieds den Grafen Wetter vom Strahl und erkennt in ihm den Bräutigam ihres Traums. Von Stund an entsagt sie ihrem eigenen Willen und ergibt sich dem Ritter in rührender Treue; sie folgt ihm, obwohl er sie von sich stößt, auf Schritt und Tritt, ohne sich selbst ihr Benehmen erklären zu können.

Das ist aber nicht die einzige Bestätigung ihres Traumgesichts. Es folgt eine weit sonderbarere. Käthchen hat die Gewohnheit, im Schlaf zu sprechen. Dies nützt der Graf aus, um ihr Geheimnis zu erforschen; er befragt sie, und mit

9* Vgl. [532, 208 f./346–349].

Erstaunen entdeckt er, daß jene Traumvision des Mädchens Punkt für Punkt übereinstimmt mit einer eigenen, die ihn einst während eines Anfalls von Nervenfieber heimgesucht hat. Auch er hat einen Engel gesehen, hat Käthchen in seiner Schlafkammer erblickt, auch er in der Silvesternacht. Zwischen der Schlafenden und ihm entspinnt sich folgendes seltsame, wunderbare Zwiegespräch:

> *Der Graf vom Strahl:* Sahst groß, mit schwarzem Aug' mich an?
> *Käthchen:* Ja, weil ich glaubt', es wär' ein Traum.
> *G. v. Strahl:* Stiegst langsam,
> An allen Gliedern zitternd aus dem Bett
> Und sankst zu Füßen mir –?
> *Käthchen:* Und flüsterte –
> *G. v. Strahl:* (unterbricht sie)
> Und flüstertest: Mein hochverehrter Herr!
> *Käthchen:* (lächelnd)
> Nun! Siehst du wohl? – Der Engel zeigte dir –
> *G. v. Strahl:* Das Mal – Schützt mich, Ihr Himmlischen! Das hast du?
> *Käthchen:* Je, freilich!
> *G. v. Strahl:* (reißt ihr das Tuch ab)
> Wo? Am Halse?
> *Käthchen:* (bewegt sich) Bitte, bitte.
> *G. v. Strahl:* O ihr Urewigen! – Und als ich jetzt
> Dein Kinn erhob, ins Antlitz dir zu schauen?
> *Käthchen:* Ja, da kam die unselige Marianne
> Mit Licht – – – und alles war vorbei.
>
> (4. Akt, 2. Auftritt)

Von diesem Augenblick an herrscht zwischen Käthchen und dem Ritter ein unerschütterliches, vollkommenes Vertrauen. Am Ende des Stücks erfüllt sich die Verheißung des Engels, nachdem dieser dem hellwachen Käthchen noch einmal erschienen ist, ohne daß ihn die Umstehenden wahrnehmen konnten.

Käthchen lebt bis zur Schlußszene, wo die Hochzeit mit dem Grafen stattfindet, fortwährend auf zwei Ebenen: Gleichgültig gegen die Umstände, welche die Verheißung des Traums zu widerlegen scheinen, sucht sie die Erfüllung ihres Schicksals auf der Ebene der Wirklichkeit nicht im geringsten zu beschleunigen, so sehr vertraut sie in das, was kommen wird. Und doch gibt sie sich selber keine Erklärung für ihr anscheinend sinnloses Verhalten, für ihre unverständliche, blinde Unterwerfung, für ihre Unerschütterlichkeit, die alle Katastrophen überdauert. Auf alle Fragen, die ihr gestellt werden, antwortet sie mit einem beständigen «Weiß nit», und als der Graf sie vor dem Femgericht zur Rede stellt, warum sie ihm auf Schritt und Tritt folge, gibt sie die bezeichnende Auskunft:

> Mein hoher Herr! Da fragst du mich zu viel.
> Und läg' ich so, wie ich vor dir jetzt liege,
> Vor meinem eigenen Bewußtsein da,

Auf einem goldnen Richtstuhl laß es thronen
Und alle Schrecken des Gewissens ihm
In Flammenrüstungen zur Seite stehn,
So spräche jeglicher Gedanke noch
Auf das, was du gefragt: ich weiß es nicht.
(1. Akt, 2. Auftritt)

Diese Unwissenheit über die eigenen Gedanken und das Geständnis, das sie im Traum davon ablegt, erinnern an gewisse Szenen in Arnims *Gräfin Dolores* (der Roman entstand übrigens kurz danach). Aber der tiefere Sinn ist hier und dort ein ganz anderer. Bei Arnim bleibt das Drama der Ich-Verdoppelung rein psychologisch. Nach romantischer Theorie beruht die Weissagungskraft des Traums auf einer *natürlichen* oder – insofern sie der Schöpfung seit Anbeginn innewohnt – göttlichen Übereinstimmung zwischen den aus uns selber hervorgehenden Bildern und den tatsächlichen Ereignissen. Bei Kleist ist der Traum prophetisch, weil ihn Gott in Käthchens Seele gelegt hat, so wie er die Verwirklichung des Traums in Käthchens Leben bald herbeiführen wird. Einmal mehr ist Kleists Geschöpf einem persönlichen Schicksal ausgeliefert, und dieses Schicksal wird von einem göttlichen Willen gelenkt, der über jedes individuelle Abenteuer wacht.

Und einmal mehr ist die Lösung des Konflikts allein für Käthchen gültig, das des Wunders teilhaftig wird, während das Stück im ganzen die Tragik einer Menschheit darstellt, deren Bewußtsein unvollständig ist [10].

III

Heinrich Heine hat in seiner Dichtung fast alle romantischen Themen wieder aufgegriffen, aber seine Haltung ist so völlig anders, daß diese literarischen Motive bei ihm ihre metaphysische Bedeutung abstreifen. Und in dieser Hinsicht ist sein Werk für uns sehr aufschlußreich. Es hält genau den Augenblick fest, wo sich die Romantik untreu wird, wo sie die meisten ihrer großen Bestrebungen aufgibt und nur noch gewisse ästhetische und formale Elemente zurückbehält. Während für Novalis der Tod das offene Tor zur heiligen Nacht des Absoluten war, ist er für Heine nur noch der schwarze Schlund des Nichts. «*Der Tod ist nicht poetischer als das Leben*», wird er in seinem Buch über *Die romantische Schule* sagen. Das goldene Zeitalter, von dem die Romantiker träumten, liegt jenseits der Welt und hinter dem Ende der Zeiten. Für Heine jedoch, der vom sozialen Messianismus gewisser französischer Romantiker angehaucht war, verhieß die Idee des Fortschritts ein Paradies, das am Ziel dieser unserer irdischen Geschichte anbrechen sollte. In Heine begegnen sich die romantische Tradition

10* Vgl. [532, 206f./bes. 345–349].

und die hauptsächlichen Überzeugungen – oder die hauptsächlichen Zweifel – des 19. Jahrhunderts, die sich zu seiner Zeit auszusprechen beginnen. Lange Zeit richtet er seinen Blick auf ein Ideal kollektiven Glücks und wendet so dem romantischen Individualismus seiner Jugendzeit den Rücken zu. Später, als seine Hoffnungen unerfüllt bleiben und dahinschwinden, zieht er sich in sich selber zurück und sucht den Weg eines neuen Individualismus. Aber auch wenn er als «Romantique défroqué», wie er sich gerne bezeichnet hat, zu den Quellen der Erinnerung zurückkehrt, so ist doch diese Romantik nur noch Sentimentalität, immer untermischt mit einer Prise Sarkasmus.

> Sie liebten sich beide, doch keiner
> Wollt' es dem andern gestehn;
> Sie sahen sich an so feindlich,
> Und wollten vor Liebe vergehn.
>
> Sie trennten sich endlich und sahn sich
> Nur noch zuweilen im Traum;
> Sie waren längst gestorben.
> Und wußten es selber kaum.
>
> *(Die Heimkehr* XXXIII)

Der Traum – Lieblingswort Heines und häufiges Motiv zu allen Zeiten seines Lebens und literarischen Schaffens – hat nur noch ganz selten romantische Qualität und Bedeutung. Er ist nicht länger ein Mittel, in sich selber hinab-zusteigen bis in jene Schichten, wo der Subjektivismus über sich selber hinaus-geht und in eine neue, tiefere Gemeinschaft mit der nicht-individuellen, kos-mischen oder göttlichen Wirklichkeit einmündet. Heine überschreitet die Grenze der subjektiven Erfahrung nicht. Der Traum drückt des Dichters eigene Gefühle, seine Freuden und Leiden aus. Er öffnet nicht mehr den Zugang zu einem Unbewußten, worin ein beständiger Austausch zwischen Welt und Person statt-findet, sondern er ist der reine Bezirk der individuellen Seele; und in die poetischen Träume ergießen sich Ängste oder Seligkeiten, die nichts mehr gemein haben mit dem Schicksal der Welt.

Hatte die Romantik den Übergang von der reinen Psychologie zur Meta-physik vollzogen, so geht Heine den Weg wieder zurück, mit dem einzigen Unterschied, daß er, statt bei einer rationalistischen und mechanistischen Auf-fassung von der Seele zu enden, ihr einen gefühlshaften, lyrischen Inhalt gibt. Die gleiche Entwicklung zeigt sich im Ästhetischen. Heine glaubt zwar noch an die schöpferische Kraft der dunklen inneren Abgründe, an die Inspiration, die gebieterisch aus verborgenen Quellen heraufdrängt; aber er ist denn doch auch ein zu hellsichtiger Künstler, als daß er dem klaren Verstand nicht einen sehr großen Platz in der Ausarbeitung des Kunstwerks einräumte. Ja nicht selten fürchtet er sich vor den Abgründen seiner Natur, die für ihn keineswegs mehr die Heiligkeit besitzen, welche ihnen von den Romantikern zugesprochen worden war.

In solchen Augenblicken hält er diese Tiefen für den Ort einer gefährlichen Isolierung, eines *Traumes,* dem er zu entgehen sucht. Das ist auch der Grund für seine Hinwendung zur Tat, zur politischen und sozialen Realität.

Zuweilen ging er in solchen Augenblicken so weit, die Träume als krankhaftes Zeichen der inneren Spaltung des Menschen zu betrachten, für die er das Christentum verantwortlich machte, insofern es dem Geistigen ein zu großes Gewicht beigemessen und das physische Leben erstickt haben soll. Der Traum wäre das Symptom dieser Störung, die erst dann verschwinden wird, wenn eine neue Moral dem Fleisch wieder seine Rechte zugesteht. Dann aber hört der Mensch zu träumen auf. Man sieht, die Saint-Simonistischen Lehren sind dieser antichristlichen Prophezeiung nicht fremd. (*Schnabelewopski,* Kapitel XII)

In Heines Lyrik wechselt die Bedeutung der Träume je nach den Epochen seines schwankenden, umwegreichen Innenlebens. In den frühen *Traumbildern* erweckt der Traum Gedanken an Liebe, Tod und vielfältige Heimsuchungen. Die Gesamtstimmung entspricht jener von Heines Kindheit; es ist eine Welt des Schreckens, worin immer wieder Gespenster und bedrohliche Gestalten auftauchen. Liebe und Tod sind verschwistert wie im alten deutschen Volkslied, dessen Motive Heine alle wieder aufgreift, aber um sie in Symbole für seine eigenen Erlebnisse zu verwandeln. In seiner durch und durch subjektiven Gefühlswelt verlieren diese Themen die Ehrwürdigkeit und die zeitlose überpersönliche Weisheit der volkstümlichen Tradition. Beim modernen Dichter stellen die Mythen nicht mehr Begebenheiten dar, die ihre volle Bedeutung in sich selber tragen. Ein emanzipiertes Bewußtsein bemächtigt sich ihrer und behandelt sie als Zeichen für psychologische Erscheinungen: Todesfurcht, Qualen unerfüllbarer Liebe, zerstörerische Heftigkeit der Verzweiflung.

Die Träume des *Lyrischen Intermezzos* verzichten auf solche mythischen Elemente; eher als das Entsetzen drücken sie die Leiden gekränkter Liebe aus. Auch taucht hier das Eichendorffsche Thema der träumenden Natur auf, aber einer Natur, die von keinem Zauber mehr verwandelt wird. Die Lotosblumen und die Bäume träumen genau so von Liebesweh wie die Menschen.

> Ein Fichtenbaum steht einsam
> Im Norden auf kahler Höh'.
> Ihn schläfert; mit weißer Decke
> Umhüllen ihn Eis und Schnee.
>
> Er träumt von einer Palme,
> Die, fern im Morgenland,
> Einsam und schweigend trauert
> Auf brennender Felsenwand.
>   (XXXIII)

Es kommt auch vor, daß der Traum der Ironie Einlaß gewährt, ja auch jener grausam bitteren Selbstverspottung, die früh schon ihre Mißklänge über Heines

Lyrik ergießt und im ersten großen Prosawerk schrill hervortritt: in der
Harzreise. Hier lassen die Träume den Konflikt des Wanderers zwischen seinem
Jusstudium und seiner dichterischen Berufung grell aufleuchten. Sie greifen auf,
was er tagsüber gesehen hat, und bilden damit groteske Zusammenstellungen.
Ein verstorbener Doktor Ascher tritt als Gespenst auf, nur um pedantisch zu
beweisen, daß es Gespenster nicht geben könne!

Gleichzeitig verwandelt sich die Welt des Wachens in eine Traumlandschaft,
worin Waldvögel, silberne Wasser und grüne Bäume nur noch Bilder für die
Stimmungen des Wanderers sind. Die Welt wird Traum, der Traum wird Welt.
Ausgerechnet in diesem Buch, wo der Sarkasmus und die Reflexion die Har-
monie zerstören, wonach sich die Romantiker sehnten, wird das romantische
Erbe wider Erwarten stärker spürbar.

Und doch sollte Heine zu der Zeit, als er sich leidenschaftlich der Ver-
fechtung seiner politischen Ideen hingab, in einer seltsamen Rückwendung den
Traum wieder für den tiefen Quell halten, aus dem eine bessere Welt hervorgehen könnte:

Wenn einst, was Gott verhüte, in der ganzen Welt die Freiheit verschwunden ist, so wird
ein deutscher Träumer sie in seinen Träumen wiederentdecken. [534, V, 82]

In der letzten Lebenszeit füllt dann der Traum mehr und mehr das Dasein des
todkranken Heine aus. Während der Leib von furchtbaren Schmerzen gequält
wird, anvertraut sich der Geist der nächtlichen Traumwelt und der Zuflucht in
hellwache Träumereien. Der Traum wird für ihn zum Symbol der Poesie, der
Freiheit des Geistes, zum Symbol einer verwandelten Welt, worin das Leiden,
das Leben im Fleisch, die leiblichen Wonnen und Qualen sich vergeistigen. Der
Unglückliche, Bejammernswerte, der sich einst zwischen Traum und Wirklichkeit,
Geist und Materie, Poesie und Aktion unaufhörlich hin- und herwerfen ließ,
er findet im Angesicht des Todes eine Befriedung. Diese erzwungene, vom
Leiden auferlegte Lösung ist allerdings Teil von Heines persönlichem Leben und
gehört nicht zu seinem dichterischen und metaphysischen Abenteuer. Mit ihm
stirbt die Romantik, und es ist bezeichnend, daß das Leben dieses Dichters mit
einer Lösung endet, die rein individuelle und subjektive Bedeutung hat und
keinerlei Antwort auf irgendeine wesentliche Fragestellung gibt. Heines Werk
besitzt nicht mehr die exemplarische Tragweite der großen romantischen Bestrebungen. Es ist der oftmals wunderbare Leidensschrei eines zerquälten, sensiblen
Menschen, an dem ein inneres Verhängnis nagt; es ist das Klagelied eines sehr
bedeutenden elegischen Dichters, in dem sich bis vor kurzem Generationen von
Deutschen wiedererkannt haben. Aber dieses Werk ist innerhalb der europäischen
Literatur auch eins der ersten Klagelieder, worin jene Mischung von Poesie
und grausamer Mystifikation auftaucht, die von den Dichtern des 20. Jahrhunderts so häufig gepflegt werden sollte. Grausam gegen sich selbst und zu-

gleich liebevoll um sich selber bemüht, hat Heine seinem Klagelied die subtile Begleitung des Sarkasmus mitgegeben. Er hat die Kunst der Dissonanz erfunden, und einige seiner Gedichte wirken deshalb seltsam ‹modern›. Der romantische Traum, der eine allzu brutale Wirklichkeit leugnete, wird seinerseits brutal verleugnet von einer Ironie, die nichts mehr zu tun hat mit dem souveränen Spiel des freien Geistes.

> Die alten, bösen Lieder,
> Die Träume schlimm und arg,
> Die laßt uns jetzt begraben,
> Holt einen großen Sarg.
>
> Hinein leg' ich gar Manches,
> Doch sag' ich noch nicht was;
> Der Sarg muß sein noch größer
> Wie's Heidelberger Faß. [...]
>   *(Intermezzo* LXV)

FÜNFTES BUCH

PROVINZEN IN FRANKREICH

La vieille Allemagne, notre mère à tous ...

In der traditionellen, auf den Nachweis von Einflüssen und Zusammenhängen erpichten Literaturgeschichte ist es zum Gemeinplatz geworden, von einer durch Madame de Staël vermittelten direkten Abhängigkeit der französischen Romantik von der deutschen Literatur zu sprechen. Gewisse Kritiker, die hartnäckig darauf aus sind, die Romantik in Verruf zu bringen, versteigen sich sogar zur Behauptung, sie habe für das französische Geistesleben ein Versagen bedeutet. Ihre Argumentation folgt zwei entgegengesetzten Wegen, ist aber hier wie dort einseitig. Die einen schließen vom deutschen Ursprung dieser Bewegung auf ihren krankhaften Charakter. Die andern, für die der auf ewig im Glanz der Klassik eingeschlossene französische Geist *per se* gesund ist, verfahren umgekehrt: Die Romantik ist eine Krankheit; da nun Frankreich von sich aus keine Krankheitserreger ausscheiden kann, muß die Romantik eingeschleppt worden sein. Und woher sonst als aus diesem finsteren Deutschland, das immer wieder seine giftigen Dünste über die Welt ausgebreitet hat? Ein Fachmann meint sogar, die Deutschen seien in ihrem Machiavellismus so weit gegangen, sich diese Seuche selbst einzuimpfen, um ihre Nachbarn anstecken zu können. All das, so lächerlich es an und für sich klingt, hat leider dazu beigetragen, daß die wirkliche Weite des französischen Geistes lange Zeit verkannt worden ist, sollte doch gerade die herrliche Blüte der französischen Dichtung des 19. Jahrhunderts davon ausgeschlossen bleiben.

Glücklicherweise gibt es heute komparatistische Arbeiten, zum Beispiel Untersuchungen über die französische Frühromantik [590] und über die gemeinsamen okkultistischen Quellen beider Länder [588], die solch engstirniger Verurteilung ein Ende bereiten. Es läßt sich nicht länger übersehen, daß den französischen Romantikerkreisen von 1830 kaum etwas über die deutsche Romantik bekannt war und daß die großen moralischen, religiösen und sozialen Anliegen der *Nouvelle école* in Frankreich bereits im 18. Jahrhundert wenn nicht geradezu dichterischen Ausdruck, so doch mindestens ein breites Echo in Briefen, Tagebüchern und einigen teils bleibenden, teils kurzlebigen Werken gefunden haben. Es hat sich gezeigt, daß die Ursprünge der französischen Romantik vor allem in Frankreich selbst zu suchen sind und daß auch in diesem Fall ‹Einflüsse› von außen das Aufgehen einer lange im eigenen Boden heranreifenden Saat nicht veranlaßt, sondern höchstens erleichtert und unterstützt haben.

Und wenn im übrigen die deutsche Romantik in ihrem tiefsten Wesen tatsächlich so war, wie sie hier dargestellt worden ist, so wird man zugeben müssen: Von einer Ähnlichkeit mit der literarischen Revolution, die sich drei Jahrzehnte nach jenen herrlichen Versuchen der deutschen Romantiker in Frankreich zu regen begann, läßt sich kaum etwas feststellen. Die Deutschen, die von Philosophie und Wissenschaften erfüllt waren, hatten alle einen Weg eingeschlagen, auf dem sie zu wahrhaft objektiver Erkenntnis zu gelangen und die anfängliche Harmonie des Menschen mit seiner Umwelt wiederzufinden hofften. Im Mittelpunkt ihres Forschens stand das Problem, welche Bedeutung wohl den Offenbarungen des Unbewußten, den Erzeugnissen der freien Phantasie, ja jeglichen Augenblicken einzuräumen sei, wo wir mit einer irrationalen Gewißheit davon überzeugt sind, das begrenzte Dasein in der Vereinzelung hinter uns zu lassen und uns der Gegenwart jener andern Wirklichkeit aufzuschließen, der wir eigentlich angehören. Dem Dichter wurde eine Mission von metaphysischer und mystischer Bedeutung übertragen. Indem er das Wirkliche erfaßte, hoffte er die endgültige Rückführung der Menschheit in die ursprüngliche Einheit vorbereiten zu können.

Für die französischen Romantiker hingegen scheint es jenseits des reinen Subjektivismus nichts gegeben zu haben. Eine bekenntnishaft-lyrische Literatur stürzte die herkömmlichen Gesetze und die geheiligten Formen der Dichtkunst nur dazu um, damit der Dichter frei heraus sagen könne, was er selber empfinde, was ihn quäle und bedrücke. Gewiß waren Schwermut und Sehnsucht auch hier von einer metaphysischen Unruhe begleitet. Aber es fehlte die magische Bekräftigung, daß der Subjektivismus der Empfindsamkeit nur ein erster Schritt sei und daß ihm ein zweiter folgen solle, der auf dem Weg nach innen weiterführen werde bis zu dem geheimen Punkt, wo wir nicht mehr ‹wir selber› sind, sondern wo wir durch Analogie das erkennen, was uns sonst unerkennbar bliebe. Und wenn man auch oft von einer Mission des Dichters sprach, so verstand man darunter eher eine erzieherische Mission, die aufs Soziale ausgerichtet und wohltätig in dem Sinne war, daß der ‹Magier› die Völker auf eine bessere Zukunft *innerhalb* der irdischen Geschichte vorbereitete.

Zugegeben, diese Gegenüberstellung ist zu kraß. Wenn auch ihrer metaphysischen Grundlagen weniger bewußt, waren die französischen Romantiker mit ihren älteren Brüdern in Deutschland durch ihre Einstellung zum Kunstwerk verbunden, die genau so von der klassischen Auffassung abwich. Auch sie erkannten der Spontaneität der Empfindung und dem poetischen Schaffensakt einen geheimnisvollen Ursprung und eine unergründliche Bestimmung zu. Aber ähnliche Bestrebungen wie bei Novalis, Arnim oder Hoffmann wird man in Frankreich nur in einer verborgenen Tradition finden, die unter der äußerlich siegreichen Romantik weiterfließt.

Diese Tradition der inneren Romantik, deren allererste Anfänge sich bei den Okkultisten des 18. Jahrhunderts, bei Saint-Martin und bei Restif de la Bretonne finden lassen, wird erst zu voller Entfaltung gelangen in den Erleuchtungen eines Nerval, der gegen Wahnsinn und Tod ankämpft, eines im Alter über den Abgrund gebeugten Hugo, eines Baudelaire, der nach dem Besitz der Ewigkeit strebt, eines Rimbaud, der als Jüngling von der Vision überfallen wird, und schließlich bei den Surrealisten, die nach einer poetischen Methode suchen. Bei gewissen ‹kleinen› Romantikern, wie Jules Lefèvre-Deumier und Pétrus Borel, dann in einigen seltsamen Bekenntnissen Benjamin Constants oder im philosophischen Werk Balzacs würde man leicht das Echo von Traumerfahrungen finden, die dem näherkommen, was uns interessiert. Wir können hier aber nicht von Jean-Jacques bis zum Symbolismus und bis zu heutigen Dichtern sämtlichen Äußerungen nachgehen, die zeigen würden, wie sich die französische Literatur immer stärker darum bemüht, ihre Bestrebungen mit denjenigen der Philosophie und ihre dichterischen Mittel mit denjenigen anderer Künste zu verschmelzen. Indem wir uns bei einigen Meistern der *rêverie* aufhalten – Senancour, Nodier, Guérin, Proust –, werden wir eine oder zwei wichtige Etappen in der Erkundung des Unbewußten erkennen. Anschließend werden wir von Nerval zu Baudelaire, zu Hugo, zu Rimbaud und ihren Nachfolgern eine Poesie entstehen sehen, welche, im Licht unserer bisherigen Nachforschungen betrachtet, jener Poesie seltsam nahezukommen scheint, die von der deutschen Romantik erstrebt, aber nicht immer erreicht worden ist.

SIEBZEHNTES KAPITEL

DIE ZUFLUCHT ZUM TRAUM

> Un rêve est une vie particulière qui s'intercale dans
> une vie terrestre. Le cours de celle-ci pourrait n'être
> également qu'une série de perceptions, un autre songe
> isolé dans la vie durable.   SENANCOUR

Senancours Erfahrung steht in verschiedener Hinsicht derjenigen der deutschen
Romantiker so nahe, daß man von einem direkten Einfluß ihres Werks auf sein
Denken hat sprechen können. Man stößt bei ihm unter der Decke einer
zwischen Stoizismus und Epikureismus wechselnden Ideologie auf eine Reihe von
Themen, die bei Novalis und seinen Nachfolgern häufig vorkommen: Analogie
zwischen Mensch und Natur, Wahrnehmung des Unsichtbaren durch die Dinge
hindurch, ferner die Hoffnung, seiner eigenen Stimmungen Herr werden und
sich ihrer frei bedienen zu können, um eine neue Macht über die Welt zu gewinnen, schließlich die Zahlenmystik und die Suche nach einer Einheit jenseits
der Vielfalt der Erscheinungen. Aber jedes dieser Themen behält bei Senancour
die Bedeutung bei, die es für die französischen Okkultisten des 18. Jahrhunderts
besessen hatte, und nimmt nicht jene unverwechselbare Färbung an, die es bei
den deutschen Dichtern erhielt. Statt eines Einflusses sollte man hinter dieser
Verwandtschaft eher das Fortleben eines gemeinsamen Erbes sehen, das beim Verfasser des *Obermanns* auf Saint-Martin, beim Dichter der *Hymnen an die Nacht*
über Eckhartshausen auf Jakob Böhme zurückgeht.

Dieses okkultistische Patrimonium gewinnt indessen bei jedem Erben eine
andere Bedeutung, und sobald man bei diesen Menschen, die dieselbe Sprache
reden, nach ihrem wirklichen Erlebnis zu suchen beginnt, gerät man in ebenso
viele seelische Abenteuer hinein, die einzigartig sind und sich in keiner Weise auf
irgendein anderes Abenteuer zurückführen lassen. Ähnlichkeiten gibt es, gewiß,
und sie schließen alle diese Romantiker, auch wenn sie voneinander nichts
wußten, zu einer großen Familie zusammen, aber diese Verwandtschaft liegt nicht
so tief wie das geistige Erlebnis, wodurch sie sich voneinander unterscheiden.
Wollen wir die Originalität eines Senancour richtig einschätzen, so gilt es, bis in
den Bereich seiner Entrückungen vorzustoßen, die den Ekstasen eines Novalis
oder eines Jean Paul so nahe verwandt und doch auch so unähnlich sind.
Gleichgültig, welche Stufe seiner geistigen Entwicklung man ins Auge faßt –
diese schwärmerischen Augenblicke bleiben die höchsten seines Lebens.

Was einem Menschen in geistiger Hinsicht von Anfang an mitgegeben ist,
läßt sich am leichtesten ablesen an bestimmten Gesten, bestimmten Haltungen,
an seinen Eigenarten in der Wahrnehmung des Wirklichen, die sich nie ändern,

auch wenn sich der Geist immer neuer Ausdrucksweisen bedient, um diese spontanen Regungen der angeborenen Wesensart zu übersetzen und zu gestalten. Die Begriffe, die Senancour der okkultistischen Tradition entleiht, entsprechen der besonderen Form, welche die metaphysische Fragestellung bei ihm notwendig annimmt, und der Richtung, die seinem Geist von Anfang an vorgeschrieben ist durch die sehr eigenartigen Beziehungen zwischen seiner Empfindsamkeit und der Außenwelt. So sehr entspricht es seinem Wesen, die erschaffene Welt und die Beschaffenheit des Menschen in einem Ähnlichkeitsverhältnis zu sehen, daß er sich schon in seinem frühen Roman *Aldomen* (1795) beiläufig die Frage stellt:

Sollte die Natur, die nur Ordnung und Harmonie kennt, nicht auch Beziehungen geschaffen haben zwischen den Formen und der stofflichen Zusammensetzung der leblosen Körper und den metaphysischen Einblicken ins Schicksal des Menschen? [614, 8]

Es wird schon hier deutlich, daß er dieser Voraussetzung einer *Analogie* zwischen Mikrokosmos und Makrokosmos unwillkürlich eine persönliche Schattierung gibt. Es ist unser *Schicksal,* es ist die Zukunft des Menschen auf Erden, was ihn beunruhigt. Er hält Ausschau nach Zeichen, die nicht nur für eine ursprüngliche Identität zwischen Natur und menschlichem Geist sprechen, sondern darüber hinaus von einer Zukunft künden, wo das Verhältnis zwischen dem Menschen und der Welt vollkommener sein wird als jetzt. Die gleiche Beunruhigung taucht erneut auf im *Obermann* (1804), diesmal aber stärker erlebt, weniger theoretisch:

Die tief empfundene Natur existiert nur in den Beziehungen zwischen Menschen, und die Dinge sagen uns nur etwas, weil sie zu uns wie Menschen sprechen. Die fruchtbare Erde, der unendliche Himmel, der vorbeiziehende Bach sind nur der *Ausdruck für Beziehungen, die in unsern Herzen geschaffen werden und ihnen angehören.* (36. Brief [*])

Später, als sich dank einer engeren Vertrautheit mit dem Okkultismus seine Einsichten verdeutlicht haben, trägt er sie in ein System ein, das einen Sündenfall als Ursache unserer Vereinzelung und gegenwärtigen Unvollkommenheit anerkennt und Hoffnung schöpft aus dem Gedanken an eine Zukunft, wo der Mensch seine verlorenen Fähigkeiten zurückerobern wird. Die verschwommene Religiosität von einst macht einer echt religiösen Erwartung solcher Vollkommenheit Platz. Eine wiederaufgefundene Randbemerkung zur *28. Meditation* setzt diese Hoffnung ausdrücklich in Beziehung zu einer erhöhten Wirksamkeit der Kräfte, die dem Wort des Dichters verliehen ist:

Wie, wenn uns dereinst Fähigkeiten, die uns jetzt verwehrt sind, wenn uns neue Organe geschenkt würden? ... Setzen wir also, freilich ohne trügerischen Ideen anzuhängen, unsere Hoffnung in *die Mittel der erhabenen Kunst.* Vielleicht weichen die Grenzen des Möglichen weit zurück für denjenigen, der eine in gewisser Weise unbegrenzte Gabe empfangen hat: die Gabe der Rede. Wenn diese uns schon die Welt aufschließt, warum sollten wir dann zurückgeworfen werden? Wenn wir bessere Zeiten herbeiflehen, *wenn wir unser Schicksal wirklich annehmen, wird es sich auch erfüllen.* Darum lasset uns jeden Tag *wach bleiben, damit wir nicht für unwürdig befunden werden!* Stützen wir uns getreulich auf unseren Freund, *der über die Leiden erhaben ist,* die unser Geist ersinnt, um sich mit besserem Erfolg Gehör zu verschaffen. [618, 45]

Zu dieser Antwort auf die bedrängende Frage nach dem Schicksal der Schöpfung und des Menschengeschlechts ist Senancour aber nicht auf intellektuellem Weg gelangt. Literarische Einflüsse erklären niemals sein Erlebnis der Entrückung, wo sich für Augenblicke der Ort der Gewißheit in den seelischen Bereich des Gefühls und der unbewußten Zustimmung verlagert. Der *Obermann* ist ganz auf solche Augenblicke ausgerichtet. Unbehelligt von der sinnlichen Wirklichkeit, hört die Seele nur noch auf ihre inneren Offenbarungen; oder dann gewahrt sie in einer Art mystischer Teilhabe durch die Dinge hindurch deren verborgenes Wesen. Der Monolog der endlich frei gewordenen Seele wie auch der glückliche Dialog der Seele mit einer Welt, die plötzlich transparent geworden ist, beides erzeugt dieselbe Euphorie. Hier wie dort nimmt, dank einer eigentümlichen Wahrnehmung der Wirklichkeit, eine harmonische Welt Gestalt an. In solchen Augenblicken stellt Obermann «in den äußeren Dingen Analogien fest, die uns den Eindruck von einer unermeßlichen, weltweiten Ordnung vermitteln» (21. Brief).

Wesentlich an Senancours Beschreibung seiner Entrückungen ist dies, daß er sie immer mit einer *Sinnesempfindung* in Zusammenhang bringt und daß er diese Empfindung zu provozieren sucht, indem er sich entweder ins Unendliche ausweitet, sich auflöst, sich der Vielfalt der Dinge öffnet oder indem er seine ganze Aufmerksamkeit auf ein einzelnes Objekt richtet, das plötzlich aus dem Zusammenhang der Natur heraustritt. Ein heftiges Glücksgefühl ist das Ziel dieser seltsamen Askese oder, mit Rimbaud zu sprechen, dieser «grenzenlosen, vernunftgelenkten Entfesselung aller Sinne».

Hingegeben an all das, was um uns herum in Bewegung ist und geschieht; zuinnerst bewegt vom vorbeifliegenden Vogel, vom fallenden Stein, vom heulenden Wind, von der vorüberziehenden Wolke; verwandelt nach dem Zufall dieses immerfort sich wandelnden Lebenskreises *sind wir das, was die Stille, das Dunkel, das Geräusch eines Insekts, der Duft eines Krautes aus uns machen,* kurz: diese ganze Welt, die da rings um uns herum lebt oder zu unseren Füßen versteinert; wir verändern uns je nach ihren augenblicklichen Formen, wir werden bewegt von ihrer Bewegung, wir leben von ihrem Leben. [615, 138; vgl. Merlant 619, 67ff.]

Selber zu dem werden, was die Umwelt will, mit ihr eins werden und sich von Augenblick zu Augenblick von ihr formen lassen – diese völlig passive Ekstase führt zu einer Art Vernichtung der äußeren Realität durch diese selbst. Der Zustand des Glücks, nach dem sich der Träumer in solchen Augenblicken sehnt, ist der eines Daseins, das gerade durch die Häufung von Sinneseindrücken diesen Eindrücken entrissen worden ist. Sobald der Träumer in der sichtbaren Wirklichkeit aufgeht und mit ihr eins wird, beginnt sie sich zu verwandeln; an die Stelle der alltäglichen Wahrnehmung, die sie für ein außerhalb des Ichs liegendes Objekt hält, schiebt sich eine neue Auffassung, die zwischen der Empfindung im Innern und den draußen wahrgenommenen Dingen keinen Unterschied mehr macht.

Aus dem Taumel der Entrückung geht ein zweites Gesicht hervor, so daß auf einmal das sichtbare Universum nur noch Zeichen für eine unsichtbare Welt ist. Die Seele verschiebt in ihrer Verzückung die Grenzsteine der Wahrheit und geht so weit, den inneren Traum für minder trügerisch zu halten als das äußere Geschehen.

Auch das tatsächliche Leben ist wie ein Traum; ihm fehlt die Ganzheit, die Folgerichtigkeit, das Ziel. Teile davon stehen fest und sind gewiß, andere sind bloßer Zufall, Mißklänge, huschen vorüber wie Schatten, und man findet darin nie, was man gesehen hat.

(Obermann, 13. Brief)

Aber es gibt auch die umgekehrte Bewegung. Wenn «alles an uns vorüberzieht wie Gestalten eines häßlichen oder lächerlichen Traums», so genügt eine blühende Narzisse, «ein Duft, ein Klang, ein Lichtstrahl», damit die Körper ihre eigene leblose und undurchdringliche Existenz aufgeben und zu «Materialien werden, die ein ewiger Gedanke zu Gestaltungen eines Unsichtbaren umschafft». Sie gewinnen ihre wahre Bedeutung zurück und werden wieder zu Zeichen, durch welche die Seele endlich das «dauerhafte Leben» in seiner «ewigen, vollendeten Form» erfaßt. (40. Brief)

Die Entrückung kann demnach aus zwei anscheinend entgegengesetzten, in Wahrheit aber gleichartigen Bewegungen hervorgehen. Ob sich die Seele in den unendlichen Wechsel der Erscheinungen verströmt oder ob sie plötzlich ihre Aufmerksamkeit auf einen scharf umrissenen Gegenstand konzentriert – so oder so gelangt sie zur Empfindung der ewigen Gegenwart. Es vollzieht sich hier wie dort dieselbe Identifikation; der Mensch ‹entselbstet› sich und bringt gleichzeitig die Sinnenwelt aus ihrer Ordnung, um mit der großen harmonischen Einheit in Gemeinschaft zu treten, die beide Seiten unserer Erkenntnis in sich schließt, die materielle wie die geistige.

Nach solchen Erlebnissen sinkt Senancour immer wieder in die alte Hoffnungslosigkeit zurück. Die Augenblicke der Entrückung hinterlassen keinerlei dauernde Gewißheiten, wecken in ihm auch nicht die Absicht, ihre Offenbarungen zurückzubehalten und sich ihrer als Mittel zu einer bleibenden Verwandlung des Daseins zu bedienen. Grausam ist die Enttäuschung, wenn er, der beim Anblick der Alpen «die Klänge aus einer andern Welt» zu vernehmen glaubte, in die wirkliche Welt zurückkehrt:

Ich stieg auf die Erde hinab. *Hier verfliegt der blinde Glaube an ein absolutes Sein der Dinge,* verfliegen all die Illusionen von geordneten Beziehungen, von Vollkommenheit, von wahrhafter Freude [...]. Ein ewiger Wechsel, ein zielloses Geschehen, Undurchdringlichkeit überall – das ist alles, was wir von dieser Welt wissen, über die wir gebieten. (75. Brief [*])

Nun erfüllt ihn nicht mehr das Glück, nun lähmt ihn die Trauer, wenn er das Gefühl bekommt, das Leben sei ein Traum oder «dasselbe Durcheinander erschaffe sowohl die Träume in der Nacht wie die Empfindungen am Tag». Mit Bitterkeit klagt er über das Schicksal, das ihn dazu verdammt, «von seinem Dasein nur einen Traum zu haben». Von einem kühnen Entschluß zur Magie, wie er die deutsche Romantik und die Dichtung seit Baudelaire kennzeichnet, ist bei ihm nichts zu spüren.

Und doch hat schon er die Fähigkeit zu solcher Magie in sich getragen. Kein französischer Schriftsteller vor ihm hat mit den Mitteln der Wortkunst derart feinsinnig jene Vermischung von Eindrücken heraufbeschworen, womit deren Verwandlung zu Symbolen einsetzt. Die Schönheit der Welt, die er beschreibt, verwandelt sich unter seiner Feder unversehens in eine Seelenlandschaft. Zweifellos waren es Rousseau und Chateaubriand, die ihm den Weg dahin gewiesen haben; aber ihre Befangenheit in der Eloquenz hinderte sie daran, jene erstaunlichen Entsprechungen aller Sinne zu erreichen, durch welche Senancour in seinen großen dichterischen Augenblicken weit über die französische Frühromantik hinausweist. Seine Prosa beschwört Farben, Klänge und Düfte herauf, die sich so genau «entsprechen», daß man sich kaum noch in der Welt der gewöhnlichen Wahrnehmungen zu befinden glaubt. Er selbst hat mehr als einmal darauf hingewiesen, daß in solchen Augenblicken eine eigenartige Beziehung entstehe zwischen der äußeren Welt, die er beschreibe, und einer völlig innerlichen Stimmung, so daß man hat sagen können, er «liebe die Töne um der Stille willen, an die sie grenzen» (Merlant [619, 110]):

Wie könnte ich wohl in den Dingen jene Regungen wiederfinden, die nicht mehr in meinem Herzen sind, die Beredsamkeit jener Leidenschaften, die ich verloren habe; jene *lautlosen Klänge,* Symbole einer Welt, die ich schon verlassen habe? [110f.*]

Senancours Träumerei vor der Natur ist derjenigen Jean-Jacques' auf der Petersinsel zum Verwechseln ähnlich: Hier wie dort derselbe Verzicht auf ein klares Bewußtsein, dieselbe Vermischung der äußeren Bilder mit rein seelischen Empfindungen bis zu dem Augenblick, wo nur noch die ewige Gegenwart bleibt, das Gefühl eines Daseins, das nicht mehr in eine Vergangenheit und eine Zukunft zerfällt wie in ‹normalen› Zuständen. Der *Zeit* zu entfliehen, der eigenen Verzettelung in Momente, deren Einheit unmöglich erfaßt werden kann, dem ziellos ablaufenden Leben doch endlich entzogen zu werden und in einem Augenblick die eigene Identität zu gewahren, die sich plötzlich verdichtet und eine Art Ewigkeit erlangt, das ist der sehnliche Wunsch dieser frühen Romantiker.

Das Geräusch der Wellen und die Bewegung des Wassers *nahmen meine Sinne gefangen* und vertrieben aus meiner Seele jede andere Regung, versenkten sie in eine entzückende Träumerei, in der mich die Nacht oft überraschte, ohne daß ich ihr Nahen bemerkt hätte. Das An- und Abschwellen des Wassers, sein gleichmäßiges Rauschen, das bald stärker, bald schwächer wurde und ohne Unterlaß auf meine Augen und Ohren einwirkte, *trat an die Stelle der Gemüts-*

bewegungen, die durch meine Träumerei in mir ausgelöscht wurden, und genügte vollkommen, um mich mein Dasein fühlen und mich darüber froh werden zu lassen, ohne mühsam darüber nachdenken zu müssen. (Rousseau: Fünfte Träumerei [*])

Jean-Jacques' Träumerei beginnt also mit einem Einschwingen in die Empfindungen der äußeren Sinne «ohne tätige Mitwirkung der Seele». Die geistigen Fähigkeiten, der Wille, ja selbst die Leidenschaft, all das verstummt, geht unter in einer wonnevollen Untätigkeit. Indem sich die Aufmerksamkeit ganz auf die Bewegung des Wassers ‹einstellt› und konzentriert, löst sie jene Entrückung aus, worin die Seele, der Zeitlichkeit enthoben und in ihr Wesen zurückgeführt, nur noch von sich selber weiß.

Es gibt einen Zustand, wo die Seele eine genügend sichere Lage findet, um sich ganz und gar entspannen zu können, wo sie sich nicht des Vergangenen zu erinnern oder Künftiges herbeizuwünschen braucht, wo ihr die Zeit nichts mehr bedeutet, *wo die Gegenwart ewig dauert,* ohne sich ihre Dauer im geringsten anmerken zu lassen und ohne irgendwie zu verfließen, [...] wo uns kein anderes Gefühl erfüllt als das unseres Daseins und uns allein dieses Gefühl ganz auszufüllen vermag: Solange dieser Zustand währt, kann sich derjenige glücklich nennen, der sich darin befindet [...]. Er ist im Besitz jenes ausreichenden, vollständigen und vollkommenen Glücks, das nirgends in der Seele eine Leere läßt, die sie auszufüllen begehrte. [...]

Was ist es denn, das man in einem solchen Zustand genießt? Nichts, was außerhalb wäre; *man genießt nur sich selbst und sein eigenes Dasein.* Solange dieser Zustand währt, genügt man sich selber, wie Gott. [...]

Nach und nach kam ich wieder zu mir selbst, meine Umgebung wurde mir wieder bewußt; aber die Trennungslinie zwischen Traum und Wirklichkeit konnte ich nicht angeben. [*]

Wenn die Seele den Dingen entrückt ist, mit denen sie sich identifizierte, bis sie vernichtet waren, weiß sie nur noch von *sich selbst.* Aber – und hier fehlen Rousseau die Begriffe, deren er für seine erstaunlich genaue Beschreibung bedürfte – auch wenn der einsame Träumer aus der Ekstase zurückkehrt, «kommt er zu *sich selbst*». Wesentlich an dieser Erfahrung ist gerade der Übergang vom einen zum andern dieser beiden ‹Selbst›. Das eine Selbst, von dem er sich löst, um die Natur auf sich einwirken zu lassen und hernach sein eigenes Dasein zu fühlen, und zu dem er am Ende dieses glücklichen Zustandes wieder zurückkehrt, ist jenes bewußte Ich, das sich den Dingen entgegenstellt, sich klar davon unterscheidet und sie als außerhalb existierend betrachtet; es ist das Ich des Individuums, das in der Zeit gefangen und dazu verdammt ist, im Nacheinander, in der flüchtigen Folge unverbundener Momente zu leben. Und das andere Selbst, das er auf dem Gipfel der Entrückung erreicht: das Selbst der ewigen Gegenwart, ist jenes Ich, das tief unter dem andern verborgen liegt, jener Bereich, wo der Mensch, der nur noch von seinem ‹Dasein› weiß, sich nicht länger den Dingen gegenüberstellt, sondern wo er sie vollständig in sein irrationales Bewußtsein aufgenommen hat, so daß er zwischen Innenwelt und Außenwelt keinen Unterschied mehr macht. Das absolute ‹Selbst›-Bewußtsein fällt hier zusammen mit dem, was wir das ‹Unbewußte› nennen: mit jenen Abgründen der Innerlichkeit, in die wir wieder hinabgelangen, wenn wir uns, der Herrschaft der Zeit und der rationalen Erkenntnis entronnen, unseren verborgenen Fähigkeiten anvertrauen.

Jean-Jacques, der «Meister der empfindsamen Seelen» (Monglond [590, II]), hat eine ganze Generation in die Träumerei eingeweiht. Auch Senancour gehörte dazu. Wenn sich dieser mit größerer Kühnheit dem Gebiet der universellen Analogie zugewandt hat, so war doch Rousseau der erste, der die Erfahrung von jenen Zuständen machte, worin wir uns den am wenigsten erhellten Schichten der Seele überlassen. Auch außerhalb der großen Augenblicke auf der Petersinsel begleitete sein bewußtes Leben eine fortwährende Träumerei. Je mehr er sich von der menschlichen Gesellschaft absonderte, desto mehr verlangte ihn darnach, «sich daraus in der Phantasie eine andere zu bilden», die er mit reizenden Gestalten bevölkerte und die er «immer so vorfand, daß sie seinem Bedürfnis entsprach und ihm Sicherheit bot» (Brief an Malesherbes) – eine Träumerei, die nach einem verlorenen Paradies ausschaut, nach ersehnter Unschuld; die ein sinnliches Wohlgefühl erweckt und sich bis zum Gefühl einer geistigen Gegenwart erhebt: «O grand Etre, ô grand Etre!» Er beschreibt seinen Zustand als «einen Aufschwung des Herzens zu einer andern Art Freude» und findet die Trauer reizend, die manchmal damit verbunden ist.

Man darf nicht übersehen, daß bei Rousseau alles bezogen ist auf sein ungeheures Verlangen nach *Glück*. «Ich sehne mich nach dem Augenblick, wo ich nur noch mich selbst brauche, um glücklich zu sein.» Aber auch: «Nie sind meine Betrachtungen, meine Träumereien entzückender, als wenn ich mich selbst vergesse» (Siebente Träumerei). Immer wieder erscheint bei ihm dieser doppelte Wunsch: den Durst nach Empfindung zu stillen und die Grenzen der Empfindung zu überschreiten, indem er in seine verborgensten, tiefsten Gründe hinabtaucht. Dadurch wird Rousseau zum Begründer jenes Vertrauens in die Offenbarungen dunkler, unkontrollierter Seelenregungen, das nach ihm durch die gesamte Romantik hindurch bis in die moderne Dichtung anhalten wird.

Wenn auch die Erfahrungen von Rousseau und Senancour einige Ähnlichkeiten zeigen mit jener Versenkung in sich selbst, von der die deutschen Romantiker erwarten, daß sie an die Schwelle ursprünglicher Einheit führe, so bleibt doch der Unterschied bestehen, daß die französischen Frühromantiker sich *untätig* ihren Entrückungen überlassen und daß diese ohne Folgen bleiben, während die deutschen Magier *den Versuch unternehmen,* ihren Aufenthalt im flüchtig erspähten Paradies zu verlängern, und nach Verfahren, Riten und Zauberformeln suchen, um sich seines Besitzes zu versichern. Es wird lange dauern, bis dieser Wille zur Magie auch die französischen Dichter erfaßt. Aber indem Rousseau und seine Jünger in der Hingabe an die Kräfte des Unbewußten das Mittel erblicken, die Angst der in der Zeitlichkeit gefangenen Kreatur zu überwinden, öffnen sie den

Weg für eine langsame Entwicklung, die den Durchbruch des Traums ermöglichen wird. Und Senancour gelangt, ohne derlei beabsichtigt zu haben, von selbst zu jener Magie der «Entsprechungen», die dann der Symbolismus entwickeln wird.

II

> Il semble que l'esprit, offusqué des ténèbres de la vie extérieure, ne s'en affranchit jamais avec plus de facilité que sous le doux empire de cette mort intermittente, où il lui est permis de *reposer dans sa propre essence,* et à l'abri de toutes les influences de la personnalité de convention que la société nous a faite.
>
> NODIER

Charles Nodier liebte den *Obermann* und seinen Verfasser. Es wäre auch nicht schwer, in ihrer einsamen Melancholie und in ihrem Naturempfinden gemeinsame Züge hervorzuheben, welche die beiden einander nahebringen. Und doch war ihr Gefühl für das Leben und für den Traum ganz verschiedenartig. Bei Nodier finden wir nicht mehr jene Form romantischer Bedrängnis, wo man, um einer Welt der Trauer und Ungewißheit zu entfliehen, sich untätig der Entrückung hingibt. Das unbewußte Leben, das Nodier nicht erst zu entdecken brauchte und dessen Bilder ihm von jeher wahrer erschienen als die gewöhnliche ‹Wahrheit›, war für ihn nie die Zuflucht, wo man der Zeit entrinnt, um die Ewigkeit zu gewahren. Das Problem, das ihn umtreibt, ist nicht weniger bedrängend, aber es wird modifiziert durch eine psychische Verfassung, die so einmalig ist, so anders als bei gewöhnlichen Sterblichen, daß es oft schwierig ist, ihre wahre Natur zu erfassen.

Man hat Nodier mit Tieck verglichen, sei es, um auch ihm Unstetigkeit und Verlogenheit vorzuwerfen, sei es, weil man gerade umgekehrt im einen wie im andern erstaunlich hellsichtige Vorläufer der modernen Psychologie erblickte. Tatsächlich gibt es zwischen ihnen Ähnlichkeiten. Gewisse Aussagen Nodiers über sich selbst – «Ich bin ein Kind geblieben aus Verachtung gegen den Mann», oder anderswo: «Ich gleiche mir keine zehn Minuten lang» [627, 250; 622, 64] – haben ihre fast wörtlichen Entsprechungen bei Tieck. Der deutsche Romantiker und der französische Erzähler – beide vielschichtige Naturen und beide durch eine unersättliche geistige Neugier veredelt – haben allein vom Wunderbaren und von der Zauberwelt einen befriedigenden Ausdruck ihres Wesens erwartet. Aber weiter geht die Ähnlichkeit nicht. Denn während Tieck sich im Alter mit der Wirklichkeit abgefunden und auf die Magie des Märchens verzichtet hat, ist Nodier im Gegenteil erst mit den Jahren und durch eine schmerzhafte Lehrzeit so weit gekommen, sich die Phantasiewelt der

Fée aux Miettes zu erschaffen und damit seine vitalen Bedürfnisse zu befriedigen. Das Gleichgewicht, das Tieck bis zu einem gewissen Grad zu erlangen vermochte, blieb ihm versagt; dafür fand er eine andere, fruchtbarere Lösung. Die Drohungen und Reize des verborgenen Lebens, der Erinnerung, der verschwiegenen oder verbotenen Empfindungen – all das, was sich auf keine andere Weise ausdrücken ließ, wurde in seinem Werk zur Quelle der Poesie.

Nodiers Drama verläuft nicht genau auf der Ebene jener frühromantischen Sehnsucht, die Jean-Jacques und Senancour zur Träumerei hinzog. Sein Grundgefühl ist ziemlich anders und moderner. Er leidet darunter, daß in ihm – wie in jedem Menschen – ein Konflikt besteht zwischen einem gesellschaftlichen Ich und einem geheimen Ich, das aber nichts von jener Unschuld besitzt, die Rousseau dem noch nicht vergesellschafteten Menschen zuschrieb. Im Gegenteil, wenn auch Nodier die Maske verachtet, die das willfährige Individuum für die Gesellschaft aufsetzt, so wird er doch nicht weniger von Angst und Bangen ergriffen vor den befremdlichen Gewächsen der verborgenen Seele. Zeitlebens steht er eine zwiefache Qual aus: Es schmerzt ihn, daß er sein Handeln nicht in Übereinstimmung bringen kann mit dem, was er von seinem uneingestandenen Leben weiß oder ahnt; daß er genötigt ist, ein unechtes Gesicht zu zeigen. Aber er kannte auch die andere, grausamere Folter, die ihn zwang, gewisse beunruhigende Aspekte seines geheimsten Lebens ohne jede Bemäntelung einzugestehen oder zu verraten, übrigens widersprüchliche Aspekte, sei es, daß sich ein dunkles Schuldgefühl daran knüpfte, sei es, daß es sich um höchste moralische, religiöse oder künstlerische Bestrebungen handelte.

Lange Zeit weigerte er sich, dieser bizarren Welt seines Innern den Kampf anzusagen oder sie wenigstens zum Schweigen zu bringen, um eine Persönlichkeit aufzubauen, die sich ins gewöhnliche Leben eingepaßt hätte. Mit allen möglichen Ausflüchten verschob er die Lösung von Tag zu Tag; tausenderlei äußere Vorwände und Notwendigkeiten, übrigens nicht etwa erdichtete, kamen dieser Trägheit entgegen. Es waren dies die Jahre der Geschäftigkeit und der Zerstreuung, wo er so vieles und so vielerlei zur Unterhaltung, zur Belehrung oder zur Befriedigung recht billiger Neugierden schrieb: Räubergeschichten, belehrende Bücher, Gedichte im Zeitgeschmack – nichts als Lug und Trug!

Eine sehr ernste Krise zwang ihn schließlich doch, den inneren Drohungen die Stirn zu bieten und darauf eine Antwort zu suchen; sie bestand im geheimnisvollen, scheinbar schwerelosen Werk, mit dem wir uns noch zu beschäftigen haben. Es steht heute außer Zweifel, daß diese Krise durch die in sehr dunkeln, aber sehr wirksamen Seelenbereichen allmählich heranreifende, dann aber jäh hervorbrechende Liebe veranlaßt wurde, die sein Gefühlsleben völlig an seine Tochter Marie fesselte. Darüber hinwegsehen zu wollen ist sinnlos, sinnlos aber auch, in diesen Ereignissen eine ‹Erklärung› für das dichterische Werk zu sehen, das daraus hervorging. Im Blick auf das Geheimnis von Nodiers Natur sind diese

Ereignisse aufschlußreich; sie waren es zweifellos auch für ihn selbst. Aber seine Größe als Dichter und der tiefe Zauber, den sein späteres Werk ausübt, haben damit nichts zu tun, ja man darf sogar behaupten, daß den Mythen, mit deren Hilfe Nodier seine Dämonen beschwor, nur insofern allgemeine Bedeutung und Zauberkraft zukommt, als sie nicht auf den bloßen Ausdruck eines ‹wirklichen› Erlebnisses reduziert werden können. Was zählt, ist allein das Werk und seine verzaubernde Wirkung. Wer sich in die Welt von Nodiers Erzählungen entführen lassen will, muß an ihre Wirklichkeit glauben und sich erwärmen können für eine Dichtung, hinter der sich, unfaßbar und doch gegenwärtig, ein ungeheurer Abgrund erahnen läßt.

Natürlich ist es nicht unnütz, von Nodiers persönlichem Drama Kenntnis zu nehmen. Es lenkt unsere Aufmerksamkeit auf jene Abgründe seiner Seele, aus denen er, um im Gleichgewicht zu bleiben, die Bilder seiner Mythen heraufholte, «glücklich darüber, aus jenen unbekannten Gefilden einige wunderliche Blumen mitzubringen, die ihren Duft noch nie zuvor über die Erde verströmt haben» [625, 26].

Stets hatte er das Gefühl, ein Doppelleben zu führen. Aber wenn er schon für den Traum und die Phantasie Partei nahm und damit gegen den Verstand, so bewies doch seine schriftstellerische Tätigkeit während langer Zeit, daß er mit der inneren Welt zu wenig eng verbunden war, als daß er nach Belieben hätte Bilder daraus entlehnen können. Diese lebten im Dunkeln fort und stifteten Verwirrungen an, die er irgendwie ahnte und vor denen er sich am besten zu schützen glaubte, indem er sie ignorierte – bis zu dem Augenblick, wo er nicht länger über die Verheerungen in seinem Innern hinwegsehen konnte. Seine Neigung zur Sinnlichkeit, die wegen seiner Angst vor dem Leben und wegen seines Hangs zur Träumerei kaum je zu ihrem Recht gekommen war, hatte sich unbemerkt einer natürlichen Liebesbindung bemächtigt und diese mit Schuld beladen. Nodier erschrak über diese Entdeckung, auch wenn ihm nicht alles bewußt wurde. Er war zu lauter, zu taktvoll, als daß er der Inzestversuchung nachgegeben hätte, und so sah er sich plötzlich einem Konflikt zwischen dem verborgenen und dem kontrollierbaren Leben gegenüber, der schon immer in ihm geschwelt hatte. Ihm, dem Schwachen, dem die Flucht näher lag als die heroische Tat, war nun plötzlich auferlegt, einen Weg zu suchen, auf dem die gefährdete Harmonie zu retten sei. Er war nicht zu Lösungen geschaffen, die einen starken Willen oder klare Überlegung forderten; sein Leben hatte zu viele Wurzeln im dunkeln Mutterboden der unausgesprochenen Gefühle und der Bilder, als daß er sich zu einer derartigen Verwandlung hätte durchringen können. Aber dafür hat ihn sein persönliches Drama auf diese Weise an einen Punkt geführt, wo er die Bilder des Unbewußten kennenlernte; nun konnte er sie fassen und aus ihrer Verhexung befreien, indem er sie in eine Feenwelt eingehen ließ, wo sie von einem Zauber verwandelt wurden. Es erwies sich als notwendig, daß er in einigen Erzählungen und vor allem in der *Fée aux Miettes* die fürchterlichen Bilder bis in die tiefsten Tiefen hinab ergriff – die dem Bewußtsein noch schwerer zugänglich sind als das verborgene Ich, in welchem sie ihre gefährliche Wirksamkeit entfalten –, bis in jene Tiefe, wo sie die poetische, magische, wohltätige Kraft des Mythos erlangen.

Nun war er gerettet. Denn dies ist der Heilsweg für den Dichter, der von Bildern verfolgt und gequält wird. Wenn es ihm gelingt, sie in ihrer ewigen Wirklichkeit zu sehen und sichtbar zu machen – und das ist für ihn dasselbe –, so überwindet er ihren Fluch. Indem er aus seinem individuellen Drama ein Symbol für das Drama des menschlichen Bewußtseins schlechthin macht, indem er seine beklemmende persönliche Mythologie auf die Ebene des mitteilbaren Mythos hebt, schafft er ein Werk, das *für ihn* das Mittel zur inneren Versöhnung war, das aber *in sich selbst* von seinem jeweiligen Anlaß unabhängig ist.

Nodier erwartet von der Poesie, daß sie «die Grenzen des wirklichen Lebens ausweite und seinen Horizont überschreite» [628, 5]. Er verlangt von ihr nicht direkt die Flucht in den Traum; vielmehr erlaubt sie ihm, in einen Zustand der Harmonie mit der Traumwelt einzutreten, welcher auch im wirklichen Leben fortbesteht. Die Bilder bedrohen nicht länger das Verhalten des wachen Menschen. Und es ist diese Harmonie, die in Nodiers Erzählungen zum Ausdruck kommt. Sie triumphiert darin über das dumpfe Rollen, mit dem sich die Vulkane schwelender Ängste oder krimineller Triebe leise, aber unterdrückt vernehmen lassen.

Nodier sagte einmal, seine Vorworte und seine Romane bildeten zusammen «so etwas wie einen Roman seines Lebens» (Thérèse Aubert, Vorwort). Er hätte auch einige seiner theoretischen Essays hinzuzählen können, die nichts anderes als Bekenntnisse seines persönlichen Abenteuers sind. Man findet darin kaum einen logischen Gedankengang; dafür verrät sich in jedem Satz ein geistiges Ringen um die Lösung einer Frage, an die alle seine Hoffnungen geknüpft sind. So ist es im 1832 erschienenen Aufsatz *De quelques phénomènes du sommeil* [626, 159–189], von dessen pseudowissenschaftlichem Titel man sich nicht täuschen lassen darf. Das Vorwort zur zweiten Auflage von *Smarra*, aus demselben Jahr, klärt uns auf: «Eine ziemlich gewöhnliche Störung in der körperlichen Konstitution» habe Nodier zeit seines Lebens «in jene Zauberwelt des Schlafs getrieben, die für ihn hundertmal klarer sei als seine Liebhabereien, Interessen und Bestrebungen». Und zweifellos in Anlehnung an Hoffmanns Ausdrucksweise, welche dieser seinerseits Schubert verdankte, fügt er hinzu:

Mich erstaunt, daß der wache Poet in den Werken seiner Phantasie so wenig profitiert vom *schlafenden Poeten*, oder daß er doch seine Anleihe so selten eingesteht. Denn daß es in den kühnsten Unternehmungen des Genies tatsächlich zu solchen Anleihen kommt, kann nicht bestritten werden. [627, 12 f.*]

Der Nachttraum ist die Quelle der Poesie; er ist aber auch die Quelle des Wunderbaren und der Mythen. Die Wonne ist ihm so bekannt wie das Entsetzen. «Er sät Sonnen in den Himmel aus, und um ihnen näher zu kommen, baut er Städte, höher als das himmlische Jerusalem; er legt Straßen an, um hinaufzugelangen, so gleißend wie Feuer [...]. Das ist schon die ganze Mythologie einer Religion[1].» Auch die Bibel kennt die Eingebungen im Schlaf.

Weil wir auf einen «engen und nüchternen Rationalismus» beschränkt sind, «kann sich die Traumerfahrung, die beim Erwachen ausgelöscht wird, nicht ins Tagesleben hinein erstrecken und kundtun». Das war nicht immer so. Beim Urmenschen gab es diese Verbindung noch. Aus dem Wissen um diese zwei Welten in ihm schöpfte er den Glauben an die Existenz der Seele und an unsere Beziehung zu andern Räumen als den unsern. Für Nodier ist die Verwandtschaft von Mythenerfindung und Traumerfahrung nichts Abstraktes; was die Phantasie erschafft, ist für ihn so konkret, daß er oft auf dem Paradoxon bestanden hat: «*Wahr ist nur, was erlogen ist.*» Der Traum ist das Tor zu solcher Wahrheit: «Die Karte der denkbaren Welt wird nur in den Träumen entworfen. Die sichtbare Welt ist unendlich klein.»

Der Eindruck von diesem Leben des Menschen, mit dem der Schlaf auf das wirkliche Leben übergreift, als wollte er ihm ein anderes Sein und andere Fähigkeiten zeigen, ist seinem Wesen nach dazu geschaffen, über sich hinauszuwachsen und sich in den andern fortzupflanzen. Und so wie *das Leben des Schlafes unvergleichlich majestätischer ist als das wirkliche Leben,* so müßte es anfänglich die gesamte Bildung eines Geschlechts beherrscht haben [...], müßte es die Völker in jene erhabenen Ideen eingeweiht haben, durch die sie geschichtliche Größe erlangten. [*]

Aber nicht nur die herrlichsten Gedanken der Menschheit steigen aus dem Traum auf, sondern auch finstere Vorstellungen, Visionen von Hexensabbaten, widerliche Götzenbilder und jeder nur erdenkliche Zauberspuk. «Wir haben nun die Phänomene des Schlafs den Himmel aufschließen sehen; sie schließen uns aber auch die Hölle auf.» Der Träumer kann die blutrünstigsten Triebe verspüren und zur gierigen Hyäne werden. «Man sage mir ja nicht, es gebe keinen Werwolf. Die Wolfssucht ist ein Phänomen des Schlafs.»

Hier bricht seine Betrachtung über die Entstehung von Mythen jäh ab, und für einen Augenblick wendet er sich an die Seelenärzte, denen er bis in unsere Zeit vorauseilt mit dem Vorschlag, das Traumleben in ihre Forschungen einzuziehen.

Mir scheint, diese Theorie, würde sie von einem Philosophen gehörig vertieft, wäre von Nutzen für die Behandlung und Heilung der meisten Monomanien, die wahrscheinlich nur fortwirkende Eindrücke aus jenem phantastischen Leben sind, aus dem wir zur Hälfte bestehen: dem Schlaf.

Er gibt den Ärzten zwei Tatsachen zu bedenken, die sie bis dahin zu wenig berücksichtigt haben: «Der Eindruck einer ungewöhnlichen Tat, die unserem

[1] Dieses und die folgenden Zitate stammen aus dem Aufsatz *De quelques phénomènes du sommeil.*

Wesen fremd ist, verwandelt sich leicht in Träume» – also eine Form der
Verdrängung und der vom Traum zu leistenden Arbeit, schockierende Bewußtseinsinhalte zu verschleiern. Andererseits «verwandelt sich der Eindruck
eines oft wiederholten Traums leicht in die Tat, vor allem wenn er auf einen
schwachen und reizbaren Menschen einwirkt» – damit sind gewisse Neurosen, die
auf quälenden Vorstellungen beruhen und bis zu Verbrechen führen können,
klar definiert.

Aber so scharfsichtig diese Bemerkungen auch sein mögen, sie sind doch
nicht das Wichtigste, was Nodier über den Traum zu sagen hatte, weder in
seinen noch in unsern Augen. In ein paar feierlichen Zeilen am Anfang des
Aufsatzes hat er die ganze metaphysische Tragweite durchblicken lassen, die er
den Träumen beimaß oder die er ihnen beizumessen gezwungen war – denn hier
liegt das Grundproblem seiner Natur verborgen, und mit jedem Wort dieser Sätze
antwortet er auf eine jener Fragen, die, wer sie stellt, nicht unbeantwortet
lassen kann, hängt doch davon sein Leben ab.

Es mag unglaublich klingen, aber es ist gewiß, daß der *Schlaf nicht nur der fruchtbarste, sondern
auch der klarste Zustand des Denkens ist,* vielleicht nicht in den flüchtigen Trugbildern, in die
er es einkleidet, aber mindestens in den Wahrnehmungen, die darauf zurückgehen und die er
nach Belieben aus dem verwirrenden Bild der Träume heraustreten läßt. [*]

Das anfängliche Paradox wird alsbald durch die leisen Vorbehalte am Satzende
korrigiert. Die außerordentliche Bedeutung des Traums wird nur sichtbar, wenn
man genau unterscheidet zwischen den momentanen, vielleicht trügerischen, oft
wertlosen Bildern und dem Zustand des Träumens selbst. Nicht diese oder jene im
Traum auftauchende Figur ist an sich schon wertvoll, aber von unermeßlicher
Bedeutung ist die unbegrenzte Freiheit, die der träumende Geist plötzlich empfängt, so daß er die Grenzen der gewohnten Welt überschreiten kann und von
der Existenz ganz anderer Räume erfährt. Frei von seiner zeitweiligen Knecht-
schaft, entdeckt er, was ewig ist. Und hier gewinnt der Gedanke nochmals
an Tiefe:

Es scheint, daß der Geist, abgeschreckt von der Finsternis des äußeren Lebens, sich nie leichter
davon befreit als unter der sanften Herrschaft jenes zeitweiligen Todes, wo ihm vergönnt ist,
sich in seinem eigenen Wesen auszuruhen, fern von allen Einflüssen der konventionellen Person,
die uns von der Gesellschaft aufgedrängt worden ist. [*]

Indem der träumende Geist mit andern Räumen als den irdischen in Austausch
tritt, gerät er auch in Verbindung mit dem, was an ihm selber unvergänglich
ist. Die Unvollkommenheit, die dem irdischen und gesellschaftlichen Leben
anhängt, streift er ab, um wieder zu jenem «Wesen» zu gelangen, mit dem er
eins wird, sobald er die Erde verläßt. Dies erlaubt denn auch, den Traum
einen «zeitweiligen Tod» zu nennen, und wir verstehen nun auch, warum im
folgenden ätherischen Satz die nächtliche Welt gegen das bewußte Leben aus-
gespielt wird:

Die erste Wahrnehmung, die sich Bahn bricht durch die Verschwommenheit des Traums, ist hell wie der erste Sonnenstrahl, der die Wolken zerreißt; und der Geist, der für Augenblicke zwischen den beiden Zuständen schwebte, in die sich unser Leben teilt, leuchtet jäh auf, wie der Blitz, der blendend niederfährt vom Unwetter am Himmel ins Unwetter auf Erden. Hier entspringt der unsterbliche Gedanke des Künstlers und des Dichters.

Dennoch entschließt sich Nodier nicht etwa für die unbedingte Hingabe an den Traum. Er sträubt sich gegen die Entscheidung zwischen den beiden Prinzipien unseres Lebens. Da der Mensch «sich auf keine Weise der Verpflichtung entziehen kann, die Bedingungen seiner doppelten Natur anzunehmen und zu erfüllen», wünscht sich Nodier einen Zustand herbei, der an beidem teilhätte, «etwa von der Art desjenigen, den uns das Christentum geschenkt hatte».

Es gibt kaum ein wichtiges Werk von Nodier, worin der Nachttraum keine Rolle spielt. Von der *Vision* aus dem Jahre 1806 über die *Sept Châteaux du roi de Bohême*, den *Songe d'or* und die *Hélène Gillet* bis zur *Inès de las Sierras* (1837) erneuern sich in den Liebesträumen die Bilder «unsäglicher Wollust», von denen der Träumer «nicht zu erzählen wagt». In den letzten, phantastischen Werken Nodiers, in der *Lydie* und der wunderbaren *Neuvaine de la Chandeleur,* nimmt der Traum noch religiöse Elemente in sich auf, die sich in der ersten der beiden Novellen mit der Empfindung von Liebkosungen, in der zweiten mit altem Volksglauben verbinden: Übereinstimmung der Träume zweier Personen, die sich kennen und lieben, einzig weil sie einander im Traum gesehen haben; Prophetie solch nächtlicher Gesichte.

Nodiers Meisterwerke jedoch, *Trilby* und *La Fée aux Miettes*, sind dem Traumleben auf subtilere Weise verpflichtet. In *Trilby* ist der Übergang vom Wachen zum Traum so fein, daß man kaum noch weiß, ob Jeannies Wünsche oder die Zärtlichkeiten des Sylphen der einen oder der andern Welt angehören. Dieselbe Ungewißheit schwebt über der Schuld der schottischen Schiffersfrau; sie entdeckt zwar plötzlich, daß ihre Träume verbrecherisch sind, will aber den ernsten Mahnungen, die sie vom eigenen Gefühl und aus den Predigten des alten Einsiedlers empfängt, kein Gehör schenken. Berückend ist die Schwerelosigkeit dieser Erzählung, die Musik der überirdischen Landschaften und der zaubrischen Herbststimmungen; und doch, hinter so viel Anmut verbirgt sich Nodiers noch immer ungelöstes Drama! Das Schuldgefühl, das Verlangen nach Rechtfertigung, das Bedürfnis, sich weder auf die Seite des Traums noch auf die einer luziden Moral schlagen zu müssen, all das begleitet im Verborgenen die anmutigen Bilder des Traums.

La Fée aux Miettes, ein Jahrzehnt später entstanden (1832), entspricht jener «ernsthaften Phantastik» noch besser, die für Nodier darin besteht, «das Wahre» geringzuschätzen, dafür aber auf «das Wahrscheinliche und Mögliche» zu achten [625, 24]. Damit eine phantastische Erzählung einschlägt, muß der Dichter allererst Vertrauen erwecken, und das kann er nur, wenn er selbst glaubt [26]. Nirgends hat Nodier diesem Gebot besser gehorcht als in der *Fée aux Miettes*. Er glaubte an die Zauberwelt, die er erfand; denn er erfand sie für sich selbst, um jene Vertiefung seiner persönlichen Leiden zu erwirken, durch die sie die Heilkraft und die poetische Schönheit des Mythos erlangen sollten.

Es ist der Forschung gelungen, die psychologischen Quellen dieser Erzählung freizulegen[2]. Aber die *Fée aux Miettes* übt jenseits ihrer psychologischen Bedeutung einen Zauber aus, der gerade darauf beruht, daß das Werk diese Gegebenheiten transzendiert und sie bis in jene Tiefen befördert, deren echte Offenbarungen, so selten sie sind, uns in eine sonderbare Unruhe hineinziehen. Auf der Symbolik dieser Zauberwelt lastet eine Mischung von Schrecken vor dem Geschlechtsleben und von Sehnsucht, es darin eines Tages zu einer vollkommenen, irgendwie übersinnlichen Form zu bringen. Die verbotene Frucht erscheint nacheinander in verschiedener Gestalt, und der Wunsch nach einer Art keuscher Sinnlichkeit verbirgt sich hinter mancherlei Masken. Die verbrecherischen Begierden gehen ins Volk der Hunde ein, und Michel, der, freilich nur im Traum, den hundsköpfigen Amtsvogt getötet hat, kommt seiner Schuld wegen beinahe an den Galgen. Traum und Wachen wechseln miteinander ab und leben ineinander fort. Im Traum fischt Michel aus dem Sand «eine Menge Prinzessinnen mit verführerischen Reizen und blendendem Schmuck»; sie heben um ihn herum zu tanzen an und singen in einer unbekannten Sprache, die so harmonisch und göttlich klingt, daß er sie nicht durchs Ohr, sondern durch einen andern Sinn zu vernehmen glaubt [70]. Dieser Traum läßt sich psychologisch deuten: Er transponiert, indem er alles Peinliche wegläßt, jene Wachszene, wo Michel eine im Triebsand versunkene Kreatur rettet und in ihr jäh die Krümchenfee wiedererkennt, deren Gesicht von zwei ungeheuren Zähnen entstellt ist. Aber dieser «Fischfang» bei Tag trägt seinerseits schon die Zeichen des Traums, wie übrigens alles, was mit der Fee zu tun hat (IX. Kapitel).

Die *Fée aux Miettes* ist im ganzen zugleich ein Traum und ein Mythos, eben weil jedes Detail, symbolisch und ohne einer Erklärung zu bedürfen, auf jene ursprünglichen Ängste anspielt, die dem Menschen die Freuden des Lebens so gut wie die Flucht aus dem Leben zugleich liebenswert und grauenhaft erscheinen lassen. Als die bezaubernde Alte ihrem jungen Verlobten ein Medaillon schenkt, das sie in der Jugend darstellen soll, verliert er sich in der Betrachtung

---

2* Jules Vodoz hat in seinem Buch über die *Fée aux Miettes* [633] als erster die Kompliziertheit von Nodiers Wesen erkannt. Seine Studie ist eine der wenigen psychoanalytischen Untersuchungen auf dem Gebiet der Kunst, die Zurückhaltung üben und den Sinn für künstlerische Werte bewahren. Auch wenn sie im einzelnen hie und da zu weit geht und nicht immer überzeugt, verdanke ich dieser Studie vieles. (Gegen Vodoz' These einer inzestuösen Neigung wendet sich neuerdings Aug. Viatte in der Einleitung zu seiner Neuausgabe der *Fée* [625, 14 (1962)]. Anmerkung des Übersetzers)

dieses himmlischen Bildnisses und genießt die höchste aller Seligkeiten: Ihm ist, als ob «sich sein Leben in etwas verwandelte, was nicht mehr ich selbst war und was mir teurer war als ich» [80]. Das ist genau Nodiers Wunsch und der Wunsch seiner Geschöpfe. Denn seiner selbst bewußt sein heißt: in einer Welt leben, wo Sünde und Züchtigung herrschen, wo scharfe, verletzende Grenzen die Phantasie am Aufblühen hindern. Da genügt es nicht, an Reichtümer zu denken, um ihrer habhaft zu werden; da stößt man auf Wesen, die sich über die kostbaren Schätze, die man zu besitzen glaubte, lustig machen.

Der Traum verdoppelt sich, wie die Fee selbst. Nachdem Michel mit der Fee eine keusche Ehe geschlossen hat, lebt er tagsüber mit ihr zusammen, während sich ihm nachts in seinen Träumen Belkiss zugesellt, die verjüngte Fee des Medaillons, und ihn mit ihren Zärtlichkeiten verwöhnt. Aus dem Hüttlein wird ein prunkvoller Palast, und die junge Geliebte beschwichtigt alle Gewissensbisse, indem sie in Michels Arme sinkt und ihm versichert, sie selbst sei die Krümchenfee.

Es wurde ganz dunkel, und ich wachte nicht mehr auf.

– «Die Krümchenfee!» antwortete ich, und ein seltsamer Schauder überfiel mich, denn all mein Blut war ins Herz zurückgewichen. «Belkiss wird mich nicht hintergehen; und doch, ich spüre, Ihr seid fast ebensogroß wie ich!»

– «Ei! das soll Dich nicht wundern», sagt sie, «ich liege eben ausgestreckt.»

– «Aber Euer Haar, die langen Locken, die über Eure Schultern fallen – die Krümchenfee hat keine!»

– «Ei! das soll Dich nicht wundern, ich zeige sie eben nur meinem Gemahl.»

– «Und die zwei großen Zähne der Krümchenfee – Belkiss, zwischen Euren blühenden, duftenden Lippen seh' ich sie nicht!»

– «Ei! das soll Dich nicht wundern, so kostbarer Schmuck ziemt eben nur dem Alter.»

– «Diese wonnigliche Verwirrung, die fast tödliche Lust, die mich bei Euch überkommt, Belkiss – nie hab' ich dergleichen bei der Krümchenfee empfunden!»

– «Ei! das soll Dich nicht wundern», sagt sie, «in der Nacht sind alle Katzen schwarz.» [145]

Neben diesen nächtlichen Träumen, die höchste Sinnenlust gewähren, nimmt der andere Traum seinen Fortgang, der Tagtraum, worin Michel mit der guten Fee zusammenlebt. Es ist dies die Welt der Verbote. Der junge Mann bringt der Alten die zärtlichste Liebe entgegen. Aber jedesmal, wenn er sich ihr nähern will, verschwindet sie hinter einer verriegelten Tür. Es hilft nichts, daß sie ihn auf die Träume mit Belkiss vertröstet und ihm versichert, sie kehrten Nacht für Nacht wieder; er kann die Einheit der beiden Gestalten einfach nicht begreifen und bleibt in Unruhe über sein Doppelleben, bis ihn eines Tages die Fee selbst aufklärt (XXV. Kapitel).

An diesem Abend schlüpft Michel zur Alten ins Bett; sie stößt ihn zwar zurück, aber das Zwiegespräch aus dem Traum kommt dennoch in Gang: «Ei, ich strecke mich eben aus! – Das Haar, die langen Locken – Ihr habt sie bis jetzt vor aller Augen versteckt! – Ei das soll Dich nicht wundern ...» [164].

Die Verbindung ist vollzogen, die zwei geschiedenen Welten sind endlich eins. Der Traum von einer vollkommenen Welt verschmilzt mit dem Traum von einer Stätte der sündigen Heimsuchungen. Die Wollust ist nicht länger auf die Erfindungen des Schlafs angewiesen, sie ist nun ohne Schuldgefühl in der Wirklichkeit erlaubt.

Freilich, die Fee schickt Michel auf die Suche nach der singenden Mandragora und scheint ihn dadurch aus dem kaum errungenen Paradies zu verstoßen. Aber diese Prüfung geht vorbei; sie ist nötig, damit sich der junge Mann unter die Menschen mische und seine Liebestreue unter Beweis stelle. Dann aber wird er des Glücks nicht länger entbehren müssen. Die letzten Seiten der Erzählung sind voll Spott über die biederen Leute, die meinen, sie könnten mit gesundem Menschenverstand alles erklären, und die Michel für einen Narren halten. Nodier nimmt Partei für den Verrückten, für Michel – «Auswurf oder Erwählter, *wie du und ich,* der in den reinsten Regionen des Geistes von der Erfindung, von der Phantasie, von Launen und von der Liebe lebt» [26]. Als Narr gilt, wer wie Nodier selbst «das eitle Bedürfnis zurückweist, alles und jedes wissen und erklären zu wollen [...], vielleicht das einzige Motiv, welches uns hindert, das uns zustehende Teil der Glückseligkeit auf Erden auch wirklich zu genießen». Alles erinnert ihn daran, daß er geboren ist, «sich des Lebens und seiner Phantasie zu freuen und sich über deren Geheimnis nicht den Kopf zu zerbrechen». [132]

Es ist die Dichtung, die Nodier Ruhe finden läßt. Mit den dunkeln Bildern, die ihn umtreiben, söhnt er sich schließlich aus, indem er sie in eine Zauberwelt eintreten läßt, wo sie ihre schädliche Macht verlieren. Aber sie verlieren sie nur unter der Bedingung, daß er ihr Geheimnis respektiert.

Nodiers Weg gleicht demjenigen seiner Zeitgenossen höchstens von fern. Sein Ausgangspunkt ist nicht die Beklommenheit der Kreatur vor dem unbegreiflichen Ablauf ihres Lebens in der Zeit. Ihn verlangt nicht nach jener Träumerei, die der metaphysischen Angst das Gefühl entgegensetzt, als sei die Zeit aufgehoben, und er gelangt auch nicht zu jener so glücklichen wie flüchtigen Schau ewiger Gegenwart. Er geht aus vom Bedürfnis nach Schutz, nach Übereinstimmung mit dem Doppelleben, das sich in ihm abspielt. Wo aber ist diese Harmonie zu finden? Kann man sie von der Welt des Traums und der Bilder erwarten, wenn es sich herausstellt, daß diese Welt voller Fallen und Gefahren ist? Darf man sie von einem Leben erhoffen, das sich einzig und allein den gesellschaftlichen Forderungen anpaßt, wenn doch diese Anpassung nichts als eine Lüge ist und die im Dunkeln zurückgelassenen Bilder dafür um so verderblicher wirken? Es gibt keine andere Lösung, als den Traum zu vertiefen, damit er uns an den ursprünglichen Sinn der inneren Bilder heranführe und ihnen die Transparenz der Märchen und Mythen zurückgebe. Erst dann und ohne nach irgendeiner Erklärung des Geheimnisses zu suchen, ohne nach etwas anderem zu verlangen als nach dem persönlichen Wohlergehen, wird man sich mit dem äußeren Leben versöhnt fühlen. Nur im Durchgang durch den Traum und indem man ihn auf die Ebene der Poesie hebt, kann man das Leben annehmen.

III

> Le poète est chassé d'exil en exil et n'aura jamais de demeure assurée.   MAURICE DE GUÉRIN

Wir leben zu wenig im Innern, wir leben fast gar nicht darin. Was ist aus dem inneren Auge geworden, das uns Gott gegeben hat, um ohne Unterlaß über unsere Seele zu wachen [...]? Es ist geschlossen, es schläft; und unsere irdischen Augen öffnen wir weit, und wir begreifen nichts von der Natur, denn wir bedienen uns nicht des Sinnes, der sie uns offenbaren könnte: im göttlichen Spiegel der Seele. *(Le Cahier Vert, 15.* März 1833)

Die Doppelbewegung in diesen Zeilen – die in Maurice de Guérins *Cahier Vert* einem Hohenlied auf das deutsche Denken folgen – kennzeichnet aufs trefflichste seine eigene Sehnsucht. In sich hineinzugehen und «die Natur in sich eingehen zu lassen»: dies ist sein fortwährender Wunsch, und darin übt er sich unermüdlich, im Vertrauen auf die Gewißheit, daß «der Seele ein wunderbares Vermögen der Spiegelung geschenkt ist». Aber dieser Sehnsucht steht eine angeborene Schwäche gegenüber, die ihn daran hindern wird, ihr auch wirklich Genüge zu tun, eine Schwäche, die selbst wieder zwei Aspekte hat: Während er sich über den Spiegel seiner Seele beugt, um sich in die Betrachtung seiner Klarheit zu versenken, und während er die geheime Melodie der tiefsten Sehnsüchte in seltener Reinheit vernimmt, wendet er, ohne etwas dagegen tun zu können, die scharfen Waffen der Beobachtung gegen sich selber. Ein Dämon treibt ihn, seine Gaben und seine Entrückungen zu verderben. Und ein anderer Dämon nimmt von ihm Besitz, sobald er mit der Natur wieder in jene Verbindung zu kommen sucht, «die eine *unaussprechliche Wollust* erzeugen würde, eine wunderbare Liebe zu Gott und dem Himmel» [*]. Schon der Wortlaut – nur für ihn selbst bestimmt – kennzeichnet genau das Verhängnis, das Guérin immer wieder daran hindert, die «innere Sprache» der Natur, ihre «ewige, an Gott teilhabende Schönheit» tatsächlich zu erfassen: Es ist der Dämon der *Wollust,* der es über ihn vermag, daß er bei der trunkenen Betrachtung stehenbleibt, daß er sich in der Stimmung auflöst, statt auf das Zentrum seiner selbst ausgerichtet zu bleiben und damit auf das Licht, das sich dort spiegelt.

Von diesen beiden Hindernissen, die Guérin vom Fortschritt auf den zwei Wegen der Mystik abhielten, obwohl beide seinem Wesen entsprachen, war das erste scheinbar – aber nur scheinbar – das gefährlichere. Die Gewalttätigkeit gegen sich selbst, die Geisteskraft, die er aufbrachte, um jeweils das seltene

Wunder inneren Gleichgewichts zu zerstören, trugen ihm qualvolle Augenblicke ein. Er, der noch eben bedauert hatte, wir lebten zu wenig im Innern, klagte bald darnach: «Mein inneres Elend wird größer und größer; ich wage nicht mehr in mich hineinzublicken» *(C.V.,* 18. Mai 1834). Hören wir, zu welchen Folterungen er sich verurteilt, so bleibt kein Zweifel: Er verdient den Namen eines *Heautontimorouménos,* den er sich schon vor Baudelaire zugelegt hat (Brief vom 22. Mai [1838]):

Ich verspotte meine Phantasie, die durch die Lüfte fliegen wollte wie die Schildkröte. Ich verhöhne meine ehrgeizigen, wenn auch schüchternen Absichten, so daß sie vor Ärger platzen. Mit Hochgenuß verlache ich das großartige *Ich,* das sich vergeblich gegen den Stachel des inneren Sarkasmus sträubt. Ich steche mich wie der Skorpion in der Feuersglut, um rascher fertig zu sein. *(C. V.,* 10. Juni 1834)

Guérins Innenleben besteht durchwegs aus solchen Hochs und Tiefs, deren Wechsel uns schon bei einem Karl Philipp Moritz, bei einem Tieck oder Brentano aufgefallen ist, bei all jenen, die mit dem Sinn für das Spiel der Einbildungskraft ein übermäßiges Bedürfnis nach Selbstbeobachtung verbinden und dadurch zu den ärgsten Feinden ihrer selbst werden. Zwischen höchster Begeisterung und tiefster Niedergeschlagenheit, grenzenloser Ich-Ausweitung und qualvoller Einschränkung hin- und hergeworfen, sind sie unfähig, in den Rhythmus einzugreifen, der sie mitreißt. Das wußte Guérin klar, als er sein Leben in einem «beständigen Wechsel von Begeisterung und Ohnmacht, von Aufschwüngen der Phantasie und völliger Ermattung der Seele, von fiebertollen Träumen und trostloser Erkaltung» sah (Brief vom 4. Juli 1834). Und er untersuchte diese Erscheinung mit äußerster Genauigkeit:

Meine Seele zieht sich zusammen, rollt sich ein wie ein Blatt, das den Hauch der Kälte verspürt; sie zieht sich in ihre Mitte zurück, sie hat alle Positionen aufgegeben, von wo aus sie sonst zu Betrachtungen ansetzte. [...] Kaum ein anderes Ereignis des Innenlebens ist für mich so fürchterlich wie diese plötzliche Einengung des Daseins nach einer äußersten Ausweitung. In dieser Zusammendrängung fühlen sich die regsamsten Fähigkeiten, die unruhigsten, beweglichsten Elemente gefangen und zur Untätigkeit gezwungen, aber nicht etwa gelähmt oder in ihrem Leben geschwächt; mit ihrem ganzen Ungestüm sind sie eingesperrt. Eng zusammengepfercht, kämpfen sie gegeneinander und alle zusammen gegen die Abschrankungen. Alles was ich in einem solchen Zustand von meinem Leben noch spüre, ist ein dumpfer Schmerz in der Tiefe, durchsetzt mit einzelnen Stößen – das ist die Gärung der vielerlei Elemente, die sich in ihrer erzwungenen Zusammendrängung erhitzen und die immer wieder auszubrechen versuchen. All die wunderbaren Fähigkeiten, die mich mit dem Äußern, mit der Ferne in Verbindung setzten, die herrlichen, treuen Boten der Seele, die sonst unermüdlich von der Seele zur Natur hingehen und aus der Natur in die Seele zurückkehren, sie werden nun drinnen zurückgehalten, und ich bleibe abgeschieden, von allem Verkehr mit dem Weltleben abgeschnitten. Ich werde zu einem Krüppel, der an allen Sinnen gelähmt ist, einsam, ausgeschlossen aus der Natur. *(C. V.,* 26. August 1834)

Wohl niemand hat so plastische, schmiegsame Worte gefunden, um das verborgene Leben der Seele zu beschwören, um auch noch seine leisesten Regungen

einzufangen und um mit derartiger Feinheit die wechselnde Beleuchtung wiederzugeben, die von Mal zu Mal die Seelenlandschaft verwandelt. Wenn etwa
Guérin den Augenblick beschreibt, wo die Schmerzen nachlassen und sich
schüchterne Stimmen der Aufmunterung erheben, so tut er dies mit der ganzen
Feinfühligkeit eines Malers, der die Farben des erwachenden Morgens festhält.

Wenn der Schmerz gewichen ist und dir das Leben bleich und schwach zurückbleibt, aber
zuversichtlich und mit stiller Wonne die letzten verlöschenden Empfindungen der Krankheit
genießend, so verspürt auch die gehaltenste Seele die Neigung zu langen, ein wenig unsicheren
Selbstgesprächen, in denen schmerzliche Erinnerungen und tausend lächelnde Pläne durch-
einandergehen. Die ersten Schimmer des Wohlbefindens kehren ins Leben zurück, mit matten
Träumen und linden, undeutlichen Bildern, die wie ebensoviele Atome darin schweben.
Dieser Zustand ist der Seele lieber als die Gesundheit. Wie aus einer stillen Landschaft unter
leicht grauem Himmel, wenn sich die Wolken kaum rühren, so erheben sich in diesen Augenblicken von verschiedenen Seiten meines Wesens Stimmen, als Zeichen eines Lebens, das von
weit her zurückkehrt. Sie stammen von meinen Gedanken, die aus ihrer quälenden Untätigkeit heraustreten, eine leise Regung schüchterner Freude verspüren und Gespräche anknüpfen,
die voll Erinnerungen und Hoffnungen sind. Anderemale, bei langsamerem Erwachen, vernehme ich während dieser Stunden der Stille in meinem Innern nur hie und da ein leises
Rascheln, wie in einem Wäldchen, wo auf hohen Ästen die Vögel schlafen. Heute, wo sie
ihre erzwungene Trägheit wieder losgeworden sind, erzählen sie fortwährend leise von den
erduldeten Leiden. Sie harren auf das Leben, auf die Zukunft, auf die Wunder des Daseins,
die eins nach dem andern eintreffen werden. Bald stärken sie sich gegenseitig durch vertrau-
liches Zureden, bald schweigen sie für Augenblicke, um auf das Brodeln im verborgenen
Strom der Philosophie zu hören, der unter diesem oder jenem Leben hindurchzieht wie einst
die tosenden Bäche durch die Klöster.

Meine Seele wurde mein erster Horizont. Wie lange schon betrachte ich ihn! Ich sehe, wie aus
dem Abgrund meines Wesens wie aus einem tiefen Tal Nebel heraufdrängen, die unter dem
Hauch des Zufalls Gestalt annehmen; unbeschreibliche Schemen, die langsam und eins nach
dem andern aufsteigen. Der mächtige Zauber, den das gleichförmige, ununterbrochene
Vorüberziehen von etwas Schwebendem, was es auch sei, auf die Seele und auf die Organe
ausübt, fesselt mich und läßt mich kein Auge von diesem Schauspiel wenden. *(C. V., 30. April
1835 [*])*

Diese träumende Meditation ist anders als die Jean-Jacques', der sich von den
Wellen des Bielersees schaukeln läßt, anders als die Nodiers, der sich über die
innere Bilderwelt beugt. Guérin läßt sich auf Wellen dahintragen, die durch
sein Inneres ziehen, und seine «Schemen» sind nicht die gefährlichen Bewohner
eines Dämmerreichs. Er vergleicht einmal den «geheimnisvollen Kreislauf des
Denkens in den lebendigsten Teilen seiner Seele» mit einem magnetischen Schlaf,
wo unter dem Schleier, der sich auf das physische Leben legt, die Seele «viel
lebhafter ist als im Zustand des Wachens und der natürlichen Tätigkeit».

Sie dringt durch dichte Finsternisse hindurch und erblickt klar gewisse Geheimnisse oder
genießt die entzückendsten Visionen; sie unterhält sich mit traumhaften Erscheinungen und
läßt sich die Pforten zu einer wunderbaren Welt aufschließen. Ich empfand zur gleichen Zeit
zwei Wonnen [...]. Die eine bestand im unbeschreiblichen Gefühl einer vollständigen und

anhaltenden Ruhe, ähnlich dem Schlaf. Die andere entsprang dem langsam erwachenden, harmonisch sich entfaltenden Leben der innersten Vermögen meiner Seele, die sich in eine Welt von Träumen und Gedanken hinein erweiterten, eine Welt, die, wie ich glaube, so etwas wie eine Vision von vagen, flüchtigen Schatten der verborgensten Schönheiten der Natur sowie ihrer göttlichen Kräfte war. *(C. V., 20. August 1834)*

Wir rühren hier an die ganz eigentümliche Natur von Guérins Träumerei, die aus inneren Bewegungen besteht, aus flüchtigen Schatten und aus der Gewißheit, daß diese Erscheinungen mit einem Geheimnis verbunden sind, das nichts anderes ist als das Geheimnis der Welt schlechthin. Guérin litt unter der Vergänglichkeit und Flüchtigkeit dieser Augenblicke vollkommener Harmonie; aber er war unablässig bestrebt, sie wiederzufinden. Selten hat jemand der Wirksamkeit von Bildern so sehr vertraut wie er. Das Wort ‹Einbildungskraft› bezeichnet für ihn «das innere Leben überhaupt, es ist der Sammelname für die herrlichsten Fähigkeiten der Seele, sowohl jener, welche die Gedanken mit dem Bilderschmuck ausstatten, wie jener, die, dem Unendlichen zugekehrt, fortwährend über das Unsichtbare meditieren und es sich ‹ein-bilden› mit Bildern unbekannten Ursprungs und von unbegreiflicher Gestalt» *(C. V.,* 10. Dezember 1834).

Guérins Genialität liegt vor allem in der Wahrnehmung auch der leisesten Regungen der Seele und der jähen Einbrüche von Licht und Finsternis, die sich ihrer abwechslungsweise bemächtigen. Aber diese ungewöhnliche Empfänglichkeit für die verschwiegensten Einflüsterungen der Seele ist mit einem fortwährenden Leiden verbunden. Die «Poesie» zieht sich oft zurück, und dem Glück vollkommener Hingabe folgt die Qual, sich nicht wieder fassen, sich nicht orientieren zu können. «Die Regierung über mein Denken liegt nicht in meinen Händen. Es hat keinen andern Führer als den unermüdlichen Trieb, der gewöhnlichen Wohnung zu entfliehen; als ob die Freiheit in der Flucht und die Wahrheit am Ende einer unendlichen Reise läge.» Manchmal glaubt er, die entschwundene Poesie rufe ihn aus der Ferne, «*wo sie das Dunkel eher gefunden hat als hier, denn heute erwarte ich alles von der Seite des Unerforschlichen*». *(C. V.,* 26. Januar 1835 [*])

Alle Hoffnungen auf die «Seite des Unerforschlichen» zu setzen – ist das nicht eine der wesentlichen Gebärden jener Romantik der Innerlichkeit, deren verborgenem Strom wir nachzugehen versuchen? Ja, ist nicht genau dies – trotz dem Unterschied zwischen dem magischen Willen des einen und der völligen Passivität des andern – auch der Wunsch eines Novalis?

Ja mehr noch: Wo immer im *Cahier Vert* das Thema der verborgenen Melodien auftaucht, ist es verbunden mit dem Thema ihres Zusammenklingens mit der großen Symphonie der Natur. Auch auf dieser zweiten Stufe seiner Entrückung besitzt Guérin fast als einziger unter den französischen Romantikern einen Sinn für das kosmische Leben, der ihn mit den Deutschen verbindet.

Das Tagebuchfragment vom 10. Dezember 1834 über die Einbildungskraft endet mit einer weiteren Beschreibung der Guérinschen Träumerei:

Wie ein Kind auf der Reise lächelt mein Geist fortwährend den schönen Gegenden zu, die er in seinem Innern erblickt und die er nie wieder sehen wird. Ich lebe mit den inneren Elementen der Dinge zusammen, ich gehe den Strahlen der Sterne und dem Lauf der Flüsse nach, *bis ich ins Geheimnis ihrer Entstehung eindringe.* Die Natur gibt mir Zutritt zu den verborgensten göttlichen Wohnstätten, *zum Ausgangspunkt des Weltlebens;* hier erspähe ich die Ursache der Bewegung, *höre ich den ersten Gesang der Lebewesen in seiner frühen Reinheit.* Wer hat sich nicht schon dabei ertappt, daß er mit dem Auge den Schatten folgte, welche die Sommerwolken auf die Landschaft werfen? Indem ich dies niederschreibe, mache ich es ebenso. Ich beobachte, wie die Schatten meiner Einbildungen über das Papier huschen, fliegende Flocken, vom Wind dahingefegt. So sind alle meine Gedanken, alle meine Geistesgaben beschaffen: ein wenig verschwebender Dunst, der sich bald auflösen wird. Aber gleich wie es der Luft gefällt, die Dämpfe der Gewässer zu verdichten und sich mit schönen Wolken zu bevölkern, so bemächtigt sich meine Einbildungskraft der Verdampfungen meiner Seele, zieht sie zusammen, formt sie nach Belieben und läßt sie im Hauch dahintreiben, der insgeheim den Geist durchzieht. [*]

Was an diesem harmonischen Text auffällt, ist der Sinn für Ursprünge und der Wunsch nach einer Rückkehr dorthin. Dieser Sinn, der dem französischen Geist üblicherweise abgeht, ist der germanischen Seele so vertraut, daß die deutsche Sprache, auch die alltägliche, einen geradezu verschwenderischen Gebrauch macht von der Vorsilbe ‹ur-›, mit der sie den frühesten, anfänglichen Zustand von Dingen, Lebewesen und Gedanken bezeichnet. Es ist dies einer der Hauptunterschiede zwischen Germanen und Romanen, der sie in ihrem Denken – auch im alltäglichen –, aber ebenso in ihrer Dichtung und in den höchsten Äußerungen der Kultur voneinander trennt. Der Deutsche neigt von Natur aus dazu, das Leben und jegliches Ding in seinem *Werden* zu sehen, in seiner Entfaltung. Das veranlaßt ihn, den Strom fortwährender Metamorphosen zurückzugehen und den Urzustand zu betrachten, den einzigen Augenblick der Reinheit, der Unbewegtheit, welcher der Zeit entrückt ist und dem Zustand nach dem Ende der Zeiten entspricht. Der Franzose ist kaum gewohnt, auf das Werden zu achten; ihm liegt es näher, das *Sein* der Dinge festzuhalten. So drängt es ihn auch nicht, dem unendlichen Fluß des Lebens einen Anfangszustand gegenüberzustellen, dem seine Sehnsucht gälte.

Ein solches Heimweh aber hat Guérin seit der Kindheit in sich getragen; das Gefühl «eines Lebens, das einer unsichtbaren Quelle entspringt und die Adern des Universums füllt», verschwistert sich bei ihm gern mit dem Gedanken an die eigene Geburt *(C. V., 30. April 1833)*. Die Wonne, die ihm die Rückkehr zu den kosmischen Ursprüngen bereitet, ist jenem Entzücken ähnlich, das in der Erinnerung an die Heimat liegt, an die Jahre der Kindheit, an taufrische Eindrücke. «Die Erneuerung *des ersten Anblicks der Dinge,* der Physiognomie, die man ihnen mit dem ersten Blick abgewonnen hat», ist für ihn «eine der frömmsten Regungen der kindlichen Seele beim Anblick des verfließenden Lebens»

(C. V., 5. April 1833). Die Welt in ihrer ersten Frische und Reinheit entdecken oder in sich selbst die Frische der ersten entzückten Berührung mit der
Welt wiedererlangen: aus diesen beiden Gebärden, die letztlich eins sind, besteht
das Vorhaben der Poesie. Die Schauspiele des Tags und der Nacht plötzlich
so zu sehen, als hätte man sie noch nie gesehen – ist es nicht dies, was das
neue Bild, die Metapher, zu erreichen versucht, heißt das nicht: die Welt in
jedem Augenblick neu schaffen? Der Eindruck einer Welt *in statu nascendi,* den wir
so oft von moderner Dichtung empfangen, rührt daher, daß der Dichter selbst
zu einer neuen Schau geboren wird in dem Augenblick, wo er sie in Worte
faßt. Oder in der Sprache Claudels: *Il co-naît aux choses.*

Bei Guérin ist es immer wieder die Sprache, die eine solche Beschwörung
des Werdens zu leisten vermag. Das kosmische Leben tritt darin in seinen feinsten
Regungen in Erscheinung. Guérin ist der Dichter der flüchtigen Augenblicke,
der wechselnden Beleuchtungen und des Lebens der Atome.

Stille umfängt mich, alles sehnt sich nach Ruhe, ausgenommen meine Feder; vielleicht stört
sie den Schlummer von ein paar lebenden Atomen, die im Falz meines Hefts eingeschlafen
sind; denn sie macht ein wenig Lärm beim Niederschreiben dieser vergeblichen Gedanken.
Nun also, sie möge aufhören; denn was ich geschrieben habe, schreibe oder schreiben werde,
wiegt niemals den Schlummer eines Atoms auf. *(C. V.,* 20. Januar 1834)

In diesen Zeilen drückt sich die Selbstverleugnung aus, der Wunsch, sich angesichts des Naturlebens zu vernichten, darin aufzugehen, der für Guérin stets
eine sehr ernsthafte Gefährdung blieb. Während er am 21. März 1833 von der
kosmischen Ekstase erwartet, daß sie *«zur beinahe körperlichen Empfindung führe,
von Gott und in Gott zu leben»* [*], wünscht er bald nur noch das Entzücken herbei, «sich als Blüte, Blätterwerk, Vogel, Gesang, Frische, Schmiegsamkeit, Wollust, Heiterkeit zu fühlen» (25. April 1833). Ein andermal sind es wieder
die beinahe unmerklichen Erscheinungen des Werdens und Wachsens, mit denen
er eins werden möchte:

Das aufgehende Samenkorn treibt das Leben in zwei entgegengesetzte Richtungen; das
Knöspchen strebt nach oben, der Wurzelkeim nach unten. Ich möchte das Insekt sein, das in
den Wurzelkeim eindringt und sich darin ansiedelt. Ich setzte mich im äußersten Punkt der
Wurzeln fest und betrachtete die kraftvolle Tätigkeit der Poren, welche das Leben einsaugen;
ich sähe zu, wie das Leben aus dem Innern des fruchtbaren Moleküls in die Poren übergeht,
die es, offenen Mündern gleich, mit melodischen Rufen wecken und anlocken; ich wäre
Zeuge der unsäglichen Liebe, mit der es dem Lebewesen zueilt, und der Freude, welche dieses
dabei empfindet. Ich wäre dabei, wenn sie sich umarmen. *(C. V.,* 29. September 1834)

Die Prosa des *Centaure,* eine der ganz wenigen wahrhaft dionysischen Dichtungen der französischen Literatur, paßt sich mit einer wunderbaren Geschmeidigkeit auch den leisesten Schwingungen des kosmischen Lebens an, das den
menschlichen Leib durchströmt und mit seinen unendlichen Wellen erfüllt. In
seiner Jugend hatte der Kentaur Augenblicke, wo ihm aus seinem ganzen Wesen
nichts anderes zum Bewußtsein kam, «als daß ich wuchs, und das Leben stieg in

mir wie von Grad zu Grad». Wenn er mitten im rasendsten Lauf durch die Wälder seinen Galopp abbrach und plötzlich stillstand, spürte er in sich das Leben kochen und brausen.

Meine atmenden Flanken hielten mit Müh' den Andrang aus, der sie von innen dehnte, und sie erfuhren in diesen Stürmen Genüsse, wie nur die Ufer des Meeres sie kennen: ohne Verlust ein zum Äußersten angestiegenes Leben einzuschließen, das sich höher nicht reizen läßt. (Übersetzung von R. M. Rilke)

Und in der *Bacchante* steigt Aëllo – vom Odem des Dionysos ergriffen – Stufe um Stufe in der Ekstase empor, während sie das Gebirge erklimmt und dem Gleichmaß des Tageslaufs folgt. Als auf dem höchsten Gipfel die Dämmerung hereinbricht, umfängt sie endlich die Stille; aber es ist nicht die Ruhe einer geistigen Kontemplation, eher die Unbeweglichkeit von großen Eichen, die aus der Erde genährt werden und das Geäst der Sonne zukehren. «In Ruhe gebändigt», empfängt Aëllo in der Ekstase «das Leben der Götter», das durch sie hindurchzieht. – Die junge Bacchantin hingegen, der sie dies erzählt, «kennt den Gott noch nicht»; der Hauch der Trunkenheit hat sie noch nicht berührt; sie muß erst noch durch Schmerzen auf die Weihe vorbereitet werden: Eine Schlange, «die von der Hand nicht zu erspüren war», von der sie sich aber «völlig umwunden fühlte», wird, «die Schlingen enger und enger ziehend, ihrem Schoß eine lange Bißwunde beibringen». Dann erst kehrt die Stille ein, ein Zeichen, daß der Gott schon nahe ist.

Guérins Erleben endet immer wieder in der Auflösung, im wollüstigen Selbstverlust. Aber es gibt von ihm ein paar Seiten, wo ihn das Thema der Initiation durch das Leid plötzlich zur Konzentration führt: die *Méditation sur la mort de Marie*, sein Meisterwerk, worin es ihm gelungen ist, alles zusammenzufassen, was ihn bewegt hat: die Sehnsucht nach den Ursprüngen; das Bedürfnis, eins zu werden mit dem Tanz der Atome; der Wunsch nach einem Geheimkult, der ihm die Unsterblichkeit der Seele verhieße; und auch die Qual der Selbstbeobachtung läßt ihren Ton vernehmen.

Das Leid, dessen Geschichte auf diesen Seiten beschrieben wird, bringt das Wunder fertig, diesem Menschen, der sich selbst mit dem beweglichen, zarten Espenlaub verglich, wieder eine Mitte zu geben. Der Schmerz über den Hinschied der Madame de la Morvonnais verleiht seinem Wesen wieder eine entschiedene Richtung.

Während das drückende, schwere, rohe Element des Schmerzes mit den Tränen und den am Anfang hervorbrechenden Zeichen der Trübsal entweicht, zieht sich der reine, geistige und wahrhaft überdauernde Teil ohne Geräusch und ohne sinnliche Rührung in die Tiefe der Seele zurück, um dort bis ans Ende in Andacht und Hingebung zu wachen. [...] Im Zentrum der geistigen Substanz, im lebendigen, fruchtbaren Punkt, wo die Gedanken, Gefühle und Launen entspringen, wohin die Ideen, die Leidenschaften, die Gewohnheiten, die Liebe für

gewisse Erscheinungen des Schönen und Wahren ihre tiefen Wurzeln hinabsenden, dort kann
dieser geläuterte Schmerz von den Ursprüngen aus über das ganze Innenleben verfügen, kann
er, wie Gott über die Welt, durch sein Wissen und den Besitz der Urprinzipien die Seele
regieren.

Eine lange, harte Arbeit setzt nun ein, die der Seele zu neuer Konzentration
verhilft. Das eine Leben entflieht; ein anderes, gefestigteres gewinnt die Oberhand und erobert das Bewußtsein. Indem Guérin sein Leid in ein Objekt der
Meditation verwandelt, begibt er sich in der Nachfolge der entschwundenen
Freundin auf «dunkle, verborgene Pfade» hinaus. Damit er Marie finden kann,
muß er «bis zu den Quellen des Seins» vorstoßen, muß er sich aus dem Gefängnis
«seiner furchtsamen, eifersüchtigen, in sich gekehrten Persönlichkeit» losreißen
und zur Betrachtung der großen Gesetze des Lebens und des Todes aufschwingen, wo jedes Wesen seinen Platz hat.

Ein mächtiger geheimer Ruf fordert die lebendigsten Elemente der Materie auf, sich um einen
bestimmten Punkt herum zu bilden und zu entfalten. Voll Liebe fügen sie sich zur innigsten
Einheit zusammen. Aus einer solch feurigen Zusammendrängung der Elemente besteht im
allgemeinen jegliche Gestalt, ob sie einen lebendigen Organismus in sich schließe oder ob sie,
der inneren Bewegung ermangelnd, ein dichtes, fühlloses Leben empfangen habe oder eher:
den unauflöslichen Organismus der Reglosigkeit. Die Gestalt ist das Glück der Materie, die
ewige Umarmung ihrer liebestrunkenen Atome. In ihrer Vereinigung genießt die Materie
sich selbst und wird selig. Deshalb schaut die Seele – dieses arme, von der Einheit der Geister
geschiedene Vernunftmolekül – durch die Sinne hindurch so begierig nach der glückseligen
Gestalt aus. In dieser Welt ist die Seele zum Anblick der Wollust verdammt. [...]
    So löst und bindet sich alles hienieden. Das Gesetz des Lebens ist ein beseligender, froher
Akkord, das Gesetz des Todes ein melancholischer Begleitakkord. Nach dieser Melodie richtet
der Chor der Lebendigen seinen Schritt.

Mit dieser Melodie wünscht Guérin in Einklang zu kommen, in dieses «Fluten
des Weltlebens» möchte er wieder eintauchen können. Vom Tod des geliebten
Wesens betroffen, macht er seine Trauer zum Ausgangspunkt eines geistigen
Aufstiegs – nicht um in eine eigentliche mystische Ekstase zu gelangen wie
Novalis, auch nicht um die Geliebte zu verklären und ihr die Gestalt eines
fürbittenden Engels zu geben wie Nerval. Aber um seine leidenschaftliche Sehnsucht nach Auflösung zu rechtfertigen und um ihr bleibende Gültigkeit zu verleihen. Die Natur wird durch die hier und dort durchscheinende Gegenwart
Maries vergeistigt. Und der Wunsch, die Tote wiederzufinden, gibt der Gemeinschaft mit dem Weltleben auf einmal eine andere Bedeutung.

Mein verborgener Schmerz um dich wird nie mehr von mir weichen. Du gehörst nicht mehr
der Natur; du verließest jenen Punkt im Raum, den du einst, dem Auge sichtbar, eingenommen hattest; du bist ganz Geist geworden, und nun erfüllst du alles. Finde ich wohl im Gras
den Duft deiner verborgenen Erinnerung? Und die Schwingungen deiner süßen Stimme –
bebt sie noch immer fort und rührt sie wohl insgeheim an die Staubfäden einer versteckten
Blüte oder an den Flaum eines wilden Blattes? [...] Du bist für mich so groß wie die Natur;
so weit mein Auge reicht, ist der Raum voll vom Licht des Andenkens an dich.

Die Meditation endet mit der wunderbar beschworenen Erinnerung an einen Herbstspaziergang am Meer zusammen mit Marie.

In dieses Schauspiel versetze ich mich mit Vorliebe dann zurück, wenn ich meine Gedanken zu jenem engen Ausgang hinleiten will, durch den, wie ein verwehtes Räuchlein in den Himmel, unsere Träume zur Welt aufsteigen, wo du wohnst.

Dort breitet sich dann mein Geist still aus, wie der Abend, und hüllt dich, dich und die großen Fragen, in das Dunkel eines geheimen Kultes.

Guérins Werk steht innerhalb der französischen Literatur einzig da. Nirgends sonst läßt sich vor Hugos großen Visionen in der Romantik eine solche Stimme der kosmischen Trunkenheit vernehmen. So wie sich Nodier in seinem Streben nach Bildern und nach ihrer Erhöhung zum Mythos von der frühromantischen Träumerei entfernte, so weicht auch Guérin auf seine Weise davon ab: Nicht weil er, wie Nodier, in seine Meditation Figuren aus seinem allerpersönlichsten Leben eingewoben hätte, sondern weil er, eher als ein von seinen Gefühlen gequältes Individuum, eine dem kosmischen Leben zugewandte und darin aufgehende menschliche Kreatur war, eine Seele fast ohne jede Geschichte, deren Biographie nichts als eine beständige Variation des gleichen Rhythmus ist. Für Guérin scheint es keine andere Wirklichkeit zu geben als die Berührung mit den Wellen des Weltlebens und dann wieder die Augenblicke, wo er sich von der Harmonie abgeschnitten fühlt und erneut der Angst verfällt.

Zur Stunde, wo ich dies niederschreibe, ist der Himmel wunderbar, die Natur atmet frische, lebensvolle Lüfte, die Welt nimmt melodisch ihren Gang, und zwischen all diesen Harmonien geht etwas Betrübtes, Verängstigtes um: der Geist des Menschen, der sich beunruhigt über diese ganze unbegreifliche Ordnung. *(C. V.,* 19. September 1834)

IV

J'aime à me plonger dans l'océan de la vie ...

AMIEL

Verflüchtigung und Verdichtung, Hingabe und Wiedergewinnung des Ichs, Eroberung der Welt und Vertiefung des Bewußtseins: das ist das Spiel des Innenlebens, die Gangart des mikrokosmischen Geistes, die Vereinigung der individuellen Seele mit der Weltseele, die fruchtbare Umschlingung des Endlichen und des Unendlichen, woraus der intellektuelle Fortschritt des Menschen hervorgeht. (11. Mai 1835)

Wäre die Sprache nicht so ganz anders, wir würden glauben, auch diese Zeilen stammten von Guérin und hielten einmal mehr die Doppelbewegung seines Seelenlebens fest. Aber gerade die philosophische Sprache, die an die Stelle des reinen Rhythmus tritt, die Überfülle von Begriffen, die das Konkrete nicht auf Anhieb treffen oder es streifen und gleich wieder verlassen, das alles weist darauf hin, daß wir uns in einem neuen Klima befinden. Und auch der Schluß-

gedanke des Satzes, der so eigenartig zum «intellektuellen Fortschritt» zurück-
lenkt, könnte niemals von Guérin geschrieben worden sein. Vom bescheidenen
Cahier Vert haben wir hinübergewechselt zum *Journal intime* mit seinen sech-
zehntausend Seiten. Aufs neue haben wir einen Menschen vor uns, der zum
Träumen veranlagt ist und sich von der kosmischen Meditation forttragen läßt;
aber bei Amiel kommt zur Selbstbeobachtung, deren Qualen ihm so wenig
unbekannt waren wie dem Dichter des *Centaure,* ein Element rationaler Analyse
hinzu.

Die besten Seiten im *Journal* sind die, wo Amiel jene Auflösungen des Ichs
im «Meer des Lebens» beschreibt, die in der französischen Literatur ziemlich
einmalig sind. Jean-Jacques und Senancour gehen in ihren Träumereien nicht
bis zu der vollständigen «*Entkleidung*», worin Amiel «mit der starren Ruhe des
Dornröschens» spürt, wie «vor ihm und in ihm der reißende Strom der Zeit
vorbeizieht und die Schatten des Lebens vorüberhuschen» (9. August 1859). Ja,
auch die Entrückungen Maurice de Guérins führen nicht zu einem derartigen
Zustand vollkommener Passivität; sie behalten immer noch ein Element des
dionysischen Taumels, der Bewegung, ein Gefühl starken Lebens.

Ganz anders die «subtilen Zustände», denen sich Amiel überläßt; zu ihnen
gehört ein derart vermindertes Leben, daß er den Eindruck hat, er sei ein
Gespenst, ohne erst gestorben zu sein (13. Januar 1879, vgl. 9. September 1880).
Es verliert sich darin alles, sowohl das Ichbewußtsein wie das Bewußtsein einer
äußeren Wirklichkeit. Wenn Amiel auf diese seltsamen Augenblicke zu sprechen
kommt, vergleicht er sich immer wieder mit einem Orientalen, der sich in der
Entpersönlichung übt und fähig ist, die Umwelt auszulöschen, um nichts als das
Nirwana zu sehen. Diese Auflösung der Person nimmt bei ihm mancherlei
Formen an und führt durch verschiedene Stufen: plötzlicher Ansturm von Eindrücken, die ihn überwältigen und «blenden»; vollkommenes Einswerden mit
der Natur, mit Jahreszeiten, Stunden, Minuten; Verlegung des Persönlichkeits-
kerns in eine andere Person; und schließlich auf dem Gipfel die «wunderbaren
Träumereien», wo die Seele das Unwandelbare, das Ewige erblickt, das alles
umhüllt, was in der Zeit erscheint.

Aber dieses Vermögen der Einswerdung mit Menschen, Tieren und Pflanzen,
diese erste Fähigkeit des Mystikers, ist bei Amiel nicht mit dem zweiten, notwendigen und wichtigen Schritt verbunden: mit der Konzentration in sich
selber. Er ist nur noch der Ort der werdenden Erscheinungen; aber man bemerkt nichts davon, daß der Taumel von der deutlichen Empfindung einer
Gegenwart abgelöst würde, die das Ich mit einem neuen Sinn erfüllte. Er kennt
wohl «zwei Intensitätsstufen der Kontemplation»; auf der ersten «verflüchtigt
sich die Welt», und auf der zweiten «wird das Ich seinerseits zu einem bloßen
Schatten, zum Traum eines Traums» (19. Dezember 1877). Aber nach dieser
stufenweisen Auflösung zeichnet sich nirgends auch nur andeutungsweise eine

Gebärde der Wiedereroberung ab. Die herrlichsten Seiten bei Amiel, etwa die berühmte Beschreibung der kosmogonischen Träumereien, «worin man das Unendliche besitzt», vermitteln uns immer wieder den Eindruck von einem Hingerissenen, Überwältigten, kaum jedoch von einem voranschreitenden mystischen Bewußtsein. Er hat das Gefühl, «am Ganzen teilzuhaben, mit dem Absoluten verbunden zu sein», jedoch dank einem Selbstverlust, der ihn – er wußte es genau – der asiatischen Mystik näher brachte als der christlichen Kontemplation.

Die Himmelssphären bis hinunter zum Moos und zur Muschel, worauf ich ruhte, die ganze Schöpfung war mir untertan, lebte in mir und vollbrachte ihr ewiges Werk mit der Pünktlichkeit des Schicksals und mit der leidenschaftlichen Sehnsucht der Liebe. (28. April 1852)

Seltsam, aber zweifellos einer der Gründe, warum Amiel ganz in seinem *Journal* aufging, ohne daß den «göttlichen Augenblicken» ein Dichterwerk hätte entspringen können: dieser Denker wurde andauernd gequält vom moralischen – und nun allerdings echt abendländischen – Bedürfnis, tätig zu sein. Seine Ekstasen ließen in ihm eine Art Gewissensbisse zurück, als ob diese träumerischen Augenblicke einer Welt der auf Erfüllung wartenden Pflichten weggestohlen worden wären. Es gibt für einen Menschen, der durch seine kontemplative Veranlagung zu einer rein innerlichen Eroberung bestimmt ist, kaum eine schrecklichere Behinderung als eine solche Ausrichtung der wirksamen Kräfte auf eine Moral. Amiel hat nie recht begriffen, daß die Kontemplation, sofern sie bis zum Ziel geführt wird, ein Element äußersten Tätigseins enthält.

Manchmal, wenn er seiner mystischen Begabung untreu wurde und die Oberhand wieder seiner philosophischen und moralischen Bildung überließ, verwechselte er die Kontemplation mit dem abstrakten Denken. Mit dem einen Wort ‹dépersonnalisation› bezeichnet er sowohl den höchsten in der Ekstase erreichten Zustand als auch das Gebrechen desjenigen Denkers, der nur noch zerebral leben möchte.

Es ist mein natürlicher Hang, alles in Gedanken umzuwandeln. Jegliches Ereignis im persönlichen Leben, jegliche besondere Erfahrung dient mir als Vorwand für eine Meditation, als Begebenheit, die zum Gesetz verallgemeinert werden muß, als Wirklichkeit, die auf eine Idee zurückzuführen ist. Diese Metamorphose ist das Werk des Gehirns, die philosophische Arbeit, die Wirkung des Bewußtseins, dieser Retorte des Geistes. Unser Leben ist nichts als ein auszuwertendes Dokument, nichts als ein zu vergeistigender Stoff, nichts als eine Folge flüchtiger Erscheinungen, die in eine mikrokosmische Skizze zu verwandeln sind. So ist es zumindest mit dem Leben des Denkers. Er *entpersönlicht* sich tagtäglich; wenn er sich darauf einläßt, etwas durchzumachen und tätig zu sein, so nur, um besser zu verstehen; wenn er etwas will, so nur, um den Willen kennenzulernen. Er betrachtet sich als ein Laboratorium der Erscheinungen und verlangt für sich vom Leben nichts als die Weisheit. (9. September 1880)

Vielleicht liegt Amiels eigentliches, beispielhaftes und erregendes Drama darin, daß er wohl die Anlage zur Kontemplation besaß, daß ihn aber die intellektuellen Gepflogenheiten seiner Zeit dazu nötigten, dem Denken zu mißtrauen. Wie hätte er, befangen in einer unglücklichen Unterscheidung von Tätigsein und Kontemplation, entdecken sollen, daß das mystische Leben und das tätige Leben eines, die abstrakte Reflexion aber ein anderes ist?

> Le rêve est le reflet des ondulations de la vie inconsciente
> sur le plafond de l'imagination.   AMIEL

Genau so zögernd wie gegenüber der Ekstase verhielt sich Amiel auch gegenüber dem Nachttraum. Die Träume, die er in seinem *Journal* festgehalten hat, verdienen höchstens ein Interesse als Dokument seines moralischen Lebens. Seine Beobachtungen über das Traumleben sind bald recht enttäuschend, bald sehr bemerkenswert. Im Jahr 1868 hielt er einen Vortrag über *Die Träume und ihre Theorie,* von dem der Entwurf samt einem umfangreichen Verzeichnis der zu Rate gezogenen Literatur erhalten geblieben ist. Statt das Beobachtungsmaterial aus seiner eigenen Erfahrung vom Traum zu beziehen, hatte er all das zu lesen begonnen, was seit den Griechen bis in die Neuzeit darüber geschrieben worden war: Aristoteles, Platon, Paracelsus, Charles Bonnet, Formey, Maaß, Schubert, Oken, F. A. Carus, Ennemoser, Rosenkranz, Richard, Biran, Jouffroy, Maury, Hervey de Saint-Denys und ein paar Dutzend weitere Autoren ganz verschiedener Art. Und das nur mit dem mageren Ergebnis einer trockenen Zerlegung des Traums in aufeinanderfolgende «Phasen» und einer mechanischen Untersuchung der Elemente, aus denen sich seine Bilder zusammensetzen. Einzig der Schluß des Vortrags entgeht diesem Bücherwissen, weil hier Amiel auf sein eigenes Problem zurückkommt. Gegen die indische Philosophie, die im Traum und in der Entpersönlichung endet, beruft er sich auf die Seinsfülle im tätigen Leben, das Ideal des Abendlandes.

In den folgenden Jahren kommt er im *Journal* mehrmals auf den Traum zu sprechen. Es kann geschehen, daß er im Traum nichts anderes sieht als «das Tier mit seinen Begierden, das der Willkür der Eingeweide ausgeliefert ist» (3. September 1880). Zuweilen sieht er aber auch tiefer. Eine sehr schöne Tagebuchseite von 1872 gibt dem Nachttraum seine wahre Bedeutung zurück und beschreibt ihn mit Worten, die ihn an Amiels Träumereien heranrücken. Da vernehmen wir den ganzen Amiel, mit seinen Gaben, aber auch mit seinen Zweifeln, die ihn diesmal jedoch nicht zu einer Absage an den Traum bewegen.

Diese Fähigkeit des Traums, das Unvereinbare zu verschmelzen, zu vereinigen, was sich ausschließt, das Ja dem Nein gleichzusetzen, dies ist das Wunderbare daran, und darauf beruht zugleich sein Symbolismus. Unsere Individualität ist im Traum nicht in sich geschlossen; sie umhüllt gleichsam ihre Umgebung, sie ist die Landschaft und zugleich alles, was darin ist, wir inbegriffen. [...] Der Traum führt zur Vorstellung einer Phantasie, die nicht mehr an die Grenzen der Persönlichkeit gebunden ist, ja selbst eines Denkens, das nicht mehr bewußt ist. Das träumende Individuum ist im Begriff, sich in die allumfassende Phantasie der Maja aufzulösen. Der Traum ist eine Fahrt in die Vorhölle; er ist halbwegs eine Befreiung aus dem menschlichen Gefängnis. Der träumende Mensch ist nur noch der Ort jener wechselnden Erscheinungen, zu deren unfreiwilligem Zuschauer er wird. Er ist passiv und unpersönlich, er wird zum Spielzeug unbekannter Schwingungen und unsichtbarer Kobolde.

Ein Mensch, der nie aus dem Träumen herauskäme, würde nie wahre Humanität erlangen, aber ein Mensch, der nie geträumt hätte, würde nur den vollendeten Geist kennen, vom Werden der Persönlichkeit jedoch nichts verstehen; er gliche einem Kristall, der von der Kristallisation keine Ahnung hat. [...] Indem der Traum alle Grenzen verwischt und aufhebt, läßt er uns die ganze Strenge der Bedingungen spüren, die ans höhere Dasein geknüpft sind; jedoch allein das bewußte und willentliche Denken ermöglicht Erkenntnis und Tätigkeit, das heißt Wissenschaft und Vervollkommnung. Wir lieben also den Traum, denn er befriedigt unsere psychologische Neugier und entspannt uns; das Denken aber wollen wir nicht schlechtmachen, denn darin liegt unsere Stärke und unsere Würde. So laßt uns denn als Orientalen anfangen und als Abendländer aufhören; denn dies sind die beiden Hälften der Weisheit. (1. Dezember 1872)

Seltsamer Amiel! Sein Denken führt ihn immer wieder an die Schwelle großer Offenbarungen und bereitet ihn auf weiteste Ausflüge vor. Aber alsbald treibt ihn ein unausbleiblicher Reflex dazu, sich auf moralische und intellektuelle Kategorien zu berufen, die ihn aufs neue den Traum verwerfen lassen.

Trotz seinen Schwächen ist Amiel in seinen besten Stunden zu Einsichten gelangt, durch die er sich als einer der großen französischen Träumer erweist. Das gilt etwa für die paar Zeilen, die jene berühmte Seite über die Seifenblasen beschließen und worin ihn die natürliche Neigung seines Geistes dazu führt, von sich aus genau das zu entdecken, was für die moderne Poetik das Wesentliche ist. Selten wurde der tiefe Glaube der Dichter an die Wirksamkeit ihres Tuns mit einer derart greifbaren Gewißheit ausgesprochen. Was für die deutsche Romantik und die neue französische Poesie eine übereinstimmende Überzeugung ist, hat Amiel hier in wenigen Worten zusammengefaßt:

Ist der Dichter nicht ein Seher? Er meint, er verwende nur Bilder, und diese Bilder werden zu Tatsachen. Seine Metaphern sind Wahrheiten. Er prophezeit, ohne es zu wissen. Somnambulisch bringt er die Natur zum Ausdruck. Die Welt, die wir für wirklich halten, ist nur der Traum der Maja, und die Inspirierten sind nur das unbewußte Echo dieses kosmogonischen Traumes. Die intuitive Phantasie ist eine Art der Erkenntnis. (24. September 1879)

> Une minute affranchie de l'ordre du temps a recréé en nous, pour la sentir, l'homme affranchi de l'ordre du temps. PROUST

Welches immer die Nuancen sind, wodurch sich die Träumereien eines Rousseau, eines Senancour, eines Guérin voneinander unterscheiden – auch Amiel wäre hier zu nennen –, in einem stimmen sie überein: Sie antworten alle auf die gleiche Sehnsucht der Kreatur, die sich im Kerker ihrer Individualität beengt fühlt, die nach Unendlichkeit dürstet und einen Weg zu finden hofft, der zur Gemeinschaft mit dem Universum führt. Durch das ganze 19. Jahrhundert taucht immer wieder derselbe Wunsch auf: Der unter seiner Begrenztheit leidende Mensch möchte der Zeit entfliehen. Aber die Versuche der Ichauflösung führen auf verschiedenen Wegen in eine neue Angst hinein. Das Ich beginnt schließlich an seinem eigenen inneren Zusammenhang zu zweifeln; es nimmt sich nur noch in einer Reihe von Momenten wahr, die der tieferen Einheit entbehren. Die Persönlichkeit zersetzt sich und zersplittert endlos.

Von diesem Moment der romantischen Erfahrung nimmt Prousts Meditation ihren Ausgang. Das Wesen, das in der Zeit lebt, ermangelt des Mittelpunkts, der seine Einheit gewährleisten könnte. Läßt es den Blick über seine nähere und fernere Vergangenheit zurückgleiten, so sieht es darin eine Vielfalt von heterogenen ‹Ichs› handeln, deren Absterben und Wiederaufleben in keiner Weise vorausgesehen werden kann. Liegt diesen Unterbrechungen ein Gesetz zugrunde? Und wer bürgt mir dafür, daß mein gestriges Handeln und Empfinden das Handeln und Empfinden dessen ist, der ich heute zu sein glaube?

In solchem Zweifel fängt Proust an. Sein gesamtes Werk beschreibt den langen Weg, der ihn stufenweise zu einer Antwort mystischer Ordnung hinführt: zu einer neuen Bestätigung der Einheit des Ichs, die einzig auf Gefühlsbeweisen beruht. Der Erzähler sucht nacheinander in der Liebe, in der Freundschaft, in der Kunst, im gesellschaftlichen Leben nach den Gewißheiten, die ihn glauben ließen, daß er endlich an eine Realität rühre. Nirgends stößt er auf einen Wink, daß ein solcher Glaube gerechtfertigt sei.

Aber immer wieder in seinem Leben erhält er von ganz kurzen Eindrücken etwas wie einen elektrischen Schlag, der ihm völlig unerklärlich bleibt: Eine in Tee getauchte Madeleine, die Bäume bei Balbec, die Kirchtürme von Martainville, das Geräusch eines Löffels, der gegen einen Teller stößt – all diese verschiedenen und an sich belanglosen Sinnesempfindungen scheinen ihm für Augenblicke von einer geheimnisvollen Bedeutung erfüllt zu sein. Die gleiche Wirkung hat das Anhören eines Musikstückes. Es handelt sich jedesmal um eine ganz eigenartige *Wirklichkeitsempfindung,* die in ihm einen Gemütsschock verursacht, eine plötzliche Erregung, wie wenn ihn dieser Augenblick endlich mit der unerreichbaren Wirklichkeit in Verbindung gebracht hätte.

Eine lange Meditation und das wiederholte Auftauchen derartiger Mahnzeichen helfen ihm schließlich auf die Spur. Auf der Suche nach dem Geheimnis dieser Augenblicke entdeckt Proust in jedem eine Verwandtschaft mit einem Augenblick aus seiner eigenen Vergangenheit. Ereignisse, die um Jahre auseinanderliegen, berühren sich plötzlich. Während das bewußte Gedächtnis dazwischen keine Verbindung herzustellen vermochte, vollbringt, heraufbeschworen von einer wiederkehrenden Empfindung, die unbewußte Erinnerung das Wunder. Was der Zerstückelung der Zeit angehörte, wird aus seiner atomischen Existenz herausgerissen, und es entsteht eine Verbindung zwischen zwei Polen, die sich in Prousts Bewußtsein bis dahin nicht im geringsten angezogen hatten.

Nun wird auch verständlich, warum diese Augenblicke von einem seltsam bangen Glücksgefühl begleitet sind: Dieses stiftet durch die Erinnerung eine Einheit, wo bisher keine bestanden hatte.

Prousts Erfahrung, die unter Aufsicht eines außerordentlich klaren Verstandes, aber auch im seelischen Klima eines wahrhaften Poeten heranreifte, bleibt ganz auf der Linie der Romantik. Nicht nur weil sie der Sehnsucht des Menschen entspricht, welcher der Zeit entfliehen möchte, sondern auch weil sie auf einem Gefühl beruht, das seinem Wesen nach mystisch ist. Man darf ohne Widersinn behaupten, daß Proust unter den bedeutendsten modernen Träumern der größte Mystiker ist. Die Sehnsucht nach einer Überwindung der Zeitlichkeit führt bei ihm nicht zur Auflösung, sondern zur leidenschaftlichen Suche nach einem Zentrum, nach einer inneren Einheit. Und um sich auf dieser Suche leiten zu lassen, anvertraut er sich Offenbarungen, die der Kontrolle durch den Verstand entzogen sind. Dieser führt nachträglich das Gebäude der gesicherten Gewißheiten auf, aber die Materialien dafür erschafft er nicht selbst. Er bezieht sie aus einer Welt, wo die Intuition gebietet, aus gewissen Ekstasen, aus einer inneren ‹Gegenwart›.

Gewiß, wir sind bei Proust weit weg von der kosmischen Magie der Romantik. Aber ihrer poetischen Magie sind wir näher, als es zunächst scheint. Denn – und auch dadurch gleicht Prousts Unternehmen dem der Mystik – die Gewißheit, die in Prousts Wirklichkeitsempfindung enthalten ist, veranlaßt ihn, sein Werk zu schreiben, das heißt, durch die sprachliche Beschwörung, durch die Kraft der Wortverbindung jene Berührung zeitlich geschiedener Augenblicke zustande zu bringen, die in ihm ein Glücksgefühl auslösen und deren öftere Wiederkehr unsere innere Einheit verbürgt. Das Kunstwerk, wie es Proust versteht, gehorcht einem metaphysischen Verlangen. Wer sich ihm verschreibt, bemächtigt sich zeitlich gegebener Elemente, und diese befördert er mittels der Magie der Metapher, die Getrenntes vereint, auf eine Ebene höherer Wirklichkeit.

Eine Stunde ist nicht nur eine Stunde; sie ist ein mit Düften, mit Tönen, mit Plänen und Klimas angefülltes Gefäß. Was wir die Wirklichkeit nennen, ist eine bestimmte Beziehung zwischen Empfindungen und Erinnerungen, die uns gleichzeitig umgeben – [...] – eine einzigartige Beziehung, die der Schriftsteller wiederfinden muß, um in seinem Satz die beiden verschiedenen Pole für immer miteinander zu verbinden. Man kann unendlich lange in einer Beschreibung die Gegenstände aufeinanderfolgen lassen, die am beschriebenen Ort eine Rolle spielten: die Wahrheit beginnt erst in dem Augenblick, wo der Schriftsteller zwei verschiedene Objekte nimmt, die Beziehung zwischen ihnen herstellt [...] und sie in die unersetzlichen Ringe eines schönen Stiles faßt, oder wenn er sogar, wie das Leben selbst, zwei Empfindungen durch eine gemeinsame Qualität einander annähert und ihre Substanz freilegt, indem er beide, um sie dem Zufall der Zeit zu entziehen, in einer Metapher vereinigt und sie mit dem unbeschreiblichen Band einer Wortverbindung verknüpft. [655, III, 889]

Die Rolle des Traums auf dieser Suche nach einer metaphysischen Gewißheit entspricht den aufeinanderfolgenden Etappen der Rückkehr zur Einheit der

Person. Im Augenblick der Beunruhigung und des Zweifels, wo Proust unerbittlich die Pluralität dessen aufdeckt, was wir gemeinhin für unser Ich halten, leistet der Traum seiner Untersuchung eine wertvolle Hilfe. In *Le côté de Guermantes* endet eine prächtige, präzise Beschwörung der Landschaften des Traums – von einer Musik, wie sie kaum je herrlicher dem Zauberreich der Nacht entstiegen ist – mit einer Meditation über die Kontinuität des Ichs, worin bereits das erlösende Thema des Gedächtnisses auftaucht.

An den dunklen Wänden dieses Zimmers, das an die Träume grenzt und in dem sich unablässig jenes Vergessen des Liebeskummers vollzieht, dessen rasch wieder aufgenommene Tätigkeit manchmal von einem reminiszenzenbeladenen Alpdruck unterbrochen und vereitelt wird, hängen, selbst wenn man schon wieder erwacht ist, Erinnerungen an Träume, doch so nebelhaft nur, daß man sie oft erst mitten am Nachmittag bemerkt, wenn der Strahl einer ihnen verwandten Idee sie durch Zufall trifft; einige davon sind, wiewohl harmonisch und klar, solange wir schliefen, schon so undeutlich geworden, daß wir sie nicht mehr wiedererkennen und gut tun, sie zu begraben, so wie man es mit vorzeitig verwesenden Toten macht oder mit Gegenständen, die so stark zerstört und fast schon zu Staub geworden sind, daß ihnen auch der geschickteste Restaurator keine Form mehr geben kann. Hinter dem Gitter liegt der Steinbruch, aus dem der Tiefschlaf das Material holt, um damit den Kopf mit einem so harten Verputz auszukleiden, daß, damit der Schläfer aufwache, sein eigener Wille, selbst an einem strahlenden Morgen, wie ein junger Siegfried mit großen Schlägen darauf einhämmern muß. Noch weiter hinten liegen die Alpträume – von denen die Ärzte in ihrer Unkenntnis behaupten, sie ermüdeten mehr als Schlaflosigkeit, während sie doch im Gegenteil dem Denkenden gestatten, dem Zustand wacher Aufmerksamkeit zu entrinnen [...].

Manchmal hatte ich nichts gehört, weil ich mich in einem Schlaf von jener Art befand, bei der man wie in ein Loch hinunterfällt, aus dem man sich gern etwas später wieder herausziehen läßt, noch schwer und überfüttert, in der Verdauung alles dessen begriffen, was einem – wie die Nymphen, welche dem Herkules Speise brachten – jene flinken vegetativen Kräfte zugetragen haben, deren Wirksamkeit sich während des Schlafes verdoppelt.

Man nennt dies einen bleiernen Schlaf, und man fühlt sich darnach selbst wie eine Bleifigur. *Man ist niemand mehr.* Wie bringt man es überhaupt fertig, wenn man dann seine Gedanken, seine Persönlichkeit wie einen verlorenen Gegenstand sucht, sein eigenes Ich und nicht statt dessen irgendein anderes wiederzufinden? Warum, wenn man wieder zu denken beginnt, verkörpert sich nicht in uns eine andere Persönlichkeit anstatt unsrer früheren? Es bleibt einem unklar, wodurch die Wahl bestimmt wird und weshalb man unter den Millionen von menschlichen Wesen, die man sein könnte, ausgerechnet nach dem greift, das man am Abend zuvor gewesen ist. Was leitet uns, wenn doch wirklich eine Unterbrechung stattgefunden hat (wofern der Schlaf nämlich vollkommen und unser Traum von uns selbst völlig abgelöst war)? *Es hat ja tatsächlich ein Tod stattgefunden,* wie wenn das Herz zu schlagen aufgehört hat und erst ein rhythmisches Ziehen an der Zunge uns wiederbelebt. [...] Die Auferstehung nach dem Erwachen – nach dem wohltuenden Anfall von Geistesverwirrung, den der Schlaf darstellt – muß im Grunde dem ähnlich sein, was sich zuträgt, wenn man einen Namen, eine Verszeile, eine vergessene Melodie wiederfindet. *Und vielleicht kann auch die Auferstehung nach dem Tode als ein Gedächtnisphänomen aufgefaßt werden.* [II, 87 f.*]

Es bleibt hier noch bei einem Fragen. Der Traum unterbricht unser Leben; auf ihn kann sich deshalb berufen, wer im Begriff ist, die gewohnte Vorstellung von einem einheitlichen Ich zu zerstören. Aber am andern Pol von Prousts

Werk, im Augenblick gesicherter Gewißheiten, reiht sich die positive Bedeutung des Traums den vielfältigen Indizien an, die übereinstimmend für ein
geistiges Zentrum des Menschen sprechen. Nicht daß die Träume an sich schon
ein verläßliches Zeichen für diese Einheit wären – so präzisiert Proust –, aber
sie gehören zu jenen Empfindungen, jenen Riesenmetaphern, die weit entfernte
Parzellen der Wirklichkeit plötzlich aneinanderstoßen lassen und uns dadurch zu
verstehen geben, daß diese tatsächlich eng miteinander verbunden sein könnten.

Vielleicht auch wegen des ungeheuren Spiels mit der Zeit hatten die Träume mich fasziniert.
Hatte ich nicht oft in einer Nacht, in einem Augenblick einer Nacht, weit entlegene Zeiten,
die bis in jene unermeßlichen Fernen zurückgewichen waren, wo wir fast nichts mehr spüren
von den einst erlebten Gefühlen, in rasendem Tempo und blendender Helligkeit auf uns
herabstürzen sehen, als wären es riesige Flugzeuge gewesen statt der blassen Sterne, für die
wir sie gehalten, und gaben sie uns nicht alles zurück, was sie einst für uns enthalten hatten,
die Erregung, den Schock, den Glanz ihrer unmittelbaren Nähe, gewannen dann aber, sobald
wir erwachten, wieder die Distanz zurück, die sie in so wunderbarer Weise überbrückt hatten,
daß wir – übrigens zu Unrecht – glauben möchten, dies sei einer der Wege, die verlorene
Zeit wiederzufinden? [III, 911 f.]

Prousts ungeheure Symphonie, an der wir gewisse romantische Elemente erkennen, steht dennoch nicht ganz in der Tradition jener Träumer, deren Entrückungen wir nachgegangen sind. Bei einem jeden von ihnen war es eine
metaphysische Beunruhigung, die ihn zur Träumerei Zuflucht nehmen ließ, aber
abgesehen von Nodier ist bei keinem der dichterische Ausdruck über das unmittelbare Bekenntnis des Erlebten hinausgegangen. Proust hingegen stößt in die
Regionen der großen Dichtung vor und setzt in die poetische Magie ein Vertrauen, das jenen fehlte, die vor ihm der Zeitlichkeit zu entfliehen suchten. Er
selber beruft sich in seinem Bekenntnis zur Kunst auf andere Vorfahren, und zwar
auf jene, die uns noch als die Begründer der neuen französischen Dichtung
begegnen werden, auf Gérard de Nerval und Baudelaire, die Dichter der Erinnerung und der «transponierten Empfindung». [920]

Und tatsächlich fühlen wir uns von jener glänzenden Stelle, wo Proust sein
Glaubensbekenntnis ablegt, an diese verborgene Tradition erinnert. Das Leben
wiederfassen, das einzige Leben in seiner Einheit und in seiner Ursprünglichkeit –
ist das nicht das Ziel dieser Dichtung? Prousts Ästhetik stimmt als Antwort
auf die Fragen des romantischen Bewußtseins wunderbar mit andern Stimmen
zusammen, und auf Seiten wie der folgenden aus *Le temps retrouvé* erscheint
derjenige, den man lange Zeit für einen Memoirenschriftsteller oder einen
Psychologen gehalten hat, als eines der großen kontemplativen Genies unserer
Zeit:

Die Größe der wahren Kunst im Gegensatz zu jener, die Monsieur de Norpois als Dilettantenspielerei bezeichnet hätte, lag darin beschlossen, jene Wirklichkeit, von der wir so weit entfernt leben, wiederzufinden, wieder zu erfassen und uns bekanntzugeben, die Wirklichkeit,
von der wir uns immer mehr entfernen, je mehr die konventionelle Kenntnis, die wir an

ihre Stelle setzen, an Dichte und Undurchdringlichkeit gewinnt, jene Wirklichkeit, deren wahre Kenntnis wir vielleicht bis zu unserem Tode versäumen und die doch ganz einfach *unser Leben ist, das wahre Leben, das endlich entdeckte und aufgehellte, das einzige infolgedessen von uns wahrhaft gelebte Leben,* jenes Leben, das in gewissem Sinne bei allen Menschen so gut wie beim Künstler in jedem Augenblick wohnt. Aber sie sehen es nicht, weil sie es nicht aufzuhellen versuchen. Und so ist ihre Vergangenheit von unzähligen Photonegativen ange-füllt, die ganz ungenutzt bleiben, da ihr Geist sie nicht ‹*entwickelt*› hat. Das Leben wieder-erfassen, und auch das Leben der andern; denn der Stil ist für den Schriftsteller, genau wie für den Maler, nicht eine Frage der Technik, sondern des *Sehens.* [...] Durch die Kunst nur vermögen wir aus uns herauszutreten, uns bewußt zu werden, wie ein anderer das Universum sieht, das für ihn nicht das gleiche ist wie für uns, und dessen Landschaften uns sonst unbekannt geblieben wären wie die, die es auf dem Mond geben mag. Dank der Kunst verfügen wir, anstatt nur eine einzige Welt – die unsere – zu sehen, über eine Vielheit von Welten, das heißt über so viele, wie es originale Künstler gibt, Welten, die, untereinander verschiedener als jene andern, die im Unendlichen kreisen, uns noch viele Jahrhunderte, nachdem der Fokus erloschen ist, der sein Ausgangspunkt war – mag er nun Rembrandt geheißen haben oder Vermeer – einen Strahl zusenden, der nur ihnen eigentümlich ist. [895 f.*]

ACHTZEHNTES KAPITEL

DIE GEBURT DER POESIE

Rêve habit tissé par les fées et d'une délicieuse odeur.
NERVAL

I

Während Senancour aus seiner Erfahrung vom Traum unwillkürlich die Magie einer symbolistischen Kunst gewann, verdankt die moderne Ästhetik Gérard de Nerval Entdeckungen von ganz anderer Bedeutung. Die Prosa der *Aurélia* und die paar Sonette der *Chimères* stehen in der Geschichte der französischen Literatur ohne Beispiel da. Nicht nur weil darin Wörter, Bilder und Anspielungen ganz neuartig ausgewählt und eingesetzt werden, sondern auch und besonders deshalb, weil die Haltung dieses Schriftstellers gegenüber seinem Werk und die Hoffnungen, die er ihm anvertraut, von allem abweichen, was man bis dahin erlebt hatte. Gewiß, schon Nodier hatte versucht, die inneren Bilder, die ihn umtrieben, und die Heimsuchungen seines eigentümlichen Schicksals auf die Ebene eines für jeden Menschen gültigen, jeden ergreifenden und jeden bewegenden Mythos zu erheben. Aber das gelang ihm nur dank einer notwendigen Unwissenheit, nur weil er hinsichtlich seines eigenen Unternehmens instinktiv das Unbewußtsein bewahrte. Bei Nerval hingegen entspringt der Versuch, «seinen endlosen Traum zu lenken, statt ihn zu erleiden», einer erklärten Absicht. Die ganze Größe der *Aurélia* liegt im wachsenden Bewußtsein von diesem Kampf und im immer entschiedeneren Eingreifen des Willens. Es gibt kein anderes Werk, das so eng mit dem Leben seines Autors verbunden ist wie dieses. Und zwar beschränkt es sich nicht etwa auf das Bekenntnis, auf die Beschreibung dessen, was sich zugetragen hat, sondern das Werk wird, weil es Nerval so will, zum Ort, wo sich sein Schicksal entscheidet. Das Wort, der Satz mit dem ungeheuren Gewicht seines Auftrags, wird nicht erst hinterher niedergeschrieben, um zu erzählen; der Dichter macht sich daraus das Werkzeug, um «die mystischen Pforten zu sprengen, [...] die uns von der Welt des Unsichtbaren trennen» [661, I, 412].

Unglück ist über einen Menschen hereingebrochen, und zwar durch ein ganz gewöhnliches Abenteuer, «eine unerklärliche, hoffnungslose Liebe zu einer Schauspielerin». Aber diese banale Geschichte verwandelt sich in seinen Augen alsbald in eine «logische Kette von Ereignissen» [372], die nicht mehr nur sein vergängliches Dasein betreffen, sondern sein Schicksal als das eines irdischen Geschöpfs, das in einer Reihe steht mit allen andern Geschöpfen. Die Unglücksschläge eines einzelnen Lebens gewinnen von sich aus symbolische Bedeutung und lassen all die ewigen Fragen eines Menschen aus sich hervorgehen, der über seine Verbindungen mit der unmittelbaren Wirklichkeit, aber auch mit andern Räumen in Unruhe geraten ist. Was sich konkret in der Zeit abgespielt hat, mahnt ihn daran, daß ein Teil seiner selbst mit anderem in Beziehung steht als mit der Zeit, erinnert ihn daran, daß er sich vielleicht auf Ursprünge zurückführen muß, die weiter zurückliegen als die irdische Geburt, und daß es um wichtigere Erfolge gehen könnte als um solche hienieden. Ja alsbald «mischt sich» – man denkt unwillkürlich an Novalis – «*etwas Religiöses* in die Süße einer bis dahin» profanen Liebe und drückt ihr den Stempel der Ewigkeit auf» [361*]. Die geliebte und für ihn verlorene Frau legt ihre Individualität ab und verwandelt sich zum fürbittenden Engel.

Aber diese Verschiebung ins Mythische beginnt sich ganz ungewollt zu vollziehen und bevor sie vom Dichter zum Ziel erhoben worden ist. Und zwar handelt es sich recht eigentlich um eine Invasion, um einen Einbruch von unvergänglichen Bildern, welche die ‹normale› Wahrnehmung der erlebten Wirklichkeit unaufhaltsam zurückdrängen und ersetzen. Nerval empfindet dieses ihm aufgezwungene Doppelleben auf der Ebene individueller Ereignisse und auf der des allgemeinen Schicksals wie einen qualvollen Riß durch sein ganzes Wesen. Untätig erleidet er diese unheilvolle Erwählung, die ihn dazu verurteilt, die ganze Last des Menschenloses auf sich zu nehmen. Was er für sein eigenes Leben gehalten hatte, entgleitet ihm mehr und mehr, aber wie um ihm dadurch noch enger anzugehören: zwar nicht länger dem verschwindend kleinen Kreis seiner Erdenjahre, aber jenem verborgeneren ‹Ich›, das von sich keine Grenzen weiß. Dennoch fragt er sich mit Entsetzen, was ihm diese jähe Enthüllung der Abgründe des Seins eintragen soll. Warum gerade er? Warum nicht irgendein anderer? Das unbestimmte Gefühl begangenen Unrechts fängt ihn zu verfolgen an, und diese Befürchtung nimmt ihrerseits langsam eine Bedeutung an, die sie zuvor nicht besessen hatte. Eine Zeitlang vermutet er, die Verfehlung liege innerhalb der Grenzen des individuellen Erlebens, und er meint, er habe sich gegen eine Verpflichtung vergangen, die ihm von seiner Liebe auferlegt worden sei. Bald jedoch wird auch dieses Schuldgefühl in den Kreis der ursprünglichen Angst hineingezogen: Und wenn das Dasein an sich eine Sünde wäre? Der erste Teil der *Aurélia* endet mit dem Gefühl der tiefsten Verzweiflung, das sich in einem ebenso tragischen wie großartigen Bild ausdrückt: «Die aufgescheuchten Schatten wichen schreiend zurück und zogen in der Luft unheilverkündende Kreise, wie Vögel beim Herannahen eines Gewitters.»

Und doch! selbst im tiefsten Abgrund erwacht die Hoffnung: Wenn die Schicksalsschläge, die er hat erleiden müssen, ein Zeichen göttlicher Gnade wären? Und kann sich nicht der Mensch dessen, was sich seiner bemächtigen will, selbst bemächtigen, statt sich ihm auszuliefern? Kann er so nicht das unerklärliche Unglück in eine Reihe von Prüfungen verwandeln, die schließlich zur

Vergebung führen? Der Schrei der Empörung gegen die Ungerechtigkeit des Schicksals war schrecklich gewesen:

Und wenn das Ereignis, das dich erschüttert, die Reue verunmöglicht? Und wenn man dich in einen Zustand des Fiebers, der Verrücktheit versetzt? Und wenn man dir das Tor zur Erlösung vermauert? [432]

Aber der heroische Wiederaufstieg, der sich im zweiten Teil der *Aurélia* vollzieht, wird Nerval aus dieser Finsternis herausreißen. Er wird alle Kräfte daransetzen, sich der Erlösung würdig zu erweisen. Indem er einsieht, daß seine Qualen einen Sinn haben, und indem er das Seine dazu beiträgt, diesen Sinn aufzudecken und das ganze Geschehen aus der Welt des Alltags in die Ewigkeit des Mythos überzuführen, vermag er die Vergebung schließlich zu erzwingen.

Nur so läßt sich die scheinbare Verwirrung in der Chronologie der Erzählung *Aurélia* erklären. Trotz ihrer zufälligen Abfolge sind die Ereignisse eines ganzen Lebens nach ihrer gemeinsamen Bedeutung angeordnet. Eine Art zeitloses Gedächtnis, vergleichbar dem des Traums, läßt den ganzen Schicksalsweg von seiner gegenwärtigen Krise ausgehen, so daß Gérards Kindheit, die auch in die veränderte Perspektive eingeht und dadurch verwandelt wird, dem reifen Alter zu folgen scheint und daraus ihr neues Kolorit empfängt.

Die Verklärung seines eigenen Lebens zu einem Mythos, der das Schicksal der ganzen Menschheit einbezieht; das immer klarere Bewußtsein vom Zusammenhang, der zwischen der Lösung des metaphysischen Dramas und der Beendigung der persönlichen Qualen besteht; die Notwendigkeit, die Todesbedrohung zu besiegen durch die mystische Eroberung des unvergänglichen Lichtes: das ist der dreifache, letztlich aber eine Sinn von Nervals Versuch, «den Traum zu lenken».

Ist es verwunderlich, daß bei einem Menschen, der sich immer wieder von einem plötzlichen Bilderandrang überflutet fühlte und schließlich alles, was ihm zustieß, doppelt erlebte, einmal so wie wir alle, dann aber durch das Gedächtnis und die Niederschrift aufs neue, um zu seiner symbolischen Bedeutung durchzudringen – ist es verwunderlich, daß sich bei ihm das Problem des Traums so ungewöhnlich ausweitete?

So ist die *Aurélia* in zweierlei Hinsicht eine Traumdichtung: Zunächst weil der Traum fortwährend mit dem Wachen zusammen ein unauflösliches Ganzes bildet. Dann weil die Dichtung beides zugleich schildert: die Eroberung des Heils und die langsame Aneignung der Offenbarungen des Traums. Der Heilsweg verläuft parallel zum Weg der Erkenntnis. Die vom Traum vollbrachte Lösung teilt sich auch dem wirklichen Leben mit. Aber dazu mußte zuerst die Leistungsfähigkeit des Traums erkannt werden. Eine der letzten Seiten der *Aurélia* hält diese Entwicklung genau fest:

So ermutigte ich mich zu einem kühnen Versuch. Ich beschloß, den Traum niederzuschreiben und sein Geheimnis zu erforschen. «Warum», so fragte ich mich, «soll ich nicht, mit meinem ganzen Willen gewappnet, endlich diese mystischen Pforten sprengen und meine Empfindungen beherrschen, statt sie über mich ergehen zu lassen? Ist es nicht möglich, diese lockende und grauenerregende Chimäre zu bändigen, diesen Geistern der Mächte, die mit unserer Vernunft ihre Possen treiben, eine Regel aufzuerlegen? Der Schlaf nimmt ein Drittel unseres Lebens ein. Er ist der Trost für die Mühen unserer Tage oder die Buße für ihre Vergnügungen; nie aber habe ich an mir erfahren, daß der Schlaf Ruhe sei. Nach einer nur wenige Minuten dauernden Betäubung *beginnt ein neues Leben,* losgelöst von Raum und Zeit und *zweifellos jenem ähnlich, das uns nach dem Tod erwartet.* Wer weiß, ob nicht zwischen diesen beiden Daseinsweisen eine Verbindung besteht und ob es der Seele nicht möglich ist, sie schon jetzt anzuknüpfen?»

Von diesem Augenblick an bemühte ich mich, nach dem Sinn meiner Träume zu suchen, und dieses unruhevolle Verlangen übte seinen Einfluß auf meine Überlegungen im Wachzustand aus. Ich glaubte zu erkennen, daß es zwischen der innern und der äußern Welt eine Verbindung gibt. [412f.*]

Hier wird die außerordentliche Bedeutung, die Nerval dem Traum beimißt, mit all ihren verschiedenen Aspekten ganz klar sichtbar. Zunächst ist der Traum das, was man gemeinhin darunter versteht: eine Folge von Bildern während des Schlafs. Aber diese Bilder gehören einem andern, sowohl bedrohlichen wie verlockenden Leben an, in welchem wir nicht mehr den irdischen Bedingungen unterworfen sind; «schon jetzt» können wir darin eine Präfiguration des ewigen Lebens sehen. Allerdings müssen wir die Pforten zu diesen inneren Abgründen «*sprengen*», damit sie ihre außergewöhnliche Bedeutung erlangen können. Denn diese Welt – die wir heute die Welt des Unbewußten nennen würden – erscheint uns in unserem gewöhnlichen Zustand nicht in ihrer ganzen Reinheit. «Die Unaufmerksamkeit oder die Wirrnis des Geistes», so fährt Nerval weiter, verfälschen die offenkundigen Beziehungen der beiden Wirklichkeiten, und daraus erklärt sich «die Bizarrerie gewisser Gemälde, die dem fratzenhaften Widerschein realer Gegenstände auf einer bewegten Wasserfläche gleichen».

Aus all diesen Äußerungen spricht ein ganz unmittelbares, mit erstaunlicher Wahrhaftigkeit erworbenes Wissen von den Beziehungen zwischen den beiden Sphären, die zusammen die Kontinuität unseres Seins bilden: der täglichen und der nächtlichen. Darüber hinaus lassen sie aber auch eine Angleichung der Traumwelt an eine transzendente Wirklichkeit erkennen, eine Angleichung, die das Ergebnis von Nervals unermüdlichem Bemühen ist, die schlimmen Ereignisse seines Lebens durch einen «heilsamen Glauben» zu ersetzen. Nicht umsonst hat er seine große Lebensbeichte mit zwei fast gleichlautenden Bekenntnissen dieses Glaubens eingerahmt, der dadurch zum Zentrum seines Werks wird. Die ersten Sätze der *Aurélia* sprechen davon mit einer seltsamen Feierlichkeit:

Der Traum ist ein zweites Leben. Ich habe nie ohne Schaudern durch die Tore aus Elfenbein oder aus Horn eindringen können, die uns von der *Welt des Unsichtbaren* scheiden. Die ersten Augenblicke des Schlafes sind das Abbild des Todes; eine nebelhafte Betäubung ergreift unser Denken, und wir können den Augenblick nicht genau angeben, wo das *Ich* in einer andern Form *die Tätigkeit des Daseins fortsetzt*. Nach und nach dämmert ein unterirdisches Gewölbe auf, und aus Finsternis und Nacht lösen sich reglos feierlich die bleichen Gestalten, die den Vorhof der Ewigkeit bewohnen. Dann nimmt das Bild Gestalt an, ein neues Licht ergießt sich über diese seltsamen Erscheinungen und läßt sie aufleben; die Geisterwelt tut sich uns auf. [*]

Die Bewegung, die zu diesen Äußerungen führt, beginnt mit dem untätig erlittenen Einbruch von etwas, das über Nerval herfällt und ihn von einem Unglück zum andern immer stärker in Beschlag nimmt. Aber im Augenblick, wo er niedergeworfen wird, holt er auch schon zur Empörung aus. Sein Wille bäumt sich auf, und der ganze zweite Teil erzählt von diesem Aufstand des Willens, der überwältigen will, was sich seiner bemächtigt hat, der kämpft bis zum Anbruch des Lichtes.

Die Träume und Visionen des ersten Teils – Nerval unterscheidet sie nicht immer deutlich – zeigen ein fortschreitendes «Hereinwachsen des Traums ins wirkliche Leben» [363]. Alles gewinnt ein doppeltes Aussehen, und zwar ohne daß dem Gedächtnis irgendeine Einzelheit entschwindet oder das Denken an Logik verliert. Es entsteht ein unerklärlicher, beunruhigender Zusammenhang zwischen den beiden Welten. Sobald Nerval in angenehme Visionen entrückt wird, steigt in ihm auch die Sehnsucht nach dem gewöhnlichen Dasein auf; ist er aber dorthin zurückgekehrt, so grämt er sich darüber, daß er das Paradies hat entschwinden lassen. Traum und Leben sind zwei Welten, zwischen denen der Mensch hin und her gerissen wird. Im gewöhnlichen Zustand sind sie getrennt; in Nervals Erzählung setzt das Befremden genau in dem Augenblick ein, wo die Scheidewand undicht wird. Nachdem sich das anfängliche Gefühl der Beklommenheit verloren hat, überläßt sich Nerval bald einmal dem eigenartigen Vergnügen, das ihm der mühelose Wechsel vom einen Bereich in den andern gewährt.

Zwischen dem Wachzustand und dem Schlaf bestand für mich der einzige Unterschied darin, daß sich im Wachen alles vor meinen Augen verwandelte; jede Person, die sich mir näherte, schien verändert, die Dinge hatten etwas wie einen Halbschatten, der ihre Form umgestaltete, und die Spiele des Lichts, die Zusammenstellungen der Farben lösten sich auf, dergestalt daß ich mich in einem fortwährenden Wechsel von Eindrücken befand, die untereinander verbunden waren und deren Wahrscheinlichkeit durch den von äußern Elementen weniger behinderten Traum erhalten blieb. [365]

Daraufhin wird er des Unterschieds zwischen den zwei Welten wieder gewahr, freut sich jedoch keineswegs darüber, sondern leidet darunter. Jetzt, wo er sich mitten im Traum befindet, schmerzt ihn das Wissen um den nahen Rückfall in die andere Wirklichkeit. Der klaffende Riß, der durch sein Leben geht, sieht nicht mehr aus wie sonst. Und dieses Gefühl verstärkt sich nach gewissen Träumen, aus denen er die Gewißheit einer künftigen Unsterblichkeit schöpft. Von nun an ist er von jenen, die er einst liebte, nur noch durch die Stunden des

Tages getrennt, und «die der Nacht erwartet er in einer sanften Schwermut» [372].

In der Stunde der tiefsten Verzweiflung, als er das Andenken Aurelias geschändet zu haben glaubt, befragt er den Schlaf. Aber der Traum antwortet nur mit blutigen Szenen, mit der Erscheinung des Doppelgängers und mit einer immer erstaunlicheren Übereinstimmung mit den Ereignissen des Wachens. Nerval achtet nicht auf gängige Erklärungen, wonach sich Traumbilder aus Wirklichkeitselementen zusammensetzen sollen, die im Gedächtnis geblieben sind. Er hat sich eine andere Logik zu eigen gemacht und ist zur Überzeugung gelangt, daß die Welt der Einbildungen ebenso wirklich ist wie die andere. «Ich weiß nicht, wie ich erklären soll, daß in meinen Gedanken die irdischen Ereignisse mit denen der übernatürlichen Welt zusammenfallen konnten; so etwas ist leichter zu *fühlen* als klar auszudrücken» [380f.]. Er spürt genau, daß die Evidenz, auf die er sich jetzt beruft, nicht mehr die logische Evidenz ist; künftig gehen alle seine Überlegungen von solchen unmittelbaren Intuitionen aus.

Da die Welt des Traums Wirklichkeit besitzt und wir darin an die Sphäre der Unsterblichkeit rühren, setzt sich Nerval von nun an zum Ziel, sich alles anzueignen, was ihm der Traum vom Jenseits preisgibt. Der Untätigkeit, in der er dem Schauspiel des Traums beigewohnt hat, folgt nun das Werk der Eroberung.

Ich entfaltete meine ganze Willenskraft, um das Geheimnis völlig zu durchdringen, von dem ich schon einige Schleier gehoben hatte. Der Traum machte sich zuweilen lustig über meine Anstrengungen und gaukelte mir verzerrte und flüchtige Gestalten vor. [382]

Hinter dem ganzen zweiten Teil der *Aurélia* steht der Entschluß, die Herrschaft über die Abgründe des Traums zu erlangen, in sie hinabzusteigen und ihnen ihre Schätze zu entreißen: «Auf Grund dieser Vorstellung, die ich mir vom Traum gebildet hatte, nämlich daß er dem Menschen *eine Verbindung mit der Geisterwelt* aufschließe, hoffte ich ... hoffte ich noch immer!» [392*] Alles Entscheidende ereignet sich im Traum. Aber – und dies ist das Zeichen des Sieges – das im Traum Errungene ist letzten Endes auch sichergestellt für das wache Leben, genau wie in Hoffmanns *Elixieren des Teufels*, die Nerval so sehr liebte. Die Gewißheiten und Verheißungen, die er in der nunmehr strahlenden Welt des Geistes erworben hat, behalten ihre Gültigkeit auch in der irdischen Welt, in die Nerval nun versöhnt und besänftigt zurückkehrt.

Die Traumwelt der *Aurélia* ist mit Symbolen erfüllt, die aus ganz verschiedenartigen Schichten stammen. Bilder aus Nervals eigenem Leben sowie Mythen und Dichtungen aus allen Zeiten, die völlig in seiner Substanz aufgegangen sind, bilden zusammen eine gleichsam submarine Welt dicht unter der Oberfläche, eine Welt, die beim leisesten Anstoß auftaucht. Da erscheinen wieder die Landschaften der Kindheit; Gérards Ahnen versammeln sich, um ihn zu begrüßen und über sein Schicksal zu wachen. Er irrt durch geheimnisvolle Städte mit langen Treppen und ungeheuren Terrassen, wo die Unschuld der ersten Erdentage fortlebt. Die beseligenden Visionen sind meistens von einer Sehnsucht nach der ursprünglichen Vollkommenheit inspiriert; aber stets ist damit das schmerzliche Gefühl verbunden, Geschöpfe wie wir taugten nicht für dieses goldene Zeitalter. Die Gestalten des Traums lassen Drohungen laut werden und mahnen den Eindringling, sein tollkühnes Unternehmen sei verboten. Jäh durchfährt den Träumer der Gedanke, die Rückkehr in die irdische Welt lasse sich nicht umgehen, und schon ist es um die Harmonie geschehen. Dann wieder brechen Gottheiten, die sich ihm offenbart haben, kläglich zusammen und verlieren ihre Flügel oder versteinern zu einer reglosen Büste am Fuß eines verfallenen Gemäuers.

Wie bei Jean Paul und Hugo verbindet sich das Gefühl für das Ursprüngliche mit dem Gefühl der verlorenen Kindheit und mit der beklemmenden Vision des Chaos, wo sich alle Dinge im Zustand des Werdens, der fortwährenden Auflösung und Vermischung befinden. Was Jean Paul in seinen «Wachträumen» erschaut, gleicht zuweilen ganz seltsam den Vulkanlandschaften, die Nerval in seinen Träumen und Visionen durchwandert. Hier wie dort wühlt sich der gleiche Abgrund in die Erdkugel hinein, am Zentralfeuer vorbei, an Strömen geschmolzenen Metalls, die wie glühende Adern den Schoß der Erde durchziehen.

Auch wenn, im Vergleich mit der Überschwenglichkeit eines Jean Paul oder eines Victor Hugo, Nervals Ausdrucksweise so viel maßvoller, zurückhaltender, schlichter wirkt, gewinnen die erhabenen Bewohner seiner Träume eine klarer erkennbare mythische Bedeutung. Statt einer menschlichen Kreatur, die von Traumgestalten eingeschüchtert oder aufgemuntert wird, sind es in dieser Welt Götter, die unter sich ihre großen Kämpfe ausfechten.

Ich sehe nur noch auf einem von Fluten umbrandeten Gipfel ein verlassenes Weib, das mit flatternden Haaren schreit und gegen den Tod ankämpft. Sein Klageruf übertönt den Lärm der Wassermassen ... Ob sie Rettung fand? Ich weiß es nicht. Die Götter, ihre Brüder, hatten sie verdammt; aber über ihrem Haupt glänzte der Abendstern, der seine Flammenstrahlen über ihre Stirn ergoß. [...] Überall starb, weinte oder schmachtete das Leidensbild der Ewigen Mutter. [378 f.]

Die Träume im zweiten Teil der *Aurélia*, anfänglich finster und voll Verzweiflung, verändern nach und nach ihre Färbung. Zugleich überlassen die schreckenerregenden, leidvollen Gestalten der ersten Visionen ihren Platz einer Reihe von wohltätigen Fürbitterinnen. Aurelia selbst erscheint, verschwindet jedoch, bevor sie die erflehte Vergebung gewährt; dann muß sich Gérard von einer unbekannten Frau ein schlimmes Vergehen vorwerfen lassen. Bald aber erblickt der Träumer einen köstlichen Weinberg, ein Paradies, das von einem «sanften und durchdringenden Licht» erhellt wird; er fühlt sich in eine «ent-

zückende Trunkenheit» getaucht, als ihm aus diesem Paradies die Göttin entgegentritt, in der sich alle fürbittenden Gestalten vereinigen, die ihm bisher in
den hoffnungsvollen Augenblicken begegnet sind. Sie spricht zu ihm:

Ich bin die selbe wie Marie, die selbe wie deine Mutter, die selbe auch, die du schon immer
unter verschiedenen Formen geliebt hast. Bei jeder deiner Prüfungen habe ich eine der Masken
aufgegeben, mit denen ich meine Züge verhülle, und die Zeit ist nahe, wo du mich erschauen
wirst, wie ich bin. [399]

In einem späteren Traum, dem «ersten beglückenden seit langer Zeit», tritt
die Göttin noch einmal auf, um ihm die Vergebung der Jungfrau Maria anzukündigen. Und schließlich mündet die Erzählung in wunderbare Träume aus,
die mit ihrem unendlichen Wohlklang die herrliche Erscheinung des Messias
vorbereiten, des Siegers über den Tod, an dessen Seite die große Mittlerin
einherschreitet.

O wie schön ist doch meine große Freundin! Sie ist so groß, daß sie der Welt verzeiht, und
so gut, daß sie mir verziehen hat. Neulich des Nachts hat sie irgendwo in einem Palast geruht,
ich konnte nicht zu ihr hingelangen. Mein fuchsrotes Pferd lief unter mir fort. Die zerrissenen
Zügel hingen über die schweißnasse Kruppe, und nur mit großer Mühe konnte ich es daran
hindern, daß es sich zu Boden legte.

Heute nacht [...] hat meine große Freundin auf ihrer weißen, silbergezäumten Stute neben
mir Platz genommen. «Mut, du mein Bruder!» hat sie zu mir gesagt, «denn dies ist die letzte
Stufe.» Und ihre großen Augen verschlangen den Raum, und sie ließ ihr langes, von den
Düften Yemens durchtränktes Haar in den Lüften flattern. [...]

‹O Tod, wo ist dein Sieg›, nun, wo der sieghafte Messias zwischen uns beiden einherritt?
Sein Kleid war aus schwefelgelbem Hyazinth, seine Handgelenke und die Knöchel seiner
Füße strahlten von Diamanten und Rubinen. Als er mit seiner leichten Gerte das Perlmuttertor
des neuen Jerusalem berührte, waren wir alle drei von Licht überflutet. Alsbald bin ich zu den
Menschen hinabgestiegen, um ihnen die frohe Botschaft zu verkünden.

Ich erwache aus dem süßesten Traum. Ich habe sie, die ich einst liebte, wiedergesehen, verklärt
und im Strahlenglanz. In seiner ganzen Pracht hat sich der Himmel aufgeschlossen, und ich habe
darin das Wort *Vergebung* gelesen, das mit dem Blute Jesu Christi geschrieben war. [409 f.]

Die *Aurélia*, bei aller Liebenswürdigkeit und Zärtlichkeit des Tons ein
erstaunliches und heroisches Werk, endet mit einem Sieg: Nerval gelangt zur
Lösung seines persönlichen Dramas. Aber die Vergebung erstreckt sich auf die
ganze Menschheit, und es ist das Drama einer jeden Kreatur, das hier den
Weg zur Versöhnung findet. Darüber hinaus impliziert diese unerhört reiche
Dichtung eine Auffassung von der Erkenntnis und von der Poesie, die, nachdem
sie sich langsam herauskristallisiert hat, in folgendem Bekenntnis gipfelt:

Wie dem auch sei, ich glaube, daß die menschliche Einbildungskraft nichts erfunden hat, was
nicht in dieser oder einer andern Welt wahr ist, und an dem, was ich so deutlich *gesehen*
hatte, konnte ich nicht zweifeln. [381]

Sich mit reinen und gesunden Vorstellungen abgeben, um logische Träume zu erhalten.
Nimm dich in acht vor dem Unreinen, das die guten Geister verscheucht und die unheilvollen Gottheiten anzieht. Ob aus Elfenbein oder aus Horn, *wenn deine Träume logisch sind,
sind sie ein offenes Tor zur Außenwelt.* (Notizen zu *Aurélia* [426*])

Hier erst wird ganz deutlich, warum Nerval ein so großes Vertrauen in den Traum besitzt. Er sieht darin einen Zugang zu wichtigen Entdeckungen, nicht nur zur Entdeckung seiner selbst, sondern zur Erkenntnis der letzten Wirklichkeit. Nerval geht über die Stufe des Subjektivismus, des lyrischen Ergusses und Bekenntnisses persönlicher Gefühle hinaus und steigt in sich selbst bis in jene «Unterwelt», bis in jene Tiefe hinab, wo der Mystiker schließlich zur einzig gültigen Erfahrung gelangt. Der Traum ist eines der Mittel, die in unsere Macht gegeben sind, um dem Bewußtsein des in sich gekehrten, abgekapselten Individuums zu entrinnen.

Wer eine solche Fahrt ins Innenreich wagt, wird ein ganz einzigartiges, überdauerndes Werk zurückbringen, das von seinem Autor nicht etwa das zufällige und vergängliche Dasein festhält, sondern sein Wesen und seine mythische Gestalt. Er sucht bis in jene Tiefenschicht zu gelangen, wo sich nicht mehr seine eigene irdische Geschichte, vielmehr sein ewiges Schicksal abspielt. Wie der Mystiker erkauft auch er den Abstieg in die Nacht mit dem Verlust seiner Person.

Werke dieser Art tragen aber zugleich den ‹symbolischen›, anspielungsreichen Charakter, der bald darauf die gesamte Dichtung nach Baudelaire kennzeichnen wird. Da sie von einem Menschen, der an die Realität der Phantasiewelt glaubt, aus den Quellen des Traums geschöpft worden sind, entfalten sie sich genau wie der Traum nach ganz eigenen Gesetzen. Der Dichter, der gerade im poetischen Schaffensakt Fragmente seines eigenen Schicksals oder – was auf dasselbe hinausläuft – Teilstücke der unsichtbaren Wirklichkeit zu erfassen sucht, wird Worte und Bilder nicht nach irgendeinem Gesetz der Verständlichkeit auslesen, auf das er sich mit den gewöhnlichen Sterblichen geeinigt hätte. Er wählt Wohllaute und Anklänge, die, für ihn selber unübersetzbar, in seiner Seele die unendlichen Wellen einer Regung voll Bedeutung anrühren. Eine Verbindung mit einer ganz persönlichen Erinnerung, mit einem einmaligen Lebensaugenblick verleiht gerade dieser einen Blume, dieser Farbe, diesem Götternamen, ja selbst dieser einzelnen Silbe einen besonderen Gefühlswert – für ihn allein, scheint es zunächst, aber wenn er ein echter Magier ist und wenn er sich vorbehaltlos dieser Art innerer Erschütterungen überläßt, die gewisse Bilder in jedem Menschen auslösen, so geschieht das Wunder, und der Leser *weiß*, daß ihm das Gedicht von einer tiefen Wirklichkeit spricht.

Nervals Sonette, von denen er selber sagte, «sie verlören von ihrem Reiz, wollte man sie erklären, *falls ein Erklären überhaupt möglich wäre*» [158 f.*], geben das schönste Beispiel für eine solche Poesie:

El desdichado

Je suis le ténébreux, – le veuf, – l'inconsolé,
Le prince d'Aquitaine à la tour abolie:
Ma seule *étoile* est morte, – et mon luth constellé
Porte le *Soleil noir* de la *Mélancolie.*

Dans la nuit du tombeau, toi qui m'as consolé,
Rends-moi le Pausilippe et la mer d'Italie,
La *fleur* qui plaisait tant à mon cœur désolé,
Et la treille où le pampre à la rose s'allie.

Suis-je Amour ou Phébus? ... Lusignan ou Biron?
Mon front est rouge encor du baiser de la reine;
J'ai rêvé dans la grotte où nage la syrène ...

Et j'ai deux fois vainqueur traversé l'Achéron:
Modulant tour à tour sur la lyre d'Orphée
Les soupirs de la sainte et les cris de la fée. [662.1, 13]

(Ich bin der Finstere, – der Verwitwete, – der Ungetröstete,
Der Prinz von Aquitanien mit dem zerstörten Turm:
Mein einziger *Stern* ist tot, – und meine gestirnte Laute
Trägt die *schwarze Sonne* der *Melancholie.*

Du, die du mich getröstet hast, reiche mir in der
Nacht des Grabes den Posilip und das Meer Italiens,
Die *Blume,* die mein verödetes Herz so sehr erfreute,
Und die Laube, wo sich Rose und Rebe umschlingen.

Bin ich Amor oder Phoebus? ... Lusignan oder Biron?
Meine Stirn ist noch immer rot vom Kuß der Königin;
Ich habe in der Grotte geträumt, wo die Sirene schwimmt ...

Und zweimal habe ich den Acheron siegreich überquert:
Auf Orpheus' Leier spielte ich nacheinander
Die Seufzer der Heiligen und die Schreie der Fee.)

Manche Elemente, die in diese Gedichte eingegangen sind, lassen sich unschwer mit Ereignissen aus Gérards Leben, mit seiner Lektüre oder seinen Lieblingsgedanken in Verbindung bringen, denken wir nur an Dürers *Melencolia,* an den wegweisenden Stern in *Aurélia,* an die neapolitanischen Abenteuer in der *Octavie.* Aber diese Elemente, die aus der Tiefe einer bewegten Vergangenheit heraufgeholt werden, haben eine derart poetische Bedeutung, daß es gar nichts nützt, über ihre Herkunft genau Bescheid zu wissen. Innerhalb der Gedichtwelt wirken sie aus sich selber, und keine biographische Untersuchung vermöchte ihrer Zauberkraft etwas beizufügen.

Was Wunder, wenn zwischen bestimmten Stellen der *Aurélia,* die von okkultistischen Erinnerungen inspiriert sind, und der Baudelaireschen Ästhetik der *Correspondances* eine tiefe Verwandtschaft besteht, die über die bloß wörtlichen Übereinstimmungen hinausgeht? So ist es beim folgenden Fragment, das überdies an gewisse Thesen erinnert, denen Victor Hugo in seiner Exilzeit anhing:

Von dem Augenblick an, wo ich mich vergewissert hatte, daß ich den Prüfungen der heiligen Einweihung unterworfen sei, kam eine unbezwingliche Kraft in meinen Geist. Ich hielt mich für einen Helden, der unter den Augen der Götter lebte. Alles in der Natur gewann einen neuen Anblick; geheimnisvolle Stimmen gingen von Pflanze und Baum, von Tieren, ja von unscheinbaren Insekten aus, um mich zu warnen oder zu ermutigen. Die Sprache meiner

Gefährten enthielt geheimnisvolle Wendungen, deren Sinn ich begriff, gestalt- und leblose Dinge boten sich von selbst meinem berechnenden Geiste dar; aus der Anordnung von Kieselsteinen, den Figuren von Winkeln, Spalten oder Öffnungen, den Blatträndern, *aus Farben, Düften, Tönen* sah ich bis dahin unbekannte Harmonien hervorgehen. «Wie habe ich nur», so fragte ich mich, «so lange außerhalb der Natur leben können und ohne mich mit ihr zu identifizieren? Alles lebt und webt und *entspricht einander;* die magnetischen Strahlen, die von mir oder andern ausgehen, durchdringen ungehindert die unendliche Kette des Geschaffenen; *sie bilden ein durchsichtiges Netz, das die Welt überzieht* und dessen zarte Fäden sich immer weiter über Planeten und Sterne ausbreiten. Für den Augenblick noch an die Erde gefesselt, unterhalte ich mich mit dem Chor der Gestirne, die an meinen Freuden und Leiden Anteil nehmen.» [403*]

II

Qui que tu sois, redoute, au gouffre où tu te plonges,
Le vague coudoiement des vains passants des songes.
[...]
Oh! les souffles! craignez les souffles de la nuit!
Où vous emportent-ils? Ceux qu'un rêve conduit
Deviennent rêve eux-mêmes, et, sans être coupables,
Tombent dans l'essaim noir des faces impalpables.

VICTOR HUGO

Die ersten Jahre des Second Empire sahen – ein seltsamer Zufall! – die drei entscheidenden Werke entstehen, von welchen die gesamte moderne Dichtung ausgegangen ist: Nervals *Aurélia* und die *Chimères*, die in einem Atemzug genannt werden müssen, die *Fleurs du Mal* und schließlich die großen mythischen Dichtungen Victor Hugos. Drei Einsame, drei Visionäre gingen ihren Träumen nach. Trotz den Unterschieden des Schicksals und des inneren Klimas bleiben diese Denkmale menschlichen Abenteuers für uns die drei Gipfelpunkte der Dichtung im 19. Jahrhundert – zwei Jahrzehnte später wird sich Rimbauds *Saison en enfer* daran anschließen. Von all diesen Höllenfahrten blieb diejenige Hugos am wenigsten bemerkt; vom Glanz und Ruhm seiner andern Werke überstrahlt, mußte sie so lange auf Verständnis warten, bis die Dichtung eines Nerval, eines Baudelaire und eines Rimbaud die große literarische Revolution in Frankreich zustande gebracht hatte.

Dennoch unterscheiden sich die gewaltigen Mythen von *Dieu* und *La Fin de Satan* ihrem Wesen nach nicht von Hugos früherem Werk. Die kennzeichnendsten Gebärden seines Geistes bleiben sich von den ersten Gedichtsammlungen bis zu den sozialen Prophezeiungen der letzten Jahre gleich. Bis ans Ende seiner lange währenden Fruchtbarkeit kehren gewisse Bewegungen sowie gleichartige Empfindungen und Bilder immer wieder. Freilich, sie gewinnen einen andern Sinn, je mehr sich der Dichter in einen Religionsschöpfer verwandelt; die Gegensätze von Licht und Finsternis, von unbegrenztem Höhenflug und Sturz in die Abgründe – rein physische Gegensätze zunächst, die zur Beschreibung des irdischen Schauspiels oder der Variationen des subjektiven Seinsgefühls dienen – nehmen allmählich mythische Bedeutung an oder widerspiegeln eine Kontemplation, die andern Räumen zugewandt ist. Aber am Grundgehalt, am Kern der Empfindungen und Bilder ändert sich nichts. Inmitten der ungeheuren Fülle Hugoscher Wahrnehmungen gibt es einige zentrale Schlüsselbilder, die den Dichter wie mit einer unwiderstehlichen magnetischen Kraft anziehen. Wer mit seinem Werk vertraut ist, errät ihr Kommen von weitem und kennt den Augenblick, wo die Dichtung unvermeidlich bestimmten Farben zustrebt – dem Grau, dem Schwarz und besonders dem Fahlen – oder bestimmten Objekten, wie Leichentüchern, Wolken oder Gestirnen; er weiß zum voraus, wann Posaunenstöße, Donnerschläge oder fürchterliches Gelächter erschallen, wann heiße, eisige oder linde Lüfte vorbeiwehen oder – schrecklichste aller Halluzinationen! – Köpfe, wirre Gesichter und verstörte Augen allerenden durch die Leere des Universums schweben werden. In diesem Chaos von Naturfragmenten bewirken bestimmte Eindrücke von unbeschreiblichen zähflüssigen oder qualligen Dingen, von feinsten Stäubchen, von schwerelosen Stoffen, die sich jedem Zugriff entziehen, daß wir uns fortwährend im Grenzbereich zwischen unserer materiellen und irgendeiner andern Welt befinden.

Man kann die Metamorphosen einzelner Bilder und die eigenartige innere Verarbeitung, durch die sie bald zu bizarrster Verzerrung, bald zu überirdischer Leichtigkeit und Reinheit gelangen, über dreißig, vierzig Jahre hin genau verfolgen. So führte – um ein Beispiel zu nehmen, das uns zu den deutschen Romantikern zurückbringt – das Bild von der leeren Augenhöhle am Himmelsgewölbe, das Hugo dem berühmten *Traum von Jean Paul* entliehen hatte, in seiner Seele ein untergründiges Dasein und tauchte in immer neuer Gestalt auf, sobald ihn der Alpdruck von Gottes Tod befiel[1]. Erstmals erscheint es 1835 in den *Chants du crépuscule,* empfängt dann zweifellos neues Leben aus Nervals Imitation der Jean-Paulschen Vision im *Christ aux Oliviers* (2. Sonett) und paßt nur zu gut auf eine der tiefsten Ängste Hugos, als daß es nicht in der Dichtung der Exilzeit ein vielfältig wucherndes Leben führte. Immer wieder hebt es sich vom klassischen Bild des in den Raum geöffneten Gottesauges ab – seltsam! der Gegensatz tauchte schon in einem der Jean-Paulschen Entwürfe auf, ging aber nicht in die veröffentlichte Fassung des Traums ein (vgl. S. 227). Der Bösewicht und der Atheist, beide sehen nur «das undeutliche dunkle Antlitz Gottes und sein starres Auge» [677, 175]. Für sie öffnet sich das «geschlossene Lid» des Grabes «auf eine leere Höhle und ein ausgestochenes Auge» [679, 618]. Ein Gottesleugner, ein rebellischer Doktor «dringt in die verborgensten Winkel

---

[1] Für Einzelheiten verweise ich auf meinen Aufsatz *Le Songe de Jean-Paul et Victor Hugo* [687].

des geheimnisvollen Himmels ein», und seine teuflische Lache gellt einsam durch
die Nacht:

> Te montre, à l'endroit noir que l'ombre a pour milieu,
> Cette tête de mort épouvantable, Dieu!

(Zeige dich, dort an jenem schwarzen Ort inmitten der Finsternis, scheußlicher Totenkopf:
Gott! [562])

Hier erst erfährt das Bild nach einer Reihe von Umformungen seine letzte, für
Hugo charakteristische Steigerung.

Alle bleibenden Bilder in Hugos Werk haben solche Verwandlungen durchgemacht. Ob er sie aus seiner Lektüre empfangen hatte – er behielt daraus fast
nur derartige Einzelheiten zurück, die er sich sogleich aneignete – oder ob sie
aus ihm selbst hervorgegangen waren, sie führten in seiner Seele ein unerschöpf-
liches, immerfort bewegtes Leben. Sie mochten, nachdem sie in Hugos Sprachwelt
für Augenblicke Gestalt angenommen hatten, in die Tiefe des Vergessens zurücksinken; doch beim leisesten Ruf stiegen sie wieder an die Oberfläche, freilich in
der neuen Erscheinung, die sie während ihres langen Aufenthalts im Dunkel
gewonnen hatten.

Nicht anders verhält es sich mit den großen Gebärden, welche die Begegnung
des Dichters mit der Außenwelt oder mit den Räumen der Höhe und der Tiefe
symbolisieren, so daß die beständige Wiederkehr dieser gleichen Bewegungen
uns zur Vorstellung von einem riesenhaften Hugo drängt, der sich bald un-
beweglich und träumend über tiefe, von unbestimmbaren Kreaturen bewohnte
Wasser beugt, bald seinen Blick in siderische Räume hinausschickt. Öfter noch
scheint es, als irre er durch die Unermeßlichkeit, um der «Schwärze» zu entkommen und endlich ins Licht zu gelangen, als stoße er mit der Stirn gegen eine
dunkle Wolkendecke, begegne monströsen oder blendenden Gestalten oder aber
versinke in bodenlose Abgründe. Jede dieser Gebärden ist bereits vorgebildet in
der Dichtung seiner romantischen Periode und gewinnt im Laufe der Jahre ihre
weiteste Bedeutung. So wird etwa die Bewegung der Irrfahrt durch unendliche
Räume bereits 1830 in *La pente de la Rêverie* aus *Les Feuilles d'Automne* ganz klar
sichtbar. Der Dichter, einsam und verloren inmitten der «finsteren Weite» des
Weltenraumes, taucht ins «doppelte Meer von Zeit und Raum» hinab:

> Mon esprit plongea donc sous ce flot inconnu,
> Au profond de l'abîme il nagea seul et nu,
> Toujours de l'ineffable allant à l'invisible ...

(Also tauchte mein Geist in diese unbekannten Fluten hinunter, wehrlos und einsam schwamm
er durch die Tiefen des Abgrunds, immerfort vom Unsagbaren hin zum Unsichtbaren ...
[676, 82–86])

Die Dichtung *Dieu* wird dann nur aus solchen verzweifelten Irrfahrten bestehen, ob durch unergründliche Meerestiefen oder ob über Sonnen und Milchstraßen hinaus – auch hier wieder werden wir an Jean Paul erinnert. Aber

nach der Einweihung in den Spiritismus und in die Lehren der Kabbala wird
jede dieser Bewegungen, so wie jedes der einstigen Bilder, eine neue Bedeutung
gewinnen, indem es sich nach dem Mythos ausrichtet, der im Entstehen begriffen ist.

Die Einweihung in den Okkultismus war für Hugo nicht ein intellektueller
Vorgang; wie sein gesamtes geistiges Leben spielte sich auch diese Verwandlung
auf der Ebene der Bilder und der Poesie ab. Auch da vermochte die Erfindung
der großen Mythen lediglich zu vertiefen, was er längst geahnt hatte. Indem er
seiner Inspiration die Tragweite einer Kosmogonie und einer poetischen Deutung
der Welt gab, bestätigte er nur Einsichten, zu denen er als Dichter schon in der
Jugendzeit gekommen war. Es gibt bei ihm seltsame Übereinstimmungen zwischen
Werken, die Jahre auseinanderliegen. In *Littérature et Philosophie mêlées,* einer
Sammlung von Aufsätzen aus den Jahren 1819 bis 1834, scheint sich an gewissen Stellen bereits die ganze moderne Poetik anzukündigen. Nicht nur fordert
Hugo «eine Sprache, so geschmiedet, daß sie alle möglichen *Zufälle* des Denkens
aufnehmen kann»; er spricht auch von der Inspiration in einer Sprache, die an die
Mystik erinnert:

Damit sich die Muse dem Dichter offenbare, ist es notwendig, daß er in der Stille, in der Ruhe
und in der Sammlung sein körperliches Dasein gleichsam abstreift. Es ist notwendig, daß er
sich vom äußeren Leben absondert, um ganz in den Genuß dieses inneren Lebens zu kommen,
das in ihm gleichsam ein neues Wesen zur Entfaltung bringt; und erst wenn die physische
Welt seinem Blick völlig entschwunden ist, kann ihm die ideale Welt offenbar werden. [674,
136f.]

Schon dies allein überrascht bei einem Dichter, der dem Schauspiel der Welt
zugewandt ist. Im folgenden zeigt sich aber eine noch tiefere Beunruhigung
über die Klänge, die aus dem Verborgenen aufsteigen:

So seltsam es klingt, ist es vielleicht doch wahr, daß man zuweilen *als Mensch an dem, was
man als Dichter schreibt, unbeteiligt ist.* Der Gedanke mag auf den ersten Blick paradox erscheinen. *Immerhin fragt es sich, wieweit das Lied der Stimme gehört und die Dichtung dem Dichter.* [*]

Mit einem Schlag befinden wir uns mitten in der dichterischen Erfahrung, die
von Baaders Ausspruch, daß «produktive Gestaltung im Menschen vorgehe», bis
zu Rimbauds «Ich ist ein anderer» führt. Der Dichter spürt, daß der Gesang in
ihm eine «présence», ein gegenwärtiges Geschehen, ist, eher als das planmäßige
Produkt seiner eigenen Tätigkeit. Hugo datiert die Zeilen ins Jahr 1824. Dreißig
Jahre später, in den in so mancher Hinsicht aufschlußreichen Protokollen der
Spiritistensitzungen von Jersey, antwortet das «Wesen, das sich der Tod nennt»,
auf eine Frage über das Werk, das Hugo in Arbeit hat, mit ganz seltsamen Aus-
führungen; man hört daraus das Echo durchwachter Nächte, während deren der
Dichter, in einer Periode geistiger Erregung und religiöser Unruhe, seine alte
Auffassung von der Inspiration erneuerte und vertiefte.

Jeder große Geist schafft in seinem Leben zwei Werke: sein Werk als Lebender und sein Geisterwerk.
[...]
Als wacher Mensch spricht er zu seinem Jahrhundert in der Sprache, die es versteht; [...]
er, das Genie, rechnet mit der Schwachheit; er, die Leuchte, rechnet mit dem Dunkel. [...]
Während der Tagmensch das eine Werk schafft, wacht in der Nacht, wenn die Welt in
Schweigen versunken ist, das träumende Geistwesen auf, o Schreck! «Wie», fragt das Menschenwesen, «das wäre nicht alles?» – «Nein», erwidert die Erscheinung, «erhebe dich, auf! Es
braust der Sturm, die Hunde, die Füchse kläffen, Finsternis ist überall, Gottes Peitschenhiebe
machen die Natur erzittern und erbeben; Kröten, Schlangen, Würmer, Brennesseln, Steine,
Sandkörner, alles wartet auf uns. Drum auf! [...] Mache dich hinter dein anderes Werk!» [...]
Nicht menschlich mehr sehen die Gedanken aus in diesem Werk. Der Dichter-Geist erblickt die Geistergedanken. Die Worte erschrecken, die Sätze erschaudern [...], die Fenster-
scheibe wird bleich, die Lampe zittert vor Angst. So rasch, wie sie vorüber sind, die Geistergedanken, so rasch dringen sie ins Gehirn ein, leuchten auf, schrecken dich – und weg sind
sie; [...] sie befruchten oder vernichten [...].
Das Tagwerk ist vorangeschritten, dahingeeilt, hat geschrien, gesungen, geredet, geleuchtet,
geliebt, gekämpft, gelitten, getröstet, geweint, gebetet. Das Nachtwerk, scheu und verborgen,
ist indes ganz still geblieben. [...]
Wo bleibst du denn? Zitterst du nicht, schaudert dir nicht, erbebst du nicht? [...]
Gib acht, o Mensch eines Jahrhunderts, o Lebender, o du von einem irdischen Gedanken
Verfolgter [...], gib acht! *Denn dies ist Tollheit, denn dies ist das Grab,* denn dies ist das Unendliche [...], denn dies ist ein Geistergedanke. (Protokoll vom 19. und 20. September 1854
[685, 306–314*])

Diese Zeilen – wie man sieht, leiht Hugo dem Tod seine ganze Sprachgewalt –
geben eine Vorstellung von der inneren Umwälzung, die der Dichter während der
ersten Verbannungsjahre durchgemacht hat, und lassen verstehen, warum er den
Offenbarungen des Tischrückens eine derartige Bedeutung beimaß. Es ereignet
sich in ihm genau das, was dann auch Rimbaud erfahren wird, wenn über
ihn plötzlich eine Welt der Visionen und der Zauberei hereinbricht und er
sogleich weiß, daß nicht er deren Urheber ist. Auch Hugos Buch über *Shakespeare* enthält zwischen Seiten mit langweiligstem Wissenskram und endlosen Auf-
zählungen von Namen gewisse Bekenntnisse, welche diese Offenbarungen weiter
aufhellen und ausdehnen. Wer zum Entstehungsort der Poesie erwählt ist, erschrickt über die Schauspiele, die er mit eigener Magie hervorzaubert. Er gerät
immer tiefer ins Unbekannte hinein, wird rings von Drohungen umstellt und
fühlt sich an der Grenze des Wahnsinns. Künftig ist er nicht mehr «von dieser
Welt»; ein großer Teil von ihm gehört einer andern Wirklichkeit an, die er
in sich einschließt und die doch gleichzeitig über ihn hinausreicht. Aber die
Erforschung des Unbekannten ist nicht nur eine heilige Sendung, sie ist ebensosehr ein Fluch, ein verbotenes Tun. Auch Rimbauds *Lettre du Voyant* wird im
Dichter den «großen Kranken, den großen Verbrecher, den großen Verfemten»
sehen «– und den höchsten aller Wissenden! – Denn er kommt im *Unbekannten*
an!» Und er endet genau so wie Hugos Meditation mit dem Eingeständnis des
unvermeidlichen Scheiterns:

Mag er zugrunde gehen an seinem riesigen Sprung durch die unerhörten und unnennbaren Dinge: Neue, mit übermenschlicher Kraft gerüstete Arbeiter werden kommen; sie werden beginnen, wo der andere zusammenbrach!

Aber Hugo, auch er ein «Dieb des Feuers», findet sich mit dem Scheitern nicht ab. Und am Schluß der pathetischen Stelle, die wir im folgenden zitieren, bescheidet er sich demütig dazu, auf die unvollkommenen Antworten zu hören, die Gott dem Verzückten einzugeben geruht.

Es ist *das ewige Abenteuer des Träumers*, daß er nie an ein Ende kommt, daß er von einer Spirale zur andern gelangt wie Archimedes, von einem Kreis zum andern wie Alighieri, daß er flatternd in den runden Brunnen hinabsinkt. Er stößt gegen die harte Wand, über welche der bleiche Strahl hinweghuscht. Er begegnet der Gewißheit zuweilen wie einem Hindernis, und der Erleuchtung, als fürchte er sich davor. Er drängt sich daran vorbei. Er ist der Vogel unter dem Gewölbe. Fürchterlich! Aber was tut's? Man träumt. [...]
Wer allzulange in dieses heilige Schrecknis blickt, spürt, wie ihm die Unermeßlichkeit in den Kopf steigt. [...]
Der weite Raum des Möglichen liegt gleichsam vor seinen Augen. *Was man im Innern träumt, findet man im Äußern wieder.* Alles bleibt undeutlich. Weißes schwimmt durcheinander. Sind es Seelen? In der Ferne scheinen Erzengel vorüberzuziehen; werden es einst Menschen sein? Du nimmst den Kopf zwischen die Hände, du willst sehen und wissen. Du bist am Fenster ins Unbekannte. [...] Der Mensch, der nicht nachsinnt, lebt in der Blindheit; der sinnende Mensch lebt in der Dunkelheit. *Wir haben nur die Wahl der Finsternis.* [...]
Jeder Mensch hat in sich sein Patmos; es ist ihm freigestellt, ob er das schreckliche Vorgebirge des Denkens, von wo aus man die Finsternis erblickt, besteigen will oder nicht. Tut er es nicht, so bleibt er im gewöhnlichen Leben, im gewöhnlichen Bewußtsein, in der gewöhnlichen Moral, im gewöhnlichen Glauben oder im gewöhnlichen Zweifel; und das ist gut so. Für die innere Ruhe ist es jedenfalls das beste. Besteigt er diesen Gipfel, so packt es ihn. Er hat die tiefen Fluten des Wunders geschaut. Keiner blickt ungestraft in dieses Meer. Von nun an wird sein Denken *weit und groß, aber es wird schwebend bleiben;* das heißt er wird zum Träumer. Auf der einen Seite rührt er an den Dichter, auf der andern an den Propheten. Zu einem Teil gehört er nun dem Dunkel an. Grenzenlosigkeit kommt in sein Leben, in sein Bewußtsein [...]. Für seine Mitmenschen wird er außergewöhnlich, besitzt er ein Maß, das vom ihren abweicht. Er hat andere Aufgaben als sie. Er lebt im verströmenden Gebet, das sich seltsam auf eine unbestimmte Gewißheit bezieht, die er Gott nennt. Er sieht in dieser Dämmerung genug vom einstigen und vom künftigen Leben, um diese beiden Enden des dunkeln Fadens zu ergreifen und seine Seele daran zu knüpfen. [...] Er läßt nicht mehr ab vom verlockenden Abgrund, von der Erforschung des Unerforschten, von der Gleichgültigkeit gegen die Erde und das Leben, vom *Zutritt zum Verbotenen,* vom Streben, das Unberührbare zu berühren, das Unsichtbare zu sehen; er kommt, und er kommt wieder, er stützt sich auf, er beugt sich darüber, er macht einen Schritt, dann zwei. Das ist die Weise, wie man ins Undurchdringliche eindringt, wie man in der grenzenlosen Erweiterung der unendlichen Meditation vorankommt. [...]
In dieser Ausweitung seinen freien Willen zu behalten, heißt wahrhaft groß sein. Aber wie groß man auch sei, man löst die Probleme nicht. *Man bestürmt den Abgrund mit Fragen. Mehr nicht.* Was die Antworten anbelangt, so sind sie wohl da, aber im Dunkeln. Die ungeheuren Umrisse der Wahrheit scheinen manchmal für Augenblicke aufzutauchen, dann sinken sie wieder zurück und verlieren sich im Absoluten. [675, 94–96*]

«Das ewige Abenteuer des Träumers»: Immer wieder kommt Hugo darauf zurück. Das Wort ‹Traum› mochte für ihn zunächst eine verschwommene Bedeutung haben, vergleichbar derjenigen, die es bei einem Lamartine bewahrt:

> Et la nuit sanglotait pleine du bruit des rêves!
> (Die Nacht, voll vom Getöse der Träume, schluchzte auf!
> *La Chute d'un Ange*, XII. Vision)

Hugo bedient sich dieser Vokabel, um gewisse Tageszeiten und gewisse Aspekte der irdischen Landschaft zu beschwören: «Das Tor des Tages, verschwommen und wie im Traum», beginnt sich langsam zu öffnen, der Horizont hellt sich auf [677, 161]. Die Vision eines Menschen, der in dreitausend Jahren wiederkehrt und in der Dämmerung die Gegend betrachtet, wo einst Paris lag, «wird die Unendlichkeit und die Unschärfe eines Traums besitzen»:

> De quel œil il verra, comme à travers un voile,
> Comme un songe aux contours grandissants et noyés,
> La plaine immense et brune apparaître à ses pieds,
> S'élargir lentement dans le vague nocturne,
> Et comme une eau qui s'enfle et monte aux bords de l'urne,
> Absorbant par degrés forêt, coteau, gazon,
> Quand la nuit sera noire, emplir tout l'horizon!

(Wohin er das Auge lenkt, wird er wie durch einen Schleier gewahren, wie sich zu seinen Füßen, gleich einem Traum mit wachsenden, verfließenden Umrissen, die unermeßliche braune Ebene im verschwommenen Nachtbild langsam ausbreitet, wie sie, gleich dem Wasser, das anschwellend sich über den Rand der Urne ergießt, Schritt um Schritt Wälder, Hügel und Wiesen aufzehrt und, wenn die Nacht schwarz sein wird, die ganze Weite erfüllt. [676, 389 f.])

Doch diese Bewegung des ungeheuren Anwachsens und des Aufgehens im Dunkel ist dem echten Hugoschen Traum um so vertrauter, je tiefer der Dichter auf seiner Fahrt durch das Innere in Räume vorstößt, die nicht mehr irdisch sind: in den unermeßlichen Abgrund, der von Gespenstern wimmelt, oder in unendliche Himmelsräume, wo die Lichter aufblitzen. Jeder Aspekt der Vision, jedes Schauspiel, das «der Vogel unter dem Gewölbe» wahrnimmt, ist ein Traum: verfluchte, fliehende Gestirne, tote Welten, die «wie ungeheure Träume» dahintreiben, Sternennebel, «aus denen die unermeßliche Schar der Träume hervorgeht» [677, 145 f.].

> O croisements obscurs des gouffres et des songes,
> Sommeil, blanc soupirail des apparitions;
> Germes, avatars, nuit des incarnations
> Où l'archange s'envole, où le monstre se vautre.

(O dunkle Verschlingungen von Abgründen und von Träumen, Schlaf, heller Lichtstrahl der Erscheinungen, Keime, Verkörperungen, Nacht der Fleischwerdung, wo der Erzengel sich aufschwingt, wo das Scheusal sich suhlt. [679, 317])

In der Welt des Traums offenbaren sich dem Menschen die finsterste Nacht des Schreckens und das Licht der höchsten Reinheit, der Erzengel und das

Monstrum, und gerade diese Ambivalenz der Gesichte gehört zu den Grund-
gegebenheiten von Hugos Erfahrung. Jede Ekstase ist zugleich göttlich und
gefahrvoll, sie erschließt den Zugang zu Abgründen, wo die Gespenster hausen,
aber auch zum Unendlichen, wohin sich die «blaue Himmelfahrt» aufschwingt.
Die ungeheure Erotik, welche Hugo in die Natur projiziert, aber auch die
Botschaften der Engel, beides tut sich durch den Traum kund.

> Le printemps, le soleil, les bêtes en chaleur,
> Sont une chimérique et monstrueuse fleur;
> A travers son sommeil ce monde effaré souffre;
> Avril n'est que le rêve érotique du gouffre,
> Une pollution nocturne de ruisseaux,
> De rameaux, de parfums, d'aube et de chants d'oiseaux.

(Der Frühling, die Sonne, die brünstigen Tiere sind eine einzige riesenhafte chimärische
Blüte; im Schlafe leidet diese verstörte Welt; der April ist nur der Liebestraum des Abgrunds,
ein nächtlicher Erguß von Bächen, Zweigen, Düften, von Dämmerung und Vogelsang. [385])

In *Dieu,* wo sich der Dichter in den Kosmos aufschwingt, wird er in der Tiefe
des «verstörenden Limbus» selbst

> Une espèce de vase horrible de la nuit
> Qu'emplissent lentement la chimère, le rêve,
> Les aspects ténébreux, la profondeur sans grève,
> Et, sur le seuil du vide aux vagues entonnoirs,
> L'âpre frémissement des escarpements noirs.

(eine Art schreckliches Gefäß der Nacht, das langsam erfüllt wird von der Chimäre, vom
Traum, von der Finsternis, von der uferlosen Tiefe und vom dumpfen Beben der Abgründe,
die zum verschwommenen Krater des Nichts abstürzen. [393 f.])

Die Dämonen wählen den Traum, um sich darin zu offenbaren und, ein
«unerklärliches Gefühl der Beklemmung erweckend», bis ins Herz des Menschen
einzudringen.

> Nous sommes les passants sinistres de l'éclair,
> Les méduses du rêve aux robes dénouées,
> Les visages d'abîme épars dans les nuées.

(Wir sind die unheilvollen Hurtigen des Blitzes, die Traummedusen mit den wehenden
Gewändern, die durch die Wolken huschenden Gesichter des Abgrunds. [332f.])

Im Traum gebiert die Seele «Gesichter voll Grauen, düstere Verhöhnungen,
finsterer als die Trauer, fahler als die Asche», als wären sie «die verstörten
Masken der Erstarrung vor dem Abgrund» [622]. In *L'Homme qui rit* erscheint
der Alptraum als schauderhafte Vermischung des menschlichen Geistes mit den
Leichengesichtern des Unbekannten:

Der Schlaf hat dunkle Verwandtschaften außerhalb des Lebens; über den Schlafenden schwebt ihr
aufgelöstes Denken als ein lebender und toter Dampf und verbindet sich mit dem Möglichen,
das wahrscheinlich auch im Raume denkt. Daher der Wirrwarr. [...] *Im Schlaf, an diesem
Ufer des Todes,* fließen geheimnisvolle, aufgelöste Existenzen in unser Leben ein. [680, 136f.*]

Während der Traum einerseits ans Schreckliche grenzt, rührt er anderseits ans göttliche Mysterium. Gott offenbart sich dem Menschen im Traum. Wenn der Körper schläft und die Seele wacht, «steigt ein ungeheurer, geheimnisvoller Ratschluß hernieder» [678, 7]. In den Entwürfen zu *Dieu* findet sich folgendes Fragment:

> Oui, ces arrachements du nuage sacré,
> Ces fragments monstrueux du grand Tout ignoré,
> Qui dans le crépuscule errent, et se déforment,
> Sinistres, sur le front des hommes qui s'endorment,
> Ces haillons d'infini, vus des pâles mortels,
> Sont rêves dans vos nuits et dieux sur vos autels.

(Diese Fetzen der heiligen Wolke, diese riesenhaften Bruchstücke des großen unbekannten Ganzen, die durch die Dämmerung irren und sich über den einschlafenden Menschen unheildrohend verzerren, diese Fetzen Unendlichkeit, auf welche die bleichen Sterblichen hinstarren – Träume sind es in euren Nächten und Götter auf euren Altären. [679, 332f.])

Und aus der Tiefe des Abgrunds, in den er gestürzt wurde, sehnt sich der Satan umsonst nach dem Schlaf und den Herrlichkeiten der Träume zurück:

> Je traîne à jamais l'insomnie
> Dans une immensité sinistre d'agonie.
> Ne pas mourir, ne pas dormir. Voilà mon sort.
> En songe on ne sort pas, mais on croit que l'on sort,
> C'est assez. [...]
> Voir toujours fuir, ainsi qu'une île inabordable,
> Le sommeil et le rêve, obscurs paradis bleus
> Où sourit on ne sait quel azur nébuleux!
> O condamnation!

(Ewig schleppe ich in der düsteren Unendlichkeit des Todeskampfes die Schlaflosigkeit hinter mir her. Nicht sterben, nicht schlafen können – das ist mein Los. Im Traum kommt man nicht los davon, aber man glaubt, davon loszukommen; das genügt. [...] O Verdammnis, den Schlaf und den Traum immer fliehen zu sehen, diese verborgenen blauen Paradiese, wo wer weiß was für ein umwölkter Azur lächelt! [196f.])

Die «blauen Paradiese» wiegen die Visionen des Grauens nicht auf. In jenen Sphären, in die Hugo entführt wird, taucht plötzlich das Licht auf, aber die Herrschaft gehört der Finsternis, einer Unmasse Finsternis, die von Gespenstern wimmelt. Der Weg zum Licht geht dort hinab, aber dieser Abstieg auf der Suche nach Offenbarungen führt durch eine Unterwelt voller Gefahren. Es scheint, als ob Hugo diese ganze Welt voll bleicher Gespenster in seinem eigenen Innern vorgefunden habe; wenn dieser große Primitive seine Weltenräume beschreibt, so gibt er gleichsam ein maßlos vergrößertes Gemälde seiner seelischen Abgründe. Hugo selbst ist der «weite, große, aber schwebende Denker», von dem der Tod beim Tischrücken sprach. Er selbst wächst ins Unendliche und wird zum Weltenraum, den er durchirrt, sooft er sich über sein verborgenes Innenleben beugt. Außenwelt und Innenwelt existieren nicht mehr; alles ist vom Ich in kolossalem Hunger verschlungen worden. Die heftigste Empfindung bei diesem Untergang des Ichs oder diesem Untergang der Welt im Ich ist die Empfindung der Gefährlichkeit dieses Unternehmens. Der Traum mit seinen unerlaubten Gedanken öffnet den *Zugang zum Verbotenen.*

> Est-ce que, voyageur fatal, tu prémédites
> Des actions de rêve étranges et maudites,
> D'aller, de forcer l'ombre, et fouillant, et bravant,
> De t'enfoncer plus loin que les ailes du vent?

(Unseliger Weltenfahrer, sinnst du auf befremdliche, verfluchte Taten des Traumes? gedenkst du das Dunkel zu bezwingen und, forschend und trotzend, tiefer einzudringen als der geflügelte Wind? [349])

«Befremdlich und verflucht» ist das Gebaren des Träumers. Er riskiert, daß ihn die «nichtigen Gestalten des Traums streifen». Er kann dem Wahnsinn verfallen, wenn er, der «tönerne Mensch», sich im Dunkel mit jenen Unbekannten ins Gespräch einläßt.

Das Prosawerk *Post-Scriptum de ma vie,* nach Hugos Auffassung so etwas wie ein mystischer Leitfaden seiner Religion, enthält erstaunliche Äußerungen über den Traum. «In der geheimnisvollen Welt der Kunst [...] liegt der Gipfel des Traums», von dem eine ganz eigenartige und außerordentliche, aus Lust- und Trauerspiel gemischte Poesie herstammt. Denn «*es gibt eine Heiterkeit der Finsternis. Ein nächtliches Lachen geht um. Es gibt fröhliche Gespenster.*»

Dieses Quantum Traum im Dichter ist ein höchstes Geschenk. [...] Wer dieses himmlische Teil des Traums nicht besitzt, ist nur ein Philosoph! [...] Die Kunst atmet gern die nichtatembare Luft. Dies unterdrücken, hieße die Verbindung mit dem Unendlichen abbrechen.

Aber genau in dem Augenblick, wo er das Traumgenie verherrlicht, wird Hugo wieder von der panischen Angst ergriffen, die sich in jede seiner Meditationen einschleicht.

Nur, vergessen wir eines nicht: Der Träumer muß unbedingt *stärker sein als der Traum.* Sonst wird es gefährlich. Jeder Traum ist ein Kampf. [...] Ein Gehirn kann von einer Chimäre zerfressen werden. [...]

Gewisse Träumer gleichen jenem armen Insekt, das weder fliegen noch davonlaufen kann [gemeint ist der Maikäfer, der vom Skarabäus überfallen worden ist]; der verblendende, entsetzliche Traum wirft sich über sie her und höhlt sie aus und verzehrt und zerstört sie. [...]

Das Ich ist eine schwindelerregende Spirale. Wenn sich der Träumer zu weit darin vorwagt, verliert er die Fassung. Übrigens sollten alle Gebiete des Traums mit Vorsicht betreten werden.

Das Eindringen ins Dunkel ist nicht ungefährlich. Der Traum hat seine Toten, seine Verrückten. Da und dort in dieser Finsternis stößt man auf Verstandesleichen [...]. Die Erforscher der menschlichen Seele sind äußerst exponierte Bergleute. *Es können sich Unglücke ereignen in diesen Tiefen.* Es gibt schlagende Wetter da drunten. [675, 302–311*]

Hugos große Mythen, deren Eigenart hier nicht erörtert werden kann, sind den Abgründen entstiegen, in die ihn sein nächtlicher Genius immer wieder hineingeführt hat. Sie besitzen den Glanz und die vollkommene Stimmigkeit antiker Kosmogonien, und es scheint, als seien sie nicht von einem modernen Dichter, sondern von ungezählten Generationen primitiver Völker hervorgebracht worden. Wenn die Dichtung unserer Tage an einen Punkt gelangt ist, wo sie sich eine Rückkehr zur Magie wünscht, die der Menschheit in ältester Zeit zur Verfügung stand, so brauchte sich Hugo nicht erst zu diesem Wunsch durchzuringen. Er kannte sich im Traum aus, er war überreich an Bildern, die er von seinen Fahrten durch das kosmische Chaos oder durch die finsteren Abgründe der Seele mitgebracht hatte, und so dachte er eben in Bildern und konnte anders gar nicht denken, so wie er auch keinen Unterschied machte zwischen den unendlichen Himmelsräumen und der Welt seines Innenlebens. Er selbst war der Geist, von dem er irgendwo sagt, «die Vision habe bei ihm das Sehen ersetzt». Seine Kunst ist eins mit seinem geistigen Leben. Wenn sich dieser Primitive die plattesten Irrtümer und die seichtesten Gemeinplätze seines Jahrhunderts zu eigen gemacht hat, so geschah das nicht aus Mangel an Intelligenz, sondern weil sich bei ihm nichts Entscheidendes nur gerade im geschlossenen Raum der Intelligenz abspielte. Alles, was Gewicht hat in seinem Leben, die Leiden und die Verzückungen, die Leidenschaften und die Ängste, alles lebt auf der Ebene der Bilder und verläßt diese Ebene nie. Es ist unmöglich, davon einen Bereich des Geistigen oder ein Ideenleben abzusondern, wie man das bei den meisten Trägern einer hochentwickelten Kultur tun kann. Hugo transportiert alles, was ihm in die Hände kommt – und was zuweilen vor dem Verstand als Dummheit erscheinen mag –, in seine Mythologie hinüber, ein wenig so wie ein «tumber tôr», der sich auf einmal in die Herrlichkeiten des unentgeltlichen und obligatorischen Schulunterrichts versetzt sieht. Aber seine Rache – und sein Verhängnis – wird darin bestehen, daß er zum Mythos einer Epoche wird, die selbst allen Sinn für das Mythische verloren hat. Es wird lange dauern, bis man seine wahre Größe erkennt. Und das wird vor allem erst dann möglich sein, wenn andere Dichter, die der intellektuellen Kultur weniger fernstehen, sich wieder den Zeitaltern der Magie zuwenden und der Dichtung, ja dem Leben überhaupt jene Kräfte zurückgeben werden, die bis dahin verlorengegangen waren. Ihnen ist es zu verdanken, daß Hugo in seinem wahren Glanz auferstehen konnte.

III

Comme tu me plairais, ô nuit! sans ces étoiles
Dont la lumière parle un langage connu!
Car je cherche le vide, et le noir, et le nu!

BAUDELAIRE

Vor Hugos gewaltigem Werk verharrt Baudelaire in Staunen, teils bewundernd, teils beunruhigt. Die Geisteskraft dieses Genies imponiert seiner Schwachheit, flößt ihm aber auch Furcht ein. Das Maßlose an diesem Menschen schockiert und betört denjenigen, dem vollkommene Schönheit über alles geht. Die «*Kollektivseele*», die durch Hugos Mund «fragt und klagt, hofft und zuweilen prophezeit», erregt im aristokratischsten aller Künstler die höchste Bewunderung und verletzt zugleich seine Empfindlichkeit [689, 711*]. Wie niemand sonst ahnt Baudelaire lange vor der Veröffentlichung der großen visionären Werke, in welcher Richtung sich Hugos Traum von 1850 an entfalten wird, dieser turbulente Traum, wo «ganze Massen von stürmischen Bildern mit der Schnelligkeit eines fliehenden Chaos dahinrasen» [706]. Er erkennt ganz klar Hugos Unersättlichkeit, diese «in ihrem Ausmaß einzigartige *Fähigkeit, das äußere Leben zu absorbieren*», die, verbunden mit einer außergewöhnlichen Kraft der Meditation, zu einer «ganz eigenartigen, fragenden, geheimnisvollen und *wie die Natur* unermeßlichen und minutiösen, stillen und stürmischen Dichtung führt».

Verglichen mit Hugo, ist Baudelaire der aufs höchste kultivierte Dichter; seine Angst, die nichts Urtümliches hat, seine Leiden und seine Sehnsüchte gelten einer Schönheit, die sowohl Ausdruck seines persönlichen Dramas als auch das vollkommene, makellose Werk des allerhöchsten Kunstverstandes ist. Er hält den ungeheuren Schatz von Analogien und Entsprechungen, aus dem er seine Metaphern holt, nicht etwa für jenes fürchterliche Chaos, dessen teils herrliche, teils verstörende Fragmente immer wieder mit elementarer Gewalt in Hugos Phantasie und Sprache eindringen. Seiner Meinung nach bedarf es bestimmter außergewöhnlicher Erfahrungsweisen, solche Beziehungen zwischen den Dingen und dem Geist wahrzunehmen. Bei ihm ist es ein ganz modernes Bewußtsein, das mittels einer «beschwörenden Zauberei» die längst verlorengegangenen Fähigkeiten und das Ahnungsvermögen der ursprünglichen Menschheit *wiederfinden* will.

> Architecte de mes féeries,
> Je faisais, à ma volonté,
> Sous un tunnel de pierreries
> Passer un océan dompté.   (*Rêve parisien*)

(Erbauer meiner Zauberwelten, ließ ich nach meinem Willen durch ein Gewölbe von Juwelen gebändigt ein Weltmeer fluten. [98*]

Was Baudelaire von Hugo unterscheidet, ist der Wille zur Magie; gleichzeitig gelangt er dadurch in die Nähe der deutschen Romantik, aber auch der Dichtung nach Rimbaud. «Man muß *träumen wollen* und zu träumen verstehen. Beschwörung der Inspiration. Magische Kunst.» [1268*] – «Die Inspiration kommt stets, wenn der Mensch *will,* aber sie geht nicht immer, wenn er will» [1256]. An Delacroix lobt Baudelaire die klare, deutliche Ausführung, deren Ziel es sei, «den Traum möglichst rein wiederzugeben» [1120], und er bewundert Poes Anstrengungen, «den *Dämon der glücklichen Minuten seinem eigenen Willen zu unterwerfen,* um nach Lust und Laune jene wonnevollen Empfindungen, jene geistigen Gelüste, jene Zustände poetischer Gesundheit wieder zu erwecken, die so rar und so köstlich sind, daß man sie in der Tat für dem Menschen von außen zukommende Gnadengeschenke und für Heimsuchungen halten könnte.» [690, 751*]

Dieser letzte Satz ist besonders aufschlußreich, denn er enthält in Kürze Baudelaires gesamte Erfahrung. Er, der Dichter, der sich seiner eigenen Ästhetik bewußt war wie kein zweiter, er bestätigt hier, daß der poetische Schaffensakt eine Willensgebärde sei, setzt aber gleichzeitig dem bewußt gestalteten Kunstwerk ganz klare Grenzen: Es kann lediglich gewisse begnadete Augenblicke, gewisse seelische Ereignisse festhalten, über die der Mensch in keiner Weise gebietet.

Baudelaires Ästhetik ist unzertrennlich verbunden mit seinem geistigen Schicksal und seinem menschlichen Abenteuer. Ihre gedankliche Formulierung mochte er bei Hoffmann oder Poe vorgefunden haben – das ist unwesentlich. Wichtig ist, daß alles, was er darüber sagte, einem tief verwurzelten Bedürfnis entsprang: dem Bedürfnis, das Leid zu verklären, die traumhaften Zustände, die ihn für Augenblicke mit dem Leben aussöhnten, zu verewigen und, indem er so die Einheit seiner selbst zurückgewänne, in der Mannigfaltigkeit der Sinnenwelt die ewige Einheit zu schauen. Es muß hier jene berühmte Stelle aus dem Aufsatz über Poe zitiert werden, wo sich diese geistige Orientierung ganz klar ablesen läßt:

Der wunderbare, unsterbliche Trieb zum Schönen läßt uns die Erde mit ihren Schauspielen für einen Abglanz, eine Entsprechung des Himmels halten. *Der unstillbare Durst nach allem Jenseitigen, der im Leben offenbar wird,* ist der lebendigste Beweis für unsere Unsterblichkeit. Die Seele ahnt in der Dichtung und zugleich durch die Dichtung hindurch, in der Musik und durch die Musik hindurch die Herrlichkeit, die uns hinter dem Grab erwartet; und wenn sich über einem kostbaren Gedicht das Auge mit Tränen füllt, so sprechen diese Tränen nicht etwa von einer Übermächtigung, sie zeugen vielmehr von einer aufgereizten Melancholie, von einem Bedürfnis der Nerven, *von einer in die Unvollkommenheit verbannten Natur, die am liebsten schon jetzt, schon hier auf Erden ein offenbar gewordenes Paradies erobern möchte.* [*]

«*Ein offenbar gewordenes Paradies erobern*», und das schon jetzt – auch Novalis wollte «*schon hier* die höhere Welt erblicken, die aufs innigste mit der irdischen Natur verwebt ist» (S. 239). Nerval wünscht «seinen Traum zu *lenken,* statt ihn zu erleiden», und Rimbauds Wille weicht nicht weit davon ab, wenn er verlangt, der Dichter müsse sich «*zum Seher machen*» und durch die Entfesselung der Sinne ins Unbekannte *eindringen.*

Dennoch enthält Baudelaires Vorhaben ein Element, das bei Novalis und Nerval fehlt, nicht aber bei Rimbaud, nämlich einen prometheischen Trotz, der ihn den Tod anrufen läßt:

> Plonger au fond du gouffre, *Enfer ou Ciel, qu'importe?*
> Au fond de l'Inconnu pour *trouver du nouveau!*   (*Le voyage,* VIII)

(Zur Tiefe des Abgrunds tauchen, Hölle oder Himmel, gleichviel! Zur Tiefe des Unbekannten, etwas Neues zu finden! [689, 127*])

Ein Vorhaben, woran Hugos Verwegenheit anklingt:

> Il ne restait de moi *qu'une soif de connaître,*
> Une aspiration vers ce qui pourrait être,
> Une bouche voulant boire un peu d'eau qui fuit,
> *Fût-ce au creux de la main fatale de la nuit.*   (*Reliquat de Dieu*)

(Es blieb von mir nur noch ein Hunger nach Erkenntnis, ein Verlangen nach dem, was sein könnte, ein Mund, der ein wenig vom fliehenden Wasser trinken möchte, und wenn auch aus der unheilvollen Hand der Nacht. [679, 523*])

Doch bei Baudelaire ist der satanische Einschlag nur die Kehrseite jener geistigen Sehnsucht, die sein Streben als Dichter und Mensch unablässig beherrscht; er ist das Zeichen des Schreckens, der ihn packt, wenn er die außergewöhnlichen Kräfte erringen zu können glaubt, Zeichen der Gewissensbisse, deren dunkle Töne so oft seine reinsten Klänge begleiten.

Das Verlangen, die Welt zu vergeistigen, das sinnlich Gegebene in ein Symbol der «dunklen, tiefen Einheit» zu verwandeln, entspricht bei Baudelaire einem echten Erlebnis der Ekstase und einer angeborenen Neigung. Man hat zuweilen allzuviel Gewicht auf die Theorie der universellen Analogie gelegt, wie sie im Sonett *Correspondances* zum Ausdruck kommt, und dadurch ihren Sinn und ihre Bedeutung bis zu einem gewissen Grad mißverstanden. Man vergaß dabei, daß Baudelaire ein Träumer war und daß die Träumerei die Quelle all seines Dichtens ist. Es gab in seinem Leben Augenblicke der Entpersönlichung, des Ichverlusts und der Verbindung mit den «offenbar gewordenen Paradiesen», die er selbst für die Höhepunkte seines geistigen Lebens gehalten hat, für die seltenen Augenblicke, wo er der Verbannung «in die Unvollkommenheit» und in die Zeit entkam und zur Kontemplation der Ewigkeit gelangte. Es ist müßig, gegen die Bedeutung dieser Erlebnisse die «künstlichen» Mittel ins Feld zu führen, deren er sich möglicherweise bediente, um sie hervorzurufen; wenn er dergleichen zu Hilfe nahm – und das geschah seltener, als man im allgemeinen annimmt –, so beweist dies nur, daß eine Sehnsucht, die sich manchmal bis zur «aufgereizten Melancholie», bis zur nervösen Erregung steigerte, in ihm den Wunsch wachrief, den Weg zu den flüchtig erspähten Paradiesen zurückzufinden. Gerade in den *Paradis artificiels* äußert er sich mit aller wünschbaren Deutlichkeit über das echte Träumen und seinen Gegensatz zu den Illusionen des «materiellen», durch Drogen erwirkten Traums.

Diejenigen, die sich selbst zu beobachten verstehen und ein Gedächtnis für ihre Eindrücke haben, die wie Hoffmann ihr Geistesbarometer zu bauen verstanden, konnten mitunter im Observatorium ihrer Gedanken *schöne Jahreszeiten, glückliche Tage und köstliche Minuten verzeichnen.* Es gibt Tage, wo der Mensch sich jung und kräftig im Geist erhebt. [...] Der Mensch, dem dieses *seltene und flüchtige Glück* geschenkt wird, fühlt sich zugleich künstlerischer und gerechter, mit einem Wort: geadelt. Aber das Merkwürdigste an diesem außergewöhnlichen Zustand des Geistes und der Sinne, den man im Vergleich mit den schweren Nebeln der gemeinen und täglichen Existenz ohne Übertreibung paradiesisch nennen kann, liegt darin, daß er keiner gut sichtbaren und ohne weiteres faßbaren Ursache entspringt. [...] Wir müssen eingestehen, daß sich dieses Wunder oft einstellt, als wäre es das Werk einer höheren und unsichtbaren, außerhalb der menschlichen Reichweite stehenden Macht, und zwar stellt es sich jeweils dann ein, wenn wir unsere physischen Kräfte überfordert haben. [...] Ich für mich halte diesen ungewöhnlichen Geisteszustand für eine *wahrhafte Gnade*, für einen magischen Spiegel, worin sich der Mensch in seiner Schönheit betrachten darf, für eine Art engelhafte Erregung, *einen Ordnungsruf in einschmeichelnder Form.* [689, 347f.*]

Dieser «reizvolle und merkwürdige Zustand», so fährt er weiter, kündigt sich nicht durch vorangehende Symptome an, sondern stellt sich völlig überraschend ein. Er bewirkt eine außergewöhnliche Schärfe des Denkens und weckt die Hoffnung, wir könnten «*durch tägliche Übung unseres Willens*» ein besseres Dasein erringen. Von daher versteht Baudelaire den Drogengenuß. Der Mensch will solche Ekstasen wiederholen, ohne sich davon Rechenschaft zu geben, daß solche unnatürliche, erzwungene Träumereien – ganz anders als die Augenblicke hellwacher Euphorie oder die Eingebungen des Nachttraums – dem Individuum nichts anderes offenbaren als sich selbst.

Im Schlaf, dieser allabendlichen abenteuerlichen Reise, liegt etwas entschieden Wunderbares; er ist ein Wunder, für dessen Geheimnis wir durch die pünktliche Wiederholung abgestumpft worden sind. *Der Mensch hat zweierlei Träume.* Die einen enthalten sein gewöhnliches Leben, seine Sorgen, seine Sehnsüchte, seine Laster, und verbinden sich auf mehr oder weniger bizarre Art mit den Gegenständen, die er während des Tages erblickt hat und die sich auf der großen Leinwand seines Gedächtnisses aufdringlich festklammern. *Das ist der natürliche Traum; er ist der Mensch selbst.*

Und nun die andere Art des Traums! *der unerwartete, absurde Traum*, der völlig ohne Beziehung zum Charakter, zum Leben und zu den Leidenschaften des Schläfers ist – jener Traum, den ich hieroglyphisch nennen möchte; er stellt offensichtlich *die übernatürliche Seite des Lebens* dar. [354*]

Baudelaire besitzt von beidem Erfahrung: vom Nachttraum wie von entsprechenden begnadeten Augenblicken am Tag. Es mag nun allerdings überraschen, daß er von unseren Träumen oder Bewußtseinszuständen diejenigen geringschätzt, die lediglich unser individuelles Leben spiegeln, unser Dasein in der Zeit, und dafür jene andern vorzieht, die uns eine Gemeinschaft mit dem «Übernatürlichen» spüren lassen. Überall zeigt sein Werk den Abglanz von dieser «Atmosphäre der großen Tage». Wer genau hinhört, wird auf Schritt und Tritt Anspielungen auf die ersehnte oder erlangte Seligkeit finden. Sowohl in den *Poèmes en Prose* wie in den *Fleurs du Mal* erscheint immer wieder das gleiche Thema: das der Unvollkommenheit des täglichen Lebens, der Verbannung des Menschen in die *Zeit* und demgegenüber die Versicherung, daß es sowohl hinter den Dingen wie in der Tiefe der Seele eine geheimnisvolle Gegenwart, eine *Gegenwart der Ewigkeit,* gebe. Daher der Horror vor Uhren, daher auch das Bedürfnis, durch die grenzenlose Ausdehnung des Gedächtnisses – zurück in die Reihen der Ahnen und in frühere Leben – über das eigene Dasein hinauszugelangen. «Durch die Schwärze der Nacht hatte er hinter sich in die Tiefe der Jahre zurückgeblickt [...]» [1262].

Eine Stelle aus *Fusées* verdeutlicht den Sinn von Baudelaires Ekstasen:

In gewissen Stimmungen, die fast übernatürlich zu nennen sind, offenbart sich im Schauspiel, das man gerade vor Augen hat, und sei es noch so banal, die ganze Tiefe des Lebens. Es wird zu deren Symbol. [1257]

Und der erste Satz von *Mon cœur mis à nu* läßt noch deutlicher erkennen, was Baudelaire mit dieser Flucht aus der Zeit meinte: «De la vaporisation et de la centralisation du *Moi*. Tout est là» [1271] – «Von der Verflüchtigung und von der Verdichtung des Ichs. Daran hängt alles.» Dem Ich entrinnen oder, besser: es zur Auflösung, zur Vermischung mit den Dingen bringen, das bedeutet zugleich: dem Ich seine höchste Konzentration geben. Wir stoßen hier wieder auf die Etappen von Rousseaus Träumerei und auf jenes Element der Gegenwart, auf jenes «Seinsgefühl», das der pantheistischen Trunkenheit eines Maurice de Guérin abgeht. Die Analogie zwischen Rousseau und Baudelaire ist jedoch nicht so vollkommen, daß die bloße Euphorie des einen mit jenem Versuch des andern verwechselt werden könnte, sich des Traums zu bemächtigen. Durch den Verlust des Bewußtseins und das Verstummen der künstlerischen Vermögen der Zeit entfliehen bedeutet für Baudelaire nur den ersten Schritt, dem sich weitere anschließen: die Meditation zunächst, dann das künstlerische Engagement.

Nichts ist in dieser Hinsicht aufschlußreicher als die Argumente, die er gegen den Haschischgenuß und die dadurch ausgelösten Wahrnehmungen ins Feld führt. Die einen tragen seinem Gefühl für das Sündhafte Rechnung sowie dem Heilsdrama, in das sich sein ganzes geistiges Leben einordnet; sie gehören in die Geschichte seiner Seele. Die andern aber machen deutlich, daß Baudelaires dichterisches Werk unmittelbar aus seinen Augenblicken der Entpersönlichung hervorgeht und aus den philosophischen Folgerungen, die er daraus zog. Es ist dem Menschen nicht erlaubt, die «Grundbedingungen seines Daseins zu verrücken» und Magie zu Hilfe zu nehmen, die um so teuflischer ist, je unfehlbarer sie wirkt; außerdem löscht der Drogengenuß den Willen aus, verhindert also die «*anhaltende Arbeit und Kontemplation*». Wer sich der Droge ausliefert, kann, auch wenn er darin tatsächlich ein neues Erkenntnismittel finden würde, niemals fähig sein, das auszudrücken, was er gesehen hat; denn der Dichter verdankt der Arbeit ebensoviel wie der Ekstase. [383–387*]

Die religiösen Motive lassen sich bei Baudelaire von den ästhetischen Motiven nicht trennen. Das Bedürfnis, sich der Tyrannei der Zeit zu entziehen und sich in der Ekstase aufzulösen, entspringt seinem Unendlichkeitsverlangen und seinem Schönheitskult; beides hat er bis zum Moment seiner letzten geistigen und moralischen Qualen stets miteinander verbunden. Es genügte ihm nicht dann und wann jene innere Gegenwart der Ewigkeit verspürt zu haben, die ihn

wie nichts sonst über seine irdische Verbannung hinwegtröstete. Aber ebensowenig genügte es ihm, sich vom bloß passiven Erleben emporgeschwungen
zu haben zur Spekulation über die einzige wirkliche Einheit, von der alle Dinge
nur die mehr oder weniger transparenten Symbole sind. Er pflegte in seinem
Innern einen «Kult der Bilder, meine große, meine einzige, meine ursprüngliche
Leidenschaft», und besaß «einen von Kindheit an lebendigen Sinn für plastische
Vorstellungen»; beides verwies ihn auf die poetische Magie [1295]. Wenn sich
alle Empfindungen «entsprechen» und wenn sie alle die umfassende Einheit
symbolisieren, so gibt es nur ein Mittel, unsere Verbindung mit dieser All-Einheit wiederherzustellen – mindestens außerhalb der Augenblicke, wo sie unvermutet durch die Gnade gestiftet wird –: die Arbeit des Dichters nämlich,
der nach Formen sucht, nicht um ihrer selbst, sondern um deswillen, was sie
bedeuten. Indem der Dichter die Dinge in ihre ursprüngliche Beziehung zurückbringt, hofft er die kosmische Einheit in seinem Bewußtsein neu zu schaffen,
neu zu schaffen auch für die andern. Aber kaum hat Baudelaire diesen Sinn
des Werks erkannt, befällt ihn auch schon der Zweifel. Dennoch bleibt er der
Begründer dieses magischen Versuchs, den nach ihm andere wiederaufnehmen
werden.

Er indessen verliert die Hoffnung, mit diesem Mittel «eine Welt verlassen zu
können, wo die Tat nicht die Schwester des Traums ist», und müht sich damit
ab, den Weg eines moralischen Fortschritts zu suchen [115]. Am Ende seines
Lebens, wo seiner Brust nur noch der Aufschrei der Angst und das erschütternde
Gebet entsteigt, wird er den Traum, von dem er so viel erwartet hatte, ver-
leugnen; ja er wird seinen moralischen Untergang auf eben diesen «Hang zur
Träumerei» zurückführen, der ihn zwanzig Jahre seines Lebens verlieren ließ
und ihn «tiefer gebracht hat als manchen Rohling, der den ganzen Tag arbeitet»
(Brief an die Mutter, 4. Mai 1865). Der Verlust des Ichs «in der Größe und
Erhabenheit der Träumerei», einst das Ziel seiner Wünsche, ist dann in seinen
Augen nichts als ein Versagen vor der Arbeit [232].

IV

Nuit blanche de glaçons et de neige cruelle!

MALLARMÉ

Mallarmé und Rimbaud führen die Bestrebungen der Romantik bis an zwei
verschiedene Grenzen des Möglichen fort. Der ‹Traum› gewinnt beim einen wie
beim andern eine bestimmtere, aber auch begrenztere Bedeutung als bei den Vorgängern; diese Begrenzung vollzieht sich jedoch in zwei entgegengesetzten Richtungen, die beide in der Baudelaireschen Mystik angelegt sind.

Die ‹analogische› Auffassung von der Welt läßt sich auf verschiedene Weise interpretieren: Entweder «entspricht» der Mensch in seinem unwillkürlichsten, unbewußtesten Leben und nur darin der kosmischen Wirklichkeit; deren Rhythmen und Bewegungen sind in seinem Innern vor- oder nachgebildet. Das Wirkliche oder Bruchstücke des Wirklichen zu erkennen, gibt es keine andere Möglichkeit, als im Dunkeln die Gestaltungen reifen zu lassen, bis sie von selbst daraus hervorgehen. Eine solche Erfahrung beginnt mit der passiven Hingabe an die Träumerei. Ein wachsendes Vertrauen in alle ‹Zufälle› des verborgenen Lebens wird Rimbaud und dann die Surrealisten in den Stand setzen, die Erkenntnis in dieser Richtung sehr weit voranzutreiben.

Oder aber – und diesen zweiten Weg wird Mallarmé und nach ihm Valéry einschlagen – man hält die Kunst, das *Werk* des Künstlers für befähigt, diese Analogie, diese Ähnlichkeit mit dem Weltbau zu erreichen. In diesem Fall versucht man die alltäglichen Sinnes- und Verstandeswahrnehmungen nicht durch die geheimnisvollen Bilder des Traums und die scheinbar zufälligen Assoziationen von Dingen im unbewußten Leben des Denkens zu ersetzen, sondern durch andere ‹Zufälle›, solche, die ein Sprachkünstler dadurch erreicht, daß er bei der Zusammenstellung der Wörter ausschließlich den Forderungen des Rhythmus, des Wohlklangs und der unerklärlichen Lust an ungewöhnlichen Konstellationen gehorcht. Während es sich eben noch darum gehandelt hatte, das Leben jener Regionen, wo sich die Bilder gefühlsmäßig aneinanderreihen, ohne jede willentliche Intervention zu empfangen und zu fassen, geht es nun um die Sprachzeichen, und zwar möchte man sie so zusammenfügen, daß keine Ritze mehr bleibt, durch welche das Leben im Rohzustand eindringen könnte.

Mallarmé empfiehlt, *«die Initiative den Wörtern zu überlassen»*. Und Rimbaud erklärt: *«Ich bin dabei, wenn der Gedanke in mir durchbricht.»*

Wie weit immer diese beiden Haltungen auseinandergehen, unvereinbar sind sie nicht. Denn wie anders soll der unbändige Fluß innerer Bilder gefaßt werden, wenn nicht durch Wörter? Und wird man nicht, sobald man eine universelle Analogie zwischen diesen Bildern und allem Übrigen anerkennt, zwangsläufig dazu kommen, diese Analogie auf die Wörter selbst auszudehnen? In dem, was ich spontan und unter möglichst reduzierter Kontrolle durch den Verstand ausspreche, erkenne ich einen Ausdruck meiner selbst. Ja mehr noch: einen Ausdruck des Wirklichen.

Und umgekehrt: Beruht nicht das Vertrauen des Sprachkünstlers in die Verbindung der Wörter auf eben diesem Glauben an eine natürliche und notwendige Beziehung zwischen Wort und Wirklichkeit? Wenn, nach Mallarmé, die Wörter nicht einfach Münzen sind, die im alltäglichen Verkehr unmittelbar getauscht werden können; wenn sie dank einer «essentiellen» Kraft viel eher durch ihren Klang, durch ihre eigentümliche Suggestion, durch ihr Kolorit wirken als durch ihre Bedeutung, ist es vielleicht darum, weil sie auf jene Reaktionen abzielen, die für die «ursprünglichen» oder «unbewußten» oder «irrationalen» Schichten unseres Seins typisch sind?

Beide Überzeugungen lassen sich theoretisch aus der gleichen mystischen Einsicht herleiten, und beide führen zu einer Kunst des Symbols; aber sie sind nicht gleicher Art. Auch die Dichter in Baudelaires Gefolgschaft unterscheiden sich je nach ihrer persönlichen Ausrichtung, nach ihrer Erfahrung von der Dichtung, nach ihrem Naturell, nach dem religiösen oder spekulativen Grund, worin ihr ästhetischer Mystizismus verwurzelt ist.

In Mallarmés Welt sind jene Bilder aufschlußreich, welche die Sehnsucht nach Reinheit, nach Unschuld ausdrücken. Alles Farbige will in Weiß aufgehen, alles Gegenständliche in der «absence» verschwinden, alle Rede ins Schweigen zurücksinken. Die Leere übt auch auf die Materie eine eigentümliche Anziehung aus, so daß sich diese um so mehr verflüchtigt, je stärker sie vom dichterischen Wort beschworen wird. Aber so wie der Mystiker die ‹normalen› Fähigkeiten des Ichs einzig dazu unterdrückt, um an die Stelle ihrer trügerischen Tätigkeit das passive Warten auf eine höhere, wirkliche und wirkungsvolle Aktivität zu setzen, so stößt auch der Dichter von der Art Mallarmés nur deshalb alles Stoffliche in den Abgrund des Nicht-Seins, damit einzig die reine Idee des verschwundenen Gegenstandes, seine vollkommene Gestalt, sein unwandelbares Wesen fortbestehe. Der Mallarmésche ‹Traum› ist dieses Universum der Wesenheiten, das den Dichter unwiderstehlich lockt und den Gegensatz zum verachteten Leben bildet. In dieser seltsamen Mystik fordert die geistige Vision, unterstützt von einem bewußt unregelmäßigen Sprachgebrauch, die restlose Aufopferung des vergänglichen Daseins. Die Eroberung des ‹Traums› bedeutet für Mallarmé zweifellos die Erfüllung des eigenen Schicksals. Sie gelingt ihm jedoch nur, indem er gerade dieses Schicksal in seiner individuellen Gestalt aus dem Sein ausschließt. Vom Drama der nach ihrem Heil suchenden Kreatur findet sich im Gedicht kein unmittelbarer Ausdruck. Dieses hält nur die Form dessen fest, was an sich ohne Form ist.

> Exclus-en si tu commences
> Le réel parce que vil.

(Schließe davon, wenn du beginnst, das Wirkliche aus, denn es ist gemein. [706, 73])

In diesem geistigen Paradies erhebt keine der menschlichen Urängste, keine der Urhoffnungen ihre Stimme. Die Qualen der Kreatur, die stummen, dumpfen Revolten der Triebe, des Fleisches, der Leiden, die jäh aus dem Innern aufsteigenden Gespenster haben keinen Platz in dieser Magie, denn sie läßt nur die vollkommene Transparenz zu.

> Je me mire et me vois ange! et je meurs, et j'aime
> – Que la vitre soit l'art, soit la mysticité –
> A renaître, portant mon rêve en diadème,
> Au ciel antérieur où fleurit la Beauté!   *(Les fenêtres)*

(Ich spiegle mich und sehe mich als Engel! und ich sterbe und – die Glasscheibe möge zur Kunst, zur Mystik werden – ich möchte, meinen Traum im Diadem, im früheren Himmel zu neuem Leben erwachen, dort wo die Schönheit blüht. [33])

Es dürfte unmöglich sein, den Willen zur Verklärung der Wirklichkeit, den die deutschen Romantiker proklamiert hatten, weiter zu treiben, als dies Mallarmé tat. Aber auf dieser Stufe der Reinheit und an dieser Grenze zum Absurden läßt sich das Vorhaben der Romantiker kaum noch wiedererkennen. Selbst in ihrer kühnsten Verneinung der Wirklichkeit, in der Vorstellung, die sie sich zuweilen von einem unumschränkten Überbewußtsein oder – was für sie oft aufs gleiche hinauslief – von der Heraufkunft des Traums machten, gingen sie niemals bis zu der unmenschlichen Entsagung eines Mallarmé. Ein jeder ihrer Versuche bleibt aufs engste mit einer Frage verbunden, die aus allen Schichten des Seins kommt und auf das persönliche Heil hinzielt. In der Engelhaftigkeit des Mallarméschen Traums hätten sie ihr Geschlecht nicht wiedererkannt, denn es fehlen darin die Angstgespenster und die tröstlichen Vermittlergestalten.

> Ame sentinelle,
> Murmurons l'aveu
> De la nuit si nulle
> Et du jour en feu.   RIMBAUD

Über Leben und Werk Rimbauds hätten sie sich wohl nicht derart erstaunt gezeigt, denn im Antlitz dieses Jünglings, der in ihrer Nachfolge kraft poetischer Magie in die Sinnenwelt eine Bresche schlagen wollte, um ins Absolute zu gelangen, hätten sie brüderliche Züge erkannt. Die Gewaltsamkeit seiner Revolte, seines Zorns, das undurchdringliche Geheimnis seines Schweigens, Rimbauds Schicksal überhaupt, all das bildet einen Mythos, der sie gewiß stark angezogen hätte. Sein Wunsch, wieder zum Wilden zu werden, sein Verlangen, alles, was der Mensch im Verlauf der Geschichte für seine Eroberungen und seinen Fortschritt gehalten hat, außer Kraft zu setzen, war ihrer Sehnsucht nach dem Ursprünglichen nicht so fremd, als daß sie darin nicht eine Fortsetzung ihres eigenen Suchens erkannt hätten, das hier allerdings mit weit größerer Kühnheit betrieben wurde. Aber hätten sie wohl atmen können in der Atmosphäre von Rimbauds Traum? Die Grelle dieser Welt, die Klarheit, die diamantene Härte, diese Zauberwelt aus Metall und Kristall hätte Wesen wie sie verletzt, für die das Undeutliche, die Verwischung der Linien, das Fliehende an den Erscheinungen einer zu Musik aufgelösten Welt die Zeichen des erträumten Paradieses waren. Von den deutschen Romantikern, deren wesentliche Bestrebungen er unwissentlich alle wieder aufnimmt, trennt ihn weder sein Vorhaben noch sein großes, beispielhaftes Abenteuer, sondern sein Klima, der Stil seiner Dichtung. Gewiß, auch den Arnimschen

Traum erfüllen Objekte und Gestalten von einer eisigen Reinheit; aber statt bei ihrem Anblick trunkene Freude zu empfinden und ihre Reinheit der unreinen Welt entgegenzuhalten, in der wir leben, empfängt Arnim aus seinen Visionen nur Angst und Schrecken.

Dennoch lassen sich die charakteristischen Schritte der romantischen Mystik bei Rimbaud leichter wiederfinden als bei Mallarmé. Auch seine Einbildungskraft herrscht von Kindheit auf in der Einsamkeit. «In einem Speicher, in dem ich mit zwölf Jahren eingesperrt war, habe ich die Welt kennengelernt, habe ich die menschliche Komödie illustriert» [693, 265]. Und auch bei ihm stoßen wir auf die verzweifelte Klage um eine Vergangenheit, die identisch ist mit der Kindheit wie auch, weiter zurück in der Tiefe der Jahre, mit einem früheren Leben, das irgendeiner unerklärlichen Verfehlung wegen jäh abbrach.

Hatte ich nicht *einmal* eine liebenswürdige, heldische, märchenhafte Jugend, die ich auf goldene Blätter hätte aufzeichnen mögen – zu viel des Glücks! Um welches Verbrechens, um welches Irrtums willen habe ich meine jetzige Schwäche verdient? Ihr, die ihr behauptet, daß Tiere vor Leid schluchzen, daß Kranke verzweifeln, daß Tote böse Träume haben, versucht meinen Sturz und meinen Schlaf zu erzählen! *(Une Saison en Enfer*: Matin)

Er, der von seiner Mutter nur Härte erfuhr und mit Auflehnung und «bösem Blut» entgegenwirkte, beschwört «der Mutter Traum, das flaumige Nest», worin die Kinder

Wie schöne Vögel, die der Bäume Zweige wiegen,
In süßem Schlaf voll weißer Visionen liegen!
(Les Étrennes des Orphelins, übertragen von W. Küchler)

Am Ausgang dieses fernen Paradieses gewahrt er die Schrecken des menschlichen Lebens. Und die Verfehlung scheint ihm in der Zustimmung zu diesem Leben zu bestehen, das sich die Menschheit geschaffen hat; zu diesem Leben mit seiner «bleichen Vernunft», die das Unendliche verdeckt, mit seinen armseligen Freuden und seinem «Glück, dem keiner entgeht» [234]. Aber statt dieses Glück in eine höhere Harmonie aufzuheben oder aber durch eine verklärende Kontemplation zu vernichten, macht Rimbaud «auf jede Freude, um sie zu erdrosseln, den dumpfen Sprung des Raubtiers» [211]. Sein Mund ist voll Schmähungen; nichts ist sicher vor seiner Zerstörungswut. Sein Nein kennt keine Grenzen. Darf man darin aber nicht doch, trotz dem völlig neuartigen Ton der Raserei, eine der magischen Hoffnungen der Romantik wiedererkennen – freilich in rasender Übersteigerung? Wenn Rimbaud alles Irdische weit von sich stößt, so deshalb, weil auch er nach einem flüchtig erspähten Paradies ausschaut, dem er sich zugehörig fühlt. Das Vergehen liegt nicht nur in der Zustimmung zum Dasein, sondern im Dasein selbst. Die Schuld gehört zur menschlichen Bedingtheit, zu diesem Leben, wo uns alles, worauf wir stolz sind, *abtrennt* und wo uns die wahren Freuden verwehrt sind. Es geht darum, diese Bindungen zu zerstören und, koste es, was es wolle, die Methoden wiederzufinden, die uns instand setzen, entweder Herr der Welt zu sein oder uns in die kosmische Unendlichkeit aufzulösen. Sind wir endlich frei, so können wir zu Demiurgen werden – «*Ich glaubte übernatürliche Kräfte zu erlangen*» [240] –, oder wir gehen durch die Preisgabe alles abgesonderten Bewußtseins ins totale Vergessen ein, das allein uns das Sein zurückgeben kann.

> Elle est retrouvée.
> Quoi ? – L'Éternité.
> C'est la mer allée
> Avec le soleil.　　*(L'Éternité)*

(Sie ist wiedergefunden. Was? – Die Ewigkeit. Es ist das Meer, mit der Sonne gegangen.)

Rimbaud erwartet die Ekstase, die ihm die Kontemplation der Ewigkeit verschaffen soll, von einer intensiven Hingabe an die Empfindungen, wenn man so sagen kann. Indem er sich selbst in die Unermeßlichkeit des besonnten Meeres auflöst, wird er zum «*goldenen Funken des Lichtes Natur*» [232]. Als ein «Barbar», der aus freien Stücken auf seine erworbenen Fähigkeiten verzichtet, sehnt er sich nach einer Zeit «lange nach den Tagen und den Zeiten und den Wesen und den Ländern» *(Barbare);* ihre Verheißung wird er in sonderbaren Rauschzuständen empfangen, wo er mit der Natur eine Hochzeit feiert, die im völligen Verlust des Bewußtseins endet.

Aube

J'ai embrassé l'aube d'été.

Rien ne bougeait encore au front des palais. L'eau était morte. Les camps d'ombres ne quittaient pas la route du bois. J'ai marché, réveillant les haleines vives et tièdes, et les pierreries regardèrent, et les ailes se levèrent sans bruit.

La première entreprise fut, dans le sentier déjà empli de frais et blêmes éclats, une fleur qui me dit son nom.

Je ris au wasserfall blond qui s'échevela à travers les sapins: à la cime argentée je reconnus la déesse.

Alors je levai un à un les voiles. Dans l'allée, en agitant les bras. Par la plaine, où je l'ai dénoncée au coq. A la grand'ville, elle fuyait parmi les clochers et les dômes, et, courant comme un mendiant sur les quais de marbre, je la chassais.

En haut de la route, près d'un bois de lauriers, je l'ai entourée avec ses voiles amassés, et j'ai senti un peu son immense corps. L'aube et l'enfant tombèrent au bas du bois.

Au réveil il était midi.　*(Les Illuminations)*

(Ich habe die Sommermorgenröte umarmt.

Noch rührte sich nichts vor den Palästen. Das Wasser war tot. Die Schattenfelder verließen die Waldstraße noch nicht. Ich schritt dahin und weckte die regen linden Lüfte; und die Edelsteine blickten hervor, und lautlos hoben sich die Schwingen.

Das erste Abenteuer auf dem Pfad, über den sich der frische, blasse Glanz ergoß, war eine Blume, die mir ihren Namen sagte.

Ich lachte dem blonden Wasserfall zu, dessen Strähnen durch die Tannen herniederfielen: Auf dem silbrigen Gipfel erkannte ich die Göttin.

Da hob ich die Schleier, einen um den andern. In der Allee, mit schwingenden Armen. Auf dem Weg durch die Ebene, wo ich sie dem Hahn verraten habe. In der großen Stadt, da floh sie durch die Türme und Kuppeln; und wie ein Bettler über die marmornen Dämme eilend, jagte ich sie.

Hoch oben auf der Straße, nah bei einem Lorbeerhain, hab' ich sie umschlungen mit ihren zusammengerafften Schleiern, und ein wenig hab' ich ihren ungeheuren Leib gespürt. Die Dämmerung und das Kind fielen hin auf den Boden des Hains.

Als ich erwachte, war es Mittag.)

Am meisten überrascht, ja bestürzt sind wir von der Nüchternheit, mit der Rimbaud seine Ekstasen wiedergibt. Da ist kein Wort zuviel. Der Sprache geht jeder Schmuck, jede Gefühlsschwingung ab, und gerade dadurch erlangt sie höchsten Glanz. Ein völlig unauffälliger, äußerst kunstvoller Rhythmus genügt, damit sich die Wörter von selbst dem oberflächlichen Gebrauch und der Alltäglichkeit entreißen und eine andere Bedeutung, aber auch eine ganz eigentümliche Musikalität gewinnen. Jene höchste Begeisterung von der Fahrt durch Weltenräume, die bei Jean Paul oder Victor Hugo einem ungeheuren Wortschwall die Schleusen öffnet, bannt Rimbaud in eine einzige rhythmische Gebärde.

J'ai tendu des cordes de clocher à clocher; des guirlandes de fenêtre à fenêtre; des chênes d'or d'étoile à étoile, et je danse. *(Phrases)*

(Ich habe Seile gespannt von Kirchturm zu Kirchturm, Blumengewinde von Fenster zu Fenster, goldene Ketten von Stern zu Stern, und ich tanze.)

«Zunächst war es nur eine Übung» [228]. In seiner grenzenlosen Sehnsucht nach einem verlorenen Paradies will sich Rimbaud schon hienieden der Unschuld bemächtigen, die dem Menschen verwehrt ist. Kein Mittel läßt er unversucht, diesen Willen zu verwirklichen. Seine Revolte, die sich anfänglich gegen alles richtete, was ihm vor Augen kam und ihn an die menschliche Bedingtheit erinnerte, wird noch ehrgeiziger. Mit Schmähungen ist es nicht getan; man muß das Instrument, muß die Formel finden, die es möglich macht, «*das Leben zu verwandeln*» [225]. Da das Bewußtsein ein Hindernis ist, da der herrliche Tanz des goldenen Funkens im Licht erst dann anhebt, wenn die verborgenen Kräfte zur Herrschaft gelangen, wird er alles daransetzen, sich planmäßig aufzulösen und in sich alle jene Kräfte zu zerstören, die ans Dasein in der Vereinzelung gebunden sind. «Das wahre Leben ist woanders. Wir sind nicht auf der Welt» [224]. Aber was hindert uns, den Zugang zum «wahren Leben» zu suchen?

Es erübrigt sich, einmal mehr den berühmten *Seherbrief* zu zitieren, worin Rimbaud, nachdem ihn diese Einsicht jäh überfallen hat, die Poesie zum Erkenntnismittel weiht. Der Dichter ist nicht Autor seines Werks, wie sich das «alte Dummköpfe» vorstellen, welche das Individuum bei der Erkenntnis des Ichs aufhalten. Solange sich der Mensch an diese einfältige Psychologie von einem geschlossenen Individuum hält, bleibt er das sinnlose, schwächliche Geschöpf, dem Rimbauds Wutausbrüche gelten. Was sich an Gültigem in uns ereignen kann – an erster Stelle die Geburt der Poesie –, vollzieht sich, wenn einmal die Vernunft und das Bewußtsein zum Schweigen gebracht sind, «in der Tiefe». Der Dichter kann «ins Unbekannte gelangen», vorausgesetzt, daß er sich zu einer besonderen Askese entschließt, die ihn von den künstlichen Fähigkeiten befreit und keine andere Stimme in ihm aufkommen läßt als jene, die nicht mehr die seine ist. Es soll ihm darum gehen, die Erfahrung jener Zustände zu verlängern oder zu verewigen, wo das Ich nicht mehr sich selbst wahrnimmt, sondern nur noch der Ort eines Ereignisses, einer Gegenwart ist. «*Ich* ist ein anderer.» Der Dichter soll seine Seele lehren, «das Unsichtbare in Augenschein zu nehmen und das Unerhörte zu hören».

Aber an diese Selbstbescheidung des Bewußtseins, das einsieht, daß es das Wirkliche nicht erfaßt, schließt sich in Rimbauds Meditation sogleich der zweite Schritt an. Der Dichter, der weiß, daß sich das Wunder in ihm ereignen **kann**, bietet seinen ganzen *Willen* auf, um es auch hervorzurufen. Als «Dieb des Feuers» scheut er vor keiner Qual, keinem Gift, keinem Fluch zurück. Die «lange, grenzenlose, vernunftgelenkte Entfesselung aller Sinne» wird ihm zu seiner Sehergabe verhelfen. Und hat er *gesehen,* so wird er davon *sagen,* wird er «eine Sprache finden» müssen. Rimbauds Versuch hat nichts gemein mit jener Suche nach der Sensation um ihrer selbst willen, die ihm ein oberflächlicher Ästhetizismus andichtet. Niemand war weiter entfernt von ‹Literatur›, niemand näher am Kern der *Poesie* als er. Rimbauds Sprachgebrauch rechtfertigt sich einzig aus diesem Willen, zu erfassen, was mit keinem andern Mittel erfaßt werden kann. «Ich schrieb das Schweigen, die Nächte; das Unaussprechliche zeichnete ich auf» *(Alchimie du Verbe)*.

Aber wer sich des Traums bemächtigen will, begibt sich in Gefahr. Das Gefühl, unter einem Fluch zu stehen, das sich von Baudelaire bis Hugo an die prometheischen Bestrebungen knüpft, lastet in seiner ganzen Schwere auch auf Rimbauds Unternehmen. Freilich, im Augenblick der Revolte, als er die Bedeutung seiner inneren Erleuchtung entdeckt, spottet er des Fluchs; vermessen fordert er die Schrecken auf sich herab, die auf den Dichter warten, auf den «großen Verbrecher, den großen Verfemten – und den höchsten aller Wissenden». Bald jedoch folgen die Qualen der *Saison en Enfer:* Er, der eben noch geglaubt hatte, er könne der menschlichen Bedingtheit entfliehen, indem er sich seinen Traum erschüfe, er, der eingewilligt hatte, sich selbst zu zerstören, um zur Seligkeit der Erkenntnis zu gelangen, er verzichtet darauf, das magische Abenteuer weiterzuführen. Denn sein Schicksal sparte ihm noch einen andern Gebrauch des Wortes auf: Reue und Zweifel erwachen plötzlich in ihm, und damit der ganze Kampf gegen den Andrang von Bildern, an die sich seit der Kindheit die Idee der Schuld, der Maßlosigkeit, des Verbotenen geknüpft hatte. «Der Schrecken kam» [233], denn zwischen der verzweifelten Revolte des

Feuerdiebs und dem Durst nach der demütigen Erhebung des Mystikers vollzog sich in ihm ein erbarmungsloser Kampf. Wo sollte er Klarheit suchen, wenn nicht auch jetzt noch im Wort und im Ausdruck?

Das Werk, das zur Zeit der *Illuminations* die Würde des außerordentlichen, verbotenen Erkenntnismittels gewonnen hatte, wird nun in der *Saison* eins mit dem geistigen Kampf, der «ebenso brutal wie die Männerschlacht» ist [241]. Indem er schreibt, indem er dem dichterischen Wort aufträgt, mit Bildern den noch verborgenen Sinn seines eigenen Schicksals festzuhalten, sucht jetzt Rimbaud der fürchterlichen Drohung zu entgehen, die er in sich verspürt. Und tatsächlich führt die *Saison en Enfer* – wie jene andere «Höllenfahrt»: Nervals *Aurélia* – das persönliche Problem ihres Autors der Vollendung und Lösung zu; ein lebenswichtiges Problem, das des Heils, das sich freilich nicht auf irgendeinen ideologischen Kampf zurückführen läßt. Diese Lösung war nur auf der Ebene des Mythos möglich, und es ist sinnlos, sie durch eine Doktrin zu ‹erklären› oder zu ‹übersetzen›, der sich Rimbaud angeschlossen hätte. Sicher ist nur, daß nach den Qualen der *Saison* eine Linderung eintritt und der Hochmut einer Bescheidung weicht. Es bleibt ihm nichts anderes, als «die runzlige Wirklichkeit zu umarmen» [240]. Diesem Geheimnis gegenüber ist jede Deutung taktlos und notwendig falsch. Wahr und überzeugend bleibt allein der Mythos mit seiner unergründlichen Entscheidung. Und es bleibt eine gewisse Klarheit zurück über den Sinn der Poesie; einer Poesie, die sich vom durchlaufenen Abenteuer nicht unterscheidet, die es nicht ‹ausdrückt›, sondern daran teilhat. Wie der Dichter der *Hymnen an die Nacht* und der Dichter der *Aurélia* macht auch Rimbaud zwischen seinem ‹Traum› und seinem ‹Leben›, zwischen dem Akt der poetischen Beschwörung und den Stufen der Erkenntnis oder des Heils keinen Unterschied.

V

> ... Le désir d'un désir ou le rêve d'un rêve.
>
> André Fontainas

Nach den großen Abenteurern des Traums, Rimbaud und Baudelaire, geht, wie im Anschluß an die eigentlichen Romantiker Deutschlands, eine neue Generation bei den Älteren in die Lehre und übernimmt – wenn auch ohne die gleiche innere Notwendigkeit – ihre Erbschaft. Die ‹Symbolisten› bedienten sich des Traums und der magischen Poesie bis zu einem gewissen Grad auf ganz ähnliche Weise wie die Epigonen der deutschen Romantik. Für Baudelaire und Nerval, für Hugo und für Rimbaud war die Fahrt in die Traumlande, genau wie für Novalis und Arnim und Hoffmann, ein gefahrvolles Abenteuer gewesen, eine grenzenlose Hoffnung, zuweilen auch eine fürchterliche Prüfung, und für einen jeden dieser Dichter war es dabei stets um ein Spiel auf Leben und Tod

gegangen. Nun kommen andere, etwa Eichendorff, Mörike, Heine. Für sie ist der
‹Traum› jederzeit ein musikalisches Motiv, ein Mittel, dem Gedicht jene Verschwommenheit, jene süße Unwirklichkeit zu geben, bei der man eine Art
ästhetischen Genuß zu empfinden beginnt. Ihre großen Brüder hatten die Sinnenwelt einzig dazu für unwirklich erklärt, um mit einer zeitlosen Wirklichkeit in
Verbindung treten zu können, und die Sehnsucht darnach war in ihrem tiefsten
Wesen verwurzelt. Ihre nächsten Erben, von der metaphysischen Angst minder
bedroht und in der Entgegnung darauf weniger kühn, bewahren wohl das
Bedürfnis nach Flucht. Aber alles Dramatische am geistigen Streben, ja so oft auch
am schrecklichen Scheitern der ersten «Seher» hat sich inzwischen abgeschwächt.

Der Symbolismus wird dieser zweiten Romantik gleichen und wie sie eine
Reihe sehr bedeutende Dichter hervorbringen. Aber keiner von ihnen ist vom
Schlag jener «Erwählten» oder «Verfemten», die mittels der Dichtung und durch
die Dichtung hindurch nach Gewißheiten suchen, ohne die sie nicht leben könnten.
Mallarmé liegt ihnen näher als Rimbaud. Ihr Werk ist beachtlich; es bereichert,
verfeinert und befreit die poetische Sprache und setzt die von der Romantik
eingeleitete Revolution fort, welche die französische Sprache wieder dem
Lyrischen zugänglich macht.

Der Traum wird diesen Dichtern ein bevorzugtes Klima bieten und ihnen als
Modell für ihre ästhetischen Untersuchungen dienen. Keiner von ihnen war
‹primitiv› genug oder stand mit der Bilderwelt in einem so ursprünglichen
Verhältnis, daß sein fortwährendes Träumen eigenmächtig und gewaltsam bis zur
Oberfläche des Gedichts hätte durchdringen können. Diese Intellektuellen
schwärmen für das Ursprüngliche, aber es fehlt bei ihnen der Durchgang durch
die tiefen Ängste eines Baudelaire, der nicht etwa über ein geringeres Bewußtsein
verfügte, aber ganz natürlich dazu neigte, dem Bewußtsein zu entfliehen. Sie
nahmen Zuflucht zum Nachttraum und suchten seine Stimmung durch bestimmte
Praktiken und durch beständige explizite Anspielungen auf den Traum nachzuahmen. Verglichen mit den verheerenden Einbrüchen der tiefen Träume in die
Welt Rimbauds, aber auch mit den fernen, reglosen Träumen Mallarmés, haben
diejenigen der Symbolisten etwas Künstliches – was freilich gerade ihren unendlichen Reiz ausmacht. Gärten, Springbrunnen, kostbare Gewänder, wunderbare Schloßherrinnen, eine Welt der Anmut und Eleganz bildet die Traumlandschaft dieser Epoche. Es ist nun einmal so: Die Träume widerspiegeln
genau die Freuden und Schauspiele, welche die Phantasie ersinnt und ersehnt.
Von jener Nacht des Seins, von den gefährlichen Abgründen und den paradiesischen Gefilden, in welche die großen Abenteurer eindrangen, sind wir hier
jedoch weit entfernt.

Auch der Sarkasmus taucht auf, wie einst bei Heine. Bei Laforgue zum
Beispiel macht sich der Traum über das so «alltägliche» Leben lustig, aber dieses
unterbricht seinerseits wieder jäh den Traum – eine bittere Ironie, die doch nur

eine Form der Sehnsucht ist. Ein allzuhelles Bewußtsein hindert den modernen
Menschen daran, in die inneren Abgründe hinabzusteigen und, wie er es eigentlich wünschte, das wohltuende Klima des verborgenen Lebens heraufzubeschwören. Er macht aus seinem eigenen Dualismus, aus der ihm verwehrten Rückkehr
zur Einheit eine Komödie.

Nach und nach verliert der ‹Traum› bei den Symbolisten seine geheimnisvolle,
dunkle Tiefe; zurück bleibt nur noch eine künstliche Welt, in der man Zuflucht
sucht. Diese Flucht ist nicht etwa würdelos. Wenn sie auch nicht mehr die beklemmende tragische Schönheit der großen geistigen Kämpfe besitzt, ist sie doch
Ausdruck einer Sehnsucht und eines Kults: der Sehnsucht nach einer Vollkommenheit, die von der eifersüchtigen Wachsamkeit des Verstandes zerstört
worden ist; des Kults einer von der freien Phantasie erschaffenen Schönheit. Auch
wenn der Symbolismus seiner Mattigkeit und Blässe wegen nach wenigen Jahren
fade wurde, war er doch einer der letzten Augenblicke, wo die Menschheit durch
den gemeinsamen Einsatz ihrer Dichter dem zum Durchbruch zu verhelfen suchte,
was in ihr nach Schönheit strebt. Niemand war fähig, diesem Glauben an die
Schönheit bis zum letzten nachzuleben. Aber da und dort überzeugte man sich
davon, daß das Schauspiel im Innern, selbst wenn es Kunstgriffen mehr verdankt
als der Spontaneität, uns eher angehört und unser Wesen besser ausdrückt als
unser gesellschaftliches Verhalten und unsere kollektiven Zwänge. Eine solche
Entscheidung für den Traum, eine solche Bevorzugung von Zauberwelten bringt
zweifellos die Gefahr eines menschlichen Substanzverlustes mit sich. Aber begeht
denn derjenige, der sich im Traum abkapselt, tatsächlich einen schlimmeren
Verrat, als wer sich – wie uns näherstehende Generationen – ausschließlich und
leidenschaftlich den Taten und Problemen des ‹Wirklichen› verschreibt?

> C'est des poètes, malgré tout, dans la suite des siècles,
> qu'il est possible de recevoir et permis d'attendre les
> impulsions susceptibles de replacer l'homme au cœur
> de l'univers, de l'abstraire une seconde de son aven-
> ture dissolvante, de lui rappeler qu'il est pour toute
> douleur et toute joie extérieures à lui un lieu indéfi-
> niment perfectible de résolution et d'echo.
>
> ANDRÉ BRETON

Der Symbolismus ebnete einer Generation den Weg, die nach dem ersten Weltkrieg die Bestrebungen Rimbauds wieder aufgriff und von ihm die metaphysische Revolte gegen die menschliche Unvollkommenheit, zugleich aber auch
den Rückgriff auf die Offenbarungen des Unbewußten übernahm. Die Revolte
bestand zunächst – zur Zeit des Dadaismus – in der reinen Negation, im Willen
zur Zerstörung; dann aber, im Surrealismus, wenigstens in seinen ersten Jahren,
schloß sich der Versuch eines Wiederaufbaus, einer metaphysischen Bejahung an.

Der Surrealismus gewann ein klareres Bewußtsein von gewissen Verfahrensweisen, die der Dichtung im Verlauf des letzten Jahrhunderts vertraut geworden waren. Dadurch kommt er der deutschen Romantik nahe, zumindest was seine Nutzung des Traums anbelangt. Nicht umsonst haben sich Breton und seine Freunde für alle Romantiker interessiert, was sie freilich nicht daran hinderte, später alle bis auf einen zu verleugnen: Arnim, und zwar nach derselben Überlegung, die sie zur Ablehnung Rimbauds und dafür zur Erhöhung Lautréamonts veranlaßte. Wie um 1925 in Paris hatten schon um 1800 in Deutschland junge Dichter in gemeinsamer Anstrengung – mittels einer planmäßigen ‹Syn-Philosophie› und ‹Syn-Poesie› – nach einer exakten Methode gesucht, mit der die verborgene Wirklichkeit des unbewußten Lebens ans Licht gerufen werden könnte. Hier wie dort ist die Bewegung des Geistes ungefähr gleich: Man verkündet, daß der spontanen Anordnung von Wörtern und Bildern, die aus dem inneren Dunkel aufsteigen, Erkenntniswert zukomme. Und man versucht, den gesamten Schatz des Unbewußten zu Bewußtsein zu bringen. Breton gibt folgende Definition:

Surrealismus, Subst., m. – Reiner psychischer Automatismus, durch den man mündlich oder schriftlich oder auf jede andere Weise den wirklichen Ablauf des Denkens auszudrücken sucht. Denk-Diktat ohne jede Kontrolle durch die Vernunft, jenseits jeder ästhetischen oder ethischen Überlegung. [710, 26]

Der Surrealismus versteht sich also zunächst als eine *Methode,* und zwar, wie dann Louis Aragon präzisierte, als eine jedermann zugängliche Methode [712, 98]. «Man gebe sich doch nur die Mühe, die Poesie zu *praktizieren»*, verlangte Breton [710, 21]. Die Poesie wird als eine Reihe von Exerzitien betrachtet – vergleichbar denjenigen der Mystiker –, durch welche die poetische Gnade «erwirkt» werden kann. Dies wird man erreichen, indem man sämtliche verfügbaren Mittel – Automatismus des Redens und Schreibens, Drogengenuß, planmäßige Verwertung ermüdungsbedingter Halluzinationen usw. – dazu einsetzt, jene Bewußtseinszustände hervorzurufen, worin der Geist, von aller Logik entbunden, in eine engere Verbindung mit seinen unbekannten Tiefenbereichen tritt. Es geht darum, jenseits der konstruierten Persönlichkeit zu ursprünglicheren Schichten des Menschen vorzustoßen, zu «jenen Geistesinhalten, die nicht mit dem Denken zusammenfallen, ja wovon das Denken selbst [...] nur ein Sonderfall sein kann» [712, 101].

Doch hat es die überlegte Anwendung dieser Methode so wenig auf literarische Ziele abgesehen wie Rimbauds «Entfesselung». Sie beruht auf einer tausendjährigen Hoffnung, die Novalis' Traum vom goldenen Zeitalter ziemlich ähnlich ist. Und diese Hoffnung hebt sich ihrerseits als einziger Rettungsring vom dunklen Grund einer allgemeinen Verzweiflung ab. Ein paar wichtige Stellen aus Bretons Manifest von 1924 und aus *Les vases communicants* von 1932 mögen hier, zusammengerückt, dieses ganz eigenartige geistige Klima beschwören, das die tiefgründigste Botschaft der surrealistischen Sekte bleiben wird.

Ich wünsche, daß man dereinst den Surrealismus für den bescheidenen Versuch halten wird, zwischen den allzuweit auseinanderklaffenden Welten des Schlafs und des Wachens, der äußeren und der inneren Wirklichkeit, der Vernunft und der Verrücktheit, der ruhigen Erkenntnis und der Liebe, des Lebens um des Lebens willen und der Revolution usw. eine Drahtverbindung hergestellt zu haben. [711, 105]

So lange wendet sich der Glaube dem Leben zu, dem Zerbrechlichsten im Leben, im *realen* Leben, versteht sich, bis dieser Glaube am Ende verloren geht. Der Mensch, dieser entschiedene Träumer, von Tag zu Tag unzufriedener mit seinem Los, vermag kaum alle Dinge ganz zu begreifen, die er zu gebrauchen gelernt hat und die ihn zu seiner Gleichgültigkeit geführt haben oder zu seiner Anstrengung [...]. [710, 11]

Ich glaube an die künftige Auflösung dieser scheinbar so gegensätzlichen Zustände von Traum und Wirklichkeit in einer Art absoluter Realität, wenn man so sagen kann: *Surrealität.* Nach ihrer Eroberung strebe ich, *mit der Gewißheit, sie nicht zu erreichen* [*], zu unbekümmert jedoch um meinen Tod, als daß ich nicht die Freuden eines solchen Besitzes wenigstens überschlage. [18]

Der Surrealismus wird nur den vollkommenen Zustand der Zerstreutheit rechtfertigen können, den wir hienieden zu erreichen hoffen. [...] Leben und nicht mehr leben, das sind imaginäre Lösungen. Die Existenz ist woanders. [43]

Dieser Glaube an alles, was über unser elendes Dasein hinaus in uns leben mag – ein wahrhaftes *credo quia absurdum* –, erklärt Bretons fortwährende Aufmerksamkeit für den Traum, aber auch die scheinbaren Veränderungen in seiner Auffassung vom Traumleben. Im Manifest von 1924 nimmt er sich vor, die Kräfte einzufangen, die in den Tiefen des Geistes verborgen sind, «sie zuerst einzufangen und darnach, wenn nötig, der Kontrolle durch unsern Verstand zu unterwerfen» [15 f.]. Wir achten auf die Einschränkung; sie ist sehr wichtig. Denn Breton geht es so wenig wie den deutschen Romantikern um eine völlige Hingabe an den Traum, vielmehr um eine Eroberung des Traums, in der Absicht, ihn für das Bewußtsein nutzbar zu machen. Der Surrealismus will den Traum für die «Lösung grundlegender Lebensfragen» verwenden – *auch* ihn, aber nicht nur ihn [17]. Könnte nicht der Traum vielleicht das Wachen besser erklären als das Wachen den Traum? Folgen wir nicht in unserem Tun und Empfinden weitgehend den Eingebungen der «tiefen Nacht»? Und besitzt der Traum nicht eine außergewöhnliche Gewißheit, so daß der Träumer mit dem, was ihm zustößt, vollauf zufrieden ist und nicht länger von der «beängstigenden Frage nach der Möglichkeit» gequält wird wie der wache Mensch?

Fürs erste bleibt es bei diesen Fragen. Breton kommt darauf zurück in den *Vases communicants,* die im Anschluß an die herrliche *Nadja* erschienen sind und mit ihr zusammen das ergreifendste Zeugnis des Surrealismus bilden. Er ist zu dieser Zeit (1932) bestrebt, sein Denken in Übereinstimmung mit dem historischen

Materialismus zu bringen, und sucht sich dementsprechend von jeder Apologie des Traums zu distanzieren, die behauptet, im Traum offenbare sich der Kreatur eine nicht mit uns identische geistige Macht. Ausgehend von einer psychoanalytischen Deutung eigener Erlebnisse – von Träumen und wachen Träumereien –, stellt er fest, daß in der geschlossenen Welt des Schlafs, genau so wie in jener, wo wir Herr über unser Tun zu sein glauben, «der Wunsch auf der Suche nach einem *Objekt* seiner Verwirklichung ganz eigenartig über die äußeren Gegebenheiten verfüge» [711, 127]. Daraus folgert er nun aber, daß der Traum außer der alltäglichen Wirklichkeit «keinerlei Erkenntnis einer andern oder neuen Wirklichkeit» enthalte. Dem Verlangen nach einer Flucht in ein übernatürliches Leben, diesem «unwirksamen Willen», setzt er von nun an den *praktischen* Willen zur Veränderung jener verborgenen Ursachen entgegen, die für die Lustlosigkeit des Menschen verantwortlich sind, und den Willen zur völligen Umgestaltung der sozialen Verhältnisse [141].

Breton bleibt indessen seiner ursprünglichen Angst treu und besteht darauf, «die Welt radikal zu verändern», sie zugleich aber auch «so vollständig wie möglich zu deuten» [155]. Weit davon entfernt, sich von der eingehenden Beschäftigung mit dem individuellen Schicksal einzig und allein um des gesellschaftlichen Fortschritts willen loszusagen, fordert er, «daß man das Studium des Ichs rehabilitiere, um es in dasjenige des Kollektivs integrieren zu können» [160]. Im Gegensatz zu einstigen Freunden, die ihr scharfes Bewußtsein vom metaphysischen Drama nicht schnell genug vergessen konnten, hält Breton in der Tiefe seines gewandelten Denkens an seiner ursprünglichen Forderung fest. Der geheime innere Dialog zwischen der unheilbaren Verzweiflung und der unzerbrechlichen Hoffnung ist auch im späteren Revolutionär nicht durch irgendeinen oberflächlichen Optimismus abgeschwächt oder verdeckt worden.

In der gegenseitigen Durchdringung von Schlaf und Wachen sieht er auch weiterhin eine Art dichtes Gewebe, das den unerläßlichen Austausch zwischen innerer und äußerer Welt sicherstellt. Die befriedigten und unbefriedigten Bedürfnisse des Menschen halten jenen «geistigen Durst» aufrecht, der «von der Geburt bis zum Tode nur gelindert, *nicht aber gestillt werden darf*» [*].

Ich werde nicht aufhören, der heutigen gebieterischen Notwendigkeit, die allzu morschen und wurmstichigen Grundlagen der alten Welt zu ersetzen, jene andere, nicht minder gebieterische Notwendigkeit gegenüberzustellen, nämlich in der kommenden Revolution nicht etwa ein Ende zu sehen, das offensichtlich auch das Ende der Geschichte bedeuten müßte. Das *Ende* wäre für mich nur die Erkenntnis der ewigen Bestimmung des Menschen. [170]

Welches auch immer seine Erfolge oder Mißerfolge sein mögen, die Größe des Surrealismus liegt in dieser Ausrichtung auf das Wesentliche und in dieser Beharrlichkeit seiner Anstrengungen, Mißerfolge hin oder her. Die Surrealisten wissen genau so gut wie ihre Vorgänger in der deutschen oder in der zweiten französischen Romantik, daß die Würde des Menschen gerade in dieser ver-

zweifelten Hinwendung besteht, in dieser absurden Hoffnung, die sich selbst aus
den tiefsten Abgründen der Ungewißheit zu nähren vermag.

> Ferme les yeux,
> Tout est comblé.
>
> PAUL ELUARD

Diesem Gegenwärtigsein der menschlichen Angst, der menschlichen Hoffnung
und einer ganz eigenartigen Sorge um die Vollkommenheit verdankt die surrea-
listische Poesie, besonders die Eluards, ihr tiefes Echo. Wenn sie die Welt der
Träume beschwört und die «abgründigen Finsternisse, die sich alle auf eine
blendende Verwirrung richten» [714, 37], so geschieht es nicht etwa um des
ästhetischen Gefallens willen und allein aus Freude an der Beschreibung überirdischer Landschaften. Der Dichter «versteift sich darauf, die fürchterliche
Wirklichkeit mit Fiktionen zu durchsetzen» [44], und zwar keineswegs aus
Spielerei, sondern weil er in den Aspekten und Gespenstern der Innenwelt
Zeichen seines eigenen Wesens erblickt.

Die poetische Objektivität besteht nur in der Abfolge, in der Verkettung all der subjektiven
Elemente, über die der Dichter nicht Herr ist, die ihn vielmehr bis auf weiteres beherrschen.
[715, 29]

Er sieht sich gezwungen, diese völlig subjektiven, kaum mitteilbaren Elemente
seiner selbst in Empfang zu nehmen, und muß einsehen, daß ausgerechnet darin,
also in dem, was seine persönliche Einmaligkeit ausmacht, seine Menschlichkeit
und die Möglichkeit zu einer Gemeinschaft mit andern liegt. Übergänge vom
‹Wachen› zum ‹Träumen› gibt es hier nicht mehr; ein jedes Gedicht Eluards
führt uns sogleich mitten in den einzigen, großen, fortwährenden Traum hinein,
wo die Einsamkeit und die gegenwärtigen Erscheinungen nicht länger Gegensätze sind, wo die Liebe nicht mehr an der *absence* scheitert und wo sich die
höchste Reinheit mit der herrlichsten Sinnenlust verträgt.

> De tout ce que j'ai dit de moi que reste-t-il
> J'ai conservé de faux trésors dans des armoires vides
> Un navire inutile joint mon enfance à mon ennui
> Mes jeux à la fatigue
> Un départ à mes chimères
> La tempête à l'arceau des nuits où je suis seul
> Une île sans animaux aux animaux que j'aime
> Une femme abandonnée à la femme toujours nouvelle
> En veine de beauté
> La seule femme réelle
> Ici ailleurs
> Donnant des rêves aux absents
> Sa main tendue vers moi

Se reflète dans la mienne
Je dis bonjour en souriant
On ne pense pas à l'ignorance
Et l'ignorance règne
Oui j'ai tout espéré
Et j'ai désespéré de tout
De la vie de l'amour de l'oubli du sommeil
Des forces des faiblesses
On ne me connaît plus
Mon nom mon ombre sont des loups. [715, 18]

(Was bleibt von all dem was ich über mich gesagt
Ich habe falsche Schätze in leeren Schränken gehortet
Ein unbrauchbares Schiff verbindet meine Kindheit mit meiner Lange-
Meine Augen mit der Müdigkeit   [weile
Einen Abschied mit meinen Träumereien
Das Unwetter mit dem Gewölbe der Nächte wo ich allein bin
Eine Insel ohne Tiere mit den Tieren die ich liebe
Eine verlassene Frau mit der Frau die immer neu ist
Im Glück der Schönheit
Die einzige wirkliche Frau
Hier anderswo
Träume reichend den Fernen
Ihre Hand zu mir hingereicht
Spiegelt sich in der meinen
Ich grüße sie lächelnd
Man denkt nicht an die Unwissenheit
Und die Unwissenheit gebietet
Ja ich habe alles erhofft
Und ich bin an allem verzweifelt
Am Leben an der Liebe am Vergessen am Schlaf
An den Kräften an den Schwächen
Man kennt mich nicht mehr
Mein Name mein Schatten sind Wölfe.)

Ein grenzenloser Wunsch nach Vollkommenheit und Absolutheit, die Suche
nach einem verheißenen Paradies, die Wiederherstellung einer unwahrschein-
lichen Unschuld – das sind die Beunruhigungen, die seit einem Jahrhundert und
quer durch die gesamte Dichtung unserer Tage zu sehr verschiedenartigem und
doch auch sehr ähnlichem Ausdruck gelangt sind. Obwohl isoliert und scheinbar um Unmenschliches bemüht, stimmen die Dichter mehr denn je darin überein,
daß sie Zeugnis ablegen für alle, daß sie die gemeinsame Angst aller auf sich
nehmen, daß sie selbst vor den waghalsigsten Erkundungen des inneren Dunkels
nicht zurückschrecken und dafür ihr persönliches Leben opfern, um dort die
conditio humana in ihrer ganzen dramatischen Herrlichkeit kennenzulernen. Ganz
in der Nähe der Surrealisten und der großen Dichter des Traums singt Léon-
Paul Fargue von der Hoffnung, die beim Gedanken an den Tod aufwacht:

D'autres verront cela quand je ne serai plus.
La lumière oubliera ceux qui l'ont tant aimée.
Nul appel ne viendra rallumer nos visages.
Nul sanglot ne fera retentir notre amour.
Nos fenêtres seront éteintes.
Un couple d'étrangers longera la rue grise.
Les voix,
D'autres voix chanteront, d'autres yeux pleureront
Dans une maison neuve.
Tout sera consommé, tout sera pardonné,
La peine sera fraîche et la forêt nouvelle,
Et peut-être qu'un jour, pour de nouveaux amis,
Dieu tiendra ce bonheur qu'il nous avait promis.

[716, 92]

(Andere werden es sehen, wenn ich nicht mehr bin.
Das Licht wird vergessen jene, die es so sehr liebten.
Kein Ruf weckt neues Leben auf unsern Gesichtern.
Kein Seufzer läßt unsere Liebe verlauten.
Erloschen sind dann unsere Fenster.
Ein fremdes Paar zieht die graue Straße entlang.
Die Stimmen,
Andere Stimmen werden singen, andere Augen weinen
In einem neuen Haus.
Alles wird vollendet, alles vergeben sein,
Die Mühsal frisch und neu der Wald,
Und vielleicht, daß eines Tages für neue Freunde
Gott das Glück bereithält, das er uns verheißen.)

DIE SEELE UND DER TRAUM

> L'idée d'une âme est un objet si grand et si capable
> de ravir les esprits de sa beauté que, si tu avais l'idée
> de ton âme, tu ne pourrais plus penser à autre chose.
> MALEBRANCHE

Von der Romantik bis in unsere Tage gehen gewisse dichterische Versuche von einem immer wieder ähnlichen Unbehagen aus, das als Antwort ziemlich gleichartige Überzeugungen hervorgerufen hat. Natürlich lassen sich im einzelnen manche Unterschiede feststellen, doch diese decken sich keineswegs immer mit Unterschieden zwischen Epochen und Ländern. Brentano kommt oftmals einem Baudelaire näher als seinem Freund Arnim, und dieser wiederum stößt offenbar bei jedem beliebigen surrealistischen Dichter auf mehr Verständnis als bei seinen zeitgenössischen Kritikern. Und im übrigen ist ein jedes dieser geistigen Abenteuer der deutschen Romantiker und ihrer wetteifernden Brüder im Frankreich des 19. Jahrhunderts etwas Einmaliges und läßt sich auf keinen andern Versuch zurückführen. Was läge also näher, als diese eigenartigen, verschiedenen Persönlichkeiten der Reihe nach und jede für sich zu betrachten?

Dennoch! Der Geist bleibt davon unbefriedigt. Denn er gewahrt, auch wenn er keine Formel dafür finden kann, gewisse Ähnlichkeiten, welche diese Dichter zu einer Familie zusammenschließen und aus ihrer Dichtung ein einheitliches Klima entstehen lassen. Es scheint, als ob keine Definition dem Wesen der Romantik vollkommen gerecht werden könnte; gehört sie doch nicht allein der Ordnung des Verstandes, sondern ebensosehr der Ordnung des Gefühls und der lebendigen Bezeugung an. Aber unsere intellektuellen Gewohnheiten und unsere geistigen Bestrebungen sind zu sehr mit romantischen Elementen durchsetzt, als daß wir nicht trotz allem das Bedürfnis verspürten, das Wesen dieser Erbschaft genauer kennenzulernen. Vielleicht ist das nur möglich über eine Reihe von schrittweisen Annäherungen und durch eine Beschwörung jener Mythen, welche die Romantik bevorzugte. So würde aufs neue ein Mythos entstehen, ein Mythos der Romantik, ohne den wir nicht auskommen können. Denn was immer von der romantischen Lehre in unserem Leben und Denken fortbestehen mag und mehr oder weniger treu befolgt wird: Es will erkannt und anerkannt sein. Und zwar nicht einfach darum, weil es einmal Geschichte gemacht hat, sondern weil die Antworten vergangener Zeitalter auf die großen Fragen der Menschheit in uns weiterleben und weiterwirken und von jeder neuen Generation verlangen, daß sie eine neue Auswahl treffe.

Die romantische Haltung, die sich nicht nur im Literarischen ausdrückt, ist die Haltung einer bestimmten Epoche, und insofern trifft es zu, daß man sie keiner andern genau gleichsetzen kann. Dennoch ist sie in ihren wesentlichen

Überzeugungen gewissen Haltungen ähnlich, die der menschliche Geist im Verlauf seiner Geschichte immer wieder einnehmen kann, sobald er sich einer natürlichen Neigung seines Meditierens überläßt. Das geschieht besonders im Anschluß an Epochen, wo er einzig die Fähigkeiten des Bewußtseins entwickelt und die Welt nach den Gesetzen seines Verstandes zu beherrschen versucht. Dann nämlich kommt sich die Kreatur inmitten der Unermeßlichkeit einer Welt, der sie sich entgegensetzt, auf einmal verloren vor. Da sie sich auf ihre luziden Vermögen reduziert hat, wird sie von Angst und Reue befallen, sobald sie spürt, daß im inneren Dunkel Kräfte weiterleben, die sie darin auf immer verbannt zu haben glaubte.

Nach Ausweitung, nach Entfaltung drängend und um ihrer inneren Ruhe willen erfindet sie nun jene Mythen, die von Zeit zu Zeit auftauchen, um der Kreatur ihre Einsamkeit zu nehmen und sie wieder dem Weltganzen zurückzugeben. Sie *erfindet* sie im doppelten Sinn des Worts: Sie entdeckt sie wieder in der Schatzkammer der Geistesgeschichte, wo sie bereits existieren. Sie erschafft sie aber auch neu, denn sie gibt diesen Mythen in diesem einen Augenblick eine Prägung, die sie noch nie zuvor besessen haben. Es kommt nun weniger darauf an, die geschichtliche Herkunft solcher Mythen aufzudecken, als ihren neuen Zusammenhang genau zu erfassen. In der Romantik stammen die einen aus dem Okkultismus, die andern von der vorangehenden Generation: von Herder oder Goethe; wieder andere, so der Mythos vom Traum und vom Unbewußten, scheinen ihren auffälligen Ausdruck erst von der Romantik selbst erhalten zu haben. Aber ob alt oder neu, ihren Eigenwert gewinnen diese Mythen doch erst aus ihrem Zusammentreffen. Sie lösen sich alsdann von ihren geschichtlichen Quellen und treten in ein mehr oder weniger neuartiges Gedankensystem ein, und daraus erst verstehen wir ihre Notwendigkeit. Man kann demnach ihren Werdegang im Rahmen dieses besonderen Systems verfolgen, ohne daß man nach ihrer literarischen Herkunft fragt. Denn sobald sie von einem Geist aufgegriffen werden, der ohne sie nicht auskommen kann, erwachen sie zu neuem Leben.

I

> De grandes ressemblances balafrent le monde et marquent ici et là leur lumière. Elles rapprochent, elles assortissent ce qui est petit et ce qui est immense. D'elles seules peut naître toute nostalgie, tout esprit, toute émotion.　　　　　GIRAUDOUX

Es gibt keinen schlimmeren Irrtum, als in der romantischen Psychologie lediglich einen ersten, noch unzureichenden Entwurf moderner wissenschaftlicher Theorien zu sehen. Die Romantiker hatten ganz anderes im Sinn, als das Spiel von see-

lischen Triebkräften zu erkennen und zu beschreiben. Ihre Anstrengungen und
ihre Hingabe galten offensichtlich Höherem als einer solchen Analyse. Der
Gefühlsüberschwang der Jean-Paulschen Menschen inmitten einer Natur, die sich
unerwartet in Musik auflöst; die befremdlichen Bedeutungen, welche die Dinge
und die Gebärden in E. T. A. Hoffmanns Welt annehmen, und das, was dieser
Dichter seine «kosmischen Momente» nennt: seelische Ereignisse von einer
schmerzenden Heftigkeit; die durchgehende Symbolik, der ein Novalis in allen
Sprachen der Wissenschaft, der Zahlen, der Empfindung und der Bilder auf die
Spur zu kommen trachtet – all das bezieht sich auf eine ‹magische› Erkenntnis,
die unser verborgenes Leben mit einer dunkel erahnten Wirklichkeit jenseits
der sichtbaren Welt in Zusammenhang bringt. Bei den spontansten der Romantiker, bei Tieck und Brentano, verflüchtigt sich die Grenze zwischen ‹innen›
und ‹außen› so sehr, daß man nicht mehr weiß, ob ihre Menschen in den Schauspielen der Welt und in ihren Abenteuern nach sich selber forschen oder ob
es nicht eher irgendein flüchtig erspähter Schatz sei, nach welchem sie durch alle
Zufälle ihrer Gedanken- und Sprachspiele auf der Suche sind. Wohin führt die
Spur, die sie dermaßen in Erregung versetzt? Welches ist die einzigartige
Entdeckung, nach der sie so begierig sind, all diese Menschen, die einander
fliehen und wiederfinden und die bald im Traum, bald in der Wirklichkeit
Zuflucht suchen? Wenn Arnim, der Mann also, der sich anscheinend so fest in
der Wirklichkeit eingerichtet hat, das Netz eines äußerst willkürlichen Wunderbaren ausspannt, wenn er Wörter und Silben durcheinanderbringt – welches
ist eigentlich die Prophezeiung, die er aus diesem Kaffeesatz zu lesen hofft? Zu
welchem Zweck veranstaltet Rimbaud seine ungeheure, planmäßige Entfesselung
aller Sinne? Ob wir an Hugo denken mit seinen Bilderorgien, an Nodier und
Nerval, die den Mythos ihres eigenen Lebens erbauen, an Baudelaire und
Mallarmé mit ihrer leidenschaftlichen Begeisterung für die reine Transparenz,
an die Surrealisten, die ihre Methoden erproben – sie alle spielen offenbar eine
sehr ernste Partie, wobei es um nicht weniger als um ihr Leben geht. Ist es
denn verboten, in Gedanken jenen Weg wiederherzustellen, dem sie alle gefolgt
sind, jenen Weg von der Angst bis hin zu ihren seltsamen Bestrebungen, ihren
irrationalen Gewißheiten, ja auch ihren Niederlagen?

Ein undeutliches Gefühl der Reue mahnt den modernen Menschen daran, daß
er mit der Welt, in der er lebt, vielleicht einmal in tieferer und harmoni-
scherer Beziehung gestanden hat oder stehen könnte. Er weiß wohl, daß in
seinem Innern Möglichkeiten des Glücks oder der Größe schlummern, von denen
er sich abgewendet hat. Gewisse Menschen verfügen über eine besondere Gabe,
die Sehnsucht darnach zu wecken: Es sind die Dichter, die es nicht beim bloßen
Ausdruck der inneren Lockungen bewenden lassen, sondern mit erschreckender
Kühnheit diesen Lockungen bis in die waghalsigsten Abenteuer hinein folgen.

Unbefriedigt von der vorgegebenen Wirklichkeit und von unsern sehr oberflächlichen Beziehungen damit, empfinden sie jene Beunruhigung und jene Ungewißheit, die nicht mehr unterdrücken kann, wer einmal die Stimme des
Traums vernommen hat. Ihr erstes Gefühl sagt ihnen, daß sie zwar der äußeren
Welt angehören, zugleich aber auch einer andern, deren Gegenwart sich durch
mancherlei Zufälle anzeigt, welche den gewöhnlichen Gang des Lebens unterbrechen. Bei solch jähen Verrückungen der Wirklichkeit spüren die Dichter, daß
«etwas los ist», etwas «in der Luft liegt». Es wird ihnen klar, daß es keineswegs
so selbstverständlich ist, als Mensch in dieser Welt zu leben. Irgendeine dumpfe
Erinnerung, die in jedem von uns schlummert, in den Dichtern aber plötzlich
aufwachen kann, gibt ihnen zu verstehen, daß es sehr weit zurück eine Zeit
gegeben haben muß, wo sich der Mensch, harmonischer und weniger zer-
spalten, reibungslos in die Harmonie der Natur einfügte.

Bewahrt nicht jeder Mensch in seinem kurzen Gedächtnis die Erinnerung an
eine Zeit, wo noch keine Scheidung eingetreten war? Goldenes Zeitalter der
Kindheit, wo wir noch an Bilder glaubten, wo wir noch nichts davon wußten,
daß es draußen eine Welt der Wirklichkeit und drinnen eine Welt der Phantasie
gebe! Goldenes Zeitalter jener anfänglichen Epochen, wo der Mensch Fähigkeiten
besaß, die ihm seither verlorengegangen sind, wo er sich durch das Wort der
Dinge bemächtigte, die ihn umgaben! Und, noch weiter zurück, jenes goldene
Zeitalter, von dem die Sagen der Völker künden, jenes Zeitalter, wo Orpheus
die Tiere und die Felsen bezauberte. Das Gedächtnis geht die unendliche Reihe
der Erinnerungen zurück. Und wer über eine solche Erinnerungskraft verfügt,
beginnt Hoffnung zu schöpfen. Denn er ahnt, daß von jenen Zeitaltern der
Frühe Keime in ihm zurückgeblieben sind, die vielleicht wieder zu neuem Leben
erweckt werden können. Was dem Menschen verlorenging, ist, wenn auch
unterdrückt, noch da, noch am Leben. Freilich bedarf es einer langen Anstrengung, einer Höllenfahrt in die Abgründe der Seele, wenn der Mensch, vom
Wirken der Scheidung zersetzt und im ungewissen darüber, ob er überhaupt noch
eine Mitte besitze, seine ursprüngliche Ganzheit zurückgewinnen will. Sobald ihm
dies aber auch nur ein wenig gelingt, gehört das goldene Zeitalter nicht länger
der Vergangenheit an; es wird zum verheißenen Land, auf das sich aller Fortschritt der Menschheit auszurichten hat.

Auf diese Weise sind die großen Mythen entstanden – ob entdeckt oder
lediglich erneuert –, mit denen die Romantik auf die Zergliederungssucht des
vorangehenden Jahrhunderts antwortete. Im Vertrauen auf die Kraft der Bilder
suchte sie die Fruchtbarkeit der mythenschaffenden Phantasie zurückzuerlangen –
oder besser als die Fruchtbarkeit: die Wahrheit der mythischen Erkenntnis und
ihre heilsame Wirkung. «Bilder tun der Seele wohl», hatte man am Anfang der
Romantik gesagt. «Die Poesie ist das echt absolut Reelle», wird man bald hinzu-
fügen.

Der erste Mythos war der von der *Seele*. Während der Verstand den Menschen in eine Reihe von Vermögen auflöste, die wie die Räder einer Maschine ineinandergriffen, erhob sich aufs neue ein unerklärlicher, leidenschaftlicher Glaube an die Existenz einer inneren Mitte. Die Seele als das Prinzip unseres Lebens, als der Bereich unserer Gewißheiten, als unveräußerliche Realität ist nicht länger das Objekt psychologischer Neugierde und ihres Bestrebens, das Funktionieren des menschlichen Geistes aufzudecken. Sie wird wieder zu einer lebendigen, spürbaren Wesenheit, die sich weniger für ihren Mechanismus interessiert als für ihr überzeitliches Schicksal. Sie weiß, daß sie von weiter her kommt als von ihren bekannten Ursprüngen und daß ihr eine Zukunft in andern Räumen bevorsteht. Die Welt, in der sie Wohnung genommen hat, erregt ihr Staunen, als ob sie unter fremde Völker versetzt worden wäre. Sie wird von einer tiefen Angst erfaßt, sobald sie sich fragt, bis wohin sich ihr eigener Bereich erstrecke. Obwohl einstweilen in die Zeit verbannt, erinnert sie sich oder ahnt sie doch wenigstens, daß sie dieser Exilwelt nicht mit jeder Faser angehört. Ob sie in sich selbst hineinlauscht oder ob sie sich der unermeßlichen Sinnenwelt zuwendet, stets trachtet sie jene verborgenen Melodien zu vernehmen, die in den Sphären der Gestirne so gut wie in der Tiefe der Person noch immer den Ton einer verlorenen Heimat bewahren.

Von all diesen Melodien am kostbarsten ist ihr der wilde Gesang, der heimlich unser Dasein begleitet und der zuweilen, von außergewöhnlichen Umständen begünstigt, mit seinem befremdlichen Klang die verständlichen, aber trügerischen Worte übertönt, durch die wir uns am besten auszudrücken glauben. Der zweite Mythos wird dann der Mythos vom *Unbewußten* sein. Die Seele, die nach Ausgängen sucht, durch die sie in ihre eigenen Verlängerungen hinausgelangen könnte, beginnt zu glauben, daß sie im Traum, in der Ekstase, ja in jeder Art der Befreiung von den Fesseln des Ichs eher sie selbst ist als im gewöhnlichen Leben. Indem sie sich aus dem oberflächlichen Leben der Wahrnehmungen und der alltäglichen Ereignisse zurückzieht, möchte sie eine Konzentration erlangen, in der sie ihr reinstes Wesen schauen könnte. Zugleich aber hofft sie, in dieser allertiefsten Schicht, wo die Einsamkeit des abgeschiedenen Daseins aufhört, bestehe eine Verbindung zu einer größeren Wirklichkeit, von der wir umfangen werden – ob diese Wirklichkeit nun göttlich oder kosmisch sei, jedenfalls ist sie unendlich und von geistiger Art. Wir fänden also durch eine solche Konzentration zu unserem eigenen Ich zurück und wären gleichzeitig einer grenzenlosen Ausweitung sicher; indem wir endlich wir selber würden, wären wir zugleich mehr als wir selber.

Aber dieser Mythos vom Traum birgt gefährliche Versuchungen in sich. Er verführt leicht dazu, daß man das Unbewußte vergöttert und die andere Hälfte des Lebens verleugnet; was wie ein Ausgang ins Licht erschien, droht in den Abgrund zu münden. Der Weg zur wahren Selbsterkenntnis kann auch im

Verlust der Individualität, in ihrer unwiderruflichen Auflösung enden. Das Abenteuer ist jedenfalls nicht ungefährlich. Wer dem Gefängnis des bewußten Ichs entkommt, hüte sich davor, daß er ins Gefängnis des Traums gerät, aus dem es kein Zurück mehr gibt. Daher auch die Angst. Wer den Werken seiner eigenen Phantasie Vertrauen geschenkt hat und bereit ist, darin einen echten Ausdruck seiner selbst und eine gültige Erkenntnis zu sehen, fürchtet sich vor gewissen Augenblicken seiner Erkundungen. Aus dem Labyrinth der Seele den Ausgang zu finden ist keineswegs leicht; was das Unbewußte, der Fesseln ledig, an Formen, Bildern, Ausblicken und Bewohnern hervorbringt, bietet nicht immer einen erfreulichen Anblick. Das Erschrecken Victor Hugos, die Bestürzung Arnims, beides entspringt diesem dramatischen Augenblick. Das Gefühl des Verbotenen, das den prometheischen Bestrebungen anhängt, mischt sich heimlich in alle romantische Dichtung, von Hoffmann und Nerval bis zu Baudelaire und Rimbaud. Bald trotzt der «Dieb des Feuers» dem Fluch tollkühn, bald packt ihn die Angst und er unterwirft sich. Fast alle, die das Abenteuer wagten, sind zur «runzligen Wirklichkeit» zurückgekehrt, bereichert um all die Schätze der Tiefe, gewiß, aber auch davon überzeugt, daß die unserem gegenwärtigen Dasein auferlegten Grenzen nicht überschritten werden können, ohne daß das Übermaß unbestraft bleibt.

Aber auch wenn der entscheidende, endgültige Aufbruch abgewartet werden muß, wenn er eine Gnade ist, die ihre eigene Zeit hat, auch wenn es frevelhaft wäre, diesen Aufbruch mit menschlichen Mitteln zu beschleunigen, so ist es uns doch nicht verboten, schon jetzt alle Zeichen und Winke zu ergreifen, die uns gegeben sind, ja unsere Sehnsucht schreibt uns dies geradezu vor. Die Erkenntnis ist eine Sünde, sobald sie der Mensch als Mittel gebrauchen will, um sich selber im Verlauf des gegenwärtigen Lebens zu vergöttlichen. Aber auch die Unwissenheit ist schuldhaft, zumindest jene Unwissenheit, die uns dazu einlädt, uns in unserem oberflächlichen Leben bequem einzurichten und alles im Dunkeln zu lassen, was jenseits unserer sichtbaren Grenzen liegt. Vergeblich, ja unsinnig, fliehen zu wollen! Wer aber nicht alle Zeichen zu erfassen versucht, die uns auf unsere wahre Natur hinweisen, ist dumm und feige zugleich.

Hier knüpft der dritte Mythos an, der Mythos von der *Poesie* als einer Reihe von Gebärden, die der Dichter ausführt, ohne ihre Bedeutung genau zu kennen, aber im festen Glauben, daß diese Riten Bestandteile eines unfehlbaren Zaubers seien. Der Dichter ist ein Seher, ein Visionär. Er gelangt ins Unbekannte, findet Neuland. Die Poesie ist das absolut Reelle; ihre Wahrheit ist höher als die der Geschichte. So etwa lauten durch die ganze Epoche hindurch die Formeln für eine neue Auffassung von der Dichtung.

Weil die Einbildungskraft wie überhaupt alle unkontrollierten Hervorbringungen des Unbewußten – wir erkennen sie einzig und allein am Gemütsschock,

den sie auslösen – offenbar eine innere, aber doch auch objektive Wirklichkeit festhalten, macht sich der Dichter auf die Suche nach einer Methode, die es ihm
ermöglicht, im Netz der Sprache Bruchstücke des geheimen Lebens einzufangen.
Zum Beispiel stellt er die Wörter nach Anklängen zusammen, anvertraut er sich
den Rhythmen, den Echos der Silben, ja überhaupt den Beziehungen innerhalb
des Sprachmaterials. Er ist überzeugt, daß die Wörter über ihre der gesellschaftlichen Verständigung dienende Bedeutung hinaus eine geradezu magische Kraft
besitzen, dank der sie jene andere Wirklichkeit erfassen, die sich dem Zugriff
des Verstandes entzieht. Und in derselben Hoffnung gibt er sich auch Bildern
hin, die, unerklärlich und manchmal lächerlich bizarr, aber mit einer ganz seltsamen Erschütterungskraft ausgestattet, aus der Tiefe des Seins auftauchen. Er
wählt sie je nach der Stärke des Echos, das sie in ihm hervorrufen – und nicht
nur in ihm allein, denn wenn er sich konsequent an das Kriterium des Gemüts-
schocks hält, werden die Wörter und Bilder auch auf andere dieselbe Wirkung
ausüben. Das Kunstwerk kommt also nicht mehr nur einem einzigen Bedürfnis
entgegen, nämlich dem Bedürfnis nach einem rein ästhetischen Vergnügen ohne
jeden Erkenntniswert. Es bringt mittels der Metapher und übereinstimmend mit
den unformulierbaren Gesetzen des verborgenen Lebens Dinge zusammen, die
sonst in Zeit und Raum weit auseinanderliegen. Und der Dichter ist überzeugt,
daß solche unvorhergesehene Zusammenrückungen einer wirklichen Verwandtschaft der Dinge entsprechen.

So wäre also die Poesie eine Antwort, ja die einzig mögliche Antwort auf
die Urangst der Kreatur, die in ihr zeitliches Dasein eingesperrt ist. Das Bestreben des Dichters, der solche unerwarteten Gruppierungen der Dinge aufnimmt, läuft auf nichts Geringeres hinaus, als sie aus der zufälligen Ordnung
unserer Zeit und unserer räumlichen Welt herauszureißen und nach einer neuen
Ordnung zu verteilen. Und diese neue Anordnung wäre identisch mit derjenigen
der wesentlichen Einheit; der Dichter würde sie dank seiner eigenartigen Magie
wiederfinden und rührte damit für einen Augenblick an das Absolute, nach
welchem er so sehnlich verlangt.

Diese Poetik, die kaum vor Baudelaire und Rimbaud formuliert und in die
Praxis umgesetzt worden ist, stützt sich auf Einsichten und metaphysische Überzeugungen der deutschen Romantik. Alle diese Glaubenssätze – von der Wich-
tigkeit der Erfindungen des Zufalls, vom Wert freier Assoziationen, wie sie der
Träumerei, dem Traum, ja jeglichem Automatismus entspringen, ferner von der
Möglichkeit, eben dadurch jene Wirklichkeit kennenzulernen, vor der alle unsre
übrigen Vermögen versagen – diese Glaubenssätze beruhen auf einer *analogischen*
Auffassung der Welt. Die Poesie, die aus dem verborgenen Leben hervorgeht,
kann nur dann Erkenntniswert besitzen, wenn der Geist, ja der Mensch als
Ganzer in seiner innersten Struktur und in seinen ursprünglichen Rhythmen mit
dem Bau und den großen Rhythmen des Universums übereinstimmt. Soll dem

zufälligen Zusammentreffen von Bildern eine wirkliche Verwandtschaft in der objektiven Welt entsprechen, so muß in dem, was wir als das ‹Außen› bezeichnen, und in dem, was uns als unser ‹Inneres› erscheint, ein und dasselbe Gesetz walten.

Die Idee der universellen Analogie, auf die sich die romantische und die moderne Auffassung der Poesie zurückführen lassen, ist die Antwort des menschlichen Geistes auf die Frage, die er sich stellt, und der Ausdruck seines allertiefsten Wunsches. Er hoffte der Zeit und der durch und durch scheinhaften Welt zu entrinnen und endlich zum Absoluten und zur Einheit vorzustoßen. Und nun erscheint ihm die Kette der Analogien als das Band, das, alles mit allem verbindend, das Unendliche durchläuft und den unauflöslichen Zusammenhang des Seins stiftet.

Von diesem Gesichtspunkt aus gewinnt der Mythos vom Traum eine neue Bedeutung. Der Traum ist nämlich nicht mehr nur eine jener Phasen unseres Lebens, worin wir mit der verborgenen Wirklichkeit verbunden sind. Er ist aber auch mehr als das wertvolle Modell für die ästhetische Erfindung, und man begnügt sich auch nicht mehr mit dem Einsammeln der zahllosen spontanen Metaphern, mit deren Hilfe der Traum zeitlich getrennte Augenblicke und räumlich geschiedene Lebewesen und Dinge zusammenrückt. Der Traum und die Nacht werden zu Symbolen, durch die der Geist, der vom Schein ins Sein zu gelangen versucht, die Vernichtung der Sinnenwelt ausdrückte. Für den Romantiker wie für den Mystiker ist die Nacht das Reich des Absoluten, in das erst gelangt, wer die gesamte sinnliche Welt zum Verschwinden gebracht hat.

Die romantische Dichtung will also durch den Schaffensakt in die gleiche objektlose Kontemplation, in die gleiche, reine, unaussprechliche Gegenwart gelangen wie der Mystiker. Dieses Bestreben erklärt die Kühnheit des romantischen Versuchs – und seine Grenzen! Denn wenn die Dichtung zu einem Erkenntnisweg werden soll, der im vollständigen Verzicht auf Bilder endet, so werden ihr zwar die höchsten Hoffnungen der Menschheit anvertraut, sie geht aber zugleich ihrer Selbstaufhebung entgegen.

Die Größe der Romantik liegt darin, daß sie die tiefe Verwandtschaft zwischen den dichterischen Zuständen und den Offenbarungen religiöser Art erkannt und bekräftigt hat, daß sie den irrationalen Fähigkeiten vertraute und sich mit Leib und Seele der großen Sehnsucht der verbannten Kreatur verschrieb. Und doch! Auch wenn diese dichterischen Zustände offensichtlich von einer andern Wirklichkeit als der unserer alltäglichen Wahrnehmung zeugen, so ist es noch keineswegs sicher, daß die Dichtung je bis zu der Erkenntnis vorstoßen wird, die ihr unsere Dichter zum Ziele setzen. Das Bedürfnis nach dieser Erkenntnis verbindet sich im dichterischen Schaffen mit dem Verlangen nach dem Werk, mit dem Wunsch, einen Gegenstand hervorzubringen, etwas Gestaltetes in die Welt zu setzen und im Bilde zu sagen, was sich im Innern offenbart hat. Dieser

Wunsch, den jeder Mensch in sich trägt, ist nicht wesentlich anderer Art als jenes Verlangen nach Vollkommenheit, dem unser Erkenntnisstreben entspringt. Aber am Ziel des mystischen Weges gibt es keine Bilder mehr, nur noch das Schweigen; das Ziel des dichterischen Versuches ist jedoch das Wort und die Gestaltwerdung.

In der Nacht, im absoluten Traum, wo von der Sinnenwelt nichts mehr übrigbleibt, gibt es auch keinen Platz mehr für die Dichtung. Wer, verzweifelt darüber, daß er mit seinen normalen Fähigkeiten keine Wirklichkeit findet, die ihn erfüllen könnte, auf die große Fahrt in die Nacht aufbricht und zugleich vom dichterischen Verlangen beseelt ist, der wird stehenbleiben, sobald er vor sich den Abgrund ahnt. Ist er auf jener Höhe angelangt, von wo der Blick auf beide Seiten fällt, so wird er nicht mehr weitergehen. Die Erkenntnis des Traums läßt ihm nämlich die Möglichkeit, wieder auf diese Seite, wieder ins Licht zurückzukehren, freilich bereichert um eine neue Sicht. Wenn er am Anfang gewillt war, seine verlorenen Fähigkeiten zurückzuerobern, und wenn er dazu die Taghälfte seines Wesens verleugnen mußte, so wird er sich am Ende wieder dem Bewußtsein zuwenden. Insofern bleibt er seinem ursprünglichen Vorhaben treu: Es geht ihm um Ganzheit.

Die Romantiker haben jene Notwendigkeiten, die der dichterischen Erkundung klare Grenzen setzen, gut genug gekannt. Sie wußten genau, daß der Traum nur dann fruchtbar werden kann, wenn die Person darin zu einer Vertiefung gelangt und wenn sie von da aus ins bewußte Leben zurückkehrt, freilich in ein bewußtes Leben, das fortan verklärt ist und mit neuen Augen gesehen wird.

Der Traum ist weder Dichtung noch Erkenntnis. Aber es gibt keine Erkenntnis – dies Wort im höchsten Sinn genommen –, und es gibt keine Dichtung, die sich nicht aus den Quellen des Traums nährte. Gewiß, es ist umsonst, in einem jeden Traumbild eine übersetzbare Bedeutung zu vermuten oder mehr im Traum leben zu wollen als dort, wo uns zu bleiben auferlegt ist. Der wirkliche Gewinn aus dem Traum ist anderswo zu suchen: in der Tatsache, daß wir überhaupt träumen, daß es in uns selbst diese ganze Welt der Freiheit und der Bilder gibt, daß wir erfahren, daß die augenfällige Ordnung der Dinge nicht die einzige Ordnung ist. Nach der Rückkehr aus dem Traum ist das Auge des Menschen zu jener Verwunderung, zu jenem Staunen fähig, das uns befällt, wenn die Dinge plötzlich für einen Augenblick ihre ursprüngliche Neuheit zurückgewinnen. Ich werde für die Dinge wach, und die Dinge werden für mich wach. Ein Austausch entsteht, genau wie in den ersten Augenblicken des Seins; das Staunen gibt der Welt ihre zauberhafte Erscheinung zurück.

Die poetische Magie besteht nach Eluard darin, daß die Dinge bei ihrem Namen genannt werden. Und diese Formel, die sich an die Sprache des Zauberritus hält, kommt nun auf einmal ganz nahe an eine andere Poesie heran, die nicht auf der Flucht aus der Welt, sondern auf der direkten Berührung mit der konkreten Welt beruht. Der Dichter nennt die Dinge, und schon sind sie verwandelt, sind sie wieder wirklich geworden. Ramuz, Claudel, die Meister dieser Beschwörung des Konkreten, unterscheiden sich nicht von jenen Dichtern, die damit begannen, daß sie die Sinnenwelt verlassen wollten; auch sie sehen die Welt durch einen großen Traum, und die Schöpfung wird für sie zu einer «ungeheuren Oktave».

> J'ai trouvé le secret; je sais parler, si je veux, je saurai vous dire,
> Cela que chaque chose *veut dire*.

II

> Je sors au bras des ombres,
> Je suis au bas des ombres,
> Seul.   PAUL ELUARD

Zuinnerst im Traum bin ich einsam. Ich habe auf alles zu verzichten, was mir sonst Schutz und Sicherheit bietet, auf alle sprachlichen Künste, auf gesellschaftliche Rückendeckungen und auf jegliche beruhigende Ideologie. Ich befinde mich der Welt gegenüber in der völligen Einsamkeit der Kreatur. Nichts mehr bleibt vom Ich, das ich mir aufgebaut habe; ja auch wenn ich in diesem Augenblick nur noch ich selber bin, habe ich doch kaum noch das Gefühl, jemand zu sein. Ich bin ein Mensch, irgendeiner, einer unter meinesgleichen. Doch gibt es in dieser Einsamkeit auch keine ‹Gleichen› mehr. Es bleibt von mir nur noch die Kreatur mit ihrem Schicksal, ihrem unerklärlichen, unabwendbaren Schicksal. Mit Schaudern entdecke ich, daß ich dieses grenzenlose, unendliche Leben bin: ein Sein, dessen Ursprung jenseits alles für mich Wißbaren liegt und dessen Bestimmung über meinen Gesichtskreis hinausgeht. Auf welch schwachen Gründen ich die belanglose Existenz jenes Individuums aufbaute, das ich einst war – ich weiß es nicht mehr. Nur dies allein weiß ich: daß mir nun die Gründe meines wahren Lebens offenbar werden. Sie bleiben unbenannt, aber gegenwärtig; sie sind das, was ich empfinde und erfahre: die Unermeßlichkeit meiner wirklichen Weite.

In dieser äußersten Entblößung geschieht es dann, daß Dinge und Menschen, auch sie, die unbedeutenden Dinge, die enttäuschenden Menschen, ein ganz neues Leben gewinnen. Ich erfinde sie; sie tauchen unvermutet auf. Für das namenlose Geschöpf, das ich geworden bin, besitzen die Dinge auf einmal eine ganz seltsame Wirklichkeit. Ich erinnere mich, sie wohl irgendwann flüchtig erblickt zu haben, jetzt jedoch höre ich sie zu mir sprechen, ich vernehme ihre Sprache und ihren Gesang. Und auch die Menschen sind nicht mehr draußen, führen nicht länger jenes absurde Leben, das mich zwang, ihre Gesellschaft zu suchen oder zu meiden. Sie sind in mir; sie sind ich. Wir teilen dieses gleiche unendliche Schicksal, die Bestürzung, die Freude, welche der tiefsten Angst entspringt.

Sofern ich diese Entblößung mutig auf mich nehme, ernte ich nicht nur Verzweiflung und Traurigkeit. Mag ich auch an allem verzweifelt sein, was mir die Welt zu bieten hatte, der Trostlosigkeit verfalle ich dennoch nicht. Wenn ich mich von jenem oberflächlichen, betrüblichen Zusammenleben abwendete, das uns einzelne im Alltag verbindet, so habe ich doch nicht meine Freude verloren. Ich trete als Geschöpf mit den andern Geschöpfen in jene tiefste Gemeinschaft ein, die nur zuinnerst in der Seele existiert – die aber von nun an unvergänglich ist und mich nachher, wenn ich in mein alltägliches Leben zurückkehre, wirkliche menschliche Gegenwart erkennen läßt. Ich lebe für einen Augenblick ein Leben, das für uns alle das einzige ist, was wir gemeinsam haben können; aber bin ich einmal damit vertraut, so kann ich es nie mehr verlieren.

Sobald ich den Traum verlasse und wieder ins normale Leben eintrete, ist alles anders, wie nach einer langen Abwesenheit. Orte und Gesichter erscheinen mir wieder so wie in der Kindheit. Ich kehre aus dem Traum zurück mit jener Fähigkeit, das Leben zu lieben, jener Fähigkeit, Menschen und Dinge und Taten zu lieben, die ich vergaß und verlernte, seit ich das Paradies der Kindheit verließ.

Die Einsamkeit der Dichtung und des Traums erlöst uns aus unserer trostlosen Einsamkeit. Aus der tiefsten Tiefe der Traurigkeit, die uns dem Leben entfremdete, erhebt sich der Gesang der ungetrübten, reinsten Freude.

NACHWORT

Die erste Ausgabe des vorliegenden Buches erschien 1937 im Verlag der «Cahiers du Sud» (Marseille) in zwei Bänden: *L'Ame romantique et le rêve. Essai sur le romantisme allemand et la poésie française.* Albert Béguin hatte das Werk als Thèse mit dem vorläufigen Titel *Le rêve chez les romantiques allemands et dans la poésie française moderne* der Universität Genf vorgelegt, von dieser nach brillanter Disputation am 25. Februar 1937 den Titel eines Docteur ès lettres erhalten und den Prix Amiel, verliehen am 8. Juni des gleichen Jahres. In der Genfer Laudatio heißt es unter anderem: «Nach diesem Werk würde Sainte-Beuve nicht mehr behaupten, die französische Kritik gelange zu keinen Synthesen. Herrn Albert Béguins Werk ist eine Synthese, eine Synopsis, wenn auch ganz persönlich geprägt. [...] Ein so persönliches Werk wird zur Diskussion herausfordern; gerade in der Art, wie dies geschieht, liegt eines der Verdienste.»

Am 28. Mai 1937 wurde der Autor, von dem kurz zuvor eine Studie über Gérard de Nerval erschienen war, zum Extraordinarius für französische Literatur an der Universität Basel ernannt, und am 8. April 1938 bereits wollte Gaston Gallimard auf Anraten Jean Paulhans *L'Ame romantique* in Paris auflegen, weil die Ausgabe der «Cahiers du Sud» rasch vergriffen war, wie auch der als Sondernummer der gleichnamigen Zeitschrift erschienene Sammelband *Le Romantisme allemand,* der zusammen mit Béguins Werk dem französischen Leser einen ganz neuen Zugang zur deutschen Romantik eröffnete (jetzt 10/18, Paris: Plon 1966). Nach kurzem Zögern entschied sich Béguin aber für den Verleger José Corti. Am 17. Juli 1938 schloß er die einbändige Ausgabe ab, die, «verdichtet und von überflüssigen Erörterungen entlastet», seither immer wieder aufgelegt wird. Im Hinblick auf eine andere, nicht vorwiegend wissenschaftlich interessierte Leserschaft ersetzte der Autor den Apparat durch einige Hinweise auf französische Übersetzungen und auf die «besten französischen Untersuchungen»; die Zitate wurden da und dort reduziert. Béguin schreibt dazu in der Vorbemerkung:

Der Grundriß des Buches blieb unangetastet. Ich glaubte darauf verzichten zu dürfen, gewisse Aussagen, die mich heute weniger befriedigen als damals [1937], durch einen nachträglichen Eingriff abzuändern. [...] So sehr ich es gewünscht hätte, kam es doch nicht in Frage, gewisse Lücken zu füllen, die man mit Recht bedauert hat, vor allem in dem Teil des Buches, worin die französische Seite der Romantik zur Sprache kommt: Lautréamont, Julien Green und auch andere von den lebenden Dichtern könnten hier mit ebensolchem Recht figurieren wie die Surrealisten; und meine Darstellung des Symbolismus ist allzu summarisch, als daß sie nicht ungerecht wäre. [...] Leider konnte ich zwei genialen Dichtern nicht den ihnen gebührenden Platz einräumen, zwei Dichtern, die mir besonders viel bedeuten und die, zumindest mit einigen Aspekten ihres Werks, genau in der Richtung liegen, in die mich mein Suchen geführt hat: Balzac und Claudel. Zu meiner Entschuldigung darf ich anführen, daß sie beide zu groß sind und, wenn auch auf sehr verschiedene Weise, zu ‹einmalig›, als daß man sie ohne Gewalt in eine so eng begrenzte Tradition einreihen könnte, wie sie in diesem Buche zur Diskussion steht.

Der Verfasser war entschlossen, «auf die Botschaft dieser Dichter dereinst gründlicher einzugehen». In der einbändigen Ausgabe wurden immerhin verschiedene Hinweise auf Claudel eingeflochten, und kurze Zeit später schrieb Béguin – er hatte Claudel, dessen Theater ihm bereits 1919 viel bedeutet hatte, im Mai 1938 anläßlich der Basler Uraufführung der von Arthur Honegger vertonten *Jeanne d'Arc au bûcher* persönlich kennengelernt – eine Studie über den Dichter, die deutsch in der «Schweizer Rundschau» (Solothurn, Januar 1969) zu lesen ist. Über Balzac veröffentlichte er 1946 ein Werk, das in Fachkreisen Aufsehen erregte: *Balzac visionnaire*. Propositions (Genf: Skira; jetzt in *Balzac lu et relu*. Paris/Neuchâtel: Editions du Seuil/La Baconnière 1965). Für den geplanten *Julien Green par lui-même* waren lediglich Lesenotizen vorhanden, als Béguin am 3. Mai 1957 im Alter von 56 Jahren in Rom starb. *M. Ouine* und *Un mauvais rêve* waren 1938 noch nicht veröffentlicht, sonst wäre zweifellos auch Bernanos genannt worden. Allerdings – und das wußte Béguin, der sich nach der Auseinandersetzung mit diesen Dichtern und mit Péguy und Ramuz bereits von der Welt des romantischen Abenteuers abgewandt hatte – hätte er dann ein zweites Buch schreiben müssen, das auf das Thema der schon bei Hamann entdeckten «Gegenwart der Dinge» ausgerichtet gewesen wäre (vgl. dazu die postumen Sammelbände *Poésie de la Présence* und *Création et Destinée* I und II, Paris/Neuchâtel: Editions du Seuil/La Baconnière 1957 bzw. 1972f.).

Für den Leser, «der sich für literarische Streitgespräche interessiert», zitiert Béguin zu Beginn der zweiten Auflage als wichtigste Besprechungen:

Edmond Jaloux («Nouvelles Littéraires», 20. und 27. Februar 1937) – André Thérive («Le Temps», 1. April) – Karl Voßler («Frankfurter Zeitung», 28. März) – Gaston Dericke («Rouge et Noir», 19. Mai) – A.-M. Petitjean («Nouvelle Revue Française», 1. Juni) – André Rousseaux («Figaro», 19. Juni, wiederabgedruckt in *Littérature du XXᵉ siècle*, 1938) – Yanette Delétang-Tardif («Nouveau Journal de Strasbourg», 14. Juni) – Jean-Édouard Spenlé («Mercure de France», August) – G. Nicole («Suisse Romande», September) – Marcel Raymond («Yggdrasil», 25. September) – Benjamin Fondane («Rouge et Noir», 13. Oktober) – Christian Ducasse («La Vie Intellectuelle», 25. November) – Ernest Seillière («Débats», 28. November, und «Revue de France», 1. März 1938, wiederabgedruckt in: *Le Naturisme de Montaigne et autres essais, 1938*) – Geneviève Bianquis («Journal de Psychologie», November/ Dezember 1937) – J.-P. de Dadelsen («Cahiers du Sud», Dezember 1937) – J. Rouge («Revue germanique», Januar 1938) – F. Baldensperger («The Romanic Review», Februar 1938) – Geneviève Bianquis («Revue de Littérature comparée», 1938, Heft 2) – Raïssa Maritain (in: *Situation de la Poésie*, 1938) – Briefwechsel mit J. Bousquet («Cahiers du Sud», Februar und April 1938, abgedruckt in *Création et Destinée* I) – Siegfried Lang («Neue Schweizer Rundschau», Juni 1938) – Jean Wahl («Hermès», Oktober 1938) – R. de Wendel-Seillière («Culture», Oktober 1938) – Walter Müller («Literaturblatt für germanische und romanische Philologie», Januar 1939) – Walter Benjamin («Maß und Wert», Januar 1939).

Hinter dieser Aufzählung steht nichts anderes als meine Dankbarkeit all jenen gegenüber, die das Gespräch aufnahmen, zu dem ich anregen wollte. Ich möchte nur noch eines hinzusetzen, und zwar weil man mich deswegen sowohl gelobt als auch getadelt hat: Es war nicht meine Absicht, eine Apologie des Traums und des Unbewußten zu schreiben, die auf

Kosten des bewußten Lebens ginge; die Kapitel über Carus und Novalis und vor allem das dem Ganzen geltende Schlußwort scheinen mir von einer ziemlich andersartigen Haltung zu zeugen.

Béguins Veröffentlichungen wurden in der französischen und schweizerischen Literaturkritik von Anfang an stark beachtet; bereits durch seine Übersetzungen von Goethe *(Entretiens avec le chancelier Müller; Confessions d'une belle âme)*, Mörike *(Le Voyage de Mozart à Prague)*, E. T. A. Hoffmann *(Salvator Rosa; Kreisleriana)*, Jean Paul *(Hespérus ou quarante-cinq jours de la poste au chien. Biographie; Choix de rêves)* und Tieck *(La Coupe d'or et autres contes)* hatte er sich einen Namen gemacht. Insgesamt sind bis zum Ausbruch des Krieges zu seinen beiden ersten Werken, *Gérard de Nerval* und *L'Ame romantique,* über siebzig Besprechungen, Artikel und Hinweise erschienen, aus denen wir im folgenden einige Fragmente herausgreifen.

Wenn es stimmt, daß, wie Hans Robert Jauß sagt, «die Art und Weise, in der ein literarisches Werk im historischen Augenblick seines Erscheinens die Erwartungen seines ersten Publikums einlöst, übertrifft, enttäuscht oder widerlegt [...], ein Kriterium für die Bestimmung des ästhetischen Wertes ergibt», so ist die Bestimmung des zeitgenössischen «Horizontes» und des durch das vorliegende Werk bewirkten «Horizontwandels» von zwiefachem Interesse: es wird etwas ausgesagt über die Zeit, in der das Werk entstanden ist, und über seine Bedeutung; darüber hinaus kann der heutige Leser veranlaßt werden, vom Werk aus seine eigene Zeit und von dieser aus das gelesene Werk (und sich selbst) neu zu verstehen.

L'AME ROMANTIQUE ET LE RÊVE
IM SPIEGEL DER ZEITGENÖSSISCHEN LITERATURKRITIK

Paul Chaponnière («Journal de Genève», 14. Februar 1937), Arnold Burgauer («Neue Zürcher Zeitung», 19. Februar) und Yanette Delétang-Tardif (loc. cit.; die weiter oben angeführten Quellenangaben werden in der Folge nicht wiederholt) haben Béguins Anliegen sofort verstanden: Hier will ein Schriftsteller vom inneren Erlebnis aus zum Grund des Dichterischen vordringen. Er folgt dem Ruf der Traumlandschaften, die ihn auf den Weg der Erfindung verweisen, wo wir «stets Eroberung und Fall, Zerfall und Wiederherstellung, Verfremdung, Transparenz, Tag und Nacht zugleich» antreffen.

Edmond Jaloux, der Béguin um 1928 in einem Pariser Antiquariat eingeladen hatte, Jean Paul zu übersetzen, situiert *L'Ame romantique* in dem seit dem ersten Weltkrieg erwachten Interesse für den Traum – man denke an Jung und Freud, die von den romantischen Naturphilosophen einiges wußten, aber auch an James Joyce, Julien Green, Virginia Woolf, Giraudoux, Apollinaire, Pirandello – und lobt vor allem die Klarheit der Darstellung: «Béguin hat in verborgenen Minen nach den tiefsten Ideen gegraben und sie als fein geschliffene Diamanten zu Tage gefördert.» Der große Wert des Buches liegt nach Jaloux in der Entdeckung innerer Analogien, wobei der Traum als geheimnisvolle Offenbarung des eigentlichen Seins gesehen wird. «Das Werk hat eine Struktur», sagt Jaloux, «der Grundgedanke ist originell und mit verhaltener Leidenschaft entwickelt, mit innerer Anteilnahme, und so enthält diese Analyse, Frucht der Einsicht und der Liebe zur Dichtung, mehr echte Poesie als Hunderte von Versen.»

Gründlich gelesen und besprochen wurde *L'Ame romantique* auch von André Rousseaux. Für ihn ist die Dichtung so geheimnisvoll wie die Liebe, denn «wie diese möchte sie das Leben total verwirklichen und ihm zugleich entkommen ... Sie ist Ausdruck eines gelebten Traums.» Rousseaux geht der Frage nach dem «absolut Reellen» nach; im Traum und in der Dichtung, die den Traum erzählt, gelangen wir über das Alltäglich-Vordergründige hinaus. Es wird eine Brücke zum Jenseitigen geschlagen: Durch die geheimnisvolle Verwandlungskraft des Traums, der sich von Erinnerungen nährt, entsteht eine neue Schöpfung, die nicht in der Zeit, «sondern im fortwährenden Jetzt lebt». Das war nach Rousseaux das Anliegen eines Novalis, Nerval und Rimbaud. Er knüpft an die am Schluß des Werks evozierte Welterfahrung an, wo sich der Autor von der Flucht ins ‹Ideale› lossagt. Gerade auf diesen Horizont hin hat Albert Béguin sein Denken später ausgerichtet; ist es Zufall, daß die erste Gesamtdarstellung Péguys und seiner prophetischen Dichtung – von André Rousseaux – in den während des Krieges von Béguin geleiteten «Cahiers du Rhône» erschienen ist?

Marcel Raymond antwortet in seinen «Réflexions en marge du livre d'Albert Béguin» gewissermaßen auf dessen Besprechung seines 1933 erschienenen Werks *De Baudelaire au Surréalisme*. Er weist zunächst darauf hin, daß Béguin nichts mit den mehrheitlich positivistischen Komparatisten seiner Zeit gemeinsam hat, und fordert als Ziel echter Komparatistik eine Art «Morphologie des menschlichen Geistes», fragt sich aber, ob zwei menschliche Erfahrungen überhaupt je vergleichbar seien. Im Zusammenhang mit der Dichtung, die uns durch ein unbewußtes Wirken eine ‹zweite› Wirklichkeit aufschließt, stellt Raymond zwei wesentliche Fragen:
– Ist die so wahrgenommene und gefühlte Wirklichkeit authentischer als die Aspekte der Wirklichkeit, die durch die alltägliche Erfahrung erreicht oder in der Wissenschaft erfaßt werden?
– Ist die Quelle wahrer Poesie notwendigerweise in dieser Wirklichkeit des Traums, im Unbewußten zu suchen?

Béguin scheint beide Fragen zu bejahen. Raymond jedoch meldet gewisse prinzipielle Bedenken an. Nach ihm ist nicht alles Dichtung, was aus dem Unbewußten sprudelt: «Die dichterische Schöpfung ist eine alles umfassende Tätigkeit, Frucht einer Anstrengung des ganzen Menschen.» In der Dichtung ist das Bild weniger existentiell mit dem Individuum verbunden als im Traum; es kann *betrachtet* werden, wird also geläutert durch das ästhetische Bewußtsein, den ‹poetischen Sinn›, der auch im Dunkeln sieht; der Dichter spricht, er ‹übersetzt› die Ahnungen und Traumgespenster in Worte: «Dichtung ist Sprache, ist Sprachkunst. [...] Zwischen dem gewöhnlichen Traum und der Dichtung, selbst der Traumdichtung, besteht eine kaum zu überschätzende Distanz.» Für Raymond ist Dichtung nur wirksam, wenn sie das Gefühl einer Präsenz und einer Offenbarung auslöst, doch fragt er sich, ob die Sprache in einer Art eucharistischen Kommunion diese und jene Welt zusammenbringe und ob es dem Dichter vergönnt sei, *hic et nunc* Zugang zum Paradies zu erhalten, oder ob er sich das Feuer stehlen müsse.

Béguin setzt die höchste Hoffnung auf die Dichtung, und doch, präzisiert Raymond, führt uns der «geheimnisvolle Weg», von dem Novalis spricht, nicht zum «Reellen», zum Absoluten, sondern nur zum Gefühl des «Reellen»: «Zutiefst im menschlichen Geist liegt vielleicht ein unwiderruflicher Mangel (absence) [...]. Über diesen unendlichen und nicht wahrzunehmenden Abgrund gelangt der Mensch nicht hinaus. Der Zugang zum Absoluten durch die Dichtung bleibt fragwürdig; wir stoßen zwar bis zu den Grenzen der Existenz vor, doch ganz und unmittelbar erreichen wir sie nie.»

Die erste Besprechung in deutscher Sprache ist unseres Wissens jene von Karl Voßler; von ihm haben wir den Haupttitel für die deutsche Übersetzung übernommen: «Traumwelt und Romantik». Der eher aufs Klassische ausgerichtete Romanist bemerkt unter anderem:

Der Gegenstand, so sagt der Verfasser mit Recht, c'est ‹notre› expérience. Man wird es ihm darum nicht verargen, wenn er die Bedeutung dieses Gegenstandes mit ganzem Gemüt erfaßt und sie gelegentlich *über*betont. Das Einverständnis mit seinen geliebten Romantikern in Deutschland und mit deren Fortsetzern in Frankreich verführt ihn zuweilen, und er erkennt dem Traumwesen religiöse, philosophische und dichterische Hauptrollen zu, die es zwar gespielt, aber doch auch ‹gespielt› hat. Der Reiz, das Verdienst und zugleich eine liebenswürdige Schwäche dieses klugen, kenntnisreichen, erstaunlich gut unterrichteten Werkes liegt in der Geduld, ja in der bewußten Gutgläubigkeit, mit der hunderterlei Versponnenheiten, Schrullen und Grillen eines Lichtenberg, eines Moritz, eines Troxler und sehr vieler anderer Deuter, Bildner und Dichter von Träumereien hingenommen und lichtvoll dargestellt werden. Dieser Nachgiebigkeit steht übrigens eine große grundsätzliche Strenge gegenüber: indem alle diejenigen Autoren von der Betrachtung ausgeschlossen bleiben, denen der Traum nur Vorwand, Ausflucht, Maske oder Formsache, aber kein wirkliches Erlebnis, kein zwingendes Motiv war.

Voßler fragt sich jedoch, ob nicht der «eigentlich menschliche Wert dieser gesamten Mystagogie der deutschen und französischen Traumgläubigen allzu liebevoll vergrößert wurde [...]. Denn die echten Werte des Geistes und der Seele sind alle hell, sind alle traumfrei, das heißt, sie sind erst gesichert, wenn sie *ausgeträumt* sind.» Die «literarische Wohlerzogenheit» und die «feine, umgängliche Bereitwilligkeit», die «wirkliche Sympathie» ließen Béguin überall das Verbindende suchen:

Dabei gelingt es ihm, zwischen der deutschen Romantik und der französischen Nachromantik mit ihrem Symbolismus und Surrealismus eine echte und nicht etwa durch Entlehnung und Nachahmung entstandene Verbundenheit der Motive, ja eine wirkliche Identität der Probleme zu entdecken, auf die wir unsere Literaturhistoriker nachdrücklich hinweisen möchten. Und auf dem Hintergrund der gemeinsamen Aufgabe heben sich desto leuchtender die Verdienste und Ursprünglichkeiten der verschiedenen Bearbeitungen in ihren nationalen und individuellen Eigenarten ab. Das französische Vorurteil von einem «traumkranken» Deutschland und das deutsche von einem «verstandesdürren» Frankreich werden hier mit erstaunlich gleichmäßiger Schlagkraft *widerlegt*.

Oskar Koplowitz-Seidlin (Sdn) geht als einziger Béguins Synthese von einem mehr philosophischen Standpunkt an. Nach einigen feinsinnigen Bemerkungen zu den behandelten Autoren bedauert er, daß Schleiermacher, Fichte, Schlegel und Schelling nicht zu Worte kommen. Auch Béguins Seitenhiebe auf Freud scheinen ihm nur halb gerechtfertigt, denn es gehe Freud um mehr als nur Individuelles; und er fährt weiter:

> Man könnte auch daran zweifeln, daß die Romantik auf die Frage nach der ‹condition humaine› wirklich eine gültige Antwort gibt. Man könnte – gegen Béguin – daran festhalten, daß sie sich im Individualistischen verfängt. Gewiß, das Individuum weitet sich zum Universum. Aber ist es nicht eine unendlich groß gewordene Monade ohne Fenster? Der Blick aufs ‹Du› scheint uns versperrt, die Frage nach der Menschheit als Sozietät nicht gestellt. Die Romantik hört die Forderung nach außen nicht, sie hat kein moralisches Zentrum und kein Gesetz. Vielleicht daß sie gerade darum zusammenbrechen mußte und sich flüchtete in die klare Dogmenwelt des Katholizismus.
>
> Diese Einwände, Einwände prinzipieller Natur, hindern nicht, anzuerkennen, daß Béguins Buch selbst in deutscher Sprache kein Gegenstück hat. Nirgends ist mit so leidenschaftlichem Interesse, mit solch persönlicher Beteiligung die Frage nach der romantischen Seele gestellt worden. Nirgends ist das Wunder des Dichtertums so ehrfürchtig und eindringlich angerührt wie in diesem Buch. Mit seinem beispiellosen Materialwissen, seinen tiefen Einsichten, seiner hingebenden Liebe zur Poesie steht es einzig da in der Gesamtliteratur über die Romantik («National-Zeitung», Basel, 18. April 1937).

Später kommt Seidlin in der Besprechung des bereits erwähnten Bandes *Le Romantisme allemand* auf Béguin zurück und stellt fest, daß das in seinem Werk genannte ‹Unbewußte› wenig mit dem Freudschen Begriff zu tun hat, «denn gemeint ist bei den Romantikern nicht ein individuelles, persönliches Unbewußtes, sondern ein metaphysisches, das ‹Analogon› der All-Einheit, der All-Natur im Bereich menschlicher Existenz. Es hat also nichts zu tun mit Psychologie, sondern es ist ein Stück Anthropologie, es ist die entscheidende und schöpferische Wurzel im Menschen. Aus ihm erwächst der metaphysische Traum, aus ihm erwächst die Dichtung [...]. Dieses gewaltige Dunkel, Dunkel der Nacht und Dunkel des Unbewußten, ist aber ebenso schrecklich, wie es fruchtbar ist» (NZZ, 3. September 1937).

In diesem einigermaßen repräsentativen Abriß zeigten sich Einverständnis und Anteilnahme der meisten Kritiker. Ebensogut hätten wir uns auf Jean Rouge, Jean-Paul de Dadelsen, Siegfried Lang, Geneviève Bianquis oder auf Briefe von

Robert Minder, Jean-Édouard Spenlé, Félix Bertaux, Eduard Berend oder André Monglond beziehen können; auch Dichter und Schriftsteller von Rang waren voll Begeisterung: Breton, Aragon, Eluard, Supervielle.

Die wenigen kritischen Stimmen, die sich Gehör verschafften, scheinen uns heute fast noch interessanter. Vollständig abgelehnt wurde das Buch von André Thérive im «Temps». Nach ihm hängt unser Urteil über dieses Werk «von der Meinung ab, die wir von der Bestimmung der Menschheit hegen, ob wir uns damit einverstanden erklären oder es anstößig finden, ‹wenn der Geist auf die Finsternisse als auf den einzigen Ort verwiesen wird, an dem ihm die Freude, die Poesie, die heimliche Herrschaft über das Universum zufällt›». Thérive ist der Ansicht, wirklich sei, was von den Sinnen wahrgenommen und vom Geist in Begriffe gefaßt werden könne. Er gesteht Béguin zwar ‹finesse› zu und eine unvergleichliche Geschicklichkeit in der Behandlung der Texte und findet sogar die Porträts der Dichter und Schriftsteller gelungen. Was ihn jedoch herausfordert, ist die Verherrlichung von Traum und Unbewußtem als Pforte zu einer ‹höheren› Wirklichkeit; Begriffe wie ‹wahre Erkenntnis›, ‹Fortschritt›, ‹Heil›, ‹Initiation› sind für ihn Metaphern für ein Spiel, das Kindern und Geistesgestörten gefalle, weil es keine Willensanstrengung bedinge. Wenn jeder sich ausschließlich dem sterilen inneren Schauspiel zuwende, fährt Thérive fort, so entstehe nicht Dichtung, sondern «nur Literatur»; eine solche Traumliteratur theoretisch zu verteidigen könne nur «introvertierten, schizoiden (schließlich sei das eine Krankheit wie jede andere) und vor allem solchen Schriftstellern in den Sinn kommen, die große Mühe haben, ihrer Aussage Gestalt zu verleihen ...» [!]. Béguin hat sich nach Thérive viel zu wenig um die dichterische Form gekümmert; sein Wälzer sei insofern aufschlußreich, als er uns zum Nachdenken zwinge über «die schreckliche Katastrophe, die am Ende des klassischen Zeitalters über die Menschheit hereingebrochen ist: die Absage an den Intellekt». Und das ist für Thérive eine Blasphemie, die viel schwerer wiegt als die Genüsse, die uns der Primitivismus («même sous forme de charabia et de poésie-borborygme») vermittle.

Walter Benjamin hat L'Ame romantique in der von Thomas Mann und Emil Oprecht in Zürich herausgegebenen Zweimonatsschrift für freie deutsche Kultur «Maß und Wert» besprochen. Das Werk erscheint ihm als eine «Initiation» in das «romantische Phänomen par excellence»; es ist «vorbildlich gearbeitet, mit Präzision, ohne gelehrten Prunk. Diese Faktur hat Anteil daran, daß es, ungeachtet einer problematischen Grundhaltung, im Detail vielfach ebenso original wie gewinnend ist.»

Die «problematische Grundhaltung» besteht nach ihm im «unvermittelten Interesse», das immer ein subjektives sei und in der Geisteswissenschaft ebensowenig Rechte habe wie in irgendeiner andern. Die Vermittlung läge nach Benjamin in der Untersuchung der «geschichtlichen Konstellation, aus der die gedachten romantischen Unternehmungen entspringen. In solch vermitteltem Interesse, das sich in erster Linie auf den historischen Standindex der romantischen Intentionen richtet, wird unser eigener, aktueller Anteil am Gegenstand legitimer zur Geltung kommen als in dem Appell an die Innerlichkeit, die sich den Texten unvermittelt zuwendet, um ihnen die Wahrheit abzufragen. Béguins Buch setzt mit solchem Appell ein und hat damit vielleicht Mißverständnissen Vorschub geleistet.»

Dieser Vorwurf ist ernst zu nehmen, doch enthält er die nicht ganz zutreffende Behauptung, Béguin frage seinen Texten die Wahrheit ab; nach Benjamin darf sich die Frage nicht unvermittelt darauf richten, «ob die romantischen Lehren über den Traum ‹richtig› waren». – Béguin geht es nicht um die ‹Richtigkeit› einer Lehre, sondern um die Tragweite und die Wahrheit einer persönlichen Erfahrung, die bis zu einem gewissen Punkt mystischen Charakter hat, sich aber durch die volle Verwirklichung im sprachlichen Ausdruck grundsätzlich von der Mystik unterscheidet.

Für Benjamin sind die romantischen Dichter und Denker keine «Zeugen», keine «Autoritäten» – mit Ausnahme vielleicht von Ritter. Benjamin fordert auch einen noch stärkeren Bezug zum 18. Jahrhundert, in dem die mystische Tradition bereits säkularisiert wurde, so daß die Romantik einem (gewalttätigen) Versuch zur Restauration gleichkomme. Zur Zeit der beginnenden gesellschaftlichen und industriellen Entwicklung hätte die mystische Erfahrung ihren sakramentalen Ort bereits verloren und sei daher als solche in Frage gestellt worden. Für einen Troxler war «der Appell an das Traumleben ein Notsignal; er wies minder den Heimweg der Seele ins Mutterland, als daß Hindernisse ihn schon verlegt hatten», bemerkt Benjamin. Für ihn ist die Synthese das Vorrecht der geschichtlichen Erkenntnis, und darin, hätte Béguin sie erreicht, wären die Traumtheorien der Romantik zerfallen. Nach all dem rühmt er wie Thérive und viele andere Béguins Porträtstudien, «die das Buch, seiner Anlage ungeachtet, lesenswert machen. [...] Je mehr der Leser ins Detail dieser physiognomischen Kabinettstücke eindringt, desto öfter wird er die Korrektur eines Vorurteils finden, das das Buch von Hause aus hätte gefährden können.»

Grundsätzlich negativ, ja ziemlich gehässig war die Besprechung von F. Baldensperger, dem Komparatisten der Harvard University und Verfasser interessanter Studien über die Beziehungen zwischen deutscher und französischer Literatur. Er sieht die eigene Grundauffassung von der Komparatistik in Frage gestellt. Claude Pichois, der die von Baldensperger begründete Tradition der Untersuchung literarischer Einflüsse erneuert, hat anerkennt demgegenüber in seinem Werk *L'Image de Jean-Paul Richter dans les lettres françaises* (Paris: Corti 1963), welch wichtige Rolle Béguins Vermittlertätigkeit zukommt.

Einige der Vorwürfe Baldenspergers sind sachlich begründet (etwa der Hinweis, Béguin habe im Kapitel über Lichtenberg das Wort «Rauchkerzchen» falsch verstanden), anderes ist aus der Luft gegriffen, denn Baldensperger hat das Buch nur oberflächlich gelesen. Wie Benjamin fordert auch er mehr Aufschluß über die sozialen und geschichtlichen Aspekte.

Es prallen hier zwei total verschiedene Literaturauffassungen zusammen. Das wird klar in einer unveröffentlichten Entgegnung, die Béguin auf Vorschlag seines Freundes Jean Ballard für die «Cahiers du Sud» zu schreiben begann, aber nie abgeschlossen hat (er hatte schon zuvor in der gleichen Zeitschrift zwei Antworten auf Briefe Joë Bousquets veröffentlicht). Béguin hält Baldensperger, für den ein dichterisches Werk primär ein ‹Dokument› zu sein scheint, entgegen:

Das Wesentlichste ist für mich, was mir Dichtungen zu sagen haben, mir selbst [...], einem heute lebenden Menschen, der sich Fragen stellt und der von den Dichtern etwas erwartet, eine Botschaft wie jene Baudelaires in den zuletzt geschriebenen Gedichten der *Fleurs du Mal*. [...] Wieso nicht mit solcher Naivität vor eine Dichtung treten, als einer, der zuhört und der vom Dichter *erwartet,* daß er ihm etwas sage und daß er von dem spreche, was einen jeden von uns be-trifft.

Béguin verschanzt sich nicht hinter der Wissenschaftlichkeit; er will einer Literaturbetrachtung zum Durchbruch verhelfen, die «den Wert, die Bedeutung eines Textes in ebendiesem Text zu erfassen sucht, und nicht in den tausend Zufällen, die seine Entstehung begünstigt oder gehemmt haben». In den dreißiger Jahren war eine solche Einstellung in Frankreich neu und demzufolge höchst umstritten; sie bleibt es bis heute, denn sie ist nicht ‹wissenschaftlich› im üblichen Sinn des Wortes.

VOM ICH ZUM SELBST UND ZUR ‹GEGENWART DER DINGE›

Albert Béguin hat keine Objektivität angestrebt, denn in den Geisteswissenschaften «zeitigt sie keine Früchte». Werken gegenüber, die uns etwas zu sagen haben, können wir nicht gleichgültig bleiben. Seine ‹Kritik› ist ein Forschen, «welches sich einer persönlichen Fragestellung unausweichlich verpflichtet fühlt», eine Suche nach dem «ureigensten, unwandelbaren Rhythmus des Menschen», nach seiner Seele, nach dem, was uns eine Antwort gibt auf die wesentlichen Probleme unseres Daseins: Wer bin ich? Wo komme ich her? Wozu sind wir da? Die Frage «Bin *ich* es, der da träumt», so lesen wir in der Einleitung, «ist eine jener drei oder vier Fragen, auf die wir nicht eine Antwort geben können, die lediglich das abstrakte Denken befriedigt, die Wirklichkeit unserer Existenz und ihre ursprüngliche Angst hingegen außer acht läßt». Die Wirklichkeit, aus der diese Fragen auftauchen, ist unergründlich und «reicht weit über uns hinaus»; wollen wir uns nicht zu einem «geringeren Leben verdammen», so müssen wir den Dialog mit ihr suchen – und da helfen uns der Traum und die Dichtung.

Der Traum ist für ihn der Quellgrund der Dichtung. Er bringt Verfremdung, doch er erweitert auch unser Bewußtsein; als Vermittler verschafft er uns Zugang

zum «Heiligtum großer Offenbarungen». Mit dieser Behauptung schließt das erste
Kapitel der Einleitung, in der zunächst Begriffe wie ‹Mahnung› (avertissement),
‹Fragen› (interrogations) und ‹Antworten› (réponses) auffallen; es steht im
Zeichen eines Arnim-Zitats, das Béguin als Motto verwendet, um den Leser ein-
zustimmen: «Dichtungen sind nicht Wahrheit, wie wir sie von der Geschichte
und dem Verkehr mit Zeitgenossen fordern, sie wären nicht das, *was wir suchen,
was uns sucht,* wenn sie der Erde in Wirklichkeit ganz gehören könnten, (denn
sie alle führen die irdisch entfremdete Welt zu ewiger Gemeinschaft zurück).»
[Hervorhebung von Béguin; der Satz in der Klammer wurde von ihm weggelassen.]

Die deutsche Romantik hat den nach einer Antwort auf die Frage nach der
Identität und dem eigenen Sein Drängenden angezogen; durch Proust und den
Surrealismus hatte er eine neue Art von Dichtung als Weg zur Erkenntnis
kennengelernt. Nach Jahren des Suchens als Student, Bildexperte und Buch-
antiquar in Paris tauchte der Schweizer aus La Chaux-de-Fonds, der in Genf 1923
ein Lizentiat in Altphilologie erworben hatte, während seiner Lehrtätigkeit als
französischer Lektor in Halle (1929–1934) tief in die Welt der Romantiker ein,
um den bis auf den Grund vorgestoßenen Abenteurern bis zu jenem Ort zu
folgen, wo die «Melodie unseres Schicksals» zu hören ist. Was bedeutet für ihn
die «Höllenfahrt», von der *Traumwelt und Romantik* berichtet? Welcher Art ist die
Funktion, welche das vorliegende Buch, wie der Verfasser am Schluß sagt, ihm
selbst gegenüber erfüllt hat?

Es fällt auf, daß sehr schnell und in der Folge oft von der ‹Urangst› des Menschen die Rede ist, womit sein «Mangel an Wirklichkeit» gemeint ist, ein Mangel,
der sich bei den behandelten Dichtern meist in Form einer ständigen Suche nach
der Identität äußert. Die Frage nach dem eigenen Sein steht in engem Bezug
zum ‹Schicksal› und ist in der Sicht Béguins unauflöslich mit der romantischen
Welterfahrung verbunden.

Der Traum ist dabei deshalb von Belang, weil er uns mit jener ‹Wirklichkeit›
in Berührung bringt, aus der wir ausgeschlossen sind, und weil sich in ihm
andrerseits ähnliche Verfahrensweisen zeigen wie die der schöpferischen Einbildungskraft. Nur wer mit ihm vertraut ist und auf ihn hört, entgeht der Öde des
Alltäglichen, und so ist die Welt des Traums und der Phantasie zunächst ein Ort
der Zuflucht; sie erlöst das Ich «von der es hart bedrängenden [äußeren] Wirklichkeit» und ermöglicht ihm erst seine ganze Entfaltung. Im Traum gelingt es
dem Menschen, «von der Welt Besitz zu ergreifen und die Wirklichkeit [...]
zu erleuchten».

Die ‹Angst›, das persönliche Drama sind demnach Ausgangspunkte für ein
Fragen, das kein Ende nimmt, denn es ist Ausdruck eines «metaphysischen Verlangens», einer «metaphysischen Beunruhigung». Die Dichter versuchen, sich
ihrem persönlichen Schicksal zu stellen, indem sie es in Sprache fassen. Es geht

ihnen um mehr als ihre persönliche Sorge: Es geht um das Verständnis des
«menschlichen Dramas überhaupt», um «die Frage nach der Bestimmung des
Menschen». Das Wozu? gibt vielleicht eher Aufschluß über die Identität als die
Frage nach dem Sein. Béguin ist kein Philosoph, und alles Ontologische ist
ihm fremd. Wie schon am Anfang von *Traumwelt und Romantik* klar erscheint,
geht es ihm nicht um den Begriff, sondern um die Erfahrung des Daseins, und
dies ist ja auch das Ziel der Dichter. Wie für sie die Poesie «die einzige
Antwort auf die Urangst der Kreatur» ist, so sucht Béguin im Umgang mit
Dichtung seinen Durst nach tieferer Einsicht zu stillen. Sein Ziel (Weltverständnis
und Selbsterkenntnis) und sein Vorgehen (Begreifen durch sprachliches Gestalten)
sind im Prinzip gleich wie beim Dichter, doch nicht der Horizont, auf den er
ausgerichtet ist. Die Welt, die sich ihm darbietet, ist bereits in Sprache gefaßt.

Wie die noch unveröffentlichten Texte und Briefe aus der Genfer Studienzeit
zeigen, war die Frage der Romantiker auch Béguins eigene Frage. Der Zweifel
an des Menschen Identität ist zunächst ein Zweifel am inneren Zusammenhang;
auf ihn antwortet der Mythos des goldenen Zeitalters, der verlorenen Kindheit.
Der Mensch, der im Innern keinen Halt findet, lebt in ständiger Unruhe, und diese
Angst kann das ganze Dasein überschatten: Von der Antwort hängt der Sinn
unserer Existenz ab. Diese ist unter anderem charakterisiert durch unseren «Durst
nach Unendlichkeit», in die sich im Traum eine Pforte öffnet. Aus der metaphysischen Angst entsteht ein «metaphysisches Verlangen», eine «metaphysische
Hoffnung»: «Was Jean Paul für seine ‹Träume› ausgibt, sind also in Wahrheit
Szenen, die aus den gleichen Regionen stammen wie die Bilder der nächtlichen
Traumwelt: aus jenen Tiefenschichten nämlich, die immer irgendwie mit unsern
bedrängendsten Gedanken, mit unsern Ängsten, mit unsern metaphysischen
Hoffnungen im Zusammenhang stehen. Und hier in dieser Tiefe sind wir in
allerengster Beziehung mit unserer *Existenz* oder mit dem, was daran nicht
oberflächlich ist. Der Traum und die Dichtung, wie sie Jean Paul versteht und
erschafft, beide führen sie uns die Mythen vor Augen, in denen zum Ausdruck
gelangt, was auf keine andere Weise ausgedrückt werden könnte: die lebendige
Mitte unseres Seins.»

Dichten und über Dichtung schreiben heißt demnach die inneren Tiefenschichten ausloten, eine Antwort geben auf die geistige Suche, den verborgenen
Sinn des Schicksals ergründen. Das Werk – oft nur im Ansatz vorhanden – wird
der Ort, wo die wesentlichen Entscheidungen fallen; denn wie der Traum ist es
der Ort, wo der Kampf zwischen Licht und Finsternis ausgetragen wird: «Nicht
ohne Grund war Dionysos Schicksalsgott und Traumgott zugleich. Den Alten
schon galt als gewiß, daß das Schicksal in und außer uns dieselbe Sprache spreche;
daß das Schicksal nicht so sehr unser Leben in irgendeine vorbestimmte Bahn
lenkendes göttliches Verhängnis sei als vielmehr die zarte Verwobenheit aller
Lebensaugenblicke, die uns wohl gewöhnlich in ihrer zeitlichen Abfolge als

voneinander getrennt erscheinen, in Wahrheit aber in einem inneren Zusammenhang stehen, vergleichbar dem Ganzen einer musikalischen Satzentfaltung.»

Werke wie die *Hymnen an die Nacht*, Gérard de Nervals *Aurélia* und – mutatis
mutandis auch Albert Béguins *Ame romantique* – sind die Erfahrungen, die sie
darstellen, denn «im Akt des Schreibens selbst und in dem Maß, als sich der
Dichter einer ihm selber unbegreiflichen Erhebung und Offenbarung hingibt,
vollzieht er einen Fortschritt, eine doppelte Hinwendung: vom erlebten Ereignis
zum verklärten Ereignis und zugleich von der flüchtigen Hoffnung zur eroberten
Gewißheit». Der Mut des Dichters wie jener des Lesers, der zugleich über
Dichtung schreibt, besteht darin, die Angst des Menschen nicht zu unterdrücken,
sondern «sie zu durchleben und so zu läutern». Dabei nimmt das Denken schnell
«seine eigenen Grenzen wahr und ahnt, daß es abzudanken hat, sobald es einen
bestimmten Punkt erreicht; denn da ist außerhalb, jenseits seiner Reichweite, noch
etwas ganz anderes: die Existenz», bemerkt Béguin im Zusammenhang mit Karl
Philipp Moritz, in dessen *Anton Reiser* den Helden ein «metaphysischer Schauder»
überkommt.

Das Gelingen des Werks wird oft teuer erkauft. Der Dichter knüpft an die
«Erkundung des Wirklichen» bestimmte Hoffnungen, so daß seine sprachliche
Auseinander-setzung zwar die Form einer Eroberung annimmt; zugleich aber ist
es der «Leidensweg seines persönlichen Scheiterns». Ohne das Gleichgewichtsorgan der Ironie, die den Dichter instand setzt, «sich aufs Leben des äußern wie
des innern Werdens einzulassen, ohne sich doch völlig hinzugeben oder gar darin
zu verlieren», kann dieses Spiel schwerwiegende Folgen haben: «Der Dichter
konstatiert nicht die *Tatsache* der ästhetischen Sublimierung wie der Psychologe,
er *bekennt* seine *Erfahrung* von den verborgenen Bereichen der Seele, und weil
dies für ihn eine Notwendigkeit ist, eine Forderung seiner ganzen Natur, die ihr
Daseinsrecht in Frage gestellt sieht, nimmt er seine Zuflucht zur poetischen Umsetzung und bedient sich ihrer zur Sicherung gegen die von innen drohenden
Gefahren, zur Läuterung dessen, was von Natur nicht lauter ist.»

So hat die Poesie – und ein Werk wie *Traumwelt und Romantik* steht ihr
nicht so sehr fern, wie die umfangreiche Bibliographie vortäuschen könnte –
ganz verschiedene Funktionen: Sie ist Bericht vom geistigen Abenteuer, sie ist
Versuch und Suche, ein Be-greifen des Lebens, und dazu wird sie das «erquickende,
wenn auch immer abgeschwächte Echo jenes anfänglichen Staunens und Entzückens sein, als die Ekstase dem Dichter das lichte Schauspiel der Welt erschloß».

Da die Dichtung, zumindest die romantische, sowohl in ihren Verfahren als auch
in bezug auf die Herkunft ihrer Motive und die existentiellen Fragen in enger
Beziehung mit dem Traum steht, führt sie wie dieser zunächst von uns selbst
weg: «Ich bin ein anderer.» Nicht *ich* war es, der das geträumt hat: Unser
Wesen, wenn hier von einem solchen überhaupt gesprochen werden kann, ent-

zweit sich. Das vermeintliche Ich erweist sich als brüchig, als konstruiert, ja das Ichbewußtsein wie das Bewußtsein von der äußeren Wirklichkeit kann sich völlig verlieren (Amiel), dem Menschen kann das Bewußtsein von seiner eigenen Person abhanden kommen (E. T. A. Hoffmann).

Der Verlust des Ichbewußtseins schafft vielleicht gerade die Möglichkeit zu einer Erfahrung des wahren Ichs und des Daseins, eine Erfahrung, die nicht Frucht einer Überlegung, sondern eines ‹Gefühls› ist – man denke an die fünfte Träumerei Rousseaus. Der Vorgang mutet zunächst paradox an: Um uns zu finden, müssen wir uns verlieren.

Rufen wir Novalis in Erinnerung: «Nach innen geht der geheimnisvolle Weg. In uns, oder nirgends ist die Ewigkeit mit ihren Welten, die Vergangenheit und Zukunft.» Diesen Satz hat Béguin oft zitiert, denn er umschreibt sein inneres Anliegen, welches sich nicht aufs Psychologische beschränkt. Der «Weg nach Innen» führt zunächst zum Verlust dessen, worauf sich meine Persönlichkeit stützt, des Ichs; da dieser Weg aber die Sprache ist, führt er zur Vergegenwärtigung einer neuen Welt. Wer den Weg geht, verzichtet auf das Ego, und solcher Selbstverlust ist, wie Béguin im Zusammenhang mit Bettina von Arnim bemerkt, «ein Weg, zum Kern des Selbst zu gelangen». Wer auf halber Strecke stehen bleibt, gelangt nicht über die schmerzliche Erfahrung des «Egoismus» hinaus (Karl Philipp Moritz), das heißt, er entrinnt nicht der «Folter grausamster Selbstbeobachtung», er kann das, «was ursprünglich eine Not oder eine Krankheit des Selbstbewußtseins war», nicht «zum Werkzeug einer metaphysischen Eroberung verwandeln», und gerade auf solch eine magische Verwandlung ist ja die romantische Dichtung in Deutschland viel stärker ausgerichtet als in Frankreich, wenn man von Gérard de Nerval und Rimbaud absieht.

Das Eintauchen ins Unbewußte und der damit verbundene Bewußtseinsverlust scheint notwendig zu sein, auf daß «der einzelne, von seiner Person frei geworden und der Kontrolle des Bewußtseins entzogen, in sich selbst an das rührt, was ihn zugleich am meisten schreckt und am meisten ermutigt». So kann, sagt Béguin im Zusammenhang mit Tieck, «eine Farbe, ob in der Natur oder in einem Gemälde, sogleich an den ‹Traum in uns› rühren und uns den Eindruck vermitteln, daß sich dieses verborgene, eingekerkerte Ich plötzlich befreit und in überraschenden, süßen Einklang tritt mit dem weiten, ‹noch geheimnisvolleren Traum›, der uns umgibt». Der Abstieg ist somit ein Weg zu einem anderen Ich, das wir, weil die Sprache uns diese Unterscheidung anbietet, im Deutschen das Selbst nennen. Gemeint ist damit das tiefere Ich, das die Romantiker bei ihrer «Höllenfahrt» in die Innerlichkeit entdecken. Dort gelangen sie zum «Einklang zwischen unserem auch noch so vereinzelten Rhythmus und dem allbeseelenden Rhythmus des Universums; wahre Erkenntnis ist demnach Erkenntnis per analogiam, Erkenntnis einer höheren Wirklichkeit, welche uns nicht einfach von der Außenwelt vorgegeben wird». Gerade das sucht Béguin, für den die Beschäftigung mit Dichtung den gleichen Sinn hat wie für den Dichter sein Werk. In der Tiefe eines authentischen Erlebnisses trifft der Leser den Dichter, und dessen Wort trifft ihn, wenn er bereit ist, sich in die Dichtung hineinzuversetzen, zugleich er selbst und ein anderer zu sein. Es bedarf dazu einer großen Kraft, auch eines großen Verzichts.

Der geforderte Ichverlust ist ein Aufgeben der Individualität, doch er ist auch ein Gewinn, denn erst so erfahren wir, daß wir «unendlich viel mehr» sind als ein Mensch mit einem Namen. Was wir oben ‹Selbst› genannt haben, heißt auch ‹Seele› – der französische Titel des Buches lautet ja *L'Ame romantique et le rêve*: «Das gesamte romantische Bemühen zielt darauf ab, durch die flüchtigen und trügerischen Erscheinungen hindurch zur verborgenen wahren Einsicht zu gelangen [...].» Diese Einsicht offenbart uns unsere Begrenztheit, doch lockert sie die Fesseln des Ichs und zeigt uns «unser wahrhaftes Leben, das Leben, das uns wirklich zugehört und dem wir zugehören, das jenseits von Schauen und Hören ist, in der Mitte der Seele, dort, wo wir eins sind mit unserer ewigen Wahrheit».

Der Dichtung fällt dabei eine besondere Aufgabe zu: «Traum und mancherlei ‹Entzückungen›, Spracheinfälle und poetische Erleuchtungen, Eingebungen im Wahnsinn und Phantasien der Kindheit, all das sind kostbare Überreste von unserem ursprünglichen Einssein mit dem Leben der gesamten Natur, aber auch schon Keime unserer künftigen Rückkehr in die anfängliche Harmonie».

Nach der romantischen Erfahrung, die sich Béguin ganz zu eigen macht, gelangen wir auf Grund der Entsprechung von Makrokosmos und Mikrokosmos zu jener ‹Wirklichkeit›, die wir, indem wir vom Baum der Erkenntnis gegessen haben und so zum Bewußtsein gelangt sind, verloren haben: «Weder zwischen uns und der Gattung noch zwischen uns und dem Weltall gibt es irgendeine Scheidung [...], und ebenso reicht unsere Seele weit über unser individuelles Ich hinaus und umfaßt das höhere Ich, das identisch ist mit der absoluten Einheit.»

Man könnte in dieser an die Mystik erinnernden Welterfahrung eine Aufforderung zum Verzicht auf das Rationale sehen; nichts wäre jedoch falscher: «Schließlich wird der Mensch gerade durch den Einsatz des Bewußtseins das heute weitgehend verschlossene Unbewußte zurückerobern und die anfängliche Harmonie wiederherstellen. Dies ist das Ziel, das einem jeden individuellen Abenteuer vorbestimmt ist; dies wird aber auch das Ziel der gesamten Menschheitsgeschichte sein.»

Jenseits – oder diesseits – des Bewußtseins seiner selbst (= Cogito) erscheint eine Art Selbstgefühl, das «Staunen über unsere Geheimnishaftigkeit», und wer auf dem Weg nach innen weiterschreitet, erspürt durch alles Scheinhafte die «verborgene wahre Einsicht» und gelangt somit zum Punkt, «wo wir nicht mehr ‹wir selber› sind, sondern wo wir durch Analogie das erkennen, was uns sonst unerkennbar bliebe».

Der Intuition folgt die Sehnsucht nach *Übertragung* dessen, was in unserm Grund durchscheint: «So beruft sich auch die Poesie auf gewisse Innenbereiche, die mit einem kosmischen, der Prosa des Wachens unzugänglichen Sein in Verbindung stehen. Sie rührt an jenes Teil in uns, das wir gewöhnlich in den Stunden des wachen Bewußtseins übergehen und das sich auch nur schwer an die Oberfläche bringen läßt.» Der Traum präfiguriert unser Schicksal und wird übertragen in die Dichtung. Des Dichters Wort ist demnach die Metapher einer Metapher.

Wer so weit gelangt ist, kann getrost in die Welt des Alltags zurückkehren. Er selbst ist ein anderer geworden und weiß sich den Dingen tief verbunden, denn er weiß, daß er «mit ihnen geboren wird» (Claudel). Sie bleiben ihm gegenwärtig und erscheinen in neuem Licht dank der Magie des Wortes.

Der Weg eines solchen ‹Subjektivismus› führt also nicht nur zum Subjekt, sondern zum Selbst und «letztlich zu einer Wiederentdeckung der äußeren Welt»; gerade diese Erfahrung verleiht den letzten Seiten von *Traumwelt und Romantik* einen so persönlichen Ton. Die Funktion des Werks ist erfüllt: Albert Béguin hat den Weg zur «présence» gefunden und wendet sich in der Folge den Dichtern zu, die diese verkünden: Balzac, Ramuz, Supervielle, Claudel, Péguy.

Ausgehend vom «Mangel an Wirklichkeit», hat ein ‹Forscher› in der den dunklen Regionen des menschlichen Geistes entstiegenen, durchs Wort aufgeschlossenen Welt das Paradies erahnt, um das seine Träume kreisen. Der universellen Analogie gemäß kündet für ihn schließlich das Sichtbare vom Unsichtbaren, der Traum läßt Unendliches durchscheinen, die verlorene Einheit, die «Gegenwart der Dinge» (Hamann); und der Mensch wird aus der Abgeschlossenheit des individuellen Bewußtseins erlöst. Béguins Werk ist primär eine Suche nach dem verschütteten Glück, eine ‹Quête› im Sinne Percevals. Ich bin nicht nur Ich, denn ich stehe im Einklang mit einem Anderen, für das ich ein Du bin, könnte die Antwort auf seine Frage lauten.

Um am geistigen Abenteuer teilnehmen zu können, das sich im Dichter ereignet, muß sich der Leser in dessen Inneres versetzen, ja er muß sich der Magie des Wortes überlassen; nur so wird er die Vielzahl menschlicher Denk- und Erlebnisformen in ihrer Mannigfaltigkeit erfahren: Es sind Gedanken, Erlebnisse und Bilder, die auch in seinem Inneren geschlummert haben. Wir selbst können gewissermaßen Dichter werden, wenn wir dem beim Lesen Erfahrenen sprachliche Gestalt zu verleihen vermögen: «Dichter und Kritiker eilen zusammen dem gleichen Traum nach» (Georges Poulet). Man kann von einer ‹Identifikation› sprechen, wobei nicht eine Selbstspiegelung zu verstehen ist, sondern eine Art Selbstentäußerung, ein wagemutiges Verlassen des Bodens der Gewißheit: Der Dichter vertraut der Einbildungskraft, der Leser seiner Kraft zur Einsicht und Übertragung, und beide gelangen dabei zu einem neuen Welt- und Selbstverständnis. Im deutschen Bereich könnte man hier – mit verschiedenen Vor-behalten – etwa Dilthey nennen, im französischen vertreten Charles Du Bos, Jacques Rivière, Marcel Raymond und Georges Poulet eine solch mystische Hingabe an das fremde Bewußtsein.

Das Bedürfnis nach Identifikation mit dem andern steht in einer eigenartigen Beziehung zum «Drang nach einem klareren oder tieferen Selbstbewußtsein, das am Ende jener Bewegung erreicht wird, durch die das kritische Denken ein fremdes Bewußtsein erforscht» (Georges Poulet). Béguin selbst bemerkt in einem Gespräch mit André Alter, er habe jahrelang im romantischen Universum gelebt und erst bei der Niederschrift der letzten Seiten von *L'Ame romantique* bemerkt, daß sich in seinem Innern etwas ganz Schwerwiegendes abgespielt habe: Sein Ich hat sich gewandelt. Aus der Tiefe der ein-gebildeten Welt ist er mit der Erinnerung an «vertraute Gesichter» zurückgekehrt; die Dichtung hat ihm mehr Wirklichkeit erschlossen als die fünf Sinne. Was am Schluß von *Traumwelt und Romantik* erscheint, ist ein neues Ich im Zentrum einer Erfahrung, die Ausgangs-punkt wird zu neuen Begegnungen. In solcher Perspektive ist ein literarisches Werk primär eine persönliche Schöpfung: sich selbst treu und offen für den Dialog mit dem anderen. Wo etwas gesagt wird, wird mitgeteilt, und solche Mit-teilung ist bereits eine Form von Erlösung.

Diese ‹kritische› Erfahrung steht in engem Zusammenhang mit jener Marcel Raymonds und Georges Poulets; man kann sie ‹intersubjektiv› nennen. Auch nach Marcel Raymond läßt sich «ein sprachliches Kunstwerk nicht auf den Zu-stand des Objektes oder des bloßen Dokuments, auf die ‹Daseinsweise› eines Schriftstellers zurückführen». Eine Erklärung kann nach ihm «nie rein analytisch, erschöpfend, und noch weniger didaktisch sein, vielmehr ist sie die Frucht einer Erfahrung, eines Versuches, das Werk, genauer gesagt das Gedicht in seiner besonderen Wirklichkeit, in seinem Geheimnis zu erfassen. Und eine solche Er-fahrung ist nur möglich durch eine Askese, eine Einübung, eine Übung des Aufnehmens und der äußersten Aufmerksamkeit.» Genau diese Auffassung ver-teidigt Béguin gegenüber den positivistischen Literarhistorikern. Wissen ist unerläßlich, aber es genügt nicht zum Verständnis, zum Erlebnis der Dichtung.

Während Marcel Raymond mehr die Einzelheiten im Bereich der Sprache, des Rhythmus und des Stils beachtet, um so die Intuition zu überwachen (vgl. *Le Sel et la Cendre*, Lausanne 1970), folgt Béguin mehr dem geistigen Werdegang (‹itinéraire spirituel›) der Dichter. Literarische Werke werden von ihm nach ihrer inneren Wahrheit *und* nach des Menschen Verhältnis zur Welt, zu den Mächten der Finsternis, zum Nächsten, zum Schicksal befragt. Nur wer Fragen hat, hört Antworten. Die sprachliche Gestalt verweist ihn stets weiter auf das darin anwesende Bewußtsein, und dadurch steht Béguin Georges Poulet nahe. Dieser ist ausschließlich auf das Cogito des Dichters ausgerichtet: «Lesen heißt genau dies: den Platz freimachen, nicht nur für eine Menge fremder

Wörter, Bilder oder Ideen, sondern für das eigentlich fremde *Prinzip*, aus dem sie hervorkommen und das sie verwahrt» *(La Conscience critique,* Paris 1971).

Durch den Traum will Béguin das Innere des Menschen ausloten und so die Welt in ihrer universellen Wirklichkeit erfassen. Die Dichtung kündet vom Gegenwärtigen, von der ‹présence›, vom Dasein, das zugleich Wirklichkeit und Zeichen für anderes ist. Dabei verleugnet Béguin sich selbst weniger, als Georges Poulet dies tut – wer diesen genau liest, erkennt zwar auch ihn in allen seinen Schriften –, er spürt weniger der Musikalität und der Struktur der dichterischen Aussage nach als Marcel Raymond, und so spiegelt sich in der Wahl und in der Behandlung der einzelnen Autoren in starkem Maß seine eigene Persönlichkeit wider: Er findet sich oder seinen Antipoden in Jean Paul, Novalis, Ramuz, Balzac, Pascal, Péguy und Bernanos, um nur einige Etappen zu nennen. Von den deutschen Romantikern hielt er nur E. T. A. Hoffmann die Treue: Noch kurz vor seinem Tod hatte er die erste vollständige französische Ausgabe seiner *Erzählungen* abgeschlossen; das Nachwort dazu ist wohl Albert Béguins letzter Text (auch in *Création et Destinée* I, in Vorbereitung).

Wer den weiten Weg ermessen möchte, den Albert Béguin nach *L'Ame romantique et le rêve* zurückgelegt hat, bedenke, daß er parallel zu seiner Lehrtätigkeit in Basel (1937–1946) die auf den geistigen Widerstand gegen die Versklavung der Geister ausgerichteten *Cahiers du Rhône* ins Leben rief und leitete, in denen unter anderem Werke von Pierre Emmanuel, Louis Aragon, Jean Cayrol, Jules Supervielle, Saint-John Perse und Emmanuel Mounier erschienen, insgesamt neunundneunzig Bände. Dann war er in Paris als Verlagsberater und Mitarbeiter verschiedener Zeitungen, Zeitschriften und des Radios tätig und übernahm 1950 die Nachfolge Emmanuel Mouniers an der Spitze der Zeitschrift *Esprit,* um so für die Erhaltung der Werte und Rechte der menschlichen Person zu kämpfen, die in unserer funktionalisierten Zivilisation ernsthaft bedroht ist.

Auskunft über Béguins Gesamtwerk (gegen tausend Titel, dabei sechzehn kritische Werke) gibt meine Bibliographie *Les Ecrits d'Albert Béguin* (Neuchâtel: La Baconnière 1967, Nachtrag 1972, Auslieferung durch Payot). Über die Entwicklung seines kritischen Bewußtseins und über die methodischen Aspekte seiner Literaturbetrachtung steht eine Studie in Vorbereitung, die unter anderem auch das Inventar des umfangreichen Nachlasses enthalten wird.

ZUR DEUTSCHEN AUSGABE

Übersetzer und Herausgeber dieses Buches, ein Germanist und ein Romanist-Komparatist, haben sich um größtmögliche Treue gegenüber dem Original bemüht. Für viele Kapitel konnten Béguins deutschsprachige Lesenotizen und seine Manuskripte zu Rate gezogen werden; wir danken Madame Raymonde Béguin-

Vincent für die Bereitwilligkeit, mit der sie uns den Nachlaß ihres Gatten zur Verfügung gestellt hat.

Für die französischen Leser kam Béguins ‹Übertragung› gewisser Aspekte der deutschen Romantik in ihren sprachlichen und kulturellen Kontext einer Eröffnung neuer Horizonte gleich; das Buch wird heute in Frankreich mehr gelesen denn je. Manches, was dort den Reiz des Neuen hat, wirkt in der deutschen ‹Rückübersetzung› wohlbekannt, ja die wiederaufgenommenen Originalzitate (auch jene, die im französischen Text paraphrasiert und als solche vom französischen Leser kaum erkannt wurden) lassen das Werk bisweilen wissenschaftlicher erscheinen, als es von Béguin – besonders in der heute einzig verfügbaren einbändigen Auflage – gedacht war. Wir sind uns dieser Problematik der vorliegenden Übersetzung bewußt.

Der Übersetzer hat auf eine künstliche Aktualisierung des Wortschatzes verzichtet. In einem Übersetzungsprotokoll zum Kapitel über Achim von Arnim bemerkt er unter anderem: «Dichtung – das was wir suchen, was uns sucht! Auf diese beiden Pole muß sich die Übersetzung immer wieder ausrichten. Von Kapitel zu Kapitel ist darauf zu achten, was Béguin im Gespräch mit einem Romantiker zu erfahren sucht, welches seine ‹préoccupation› ist. Ihr ist ein ganz bestimmtes französisches Vokabular zugeordnet, ein Kern-Wortschatz, der nun freilich nicht einfach mit Sprachkenntnissen und Wörterbüchern übersetzt werden kann. Was durch die Person Béguins Leben gewinnt aus den Träumen der Romantiker, was durch seine mimetische Gebärde Gestalt gewinnt im französischen Sprachleib, dies in die deutsche Sprache zurückzubekommen ist nicht einfach. Hier wird Übersetzen wiederum zur *Mimesis,* und dazu bedarf es der Einfühlung nicht nur in Béguins ‹préoccupation›, sondern auch in den Stil des Romantikers. Manchmal will es dem Übersetzer scheinen, als erginge es dem Autor in diesem seltsamen Augenblick ähnlich wie dem Majoratsherrn in Arnims Novelle, der sich unversehens selber in die Geistergesellschaft eintreten sieht, von der Esther träumt – übrigens zu seinem Entsetzen.»

Der vorliegenden Ausgabe liegt die überarbeitete einbändige Ausgabe von Corti zugrunde. Die bibliographischen Angaben und die Textnachweise wurden nach der zweibändigen Ausgabe von 1937 überprüft und ergänzt. Einige wichtige Stellen und Zitate, die in der einbändigen Ausgabe aus Platzgründen gestrichen werden mußten, haben wir wieder aufgenommen. Wir wollten Béguins heute überholte Bibliographie der Sekundärliteratur, die wissenschaftsgeschichtlich aufschlußreich ist, nicht nach eigenem Gutdünken durch Ergänzungen aufstocken; unerlässliche Hinweise auf neue Textausgaben, Monographien oder neuere Bibliographien sind gekennzeichnet. (Vgl. S. 507).

Daß es bisher im Raum der deutschen Germanistik zu keiner Auseinandersetzung mit Béguins Werk gekommen ist, hat politische und sprachliche Gründe. Die von Diederichs (Jena) im Jahre 1939 beschlossene deutsche Übersetzung ist wegen des Krieges nicht mehr zustande gekommen (vgl. dazu «Albert Béguin und die deutsche Germanistik», *Schweizer Monatshefte*, Mai 1972).

L'Ame romantique et le rêve, vor kurzem ins Italienische und ins Rumänische übersetzt, erscheint deutsch zum fünfzehnten Todestag von Albert Béguin. Möge das Werk endlich auch dort, wo es seinen Ursprung genommen hat, die Leser finden, die es schon längst verdient hätte.

Zürich, 3. Mai 1972   Peter Grotzer

ZUR ZITIERWEISE IN DIESEM BUCH

Zitate aus deutschsprachigen Quellen werden in Orthographie und Interpunktion modernisiert; in dichterischen Texten bleibt die Interpunktion jedoch erhalten.

Die Quellenangabe folgt dem Zitat zwischen eckigen Klammern, und zwar ist die *erste arabische Ziffer* die Werknummer in der anschließenden Bibliographie, eine eventuell folgende römische Ziffer gibt die Abteilung, den Band oder das Buch an, die *letzte arabische Ziffer* die Seitenzahl. Steht *nur eine arabische Ziffer*, so ist dies in der Regel die Seitenzahl im zuletzt zitierten Werk; wo ausnahmsweise eine Werknummer gemeint ist, wird dies aus dem Kontext deutlich.

[*] bedeutet Hervorhebung von Albert Béguin. Mit S. wird auf Seiten in diesem Buch verwiesen.

Fußnoten ohne * sind vom Übersetzer.

BIBLIOGRAPHIE

VORBEMERKUNG

Albert Béguin fügte der 1937 erschienenen zweibändigen Fassung dieses Buches eine 557 Titel zählende Bibliographie bei, die in zwei Teile gegliedert war: A) Ouvrages généraux, B) Bibliographie par chapitres. Außerdem enthielt der Anmerkungsteil weitere Hinweise, vor allem auf Neuerscheinungen und angekündigte Publikationen. Einer Vorbemerkung entnehmen wir, daß es Béguin nicht um Vollständigkeit ging. Von den Werkausgaben nannte er nur diejenigen, die ihm während der Arbeit in Paris, Halle und Genf jeweils zur Verfügung standen; und auch aus der Sekundärliteratur führte er nicht alles auf, was er zur Kenntnis genommen, sondern nur das, woraus er sachliches Wissen bezogen oder Hilfe bei der Erhellung von Problemen erhalten hatte.

Wir haben uns, aus verschiedenen Gründen und bestärkt durch den Rat von Herrn Professor Dr. Claude Pichois, dazu entschlossen, für diese deutsche Ausgabe wieder auf die umfangreiche 'komparatistische' Bibliographie von 1937 zurückzugreifen. Weggelassen wurden lediglich ältere Textausgaben, die Béguin äußerer Umstände wegen verwendete. Neu aufgenommen wurden: von uns benützte kritische Werkausgaben, die Béguin noch nicht zur Verfügung standen; deutsche Übersetzungen, die der Übersetzer für Zitate aus der französischen Literatur benützte; Béguins Hinweise auf französische Übersetzungen und Untersuchungen, die er in der bei Corti erscheinenden Ausgabe dieses Buches bis 1956 ergänzte; jüngere Textausgaben und Untersuchungen, die den Leser bibliographisch weiterführen. Unsere eigenen Ergänzungen sind mit Stern gekennzeichnet.

In diesem Zusammenhang verweisen wir auf die im Entstehen begriffene kritische Bibliographie *Les Lettres allemandes en France. Sources d'information (1760–1960)*, die, unter Leitung von Professor Pichois, von José Lambert und Marguerite Wieser vorbereitet wird; gerne haben wir einige bibliographische Ergänzungen übernommen, die uns von Herrn Lambert in großzügiger Weise zur Verfügung gestellt worden sind. – Herrn cand. phil. Paul Michel danken wir für seine unentwegte Hilfe beim Aufsuchen der zahlreichen Zitate und für die Aufarbeitung der Bibliographie. P.W.

A. ALLGEMEINE ABHANDLUNGEN

I. Romantik und Traum

1 Albert WIESNER, *Der Traum im Drama der Romantik*. 2 Bde. Basel 1921. Maschinenschrift, je ein Exemplar Universitätsbibliothek Basel und Schweizerische Landesbibliothek Bern.
(Sehr umfangreiche Materialsammlung, aber die Untersuchung beschränkt sich auf die Verwendung des Traums als literarisches Motiv. Durch eine zu weit getriebene analytische Gliederung des Stoffs wird die Arbeit schematisch.)

2 Philipp LERSCH, *Der Traum in der deutschen Romantik*. München 1923.
(Diese Schrift von 68 Seiten stützt sich auf eine vorgefaßte, völlig ungenügende Definition der Romantik: Der Autor vergleicht die Romantik mit dem Traum, und dadurch wird seine [im übrigen recht flüchtige] Untersuchung irregeleitet.)

3 Otto FRANCKE, «Der Traum in der Dichtung». [Einleitung zu:] A. J. J. RATCLIFF, *Traum und Schicksal* (A History of Dreams). Übertragen aus dem Englischen von O. Francke. Dresden 1925.
(Umfangreicher Katalog von Traumdichtungen aus allen Epochen der Literatur.)

4 Ludwig BINSWANGER, *Wandlungen in der Auffassung und Deutung des Traumes von den Griechen bis zur Gegenwart*. Berlin 1928.
(Die drei hier vereinigten Vorträge sind in ihrem geschichtlichen Teil hervorragend; das Problem des Traums wird mit einem außerordentlichen philosophischen Tiefblick erfaßt, und der Autor legt von einer erstaunlich umfangreichen Bildung Zeugnis ab. Leider bezieht er sich, was die Romantik anbelangt, einzig auf die Arbeit von LERSCH, deren Mängel er klar erkennt, deren Material er aber dennoch übernimmt.)

5 Ilse WEIDEKAMPF, *Traum und Wirklichkeit in der Romantik und bei Heine*. Leipzig 1932.
(Der Studie über HEINE gehen 25 Seiten über die Romantik voraus, die einen bemerkenswerten Überblick geben. Trotz einigen Irrtümern (besonders in bezug auf ARNIM) und obwohl JEAN PAUL merkwürdigerweise unberücksichtigt bleibt, ist diese knappe Darstellung im ganzen so richtig wie originell.)

6 Olga Freiin von KOENIG-FACHSENFELD, *Wandlungen des Traumproblems von der Romantik bis zur Gegenwart*. Stuttgart 1935.
(Gute Kapitel über NOVALIS und CARUS. Zu Recht und ganz im Sinne der Romantiker betont die Autorin den metaphysischen Charakter des Unbewußten und seine Beziehungen zur Naturphilosophie. Aber sie macht den Fehler, daß sie die romantischen Dichter zugunsten der Denker vernachlässigt. Und auch sie übernimmt, was JEAN PAUL betrifft, ganz einfach wieder die Irrtümer LERSCHS, der einzelne Sätze aus dem Kontext herausgelöst hatte.)

*6.1 Jacques BOUSQUET, *Les thèmes du rêve dans la littérature romantique (France, Angleterre, Allemagne)*. Essai sur la naissance et l'évolution des images. Paris: Didier 1964.

II. Moderne Psychologie und Theorie des Traums

7 Le marquis Marie-Jean-Léon d'HERVEY DE SAINT-DENYS, *Les rêves et les moyens de les diriger*. Paris 1867.

8 Johannes VOLKELT, *Die Traum-Phantasie*. Stuttgart 1875.

9 Sigmund FREUD, *Gesammelte Schriften*. II (Traumdeutung, 1900) und III (Ergänzungen zur Traumdeutung). Leipzig/Wien/Zürich 1925.

10 Henri BERGSON, «Le rêve» (1909). In: *L'Energie spirituelle*. Paris: PUF 1919/Alcan ⁹1925.

11 Wilhelm STEKEL, *Die Sprache des Traumes*. Eine Darstellung der Symbolik und Deutung des Traumes in ihren Beziehungen zur kranken und gesunden Seele für Ärzte und Psychologen. Wiesbaden 1911.

12 ID., *Die Träume der Dichter*. Eine vergleichende Untersuchung der unbewußten Triebkräfte bei Dichtern, Neurotikern und Verbrechern. Wiesbaden 1912.

13 Herbert SILBERER, *Probleme der Mystik und ihrer Symbolik*. Wien 1914.

14 ID., *Der Traum*. Einführung in die Traumpsychologie. Stuttgart 1919.

15 *Freud et la psychanalyse*. Spezialnummer des *Disque vert*. Paris/Bruxelles: 1924.

16 Jacques RIVIÈRE, *Quelques progrès dans l'étude du cœur humain (Freud et Proust)*. Paris: Librairie de France 1927.

17 René LAFORGUE (Hg.), *Le rêve et la psychanalyse*. Paris: Jouve 1926.

18 Carl Gustav JUNG, *Das Unbewußte im normalen und kranken Seelenleben*. Zürich 1926.

19 ID., «Allgemeine Gesichtspunkte zur Psychologie des Traumes». In: *Über die Energetik der Seele*. Zürich 1928.

20 ID., *Wirklichkeit der Seele*. Zürich 1934.

21 «Carl Gustav Jung». Spezialnummer der *Revue d'Allemagne* 7. Paris, August 1933.

22 Otto RANK, *Das Inzest-Motiv in Dichtung und Sage*. Grundzüge einer Psychologie des dichterischen Schaffens. Wien ²1926.

23 Léon DAUDET, *Le rêve éveillé*. Etude sur la profondeur de l'esprit. Paris: Grasset 1926.

24 Adrien BOREL und Gilbert ROBIN, *Les rêves éveillés*. Paris: Gallimard 1926.

25 Alfred Erich HOCHE, *Das träumende Ich*. Jena 1927.

26 Ignaz JEŽOWER, *Das Buch der Träume*. Berlin 1928.

27 Charles BAUDOUIN, *Psychanalyse de l'art*. Paris: Alcan 1929.

28 Ludwig BINSWANGER, «Traum und Existenz». In: *Neue Schweizer Rundschau* 23 (1930), S. 673–685 und 766–779.

29 Marguerite COMBES, *Le rêve et la personnalité*. Paris: Boivin 1932.

30 Poul BJERRE, *Das Träumen als Heilungsweg der Seele*. Systematische Diagnose und Therapie für die ärztliche Praxis. Zürich 1936.

III. Über die deutsche Romantik

31 Heinrich HEINE, *Zur Geschichte der neueren schönen Literatur in Deutschland*. Paris/Leipzig 1833. Neuauflage unter dem Titel *Die romantische Schule*. Hamburg 1836 (Nr. 535, Bd. 5).

32 Joseph von EICHENDORFF, «Über die ethische und religiöse Bedeutung der neueren romantischen Poesie in Deutschland» (1847). In: Nr. 507, Bd. IX («Geschichte der poetischen Literatur Deutschlands»).

33 Hermann HETTNER, *Die romantische Schule in ihrem inneren Zusammenhange mit Goethe und Schiller*. Braunschweig 1850.

34 Rudolf HAYM, *Die romantische Schule*. Berlin 1870. (Nachdruck Darmstadt 1961).

35 Ricarda HUCH, *Blütezeit der Romantik*. Leipzig 1899.

36 ID., *Ausbreitung und Verfall der Romantik*. Leipzig 1902.

37 ID., *Die Romantik. Blütezeit, Ausbreitung und Verfall*. Tübingen 1951.

38 Karl JOËL, *Nietzsche und die Romantik*. Jena 1905.

39 Erwin KIRCHER, *Philosophie der Romantik*. Jena 1906.

40 Wilhelm DILTHEY, «Novalis» (1865). In: *Das Erlebnis und die Dichtung*. Leipzig 1906. (Nachdruck Göttingen ¹⁴1965)

41 Oskar WALZEL, *Deutsche Romantik*. Leipzig 1908.

42 Arturo FARINELLI, *Il romanticismo in Germania*. Bari 1911.

43 Siegbert ELKUSS, *Zur Beurteilung der Romantik und zur Kritik ihrer Erforschung*. München 1918.

44 Fritz GIESE, *Der romantische Charakter*. 1. Bd.: Die Entwicklung des Androgynenproblems in der Frühromantik. Langensalza 1919.

45 Anna TUMARKIN, *Die romantische Weltanschauung*. Bern 1920.

46 Max DEUTSCHBEIN, *Das Wesen des Romantischen*. Cöthen/Leipzig 1921.

47 Friedrich BRIE, *Ästhetische Weltanschauung in der Literatur des 19. Jahrhunderts*. Freiburg i.B./Karlsruhe 1921.

48 Josef NADLER, *Die Berliner Romantik 1800–1814*. Berlin 1921.

49 ID., *Literaturgeschichte der deutschen Stämme und Landschaften*. 4 Bde. Regensburg 1912–1928.

50 Alois STOCKMANN, *Die deutsche Romantik*. Freiburg/Br. 1921.

51 ID., *Die jüngere Romantik* (Brentano, Arnim, Bettina, Görres). München 1923.

52 Fritz STRICH, *Deutsche Klassik und Romantik oder Vollendung und Unendlichkeit*. München 1922. Bern: Francke ⁵1962.

53 ID., *Die Mythologie in der deutschen Literatur von Klopstock bis Wagner*. 2 Bde. Halle 1910. Neudruck Bern: Francke 1970.

54 ID., *Dichtung und Zivilisation*. München 1928.

55 Georg MEHLIS, *Die deutsche Romantik*. München 1922.

56 Rudolf UNGER, *Herder, Novalis und Kleist*. Studien über die Entwicklung des Todesproblems in Denken und Dichten vom Sturm und Drang zur Romantik. Frankfurt/M. 1922. (Reprographischer Nachdruck Darmstadt 1968.)

57 ID., *Gesammelte Studien*. 2 Bde. Berlin 1929.

58 Ika A. THOMÉSE, *Romantik und Neuromantik*. Haag 1923.

59 Nicolai HARTMANN, *Die Philosophie des deutschen Idealismus*. 2 Bde. Berlin 1923–1929.

60 Georg STEFANSKY, *Das Wesen der deutschen Romantik*. Stuttgart 1923.

61 Marianne THALMANN, *Der Trivialroman des 18. Jahrhunderts und der romantische Roman*. Ein Beitrag zur Geschichte der Geheimbundmystik. Berlin 1923.

62 Paul KLUCKHOHN, *Die deutsche Romantik*. Bielefeld 1924.

63 ID., *Die Auffassung der Liebe in der Literatur des 18. Jahrhunderts und in der deutschen Romantik* (1922). Halle ²1931.

64 Philipp FUNK, *Von der Aufklärung zur Romantik*. Studien zur Vorgeschichte der Münchener Romantik. München 1925.

65 Carl SCHMITT, *Politische Romantik*. München ²1925.

66 Alfred BAEUMLER, Einleitung zu: Johann Jakob BACHOFEN, *Der Mythus von Orient und Occident*. München 1926.

67 Julius PETERSEN, *Die Wesensbestimmung der deutschen Romantik*. Leipzig 1926.

68 Günther MÜLLER, Einführung zu: Friedrich SCHLEGEL, *Von der Seele*. Augsburg 1927.

69 Herbert CYSARZ, *Von Schiller zu Nietzsche*. Halle 1928.

70 ID., *Erfahrung und Idee*. Probleme und Lebensformen in der deutschen Literatur von Hamann bis Hegel. Wien 1921.

71 Walther REHM, *Der Todesgedanke in der deutschen Dichtung vom Mittelalter bis zur Romantik*. Halle/Saale 1928.

72 Hinrich KNITTERMEYER, *Schelling und die Romantische Schule*. München 1929.

73 *Romantik-Forschungen.* (Deutsche Vierteljahrsschrift für Literaturwissenschaft und Geistesgeschichte, Buchreihe, Bd. 16). Halle 1929.

74 Friedrich GUNDOLF, *Romantiker.* Berlin 1930.

75 ID., *Romantiker.* Neue Folge. Berlin 1931.

76 Wilhelmine KRAUSS, *Das Doppelgängermotiv in der Romantik.* Berlin 1930.

77 Gustav HÜBENER, «Theorie der Romantik». In: *DVjS* 10 (1932), S. 244–269.

78 Maurice BOUCHER, *K. W. F. Solger. Esthétique et philosophie de la présence.* Paris: Stock 1934.

79 Franz SCHULTZ, *Klassik und Romantik der Deutschen* I, Stuttgart 1935. II, 1940.

80 H. A. KORFF, *Geist der Goethezeit.* 4 Bde. Leipzig 1923–1953.

*81 Joachim MÜLLER, «Romantikforschung I/II». Beilage zu *Der Deutschunterricht*, Heft 4 (Stuttgart: Klett 1963) und 5 (1965).

*82 *Begriffsbestimmung der Romantik.* Hg. von Helmut Prang. (Wege der Forschung, Bd. 150.) Darmstadt: Wissenschaftliche Buchgesellschaft 1968.

*83 *Das Nachleben der Romantik in der modernen deutschen Literatur.* Die Vorträge des zweiten Amherster Kolloquiums zur modernen deutschen Literatur 1968. Hg. von Wolfgang Paulsen. Heidelberg: Stiehm 1969.

84 *Le romantisme allemand.* Publié sous la direction de G. Camille, E. Jaloux, P. d'Exideuil, Ch. Du Bos, J. Cassou, M. Brion, A. Béguin et J. Ballard. Numéro spécial des *Cahiers du Sud*, Nº 194. Marseille 1937. [Mit Bibliographie über die deutsche Romantik in Frankreich.] 2. Auflage: Textes et études publiés sous la direction d'A. Béguin. Marseille 1949. 3., gekürzte Auflage Paris: Bibliothèque 10/18 1966.

*85 Roger AYRAULT, *La génèse du romantisme allemand.* Situation spirituelle de l'Allemagne dans la deuxième moitié du XVIIIᵉ siècle. Paris: Aubier 1961 ff.

*86 *Romantiques allemands.* I: Jean Paul, Novalis, Friedrich Schlegel, Ludwig Tieck, E. T. A. Hoffmann, Heinrich von Kleist, Frédéric de la Motte-Fouqué. Publié sous la direction de Maxime Alexandre (Bibliothèque de la Pléiade). Paris: Gallimard 1963.

*87 Marcel BRION, *L'Allemagne romantique.* I: Kleist, Brentano, Wackenroder, Tieck, Caroline von Günderode. II: Novalis, Hoffmann, Jean Paul, Eichendorff. Paris: A. Michel 1962, 1963.

*87.1 John OSBORNE, *Romantik.* (Handbuch der deutschen Literaturgeschichte, 2. Abteilung: Bibliographien, Bd. 8.) Bern: Francke 1971.

*87.2 *Colloquia Germanica.* [Sondernummer über die Romantik.] Heft 1/2 1968. Bern: Francke 1968.

B. BIBLIOGRAPHIE ZU DEN EINZELNEN KAPITELN

Romantik und 18. Jahrhundert

a) Geschichtliche Darstellungen

88 Max DESSOIR, *Geschichte der neueren deutschen Psychologie.* Bd. 1., Berlin ²1897–1902. (Besonders S. 491–493.)

89 Raymond DE SAUSSURE, «La psychologie du rêve dans la tradition française». In: Nr. 17, 18–59.

90 Sigmund FREUD, «Ergänzungen zur Traumdeutung». In: Nr. 9, Bd. III.

b) Zeitgenössisches Schrifttum

91 Christian WOLFF, *Gesammelte kleine philosophische Schriften, welche besonders zu der Naturlehre gehören.* 6 Bde. Halle 1736–1740.

92 Johann August UNZER, *Gedanken vom Schlafe und den Träumen.* [Anonym erschienene Flugschrift] 1746.

93 Jean-Henri-Samuel FORMEY, *Essai sur les songes.* Berlin 1746.

94 ID., *Essai sur le sommeil.* Berlin 1754.

95 ID., *Mélanges philosophiques,* 2 Bde. Leyden 1754.

96 Johann Gottlob KRÜGER, *D. J. G. Krüger's Träume.* Halle 1754.

97 ID., *Traité du Caffé, du Thé et du Tabac.* Halle 1743.

98 ID., *Versuch einer Experimental-Seelenlehre.* Halle 1756.

99 Georg Friedrich MEIER, *Metaphysik.* 4 Bde. Halle 1755–1765. Bd. III: Psychologie. ²1765.

100 ID., *Versuch einer Erklärung des Nachtwandelns.* Halle 1768.

101 Abbé Jérôme RICHARD, *La Théorie des songes.* Paris 1766.

102 Louis de BEAUSOBRE, «Träume und Ahndungen». In: *Neues Hamburgisches Magazin.* 1770.

103 François HEMSTERHUIS, «Lettre sur l'homme et ses rapports» (1772). In: *Œuvres philosophiques.* Paris ²1809. Bd. I, S. 135–260.

104 Dietrich TIEDEMANN, *Untersuchungen über den Menschen.* 3 Teile. Leipzig 1777–1778.

105 Anton Josef DORSCH, *Beiträge zum Studium der Philosophie.* 6 Hefte. Frankfurt 1788–1789.

106 Ludwig Heinrich von JAKOB, *Grundriß der Erfahrungs-Seelenlehre.* Halle 1791. ²1795.

107 Heinrich NUDOW, *Versuch einer Theorie des Schlafes.* Königsberg 1791.

108 Johann Gebhard Ehrenreich MAASS, *Versuch über die Einbildungskraft.* Halle 1792.

109 ID., *Versuch über die Leidenschaften.* 2 Bde. Halle 1805–1807.

110 Johann Christoph HOFFBAUER, *Naturlehre der Seele, in Briefen.* Halle 1796.

111 F. P. G. MAINE DE BIRAN, «Nouvelles considérations sur le sommeil, les songes et le somnambulisme» (1809). In: *Œuvres.* Hg. von Pierre Tisserand. Bd. 5, S. 130–202. Paris: Alcan 1925.

c) Zeitschriften

112 Karl Philipp MORITZ (Hg.), *Magazin zur Erfahrungs-Seelenkunde.* = Nr. 147.

113 David MAUCHART (Hg.), *Allgemeines Repertorium für empirische Psychologie und verwandte Wissenschaften.* 6 Bde. Nürnberg, Tübingen 1792–1801.

114 Carl Christian Erhard SCHMID (Hg.), *Philosophisches Journal.* 4 Bde. 1793–1794.

115 ID. (Hg.), *Psychologisches Magazin.* 6 Bde. Jena 1796–1797.

116 ID. (Hg.), *Anthropologisches Journal.* 4 Bde. 1803–1804.

117 L. P. G. HAPPACH (Hg.), *Materialien zur neuen Ansicht für die Erfahrungsseelenkunde.* 4 Stücke. Hamburg 1802–1807.

Kapitel I: Das brennende Rauchkerzchen (Lichtenberg)

118 Georg Christoph LICHTENBERG, *Vermischte Schriften.* Hg. von L. C. Lichtenberg und F. C. Kries. 9 Bde. Göttingen 1800–1806.

119 ID., *Vermischte Schriften.* 6 Bde. Göttingen 1844. Bd. 7 und 8: *Briefe.* Göttingen 1846, 1848.

120 ID., *Aphorismen*. Hg. von Albert Leitzmann (Deutsche Literaturdenkmale, Bd. 123, 131, 136, 140, 141). 5 Bde. Berlin 1902–1908.

121 ID., *Briefe*. Hg. von Albert Leitzmann und Carl Schüddekopf. 3 Bde. Leipzig 1901, 1902, 1904.

*122 ID., *Schriften und Briefe*. Hg. von Wolfgang Promies. München: Hanser 1967 ff. Bd. 1: Sudelbücher.

123 ID., *Aphorismes*. Préface d'André Breton. Introduction et traduction de Marthe Robert. Paris: Club français du Livre 1947.

124 Georg BRANDES, *Sören Kierkegaard*. Ein literarisches Charakterbild. Leipzig 1879.

125 Victor BOUILLIER, *Georg Christoph Lichtenberg*. Essai sur sa vie et ses œuvres littéraires, suivi d'un choix de ses aphorismes. Paris: Champion 1914.

126 Ernst BERTRAM, *G. Chr. Lichtenberg. Ad. Stifter*. 2 Vorträge. Bonn 1919.

127 Albert SCHNEIDER, *G.-C. Lichtenberg, précurseur du romantisme, l'homme et l'œuvre*. Nancy 1954.

128 ID., *Georg Christoph Lichtenberg, penseur*. Nancy 1955.

*129 Paul REQUADT, *Lichtenberg*. Stuttgart: Kohlhammer ²1964.

*130 Franz Heinrich MAUTNER, *Lichtenberg*. Geschichte seines Geistes. Berlin: de Gruyter 1968.

Kapitel II: Das irdische Labyrinth (Karl Philipp Moritz)

a) Werke von Karl Philipp Moritz

131 Karl Philipp MORITZ, *Beiträge zur Philosophie des Lebens, aus dem Tagebuche eines Freimäurers*. [Anonym] Berlin 1780. 3. Auflage mit einem Anhang über Selbsttäuschung. Berlin 1791.

132 ID., *Aussichten zu einer Experimentalseelenlehre*. Berlin 1782. (Broschüre, die das Programm von 147 formuliert.)

133 ID., *Kleine Schriften, die deutsche Sprache betreffend*. Berlin 1781.

134 ID., *Reisen eines Deutschen in England im Jahre 1782*. Berlin 1783. (Neu hg. von Otto zur Linde, Deutsche Literaturdenkmale, Bd. 126, Berlin 1903.)

135 ID., *Anton Reiser*. Ein psychologischer Roman. 4 Teile. Berlin 1785–1790. (I 1785; II und III 1786; IV 1790.)

136 ID., dasselbe. Hg. von L. Geiger. (Deutsche Literaturdenkmale, Bd. 23.) Heilbronn 1886.

*137 ID., dasselbe. (Nachdruck der Ausg. 1785–1790.) Hg. von Klaus-Detlef Müller. München: Winkler 1971.

138 ID., *Andreas Hartknopf*. Eine Allegorie. [Anonym] Berlin 1786. [Bereits 1785 erschienen.]

139 ID., *Fragmente aus dem Tagebuche eines Geistersehers*. Von dem Verfasser Anton Reisers. Berlin 1787. (Vgl. Nr. 143)

140 ID., *Über die bildende Nachahmung des Schönen*. Braunschweig 1788. (Neu hg. von L. Geiger. Deutsche Literaturdenkmale, Bd. 31. Stuttgart 1888.)

*141 ID., *Schriften zur Ästhetik und Poetik*. Kritische Ausgabe, hg. von Hans Joachim Schrimpf. Tübingen: Niemeyer 1962.

142 ID., *Andreas Hartknopfs Predigerjahre*. [Anonym] Berlin 1790.

*143 ID., *Andreas Hartknopf; Andreas Hartknopfs Predigerjahre; Fragmente aus dem Tagebuch eines Geistersehers*. Faksimiledruck. Stuttgart: Metzler 1968.

144 ID., *Götterlehre oder mythologische Dichtungen der Alten*. Berlin 1791.

145 ID., *Die neue Cecilia. Letzte Blätter von K. Ph. Moritz.* Berlin 1794. (Faksimiledruck. Stuttgart: Metzler 1962.)

146 ID., *Launen und Phantasien von Carl Philipp Moritz.* Hg. von Carl Friedrich Klischnig. Berlin 1796.

147 *ΓΝΩΘΙ ΣΑΥΤΟΝ oder Magazin zur Erfahrungsseelenkunde, als ein Lesebuch für Gelehrte und Ungelehrte.* Mit Unterstützung mehrerer Wahrheitsfreunde hg. von Carl Philipp Moritz. 10 Bde. Berlin 1783–1793.

b) Über Moritz

148 Carl Friedrich KLISCHNIG, *Erinnerungen aus den zehn letzten Lebensjahren meines Freundes Anton Reiser.* (= Anton Reiser. Fünfter und letzter Teil.) Berlin 1794.

149 Dr. Markus HERZ, «Etwas Psychologisch-Medizinisches. Moritz' Krankengeschichte.» *Hufelands Journal der Arzneikunde* 1797, V, 2; Berlin ²1801, S. 1–75.

150 Fritz BRÜGGEMANN, *Die Ironie in Tiecks William Lovell und seinen Vorläufern.* Diss. Leipzig 1909. (Über Moritz S. 130–344.)

151 Hugo EYBISCH, *Anton Reiser. Untersuchungen zur Lebensgeschichte von K. Ph. Moritz und zur Kritik seiner Autobiographie.* Leipzig 1909.

152 Georg HINSCHE, *K. Ph. Moritz als Psychologe. Ein Beitrag zur Geschichte des psychologischen Denkens.* Diss. Halle 1912.

153 C. ZIEGLER, «K. Ph. Moritz und sein psychologischer Roman». *Pädagogisches Magazin,* Heft 521. Langensalza 1913.

154 Ed. NAEF, *K. Ph. Moritz, seine Ästhetik und ihre menschlichen und weltanschaulichen Grundlagen.* Diss. Zürich 1930.

155 Rudolf UNGER, «Zur seelengeschichtlichen Genesis der Romantik. I: K. Ph. Moritz als Vorläufer von Jean Paul und Novalis». *Nachrichten von der Gesellschaft der Wissenschaften zu Göttingen,* Phil.-Histor. Klasse (1930). Berlin 1930. S. 311–344.

156 Rudolf FAHRNER, *K. Ph. Moritz' Götterlehre. Ein Dokument des Goetheschen Klassizismus.* Marburg 1932.

157 Robert MINDER, *Die religiöse Entwicklung von K. Ph. Moritz auf Grund seiner autobiographischen Schriften.* Studien zum «Reiser» und «Hartknopf». Berlin 1936.

c) Salomon Maimon

158 Salomon MAIMON, *Lebensgeschichte.* Hg. von Karl Philipp Moritz. 2 Teile. Berlin 1792, 1793. (Reprographischer Nachdruck in Nr. 159, Bd. 1.)

*159 ID., *Gesammelte Werke.* Hg. von Valerio Verra. Reprographischer Nachdruck. Hildesheim: Olms 1965 ff.

160 Arvède BARINE, «Un Juif polonais. – Salomon Maimon». In: *Revue des Deux Mondes* XCV (1889), S. 771–802. Wiederabgedruckt in: ID., *Bourgeois et gens de peu.* Paris 1894.

161 M. GUÉROULT, *La Philosophie transcendantale de Salomon Maimon.* Paris: Alcan 1929.

Kapitel III: Wiedergeburt der Renaissance

a) Geschichtliche Darstellungen

162 Karl JOËL, *Der Ursprung der Naturphilosophie aus dem Geiste der Mystik.* Jena 1906. (Im besonderen das Kapitel «Die Naturmystik der Renaissance», S. 9–34.)

163 Ernst CASSIRER, *Individuum und Kosmos in der Philosophie der Renaissance.* Leipzig 1927. (Darmstadt ³1969.)

164 Auguste VIATTE, *Les sources occultes du romantisme*. Illuminisme – Théosophie. 1770–1820. 2 Bde. Paris: Champion 1928.

165 Émile NAMER, Einleitung zu: Giordano BRUNO, *Cause, Principe et Unité*. Paris: Alcan 1930.

b) Werke

166 Louis-Claude de SAINT-MARTIN, *Des Erreurs et de la Vérité, ou les hommes rappelés au principe universel de la science*. Par un Ph[ilosophe] Inc[onnu]. Édimbourg [Lyon] 1775.

167 ID., *Irrtümer und Wahrheit, oder Rückweis für die Menschen auf das allgemeine Principium aller Erkenntnis* [...]. V. e. unbek. Ph., A. d. Französischen übersetzt von Matthias Claudius. Breslau 1782.

168 ID., *Tableau naturel des rapports qui existent entre Dieu, l'Homme et l'Univers*. 2 parties. Édimbourg [Lyon] 1782.

169 ID., *L'homme de désir*. Lyon 1790.

170 ID., *Le Ministère de l'Homme-Esprit*. Paris an X [1802].

171 Adolphe FRANCK, *La philosophie mystique en France à la fin du XVIIIᵉ siècle*. Saint-Martin et son maître Martinez Pasqualis. Paris 1866. (Über SAINT-MARTIN ein ausgezeichnetes Kapitel von Fritz LIEB in Nr. 187, S. 143–209.)

172 Karl von ECKARTSHAUSEN, *Aufschlüsse zur Magie aus geprüften Erfahrungen über verborgene philosophische Wissenschaften und verdeckte Geheimnisse der Natur*. 4 Bde. München 1788–1792.

173 ID., *Nachtrag hierzu, oder: mystische Nächte, od. d. Schlüssel zu den Geheimnissen des Wunderbaren*. München 1788.

174 Johann Georg HAMANN, *Schriften und Briefe*. Zu leichterem Verständnis im Zusammenhange seines Lebens erläutert und herausgegeben von Moritz Petri. 4 Teile. Hannover 1872–1874.

*175 ID., *Historisch-kritische Ausgabe* von Josef Nadler. 6 Bde. Wien 1949–1957.

*176 ID., *Briefwechsel*. Hg. von Walther Ziesemer und Arthur Henkel. Wiesbaden 1955 ff.

177 Rudolf UNGER, *Hamann und die Aufklärung*. Studien zur Vorgeschichte des romantischen Geistes im 18. Jh. 2 Bde. Jena 1911.

178 Jean BLUM, *La vie et l'œuvre de J. G. Hamann, le «Mage du Nord»*. Paris: Alcan 1913.

179 Johann Gottfried HERDER, «Vom Erkennen und Empfinden der menschlichen Seele. Bemerkungen und Träume» (1778). In: *Sämtliche Werke*. Hg. von B. Suphan. Bd. VIII. Berlin 1892. S. 165–235.

Kapitel IV: Einheit des Kosmos

180 ADB = *Allgemeine Deutsche Biographie*. 56 Bde.

Kapitel V: Die Nachtseiten des Daseins

a) Gesamtdarstellungen

181 Christoph BERNOULLI und Hans KERN (Hgg.), *Romantische Naturphilosophie*. Jena 1926. (Textauswahl mit Einleitung.)

182 Christoph BERNOULLI, *Die Psychologie von C. G. Carus und deren geistesgeschichtliche Bedeutung*. Jena 1925. (Über die damalige Psychologie vgl. S. 3–5 und 56 f.)

183   Hans KERN, *Die Philosophie des C. G. Carus*. Ein Beitrag zur Metaphysik des Lebens. Celle/Freiburg 1926. (Einleitung in die Naturphilosophie S. 9–17; geschichtliche Einordnung S. 146–166.)

b) Schriften der «Naturphilosophen»

184   Franz von BAADER (1765–1841), *Sämtliche Werke*. Hg. durch einen Verein von Freunden des Verewigten. 16 Bde. Leipzig 1851–1860. (Bd. XV: Briefwechsel, hg. von F. Hoffmann. Bd. XVI: Index.)

185   *Franz von Baaders Tagebücher aus den Jahren 1786–1793.* Hg. von Emil Aug. von Schaden. Leipzig 1850.

186   Franz von BAADER, *Seele und Welt*. F. Baaders Jugendtagebücher 1786–1792, in erneuter Textrevision von Margarete Jarislowsky, eingeleitet und hg. von David Baumgardt. Berlin o. J. [1928]. (z. T. nach den Hss.)

187   Fritz LIEB, *Franz Baaders Jugendgeschichte*. Die Frühentwicklung eines Romantikers. München 1926.

188   David BAUMGARDT, *F. v. Baader und die philosophische Romantik*. Halle 1927.

189   Eugène SUSINI, *Franz von Baader et le romantisme mystique*. 2 Bde. Thèse. Paris: Vrin 1942.

190   Karl Friedrich BURDACH (1776–1847), *Blicke ins Leben*. 4 Bde. Leipzig 1842–1848.

191   Wilhelm BUTTE (1772–1833), *Grundlinien der Arithmetik des menschlichen Lebens*. Landshut 1811.

192   Friedrich August CARUS (1770–1807), «Psychologie». 1. und 2. Teil der *Nachgelassenen Werke*. Hg. von Ferdinand Hand. Leipzig 1808. (Biographie vom Hg. im 7. Bd. der Werke.)

193   Joseph ENNEMOSER (1787–1854), *Der Magnetismus* [...]. Leipzig 1819.

194   ID., *Anthropologische Ansichten oder Beitrag zur besseren Kenntnis des Menschen*. Erster Teil: Über die Aufgabe der anthropologischen Forschung und das Wesen des menschlichen Geistes. Bonn 1828.

195   ID., *Geschichte des tierischen Magnetismus*. 1. Teil: *Geschichte der Magie*. Leipzig ²1844. (Nur dieser 1. Teil ist erschienen, aber er zählt 1050 Seiten!)

196   ID., *Der Geist des Menschen in der Natur, oder die Psychologie in Übereinstimmung mit der Naturkunde*. Stuttgart 1849.

197   Karl August ESCHENMAYER (1768–1852), *Psychologie in drei Teilen, als empirische, reine und angewandte*. Stuttgart/Tübingen 1817.

198   ID., *Mysterien des inneren Lebens*. Erläutert aus der Geschichte der Seherin von Prevorst. Tübingen 1830.

199   ID., *Grundriß der Naturphilosophie*. Tübingen 1832.

200   Johann Joseph von GÖRRES [anonym], «Religion in der Geschichte». In: *Studien*. Hg. von Carl Daub und Friedrich Creuzer. Heidelberg 1807.

201   Friedrich HUFELAND (1774–1839), *Über Sympathie*. Weimar 1811.

202   Dietrich Georg KIESER (1779–1862), *System des Tellurismus oder tierischen Magnetismus*. 2 Bde. Leipzig 1822.

203   Giovanni MALFATTI (1775–1859), *Studien über Anarchie und Hierarchie des Wissens*. Leipzig 1845.

204   Lorenz OKEN [OKENFUSS] (1779–1851), *Abriß der Naturphilosophie*. Göttingen 1805.

205   ID., *Lehrbuch der Naturphilosophie*. (Jena 1809) ³1843.

206   Julius SCHUSTER, *Lorenz Oken, der Mann und sein Werk* (Vortrag). Berlin 1922.

207   Johann Carl PASSAVANT (1790–1857), *Untersuchungen über den Lebensmagnetismus und das Hellsehen* (1821). Frankfurt/M. ²1837.

208 ID., *Sammlung vermischter Aufsätze.* Hg. von Franz Hoffmann. Frankfurt/M. 1857.

209 Adolf HELFFERICH, *J. K. Passavant. Ein christliches Charakterbild.* Frankfurt/M. 1867.

*210 Johann Wilhelm RITTER (1776–1810), *Beweis, daß ein beständiger Galvanismus den Lebensprozeß im Tierreich begleitet* (Vortrag). Weimar 1798.

211 ID., *Die Physik als Kunst.* (Akadem. Rede.) München 1806.

212 ID., *Fragmente aus dem Nachlasse eines jungen Physikers.* 2 Bde. Heidelberg 1810.

*213 *Briefe eines romantischen Physikers.* Joh. Wilh. RITTER an G. H. v. SCHUBERT und an Karl v. HARDENBERG. Hg. und erläutert von Friedrich Klemm und Armin Hermann. München 1966. (Mit vollständigem Verzeichnis der Literatur über Joh. W. Ritter.)

*214 Johann Wilhelm RITTER, *Fragmente.* (Auswahl.) Nachwort von Kurt Poppe. Stuttgart 1968.

*215 ID., *Die Begründung der Elektrochemie und Entdeckung der ultravioletten Strahlen.* Eine Auswahl aus den Schriften des romantischen Physikers. Hg. von Armin Hermann. Frankfurt 1968.

*216 «Unbekannte Briefe Johann Wilhelm RITTERS an Clemens BRENTANO». Hg. von Else Rehm. In: *Jahrbuch des Freien Deutschen Hochstifts* (1969). Tübingen: Niemeyer 1969. S. 330–369 (mit Bibliographie).

*217 Erich WORBS, «Novalis und der schlesische Physiker Johann Wilhelm Ritter». In: *Aurora.* Eichendorff-Almanach 23 (1963), S. 85–92.

*218 Peter KAPITZA, *Die frühromantische Theorie der Mischung.* Über den Zusammenhang von romantischer Dichtungstheorie und zeitgenössischer Chemie. München 1968.

219 Karl ROSENKRANZ (1805–1879), *Psychologie oder die Wissenschaft vom subjectiven Geist.* (1837, ²1843.) Königsberg ³1863.

220 Heinrich STEFFENS (1773–1845), *Anthropologie.* 2 Bde. Breslau 1822.

221 ID., *Carricaturen des Heiligsten.* 2 Bde. Leipzig 1819, 1821.

222 ID., *Was ich erlebte.* 10 Bde. Breslau 1840–1844. (Neu hg. von W. A. Koch. München: Winkler 1956.)

223 Gottfried Reinhold TREVIRANUS (1776–1837), *Biologie oder die Philosophie der lebenden Natur.* 6 Bde. Göttingen 1802–1822.

224 ID., *Die Erscheinungen und Gesetze des organischen Lebens.* 2 Bde. Bremen 1831–1832.

225 Johann Jakob WAGNER (1775–1841), *Von der Natur der Dinge.* Leipzig 1803.

226 ID., *Ideen zu einer allgemeinen Mythologie der alten Welt.* Frankfurt/M. 1808.

227 ID., *Mathematische Philosophie.* Erlangen 1811.

228 ID., *Religion, Wissenschaft, Kunst und Staat in ihren gegenseitigen Verhältnissen betrachtet.* Erlangen 1819.

229 ID., *Organon der menschlichen Erkenntnis.* Erlangen 1830.

230 *Theologia deutsch.* Hg. von Franz Pfeiffer. Stuttgart 1851.

231 Franz PFEIFFER (Hg.), *Deutsche Mystiker des XIV. Jahrhunderts.* Bd. II: Meister Eckhart. Leipzig 1857.

*232 Meister ECKHART, *Die deutschen Werke.* Hg. von Josef Quint. Bd. I. Suttgart 1958.

233 Arthur SCHOPENHAUER, *Sämtliche Werke.* Hg. von Julius Frauenstädt. 6 Bde. Leipzig ²1891.

234 F. W. J. SCHELLING, *Sämtliche Werke.* Hg. von K. F. A. Schelling. Stuttgart und Augsburg 1856–1861.

Kapitel VI: Metaphysik des Traums (Troxler)

a) Werke von Troxler

235 Ignaz Paul Vitalis TROXLER, *Versuche in der organischen Physik.* Jena 1804.
236 ID., *Über das Leben und sein Problem.* Göttingen 1806. (Neu hg. von Hans Kern und Chr. Bernoulli. Celle/Heidelberg 1925.)
237 ID., *Elemente der Biosophie.* Leipzig 1807.
238 ID., *Blicke in das Wesen des Menschen.* Aarau 1812. (Neu hg. und eingeleitet von Erhard Lauer. Stuttgart 1921.)
239 ID., *Naturlehre des menschlichen Erkennens oder Metaphysik.* Aarau 1828. (Neu hg. von Willi Aeppli. Bern 1944.)
240 ID., *Vorlesungen über Philosophie.* Bern 1835.
241 ID., *Fragmente.* Erstveröffentlichungen aus seinem Nachlasse. Hg. von Willi Aeppli. St. Gallen 1936.
*242 ID., *Gewißheit des Geistes.* Stuttgart: Verlag Freies Geistesleben o. J.
*243 *Der Briefwechsel zwischen Ignaz Paul Vital Troxler und Karl August Varnhagen von Ense 1815–1858.* Veröffentlicht und eingeleitet von Iduna Belke. Aarau 1953.

b) Über Troxler

244 *Briefwechsel zwischen Karl Rosenkranz und Varnhagen von Ense.* Hg. von Arthur Warda. Königsberg 1926. (Briefe 56, 68, 69 usw.)
245 Karl ROSENKRANZ, *Das Centrum der Speculation.* Eine Komödie. Königsberg 1840.
246 Iduna BELKE, *I. P. V. Troxler, sein Leben und Denken.* Berlin 1935.
*247 Emil SPIESS, *Ignaz Paul Vital Troxler.* Der Philosoph und Vorkämpfer des Schweizerischen Bundesstaates, dargestellt nach seinen Schriften und den Zeugnissen der Zeitgenossen. Bern: Francke 1967.

Kapitel VII: Die Symbolik des Traumes (Schubert)

a) Werke von Schubert

248 Gotthilf Heinrich SCHUBERT, *Die Kirche und die Götter.* Ein Roman. 2 Bde. Penig 1804.
249 ID., *Ahndungen einer allgemeinen Geschichte des Lebens.* 2 Teile in 3 Bdn. Leipzig 1806–1821.
250 ID., *Ansichten von der Nachtseite der Naturwissenschaft.* Dresden 1808.(Reprographischer Nachdruck nach der Ausgabe von 1808: Darmstadt 1967; 3., stark veränderte Auflage: Dresden 1840.)
251 ID., *Altes und Neues aus dem Gebiet der innern Seelenkunde.* 2 Bde. Leipzig 1817, 1824.
252 ID., *Die Symbolik des Traumes.*
     a) Bamberg 1814. (Reprographischer Nachdruck. Heidelberg 1968.)
     b) 2., veränderte Auflage. Bamberg 1821.
     c) 3. Auflage mit einem Anhang aus dem Nachlasse e. Visionärs: des J. Fr. Oberlin, gewes. Pfarrers im Steinthale, u.e. Fragment über d. Sprache des Wachens. Leipzig 1840.
253 ID., *Die Geschichte der Seele.* (1830; ²1833.) Stuttgart/Tübingen ³1839.
254 ID., *Das Erwerb aus einem vergangenen und die Erwartungen von einem zukünftigen Leben.* Eine Selbstbiographie. 3 Bde. Erlangen 1854–1856.

b) Über Schubert

255 Otto Eduard SCHMIDT, *Fouqué, Apel, Miltitz*. Beiträge zur Geschichte der deutschen Romantik. Leipzig 1908.

256 Franz SCHULTZ, *Der Verfasser der Nachtwachen von Bonaventura*. Berlin 1909. (Über Schubert: S. 177–199.)

257 Hans TRUBE, *Friedrich Gottlob Wetzels Leben und Werk*. Berlin 1928.

258 Wilhelm LECHNER, *Gotthilf Heinrich von Schuberts Einfluß auf Kleist, Justinus Kerner und E. T. A. Hoffmann*. Diss. Borna-Leipzig 1911.

259 Franz Rudolf MERKEL, *Der Naturphilosoph Gotthilf Heinrich Schubert und die deutsche Romantik*. München 1913.

260 G[ottlieb] Nathanael BONWETSCH, *Gotthilf Heinrich Schubert in seinen Briefen*. Ein Lebensbild. Stuttgart 1918.

261 Hans DAHMEN, «Hoffmann und Schubert». In: *Jahrbuch der Görresgesellschaft* I, 1926, S. 62–110.

*262 Adalbert ELSCHENBROICH, *Romantische Sehnsucht und Kosmogonie*. Eine Studie zu G. H. Schuberts «Geschichte der Seele» und deren Stellung in der deutschen Spätromantik. Tübingen: Niemeyer 1971.

Kapitel VIII: Der Mythos des Unbewußten (Carus)

a) Werke von Carus

263 Carl Gustav CARUS, *Vorlesungen über Psychologie, gehalten im Winter 1829/30 zu Dresden*. (Leipzig 1831.) Neu hg. von E. Michaelis, Erlenbach 1931.

264 ID., *Neun Briefe über Landschaftsmalerei, geschrieben in den Jahren 1815–24*. (Leipzig 1831.) 2., durch einen Brief und einige Beilagen vermehrte Auflage. Leipzig 1835.

265 ID., *Symbolik der menschlichen Gestalt*. Leipzig 1835. (Reprographischer Nachdruck der 2. Auflage 1858: Darmstadt 1962.)

266 ID., *Goethe; zu dessen näherem Verständnis*. Leipzig 1843. Neu hg. von Karl Eberlein, Dresden 1927; Rudolf Marx, Leipzig 1931; Ernst Merian-Genast, Erlenbach 1948.

267 ID., *Psyche. Zur Entwicklungsgeschichte der Seele*. Pforzheim 1846. (Auswahl von Ludwig Klages, Jena 1926; hg. von Rudolf Marx, Leipzig 1931; reprographischer Nachdruck der 2. Auflage (1860): Darmstadt 1971.

268 ID., *Physis. Zur Geschichte des leiblichen Lebens*. Stuttgart 1851.

269 ID., *Über Lebensmagnetismus und über die magischen Wirkungen überhaupt*. Leipzig 1857. (Unverändert hg. und eingeleitet von Christoph Bernoulli. Basel 1925.)

270 ID., *Natur und Idee, oder das Werdende und sein Gesetz*. Eine philosophische Grundlage für die specielle Naturwissenschaft. Wien 1861.

271 ID., *Lebenserinnerungen und Denkwürdigkeiten*. 4 Teile. Leipzig 1865–1866. (Neu hg. von Elmar Jansen. 2 Bde. Weimar 1969.)

272 ID., dasselbe. Bd. V, hg. von Rud. Zaunick, Dresden 1931.

b) Über Carus

273 Christoph BERNOULLI, *Die Psychologie von C. G. Carus und deren geistesgeschichtliche Bedeutung*. Jena 1925.

274 Hans KERN, *Die Philosophie des C. G. Carus*. Ein Beitrag zur Metaphysik des Lebens. Celle/Freiburg 1926.

275   Sophie von Arnim, *C. G. Carus, sein Leben und Wirken*. Dresden 1930.
276   Rudolph Zaunick, *C. G. Carus*. Eine historisch-kritische Literaturschau mit zwei Bibliographien. Dresden 1930.
277   Otto Carus, *C. G. Carus in seinem Antlitz*. Gotha 1930.
278   Olga Freiin von Koenig-Fachsenfeld, *Wandlungen des Traumproblems von der Romantik bis zur Gegenwart*. Stuttgart 1935.
*279   Marianne Prause, *C. G. Carus*. Leben und Werk. Berlin 1968 (Katalog der Gemälde).

c) C. D. Friedrich und die romantische Malerei

280   Caspar David Friedrich, *Bekenntnisse*. Ausgewählt und hg. von Kurt Karl Eberlein. Leipzig 1924.
281   Willi Wolfradt, *Caspar David Friedrich und die Landschaft der Romantik*. Berlin 1924.
282   Georg Jacob Wolf, *Verlorene Werke deutscher romantischer Maler*. München 1931.
283   Helmut Rehder, *Die Philosophie der unendlichen Landschaft*. Beitrag zur Geschichte der romantischen Weltanschauung. Halle 1932.

Kapitel IX: Nebelsterne und Kometen

a) Dichter des 18. Jahrhunderts

[In der Thèse 1937 (Bd. II, S. 20–22) ging Béguin auf einige *poetae minores* des 18. Jahrhunderts ein (Günther, Hagedorn, Uz, die Brüder Stolberg, Hölty, Kosegarten). Der Ausgabe 1939 folgend, lassen wir diesen Exkurs samt den bibliographischen Angaben weg. P. W.]

b) Herder, Wieland, Goethe

291   *Herder's Werke*. Hg. von Heinrich Düntzer. 24 Teile. Berlin 1869–1879.
292   Johann Gottfried Herder, *Sämtliche Werke*. Hg. von Bernhard Suphan. 33 Bde. Berlin 1877–1913. Bd. IV, V, XIV, XXVIII.
293   Christoph Martin Wieland, *Sämtliche Werke*. 36 Bde. Leipzig 1853–1858.
294   *Tagebücher und Briefe Goethes aus Italien an Frau von Stein und Herder*. Hg. von E. Schmitt. (Schriften der Goethe-Gesellschaft 2.) Weimar 1886.
295   F. F. Biedermann, *Goethes Gespräche*. Leipzig ²1909–1911.

c) Hölderlin

*296   Friedrich Hölderlin, *Sämtliche Werke*. Große Stuttgarter Ausgabe. Hg. von Friedrich Beißner. Stuttgart 1943 ff.
       (*Hyperion* wird zitiert nach dem 3. Band der Großen Stuttgarter Ausgabe, aber mit der Seitenzählung der Erstdrucke. Hyp. = Hyperion; Frg. v. Hyp. = Fragment von Hyperion.)
297   *Poèmes de la folie de Hölderlin*. Trad. par Pierre Jean Jouve avec la collaboration de Pierre Klossowski. Paris: Fourcade 1930.
298   *Hyperion ou l'Hermite en Grèce*. Traduit par Joseph Delage. 2 Bde. Paris/Neuchâtel: Attinger 1930.
299   *La mort d'Empédocle*. Traduction d'André Babelon. Paris: Gallimard 1930.
300   Jean Tardieu, «Transposition en rythmes français de l'Archipel de Hölderlin.» In:

Mesures 1 (1935), N° 4, 101–125. Auch in: Jean TARDIEU, *Accents* (Poèmes, suivis d'une traduction de l'Archipel de Hölderlin). Paris: Gallimard 1939.

301 *Poèmes de Hölderlin.* Version française de Gustave Roud. Lausanne: Mermod [1942].

302 *Poèmes.* Trad. de Geneviève Bianquis. Paris: Aubier [1943].

*303 *Hymnes, élégies et autres poèmes.* Trad. d'Armel Guerne. Paris: Mercure de France 1950.

*304 HÖLDERLIN, *Œuvres.* Années d'études. Période d'Hypérion. Période d'Empédocle. Les grands poèmes. Dernières années. Publ. sous la direction et trad. de l'allemand par Philippe Jaccottet (Bibliothèque de la Pléiade, 191). Paris: Gallimard 1967.

305 Karl VIËTOR, *Die Lyrik Hölderlins.* Frankfurt/M. 1921. (Nachdruck Darmstadt: Wissenschaftliche Buchgesellschaft 1970.)

306 Joseph CLAVERIE, *La jeunesse d'Hœlderlin jusqu'au roman d'Hypérion.* Paris: Alcan 1921.

307 Ludwig von PIGENOT, *Hölderlin.* Das Wesen und die Schau. München 1923.

308 Karl Justus OBENAUER, *Hölderlin, Novalis.* Jena 1925.

309 Stefan ZWEIG, *Le combat avec le démon.* I: Hölderlin (1925). Traduit par Alzir Hella et Olivier Bournac. Paris: Stock 1928.

310 Italo MAIONE, *Hölderlin.* Torino 1927.

311 Wilhelm BÖHM, *Hölderlin.* 2 Bde. Halle/S. 1928, 1930.

312 Pierre BERTAUX, *Hölderlin.* Essai de biographie intérieure. Paris: Hachette 1936.

Kapitel X: Hesperus (Jean Paul)

a) Werke und Briefe

313 JEAN PAUL, *Sämtliche Werke.* Historisch-kritische Ausgabe von Eduard Berend.
I. Abteilung, 19 Bde. Weimar 1927–1942.
II. Abteilung, 5 Bde. 1928–1936.
III. Abteilung [siehe Nr. 319 und:] 5 Bde. Berlin 1952–1961.
Register 1964.

*314 ID., *Werke.* Hg. von Norbert Miller. 6 Bde. München: Hanser 1959–1970. Bd. 7–9 (Frühe Schriften, Texte aus dem Nachlaß) in Vorbereitung.

315 *Wahrheit aus Jean Pauls Leben.* Hg. von C. Otto und E. Förster. 8 Bde. Breslau 1826.

316 *Denkwürdigkeiten aus dem Leben J. P. Fr. Richters.* Zur Feier seines hundertjährigen Geburtstages hg. von E. Förster. 4 Bde. München 1863.

317 *Briefwechsel mit Christian Otto.* 4 Bde. Berlin 1829–1833.

318 *Briefwechsel mit seiner Frau und Christian Otto.* Hg. von P. Nerrlich. Berlin 1902.

319 JEAN PAUL, *Briefe.* Hg. von Eduard Berend. 4 Bde. München 1922–1926. [Wiederaufgenommen und zu Ende geführt in Nr. 313.]

320 *Jean Pauls Persönlichkeit.* Hg. von Ed. Berend. München 1913. (*Jean Pauls Persönlichkeit in Berichten der Zeitgenossen.* Gesammelt und hg. von Ed. Berend. Berlin/Weimar 1956.)

*321 *Jean Paul 1763–1963.* Katalog der Gedächtnisausstellung zum 200. Geburtstag des Dichters im Schiller-National-Museum Marbach a. N. Hg. von B. Zeller. Stuttgart 1963.

b) Jean Paul in Frankreich

322 Mme de STAËL, «Un songe». In: *De l'Allemagne* 2. 1814.

323 *Pensées de Jean-Paul.* Extraites de tous ses ouvrages [par le marquis Édouard de La Grange]. Paris 1829.

324 *Œuvres.* Traduites par Philarète Chasles. Bd. 1–4: Titan. Paris 1834–1835.

325 *Poétique, ou introduction à l'esthétique.* Traduite par Alexandre Büchner et Léon Dumont. 2 Bde. Paris 1862.

326 *Quintus Fixlein.* Traduit par Alzir Hella et Olivier Bournac. Paris: Stock 1925.

327 *Hespérus* ou quarante-cinq jours de la poste au chien. Biographie. Trad. par A. Béguin. Paris: Stock 1930.

328 *Le jubilé* (Der Jubelsenior). «Appendice». Trad. par A. Béguin. Paris: Stock 1930. (Auch in Nr. 86, 195–341.)

329 *Choix de rêves* [Mit dem Aufsatz «Jean-Paul et le rêve»]. Traduction d'Albert Béguin. Paris: Fourcade 1931. [Avec Introduction par Claude Pichois:] Corti 1964.

330 *Sermons de carême.* Traduits par Alzir Hella et Olivier Bournac. Paris/Neuchâtel: Attinger 1932.

*331 Robert MINDER, «Jean Paul in Frankreich». In: *Festgabe für Eduard Berend.* Weimar 1959. Wiederabgedruckt in: ID., *Dichter in der Gesellschaft.* Erfahrungen mit deutscher und französischer Literatur. Frankfurt/M.: Insel 1966. S. 84–107.

*332 Claude PICHOIS, *L'image de Jean-Paul Richter dans les lettres françaises.* Paris: Corti 1963.

*332.1 ID., «Gérard traducteur de Jean Paul». In: *Etudes germaniques* 18 (Bicentenaire de la naissance de Jean Paul.) Paris: Didier 1963.

   c) Über Jean Paul

333 *Jean-Paul-Jahrbuch.* Hg. von Eduard Berend. Bd. 1 [nicht mehr erschienen]. Berlin 1925.
   Jean-Paul-Blätter. Hg. von der Jean-Paul-Gesellschaft. Jg. 1–19. [Bayreuth] 1926–1944.
   Jean-Paul-Kalender für das Jahr 1928/29. Jg. 1/2. [Bayreuth 1927, 1928.]
   Hesperus. Blätter der Jean-Paul-Gesellschaft. Nr. 1 ff. Bayreuth 1951 ff.

334 J.-L. FIRMERY, *Etude sur J. P. Richter.* (Thèse Rennes 1886) Paris 1887.

335 Ferdinand Joseph SCHNEIDER, *Jean Pauls Altersdichtung.* Berlin 1901.

336 ID., *Jean Pauls Jugend.* Berlin 1905.

337 Karl FREYE, *Jean Pauls Flegeljahre.* Berlin 1907.

338 Eduard BEREND, *Jean Pauls Ästhetik.* Berlin 1909.

339 Fr. SELL, *Jean Pauls Dualismus.* (Phil. Diss.) Bonn 1919.

340 Richard ROHDE, *Jean Pauls Titan.* Berlin 1920.

341 Valerius KOLATSCHEWSKY, *Die Lebensanschauung Jean Pauls und ihr dichterischer Ausdruck.* (Diss.) Bern 1922.

342 Wilhelm Ritter von SCHRAMM, *Über die Träume und Traumdichtungen bei Jean Paul.* (Masch. Diss.) München 1922 [1924].

343 Joh. ALT, *Jean Paul.* München 1925.

344 W. HARICH, *Jean Paul.* Leipzig 1925.

345 Friedrich BURSCHELL, *Jean Paul.* Die Entwicklung eines Dichters. Stuttgart/Berlin/Leipzig 1926.

346 W. MEIER, *Jean Paul.* Zürich 1926.

347 Hans BACH, *Jean Pauls Hesperus.* Berlin 1929.

348 ID., «Traumdichtung». In: *Das Unterhaltungsblatt der Vossischen Zeitung,* Nr. 115. 19. Mai 1929.

349 Wolfdietrich RASCH, *Die Freundschaft bei Jean Paul.* (Diss. 1928) Breslau 1929.

350 Hajo F. JAPPE, *Jean Pauls Flegeljahre.* (Diss.) Köln 1930.

351 Werner SCHMITZ, *Die Empfindsamkeit Jean Pauls.* Heidelberg 1930.

352 H. FOLWARTSCHNY, *Jean Pauls Persönlichkeit*. Weimar 1933.

353 Max KOMMERELL, *Jean Paul*. Frankfurt/M. 1933.

354 Ursula GAUHE, *Jean Pauls Traumdichtungen*. Bonn 1936.

355 Eduard BEREND, *Jean-Paul-Bibliographie*. Neu bearbeitet und ergänzt von Johannes Krogoll. Stuttgart: Klett 1963.

*356 Uwe SCHWEIKERT, *Jean Paul*. (Sammlung Metzler 91.) Stuttgart 1970.

Kapitel XI: Der Morgenstern (Novalis)

a) Werke

357 NOVALIS, *Schriften*. Hg. von Paul Kluckhohn und Richard Samuel. Bd. IV. Leipzig [1929].

*358 ID., *Schriften*. Die Werke Friedrich von Hardenbergs. Hg. von Paul Kluckhohn und Richard Samuel. 5 Bde. Stuttgart: Kohlhammer 1960 ff.

*359 ID., *Werke*. Hg. von Gerhard Schulz. München: Beck 1969.

*360 ID., *Schriften*. Hg. von Hans-Joachim Mähl und Richard Samuel. 2 Bde. München: Hanser (angekündigt).

b) Französische Übersetzungen

361 *Les Disciples à Saïs et les fragments de Novalis*. Traduits par Maurice Maeterlinck. Bruxelles 1895.

362 *Henri d'Ofterdingen*. Traduit par Georges Polti et Paul Morisse. Paris: Mercure de France 1908.

363 *Journal intime, Hymnes à la nuit, Fragments inédits*. Traduit par G. Claretie et S. Joachim-Chaigneau. Paris: Stock 1927.

364 «Les Disciples à Saïs». Trad. Gustave Roud. In: *Aujourd'hui* No 78–80. Lausanne 1931.

365 *Henri d'Ofterdingen*. Traduit par Marcel Camus. Paris: Aubier 1942.

366 *Petits écrits*. Traduits par Geneviève Bianquis. Paris: Aubier 1948.

367 *Les disciples de Saïs, Hymnes à la Nuit, Journal*. Version française de Gustave Roud. Lausanne: Mermod 1948.

368 *Hymnes à la Nuit*. Traduction d'Armel Guerne. Paris: Falaize 1950.

369 *Cinquième Hymne*. Traduction de Henri Stierlin. Paris: GLM 1950.

*369.1 *Maximes et pensées*. Choix et traduction par Pierre Garnier. Paris: Silvaire 1964.

*369.2 *L'Encyclopédie. Notes et Fragments*. Traduit et présenté par Maurice de Gandillac, avec une préface d'Ewald Wasmuth. Paris: Minuit (Denoël) 1966.

*369.3 *Hymnes à la nuit*. Traduction de Gustave Roud. Avant-propos de Philippe Jaccottet. Albeuve (Suisse): Castella 1966.

*369.4 *Henri d'Ofterdingen*. Trad. nouvelle par Robert Rovini. Préface par Julien Gracq. Paris: Bibliothèque 10/18 1967.

Vgl. Nr. 605.

c) Über Novalis

370 Ernst HEILBORN, *Novalis, der Romantiker*. Berlin 1901.

371 Jean-Édouard SPENLÉ, *Novalis*. Essai sur l'idéalisme romantique en Allemagne. (Thèse) Paris: Hachette 1903.

372 Wilhelm DILTHEY, «Novalis». In: *Das Erlebnis und die Dichtung*. Leipzig 1906. ([14]Göttingen 1965.)

373 Waldemar OLSHAUSEN, *Friedrich von Hardenbergs (Novalis) Beziehungen zur Naturwissenschaft seiner Zeit.* (Diss.) Leipzig 1905.

374 Eduard HAVENSTEIN, *Friedrich von Hardenbergs ästhetische Anschauungen.* (Diss.) Göttingen/Berlin 1909.

375 Henri LICHTENBERGER, *Novalis.* Paris: Bloud 1912.

376 Rudolf UNGER, *Herder, Novalis, Kleist.* Studien über die Entwicklung des Todesproblems in Denken und Dichten vom Sturm und Drang zur Romantik. Frankfurt/M. 1922. (Reprographischer Nachdruck Darmstadt 1968.)

377 Hennig BRINKMANN, *Die Idee des Lebens in der deutschen Romantik.* Augsburg 1926.

378 Alfred WOLF, *Zur Entwicklungsgeschichte der Lyrik von Novalis.* Uppsala 1928.

379 Jutta HECKER, *Das Symbol der Blauen Blume im Zusammenhang mit der Blumensymbolik der Romantik.* Jena 1931.

380 A. ROLLAND DE RENÉVILLE, «Le sens de la nuit». In: *La Nouvelle Revue Française,* November 1936. (Untersuchung der Hymnen an die Nacht.)

381 Maurice BESSET, *Novalis et la pensée mystique.* Paris: Aubier 1947.

*381.1 Friedrich HIEBEL, *Novalis.* Bern: Francke 1951. 2., überarbeitete und stark vermehrte Auflage Bern: Francke 1971.

*382 Werner VORDTRIEDE, *Novalis und die französischen Symbolisten.* Zur Entstehung des dichterischen Symbols. Stuttgart: Kohlhammer 1963.

*383 Gerhard SCHULZ, *Novalis* (Rowohlts Monographien 154). Reinbek 1969.

Kapitel XII: Selene (Tieck)

a) Werke und Briefe

384 Ludwig TIECK, *Schriften.* 28 Bde. Berlin 1828–1854. (Unveränderter photomechanischer Nachdruck Berlin: de Gruyter 1966.)

385 ID., *Gesammelte Novellen.* (Bd. 17–28 von Nr. 384.) 1844–1854.

386 *Phantasus.* Eine Sammlung von Märchen, Erzählungen, Schauspielen und Novellen. Hg. von Ludwig Tieck. 3 Bde. Berlin 1812–1816 (^{2}1844–1845).

387 ID., *Gedichte.* 2 Bde. Berlin 1817. 2. Auflage: 3 Bde. Dresden 1821–1823.

388 ID., *Vittoria Accorombona.* Ein Roman in fünf Büchern. Breslau 1840.

389 ID., *Kritische Schriften.* Bd. 1 und 2 hg. von Ludwig Tieck. Leipzig 1848. Bd. 3 und 4 hg. von Eduard Devrient. Leipzig 1852.

390 ID., *Sämtliche Werke.* 2 Bde. Paris: Tétot 1837.

391 ID., *Werke.* Hg. von Jakob Minor. (Kürschners Nationalliteratur.) a) Bd. 144 *(Tiecks Werke),* I. und II. Teil; b) Bd. 145 *(Tieck und Wackenroder).* Berlin/Stuttgart o. J.

392 ID., *Straußfedern.* Hg. von Carl Georg von Maassen. 2 Bde. München 1923.

*393 ID., *Werke.* Nach dem Text der Schriften von 1828–1854 unter Berücksichtigung der Erstdrucke hg. von Marianne Thalmann. 4 Bde. München: Winkler 1968.

394 TIECK and SOLGER, *The complete correspondence.* Hg. von Percy Matenko. New York/ Berlin 1933.

395 Wilhelm Heinrich WACKENRODER, *Werke und Briefe.* Hg. von F. v. d. Leyen. Jena 1910.

396 *Berlinisches Archiv der Zeit und ihres Geschmacks.* Hg. von Meyer, Rambach und Feßler. Jahrgang 1800. Erster Band (Januar bis Juni). Berlin 1800.

b) Französische Übersetzungen

397   *Sternbald, ou le Peintre voyageur.* Traduit par Mme la B^onne Isabelle de Montolieu. 2 Bde. Paris 1823.

398   *Contes d'artistes*: Shakespeare et ses contemporains. 4 Bde. Paris 1832.

399   *Contes lunatiques.* I: La Maison des fous; II: Le Vieux de la montagne. Paris 1834.

400   *La Coupe d'or et autres contes.* Trad. A. Béguin. Paris: Denoël et Steele 1933.

*401   *Trois contes fantastiques* (Le blond Eckbert – Le fidèle Eckart et le Tannenhäuser – Le Runenberg). Trad. par Jean Boyer. Paris: PUF 1954.

*401.1   *Contes fantastiques.* Eckbert le blond. Le fidèle Eckart et le Tannenhäuser. La montagne aux runes. Les Elfes. La coupe. Amour et Magie. Trad. par R. Guignard. Paris: Aubier 1957.
Vgl. Nr. 606, 607.

c) Über Tieck

402   Rudolf KÖPKE, *Ludwig Tieck.* Erinnerungen aus dem Leben des Dichters nach dessen mündlichen und schriftlichen Mitteilungen. Leipzig 1855. (Nachdruck Darmstadt: Wiss. Buchgesellschaft 1970.)

403   Leopold Heinrich FISCHER, *Aus Berlins Vergangenheit.* Gesammelte Aufsätze. Berlin 1891.

404   Fritz BRÜGGEMANN, *Die Ironie in Tiecks William Lovell und seinen Vorläufern.* Ein Beitrag zur Vorgeschichte der Romantik in Deutschland. Leipzig 1909.

405   Marianne THALMANN, *Probleme der Dämonie in Tiecks Schriften.* Weimar 1919.

406   Walter JOST, *Von Ludwig Tieck zu E. T. A. Hoffmann.* Studien zur Entwicklungsgeschichte des romantischen Subjektivismus. Frankfurt/M. 1921. (Nachdruck Darmstadt: Wiss. Buchgesellschaft 1969.)

407   Henry LÜDEKE, *Tieck und das alte englische Theater.* Frankfurt/M. 1922.

408   *Ludwig Tieck und die Brüder Friedrich und August Wilhelm Schlegel.* Briefe, hg. von Henry Lüdeke. Frankfurt/M. 1930.

409   R. LIESKE, *Tiecks Abwendung von der Romantik.* (Diss.) Berlin 1933.

410   Robert MINDER, *Un poète romantique allemand: Ludwig Tieck.* Paris: Les Belles Lettres 1936.

*411   Marianne THALMANN, «Hundert Jahre Tieckforschung». In: *Monatshefte für deutschen Unterricht* XLV (1953), 113 ff.

*411.1   Marianne THALMANN, *Ludwig Tieck. Der romantische Weltmann aus Berlin.* (Dalp-Taschenbücher 318.) Bern: Francke 1955.

*411.2   ID., *Ludwig Tieck, «der Heilige aus Dresden».* Aus der Frühzeit der deutschen Novelle. (Quellen und Forschungen zur Sprach- und Kulturgeschichte der germanischen Völker, N. F., 3.) Berlin: de Gruyter 1960.

*412   Robert MINDER, «Das gewandelte Tieck-Bild». In: *Festschrift für Klaus Ziegler.* Tübingen: Niemeyer 1968. (In veränderter Fassung: «Redécouverte de Tieck». In: *Etudes germaniques* 1968.)

Kapitel XIII: Der Polarstern (Achim von Arnim)

a) Arnims Werke und Briefe

413   Achim von ARNIM, *Sämtliche Werke.* Hg. von Wilhelm Grimm, Bettina von Arnim und Varnhagen von Ense. 22 Bde. Berlin 1839–1856.

414 ID., *Hollin's Liebeleben*. Hg. von J. Minor. Freiburg/Tübingen 1883.

415 ID., *Trösteinsamkeit*. Hg. von F. Pfaff. Freiburg 1883.

416 ID., *Werke*. Auswahl, hg. von Monty Jacobs. 4 Bde. in 2. Leipzig: Bong 1908.

417 ID., *Ariels Offenbarungen*. Hg. von J. Minor. Weimar 1912.

*418 ID., *Sämtliche Romane und Erzählungen*. Hg. von Walther Migge. 3 Bde. München: Hanser 1962, 1963, 1965.

419 *Achim von Arnim und die ihm nahe standen*. Hg. von Reinhold Steig und Herman Grimm. Stuttgart 1894–1913. (Reprographischer Nachdruck Bern: Lang 1970.)
    I Achim von Arnim und Clemens Brentano (1894).
    II Achim von Arnim und Bettina Brentano (1913).
    III Achim von Arnim und Jacob und Wilhelm Grimm (1904).

*420 *Achim und Bettina in ihren Briefen*. Briefwechsel A. v. Arnim und Bettina Brentano, hg. von Werner Vordtriede. 2 Bde. Frankfurt/M.: Suhrkamp 1961.

b) Bettinens Werke und Briefe

421 Bettina von ARNIM, *Sämtliche Werke*. Hg. von Waldemar Oehlke. 7 Bde. Berlin 1920–1922.

*422 ID., *Werke und Briefe*. Hg. von G. Konrad und J. Müller. 5 Bde. Köln: Bartmann 1959–1963.

423 *Bettinas Leben und Briefwechsel mit Goethe*. Auf Grund des von R. Steig bearbeiteten Nachlasses hg. von Fritz Bergemann. Leipzig 1927.

c) Über Arnim und Bettine

424 Friedrich SCHOENEMANN, *L. A. v. Arnims geistige Entwicklung an seinem Drama «Halle und Jerusalem» erläutert*. Leipzig 1912.

425 Otto MALLON, *Arnim-Bibliographie*. Berlin 1925. (Nachdruck Hildesheim: Olms 1965.)

426 André BRETON, «Achim d'Arnim». In: *Point du jour*. Paris: N.R.F. 1934.

427 René GUIGNARD, *Achim von Arnim*. Paris: Les Belles Lettres 1936.

428 Waldemar OEHLKE, *Bettina von Arnims Briefromane*. Berlin 1905.

*429 Werner MILCH, *Die junge Bettine (1785–1811)*. Ein biographischer Versuch. Hg. von Peter Küpper. Heidelberg: Stiehm 1968.

*430 Ingeborg DREWITZ, *Bettine von Arnim*. Romantik, Revolution, Utopie. Düsseldorf/Köln: Diederichs 1969.

d) Französische Übersetzungen

431 Achim d'ARNIM, *Contes bizarres*. Traduction de Théophile Gautier fils. Paris 1856. (Neu hg. mit einer Einleitung von André Breton. Paris: Ed. des Cahiers libres 1934.)

432 *Gœthe et Bettina*. Correspondance inédite. Trad. par Séb. Albin [Mme Hortense Cornu]. 2 Bde. Paris 1843.

e) Georg Friedrich Daumer

433 Georg Friedrich DAUMER, *Urgeschichte des Menschengeistes*. Fragmente system. speculativer Theologie. Berlin 1827.

434 ID., *Bettina*. Gedichte aus Goethes Briefwechsel mit einem Kinde. Nürnberg 1837.

435 ID., «Über Bettinas Nacht- und Traumleben in Beziehung auf die Gedichte aus Goethes Briefwechsel mit einem Kinde». In: *Athenäum für Wissenschaft, Kunst und Leben*. Nürnberg, Februar 1839. 1–14.

436 ID., *Meine Conversion*. Mainz 1859.
437 ID., *Gesammelte poetische Werke*. Hg. von Leopold Hirschberg. Berlin 1924.
438 *Aus der Mansarde*. Zeitschrift in zwanglosen Heften. 6 Hefte. Frankfurt/M. 1860–1862.
439 Veit VALENTIN, «G. F. Daumer». In: *Allgemeine Deutsche Biographie* (= Nr. 180), Bd. IV, 771–775.

Kapitel XIV: Ave Maris Stella (Clemens Brentano)

a) Werke und Briefe

440 Clemens BRENTANO, *Gesammelte Schriften*. Hg. von Christian Brentano. 9 Bde Frankfurt/M. 1852–1855.
441 ID., *Sämtliche Werke*. Hg. von Carl Schüddekopf. [Nur Bd. 4, 5, 9–14 erschienen.] München 1909–1917.
441.1 ID., *Gesammelte Werke*. Hg. von Heinz Amelung und Karl Vietor. Bd. I. Frankfurt/Main 1923.
*442 ID., *Werke*. Hg. von Friedhelm Kemp. 4 Bde. München: Hanser 1965–1968.
*443 *Clemens Brentano*. Hg. von Werner Vordtriede. (Dichter über ihre Dichtungen 2.) München: Heimeran 1970.
444 Bettina von ARNIM, *Clemens Brentanos Frühlingskranz*. In: Nr. 422, Bd. I.
445 Reinhold STEIG, *Achim von Arnim und Clemens Brentano*. (= Nr. 419, Bd. I.)
446 Heinz AMELUNG, *Briefwechsel zwischen Clemens Brentano und Sophie Mereau*. 2 Bde. Leipzig 1908.
447 Reinhold STEIG, *Clemens Brentano und die Brüder Grimm*. (Briefe.) Stuttgart 1914. (Reprographischer Nachdruck Bern: Lang 1969.)
448 W. LIMBURGER, *Clemens Brentano und Minna Reichenbach*. Leipzig 1921.
*449 Clemens BRENTANO, *Briefe*. Hg. von Friedrich Seebass. 2 Bde. Nürnberg [1951].
450 Ludwig GEIGER, *Karoline von Günderode*. Stuttgart 1894.

b) Über Brentano

451 *Clemens Brentano*. Ein Lebensbild nach gedruckten und ungedruckten Quellen von Johannes B. Diel S. J. Ergänzt und hg. von Wilhelm Kreiten S. J. 2 Bde. Freiburg/Breisgau. 1877, 1878.
452 Lujo BRENTANO, *Clemens Brentanos Liebesleben*. Frankfurt/M. 1921.
453 Günther MÜLLER, *Brentanos Romanzen vom Rosenkranz*. Göttingen 1922.
454 Otto MALLON, *Brentano-Bibliographie*. Berlin 1925.
455 Hans JAEGER, *Brentanos Frühlyrik*. Chronologie und Entwicklung. Jena 1926. (Nachdruck Darmstadt: Wiss. Buchgesellschaft 1968.)
456 Hans RUPPRICH, *Brentano, Luise Hensel und Ludwig von Gerlach*. Wien 1927.
457 René GUIGNARD, *Chronologie des poésies de Clemens Brentano*. Paris: Droz 1933.
458 ID., *Un poète romantique allemand, Clemens Brentano*. Paris: Les Belles Lettres 1933.
459 Albert GARREAU, *Clément Brentano*. Paris: de Brouwer 1938.
*460 Wolfgang FRÜHWALD, «Luise HENSEL». In: *Neue Deutsche Biographie*, Bd. 8, 560ff.
*461 Werner HOFFMANN, *Clemens Brentano. Leben und Werk*. Bern: Francke 1966.
*462 Clemens BRENTANO, *Briefe an Emilie Linder*. Hg. von Wolfgang Frühwald. Bad Homburg: Gehlen 1969.

Kapitel XV: Die Lilie und die Schlange (Hoffmann)

a) Werke, Briefe, Tagebücher

463 Ernst Theodor Amadeus HOFFMANN, *Werke* in fünfzehn Teilen. Hg. von Georg Ellinger. Berlin: Bong 1912, ²1927.

464 ID., *Sämtliche Werke*. Historisch-kritische Ausgabe von Carl Georg von Maassen. Bd. 1–4; 6–10 [mehr nicht erschienen]. München/Leipzig 1908–1928.

*465 ID., [Sämtliche Werke in fünf Bänden.] Hg. von Walter Müller-Seidel u. a. München: Winkler 1960–1965.
(I: Fantasie- und Nachtstücke; II: Elixiere des Teufels, Kater Murr; III: Serapions-. Brüder; IV: Späte Werke: V: Schriften zur Musik, Nachlese.)

466 Hans von MÜLLER (Hg.), *E.T.A.Hoffmann im persönlichen und brieflichen Verkehr.* Sein Briefwechsel und die Erinnerungen seiner Bekannten. 2 Bde. Berlin 1912.

*467 *E. T. A. Hoffmanns Briefwechsel.* Gesammelt und erläutert von Hans von Müller und Friedrich Schnapp. Hg. von F. Schnapp. 3 Bde. München: Winkler 1967–1969.

468 Hans von MÜLLER (Hg.), *E.T.A.Hoffmanns Tagebücher und literarische Entwürfe.* Bd. 1: Tagebücher [mehr nicht erschienen]. Berlin 1915.

*469 *E. T. A. Hoffmanns Tagebücher.* Nach der Ausgabe Hans von Müllers mit Erläuterungen hg. von Friedrich Schnapp. München: Winkler 1971.

b) Französische Übersetzungen

470 *Œuvres complètes de E. T. A. Hoffmann.* Traduites par Théodore Toussenel. 12 Bde Paris 1830.

471 *Œuvres complètes de E. T.A.Hoffmann.* Traduites par Loève-Weimars. 19 Bde. Paris 1830–1832.

472 *Contes fantastiques de E. T. A. Hoffmann.* Traduction par Henry Egmont. 4 Bde. Paris 1836.

473 *Contes d'Hoffmann* (faisant partie de ses dernières œuvres). Trad. par Edouard Degeorge. Lyon 1848.

474 *Fantaisies dans la manière de Callot.* Contes et nouvelles traduits par Henri de Curzon. Paris 1891.

475 *Les Elixirs du diable. Histoire posthume du capucin Médard.* Traduit par Alzir Hella et Olivier Bournac. Paris: Stock 1926.

476 *Salvator Rosa.* Trad. A. Béguin. Paris: Editions de la Pléiade 1926.

477 *Princesse Brambilla, caprice.* Traduit par Alzir Hella et Olivier Bournac. Paris/Neuchâtel: Attinger 1929.

478 *Nouvelles musicales.* Traduites par Alzir Hella et Olivier Bournac. Paris: Stock 1929.

479 *Lettres à son ami intime Théodore Hippel.* Traduction de Alzir Hella et Olivier Bournac. Paris: Stock 1929.

480 *Kreisleriana.* Trad. A. Béguin. Paris 1931 [nicht im Handel]; Paris: Gallimard 1949.

481 *Le Vase d'or. Les Mines de Falun.* Trad. par Paul Sucher. Paris: N. R. F. 1942.

482 *Le Chat Murr.* Trad. A. Béguin [1931]. Paris: Gallimard 1943.

483 *Petit Zacharie.* Trad. par Paul Sucher. Paris: Aubier 1946.

484 *Trois contes* (Der Sandmann – Rat Krespel – Doge und Dogaresse). Trad. par Geneviève Bianquis. Paris: Aubier 1947.

*485 *Contes d'Hoffmann.* Première édition intégrale, réalisée sous la direction d'Albert Béguin. 4 Bde. Paris: Club des Librairies de France 1956–1957. (Neudruck in 1 Bd.: Collections «Galaxies», Paris: Les Librairies associées 1964.) Vgl. Nr. 608, 609.

c) Über Hoffmann

486 Julius Eduard HITZIG, *E. T. A. Hoffmann's Leben und Nachlaß.* 3 Teile. Stuttgart 1839.
487 Georg ELLINGER, *E. T. A. Hoffmann.* Sein Leben und seine Werke. Hamburg 1894.
488 Arthur SAKHEIM, *E. T. A. Hoffmann.* Studien zu seiner Persönlichkeit und seinen Werken. Leipzig 1908.
489 Paul SUCHER, *Les sources du merveilleux chez E. T. A. Hoffmann.* Paris: Alcan 1912.
490 Walther HARICH, *E. T. A. Hoffmann.* Das Leben eines Künstlers. 2 Bde. Berlin 1920.
491 Leopold HIRSCHBERG, *Die Zeichnungen E. T. A. Hoffmanns.* Potsdam 1921.
492 Walter JOST, *Von L. Tieck zu E. T. A. Hoffmann.* Studien zur Entwicklungsgeschichte des romantischen Subjektivismus. Frankfurt/M. 1921. (Nachdruck Darmstadt: Wiss. Buchgesellschaft 1969.)
493 Wilhelm Heinrich SCHOLLENHEBER, *E. T. A. Hoffmanns Persönlichkeit.* Anekdoten, Schwänke und Charakterzüge aus dem Leben Hoffmanns nach Mitteilungen seiner Zeitgenossen zusammengetragen und an das Licht gestellt. München 1922.
494 Richard von SCHAUKAL, *E. T. A. Hoffmann.* Sein Werk aus seinem Leben dargestellt. Zürich/Leipzig/Wien 1923.
495 E. T. A. HOFFMANN, *Handzeichnungen.* Hg. von W. Steffen und Hans von Müller. Berlin [1925].
496 Hans DAHMEN, «E. T. A. Hoffmann und G. H. Schubert». In: *Literaturwissenschaftliches Jahrbuch der Görresgesellschaft* I (1926), 62–111.
497 Ernst HEILBORN, *E. T. A. Hoffmann.* Der Künstler und die Kunst. Berlin 1926.
498 Gustav EGLI, *E. T. A. Hoffmann.* Ewigkeit und Endlichkeit in seinem Werk. Zürich 1927.
499 Hans von MÜLLER, *E. T. A. Hoffmann und Jean Paul.* Ihre Beziehungen zu einander. Unter Mitwirkung von Eduard Berend. Teil 1. Köln 1927.
500 Jean MISTLER, *La vie d'Hoffmann.* Paris: Gallimard ⁵1927.
501 Hans DAHMEN, *E. T. A. Hoffmanns Weltanschauung.* Marburg 1929.
502 Karl OCHSNER, *E. T. A. Hoffmann als Dichter des Unbewußten.* Ein Beitrag zur Geistesgeschichte der Romantik. Frauenfeld/Leipzig 1936.
503 Jean F. A. RICCI, *E. T. A. Hoffmann, l'homme et l'œuvre.* (Thèse) Paris: Corti 1948.
*504 Wulf SEGEBRECHT, *Autobiographie und Dichtung.* Eine Studie zum Werk E. T. A. Hoffmanns. Stuttgart: Metzler 1967.
*505 Jürgen VOERSTER, *160 Jahre E. T. A. Hoffmann-Forschung, 1805–1965.* Eine Bibliographie mit Inhaltserfassung und Erläuterungen. Stuttgart: Eggert 1967.
*506 E. T. A. *Hoffmanns Leben und Werk in Daten und Bildern.* Hg. von Gabrielle Wittkop-Ménardeau. Frankfurt/M.: Insel 1968. (Mit Bibliographie.)

Kapitel XVI: Milchstraßen und Meteore

I Eichendorff

507 Joseph von EICHENDORFF, *Historisch-kritische Ausgabe.* Begründet von W. Kosch und Aug. Sauer. Fortgeführt und hg. von Hermann Kunisch. Regensburg 1908ff.
508 ID., *Gesammelte Werke.* Hg. von Heinz Amelung. 6 Bde. Berlin o. J. (3. Auflage).
509 Josef NADLER, *Eichendorffs Lyrik.* Ihre Technik und ihre Geschichte. Prag 1908.
510 Hans BRANDENBURG, *Joseph von Eichendorff.* Sein Leben und sein Werk. München 1922.

II Kleist

Was KLEIST anbelangt, war mir die vor kurzem erschienene Pariser Thèse von Roger AYRAULT [532] sehr wertvoll. Diese eindringliche und hervorragend geschriebene Abhandlung bietet eine große Synthese; aber auch im Einzelnen ist die Interpretation so klug und luzid, daß man nur hoffen kann, es sei mit den zahllosen willkürlichen Kleist-Darstellungen der deutschen Germanistik endgültig vorbei. Ich weise nicht im einzelnen nach, was ich diesem Buch verdanke und ohne sklavische Abhängigkeit verwendet habe.

a) Werke, Briefe, Gespräche

*511   Heinrich von KLEIST, *Sämtliche Werke und Briefe*. Hg. von Helmut Sembdner. München: Hanser ⁵1970.

*512   *Heinrich von Kleist*. Hg. von Helmut Sembdner. (Dichter über ihre Dichtungen 6.) München: Heimeran 1969.

 513   Flodoard Freiherr von BIEDERMANN [Hg.], *Heinrich von Kleist; Gespräche*. Nachrichten und Überlieferungen aus seinem Umgange. Leipzig 1912.

b) Französische Übersetzungen

 514   *Œuvres choisies*. Trad. par J. Rouge. Paris: La Renaissance du livre 1922.

 515   *Le Prince de Homburg*. Trad. par André Robert. Paris: Aubier 1930.

 516   *Les marionnettes*. Trad. par F. Klee et F. Marc. Paris: G. L. M. 1937/1948.

 517   *Penthésilée*. Trad. par Roger Ayrault. Paris: Aubier 1938.

 518   *Michel Kohlhaas*. Trad. par G. La Flize. Paris: Aubier 1942.

 519   *La cruche cassée*. Trad. par Roger Ayrault. Paris: Aubier 1943.

 520   *La Marquise d'O*. Trad. par G. La Flize et M. L. Lareau. Paris: Aubier 1943.

 521   *Penthésilée*. Trad. de Julien Gracq. Paris: Corti 1954.

 522   *Le Prince de Hombourg*. Version scénique française de Jean Curtis. Paris: L'Arche 1954.

*523   *Théâtre*. Trad. de Paul Morand et Stefan Geissler. Paris: Denoël et Steele 1956. Vgl. Nr. 610, 611.

c) Über Kleist

 524   Raymond BONAFOUS, *Henri de Kleist, sa vie et ses œuvres*. (Thèse) Paris 1894.

 525   Georg MINDE-POUET, «Kleist-Bibliographie» 1914–1921; 1925–1930. In: *Jahrbuch der Kleist-Gesellschaft* 1921, 1929, 1930.

 526   Friedrich GUNDOLF, *Heinrich von Kleist*. Berlin 1922.

 527   Philipp WITKOP, *Heinrich von Kleist*. Leipzig 1922.

 528   Walter MUSCHG, *Kleist*. Zürich 1923.

 529   Friedrich BRAIG, *Heinrich von Kleist*. München 1925.

 530   Emilie et Georges ROMIEU, *La vie de Henri de Kleist*. Paris: Gallimard ⁴1931.

 531   Roger AYRAULT, *La légende de Heinrich von Kleist*. Un poète devant la critique. Paris: Nizet et Bastard 1934.

 532   ID., *Heinrich von Kleist*. (Paris: Nizet et Bastard 1934.) Edition définitive Paris: Aubier 1966.

 533   Marthe ROBERT, *Heinrich von Kleist*. Paris: L'Arche 1955.

III Heine

Für HEINE war mir die Berliner Dissertation von Ilse WEIDEKAMPF nützlich, welche eine Zusammenstellung der Träume in Heines Werk sowie seiner Äußerungen über Träume enthält [542].

534 Heinrich HEINE, *Sämtliche Werke*. Hg. von Oskar Walzel. 10 Bde. Leipzig 1910–1915.

*535 ID., *Gesammelte Werke*. Hg. von Wolfgang Harich. 6 Bde. Berlin: Aufbau-Verlag ²1956.

*536 ID., *Sämtliche Schriften*. Hg. von Klaus Briegleb. 6 Bde. München: Hanser 1968 ff.

*537 *Heinrich Heine*. Hg. von Norbert Altenhofer. (Dichter über ihre Dichtungen 8.) 3 Bde. München: Heimeran 1971.

538 *Gespräche mit Heine*. Hg. von H. H. Houben. Frankfurt/M. 1926.

539 Max Josef WOLFF, *Heinrich Heine*. München 1922.

540 Rod. BOTTACCHIARI, *Heine*. Torino 1927.

541 Kurt STERNBERG, *Heinrich Heines geistige Gestalt und Welt*. Berlin 1929.

542 Ilse WEIDEKAMPF, *Traum und Wirklichkeit in der Romantik und bei Heine*. Leipzig 1932. (= Nr. 5.)

*543 Eberhard GALLEY, *Heinrich Heine*. (Sammlung Metzler 30.) Stuttgart 1967.

*544 F. MENDE, *Heinrich Heine*. Chronik seines Lebens und Werks. Berlin: Akademie-Verlag 1970.

*545 Albrecht BETZ, *Ästhetik und Politik*. Heinrich Heines Prosa. München: Hanser 1971. Vgl. Nr. 612.

Varia

546 BONAVENTURA, *Nachtwachen*. Hg. von Raimund Steinert, Weimar 1914.

547 Friedrich Gottlob WETZEL, *Gesammelte Gedichte und Nachlaß*. Hg. von Z. Funck. Leipzig 1838.

548 Franz SCHULTZ, *Der Verfasser der Nachtwachen von Bonaventura*. Untersuchungen zur deutschen Romantik. Berlin 1909.

549 Hans TRUBE, *Friedrich Gottlob Wetzels Leben und Werk*. Berlin 1928.

550 Karoline von GÜNDERODE, *Gesammelte Dichtungen*. Hg. von Elisabeth Salomon. München 1923.

*551 ID., *Ein apokalyptisches Fragment*. Gedichte und Prosa. Stuttgart: Verlag Freies Geistesleben o. J.

552 Geneviève BIANQUIS, *Caroline de Günderode*. Paris: Alcan 1910.

553 Otto Heinrich Graf von LOEBEN, *Gedichte*. Hg. von Raimund Pissin. (DLD 135.) Berlin 1905. (Reprographischer Nachdruck Darmstadt: Wiss. Buchgesellschaft 1968.)

Provinzen in Frankreich

a) Französische Romantik und deutsche Romantik (einige Anhaltspunkte)

554 Mme DE STAËL, *De l'Allemagne*. 3 Bde. Paris 1810.

555 *Revue germanique*. Paris 1826–1835 und 1858–1865 [verschiedene Hgg.].

556 *Revue de Paris*. 1830–1840.

557 *Revue du Nord*. Paris 1835 ff.

558 *Revue des Deux Mondes*. Paris 1833–1834.

559 Heinrich HEINE, «Etat actuel de la littérature en Allemagne». In: *L'Europe littéraire*. Paris 1833.

560 Eugène LERMINIER, *Au delà du Rhin*. Paris 1835.

561 Alfred MICHIELS, *Etudes sur l'Allemagne, renfermant une histoire de la peinture alle-mande*. 2 Bde. Paris 1840.

562 ID., *Histoire des idées littéraires en France au XIXe siècle et de leurs origines dans les siècles antérieurs*. 2 Bde. Paris 1842.

563 Jacques MATTER, *Schelling, ou la philosophie de la nature et la philosophie de la révélation*. Paris 1845.

564 ID., *De l'état moral, politique et littéraire de l'Allemagne*. 2 Bde. Paris 1847.

565 Gérard de NERVAL, *Lorely*. Paris 1852.

566 Philarète CHASLES, *Etudes sur l'Allemagne ancienne et moderne*. Paris 1854.

567 ID., *Etudes sur l'Allemagne au XIXe siècle*. Paris 1861.

568 Heinrich BREITINGER, *Die Vermittler des deutschen Geistes in Frankreich*. Rede. Zürich 1876.

569 Th. SÜPFLE, *Geschichte des deutschen Kultureinflusses auf Frankreich mit besonderer Berücksichtigung der literarischen Einwirkung*. 2 Bde. Gotha 1886, 1888, 1890.

570 Fritz MEISSNER, *Der Einfluß deutschen Geistes auf die französische Literatur des 19. Jahrhunderts bis 1870*. Leipzig 1893.

571 Louis-Paul BETZ, *Heine in Frankreich*. (Diss.) Zürich 1894.

572 Virgile ROSSEL, *Histoire des relations littéraires entre la France et l'Allemagne*. Paris 1897.

573 Joseph TEXTE, *Etudes de littérature européenne*. Paris 1898.

574 Louis-Paul BETZ, *Studien zur vergleichenden Literaturgeschichte der neueren Zeit*. Frankfurt/M. 1902.

575 Fernand BALDENSPERGER, *Goethe en France*. Etude de littérature comparée. Paris: Hachette 1904.

576 Pierre LASSERRE, *Le Romantisme français*. Essai sur la révolution dans les sentiments et dans les idées au XIXe siècle. (Thèse) Paris: Mercure de France 1907.

577 Daniel MORNET, *Le romantisme en France au XVIIIe siècle*. Paris: Hachette 1912.

578 Auguste DUPOUY, *France et Allemagne*. Littératures comparées. Paris: Delaplane 1913.

579 Louis REYNAUD, *L'influence allemande en France au XVIIIe et au XIXe siècle*. Paris: Hachette 1922.

580 Fernand BALDENSPERGER, *Le mouvement des idées dans l'émigration francaise (1789–1815)*. Paris: Plon 1924.

581 Pierre TRAHARD, *Une revue oubliée: La Revue poétique du XIXe siècle*. Paris: Champion 1924.

582 Marc CITOLEUX, *Alfred de Vigny. Persistances classiques et affinités étrangères*. Paris: Champion 1925.

583 Louis REYNAUD, *Le romantisme. Ses origines anglo-germaniques. Influences étrangères et traditions nationales. Le réveil du génie français*. Paris: Colin 1926.

584 Fernand BALDENSPERGER, *Orientations étrangères chez Honoré de Balzac*. Paris: Champion 1927.

585 Edmond EGGLI, *Schiller et le romantisme français*. Paris: Gamber 1927.

586 Thomas R. PALFREY, *L'Europe littéraire (1833–1834)*. Un essai de périodique cosmopolite. Paris: Champion 1927.

587 P. de LALLEMAND, *Montalembert et ses relations littéraires avec l'étranger jusqu'en 1840*. Paris: Champion 1928.

588 Auguste VIATTE, *Les sources occultes du romantisme*. Illuminisme – Théosophie. 1770–1820. 2 Bde. Paris: Champion 1928.

589 Ian Allan HENNING, *L'Allemagne de Mme de Staël et la Polémique romantique*. Première fortune de l'ouvrage en France et en Allemagne, 1814–1830. Paris: Champion 1929.

590 André Monglond, *Le préromantisme français.* Grenoble: Arthaud 1930. (Neuauflage Paris: Corti 1969.)

591 Louis Reynaud, *Français et Allemands.* Histoire de leurs relations intellectuelles et sentimentales. Paris: Fayard 1930.

592 Pierre Moreau, *Le romantisme.* Paris: Gigord 1932.

593 Ernest Seillière, *Sur la psychologie du romantisme français.* Paris: Nouvelle Revue Critique 1933.

594 Id., *Sur la psychologie du romantisme allemand.* Paris: Nouvelle Revue Critique 1933.

*595 Jean-Marie Carré, *Les écrivains français et le mirage allemand, 1800–1940.* Paris: Boivin 1947.

*596 René Cheval, «Die deutsche Romantik in Frankreich». In: *Frankreich. Berichte aus dem französischen Kulturleben.* 2. Jg., Nr. 13, November 1947.

*597 Paul Van Tieghem, *Le préromantisme.* Études d'histoire littéraire européenne. 3 Bde. Paris: Société française d'éditions littéraires et techniques 1947.

*598 Id., *L'ère romantique.* 1. Le romantisme dans la littérature européenne. Paris: Michel 1948.

*599 André Monchoux, *L'Allemagne devant les lettres françaises de 1814 à 1835.* Toulouse: Fournié 1953. (Neuausgabe Paris: Colin o. J.)

*600 *Deutschland-Frankreich.* Ludwigsburger Beiträge zum Problem der deutsch-französischen Beziehungen. Hg. vom deutsch-französischen Institut Ludwigsburg. 4 Bde. Stuttgart: Deutsche Verlags-Anstalt 1954–1957. (Mit Bibliographie.)

*601 J. Hoesle, «Die deutsche Literatur der Goethezeit im Spiegel französischer Zeitschriften von 1900–1914». In: *Revue de Littérature comparée* 1955.

*602 *Die deutsche Romantik im französischen Deutschlandbild.* Fragen und Fragwürdigkeiten. Braunschweig: Limbach 1957.

*603 Claude Digeon, *La crise allemande de la pensée française (1870–1914).* Paris: PUF 1959.

*604 Claude Pichois, *Philarète Chasles et la vie littéraire au temps du romantisme.* 2 Bde. Paris: Corti 1965.
Vgl. Nr. *332: Id., *L'image de Jean-Paul Richter dans les lettres françaises.*

*605 Jean-Paul Glorieux, *Novalis en France (1885 à nos jours).* Katolieke Universiteit te Leuven (in Vorbereitung).

*606 Elizabeth Teichmann, «Tieck in Frankreich, oder ‹Die Fahrt ins Blaue hinein›». In: *Revue de Littérature comparée* 1963.

*607 José Lambert, *La fortune de Tieck en France (1800–1914).* Katolieke Universiteit te Leuven (in Vorbereitung).

*608 Elizabeth Teichmann, *La fortune d'Hoffmann en France.* Genève/Paris: Droz/Minard 1961.

*609 Pierre-Georges Castex, *Le conte fantastique en France de Nodier à Maupassant.* Neuauflage Paris: Corti 1962.

*610 F. C. Richardson, *Kleist in France.* Chapel Hill: The University of North Carolina Press 1962.

*611 *Kleist und Frankreich.* Mit Beiträgen von Claude David, Wolfgang Wittkowski, Lawrence Ryan. (Jahresgabe der Heinrich von Kleist-Gesellschaft 1968.) Berlin: Schmidt 1969.

*612 Kurt Weinberg, *Henri Heine.* «Romantique défroqué», Héraut du symbolisme français. New Haven/Paris: Yale University Press/PUF 1954.

*613 Chetana Nagavajara, *August Wilhelm Schlegel in Frankreich.* Sein Anteil an der französischen Literaturkritik (1807–1835). (Forschungsprobleme der vergleichenden Literaturgeschichte III. Hg. von Kurt Wais.) Tübingen: Niemeyer 1966.

*613.1 Marguerite Wieser, *La fortune d'Uhland en France.* Paris: Nizet, im Druck.

b) Senancour

614 Étienne-Pierre de SENANCOUR, *Aldomen, ou le Bonheur dans l'obscurité*. [1795.] Hg. von André Monglond. Paris: Les Presses françaises 1925.

615 ID., *Rêveries* sur la nature primitive de l'homme, sur ses sensations, sur les moyens de bonheur qu'elles lui indiquent, sur le mode social qui conserverait le plus de ses formes primordiales [1798–1799]. Paris ³1833. (Kritische Ausgabe von Joachim Merlant und G. Saintville. 2 Bde. I Paris: Cornély 1910, II Paris: Droz 1940.)

616 ID., *Obermann* [1804]. 3 Bde. Hg. von André Monglond. Grenoble: Arthaud 1947.

617 ID., *Libres méditations* d'un solitaire inconnu, sur le détachement du monde et sur d'autres objets de la morale religieuse. Paris 1819. (Kritische Ausgabe von Béatrice Le Gall. Genf 1970.)

618 Joachim MERLANT, *Bibliographie des œuvres de Sénancour. Documents inédits.* Paris: Hachette 1905.

619 ID., *Sénancour (1770–1846).* Poète, penseur religieux et publiciste. Sa vie, son œuvre, son influence. Documents inconnus ou inédits. Paris: Fischbacher 1907.

620 André MONGLOND, *Jeunesses: le Journal des Charmettes, les amours de Carbonnières, le mariage de Sénancour.* Paris: Grasset 1933.

*620.1 Marcel RAYMOND, *Senancour.* Sensations et révélations. Paris: Corti 1965.

*620.2 Beatrice LE GALL, *L'imaginaire chez Senancour.* 2 Bde. Paris: Corti 1966. [Mit ausführlicher Bibliographie.]

c) Nodier

621 Charles NODIER, *Contes de la veillée.* Paris: Larousse [1919].

622 ID., *Moi-même* [1799]. Ouvrage inédit. Hg. von Jean Larat. Paris: Champion 1921.

623 ID., *Souvenirs, épisodes et portraits pour servir à l'histoire de la Révolution et de l'Empire.* 2 Bde. Paris 1831.

624 ID., *Œuvres complètes.* Paris: E. Renduel 1832–1837. (Bd. 1: Thérèse Aubert; Bd. 3: Smarra. Trilby; Bd. 5: Rêveries.)

625 ID., *La fée aux miettes* [1832]. Hg. von Auguste Viatte. Rom: Signorelli 1962.

626 ID., *Rêveries littéraires, morales et fantastiques.* Paris 1832.

627 ID., *Souvenirs de la Révolution et de l'Empire* [1833]. 2 Bde. Paris 1850.

628 ID., *Les quatre talismans.* Conte raisonnable. Paris 1838.

629 Marie MENNESSIER-NODIER, *Charles Nodier.* Episodes et souvenirs de sa vie. Paris 1867.

630 Michel SALOMON, *Charles Nodier et le groupe romantique.* D'après des documents inédits. Paris: Perrin 1908.

631 Eunice Morgan SCHENCK, *La part de Charles Nodier dans la formation des idées romantiques de Victor Hugo jusqu'à la Préface de Cromwell.* Paris: Champion 1914.

632 Jean LARAT, *La tradition et l'exotisme dans l'œuvre de Charles Nodier.* Etude sur les origines du romantisme français. Paris: Champion 1923.

633 Jules VODOZ, *La Fée aux miettes.* Essai sur le rôle du subconscient dans l'œuvre de Charles Nodier. Paris: Champion 1925.

*634 E. BENDER, *Charles Nodier 1780–1844.* Bibliographie des œuvres, des lettres et des manuscrits de Ch. Nodier, suivie d'une bibliographie choisie des études sur Ch. Nodier 1840–1966. Lafayette (USA) 1969.

d) Maurice de Guérin

635 Maurice de GUÉRIN, *Œuvres complètes.* Hg. von Bernard d'Harcourt. 2 Bde. Paris: Budé 1947.

636 Jules BARBEY D'AUREVILLY, *Amaïdée.* Poème en prose. Paris 1890.

637 Abel Lefranc, *Maurice de Guérin, d'après des documents inédits.* Paris: Champion 1910.

638 Ernest Zyromski, *Maurice de Guérin.* Paris: Colin 1921.

639 Emile Barthès, *Eugénie de Guérin.* 2 Bde. Paris: Gabalda 1929.

640 Charles Du Bos, «Du spirituel dans l'ordre littéraire». In: *Vigile* 1930, IV. (Buchausgabe Paris: Corti 1967.)

641 E. Decahors, *Maurice de Guérin.* Essai de biographie psychologique. Paris: Bloud et Gay 1932.

*642 Maurice de Guérin, *Der Kentauer.* In der Übertragung von Rainer Maria Rilke. (Leipzig 1919.) Zürich 1948.

*643 Maja Schärer-Nussberger, *Maurice de Guérin.* L'errance et la demeure. Paris: Corti 1965.

e) H.-F. Amiel

644 Henri-Frédéric Amiel, *Fragments d'un journal intime.* Hg. von Bernard Bouvier· 3 Bde. Genf 1923.

*645 Id., *Journal intime.* Années 1839 à 1848. Année 1849. Hg. von Léon Bopp. 3 Bde. Genf 1948, 1953, 1958.

*646 Id., *Journal intime de l'année 1866.* Hg. von Léon Bopp. Paris: Gallimard 1959.

*647 Id., *Journal intime.* L'année 1857. Hg. von Georges Poulet. Paris: Union générale d'éditions 1965.

*648 Id., *Journal intime année 1861. Journal intime hiver 1874–1875.* Hg. von Bernard Gagnebin. Paris: Mazenod 1966.

*649 Id., *Blätter aus dem Tagebuch.* Ausgewählt, übersetzt und eingeleitet von Ernst Merian-Genast. Erlenbach 1944.

650 Id., *Essais critiques.* Hg. von Bernard Bouvier. Paris: Delamain et Boutelleau 1932.

651 Id., *La jeunesse d'Henri-Frédéric Amiel.* Lettres. Hg. von Bernard Bouvier. Paris: Stock 1935.

652 Léon Bopp, *H.-F. Amiel.* Essai sur sa pensée et son caractère d'après des documents inédits. (Thèse) Paris: Alcan 1925.

653 Albert Thibaudet, *Amiel, ou la Part du rêve.* Paris: Hachette 1929.

*654 Georges Poulet, «Amiel». In: *Les métamorphoses du cercle.* Paris: Plon 1961. Deutsch: *Metamorphosen des Kreises in der Dichtung.* Frankfurt/M.: Fischer 1966.

f) Marcel Proust

655 Marcel Proust, *A la recherche du temps perdu.* Hg. von Pierre Clarac und André Ferré. (Bibliothèque de la Pléiade 100, 101, 102.) 3 Bde. Paris: Gallimard 1954.

*656 Id., *Auf der Suche nach der verlorenen Zeit.* Deutsch von Eva Rechel-Mertens (werkausgabe edition suhrkamp). 13 Bde. Frankfurt/M. 1964. (Unseren Zitaten liegt diese Übersetzung zugrunde.)

657 Léon Pierre-Quint, *Après le temps retrouvé.* Le comique et le mystère chez Proust. Paris: Kra 1928.

658 Ernst Robert Curtius, *Marcel Proust.* [Französische Übersetzung von A. Pierhal.] Paris: Editions de la Revue nouvelle 1928. Deutsch in: E. R. Curtius, *Französischer Geist im zwanzigsten Jahrundert.* Bern: Francke 1952, 274–355.

659 Pierre Abraham, *Proust.* Recherches sur la création intellectuelle. Paris: Rieder 1930.

660 Arnaud Dandieu, *Marcel Proust.* Sa révélation psychologique. Paris: Firmin-Didot 1930.

g) Gérard de Nerval

661 Gérard de NERVAL, *Œuvres*. Hg. von Albert Béguin und Jean Richer. (Bibliothèque de la Pléiade 89 und 117.) 2 Bde. Paris: Gallimard ⁴1966 und ²1961.

*662 ID., *Œuvres complémentaires*. Paris: Minard 1959 ff.

*662.1 ID., *Les Chimères*. Edition critique de Jean Guillaume. Bruxelles: Académie Royale de Langue et de Littérature Françaises 1966.

*662.2 ID., *Pandora*. Edition critique de Jean Guillaume. Lettre-préface de Claude Pichois. 2 parties (1: Texte; 2: Planches). Namur: Secrétariat des Publications, Facultés Universitaires 1968.

*663 ID., *Aurelia*. Französisch/deutsch. Deutsch von Hedwig Kubin (1910). Frankfurt/M.: Fischer-Bücherei 1961.

*664 ID., *Aurelia und andere Erzählungen*. Aus dem Französischen übersetzt von Eva Rechel. Zürich: Manesse 1960.
(Die Zitate aus *Aurélia* – für welche die beiden genannten Übersetzungen zu Rate gezogen wurden – sind nach der Pléiade-Ausgabe nachgewiesen.)

665 Julia CARTIER, *Un intermédiaire entre la France et l'Allemagne: Gérard de Nerval*. Étude de littérature comparée. (Thèse Paris) Genf 1904.

666 Aristide MARIE, *Gérard de Nerval*. Le poète, l'homme, d'après des manuscrits et documents inédits. Paris: Hachette 1914.

667 Pierre AUDIAT, *L'Aurélia de Gérard de Nerval*. Paris: Champion 1926.

668 Henri CLOUARD, *La destinée tragique de Gérard de Nerval*. Paris: Grasset 1929.

669 Albert BÉGUIN, *Gérard de Nerval*. Suivi de *Poésie et mystique*. Paris: Stock 1936. Zweite, erweiterte Auflage: *Gérard de Nerval*. Paris: Corti 1945 ff.

670 L.-H. SÉBILLOTTE, *Le secret de Gérard de Nerval*. Paris: Corti 1948.

671 Jean RICHER, *Gérard de Nerval*. Paris: Seghers 1950.

672 Jean-Pierre RICHARD, *Poésie et profondeur*. Paris: Seuil 1955.

*673 Jean SENELIER, *Gérard de Nerval*. Essai de Bibliographie. Paris: Nizet 1959.

*673.1 ID., *Bibliographie nervalienne* (1960–1967) et compléments antérieurs. Paris: Nizet 1968.

h) Victor Hugo

zitiert wird nach:

VICTOR HUGO, *Œuvres complètes* de Victor Hugo. Paris: Librairie Ollendorff 1905 ff., und zwar:

674 *Littérature et Philosophie mêlées*. (= Philosophie, Bd. I.)

675 *William Shakespeare*. *Postscriptum de ma vie*. (= Philosophie, Bd. II.)

676 *Les Feuilles d'automne*. *Les Chants du crépuscule*. *Les Voix intérieures*. (= Poésie, Bd. II.)

677 *Les Contemplations*. (= Poésie, Bd. III.)

678 *Le Pape*. (= Poésie, Bd. IX.)

679 *La Fin de Satan*. *Dieu*. (= Poésie, Bd. XI.)

680 *L'Homme qui rit*. (= Roman, Bd. VIII.)

681 Charles RENOUVIER, *Victor Hugo, le philosophe*. Paris: Colin 1900.

682 Edmond HUGUET, *Les métaphores et les comparaisons dans l'œuvre de Victor Hugo*. Paris: Hachette 1904.

683 ID., *La couleur, la lumière et l'ombre dans les métaphores de Victor Hugo*. Paris: Hachette 1905.

684 Paul BERRET, *La philosophie de Victor Hugo (1854–1859)*. Paris: Paulin 1910.

685 Gustave SIMON, *Chez Victor Hugo. Les tables tournantes de Jersey. Procès-verbaux des séances*. Paris: Conard 1923.

686 Denis SAURAT, *La religion de Victor Hugo*. Paris: Hachette 1929.

687 Albert BÉGUIN, «Le Songe de Jean Paul et Victor Hugo». In: *Revue de Littérature comparée* 14 (1934), 703–713. (Wiederabgedruckt in: A. BÉGUIN, *Poésie de la présence*. Neuchâtel/Paris: La Baconnière/Ed. du Seuil 1957.)

i) Baudelaire und seine Nachfahren

688 Marcel RAYMOND, *De Baudelaire au Surréalisme*. Essai sur le mouvement poétique contemporain. Paris: Corrêa 1933, 2. Aufl. und folgende Paris: Corti. (Deutsche Übersetzung von Renate Böschenstein-Schäfer. Bern/München: Francke, in Vorbereitung.)

*689 Charles BAUDELAIRE, *Œuvres complètes*. Texte établi et annoté par Y.-G. Le Dantec. Édition révisée, complétée et présentée par Claude Pichois. (Bibliothèque de la Pléiade 1/7). Paris: Gallimard 1961 [und 1968, verbessert].

*690 ID., *Œuvres complètes*. Hg. von Jacques Crépet (und Claude Pichois). 19 Bde. Paris: Conard 1923–1965.

*690.1 ID., *Œuvres complètes*. Préface, introductions et notes de Marcel Raymond. Lausanne: La Guilde du livre 1967.

691 Jean POMMIER, *La mystique de Baudelaire*. Paris: Les Belles Lettres 1932.

692 Marcel RAYMOND, «Note sur le 'spirituel' baudelairien». In: *Mélanges Paul Laumonier*. Paris: Droz 1935, 527–541.

*693 Arthur RIMBAUD, *Œuvres*. Hg. von Suzanne Bernard. Paris: Garnier 1960.

*694 ID., *Sämtliche Dichtungen*. Französisch, mit deutscher Übertragung von Walther Küchler. Heidelberg 1965. (Auch Rowohlts Klassiker 135–137.)

*695 ID., *Briefe, Dokumente*. Übersetzt von Curd Ochwadt. (Rowohlts Klassiker 155–156.) Reinbek 1964.

696 Jean-Marie CARRÉ, *La vie aventureuse de Jean-Arthur Rimbaud*. Paris: Plon 1926.

697 A. ROLLAND DE RENÉVILLE, *Rimbaud le voyant*. Paris: Au Sans Pareil 1929.

698 François RUCHON, *Jean-Arthur Rimbaud*. Sa vie, son œuvre, son influence. Paris: Champion 1929.

699 Jacques RIVIÈRE, *Rimbaud*. Paris: Kra 1930.

700 Raymond CLAUZEL, *Une Saison en enfer et Arthur Rimbaud*. Paris: Malfère 1931.

701 André DHÔTEL, «L'œuvre logique de Rimbaud». In: *Cahiers ardennais* N° 7. Mézières 1933.

702 Benjamin FONDANE, *Rimbaud le voyou*. Paris: Denoël et Steele 1933.

703 André FONTAINE, *Génie de Rimbaud*. Paris 1934.

704 ETIEMBLE ET GAUCLÈRE, *Rimbaud*. Paris: Gallimard 1936. (Neuauflage 1950.)

705 DANIEL-ROPS, *Rimbaud*. Le drame spirituel. Paris: Plon 1936.

706 Stéphane MALLARMÉ, *Œuvres complètes*. Hg. von Henri Mondor und G. Jean-Aubry. (Bibliothèque de la Pléiade 65.) Paris: Gallimard 1945.

707 Paul VALÉRY, *Variété II*. Paris: Gallimard 1929. [Über Mallarmé.]

708 Albert THIBAUDET, *La poésie de Stéphane Mallarmé*. Paris: Gallimard 1930.

709 André BRETON, *Manifestes du surréalisme*. Paris: Pauvert 1962.

*710 ID., *Die Manifeste des Surrealismus*. Deutsch von Ruth Henry. Reinbek: Rowohlt 1968. (Unsere Zitate sind dieser Übersetzung entnommen.)

711 ID., *Les vases communicants*. Paris: Gallimard 1967.

712 Louis ARAGON, *Une vague de rêves*. [Nicht im Buchhandel; Kopie des Autographs]. 1924.

713 Paul ELUARD, *A toute épreuve*. Paris: Éditions Surréalistes 1930.
714 ID., *La vie immédiate*. Paris: Editions des Cahiers libres 1932.
715 ID., *La rose publique*. Paris: Gallimard 1934.
716 Léon-Paul FARGUE, *Banalité*. Paris: Gallimard 1928.

TRÄUME BEI JEAN PAUL

Albert Béguin hat folgende Träume aus Jean Pauls Werk zusammengestellt und in französischer Übersetzung unter dem Titel *Jean Paul, Choix de rêves* herausgegeben [Werknummer 329]:

Titel in *Kursivsatz* von Jean Paul, übrige von A. B.	Werktitel	Kapitel	Entstehungsdatum	Hist.-Krit. Ausg. [313]
Die Wahrheit – ein Traum	«Übungen im Denken» Bd. 1	XIII. Untersuchung	Mai 1781	II, 1, 85 ff.
Abelards Traum am Sterbebett von Heloise	«Abelard und Heloise»		Januar 1781	II, 1, 143
Abelards Traum auf Heloisens Grab	id.			II, 1, 150 f.
Das Leben nach dem Tode			1790	II, 3, 252 ff.
Traum des sterbenden Wutz	«Leben des vergnügten Schulmeisterleins Maria Wutz in Auenthal»		Dezember 1790	I, 2, 445
Der Traum Gustavs von Beata	«Die unsichtbare Loge»	33. Sektor	1792	I, 2, 285 f.
Der Traum vom Himmel	id.	4. Freudensektor		I, 2, 382 ff.
Ausläuten oder sieben letzte Worte an die Leser der Lebensbeschreibung und der Idylle	id.			I, 2, 447 ff.
Emanuels Entzückung	«Hesperus»	15. Hundsposttag	1792 bis 1794	I, 3, 217 ff.
Klotilde in Viktors Traum	id.	19. Hundsposttag		I, 3, 282 ff.
Brief Emanuels an Horion über den «größten Gedanken des Menschen»	id.	25. Hundsposttag		I, 3, 398 ff.
Viktors Traum «in der Nacht des dritten Ostertags»	id.	30. Hundsposttag		I, 4, 89 f.
Viktors Traum am Frühlingsanfang	id.	31. Hundsposttag		I, 4, 100 ff.
Die selige Nachmitternacht	id.	38. Hundsposttag		I, 4, 235 ff.
Traum Emanuels, daß alle Seelen Eine Wonne vernichte	id.	38. Hundsposttag	Geschrieben am Todestag von Moritz, 26. Juni 1793	I, 4, 244 ff.

Titel in *Kursivsatz* von Jean Paul, übrige von A. B.	Werktitel	Kapitel	Entstehungsdatum	Hist.-Krit. Ausg. [313]
Der Tod eines Engels	«Quintus Fixlein»	Mußteil für Mädchen	1788/1792	I, 5, 41 ff.
Die Mondsfinsternis	id.	id.	1795	I, 5, 32 ff.
Den 1. Mai	«Biographische Belustigungen unter der Gehirnschale einer Riesin»	Erste biographische Belustigung	Sommer 1795	I, 5, 265 ff.
Der Traum im Traum	«Siebenkäs»	Zweites Blumenstück	18. Juni 1795	I, 6, 253
Rede des toten Christus vom Weltgebäude herab, daß kein Gott sei	id.	Erstes Blumenstück	3. August 1789 vor 7. Juli 1790/1795	I, 6, 247 ff.
Die Vernichtung. Eine Vision	«Dr. Katzenbergers Badereise»	Zweites Bändchen. Werkchen	April 1796	I, 13, 242 ff.
Appendix des Appendix oder meine Christnacht	«Der Jubelsenior»		Um Weihnachten 1796	I, 5, 516
Der «verhüllte Träumer» Albano auf Isola Bella	«Titan»	1. Zykel	1792 bis 1802	I, 8, 7 ff.
Süßes Blutvergießen	id.	4. Zykel		I, 8, 26 ff.
Der blutige Traum	id.	8. Zykel		I, 8, 43 ff.
Lianens Brief («Wie nach einem warmen Regen das Abendrot [...]»)	id.	43. Zykel		I, 8, 194 f.
Der Traum Albanos	id.	99. Zykel		I, 9, 189 ff.
Fahrt nach Ischia	id.	109. Zykel		I, 9, 250 ff.
«Sein Traum war ein unaufhörliches Lied...»	id.	110. Zykel		I, 9, 255
«Die drei Wachskinder in meinem Traum»	«Flegeljahre»	Nr. 32	1795 bis 1805	I, 10, 223
Träumen	id.	Nr. 35	1795 bis 1805	I, 10, 238
Traum	id.	Nr. 64	1805	I, 10, 476 ff.
Traum von einem Schlachtfelde	«Herbst-Blumine»	Drittes Bändchen, V	Juni 1813	I, 17, 306 ff.
Traum eines bösen Geistes von seinem Abfalle	Verstreut gedr. Schriften		Juni 1818	I, 18, 217 ff.
Traum über das All	«Der Komet»	Erstes Bändchen	1819/20	I, 15, 113 ff.

VERÖFFENTLICHUNGEN VON ALBERT BÉGUIN
(Auswahl)

Gérard de Nerval. Paris: Corti ²1945 (Verschiedene Neudrucke).
Nos Cahiers. Cours poétique du Rhône. Les Cahiers du Rhône I. Neuchâtel: La Baconnière 1942.
La Prière de Péguy. Ibid., 1942 (Verschiedene Neudrucke).
Balzac visionnaire. Propositions. Genf: Skira 1946. Auch in: *Balzac lu et relu.* Neuchâtel/Paris: La Baconnière/Le Seuil 1965.
Léon Bloy, mystique de la douleur. Paris: Le Seuil ²1955.
L'Ève de Péguy. Essai de lecture commentée suivi de documents inédits. Paris: Le Seuil ²1955.
Patience de Ramuz. Neuchâtel: La Baconnière 1950.
Blaise Pascal in Selbstzeugnissen und Bilddokumenten *(Pascal par lui-même.* 1952). Reinbek bei Hamburg: Rowohlt 1959.
L'Inde, les Indes. Neuchâtel: La Baconnière 1953.
Georges Bernanos in Selbstzeugnissen und Bilddokumenten *(Bernanos par lui-même.* 1954). Reinbek bei Hamburg: Rowohlt 1958.

Aufsatzsammlungen:

Poésie de la présence. De Chrétien de Troyes à Pierre Emmanuel. Neuchâtel/Paris: La Baconnière/Le Seuil 1957.
Création et Destinée. Essais de critique littéraire. (Bd. I: L'âme romantique allemande – L'expérience poétique – Critique de la critique. Bd. II: Les poètes – Les romanciers. En appendice: L'humanisme de s. Bernard de Clairvaux.) Neuchâtel/Paris: La Baconnière/Le Seuil 1972f.

*

Pierre Grotzer: *Les Ecrits d'Albert Béguin.* Essai de bibliographie. Neuchâtel: La Baconnière 1967. (Analytisch nach behandelten Autoren; mit Nachtrag insgesamt über 1000 Titel. Ein Inventar des gesamten Nachlasses ist in Vorbereitung.)

NAMENREGISTER

Abraham, Pierre, 535
Aeppli, Willi, 518
Agrippa von Nettesheim, 72 f.
Aischylos, 192 f.
Alain-Fournier, Henri, 10, 185
Albin, Séb. [Mme Hortense Cornu], 526
Alexandre, Maxime, 511
Alt, Joh., 522
Altenhofer, Norbert, 531
Alter, André, 502
Amelung, Heinz, 527, 529
AMIEL, H.-F., 48, 58, 60, *421–425*, 499, *535*
Apel, Johann August, 519
Apollinaire, Guillaume, 375, 489
Aragon, Louis, 7, 468, 493, 503, 537
Aristoteles, 24, 424
ARNIM, ACHIM VON, 9 f., 157, *189*, 199, 266, 291, *292–325*, 326, 329, 337, 379 ff., 388, 394, 460, 465, 468, 475, 477, 480, 508, 510, *525 f.*
ARNIM, BETTINE VON, 57, *292–300*, 307, 499, 510, *525 f.*, 527
Arnim, Sophie von, 520
Arnold, Gottfried, 135
Audiat, Pierre, 536
Ayrault, Roger, 383–388, 511, *530*

BAADER, FRANZ VON, 74, 84, 86, *87*, 89 f., 91 f., 95 ff., 99 f., 104, 106 f., 109, 114, 131, 133, 135, 165, 182, 444, *516*
Babelon, André, 520
Bach, Hans, 522
Bachofen, Johann Jakob, 510
Baeumler, Alfred, 510
Baldensperger, Fernand, 488, 494, 532
Ballard, Jean, 495, 511
Balzac, Honoré de, 10, 44, 395, 487 f., 501, 503, 532
Barbey d'Aurevilly, 48, 534
Barine, Arvède, 514
Barthès, Emile, 535
Bartholdy, Jakob L. Salomo, 296
Basedow, Johann Bernhard, 43
BAUDELAIRE, CHARLES, 94, 141, 210, 327 f., 333, 337, 346, 361, 373, 395, 400, 414, 429, 439 f., 441, *451–457*, 464 f., 466, 475, 477, 480 f., 495, *537*

Baumgardt, David, 516
Beausobre, Louis de, 512
Beethoven, Ludwig van, 113, 356
Béguin, Albert, 511, 522, 525, 528, 536 f.
Beißner, Friedrich, 520
Belke, Iduna, 518
Bender, E., 534
Bengel, Johann Albrecht, 135
Benjamin, Walter, 488, 493
Berend, Eduard, 493, 521 ff., 529
Bergemann, Fritz, 526
Bergson, Henri, 115, 509
Bernanos, Georges, 488, 503
Bernard, Suzanne, 537
Bernhardi, August Ferdinand, 288
Bernoulli, Christoph, 515, 518 f.
Berret, Paul, 536
Bertaux, Félix, 493
Bertaux, Pierre, 521
Bertram, Ernst, 513
Besset, Maurice, 524
Betz, Albrecht, 531
Betz, Louis-Paul, 532
Bianquis, Geneviève, 488, 492, 521, 523, 528, 531
Biedermann, F. F., 520, 530
Binswanger, Ludwig, 24, 508, 509
Bjerre, Poul, 509
Blum, Jean, 515
Böhm, Wilhelm, 521
Böhme, Jakob, 30, 62, 67, 73, 89, 97, 118, 135, 286, 302, 396
Bonafous, Raymond, 530
Bonaventura, 375, 519, 531
Bonnet, Charles, 424
Bonwetsch, Gottlieb Nathanael, 519
Bopp, Léon, 535
Borel, Adrien, 509
Borel, Pétrus, 395
Bottacchiari, Rod., 531
Boucher, Maurice, 511
Bouillier, Victor, 513
Bourignon, Antoinette de, 135
Bournac, Olivier, 521 f., 528
Bousquet, Jacques, 508
Bousquet, Joë, 488, 495
Bouvier, Bernard, 535

INHALT